DEUTSCHE
LITERATURGESCHICHTE

D1088339

DEUTSCHE LITERATUR- GESCHICHTE

Von den Anfängen bis zur Gegenwart

Dritte, überarbeitete Auflage
Mit 400 Abbildungen

Von
Wolfgang Beutin, Klaus Ehlert,
Wolfgang Emmerich, Helmut Hoffacker,
Bernd Lutz, Volker Meid,
Ralf Schnell, Peter Stein und Inge Stephan

J.B. Metzlersche Verlagsbuchhandlung
Stuttgart

Die einzelnen Kapitel bzw. Abschnitte wurden verfaßt:

S.   1– 50 von Bernd Lutz;
S.   51– 84 von Wolfgang Beutin;
S.   85–120 von Volker Meid;
S. 121–200 von Inge Stephan;
S. 201–258 von Peter Stein;
S. 259–303 von Klaus Ehlert;
S. 304–316 von Helmut Hoffacker;
S. 317–333 von Klaus Ehlert;
S. 334–343 von Helmut Hoffacker;
S. 344–426 von Inge Stephan;
S. 427–510 von Wolfgang Emmerich;
S. 511–608 von Ralf Schnell.

CIP-Titelaufnahme der Deutschen Bibliothek

Deutsche Literaturgeschichte : von den Anfängen bis zur
Gegenwart / von Wolfgang Beutin ... – 3., überarb. Aufl. –
Stuttgart : Metzler, 1989
   ISBN 3-476-00667-0
NE: Beutin, Wolfgang [Mitverf.]

Dieses Werk einschließlich aller seiner Teile ist urheberrechtlich geschützt.
Jede Verwertung außerhalb der engen Grenzen des Urheberrechtsgesetzes ist
ohne Zustimmung des Verlages unzulässig und strafbar. Das gilt insbesondere für Vervielfältigungen, Übersetzungen, Mikroverfilmungen und die Ein-
speicherung und Verarbeitung in elektronischen Systemen.

© 1989 J.B. Metzlersche Verlagsbuchhandlung
und Carl Ernst Poeschel Verlag GmbH in Stuttgart
Einbandgestaltung: Willy Löffelhardt
Satz: Typobauer Filmsatz GmbH, Scharnhausen
Druck: Friedrich Pustet, Regensburg
Printed in Germany

INHALT

V

Die deutsche Literatur des Exils

Der Exodus *400* · Die Lebensbedingungen im Exil *402* · Kampf um die Einheitsfront der Exilautoren *404* · Expressionismus- und Realismusdebatte *407* · Die besondere Rolle des historischen Romans *411* · Antifaschistische Literaturpraxis *414* · Die Rolle Bertolt Brechts *419*

Die Literatur der DDR

Administration statt Revolution: Grundzüge der Gesellschafts- und Kulturpolitik *427* · Modell »Literaturgesellschaft« *430* · Kein »Nullpunkt«: Das Programm der antifaschistisch-demokratischen Erneuerung *439* · Die Auseinandersetzung mit der »neuen Produktion« *449* · Im Zeichen nationalstaatlicher Konsolidierung und neuer Widersprüche *464* · Wider die instrumentelle Vernunft. Die Literatur der 70er und 80er Jahre *482*

Die Literatur der Bundesrepublik

»Als der Krieg zu Ende war« *511* · Kapitalismus statt Sozialismus: Determinanten der politisch-kulturellen Restauration *513* · Der Literaturbetrieb *518* · Die Literatur der frühen Jahre: »Nullpunkt«, Umbruch oder Kontinuität? *530* · Literatur versus Politik — Schreibweisen der 50er Jahre *541* · Die Politisierung der Literatur *557* · »Tendenzwende« — Literatur zwischen Innerlichkeit und alternativen Lebensformen *585* · Widerstand der Ästhetik — Die Literatur der 80er Jahre *595*

VORWORT

Als dieses Buch 1979 erstmals erschien, war das Feld der Literaturgeschichtsschreibung von Darstellungen beherrscht, die um 1950 entstanden waren und im Zeichen der nach 1945 gebotenen »Ideologiefreiheit« an die seit Wilhelm Dilthey üblich gewordene geistesgeschichtliche Betrachtung der deutschen Literaturentwicklung angeknüpft hatten. Wie sehr die mit diesem hilflosen Rückgriff in Kauf zu nehmenden Unzulänglichkeiten auf den Deutschunterricht der Generation, der die Autoren dieser Literaturgeschichte entstammen, eingewirkt haben, zeigt die Tatsache, daß das Warum und Wozu einer neuen literaturgeschichtlichen Sichtweise erst Mitte der siebziger Jahre neu begründet worden ist. Inzwischen darf die Bedeutung der sozialgeschichtlichen Dimension von Literatur, die hier neben der ästhetischen besonders ins Blickfeld gerückt worden ist, als Gemeingut der Literaturbetrachtung gelten. Die Anerkennung, welche der *Deutschen Literaturgeschichte* in den vergangenen zehn Jahren entgegengebracht worden ist, betrachten deren Verfasser als Bestätigung ihrer Absicht, über Strecken hinweg mit den Darstellungs-, Einteilungs- und Auswahlprinzipien herkömmlicher Art zu brechen und ein neues literarisches Selbstverständnis sichtbar zu machen.

An dieser Stelle seien zwei Grundsätze wiederholt, die aus den Debatten um Konzeption und Gestaltung dieses Buchs als gemeinsame Auffassung hervorgingen. Demnach meint eine sozialgeschichtliche Begründung der Literaturbetrachtung keine Einbettung der Literatur in politische, soziale oder ideologische Prozesse; vielmehr kam es entscheidend darauf an, die künstlerische Eigenständigkeit literarischer Produktivität auf diesen Hintergründen herauszuarbeiten, um das Sich-Abfinden der Literatur mit den »menschlichen Verhältnissen« ebenso zu beschreiben wie den Einspruch gegen sie. Indem literarische Veränderung und sozialer Wandel aufeinander bezogen wurden, konnte der ebenso prinzipielle wie produktive Widerspruch von ästhetischer Illusion und sozialer Wirklichkeit aufgedeckt und Literatur in der Dynamik dieses Widerspruchs als »Organon der Geschichte« (Walter Benjamin) begreiflich gemacht werden – selbst da, wo sie schließlich unterlegen ist. – Zum zweiten schien es den Autoren richtig, Literatur nicht als historisches und damit »abgetanes« Dokument, sondern als Speicher geschichtlicher Erfahrung zur Sprache zu bringen und auf die heutige Situation zu beziehen. Dabei ist jedoch zu beachten, daß das in den literarischen Werken geborgene Wissen nicht einfach als »feste Wahrheit«, »konkrete Substanz« oder »Sinnaussage« zu entnehmen ist, sondern erst in der Vermittlung mit dem lesenden Subjekt und dessen in der Gegenwart gemachten Erfahrungen bedeutungsvoll wird.

Als Konsequenzen für die Darstellung der vorliegenden Literaturgeschichte ergaben sich daraus im einzelnen die folgenden Leitlinien: chronologisches Vorgehen, wobei aber den einzelnen Zeiträumen unterschiedliches Gewicht gegeben wird und die Belange des 20. Jahrhunderts, vor allem die beiden deutschen Literaturen nach 1945, entschieden betont werden; Orientierung der Epochengliederung an den Einschnitten der politischen Geschichte bei Beachtung des ungleichzeitigen Verhältnisses von materieller und künstlerischer Produktivität; Entfaltung und Problematisierung der geschichtlichen Dimension von Literatur am Anfang einer jeden neuen Epoche, wobei die konstitutiven Leitfragen herausgearbeitet werden, mit deren Hilfe der literaturgeschichtliche Prozeß exemplarisch zu verdeutlichen ist; Auswahl der Schriftsteller und ihrer Werke nach funktionalen Gesichtspunkten, d. h. Verzicht auf Vollständigkeit in Autor- und Werkaufzählung, statt dessen Vorrang des Exemplarischen: die Nichterwähnung eines Autors bzw. eines Werkes hat grundsätzlich keinen wertenden Charakter.

was ist neu?

Wie schon die zweite Auflage, ist auch diese dritte stark verändert und in Teilen erweitert worden. Dies betrifft zunächst die äußere Gestaltung, die in der alten Anordnung – einer Mischung aus fortlaufender Darstellung, eingestreuten Originalzitaten und Informationstexten – als nicht mehr zeitgemäß erschien. Sämtliche Kapitel sind sachlich und stilistisch überarbeitet und erweitert worden, ohne daß dies hier im einzelnen kenntlich gemacht werden kann. Dabei wurden neuere und neueste Entwicklungen bzw. Forschungsergebnisse berücksichtigt. Schließlich ist das Abbildungsmaterial, das von Anbeginn an das Buch als eine zweite, »sprechende« Ebene begleiten sollte, verbessert und mehr als verdoppelt worden.

September 1989

MITTELALTERLICHE LITERATUR

Eine romantische Wiederentdeckung

Die deutsche Literatur des Mittelalters liegt nicht so überschaubar vor uns, wie dies für spätere Epochen gelten mag oder gilt. Vergegenwärtigen wir uns zum einen, daß sie von den frühesten Zeugnissen in der Mitte des 8. bis zu ihrem Ausklang im 15. Jahrhundert einen Zeitraum von mehreren Jahrhunderten umfaßt, eine ebenso lange Zeitspanne, wie die Literatur vom Frühhumanismus bis in die allerjüngste Moderne beansprucht. Zumindest für die Anfänge ist die Überlieferung spärlich und zufällig; eine Schätzung des Umfangs der ein für alle Male untergegangenen und dem historischen Zugriff entschwundenen Literatur ist im Verhältnis zur erhaltenen nicht möglich. Im Unterschied zur deutschen Literatur – und dies gilt selbstverständlich auch für andere nationale Literaturen – seit dem 15. Jahrhundert, deren Ausmaß und Verhältnis wir dank der durch den Buchdruck gesteigerten Auflagenzahl und damit Bewahrungschance gut kennen, steht der Literatur der Frühzeit entgegen, daß sie ausschließlich mündliche Traditionen besaß und selbst mit dem Aufkommen der schriftlichen Fixierung dem Liebhaber-Interesse späterer Generationen unterworfen war. Absichtsvolles Sammeln und authentisches Archivieren der mündlichen Tradition waren nicht die Regel. Sehr viel stärker als in anderen Epochen sind wir bei der mittelalterlichen Literatur auf die mehr oder weniger geistreiche Rekonstruktion der vermutlichen Literaturverhältnisse angewiesen. Diese über mehrere Jahrhunderte zu beschreibende Literatur erweckt den Eindruck, als habe sie sich zunächst nur »spärlich gerührt« und erst »allmählich entfaltet«. Ursache für diesen Eindruck ist unsere schriftliche Kultur, derzufolge wir Literatur unmittelbar mit der schriftlichen Fixierung gleichsetzen. Über die Form und Funktion mündlich vorgetragener und weitervererbter Stammes- und Gemeinschaftsliteratur in der Vor- und Frühgeschichte fast aller Völker sind einigermaßen umfassende Aussagen kaum realistisch.

Was wissen wir von den Anfängen?

Mangelndes Tatsachenwissen ist also ein wichtiger Grund, weshalb wir uns bei der Einschätzung der mittelalterlichen Literatur insbesondere der Frühzeit auf unsicherem Boden bewegen. Entscheidender noch für unsere Auffassung vom Mittelalter und dessen Literatur ist – nach philologischen Ansätzen im Humanismus, nach den editorischen Bemühungen von Bodmer und Breitinger um die Heidelberger Liederhandschrift und das *Nibelungenlied* in der Mitte des 18. Jahrhunderts – seine Wiederentdeckung durch die deutsche Romantik; trotz allem der Zeit möglichen philologischen Ernst wohnte ihr eine spekulative Verzeichnungstendenz inne – in der Kunstprogrammatik um 1800 beschrieben durch die Polarisierung von klassisch-endlichem Formwillen, repräsentiert durch die heidnische Antike, und romantisch-unendlicher Progression, der das christliche Mittelalter zuzuordnen war. Die romantische Wiederentdeckung des Mittelalters erfolgte zu einem Zeitpunkt, als sich im Zug der rationalistischen Aufklärungskritik eine reflexive Geschichtsauffassung bildete, die sich nicht mehr mit den Tatsachen

Glorifizierung der deutschen Vergangenheit: Heinrich der Löwe verteidigt Friedrich Barbarossa gegen die rebellierenden Römer (Gemälde von F. und J. Riepenhausen – Rom 1825)

allein, sondern auch mit deren fortschrittlich-rückschrittlicher Deutung befaßte. Jenseits der traditionellen christlichen Geschichtsteleologie, die durchgängig Weltgeschichte als Heilsgeschehen interpretiert hat, wurde das romantische Mittelalterbild Ausgangspunkt der nationalpädagogischen Sammlungsbewegung des 19. Jahrhunderts. Dem ordnete sich mühelos die künstlich anmutende Wiederaufwertung der »abendländischen Katholizität« unter, und in der Tat hat die romantische Generation zahlreiche Konversionen zum Katholizismus aus diesem geschichtsphilosophischen Grund zu verzeichnen. Novalis ging in seinem *Heinrich von Ofterdingen* so weit, den Protestantismus der »Insurgenz« zu bezichtigen und damit hinter den Kampf um »alten« und »neuen« Glauben während der Reformation zurückzugreifen.

Der romantische Begriff »Mittelalter«

Schon der romantische Begriff »Mittelalter« ist für heutige philologisch-historische Begriffe unscharf. Er umfaßte die frühgeschichtliche Zeit bis hin zu Dürer, und erst das Zeitalter der Herausbildung der neuzeitlichen Subjektivität durfte den Anspruch der Moderne stellen. Die romantisierenden Zeitgenossen, allen voran Tieck, Wackenroder, die beiden Schlegel und Novalis sahen im Mittelalter eine heilsgeschichtlich ausgesöhnte Epoche, die durch ihre klare ständisch-hierarchische Gesellschaftsstruktur, durch den Primat von christlicher Religiosität als *dem* Verständigungsmedium über das Verhältnis von Gott, Mensch und Welt und durch die scheinbar stabilen Verhältnisse des staufischen Reiches nach innen und nach außen ein glänzendes, geschichtsloses Gegenbild zu den vom Kampf gegen Napoleon, ersten Entfremdungserfahrungen (u.a. der gesellschaftlichen Ohnmacht der Kunst), wirtschaftlicher und sozialer Depression und einer dezidierten Aufklärungskritik bestimmten Zeithintergrund zu Beginn des 19. Jahrhunderts bildete. Unter diesem Eindruck stand F. Schlegels Votum: »Der revolutionäre Wunsch, das Reich Gottes zu realisieren, ist der elastische Punkt der progressiven Bildung und der Anfang der modernen Geschichte.« Ähnlich läßt sich Novalis in seinem programmatischen Buch *Die Christenheit oder Europa* (1799) vernehmen: »Es waren schöne glänzende Zeiten, wo Europa ein christliches Land war, wo Eine Christenheit diesen menschlich gestalteten

Weltteil bewohnte; Ein großes gemeinschaftliches Interesse verband die entlegensten Provinzen dieses weiten geistlichen Reichs. – Ohne große weltliche Besitztümer lenkte und vereinigte Ein Oberhaupt die großen politischen Kräfte. – Eine zahlreiche Zunft, zu der jedermann den Zutritt hatte, stand unmittelbar unter demselben und vollführte seine Winke und strebte mit Eifer seine wohltätige Macht zu befestigen, jedes Glied dieser Gesellschaft wurde allenthalben geehrt, und wenn die gemeinen Leute Trost oder Hülfe, Schutz oder Rat bei ihm suchten und gerne dafür seine mannigfaltigen Bedürfnisse reichlich versorgten, so fand es auch bei den Mächtigeren Schutz. Ansehn und Gehör, und alle pflegten diese auserwählten, mit wunderbaren Kräften ausgerüsteten Männer wie Kinder des Himmels, deren Gegenwart und Zuneigung mannigfachen Segen verbreitete. Kindliches Zutrauen knüpfte die Menschen an ihre Verkündigungen. – Wie heiter konnte jedermann sein irdisches Tagewerk vollbringen, da ihm durch diese heilige Menschen eine sichere Zukunft bereitet und jeder Fehltritt durch sie vergeben, jede mißfarbige Stelle des Lebens durch sie ausgelöscht und geklärt wurde. Sie waren die erfahrnen Steuerleute auf dem großen unbekannten Meere, in deren Obhut man alle Stürme geringschätzen und zuversichtlich auf eine sichre Gelangung und Landung an der Küste der eigentlichen vaterländischen Welt rechnen durfte.«

In solchem kunsttheoretischen wie geschichtsphilosophischen Programm meldet sich die Wiederentdeckung des Mittelalters, dessen Aktualisierung als Gegenbild zum modernen Unbehagen, als rückwärtsgewandte Utopie an. Die frühe Germanistik, vertreten durch die Brüder Grimm, Karl Lachmann, Moriz Haupt u.a.m., war der rationalistische Ausdruck dieser Sehnsucht. War diese Germanistik im Kontext der Aufdeckung der Geschichte der deutschen Nationalliteratur und der Geschichte der deutschen Sprache zunächst an einem emphatischen Volksbegriff orientiert und schien Gelehrten wie Jakob Grimm die Verbindung von Germanistik und Geschichtswissenschaft als selbstverständlich – zum politischen Fall sollte sie werden, als das geschichtsphilosophische Modell durch Nationalliberale wie A. Müller und J.G. Fichte organologisch auf die preußische Vorherrschaft in Deutschland zugespitzt wurde. Demnach bildete das deutsche Volk nunmehr als mythische Kategorie den irrationalen Faktor der nationalen Propaganda der Befreiungskriege. Solch militante Kategorien wie »Frankreich, Deutschlands Erbfeind« resultieren aus dieser Auffassung und haben die tatsächliche Entwicklung wie die Ideologiegeschichte Deutschlands bis in den Zweiten Weltkrieg hinein bestimmt. Für diese Kontinuität spricht nicht nur das introvertierte Mittelalterbild der Romantik, sondern vor allem der Reichspropagandakitsch der Gründerzeit, sprechen Richard Wagner und Bayreuth ebenso wie die nationalsozialistischen Vereinnahmungen der »heroischen« Vorzeit des deutschen Volkes.

In diesem nationalistischen Kontext der philologischen Erforschung und ideologischen Wertung des deutschen Mittelalters nimmt es nicht wunder, daß erst nach dem Ende des Zweiten Weltkriegs eine gültige gemeineuropäische Perspektive in die Philologie des Mittelalters hineingetragen werden konnte. Ernst Robert Curtius hat in seinem epochemachenden Buch *Europäische Literatur und lateinisches Mittelalter* (1948), oft in hartnäckiger Auseinandersetzung mit einem der wichtigsten, noch der nationalliberalen Germanistik des 19. Jahrhunderts verhafteten Mediävisten, Gustav Ehrismann, die gemeineuropäische Verflechtung der mittelalterlichen Literaturen vor Augen geführt. Die angelsächsische, die deutsche, die französische, die italienische Literatur des Mittelalters hängen teilweise eng miteinander zu-

Tristan im Dienst der völkisch-nationalen Erneuerung

Europäische Literatur und lateinisches Mittelalter

*Philologie
und Geschichte –
ein Manifest*

sammen und beeinflussen sich gegenseitig; sie fußen gemeinsam auf der lateinischen und griechischen Antike, ein Einwirken islamisch-arabischer Kulturideale und Dichtungsformen ist – in der kulturkämpferischen Auseinandersetzung mit anderen Religionen, nicht zuletzt dem Judentum – unübersehbar. Es hat im Sinne der Romantiker eine autochthone deutsche Entwicklung nie gegeben, sie entsprang geschichtsphilosophischem Wunschdenken. Diese Erkenntnis hat Ernst Robert Curtius auch auf die philologische Praxis zu übertragen gesucht: »Im 20. Jahrhundert hat man vielfach der Altertumswissenschaft das wertsetzende Beiwort ›klassisch‹ entzogen, aber sie selbst ist dem Vermächtnis ihrer Gründer treu geblieben. Diese universale, Philologie und Geschichte vereinende Auffassung der Antike ist ein schönes Vorrecht der deutschen Altertumsforschung geblieben und hat reiche Frucht getragen. Von der Erforschung des Mittelalters kann das Gleiche leider nicht gesagt werden. Die Mittelalter-Forschung entstand im Zeichen der Romantik und hat die Spuren dieser Abkunft nie abgestreift. Altgermanisches Rekkentum, Minnesang und Ritterzeiten – um sie wob die Romantik duftige Bilder. Die deutsche Erhebung von 1813 verschmolz sie mit dem nationalen Wollen einer neuen Jugend. Forscher, unter denen manche zugleich Dichter waren, stellten die Texte her und wirkten am Bilde deutscher Vergangenheit [...] Nur die Zusammenarbeit der verschiedenen Mittelalter-Wissenschaften kann das kulturhistorische Problem des höfischen und ritterlichen Ethos lösen, wenn es lösbar ist. Der mittelalterliche Philolog muß die mittelalterliche Geschichtswissenschaft danach abfragen, was sie über die mittelalterlichen Standesideale, ihre konkreten politischen, militärischen, wirtschaftlichen Bedingtheiten mitzuteilen weiß [...] Diese Andeutungen genügen vielleicht, um zu zeigen, daß wir eine neue Mittelalter-Wissenschaft auf breitester Grundlage brauchen.« Am thesenhaften Zugriff auf das Mittelalter wird sich grundsätzlich nichts ändern, er wird stets stärker ins Auge fallen als bei anderen Epochen, aber der universalistische, auf die tatsächlichen Machtverhältnisse im synkretistischen Mittelalter Europas konzentrierte Anspruch, dem Ernst Robert Curtius hartnäckig das Wort redete, hat gegenüber dem nationalistischen die große Chance, sich den konkreten Bedingungen anzunähern, denen die Literatur als eine von anderen kulturellen Manifestationen unterlag.

Germanisch-heidnische Dichtung, Heldenlied

Die früheste Dichtung auf deutschem Boden ist heidnische Stammes- und Gefolgschaftsdichtung, die nur in ganz wenigen Beispielen, zudem in Überlieferungen späterer Zeit, erhalten ist. Sie ist volkssprachiges Dialektdenkmal, und damit kann zumindest – aufgrund der sprachgeographischen Analyse, die meist Lautstand und Orthographie umfaßt – der Ort oder der Sprachraum ihrer endgültigen Niederschrift lokalisiert werden. Diese früheste Literatur ist außerhalb ästhetischer Belange zu sehen, wie wir sie in der Moderne gewohnt sind; die frühe Germanistik hat sie als Sprachdenkmal behandelt. Das feierlich gesprochene oder gesungene Wort war Begleiter magischer Rituale, in denen um Schutz und Beistand der Stammesgottheiten gebeten wurde. Opferverse, Orakelsprüche und Zauberformeln mögen sich angeschlossen haben, wie sie auch außerhalb des europäischen Kulturkreises bei stammesverfaßten Völkerschaften bekannt geworden sind. Der gesamte Umkreis der alltäglichen Sorgen und Hoffnungen einer politisch als Stamm, wirtschaftlich als vorwiegend agrarisch verfaßten Tauschgesellschaft wird in diese magischen Textformen einzubeziehen sein.

Aus dieser Vorzeit stammen die beiden bekanntesten Zeugnisse, die *Merseburger Zaubersprüche*, die erst im 10. Jahrhundert schriftlich festgehalten worden sind. Der zweite Spruch setzt mit einem epischen Bericht ein, der in zwei Stabreimlangzeilen gefaßt ist: Phol und Wodan reiten in den Wald, als sich ein Pferd das Bein vertritt. Auf einer zweiten Sprechebene setzt nun der magische Beschwörungsversuch ein; er wird dreifach wiederholt, weil er die beiden ersten Male mißlingt, und erst als Wodan in seiner Eigenschaft als Herr der Zauberkunst selbst besprochen wird, steht die Heilung des Pferdes in Aussicht. Dann folgen, auf einer dritten, imperativischen Sprechebene, die Krankheitsanrede und der Heilungsbefehl. Der klare Aufbau des zweiten *Merseburger Zauberspruchs*, der gleichgeordnete Wechsel der Sprechebenen, in denen ja magische Kräfte zu sehen sind, die Geschehnisse bewirken, weist ihn als aus germanischer Frühzeit stammend aus. Das Vertrauen in die Hilfsbereitschaft wie die Wirkungsmacht der germanischen Götterwelt ist ungebrochen und kommt selbstbewußt zum Vortrag. Andere bekannt gewordene Zeugnisse magischer Spruchdichtung sind nicht mehr so eindeutig und zum Teil in Sprechweise wie Beschwörungsformel christlich überlagert (*Lorscher Bienensegen*).

Magisches aus der Vorzeit

Die Zeit der Völkerwanderung hat dieses magisch-natürliche Bewußtsein der germanischen Stämme verändert und erweitert. Ihre Begegnung mit den fremden und ihnen überlegenen Kulturen Spaniens, Italiens und Afrikas veränderte deren Selbstauffassung, weil jetzt das Kriegerische dominieren mußte. Eine neue Heldendichtung bildete sich als natürliche Folge der oft jahrhundertelang andauernden Kämpfe und Wanderbewegungen heraus. Während der Zeit der Völkerwanderung entstanden mehrere Sagenkreise, so der ostgotische mit der Dietrichsage, der Hildebrandsage und dem Lied von der Rabenschlacht, der alemannische mit Walther und Hildegund, der westgotische mit der Hunnenschlachtsage, der nordgermanische mit den Sagen von Beowulf, Wieland dem Schmied, Hilde und Gudrun, und der burgundische mit der Sage von den Nibelungen. Diese Sagenkreise sind – nicht nur im Mittelalter – vielfältig bearbeitet und verändert worden und haben nicht selten ihre ursprüngliche Gestalt ganz verloren.

Völkerwanderung

Als wichtigstes Literaturzeugnis jenes Zeitraums gilt das *Hildebrandslied*, das in einem Fuldaer Codex aus der zweiten Hälfte des 8. Jahrhunderts aufgefunden wurde. Dieser Codex enthält in der Hauptsache zwei Schriften des Alten Testaments, die Weisheit König Salomons und den Jesus Sirach. Auf der ersten und der letzten Seite haben dann zwei Schreiberhände zu Beginn des 9. Jahrhunderts das *Hildebrandslied* eingetragen, soweit der Raum reichen wollte. Erhalten sind 68 Stabreimlangzeilen; das Lied ist unvollständig, der Schluß fehlt. Das *Hildebrandslied* entstammt dem gotischlangobardischen Sagenbereich. Die uns erhaltene Niederschrift aber – als Abschrift einer älteren Vorlage, kaum des Originals – ist mit oberdeutschen und niederdeutschen Spracheigenheiten durchsetzt. Der sagengeschichtliche Weg des *Hildebrandslieds* weist nach Bayern, seine Sprachgestalt muß also ursprünglich oberdeutsch gewesen sein. Es gehört zur Heldendichtung um die Gestalt Dietrichs von Bern, so daß wir seinen Ursprung noch weiter südlich vermuten müssen. Bayern, das Kloster Freising vor allem, war der literarische Umschlagplatz von Dichtung und weltlich-geistlicher Gebrauchsprosa auf dem Weg nach Norden. Wahrscheinlich ist das Lied in

Fulda bearbeitet und auf einen niederdeutschen Sprachstand zubereitet worden; diese Vermutung liegt nahe, weil Fulda in seiner Frühzeit über zahlreiche bayrischstämmige Mönche verfügte und lebhafte Beziehungen zu Regensburg unterhielt, das Freising allmählich den literarischen Rang abgelaufen hatte. – Die Handlung dieses einzig erhaltenen, wenngleich fragmentarischen – nicht nur der Schluß fehlt, auch im laufenden Text scheinen Verse ausgefallen zu sein – heroischen Heldenlieds ist kurz: Hildebrand hat als Gefolgsmann Dietrichs von Bern auf dem Rückzug vor Odoaker vor dreißig Jahren Frau und Sohn in seiner Heimat zurücklassen müssen. Als er endlich heimkehrt, trifft er auf einen Helden der feindlichen Seite. Er erkennt ihn als seinen Sohn und gibt sich selbst zu erkennen. Aber der Sohn mißtraut ihm, wittert ein Ausweichen des Alten vor dem Kampf und verschärft seine durchaus legitime Feindesschelte. Nun muß sich Hildebrand an seiner empfindlichsten Stelle getroffen fühlen, seiner Kriegerehre. Damit wird der Kampf zwischen Vater und Sohn unvermeidlich. An dieser Stelle bricht die Fuldaer Fassung ab.

Aus anderen Quellen ist bekannt, daß Hildebrand seinen Sohn tötet. Spätere Fassungen kennen einen versöhnlicheren Schluß, doch haben sie mit der ursprünglichen Gestalt des Liedes kaum mehr etwas gemein. Gerade in der Unausweichlichkeit, in der es die schicksalhafte Begegnung zwischen Vater und Sohn dramatisiert, ist das *Hildebrandslied* der Fuldaer Fassung der ältesten Schicht der heroischen Heldendichtung zuzuordnen. Die rhetorische Grundform ist der Dialog, die kampfeslustige Wechselrede, die auch aus der nordischen heroischen Dichtung bekannt ist. Dennoch repräsentiert es nicht die älteste heroische Dichtung, es setzt ja die Dietrichsage bereits voraus. Viel wahrscheinlicher handelt es sich beim *Hildebrandslied* um eine späte Sproßdichtung dieses Sagenkreises. Dem Anschein nach hat ein langobardischer Dichter des 7. Jahrhunderts einen Wanderstoff aufgegriffen, der keinen Stammesbezug aufwies, und ihn in allen Einzelheiten der gebotenen Gefolgschaftstreue und des auch in der widersprüchlichsten Situation unverbrüchlichen Kriegerethos dem Sagenkreis um Dietrich von Bern in seinem heidnischen Grundbestand zugedichtet.

Hofsänger –
Gelehrtendichter

Die Träger dieser heroischen Stabreimdichtung waren Hofsänger, ihre Dichtung war Standesdichtung für die Ohren der adligen Oberschicht, deren kriegerische Taten sie verherrlichten. Mit der Verdrängung des germanischen Stammeskönigtums und dessen Gefolgschaft durch größere und von außen herangetragene Gesellschaftsformationen verlor nicht nur das heroische Lied, sondern auch der Stand dieser Hofsänger rasch an Bedeutung (Mitte des 9. Jahrhunderts). Der neue Dichter- und Gelehrtentypus ist ausschließlich in den Klöstern zu finden, und er wird die Literatur bis Mitte des 12. Jahrhunderts eindeutig beherrschen. Der Stammes- und Gefolgschaftssänger, der aus germanischer Vorzeit herüberreicht, wird durch den Geistlichen abgelöst. – Es wird deutlich geworden sein, wie stark bereits die heroische Dichtung in Überlieferung und Verbreitung dem ihr wesensfremden christlichen Denken unterworfen war. Die höchst bedeutsame Rolle der mittelalterlichen Klöster für Alphabetisierung und Literarisierung der deutschen Stämme kündigt sich darin an.

Von der karolingischen Renaissance zum Stauferreich: Kulturpolitische Grundlagen

Die Bedeutung Karls des Großen für die Förderung und Verbreitung der schriftlichen Kultur im westfränkischen wie im ostfränkischen Reich kann nicht hoch genug angesetzt werden. Als leidenschaftlicher Vermittler von Bildung, Literatur, Kunst und Wissenschaft hat er im Jahr 813 u.a. verordnet: Jedermann soll seine Söhne zur Schule schicken, entweder in ein Kloster oder aber zu einem Priester. So ließ er auch eine Grammatik seiner Muttersprache erarbeiten. In seinem *Heldenliederbuch* ließ er die wichtigste und früheste Stammesliteratur und heroische Heldendichtung sammeln. Karls Kulturpolitik, die »renovatio studii«, war wesentlicher Bestandteil seiner kaiserlichen Reichspolitik, der »renovatio imperii«, und führte zu einer ersten glanzvollen Vergegenwärtigung der unter den römisch-germanischen Nachfahren fast bedeutungslos gewordenen antiken Klassik. Vor allem in der Kunstgeschichte spricht man von der karolingischen bzw. ottonischen Renaissance (Romanik), welche in weltlicher wie in sakraler Hinsicht (Dombauten) das Gesicht der Epoche der fränkisch-karolingischen und der sächsischen Kaiser geprägt hat.

Die Zeit Karls des Großen ist nicht mehr von der Christianisierung bestimmt, die im wesentlichen längst abgeschlossen war; sein Interesse galt dem Ausbau einer starken und gutorganisierten Reichskirche, die er freilich seinen imperialen Absichten ganz unterwarf. Aber es blieb doch unvermeidlich, daß diese Reichskirche ein eigenes Gewicht bekam und damit zum politischen Faktor wurde, im Laufe der Zeit sogar auf einer eigenständigen, an Rom orientierten Herrschaftssphäre bestand. So sehr es in Karls Absichten lag, den Laienstand der christlichen Kirche und der christlich-antiken Bildung zu unterwerfen und dadurch seinen weltlichen Herrschaftsanspruch zu festigen – in dem Augenblick, in dem die Kirche ihren Autonomieanspruch erhob und zu behaupten begann, daß nicht der Kaiser, sondern Jesus von Nazareth als verheißener Messias und gesalbter Christus Herr der geschichtlichen Endzeit sei, mußte dies zwangsläufig auch zu einer tiefen Verunsicherung der in der christlichen Heilslehre unterwiesenen Laienschaft führen. Die ideologischen Reichskämpfe – hie weltliches Kaiserreich, da päpstlich repräsentiertes Gottesreich – kündigen sich in diesem Widerspruch an, der selbst noch im modernen staatskirchlichen Status quo sichtbar bleibt. Ausgetragen werden sollte dieser Konflikt als Investiturstreit zwischen dem Papst und den Königen von Frankreich, England und Deutschland. Er entzündete sich an der Frage, wer dazu befugt ist, Bischöfe einzusetzen, der Papst in Rom oder die weltliche Macht. Der Investiturstreit uferte rasch aus; mit seinem ontologischen Gottesbeweis sicherte der Erzbischof von Canterbury, Anselm, der Kirche nicht nur die theoretische Überlegenheit gegenüber dem in Spanien spürbar gegenwärtigen Islam und dem in zahlreichen städtischen Gemeinden anwesenden Judentum, sondern auch gegenüber der weltlichen Macht: allein die Kirche war im Besitz der ewig gültigen Wahrheit. Es ging aber auch massiv um eine Erweiterung des machtpolitischen Instrumentariums der Geistlichkeit und um eine Steigerung der territorialen Expansion der Kirche. Ein Streit, in dem selbst die Kreuzzüge zum Mittel gerieten, den europäischen Adel substanziell zu schwächen, und der erst 1122 mit dem Konkordat von Worms beendet werden sollte.

Reform
des Bildungswesens

Sechs der »Sieben freien Künste«: Dialektik – Rhetorik – Geometrie – Arithmetik – Musik – Astronomie. Kolorierte Federzeichnung zum »Welschen Gast« des Thomasin von Zerclaere (um 1250/60)

Es ist unbestritten, daß bei der von Karl beabsichtigten christlichen Kulturmission die Klöster die zentrale Rolle gespielt haben. Infolgedessen wurden sie nach Kräften ausgebaut und ihr Besitzstand so weitgehend wie möglich vermehrt. Die Klöster gehörten zu den Großgrundbesitzern des Mittelalters. Das Klosterleben selbst vollzog sich nach strengen Regeln, meist denen des Benedikt von Nursia, die den gesamten Tagesablauf bestimmten. Damit haben die Klöster sicherlich einen Faktor gebildet, der bereits frühzeitig auf die umgebenden germanischen Stämme eingewirkt und als Zeichen vorbildlicher und höherer Kultur eine Lösung von althergebrachten Sitten und Techniken bewirkt hat. Die Klöster trugen durch ihren frühzeitigen Versuch, im Namen Christi – und nicht mehr des Stammesfürsten – eine Gemeinde zu bilden und sie regelmäßig zu versammeln, einen ersten und wesentlichen Beitrag zur Urbanisierung germanischer Stammesgewohnheiten bei. Das unausgesprochene Ziel bestand in der Verchristlichung des Feudalsystems. – Die Klöster waren nicht nur Ort der Entwicklung einer neuen Lebensform; sie waren zentrale Bildungsinstitutionen. Ihre Aufgabe umfaßte die stetige und strenge Unterweisung der Gemeinde wie des einzelnen Laien im christlichen Glauben ebenso wie die Vermittlung so primärer Kulturtechniken wie des Lesens und Schreibens. Sie waren Vermittler und Bewahrer antiken und spätantiken Bildungsguts, in das sich bereits Frühchristliches gemischt hatte.

Die cluniazensische Reform des Klosterlebens um 910 lief auf eine klare Absicht hinaus: Es sollte eine asketische und hierarchisch gestufte Verfassung von Christenheit und Kirche geschaffen werden, die der neuen religiösen Militanz nur dienlich sein konnte: ein autarkes, von der weltlichen Macht unangreifbares Klosterwesen, militärischen Bastionen nicht unähnlich. Diese Reform griff rasch über und machte den cluniazensischen Klosterverband zu einem starken politischen Faktor im Reich. Dieser Geist von Cluny entfaltete auch in Deutschland seine Wirksamkeit und ist seit 1070 (Hirsauer Reform) deutlich spürbar. Die Zahl der in Deutschland reformierten Klöster wird auf etwa 150 geschätzt; die davon ausgehenden literarischen Anstöße sind besonders im bairisch-österreichischen Raum sichtbar. Die Kirche bestimmte mit ihrem Machtanspruch nicht nur die öffentliche Diskussion, sie fand im Zuge ihrer Absicht auch zu einer undogmatischen und geistigeren Form der Ansprache an den Laienstand, um ihm das asketische Ideal des Mönchstums nahezubringen. Mit dieser Absicht ist zugleich der Beginn der frühmittelhochdeutschen Sprache bezeichnet, die insgesamt von einem »aufklärerischen«, erzieherischen Ton bestimmt ist. Sie wird gelegentlich auch als cluniazensische Literaturepoche bezeichnet. Deren Verfasser gehören fast ausschließlich der Geistlichkeit an, gelegentlich finden sich allerdings auch Laien.

Über lange Zeit hinweg bildete die Lektüre der lateinisch verfaßten Heiligen Schrift des Hieronymus, die um die Wende vom 4. zum 5. Jahrhundert entstanden sein muß, den Kernbestand der mönchischen Bildung. Um den Reichtum der Heiligen Schrift voll ausschöpfen zu können, waren umfangreiche Kenntnisse der lateinischen Stilistik und Rhetorik notwendig; dieses im wesentlichen spätantike, auf den Neuplatoniker Martianus Capella zurückgehende Wissen wurde um die Wende vom 9. zum 10. Jahrhundert von Alkuin, dem Freund und Lehrer Karls des Großen und dem geistigen Initiator der karolingischen Renaissance, im System der »septem artes liberales« – der »Sieben freien Künste« aktualisiert. Dieses Wissen, das in der spätantiken Bedeutung nur von einem »freien« Bürger erworben werden durfte, umfaßte als »trivium« die Grammatik, die Dialektik als Vermögen des logischen Denkens und die Rhetorik; hinzu kam als »quadrivium« die Kenntnis der Astronomie, der Arithmetik, der Geometrie und der Musik. Alkuin hat damit den Grund zum später entstehenden »studium« gelegt, das als dritte Macht neben »sacerdotium« und »imperium« trat, durch die »artes mechanicae«, die »mechanischen Künste«, ergänzt wurde und aus dem die ersten Artistenfakultäten, Keimzellen der europäischen Universitäten, hervorgingen. Das System der »Sieben freien Künste« hat bis in die Renaissance hinein das universitäre Wissenschaftssystem bestimmt; erst dann lösten sich allmählich die zunächst unter den »mechanischen Künsten« zusammengefaßten Naturwissenschaften und entfalteten ihr die Moderne beherrschendes Eigenleben.

Auch die Dichtungsauffassung des Mittelalters ordnet sich dem System dieser »Sieben freien Künste« unter. Dichtung ist Bestandteil der rhetorischen Ausbildung und Praxis und in das didaktische System der »Sieben freien Künste« eingebunden. Als Darstellungs- und Ausdruckstechnik ist sie rein theologischen Gesichtspunkten untergeordnet und hat die Funktion der Bibelerläuterung. Eine Dichtungstheorie als eigenständige Form der Weltauslegung fehlt daher. Ein Unterschied zwischen Lyrik und Prosa wird kaum gemacht; bis ins Spätmittelalter gilt Dichtung als gebundene Kunstrede. Erst Alkuin erweitert unter Berufung auf Augustinus den Spielraum des dichterisch Möglichen: die Dichtung wird – wie die übrigen freien Künste auch – zur karolingischen Hofkunst. Es bilden sich zwei Positionen: die der »poetica divina«, die der Pariser Schultheologie entstammt und für die gesamte geistliche Dichtung des Mittelalters verbindlich ist. Ihr zufolge ist Gott der Schöpfer aller Wesen und Dinge – der Mensch, und damit der Dichter, hat lediglich die Aufgabe, dieses Kunstwerk zu preisen. Auf der anderen Seite steht die immer deutlicher werdende Auffassung der höfischen Dichtung, die das schöpferische Wesen des Menschen hervorhebt. Die Entwicklung gedeiht jedoch nicht so weit, daß die gemeinsame Wurzel der rhetorischen Ästhetik der Antike nicht immer wieder durchscheinen würde, derzufolge es keinen Unterschied zwischen dem rhetorischen Ausdruck und der natürlichen Weltordnung gibt.

In den Klöstern schließlich entstand der wesentliche Handschriftenbestand, teils in einfacher Form der unmittelbaren Abschrift, teils in Form der Bearbeitung oder Nachdichtung, teils aber auch in Gestalt sorgfältig geschriebener und reichhaltig illustrierter Prachthandschriften. Das Schreiben selbst war kein Privileg der Geistlichen, in den klösterlichen Schreibschulen wurden oft auch Laien als Kopisten beschäftigt. Mittelalterliche Handschriften wurden auf Pergament geschrieben. Da die Pergamentherstellung teuer und aufwendig war, wurde die Abfassung einer Handschrift oft nur mit Hilfe finanzkräftiger Höfe oder Klöster möglich. Ein hohes Ansehen genossen diejenigen, die als Schreiber und Buchillustratoren tätig waren; entsprechend vielseitig mußten kunsthandwerkliches Geschick und Sorgfalt zu Werke gehen. Der Handschrift, dem Codex wurde im Mittelalter eine Beachtung zuteil, von der wir uns keine Vorstellung mehr machen können. Pergamenthandschriften sind relativ selten. Die kommerzielle Herstellung, der kommerzielle Vertrieb von Handschriften ist im Mittelalter unbekannt. Gegen Ende des 14. Jahrhunderts verdrängt das Papier das Pergament als zu teuer und kostspielig gewordenen Grundstoff; eine gesteigerte Nachfrage nach Büchern wird diese Ablösung beschleunigt haben. Der Wert einer Handschrift geht aus der Sorgfalt der mit Tinte aufgetragenen Schrift, den oftmals mit Gold- oder Silbereinlagen geschmückten Initialen und den handkolorierten Illustrationen hervor. Eines der schönsten Beispiele mittelalter-

Prachtinitiale einer hochhöfischen Handschrift

Klöster als Schreibort

9

*Widmung des Codex
– Spiegelbild der
höfischen Gesellschaft
(aus der Chronik
des Hennegau, 1448)*

licher Buchkunst stellt die Heidelberger Liederhandschrift mit ihren 137 Dichterminiaturen dar. Die Handschrift war schon frühzeitig Repräsentationsgegenstand; reichhaltig ausgeschmückte Schriftseiten, teilweise mit Gold und Edelsteinen verzierte Bucheinbände legen davon Zeugnis ab. Namhafte und sehenswerte Handschriftenbestände befinden sich heute in großen Bibliotheken wie der Bayrischen Staatsbibliothek München (Handschriften des *Heliand, Parzifal, Willehalm, Tristan*, des *Nibelungenlieds*), der Österreichischen Nationalbibliothek Wien und der Universitätsbibliothek Heidelberg (Kleine und Große Liederhandschrift).

*Übersetzungen
aus dem Lateinischen
und Griechischen*

Unübersehbar im Prozeß der Herausbildung der althochdeutschen Literatursprache ist die rege Übersetzertätigkeit, die von den Klöstern ausging. So wurden zahlreiche antike Autoren übertragen, Übertragungen, die oftmals ein ganzes mönchisches Leben beanspruchten. Eine der anregendsten Gestalten auf dem Gebiet der Übertragung antiker und christlich-lateinischer Autoren war Hrabanus Maurus (gestorben 856), ausgezeichneter Kenner der spätantiken christlichen Literatur, Verfasser einer vielbändigen Enzyklopädie des profanen Wissens, Erbauer und einflußreicher Abt des Klosters Fulda und Schüler des Alkuin; Walahfried Strabo, Schüler des Hrabanus Maurus, Abt des Klosters Reichenau am Bodensee und Erzieher Karls des »Kahlen«, setzte diese Tradition fort. Und ein weiterer Mönch aus der Vielzahl der Übersetzer, Notker von Sankt Gallen, ist für die Literatur- und Kulturgeschichte um das Jahr 1000 als gelehrter Kommentator, Philologe und Übersetzer wichtig geworden; er hat die wesentlichen Schul- und Musterautoren der klassischen Antike und des frühchristlichen Mittelalters im germanisch-deutschen Sprachraum eingeführt, so die Schriften Augustins, die *Tröstungen der Philosophie* des Boëthius, die bukolischen Dichtungen der Terenz und Vergil, lateinische Lehrbücher der Rhetorik und der Poetik, Teile der Bibel (Psalmen, Buch Hiob), die *Hermeneutik* (Interpretationskunde) des Aristoteles sowie eine für die Literaturauffassung des Mittelalters grundlegende neuplatonische Schrift, *Die Hochzeit des Merkur mit der Philosophie* von Martianus Capella. Diese bewahrende, vermittelnde und übersetzende

Tätigkeit der Klöster ist in allen Ländern Europas zu beobachten. Dabei dient sie der Propagierung und Ausbreitung des Christentums nicht ausschließlich, sondern eignet sich auch – in späterer Zeit durch nahezu professionell betriebene Übersetzerschulen beispielsweise im spanischen Toledo (Gerhard von Cremona) und im Umkreis des sizilianischen Hofes Friedrichs II. – islamisch-arabisches Wissen und Gedankengut an.

Dieser Grundbestand klösterlicher Bildungsarbeit mag erklären, weshalb es zunächst nicht zu einer Wort und Schrift umfassenden volkssprachigen Vertiefung des Althochdeutschen gekommen ist, sondern das Mittellateinische nach wie vor die herrschende Rolle spielte. Aus dem klassischen Latein der römischen Antike (»goldene und silberne Latinität«) hatte sich eine Mischform entwickelt, die starke volkssprachige Assimilationstendenzen aufwies, im grammatischen und rhetorischen Grundbestand jedoch eindeutig war. Diese ungebrochene Dominanz des Lateinischen übertrug sich in Form der lateinischen geistlichen Dichtung des Mittelalters auch auf die Literatur. Hatten im 8. Jahrhundert noch zahlreiche volkssprachige Ansätze in Liturgie und Predigt bestanden, die einzig geeignet waren, die komplizierten christlichen Glaubensinhalte »unter das Volk« zu tragen, so wurde mit der Synode von Inden (817) und wohl auch unter dem Eindruck des Konflikts zwischen weltlicher und geistlicher Macht das Latein wieder als alleinige Kirchensprache eingeführt und ein volkssprachiger Umgang zwischen Priestern und Laien untersagt.

Vorherrschaft
des Lateinischen

Althochdeutsche und frühneuhochdeutsche Literatur aus dem Geist der Übersetzung

Für die Entstehung der althochdeutschen Schrift- und Literaturdialekte waren Bibelübersetzungen und Bearbeitungen biblischer Stoffe ausschlaggebend. Ein ganz früher Vorläufer ist die gotische Bibelübersetzung des Bischofs Wulfila, der überdies ein eigenes Schriftsystem entwarf. In der Hauptsache aber wurden die althochdeutschen Schriftdialekte durch Kommentatoren und Philologen gleichsam aus dem Vokabelheft erarbeitet, aus Glossen und Glossaren. In die Texte antiker Autoren wurden entweder zwischen den Zeilen, zwischen den einzelnen Wörtern oder an den Zeilenrand die deutschen Wörter für zunächst unbekannte lateinische Wörter eingetragen. Auf diese Weise entstanden die sog. Interlinear-, Text- und Marginalglossen. Die Interlinearglossen wurden oftmals zu zusammenhängenden Übersetzungen ausgeweitet, den sog. Interlinearversionen, d.h. zu Wort-für-Wort-Übersetzungen. Als wohl älteste, in althochdeutscher Sprache verfaßte (ursprünglich bairische) Übersetzung gilt eine Synonymensammlung, eine Art Wörterbuch, das seinen Namen nach dem ersten Wort im Alphabet erhielt, der sog. *Abrogans* (764/772). Er ist in Freising entstanden und geht auf ein spätantikes Lexikon zurück, das dem Unterricht im Trivium diente. Es ist das älteste erhaltene »Buch« im deutschen Sprachraum.

Trotz des mittellateinischen Rückschritts verdankt sich die Entwicklung einer althochdeutschen Literatursprache der Begegnung zwischen Laienstand und christlicher Geistlichkeit. So hatte der Syrer Tatian im zweiten nachchristlichen Jahrhundert die vier Evangelien des Matthäus, Markus, Lukas und Johannes zu einer fortlaufenden Erzählung des *Neuen Testaments* verschmolzen. Diese Evangelienharmonie wurde während der Amtszeit des be-

Der Evangelist
Markus
(Mitte des 13. Jhs)

Laienstand
und Geistlichkeit

11

deutendsten deutschen Abtes im Frühmittelalter, Hrabanus Maurus, im Kloster Fulda vollständig ins Althochdeutsche übertragen und wird in dieser Form bei der christlichen Unterweisung des Laienstandes zentral gewesen sein. Ein Versuch, die Lebens- und Leidensgeschichte Christi auf die germanisch-altdeutsche Stammesverfassung zu übertragen – dies auch im Landschafts- und Zeitkolorit –, liegt mit dem um 830 entstandenen *Heliand* vor, der altsächsisch verfaßt ist und den Versuch einer christlichen Stabreimdichtung wagt. Sein Dichter, fußend auf Tatians *Evangelienharmonie*, dem Matthäus-Kommentar (um 821/22) des Hrabanus Maurus und der angelsächsischen christlichen Stabreimepik, versucht, Stilprinzipien der heroischen Stabreimdichtung auf die neuen christlichen Inhalte zu übertragen.

Christliche Dichtung   Eine der wichtigsten rheinfränkischen Endreimdichtungen begegnet in der *Evangelienharmonie* oder dem *Krist* (um 870). Dieser *Krist* ist von dem elsässischen Mönch Otfried von Weißenburg verfaßt und setzt sich aus einer selbständig getroffenen Auswahl aus den Evangelien zusammen, die Otfried mit wissenschaftlichen Kommentaren und Auszügen aus patristischen Schriften versehen hat. Jede Handlungsepisode wird durch eine Exegese und eine Allegorese ausgedeutet und in dreifachem Wortsinn interpretiert (»mystice, moraliter, spiritualiter«). Damit ist deutlich, daß sich Otfried ausschließlich an eine dünne Schicht gebildeter Adliger und Geistlicher wendet, wie schon seine drei Widmungen an den König Ludwig den Deutschen, den Erzbischof von Mainz und zwei befreundete Mönche verraten. Otfried gibt mit dem komplexen Aufbau seiner *Evangelienharmonie* auch seine Literaturauffassung zu erkennen. In einer Weltanschauung, die alle Dinge auf Gott hin ordnet und diese Dinge so betrachtet, als seien sie von ihm geschaffen worden oder aus ihm in stufenweiser Entwicklung hervorgegangen, kann die Literatur nicht mehr und nicht weniger sein als Sinnbildkunst. Ihre einzelnen Gegenstände stellen mehr dar, als sie zunächst scheinen, weil ihre Realität von einem göttlichen Sinn durchwaltet ist, d.h. die Realien werden als Sinnbilder, Symbole und Allegorien gefaßt. Christliche Dichtung ist sinnbildliches Gotteslob. Otfrieds *Evangelienharmonie* ist, als selbständige Leistung eines namentlich bekannten Verfassers, ein erster bedeutender Höhepunkt christlicher Dichtung in Deutschland. Überdies: Nach seiner Widmung an König Ludwig den Deutschen, »dessen Macht sich über das ganze fränkische Ostreich erstreckt«, beginnt Otfried mit einer Huldigung an die Franken, die es aufgrund ihrer Kühnheit und Weisheit ebenso verdient hätten wie einst die Römer, die Botschaft Christi zu vernehmen. Und voller Stolz begründet er, warum er dieses Buch in deutscher Sprache (»theodisce«) – erstmals fällt dieser Begriff in der Dichtung – geschrieben hat. Nachdem er es zunächst beklagt, daß er die großen Vorbilder der Antike und der lateinisch-christlichen Poesie in der deutschen Sprache nicht erreichen werde, betont er die Richtigkeit seiner Sprachwahl, indem er darauf hinweist, daß Gott in der Sprache gelobt sein wolle, die er dem Menschen gegeben hat, so schwer ihm selbst, Otfried von Weißenburg, diese Aufgabe gefallen sei. Ebenso viel Mühe hat Otfried auf die Reimverse der *Evangelienharmonie* verwendet. Er sucht den regelmäßigen Wechsel von Senkung und Hebung und gestaltet einen höchst anspruchsvollen Reim, der öfter die Klangbindung bis zur letzten betonten Silbe verwirklicht. Bedeutete der christliche Stabreimvers des *Heliand* eine dichtungsgeschichtliche Episode, so wurde Otfrieds Reimvers zu einem Vorbild, das über Wolframs *Parzifal* bis Goethes *Faust* die deutsche Dichtungsgeschichte durchzieht.

War der Appell der *Evangelienharmonie* an eine christliche volkssprachige Dichtung unüberhörbar, die Jahrzehnte bis Mitte des 11. Jahrhunderts wer-

12

Augustinus' Gottes-stadt in der mittel-alterlichen Vorstellung

den doch von lateinisch dichtenden Geistlichen bestimmt. Wenn der Anstoß zu den karolingischen Reformen von weltlicher Macht in reichspolitischer Absicht ausgegangen war, so war die Kirche als Hauptträger dieser Reformen eifersüchtig auf Distanz zur weltlichen Macht bedacht und witterte nach dem Tod Karls des Großen die Chance, die Machtverhältnisse zu ihren Gunsten zu verändern. Das große bildungspolitische Ziel der karolingischen Reformen, die ost- und westfränkischen Stämme im Zeichen der christlichen Kirche zu vereinigen und zu integrieren, war rein äußerlich gelungen. Unent-

lateinisch dichtende Geistliche

13

schieden zwischen Reich und Kirche aber war, ob neben der immer radikaler aufgeworfenen Forderung, der wahre Christ müsse aus dieser Welt »ausscheiden«, der Anspruch des Reichs auf die Laienschaft aufrechterhalten werden konnte. In dem ständig schwelenden Kampf zwischen »sacerdotium« und »imperium« trat die Kirche selbstbewußt und aggressiv an die Laien heran. Dieser neuen Linie waren innerkirchliche, innerklösterliche Reformen vorausgegangen, die eine straffe, auf Rom orientierte Machtkonzentration bewirkten; die weltliche Suprematie der Ottonen wurde nun angegriffen und infrage gestellt, wo immer sich Gelegenheit dazu bot; zuallererst jedoch der einzelne Christ in einen tiefen Zwiespalt geworfen, der noch in der Spruchdichtung Walthers von der Vogelweide nachklingt.

Für die Frühphase dieser Literaturentwicklung, an der drei Generationen beteiligt sind, sei beispielhaft das *Ezzolied* genannt, das um 1060 in Bamberg entstanden ist. Es schildert die Bedeutung Christi für die Erlösung von Menschheit und Welt aus dem Sündenstand. Dem dogmatischen Schema der Erlöserfigur folgend, wird das Leben Christi auf die Geburt, die Taufe und die Passion konzentriert. Mit dem *Ezzolied* soll der exemplarische Lebenslauf Christi vor Augen geführt werden. Das um 1080 entstandene *Memento mori* des Notker von Zwiefalten vermittelt die Erlösungsgewißheit des Christenmenschen und fordert dazu auf, die mönchische Nachfolge Christi anzutreten. Darin ist unübersehbar der cluniazensische Aufruf zur Weltabkehr und zur Askese formuliert. Die Welt selbst wird als verabscheuungswürdig dargestellt; der eigentliche Wert des Menschen erweist sich demnach nicht auf Erden, sondern vor dem Richterstuhl Gottes. Notker von Zwiefalten hat in seinem *Memento mori* den eindringlichen Ton der Bußpredigt verwendet, die bis ins 15. und 16. Jahrhundert zum rhetorischen Grundbestand der Kirche gehören sollte.

Heilsgeschichte

Während die zweite »cluniazensische« Generation mit der Nachschöpfung heilsgeschichtlich bedeutsamer Vorfälle aus der Bibel (*Wiener Exodus*: Moses' Auszug aus Ägypten), der Entwicklung einer lateinisch gehaltenen geistlichen Dramatik, der Niederschrift heilsdogmatischer Predigten und der immer wiederholten Klage über den menschlichen Sündenstand befaßt ist, mithin kirchliche Gebrauchsformen dominieren, wächst die christliche Dichtung der dritten Generation stark an. Dabei ist die Legendendichtung besonders hervorzuheben, die über das frühe *Annolied* hinaus ein eigenständiges Gewicht bekommt; daneben steht die Mariendichtung, der Marienpreis, der aus der kultischen Verehrung der Mutter Gottes erwächst und ebenfalls der Legendendichtung zuzurechnen ist; Übergangserscheinungen sind bereits zu beobachten: in das *Marienleben des Priesters Wernher* mischen sich frühmittelhochdeutsche und frühhöfische Stilzüge.

Versepen

Neben der Bußfertigkeit und Jenseitsbeflissenheit der frühmittelhochdeutschen Dichtung melden sich in den Versepen, von Geistlichen im Dienst adliger Auftraggeber verfaßt, wie *König Rother* (1150), *Herzog Ernst* (1180) und dem *Rolandslied* (1170), dem frühen *Alexanderlied* (um 1150) Stillagen und Töne an, die auf den aventuire-Roman der höfischen Zeit hinweisen; die wesentlichen Merkmale der höfischen Dichtung, ritterliches Standesideal, Frauendienst, Lehenstreue und Artusideal sind zwar noch nicht faßbar, aber das Rittertum als Handlungsträger steht doch schon deutlich im Vordergrund. Dieser frühhöfische Versroman setzt sich aus einer Reihe von Erzähltraditionen zusammen und findet reiche Nahrung im Kreuzzugserlebnis; so steht denn auch die Orientfahrt in seinem Mittelpunkt und bildet damit einen neuen literarischen Ansatz diesseitiger Welterfahrung. Einen wesentlichen Anteil an dieser neuen Entwicklung hat das französische Heldenepos

(»chanson de geste«), das seine Stoffe im Umkreis Karls des Großen ansiedelt. Das von dem Regensburger Geistlichen Konrad im Auftrag Heinrichs des Löwen übertragene *Rolandslied* stellt im Unterschied zur französischen Vorlage den Herrschaftsbereich Karls des Großen als reale Erfüllung des Gottesreichs dar und zeugt ganz vom Geist der Kreuzzüge.

Seit dem altfranzösischen *Rolandslied* ist der Kampf der christlichen Ritterschaft gegen die Heiden dichterisches Thema, sowohl in der Epik (z.B. *König Rother*) als auch in der Lyrik. Die christliche Ritterschaft setzt dabei dem passiven, kontemplativen mönchisch-geistlichen Dasein das Ideal des aktiven, kämpferischen christlichen Ritters entgegen. Das Motiv dieser Dichtung wie der geschichtlichen Vorgänge ist die Befreiung des Heiligen Grabes in Jerusalem von den Heiden. Sieben Kreuzzüge haben insgesamt stattgefunden. Der erste (1096–99) endete mit der Einnahme Jerusalems, der Gründung des Königreichs Jerusalem und der Provinz Edessa. Nachdem die Provinz Edessa von den Heiden zurückerobert wurde, rief Bernhard von Clairvaux zum zweiten Kreuzzug auf. Er dauerte von 1147 bis 1149; Jerusalem wurde nicht erreicht. Der dritte Kreuzzug wurde als Feldzug des gesamten Reichs geführt, nachdem Jerusalem 1187 durch Sultan Saladin eingenommen worden war. Er dauerte von 1189 bis 1192 und wurde von Kaiser Friedrich I., Philipp II. von Frankreich und König Richard Löwenherz von England angeführt. Auch dieser Kreuzzug scheiterte. Erst im vierten Kreuzzug (1202–04) gelang es, Konstantinopel zu erobern und das byzantinische Reich zu zerschlagen. Der fünfte Kreuzzug wurde von Friedrich II. 1228/29 nach dem päpstlichen Bannspruch in friedlicher Absicht unternommen. Nach einem Friedenspakt mit den Heiden ließ sich Friedrich II. zum König von Jerusalem krönen, aber Jerusalem ging schon bald (1244) wieder verloren. Der sechste Kreuzzug (1248–52) endete mit der Gefangennahme des gesamten Heeres. Im siebten Kreuzzug gelangte das Ritterheer nur bis Tunis; mit der Einnahme von Akko im Jahr 1291 endete die Geschichte der Kreuzzüge und der Kreuzfahrerstaaten; dies schon aus einem inneren Grund: die letzten Kreuzzüge waren von seiten der Kirche und des Papstes dazu benutzt worden, in erster Linie die militärische und politische Macht der Staufer zu schwächen. Als Kreuzzugsdichter sind zu verzeichnen: der Pfaffe Konrad, Friedrich von Hausen, Heinrich von Rugge, Albrecht von Johansdorf, Hartmann von Aue, Otto von Botenlauben, Walther von der Vogelweide, Rubin, Freidank, Neidhart, der Tannhäuser. Ob sie sämtlich Kreuzfahrer gewesen sind oder aber nur die allerorten greifbaren Themen, Motive und Stoffe der Kreuzfahrten dichterisch verarbeitet haben, ist ungewiß.

Kreuzzüge

Neben den spärlichen, schriftlich überlieferten Literaturzeugnissen wird die alt- und frühneuhochdeutsche Dichtung einen erheblichen Anteil mündlich vorgetragener und weitergegebener, teils lateinischer, teils volkssprachlicher Sangesdichtung gekannt haben. Ihr Umfang und ihr Verhältnis zur schriftlichen Tradition ist heute nicht mehr zu ermitteln. Markantestes Zeugnis dieses Sachverhalts ist die Vagantendichtung, die bis ins 10. Jahrhundert zurückreicht und im Gegensatz zur geistlichen Dichtung ganz andere, die Höhen und Tiefen des irdischen Daseins bejahende Stillagen kennt. Mit ihrem fröhlichen »memento vivere« (»denke daran, daß du lebst«) versteht sich diese Dichtung der Straßen und der Kneipen als die Sinnlichkeit des irdischen Daseins betonende Kontrafraktur zur christlichen Weltausscheidungslehre. Vaganten waren ehemalige Zöglinge, Studenten und Geistliche der Dom- und Klosterschulen, der frühen Universitäten des Mittelalters, die der geistlichen Strenge und Askese entlaufen waren und ein unstetes Wanderleben, das ungehemmte Zechen, die irdische Liebe dem zölibatären Marien-

Volkssprachige Lieddichtung

preis vorzogen. Form dieser Dichtung war der mittellateinische Hymnenvers. Die umfangreichste Kenntnis verdanken wir der Benediktbeurener Sammelhandschrift, die unter dem Namen *Carmina Burana* bekannt geworden ist; sie stammt aus dem 13. Jahrhundert und versammelt Vagantengedichte des 11. und 12. Jahrhunderts. Als Beispiel ein Ausschnitt aus der *Vagantenbeichte* des Archipoeta:

Vagantenbeichte

Estuans interius
ira vehementi
in amaritudine
loquor meae menti:
factus de materia,
cinis elementi,
similis sum folio,
de quo ludunt venti.

Heißer scham und reue voll,
wildem grimm zum raube
schlag' ich voller bitterkeit
an mein herz, das taube:
windgeschaffen, federleicht,
locker wie von staube,
gleich' ich loser lüfte spiel,
gleich' ich einem laube!

Cum sit enim proprium
viro sapienti
supra petram ponere
sedem fundamenti,
stultus ego comparor
fluvio labenti,
sub eodem tramite
nunquam permanenti.

Denn indes ein kluger mann
sorglich pflegt zu schauen,
daß er mög' auf felsengrund
seine wohnung bauen:
bin ich narr dem flusse gleich,
den kein wehr darf stauen,
der sich immer neu sein bett
hinwühlt durch die auen.

Feror ego veluti
sine nauta navis,
ut per vias aeris
vaga fertur avis;
non me tenent vincula,
non me tenet clavis,
quero mihi similes
et adiungor pravis.

Wie ein meisterloses schiff
fahr' ich fern dem strande,
wie der vogel durch die luft
streif' ich durch die lande.
hüten mag kein schlüssel mich,
halten keine bande.
mit gesellen geh' ich um –
oh, 's ist eine schande!

Die epische Literatur der Stauferzeit

Die staufische Literaturepoche fällt mit dem Höhepunkt der Regierungszeit Kaiser Friedrich Barbarossas (Regierungsantritt 1152) um 1180 und dem Todesdatum Friedrichs II. 1250 zusammen. Der staufisch-welfische Konflikt um die Vorherrschaft im Reich und der beständige Kampf des deutschen Kaisertums gegen die päpstlich-kirchliche Bevormundung, insbesondere durch Innozenz II., sollte diese Ära bestimmen, die im Grunde bereits mit dem plötzlichen Tod Heinrichs VI. (1197) beendet war. Zum Zeitpunkt der Thronbesteigung durch Friedrich Barbarossa stand die Dichtung noch unter lateinisch-geistlicher Vorherrschaft, und selbst der frühhöfische Versroman war noch fest in der Hand der Geistlichen. Erst mit Heinrich von Veldekes *Eneit* (Beginn der Arbeit daran nach 1170, abgeschlossen 1185/87) gelang der Durchbruch einer neuen ritterlich-höfischen Standesliteratur, an der drei

Dichtergenerationen beteiligt waren. Die Jahre von 1170 bis 1250 bilden die
wichtigste Epoche der mittelalterlichen deutschen Literatur. Es entwickelt
sich in der höfischen Gesellschaft nicht nur eine fränkisch-alemannische
Verkehrssprache, sondern auch eine Literatursprache, die zum ersten Mal
den Primat der lateinischen Sprache brechen kann und über ein höchst
nuanciertes Ausdrucksvermögen verfügt. Erst jetzt wird deutsche Sprache –
aufgrund der gemeingermanischen Herkunft ohnedies im Hintertreffen gegenüber dem Romanischen, das sich infolge seiner Verwandtschaft mit dem
Lateinischen viel rascher entwickeln konnte – zu einer Literatursprache von
europäischem Rang. Die tonangebenden Dichtungsformen sind von nun an
das ritterliche Epos und die Minnelyrik; die religiöse Dichtung tritt in ihrer
Bedeutung zurück, eine Lehrdichtung ist erst in der dritten Generation der
staufischen Literaturepoche zu verzeichnen.

Heinrich von Veldeke

Die Bezeichnung »staufische Literaturepoche« ist kein äußerliches poli-
tisch-historisches Etikett; vielmehr wird die Literatur zum repräsentativen
Ausdruck dieser Epoche. Diese Dichtung ließ sich gedanklich von der Vorstellung des »rex iustus et pacificus«, den Friedrich Barbarossa in den Augen
so vieler Zeitgenossen verkörperte, ebenso tragen wie von der Kreuzritter-
idee, für die wiederum Friedrich Barbarossa das reale, leuchtende Vorbild
abgab – er starb 1190 auf dem dritten Kreuzzug – wie von dem neuen
gesellschaftlichen Rang, den die Dichtung bei Hof einnahm. Diese Dichtung
der staufischen Epoche war adelige Standesdichtung, und daher gehörte sie
ganz natürlich und selbstverständlich zum repräsentativen Gestus der Hof-
feste. Das vielfach bezeugte Mainzer Hoffest von 1184 war eine der Gelegen-
heiten, bei denen die staufische Reichsmacht sich selbst darstellte. Es sollen
etwa 40000 bis 70000 Menschen zusammengekommen sein, eine für die
Verhältnisse dieser Zeit ungewöhnliche Zahl; darunter haben sich allein
20000 Ritter befunden, die gegeneinander zum Turnier antraten. Die Anwesenheit und der Auftritt zahlreicher Dichter und Sänger ist ebenso verbürgt;
den Mittelpunkt des Festes bildete die Schwertleite (Ritterschlag) der beiden
ältesten Söhne Barbarossas. Das Fest wurde zur Demonstration einer ein-
heitlichen, ritterlich bestimmten europäischen Laienkultur, des universalen
staufischen Kaiser- und des Rittertums, auf das sich diese Reichsmacht
stützte. Es mag nicht ohne Belang sein, daß die staufische Literatur um die
Jahrhundertwende ihren Höhepunkt hatte, als das Reich selbst schon von
Krisen erschüttert wurde. Als idealer Standesdichtung blieb dieser Literatur
der Blick für die reichspolitische Realität verschlossen. Sie gerät erst mit der
Spruchdichtung Walthers von der Vogelweide, die nach 1200 einsetzt und in
der sich die Widersprüche der Zeit unüberhörbar zu Wort melden, ins Blickfeld.

Die mittelalterliche Feudalgesellschaft wird von zwei Klassen beherrscht,
dem weltlichen und dem geistlichen Stand, vertreten durch Kaiser und Papst.
In allen weltlichen (politischen, wirtschaftlichen und kulturellen) Dingen ist
der Kaiser Gott verantwortlich; ihm ist aber auch der Schutz der Kirche
anvertraut, und gemeinsam mit dem Papst ist er für das Wohl und Wehe der
abendländischen Christenheit verantwortlich, Quelle des ständigen Konflikts mit Rom. Der Kaiser ist aber auch idealer Vertreter des Ritterstandes.
Dieser Ritterstand taucht nicht erst in der staufischen Epoche auf, er ist eine
gemeineuropäische Erscheinung. Der Ritter ist zunächst Krieger, gerüsteter
Reiter und gibt den Ausschlag bei der Stärke eines Heeres. Wirtschaftlich
gesehen ist er dem Landadel zuzuordnen, oder aber er besitzt als Ministerialer ein Lehen, das vielfältige Formen annehmen kann, ihm aber regelmäßige
Einkünfte sichert. Die Stauferzeit ist eine Zeit der ritterlichen Aufsteiger. Sie

mittelalterliche
Feudalgesellschaft

entwickeln sich zu tüchtigen Verwaltungsbeamten und haben Reichshof-
ämter in der Verwaltung oder im Heer inne oder leben als regionale Statthal-
ter; ihnen unterliegen Rechtsprechung, Ausübung von Münzrecht, Wege-
und Zollrecht usw. Am aufkommenden Geldverkehr hat der Ritter noch
nicht teil – obwohl Handel und Handwerk gerade zur Stauferzeit einen
Aufschwung erleben und sich rasch ein Stadtpatriziat bildet, das Einfluß auf
feudale Besitz- und Verkehrsformen zu nehmen sucht. Das Rittertum, ob
Freiherren oder Ministeriale (aus unfreiem Stand aufgestiegen), bildet im
feudalen Mittelalter die adlige Oberschicht mit einem eindeutigen Führungsanspruch. Der dritte Stand, Bauern und Bürger, hat zu jenem Zeitpunkt
weder zu einem standesmäßigen noch literarischen Selbstbewußtsein gefunden. Selbst der erste literarische Bürger, ein Kölner Kaufmann im *Guten
Gerhard* des Rudolf von Ems (1220/1225), wird als höfisch-adliger Mensch
dargestellt. Aus diesen sozialen Voraussetzungen entwickelt sich das Stände-
ideal der ritterlich-höfischen Dichtung. Der Ritterstand bildet in sich eine
ideale Einheit, in der der unbedeutende Kreuzritter gleichrangig neben dem
Kaiser steht. Das Lehenswesen stellt ein gemeinsames Band wechselseitiger
Abhängigkeit, »Treue« dar –, und die Ritterehre besteht in der Wahrung der
Standesgesetze und der Sittsamkeit.

Kreuzritter

    In der staufischen Literatur wird die Bezeichnung »Ritter« nahezu beliebig
verwendet; fast alle männlichen Figuren, auch Randfiguren, werden mit
diesem Prädikat belegt. Sie werden mit keinem eindeutigen oder konventionellen Sozialcharakter konfrontiert. Was ein Ritter ist, wird dichterisch mit
jeder Geschichte in Frage gestellt und neu definiert – nur so konnte das
Publikum, die adelige Oberschicht, die sich ihrer ständischen Identität ja
bewußt war, überrascht und unterhalten werden. Es ist oft genug betont
worden, daß sich die ritterliche Dichtung in einem idealen, welt- und reali-
tätsenthobenen Raum bewegt und die Abenteuer und Verwicklungen, die
dort begegnen, aus dem Zwang zu erklären seien, den in der Tat stilbilden-
den Artusdichtungen neue Sichtweisen abzugewinnen; ein erheblicher Anteil
aber an der Künstlichkeit epischer Gestaltung dürfte insbesondere im höfischen Unterhaltungsroman (Ulrich von Zazikhofen, Wirnt von Grafenberg
u. a. m.) auf das höfische Gefallen am ästhetischen Raffinement zurückgehen.
Auch die Prädikate »ritterlich« und »höfisch« sind nicht gleichbedeutend.
Mit »höfisch« ist eine menschliche Stilform gemeint, die geistige und körperliche Bildung umfaßt, Sprachkenntnisse ebenso wie Kenntnis fremder Länder, jene Qualitäten eben, die von der höfischen Gesellschaft vorausgesetzt
werden. Diese Stilform umfaßt auch die Gleichrangigkeit äußerlicher und
innerlicher Bildung. Das äußerlich Schöne muß auch innerlich schön sein,
anderes ist nicht denkbar. Alles Negative wie Einsamkeit, Verzweiflung,
Schmerz (Parzifal) darf nur als Durchgangsstadium auf dem Weg zum höfischen Ritter gelten. Harmonischer Gleichklang ist das Leitbild und das höfische Fest dessen Ausdruck, zugleich Höhepunkt der gesellschaftlichen Kultur
der Stauferzeit.

Artusepik

    Es ist unsicher, wo in Deutschland die nordfranzösische Artusepik zuerst
ihr Publikum ergriffen und zu Bearbeitungen angeregt hat, ob am Niederrhein, für den die geographische Nähe zu Frankreich, aber auch die weiter
verbreitete Kenntnis der französischen Sprache spricht, oder aber am Hof
des kunst- und literaturfreudigen Pfalzgrafen Hermann von Thüringen, der
allerdings erst nach 1180 eine nachhaltige mäzenatische Wirkung auf die
Literatur ausgeübt hat und eine Vorliebe für die Bearbeitung antiker Stoffe
(Übersetzung der *Metamorphosen* des Ovid durch Albrecht von Halber-
stadt; *Trojaroman* des Herbort von Fritzlar um 1190) hegte. Am Niederrhein

18

waren indessen schon der *Trierer Floyris*, der *Straßburger Alexander* und der *Tristrant* des Eilhart von Oberge (1170/75) bekannt. Als Niederfranke hat denn auch der wichtigste der frühhöfischen Epiker, Heinrich von Veldeke, um 1170 seinen Aeneas-Roman *Eneit* nach dem Vorbild des anglo-normannischen *Roman d'Eneas* begonnen – fertiggestellt hat er ihn freilich am Hof Hermanns von Thüringen (1187/89).

Heinrich von Veldeke wurde zwischen 1140 und 1150 geboren und ist vor 1210 gestorben. Mit seinem *Eneit* hat er einen der großen antiken Bildungsstoffe des Mittelalters aufgenommen, Vergils *Aeneas*-Dichtung. Aeneas' Flucht aus Troja, der Aufenthalt bei Dido, die Hadesfahrt, die Landung in Italien, der Kampf um den ihm prophezeiten Königssitz, die Ehe mit Lavinia und die geschichtsträchtige Vision von der Gründung und späteren Größe Roms bilden die Eckpunkte der Handlung, die von Heinrich von Veldeke schmucklos und trocken im lapidaren Berichtsstil vorgetragen wird. Aventuire-Handlungen fehlen ganz. Bezeichnend ist der Zugriff auf den griechischen Trojaroman und den römischen Aeneasroman über die zeitliche Entfernung hinweg. Wie selbstverständlich wird antikes Heroentum in die gegenwärtige ritterliche Standesgemeinschaft herübergeholt; dem christlich-heidnischen Gegensatz beider Kulturen wird dabei keine Bedeutung beigemessen. Von Belang ist allerdings die Minnehandlung um Dido und Lavinia, die konträr gestaltet ist. Beide Frauen sind Beispiele für unglückliche (Dido) und glückliche, von Gott begünstigte Liebe; Lavinia als Siegerin in diesem ungleichen Kampf weiß sich einer höheren Ordnung versichert. Sie wird zum Symbol einer autonomen Humanität, in deren Dienst sich der Ritter zu stellen hat. Mit dieser Auffassung wirkte Heinrich von Veldeke richtungsweisend; dies um so mehr, als er seine *Eneit*-Dichtung dem bis dahin ungewohnten reinen Reim unterwarf, der zum Vorbild der höfischen Versepik wurde. Der *Eneit* hat bis ins 15. Jahrhundert gewirkt und ist in zahlreichen Handschriften bzw. Fragmenten nachweisbar.

Heinrich von Veldeke

Die großen Vorbilder des ritterlich-höfischen Versromans der Stauferzeit hat der wohl bedeutendste französische Epiker, Chrétien de Troyes, geschaffen. Zwischen 1160 und 1190 hat er den keltisch-bretonischen Sagenstoff um König Artus in Versromanen wie *Erec*, *Yvain*, *Cligès*, *Lancelot* und *Perceval* zu einer geschlossenen Dichtungswelt jenseits der vorausgegangenen historischen Tatsächlichkeit umgearbeitet: der idealen, Raum und Zeit entrückten Artuswelt, die stilbildend weit über Nordfrankreich hinaus gewirkt und zu zahlreichen Bearbeitungen der Versromane Chrétiens angeregt hat. Der gemeineuropäische Grundzug der ritterlich-höfischen Dichtung wird durch diese Tatsache nur unterstrichen, wenngleich der Artusstoff bezeichnende Veränderungen und Umdeutungen, insbesondere im deutschen Versroman, erfährt.

Chrétien de Troyes

Wie ist diese ideale Artuswelt, die nur modellhaft wiedergegeben werden kann, in sich aufgebaut? In ihrem Zentrum steht König Artus, die Inkarnation des hochhöfischen Rittertums, von dessen Hof und Tafelrunde alle Taten des Artuskreises ausgehen und in den sie wieder zurückmünden. Die Artusritter, die keine nationalen oder konfessionellen Schranken kennen, fühlen sich ständisch mitverbunden und sitzen gleichrangig neben Artus an der Tafelrunde. Königssitz ist zwar das nordfranzösische Nantes, aber sobald ein Artusritter die Tafelrunde verläßt, verlieren Zeit und Raum ihre Gültigkeit, und die märchenhafte »aventuire« beginnt. Die konkrete historische Situation, in der diese Dichtung entstanden ist, bleibt völlig ausgeblendet. Die Artusritter fühlen sich ausschließlich der »aventuire«, die um ihrer selbst willen unternommen wird, und der Minne verpflichtet, der Eroberung

Aufbau der Artuswelt

der ständisch überhöhten Frau. Ethische Triebkraft ist die ritterliche Standesehre, die immer wieder erprobt und unter Beweis gestellt werden muß. Die »aventuire« wird im lehensrechtlich begründeten Dienst an der Frau unternommen, und Minne stellt den Lohn für die in der »aventuire« sich ausdrückende ritterliche Bewährung dar. In der Minneauffassung der Artusepik gelten Standesschranken als unüberwindbar; ethisches Ziel der Minne ist die ritterliche Ehre. Sobald ein Artusritter heimkehrt und König Artus erscheint, breitet sich Feststimmung aus, bis der Artuskreis durch einen erneut auf »aventuire« ausziehenden Ritter wieder aufgelöst wird.

idealisierte Standesdichtung

Fanden zum Zeitpunkt des frühhöfischen Versromans antike Stoffe und Artusepen gleichermaßen Anklang, so sollte sich die Versepik der staufischen Literaturepoche ganz auf die Artuswelt verlegen, weil sie in ihr allein das Spielmaterial für eine höchst kunstvolle Verschränkung märchenhaften, weltentrückten Geschehens und idealisierter Standesdichtung fand. Die Lösungen, die in der epischen Dichtung Hartmanns von Aue, Gottfrieds von Straßburg und Wolframs von Eschenbach für dieses Standesideal gefunden wurden, überraschten durch die Verwendung feststehender Verhaltensweisen und Bedeutungen, deren Bekanntheit beim höfischen Publikum vorausgesetzt werden durfte; sie arbeiteten nicht das Normierte, sondern das Offene dieser Konventionen heraus. Nichts wäre falscher als in der idealen höfischen Standesdichtung die blanke Illustration, die reale Darstellung eines einmal festgelegten Grundmusters zu sehen. In dieser Dichtung ist ein individueller Gestaltungswille ebenso am Werk wie eine undogmatische, neugierige Erfahrungssuche, die ihren selbstbewußten Ausdruck erprobt. Die auktoriale Grundhaltung der staufischen Literaturepoche ist zutreffend damit bezeichnet, daß sie in Konventionen gegen Konventionen dichtet und die so akzentuierte Dichtung einem sich mehr und mehr erweiternden geistigen Erfahrungshorizont zuordnet.

Hartmann von Aue

Vieles im Werk Hartmanns von Aue deutet auf diesen ritterlichen Intellektualismus hin, wenngleich er sich nur der ethischen Problematik des vollkommenen Rittertums zuwendet und dessen religiöse Überhöhung ausspart. In seinem um 1180/85 entstandenen *Erek* verläuft die Handlung zunächst nach dem von Chrétien de Troyes vorgezeichneten »aventuire«-Schema: Erek reitet aus, erringt die Geliebte und kehrt ehrenvoll an den Hof von König Artus zurück. An diesem Punkt wären die ästhetischen Mittel des frühhöfischen Versromans bereits erschöpft. Hartmann eröffnet nun aber mit seiner Fortsetzung des Geschehens einen seelischen Bewährungs- und Entscheidungsraum, der das zuhörende höfische Publikum eine wichtige ethische Erfahrung machen läßt. Für Erek und seine Frau Enite wird die jung erfahrene Minne zur Gefahr, weil sie als bewußtes Beziehungsmoment zwischen beiden Gatten noch gar nicht in Erscheinung getreten ist. Als Enite eines Tages im Selbstgespräch ihre Unzufriedenheit und Enttäuschung über Ereks tatenloses Leben bei Hofe äußert, erkennt er die Gefahr und handelt augenblicklich. Er reitet aus, um seine ritterliche Ehre herzustellen. Enite muß ihm folgen, weil auch sie nicht frei von Schuld ist und ihn nicht in ihren Dienst genommen hat, von ihm »arbeit« um der Minne willen verlangt hat. Während seiner Abenteuer versinkt Erek in einen todähnlichen Schlaf. Enite glaubt, er sei wirklich tot, und verfällt in Trauer, während der sie von einem Grafen umworben und stürmisch bedrängt wird. Als sie aufschreit, erwacht Erek und erschlägt den Grafen. Er hat damit seinen Frauendienst erfüllt, sie darf wieder neben ihm reiten, weil sie ihm die Bewährung ermöglicht hat. Ereks Weg zu einem vollkommenen Ritter ist noch nicht am Ende. Im Zweikampf muß er lernen, ehrenvoll zu verlieren, weil es nicht allein darauf

Seite aus Wolframs
»Willehalm«
(Handschrift
Ende des 13. Jhs)

ankommen kann, daß gekämpft und gesiegt wird, ohne das »wozu« zu erwägen. Auch anhand dieser Fragestellung wird deutlich, wie weit Hartmann bereits über den frühhöfischen Versroman hinausgeht, denn dort geschah ja die »aventuire« noch um ihrer selbst willen. Auf seiner letzten Station begegnet Erek dem Roten Ritter Mabonagrin, der seiner Frau geschworen hat, erst dann wieder auf »aventuire« zu ziehen, wenn er besiegt wird. Erek kämpft Mabonagrin nieder, und dieser empfindet seine Niederlage als Befreiung von zwanghafter Minne, auch dies eine frühhöfische Konstellation, die bei Heinrich von Veldekes *Eneit* in der Figur der Dido aufgetreten war. Mabonagrin kann nicht zuletzt durch Erek befreit werden, weil dieser die Höhen und Tiefen von Ehre und Minne durchlaufen hat. Als vollkommener Ritter kehrt er mit Enite an den Hof von König Artus zurück und wird freudig aufgenommen.

21

»Iwein« und
»Armer Heinrich«,
»Gregorius«

Als direktes Gegenstück scheint Hartmanns *Iwein* (nach 1200 entstanden) abgefaßt zu sein. Diesmal ist es nicht die Maßlosigkeit der Minne, sondern das Unmaß der »aventuire«, die das höfische Gleichgewicht zu stören droht. Iweins Drang zur »aventuire« stellt die Minnebindung zu Laudine infrage, die ihn für ein Jahr entlassen hat; er aber vergißt die Rückkehr. Als ihn die Dienerin Laudines, Lunete, deswegen beschimpft und verflucht, bricht Iwein zusammen, verfällt dem Wahnsinn und beginnt ein Leben als Eremit. Durch eine Wundersalbe wird er geheilt und hat das feste Ziel, seine Ehre wiederherzustellen und die Minne Laudines zurückzugewinnen. Er besteht eine Kette von Abenteuern; zuletzt kämpft er gegen Gawain, der sich ihm unerkannt in den Weg stellt. Der Kampf wird nicht entschieden, aber Iweins Ritterehre ist wiederhergestellt, und er wird erneut in die Tafelrunde von König Artus aufgenommen. Unruhig eilt er zu Laudine, die ihm gesteht, daß auch sie einen Teil der Schuld an seinem ursprünglichen Ehrverlust trägt, und das Paar ist versöhnt. Der *Iwein* ist das letzte und formvollendetste Versepos Hartmanns von Aue. Seinem immer wieder durchklingenden ritterlichen Schematismus ist deutlich anzumerken, daß die Ausdrucksmöglichkeiten der höfischen Versepik in den zwanzig Jahren seit dem *Erek* erschöpft sind. Zeichnete sich der *Erek* durch die ethisch-moralische Distanz zum frühhöfischen Versroman deutlich als etwas Neues und Unerhörtes aus, so wird der *Iwein* durch einen klanglosen Schluß beendet, der den ritterlich-höfischen Standeskonventionen zuwiderläuft. Laudine trägt keineswegs Mitschuld am Ehrverlust Iweins. Das Lehensverhältnis, unter dem der Minnedienst zu sehen ist, regelt den Schutz der Herrin und den Dienst des Ritters. Laudine ist in Hartmanns Fassung nicht die Gattin, sondern die Herrin und hat damit das Recht, den Dienst des Ritters aufzukündigen, wenn dieser nicht rechtzeitig zu ihrem Schutz zurückkehrt. Zweifellos, in diesem Stilbruch Hartmanns kündigt sich eine Gleichgültigkeit gegenüber dem literarischen Ziel, der Formulierung ritterlicher Standesethik, an, weil die höfische Konvention als inhaltsleer und wirklichkeitsfremd erkannt ist. – Über Hartmann von Aue gibt es nur wenige annähernde Daten. Er wurde zwischen 1160 und 1165 geboren; er lebte als Ministerialer, seinen Gönner kennen wir nicht. Er spricht aber klagend von dessen Tod und legt das Kreuzzugsgelübde ab. Er hat wahrscheinlich am dritten Kreuzzug (1189–92) teilgenommen und nach seiner Rückkehr um 1195 den *Armen Heinrich* verfaßt, der völlig außerhalb des Artusschemas steht und in Zügen der Legendendichtung zuzuordnen ist (Wechselspiel von Liebe und Opferbereitschaft im Handlungsablauf zwischen dem todkranken Ritter und dem Bauernmädchen, das sein Herzblut für die Genesung des Ritters geben will). Ebenfalls außerhalb der ritterlich-höfischen Wertvorstellungen steht Hartmanns *Gregorius*, eine Büßerlegende, die eng mit dem Kreuzzugserlebnis zusammenhängt und den in ritterlicher Standesdichtung unvorstellbaren Zwiespalt zwischen Gott und Welt thematisiert. Hartmanns Sterbedatum ist nicht bekannt; es liegt mit Sicherheit nach 1210. Hat sich bei Hartmann von Aue das ritterlich-höfische Epos trotz der Schaffung eines innerlichen ethisch-moralischen Reflexions- und Erfahrungsraumes erschöpft und ist die Artuswelt wie schon im frühhöfischen Roman wieder einmal an ihre ästhetischen Grenzen gelangt, so sollen in der *Parzifal*-Dichtung Wolframs von Eschenbach weitergehende Möglichkeiten der Selbsterfahrung des Ritterstandes aufgezeigt werden.

Wolfram
von Eschenbach

»Schildes ambet ist mîn art«, verkündet Wolfram stolz und weist damit auf seine ritterliche Geburt hin. Vermutlich stammt er aus der Nähe von Ansbach, ist jedoch unbegütert und auf den Lehensdienst angewiesen. Seine

Gönner finden sich unter den Grafen von Wertheim, den Grafen von Dürne
auf der Wildenburg im Odenwald, aber auch der Pfalzgraf Hermann von
Thüringen ist darunter, der bereits frühhöfische Dichter wie Heinrich von
Veldeke und später Walther von der Vogelweide gefördert hat. Wolfram von
Eschenbach ist der eigenwilligste der drei großen Epiker der staufischen
Literaturepoche. So hält er z.B. den höfischen Ritter für aus der Art geschlagen, lehnt dessen Bildung ab, die ja noch immer in den Händen von Geistlichen liegt, und verweigert, wie seine Äußerungen zu Reinmars Dichtung
zeigen, auch den Frauendienst. Während Hartmann von Aue in keinem
seiner Werke ohne Hinweis auf seine Literaturkenntnisse, sprich Latein-
kenntnisse, auskam, behauptet Wolfram von Eschenbach spöttisch-ironisch
von sich: »ich enkan keinen buchstaben«; an anderer Stelle sagt er, er sei
»künstelôs«, d.h. er hat die geistliche Ausbildung in den »Sieben freien
Künsten« nicht erhalten. Wolfram will sich nicht als ungebildet, sondern als
frei vom Ballast des Lateinstudiums darstellen. Als selbstbewußter ritterlicher Laie löst er sich damit vollkommen von der geistlichen Unterweisung. –
Wolframs *Parzifal* gehört zu den meistgelesenen Versepen des Mittelalters;
über 75 Handschriften und Fragmente weisen auf die außerordentlich weite
Verbreitung hin – von Hartmanns *Iwein* ist nicht einmal ein Bruchteil dessen
erhalten. Auch Wolfram fußt mit seinem *Parzifal* auf Chrétien de Troyes,
dessen 1185 begonnener *Perceval* allerdings Fragment geblieben ist. Sicherlich aber ist die Parallelhandlung Gawan und Parzifal auf Chrétiens Vorlage
zurückzuführen. Wolfram von Eschenbach hat eine weitere Quelle angeführt, einen Kyot, wohl eine phantasievolle Finte, mit der eine geheimnisvolle Autorität vorgetäuscht werden sollte. – Der Entwicklungsgang des
Parzifal ist klar vorgezeichnet: Er wächst vom ahnungslosen Knaben zum
Artusritter heran und wird schließlich Gralskönig, eine Laufbahn, die ihm
vorbestimmt ist, von der er aber – antikes Tragödienschema – keine Kenntnis hat. Im *Parzifal* Wolframs stoßen deutlich zwei Erzählschichten aufeinander, der Artuskreis und die Gralssage. Während Parzifal und Gawan am
Artuskreis gleichermaßen teilhaben, ist die Handlung der Gralssage ausschließlich Parzifal vorbehalten. In der neuen religiösen Erfahrung, die dem
Artusritter Parzifal durch die Gralsabenteuer möglich wird, geht Wolfram
beträchtlich über Hartmann von Aue hinaus. Im einzelnen wird dies am
Versagen des Artusritters während seiner ersten Gralsfahrt sichtbar werden.

*Wolfram
von Eschenbach*

Parzifal wird von seiner Mutter erzogen, die nach dem Rittertod ihres
Gemahls in einer einsamen Waldgegend haust; sie hält die ritterliche Welt
bewußt von Parzifal fern, um ihm das Schicksal des Vaters zu ersparen. Ein
Trupp vorbeiziehender Ritter weckt jedoch die Neugier des Knaben, er zieht
mit ihnen, um die Welt zu erfahren. Davon kann ihn auch das Narrengewand nicht abhalten, das ihm seine Mutter bei seinem Aufbruch in die Welt
gegeben hat, um ihn durch sein lächerliches Aussehen vor ernsten Gefahren
zu schützen. Die erste Etappe des Wegs zum Gral legt Parzifal ganz innerhalb
der Artuswelt zurück, aber er tut dies unwissend und verstrickt sich in erste
Schuld. In Unkenntnis der Bedeutung des Minnepfands entreißt er Jeschute,
der Gattin des Herzogs Orilus, Ring und Spange; Orilus verstößt seine
Gattin und macht sich auf die Suche nach dem Eindringling. Parzifal begegnet Sigune, die um ihren von Orilus getöteten Geliebten trauert. Von Sigune
erfährt er seinen Namen. Vor den Toren von Nantes hat Ither, der Rote
Ritter, sein Lager aufgeschlagen. Er schickt Parzifal mit einer Herausforderung an Artus in die Stadt. Die buntscheckige, schöne Erscheinung Parzifals
erregt die Aufmerksamkeit des Hofs. Parzifal bittet darum, gegen den Roten
Ritter Ither kämpfen zu dürfen und erhält die Erlaubnis zum Zweikampf. Er

Parzifals »Lebenslauf«

tötet Ither mit einem Bauernspieß und zieht sich dessen Rüstung an. Eine
erste Mutprobe ist bestanden. Ohne an den Hof König Artus' zurückzukehren, reitet Parzifal weiter, noch trägt er noch das Narrengewand unter der
Rüstung. Bei Gurnemanz erlernt Parzifal alle Pflichten und Rechte ritterlich-
höfischen Lebens, vor allem aber Selbstbeherrschung und Mäßigung. Gurnemanz gibt ihm den verhängnisvollen Rat, nicht allzu neugierig zu sein: »ir
ensult niht vil gefrâgen«. Als formvollendeter Ritter steht Parzifal Condwiramurs bei, als ihre Stadt belagert wird. Er gewinnt sie als Herrin. Damit ist ein
wesentliches Ziel des Artusritters erreicht, aber in Parzifals Seele kündigt sich
mehr an. Auf seinem Ritt weg von Condwiramurs trifft er auf die Gralsburg,
ein Arkanbereich jenseits der als real erfahrenen Artuswelt; er erlebt den
Gral und die Gralsmahlzeit, aber er fragt nicht nach dem Grund für die
Trauer am Hof, denn Gurnemanz hatte ihm ja einst geraten, nicht allzu
neugierig zu sein. Am nächsten Morgen findet sich Parzifal vor der leeren
Burg wieder. Zum ersten Mal hat sich der vollendete Artusritter über die
Grenzen dieser Welt hinausgewagt und ist gescheitert. Wolfram deutet damit
unübersehbar auf eine Gefahr der formalen Erstarrung des ritterlich-höfischen Ständebildes hin und konfrontiert sein Publikum mit einer unbestimmten religiösen Erfahrung, die im konventionellen Schema von Ehre und
Minne nicht mehr verarbeitbar ist. Wolframs bewußt gesuchter und nach
außen hin betonter Bildungsweg als Autodidakt kann diese Absicht nur
unterstreichen. Parzifal kehrt in die Artuswelt zurück. Wieder trifft er auf
Sigune, die ihm nun enthüllt, daß seine Mutter Herzeloyde die Schwester des
todkranken Gralskönigs Amfortas sei. Er trifft nun auch auf die von ihm
unwissend erniedrigte Jeschute, besiegt Orilus im Zweikampf und stiftet
beider Ehe neu. Parzifal kehrt als vollendetes Mitglied der Tafelrunde an den
Hof König Artus' zurück. Wiederum aber meldet die unbegriffene Gralswelt
ihren Anspruch auf Parzifal an. Während des Festmahls tritt die Gralsbotin
Cundrie auf, verflucht Parzifal im Namen des Grals und verkündet, daß
Parzifal seine Ehre als Artusritter verloren habe. Parzifal verläßt den Hof
unverzüglich, obwohl er sich, ganz in den Vorstellungen der Artuswelt befangen, keiner Schuld bewußt ist. Von nun an gerät er als gottloser Ritter ins
Blickfeld, der seinen Abstand zu Gott mit seinem Lehensverhältnis begründet. Sein Pferd führt ihn zu Trevrizent, dem er sich als reuiger Sünder
vorstellt.

religiöse Überhöhung
des aventuire-Romans

Damit macht Parzifal den entscheidenden Schritt zu einem gottbezogenen
Dasein und stellt sich zugleich außerhalb des Artuskreises, eine Tatsache, die
ihm in Form seiner Einsamkeit, seiner Sehnsucht nach dem Gral und Condwiramurs doppelt deutlich wird: Die Artusrunde kennt die Form der Einsamkeit und der Sehnsucht ja nur im Verlauf der »aventuire«, während des
Hoffestes ist sie nicht möglich. Abermals erscheint die Gralsbotin Cundrie.
Sie verkündet die Aufhebung des Fluchs über Parzifal und seine Berufung
zum Gralskönig. Auf seiner erneuten Fahrt zum Gral wählt Parzifal den
Heiden Feirefiz als Begleiter und stellt nun auch König Amfortas die von ihm
lange erwartete Mitleidsfrage: »oeheim, waz wirret dir?«. Amfortas ist geheilt und Parzifal Gralskönig. Feirefiz ist nicht ohne Bedacht in die Grals-
handlung einbezogen worden. Er ist Ausdruck eines Heidentum und Christentum umfassenden gottbezogenen Rittertums, das notwendig wird, weil
sich in der Realität des Stauferreichs die Frage »Gott oder Welt?«, »Gott
oder Teufel?« jeden Tag neu stellt. Die Antwort, die Wolfram gibt, Parzifal
entscheidet sich für Gott, bekennt sich als sündig und erfährt die Gnade
Gottes durch Trevrizents priesterlichen Fürspruch, ist ein wichtiges ideelles
Bindeglied zum Kreuzrittertum, das von einer neuen Frömmigkeitsbewegung

*Die Artusrunde
und die Erscheinung
des Gral (französische
Miniatur des 15. Jhs)*

getragen ist. Mehr als eine ideelle Verbindung kann aber nicht gesehen werden, weil päpstliche Machtpolitik in den Kreuzzügen u.a. auch ein Mittel erkannte, die Reichsmacht und den sie tragendenden, erhaltenden Ritterstand zu schwächen.

Während von Wolfram von Eschenbach noch der *Willehalm* (um 1215, unvollendet) und der *Titurel* (um oder nach 1215) bekannt sind, hat Gottfried von Straßburg ein einziges Werk hinterlassen: *Tristan und Isolde*. Eine Bearbeitung dieses Stoffes war bereits in der frühhöfischen Dichtung begegnet, der *Tristrant* des Eilhart von Oberge. Gottfried von Straßburg nennt als seine Vorlage eine Bearbeitung des Thomas von Britanje, deren Bedeutung ähnlich wie die Artusbearbeitungen durch Chrétien de Troyes einzuschätzen ist: Thomas von Britanje hat diesen Stoff auf die Bedürfnisse der ritterlich-höfischen Welt hin umgearbeitet. Gottfrieds *Tristan und Isolde* ist um 1210 entstanden und unvollendet geblieben. Seine Fortsetzer fand er in Ulrich von Türheim (um 1230) und Heinrich von Freiberg (um 1290). Gottfried von Straßburg entstammt nicht dem Ritter- oder Ministerialenstand, sondern dem Patriziat einer prosperierenden, unruhigen Stadt, deren Geschäfte durch die intensiven Handelsbeziehungen zwischen Frankreich und Deutschland geprägt werden. Gottfried wird als ›meister‹, nicht als ›her‹ bezeichnet. Hohe Bildung zeichnet ihn aus, er besitzt weitreichende Kenntnisse der antiken Geschichte und Literatur, der Theologie und französisch-höfischen Bildung, die ja stets einen Schritt weiter ist als die deutsche. Bedeutsam ist seine Auseinandersetzung mit Wolfram von Eschenbach, den er zwar nicht nennt,

»Tristan und Isolde«

der aber doch eindeutig gemeint ist. Er wirft Wolfram schlampigen Umgang mit seiner Vorlage zum *Parzifal* vor und verkennt damit gerade die originale Leistung, die durch die Konfrontation der Artuswelt mit der Gralswelt zustandegekommen war. *Tristan und Isolde* stellt denn auch keine genuine Leistung im Sinne etwa Hartmanns von Aue oder Wolframs dar, sondern ist im wesentlichen Bearbeitung, sorgfältige Kommentierung, Konzentration der Motivschichten. Für Gottfried von Straßburg, den städtischen Gelehrten, ist Thomas von Britanje eine unumstößliche Autorität, während Wolfram von Eschenbach – als ritterlicher Laie – mit seinem fiktiven Kyot scherzhaft-ironisch umgeht. Gottfried nimmt keine Umgestaltung oder Neukonzeption vor, sondern hält sich an das Aufbauschema der Vorlage, wie dies auch Eilhart von Oberge getan hat. Auf die Darstellung von Tristans Jugend und der ersten Irlandfahrt folgt die zweite Irlandfahrt, der Minnetrank und die daraus sich ergebenden Verwicklungen, zuletzt Tristans Verbannung und seine verzweifelten Versuche, an König Markes Hof zurückzukehren. Es ist unverkennbar, daß Gottfried von Straßburg seiner Bearbeitung formale Aspekte des Gleichklangs der Reime, der kunstvollen Korrespondenz von Wörtern und Begriffen, von Namen in den Vordergrund gestellt hat. Er ist der rhetorisch gebildetste und bedächtigste unter den mittelhochdeutschen Epikern. Tristan und Isolde nennt er

*Gottfried
von Straßburg*

> ein senedaere und ein senedaerin,
> ein man, ein wîp – ein wîp, ein man,
> Tristan Isolt – Isolt Tristan.

Schon in diesen wenigen Zeilen wird die Wortkunst Gottfrieds sichtbar; er versucht, auf der Ebene des Verses und des etymologischen Gleichklangs den unlösbaren Zauber des Minnetranks zu versinnbildlichen und die Musik des Magischen vorzuspielen, das Tristan und Isolde zu einem Wesen vereinigt hat:

> Tristan und Isôt, ir und ich,
> wir zwei sîn iemer beide
> ein dinc ân underscheide.

An diesem unterschiedslosen Einssein scheitern die Minnevorstellungen der ritterlich-höfischen Welt, und es ist das große Verdienst Gottfrieds, daß er den legendenhaften Kern der Erzählung – die unaufhebbare Wirkung des Minnetranks – ebenso wenig getilgt hat wie Wolfram die Anziehungskraft des Grals und den absoluten Charakter der Mitleidsfrage, die als solche ja nie erörtert oder infragegestellt wird.

*Verwundung Tristans
im Kampf mit Morolt*

Die *Tristan*-Handlung findet einen ersten Höhepunkt im Zweikampf mit Morolt, der den Onkel Tristans, König Marke, tributpflichtig machen will. Tristan überwindet Morolt, trägt aber eine Wunde davon, die nur von der Schwester Morolts, Isolde, der Königin von Irland, geheilt werden kann. Verkleidet begibt sich Tristan auf die Fahrt, wird geheilt und lernt während seines Aufenthalts am Hof die Tochter der Königin kennen, die ebenfalls Isolde heißt. Nach seiner Rückkehr zu König Marke bietet sich Tristan als Brautwerber an; er will im Namen Markes um die Hand der jungen Isolde anhalten. Nach seiner heimlichen Landung besteht er einen wütenden Kampf mit dem Drachen; als er ihn getötet hat, sinkt er bewußtlos zusammen; von Hofleuten wird er aufgefunden und im Bad an seiner Narbe erkannt. Es gelingt Tristan, die ihm wegen Morolt zürnende Königin zu beschwichtigen und seine Brautwerbung bekanntzugeben. Er darf die junge Isolde als Braut zu König Marke führen; auf der Überfahrt nehmen beide

versehentlich den Liebestrank ein, den die Königin Isolde für die Hochzeitsnacht mit Marke vorgesehen hatte. Ein unwiderstehliches Liebesverlangen
überkommt Tristan und die junge Isolde, und noch während der Überfahrt
geben sie ihm nach. Die Ehe Isoldes und Markes wird geschlossen, ihm aber
während der Hochzeitsnacht die noch unberührte Brangäne unterschoben.
Der unstillbare Liebeshunger von Tristan und Isolde, das Versteckspiel und
die Entdeckung durch den betrogenen Marke gipfeln in der Verbannung des
Liebespaars. Waldleben und die Glückseligkeit der Liebesgrotte schließen
sich an. Als sie an den Hof zurückkehren, ist Marke versöhnt, aber er muß
zugleich die schicksalhafte Verbundenheit der Liebenden erkennen und
untersagt Tristan den Aufenthalt am Hof. Auf seiner Fahrt begegnet er
Isolde Weißhand – die Namensgleichheit verführt ihn zu einem vermeintlichen neuen Liebesglück. An dieser Stelle bricht Gottfrieds Fassung ab.
Andere Tristanquellen weisen auf den Fortgang hin. Demnach heiratet Tristan Isolde Weißhand, aber er kann nicht davon ablassen, die wahre Isolde
immer wieder aufzusuchen, um mit ihr die Liebe zu genießen. Eines Tages
wird Tristan tödlich verwundet, man schickt nach Isolde, weil nur sie ihn
heilen kann, aber er stirbt vor ihrer Ankunft. Als sie von seinem Tod erfährt,
stirbt auch sie.

*Der magische
Liebestrank*

*Tod Tristans
(nach einer
Miniatur um 1480)*

27

Minnekonzeption

An diesem Handlungsablauf und der sich daraus ergebenden Einschätzung des Versromans fällt die ungewöhnliche Behandlung der Minne auf. Alle Handlungsstränge sind auf ihre körperliche und seelische Erfüllung hin orientiert. Schon die Tatsache, daß Minne die körperliche Vereinigung der Liebenden einschließt, steht konträr zur ritterlich-höfischen Auffassung, für die die Ferne zur Frau charakteristisch ist. Die »aventuire«-Elemente (Kampf mit Morolt, Kampf mit dem Drachen) stehen nicht im temperierten Spannungsfeld von ritterlich zu erwerbender Ehre und von Minnelohn durch die Herrin. Sie sind Durchgangsstationen, im Grunde Hindernisse auf dem Weg zur Vereinigung der Liebenden. Ein regelmäßiger Wechsel von Abschied und Rückkehr zur Geliebten, wie ihn die Artusdichtung kennt, ist für Tristan und Isolde undenkbar. Zwar nähert sich die Minnehandlung in der Betonung eines körperlichen neben einem seelischen Moment den Vorstellungen der frühhöfischen Minnelyrik, aber die Liebesbeziehung von Tristan und Isolde hat zugleich einen gesellschaftsfernen, wenn nicht gesellschaftsfeindlichen absoluten Charakter. Sie ist magischer Zwang aus ferner, vorhöfischer Zeit und bewußt dem rationalen, welterfahrenen Verständnis der ritterlich-höfischen Gesellschaft entrückt. Das ist die – gleichsam negative – Botschaft, die Gottfried von Straßburg seinem Publikum überbringen will. Nichts ist für diese Haltung Gottfrieds bezeichnender als die Behandlung der Figur König Markes. Ihm wird bescheinigt, daß er Isolde nur körperlich (»ze lîbe«), nicht aber seelisch (»z'êren«) besitzt und begreift. Er, der höfisch-humane Repräsentant der Minnekonvention, hat in der magisch-religiösen Ordnung, die diese Liebe schafft und die wiederum nur für sie geschaffen ist, keinen Platz: er wirkt als Eindringling und als Störenfried, oder er kommt zu spät, wie beim Tod der beiden Liebenden. Daß der Tod überhaupt Bestandteil eines Minnekonzepts wird, ist ein weiterer Affront gegen die höfische Verfassung, die um die Pole der Freude und des Festes kreist. Deshalb zuletzt wendet sich Gottfried von Straßburg in seinem Prolog zu *Tristan und Isolde* nicht an das höfische Publikum, von dem er wenig Verständnis erwarten darf, sondern an eine standesmäßig nicht faßbare, anonyme Gemeinde der »edlen Herzen«, denen sich Leben auf Tod, Liebe auf Leid zusammenreimt.

Epik aus der Zeit der Völkerwanderung: Nibelungenlied

War der frühhöfische Versroman am Niederrhein und in Thüringen, das höfische Versepos am Oberrhein beheimatet, so treffen wir im bairisch-österreichischen Sprachgebiet auf einen Epenbestand, der bis in die germanisch-heroische Dichtung der Völkerwanderungszeit zurückreicht. Deren Überlieferungsform ist das gesungene Lied gewesen, wobei der Endreim den Stabreim allmählich abgelöst haben wird. Eine schriftliche Tradition heroischer Buchepik ist erst nach 1200 nachweisbar. Das *Nibelungenlied* ist im Zeitraum der staufischen Literaturepoche das einzige Heldenepos geblieben, das erhalten wurde. Vom 13. bis zum 16. Jahrhundert sind drei Dutzend Handschriften bekannt; Wolfram von Eschenbach war mit der bairisch-österreichischen Version vertraut, nennt aber deren Verfasser nicht; dieser wiederum muß den *Iwein* des Hartmann von Aue gekannt haben; aus der Widmung an den Bischof von Passau, Wolfger von Ellenbrechtskirchen, dessen Amtszeit von 1194 bis 1204 dauerte, kann geschlossen werden, daß das *Nibelungenlied* zwischen 1200 und 1210 entstanden ist. Während die westfränkische heroische Dichtung ihren ursprünglichen Charakter recht schnell verloren hat und sich zum »aventuire«- und Minneroman entwickelt *(Rolandslied, Willehalm)*, erhält sich auf deutschem Boden der Charakter als Stammes- und Gefolgschaftsdichtung bzw. als Heldenpreislied recht lange. Die dem Original näherstehende deutsche Heldendichtung verzeichnet deshalb auch in den späten Beispielen immer noch geschichtlich verbürgte Helden und Taten, während der westfränkische Weg ja in die ungeschichtliche, ideale Artuswelt führt. Mit aus diesem Grund behält die deutsche Heldendichtung das Arsenal von Sippe und Gefolgschaft, vom Kampf um Sieg oder Tod, von schicksalhafter Begegnung und heroischer Wechselrede bei, prägende Elemente auch im *Nibelungenlied*. Noch ein Unterschied fällt auf: Während die westfränkische Tradition den Reimpaartypus als bindendes Element des epischen Vortrags entwickelt, kennt das deutsche Heldenlied aus seiner Sangestradition heraus nur die Strophenform. Die Nibelungenliedstrophe setzt sich aus vier Langzeilen zusammen, die an die altgermanische Stabreimlangzeile anknüpfen. Jede Langzeile baut auf einem vierhebigen Anvers und einem dreihebigen Abvers auf, nur der letzte Abvers einer jeden Strophe hat vier Hebungen:

> Es wuohs in Burgonden　　ein viel edel magedîn
> daz in allen landen　　niht schoeners mohte sîn
> Kriemhilt geheizen　　wart eine schoene wip
> darumbe muosen degene　　vil verliesen den lip.

Nibelungenliedstrophe

Der unbekannte Dichter des *Nibelungenliedes* war vielleicht zwischen Passau und Wien beheimatet, einer lebendigen Literaturlandschaft, die über zahlreiche Mäzene verfügte (der Bischof von Passau, der Babenberger Hof in Wien). Er ist es gewesen, der dem *Nibelungenlied* sein ritterlich-höfisches Gepräge gegeben und gleichzeitig zu einer Sprache gefunden hat, die sein höfisches Publikum mitreißen mußte. Nicht nur der ungewöhnliche Stoff, dessen heidnisch-germanische Grundzüge immer wieder unter der ritterlichen Patina durchbrechen, sondern vor allem dessen Bändigung in einer schmucklos-klaren, selbstbewußten Strophik muß einen exotischen Reiz ausgeübt haben. In der Tat ist das Nebeneinander älterer und jüngerer Schichten für das *Nibelungenlied* charakteristisch. Es ist nicht aus dem Guß einer einmaligen und energischen Bearbeitung. Es setzt sich zunächst aus zwei Liedfabeln von Siegfried und seiner Ermordung und dem Burgundenuntergang am Hof Etzels zusammen. Das oberflächliche Bindeglied ist die Kriemhildgestalt, aber auch sie bildet keine einheitliche Figur, sondern erscheint im ersten Teil als liebliches, umworbenes Mädchen, während sie im zweiten Teil von den düsteren Zügen der Rache geprägt ist. In dieser Disparatheit hat der *Nibelungenlied*-Dichter seinen Stoff vorgefunden und getreulich konserviert. Uneinheitlich sind auch die Helden gestaltet. Während Hagen als heroischer Held klaglos stirbt und damit seine Schicksalsergebenheit demonstriert, gerät in der Gestalt Rüdigers – wie Dietrich von Bern Sinnbild ritterlicher Humanität – die Todesahnung zu einem tragischen Konflikt, den das heroische Heldenlied nicht kennt. Rüdiger wie Dietrich sind »Zutaten« aus späterer Zeit und unterlagen deshalb dem Gestaltungsvermögen des höfischen Dichters. So ist vor allem Dietrich hervorzuheben, der mehrfach die Überlegenheit des höfischen Ritters unter Beweis stellt und den Ablauf der Tragödie verzögert. Dietrich ist aber auch kein Artusritter, weil er die tragische Einsicht in die Schicksalhaftigkeit des Geschehens hat und es selbst zu Ende führt. In krassem Gegensatz zu ihm steht Hagen, eine autochthone Figur der heroischen Frühzeit, der kaltblütig, ja höhnisch den Mord an Siegfried bekennt. Ihm konträr zugeordnet ist die Rächerin Kriemhild, die aus einer gefühlsbetonten, der Reinheit und Ehre ihrer Sippe verpflichteten Haltung heraus handelt. Daß sich Hagen und Kriemhild als Gegenspieler auf einer gleichwertigen Ebene bewegen, ist für das höfische Publikum ebenfalls ungewohnt. Die Artusepik behandelt nur den positiven Helden großzügig;

Das »Heldische«

das Böse, das Negative werden von vornherein kenntlich gemacht und abgewertet. Ein weiterer Zug ist wesentlich: Während der Artusroman überwiegend Episoden- oder Kettenroman bleibt, der »aventuire« an »aventuire« reiht, zieht sich durch das *Nibelungenlied* die Gewißheit des schicksalhaften Ausgangs wie ein roter Faden. Zwar kennt sein Dichter alle Register höfischer Prachtentfaltung, Festtagsstimmung und Freude, aber diese Momente erscheinen nie ungebrochen, sondern sind durch Vorahnungen des bösen Endes getrübt. Ein letzter Grundzug muß hervorgehoben werden: im *Nibelungenlied* wird deutlich, daß heroisches Geschehen historisch verbürgtes einmaliges Geschehen ist. Seine Handlungsträger sind nicht als Typen, sondern als Individualitäten verfaßt, und einen entsprechend hohen Rang nimmt der Tod ein. Auch die Handlungen sind im heroischen Lied nicht wiederholbar, sie ergeben kein Muster, das so oder so besetzt werden kann – wie es die Artusdichtung kennt und wie es im Vergleich des Hartmannschen *Erec* mit dem *Iwein* sichtbar geworden ist. Das *Nibelungenlied* ist nur in dieser einmaligen Form denkbar, und in der Tat ist trotz seiner schriftlichen Fixierung keine stil- und literaturbildende Wirkung von ihm ausgegangen. Seine recht merkwürdige und vom Verlauf der deutschen Geschichte mehr als deutlich gezeichnete Wirkungsgeschichte ist ein anderer Fall, der nichts mit der Vergleichsebene, der Herausentwicklung der Artuswelt aus der normannisch-bretonischen Heldendichtung, gemein hat, aber auch kaum etwas mit dem *Nibelungenlied* in seiner Gestalt um 1200.

späthöfische
Ständesatire

　　Wernher der Gärtner, standesmäßig nicht näher bezeichnet, aus dem bairisch-österreichischen Sprachraum stammend, hat mit seinem zwischen 1250 und 1280 entstandenen Versepos *Meier Helmbrecht* mit satirischen Akzenten, zuletzt aber doch mit den alten ständehierarchischen Ordnungsvorstellungen auf die von Walther in seiner Spruchdichtung beklagte neue Realität geantwortet. Er hat seiner Erzählung das Gleichnis vom verlorenen Sohn zugrundegelegt, mit einer entscheidenden Veränderung: der verlorene Sohn wird bei seiner Rückkehr vom Vater nicht in Gnaden aufgenommen, sondern verstoßen, ein vorweggenommenes Zurechtrücken gottgewollter Ordnung und richtender Gerechtigkeit. Der Sohn – und als Nebenfigur die Tochter – hat gegen das vierte Gebot verstoßen. Meier Helmbrecht, bäuerlicher Herkunft, verachtet seinen Vater und strebt nach den höheren, die ererbten ständischen Grenzen überschreitenden Weihen des Rittertums. Mit dieser ständischen Unsicherheit, dem offenkundigen Streben nach ständischem Aufstieg ist eine Zeiterscheinung angesprochen, die das unruhige Jahrhundert bestimmt. Meier Helmbrecht schmückt sich mit einer kostbaren Haube, die zum Symbol des angemaßten ritterlichen Standes wird. Konsequent beschreitet er den Weg zum Wegelagerer und Raubritter und kehrt nach Jahresfrist als lautstarker Großprotz zu den Eltern zurück. Er wird dort freudig empfangen, äußert aber unmißverständlich seine Verachtung des bäuerlichen Standes und gibt sich dünkelhaft als vollendeter Ritter zu erkennen. Nach Wochenfrist zieht er wieder los und wirbt seine Schwester als Braut für einen seiner Spießgesellen. Meier Helmbrechts illegitimes Streben nach höheren ständischen Weihen zeigt sich nicht nur in der Übertretung der Kleiderordnung (Haube), sondern auch in der Ausrichtung des Hochzeitsmahls, das mit Mundschenk, Truchseß, Kämmerer usw. peinlich genau den Adels-Comment kopiert. Während des rauschenden Hochzeitsgelages wird die Beute aus den Raubzügen verpraßt, und plötzlich erscheint der Richter mit seinen Schergen. Die Kumpane Meier Helmbrechts werden verurteilt und gehängt, er selbst wird geblendet und an Hand und Fuß verstümmelt. Damit ist das irdische Gericht am ihm vollzogen. Mühsam und elend schleppt er sich nach

Hause, aber dort verflucht ihn sein Vater: »dein Amt ist der Pflug«. Meier
Helmbrecht irrt ratlos umher, bis er bei einem Bauern Zuflucht sucht, den er
einst ausgeplündert hat. Statt Brot und Wein bekommt Meier Helmbrecht
den Strick, und er endet wie seine Freunde am Galgen. Seine Mütze, einst
Symbol seiner neuen ständischen Identität, liegt zertreten und zerfetzt im
Staub. Der *Meier Helmbrecht* Wernhers ist eines der wenigen, das prägnan-
teste Beispiel für die Verlagerungsmöglichkeit der politisch-sozialen Beobachtung in die epische Dichtung, die sich von der höfischen Orientierung
in Richtung auf neu auszumachende Wirklichkeiten im Spätmittelalter zu
befreien sucht.

Minnesang

Wie die höfische Versepik ist auch der Minnesang der staufischen Literaturepoche zugeordnet. Auch er wird vom Ritterstand getragen und ist ihm ein
wesentliches Ausdrucksmittel. Anders als das Versepos spielt der Minnesang
als einstimmiger Solovortrag (mit Instrumentalbegleitung – Fiedel, Harfe,
Flöte, Dudelsack, Schalmei?) eine zentrale Rolle im höfischen Festtagsablauf,
und nicht selten treten Minnesänger gegeneinander zum Wettstreit an – eine
sublime Form des ritterlichen Turniers. Die Minnesänger kommen aus allen
Ständen; Könige wie Wilhelm IX. von Aquitanien, Heinrich VI., Friedrich II.
und Alfons von Kastilien befinden sich unter ihnen; zahlreiche Burggrafen
sind als Minnedichter bekannt; und wenn schon die soziale Wirklichkeit ein
immenses Gefälle innerhalb des Ritterstandes kennt, in der Gestalt des Min-
nesängers stehen Ritter von Geburt und von Vermögen, ärmliche Ministeriale der niedersten Stufe und Unterständische gleichrangig nebeneinander.

*Heinrich Frauenlob
leitet ein höfisches
Orchester*

Der Minnesang ist seinem bevorzugten Ort – dem höfischen Fest – und
seinem Wesen nach gesellschaftliche Kunst. Er setzt nicht nur die versam-
melte Ritterschaft, sondern auch die Anwesenheit der Damen voraus. Die
Grundkonstellation des Minnesangs ist des öfteren als paradox bezeichnet
worden: Der Minnesänger stimmt ein Werbe- und Preislied auf eine der
anwesenden Damen an; ihm ist aber bewußt, daß er seine Dame nie erobern
wird. Wovon er singt, wird er nie erleben, ein elementarer Grund für die
introvertierte Diktion des Minnesangs und sein resignatives Erstarren in der
gesellschaftlichen Konvention. Da die Minne eine körperliche Begegnung
ausschließt, ist sie ganz als ethische, erzieherische Kraft zu sehen. – Als
klassische Form des Minnelieds setzt sich die Stollenstrophe durch – eine
dreiteilige Form, die in ihrer Grundstruktur mit den beiden ersten, metrisch
gleichwertigen Versen den ersten Stollen, mit den beiden folgenden, die
identisch sind, den zweiten Stollen bildet. Diesem »Aufgesang« steht ein im
metrischen Bau und in Verszahl abweichender »Abgesang« gegenüber.
Hinzu kommt die Melodie, nach der das Minnelied gesungen wird; sie ist für
den weitaus größten Teil der Minnelyrik nicht überliefert. Wo in der Spätzeit
Melodien erhalten sind, wie bei Neidhart, dem Sänger mit der größten
Breitenwirkung, fehlen in der Regel die Angaben über Länge, Kürze und
Takt.

Die Minnelyrik der staufischen Literaturepoche entwickelt sich in mehreren unterscheidbaren Etappen. Zwischen 1150 und 1170 gibt es eine donauländische Gruppe, die ohne Berührungsmöglichkeit mit der südfranzösischen

Entwicklung

Troubadourdichtung Minnelyrik hervorbringt (Meinloh von Sevelingen, Burggraf von Regensburg, Kürnberg, Dietmar von Aist, Burggraf von Rietenburg). Zwischen 1170 und 1190 ist am Mittel- und Oberrhein eine Gruppe zu beobachten, die deutliche Berührungspunkte mit der provenzalischen Tradition hat, aber rasch zu einem eigenen Formenbestand findet. Rudolf von Fenis, Heinrich VI., Bernger von Horheim, Heinrich von Rugge, Bligger von Steinach, Heinrich von Veldeke, Friedrich von Hausen, Albrecht von Johansdorf, Hartmann von Aue, Heinrich von Morungen und der Klassiker Reinmar sind die wichtigen Vertreter des »hohen Minnesangs«. Walther von der Vogelweide gilt als Vollender und Überwinder des hohen Minnesangs, weil er als der erlebnishungrigste, weltoffenste und kritischste Dichter seiner Zeit besonders in den späten Liedern der niedrigen Minne und in der Spruchdichtung zu einem neuen, realitätsbezogenen Ausdruck gefunden hat. Die Krise des Minnesangs, die Gefahr der Erstarrung im Konventionalismus ist schon früher bei Neidhart in seinen Sommer- und Winterliedern faßbar, mit deren bewußtem Prinzip des Stilbruchs er viel Beifall bei seinem durch die Sterilität des Minnesangs bald gelangweilten Publikum fand. Schießlich findet sich eine späte Gruppe am Hof Heinrichs VII. (1220–35) mit Burkhart von Hohenfels und Gottfried von Neufen, bei der sich im Grunde bereits der Übergang von der hohen Minnedichtung zum Gesellschaftslied des Spätmittelalters vollzieht. Außerhalb der ritterlich-höfischen Standesdichtung entwickeln sich neue Formen der Mariendichtung, des Marienpreises und der erotisch gestimmten Pastourelle, die die Begegnung des Ritters mit dem einfachen Landmädchen thematisiert. Der Minnesang hat Mitte bis Ende des 13. Jahrhunderts seine gesellschaftliche Geltung verloren; mit Hadloub vollzieht sich der Übergang zum Meistersang; nun haben die Sammler das Wort.

Prachthandschriften

Wir kennen eine ganze Reihe von Prachthandschriften, in denen in adligem Auftrag die Minnelyrik der Vergangenheit gesammelt wurde. Die drei wichtigsten sind: Die kleine Heidelberger Liederhandschrift, die gegen Ende des 13. Jahrhunderts in Straßburg hergestellt wurde; die Weingartner Handschrift, die um 1300 mutmaßlich in Konstanz entstanden ist, sie enthält auch Dichterminiaturen, als Auftraggeber kommt der Bischof Heinrich von Klingenberg in Frage; die Große Heidelberger Liederhandschrift. Sie ist in Zürich zwischen 1300 und 1330 zu datieren und wird als Manessische Liederhandschrift bezeichnet. Sie gehört zu den schönsten und kostbarsten Handschriften, ist hierarchisch geordnet und setzt mit Kaiser Heinrich ein; zeitlich reicht sie vom Kürnberger bis Frauenlob und Hadloub; sie bietet 137 Dichterminiaturen und 140 Textsammlungen; sie verdankt ihre Entstehung der Zürcher Patrizierfamilie Manesse, deren reichhaltige Bibliothek über eine große Liedersammlung verfügte.

Ursprung des Minnesangs

Im Zusammenhang mit der bis heute, trotz Erich Köhler und Norbert Elias, unbeantworteten Frage nach dem Ursprung des Minnesangs muß betont werden, daß unser Eindruck besonders von der bairisch-österreichischen Frühzeit nur flüchtig sein kann. Die frühe Minnelyrik wurde als sangbares Lied noch nicht gesammelt, es gab dafür ja keinen Grund; das meiste, das Aufschluß über die tatsächlichen Liedverhältnisse (Volkslied, Kirchenlied, Liebesdichtung, Vagantenlyrik usw.) geben könnte, ist untergegangen. Lyrik erscheint uns bis 1200 darum ausschließlich als Minnelyrik. Über ihre Wanderungsbewegung wissen wir, daß, von Südfrankreich ausgehend, die Troubadourlyrik im Norden des Reiches bekanntgeworden und von da aus an den Oberrhein vorgedrungen ist.

32

Ich zôch mir einen valken mêre danne ein jâr
dô ich in gezamete als ich in wolte hân,
und ich im sîn gevidere mit golde wol bewant,
er huop sich ûf vil hôhe
und floug in anderiu lant.

So beginnt eines der bekanntesten Gedichte des frühen Minnesangs, das
Falkenlied des Kürnbergers, eines österreichischen Ritters, der dieses Lied
zwischen 1160 und 1170 geschrieben hat. Alles an diesem *Falkenlied* ist
bereits ritterlich; noch bevor die Troubadourlyrik bekannt wird, ist die Minnedichtung des bairisch-österreichischen Raums in der Lage, aus dem ritterlichen Lebensumkreis sublime Formen der Frauenverehrung zu entwickeln.
Die Falkenzucht ist ritterliches Privileg, und die Sorgfalt, mit der der Falke
geschmückt wird, ist Ausdruck der Sehnsucht nach der fernen Geliebten. Ein
anderer Dichter des bairisch-österreichischen Sprachraums, Dietmar von
Aist, scheint dem Kürnberger direkt zu antworten, wenn er um 1150 dichtet:

Es stuont ein frouwe alleine
und warte uber heide
und warte ir liebes,
so gesach si valken fliegen.
»sô wol dir, valke, daz du bist!
du fliugest, swar dir liep ist.
du erkiusest dir in dem walde
einen boum, der dir gevalle.«
alsô hân ouch ich getân:
ich erkôs mir selbe einen man,
den erwelton mîniu ougen.
daz nîdent schoene frouwen.
owê wan lânt si mir mîn liep?
jo engerte ich ir dekeiner trûtes niet.

Wiederum wird der Falke zur Sehnsuchtsmetapher. Schon in dieser frühen
Stufe ist der Minnesang von der Einsamkeits- und Sehnsuchtsgebärde bestimmt, mit dem wichtigen Unterschied zum hohen Minnesang: diese Sehnsucht ist stillbar. Der Minnesang ist keine Erlebnisdichtung, sondern Huldi-

gung oder Abwesenheitsklage. Im klassischen Minnesang spricht nur der Mann, die Rolle der Frau – wie in Dietmars Beispiel – ist nicht vorgesehen, weil sie dann ihre ideale Abstraktheit verlieren würde; sie darf keine Gefühle zeigen, sie ist ja auch nicht anwesend. Der frühe Minnesang hat eine realistischere Minneauffassung. Der Kürnberger dichtet weiter:

> Wîp unde vederspil diu werdent lîhte zam:
> swer sî rehte lucket sô suochent sî den man.
> als warb ein schoene ritter um einen frouwen guot.
> als ich dar an gedenke, sô stêt wol hôhe mîn muot.

Noch kann der werbende Ritter auf die Erfüllung seiner Träume hoffen, weil in der Frau dieselbe Liebesbereitschaft vorausgesetzt werden darf.

klassischer Minnesang   Die drei wichtigsten Dichter des klassischen (hohen) Minnesangs sind Friedrich von Hausen, Heinrich von Morungen und Reinmar. Friedrich von Hausen ist in der unmittelbaren Umgebung Kaiser Friedrichs zu sehen. Er stammt vom Mittelrhein und stirbt während des dritten Kreuzzugs kurz vor Barbarossa am 6. Mai 1190 an den Folgen eines Sturzes vom Pferd. Seine Gedichte sind durchzogen von der Klage über die Kälte der von ihm verehrten Frau und der Verzweiflung über ihre Unerreichbarkeit. Schließlich macht er die Minne selbst für seinen Schmerz verantwortlich:

> Wâfenâ, wie hât mich minne gelâzen,
> diu mich betwanc, daz ich lie mîn gemüete
> An solhen wân, der mich wol mac verwâzen,
> ez ensî, daz ich genieze ir güete,
> Von der ich bin alsô dicke âne sin.
> mich dûhte ein gewin, und wolte diu guote
> wizzen die nôt, diu mir wont in mîn muote.

Als »wân« wird die Minne bezeichnet; Friedrich von Hausen fühlt sich von ihr geschlagen wie von einer Krankheit, es sei denn, die geliebte Frau würde ihn in Gnaden »güete« aufnehmen, wenn sie von seinem Zustand erfährt. Sie aber grüßt ihn nicht einmal, sondern geht stolz an ihm vorbei. Er fühlt sich *Übersteigerung*   im Innersten seines Herzens getroffen, aber er weiß zugleich, daß sie die einzige ist, der er dienen kann: »seht dêst mîn wân« – wiederholt er seine Selbstanklage und rätselt über dem Wesen der Minne, die ihm seinen Verstand raubt und seinem Körper Schmerz zufügt. Schließlich lehnt er sich auf:

> Minne, got müeze mich an dir gerechen!
> wie vile mînem herzen der fröuden du wendest!
> Und möhte ich dir dîn krumbez ouge ûz gestechen,
> des het ich reht, wan du vil lützel endest
> An mir solhe nôt, sô mir dîn lîp gebôt.
> und waerest du tôt, sô dûhte ich mich rîche.
> sus muoz ich von dir leben bétwungenlîche.

Gott soll ihm beistehen in seinem Kampf gegen die Minne, die ihn so furchtbar zugerichtet hat; das Auge will er ihr ausstechen, und selbst wenn sie elend zugrunde gehen würde, es wäre ja nur gerechte Rache, und er würde sich glücklich schätzen; so aber muß er sich resignierend als der *Leiden an der Minne*   Unterlegene zu erkennen geben. Man darf nicht vergessen, daß es sich bei diesen Bildern um ein antithetisches Gesellschaftsspiel handelt; es kommt darauf an, die kühnsten und unerhörtesten Vergleichsebenen zu finden, um dem recht einfachen Minneschema immer wieder neue dichterische Seiten abgewinnen zu können.

34

Heinrich von Morungen stand im Dienst des Markgrafen von Meißen und soll 1222 im Thomaskloster zu Leipzig gestorben sein. Auch er stellt die Minne als eine magische Macht dar, die ihn ernstlich bedroht:

Heinrich von Morungen

> Mirst geschên als einem kindelîne,
> daz sîn schônez bilde in einem glase ersach
> Unde greif dar nâch sîn selbes schîne
> sô vil, biz daz ez den Spiegel gar zerbrach.
> Dô wart als sîn wünne ein leitlich ungemach.
> alsô dâhte ich iemer frô ze sîne,
> dô'ch gesach die lieben frouwen mîne,
> von der mir bî liebe leides vil geschach.

Die Macht der Minne hat bewirkt, daß ihm die Geliebte im Traum erschienen ist, und deutlich gibt er diesem Traumbild einen erotischen Unterton, indem er von ihrem verheißungsvoll roten Mund berichtet. Diese Anspielung muß aber unverzüglich zurückgenommen werden – und das geschieht wiederum im selben Bild des roten Mundes – antithetisch: er hat plötzlich Angst, die Geliebte könne sterben (»grôze angest hân ich des gewunnen / daz verblîchen süle ir mündelîn sô rôt«). Er fühlt sich angesichts dieser Angst hilflos wie ein unmündiges Kind, das sein Spiegelbild in einem Brunnen gesehen hat und es in Liebe umarmen will. Von der unstillbaren Sehnsucht wird ihn erst der Tod erlösen. In der Dichtung Heinrichs von Morungen fehlt es nicht an religiösen Anspielungen. Es ist vom Seelenheil des Mannes wie der Frau die Rede, der Frauendienst bewirkt die Aufnahme in die Schar der Seligen, Minne wird mit »herzeliebe« übersetzt und damit in die unmittelbare Nähe der Seelenbeziehung zu Gott gerückt. Sichtbarstes Krisensymptom ist aber, daß die Minne im Grunde vor der Gesellschaft nicht mehr artikulierbar ist; damit wird die den Dialog suchende Situation des Minnesangs als Vortrag während des höfischen Festes zunichte.

Reinmar stammt vermutlich aus dem Elsaß. Bewegt hat Gottfried von Straßburg seinen Tod 1210 beklagt. Als der routinierteste und innerlich vielleicht unbeteiligste Vertreter des hohen Minnesangs führt Reinmar den gesamten Formenreichtum und die Ausdrucksmöglichkeiten dieser Gattung vor Augen. Sein Verhältnis zum Minnesang ist ungebrochen, sein Klageton beherrscht alle Register der Standesdichtung; er wird weder religiös überhöht, noch ist sein Minnekonzept in der Realität einholbar.

Klassiker Reinmar

> Ich waen, mir liebe geschehen wil:
> mîn herze hebet sich ze spil,
> ze fröuden swinget sich mîn muot,
> als der valke enfluge tuot
> und der are ensweime.

Adler und Falke, Signaturen ritterlicher Selbstgewißheit und Selbstsicherheit, werden noch mit der freudig empfundenen Minnebereitschaft in Einklang gebracht.

> Die werlt verswîge ich miniu leit
> und sage vil lützel iemen, wer ich bin.
> Ez dunket mich unsaelikeit,
> daz ich mit triuwen allen mînen sin
> Bewendet hân, dar ez mich dunket vil,
> und mir der besten eine
> des niht gelouben wil.

Ein auswendiges, fast mechanisches Aufblättern der Minnesangstereotypen spricht aus Reinmars Dichtung, die an keiner Stelle die persönliche Betroffenheit erkennen läßt, welche für Friedrich von Hausen und Heinrich von Morungen so charakteristisch ist. Ja, Reinmar macht es sich sogar zur Aufgabe, der höfischen Gesellschaft gegenüber das Bezeichnende des Schmerzes zu verhüllen, weil es in die ständische Vorstellungswelt nicht hineinpaßt. Und so kann denn auch seine Klage über die Unerreichbarkeit der Geliebten nur die konventionellen Marginalien des Minnesangs streifen.

> Und wiste ich niht, daz sî mich mac
> vor al der welte wert gemachen, ob sie wil,
> Ich gediende ir niemer mêre tac:
> sô hât sie tugende, den ich volge unz an daz zil,
> Niht langer, wan die wîle ich lebe.
> noch bitte ich sî, daz sî mir liebez ende gebe.
> waz hilfet daz? ich weiz wol, daz siez niht entuot.
> nu tuo siz durch den willen mîn
> und lâze mich ir tôre sîn
> und neme mîne rede für guot.

Die europäische Minnedichtung wird gemeinhin als erster Anfang einer persönlichen, die Icherfahrung suchenden Lyrik bezeichnet. Das ist formal richtig, aber gerade die Auseinandersetzung, die Walther von der Vogelweide mit Reinmar um das Wesen der Minnedichtung geführt hat – die berühmteste Literaturfehde des Mittelalters –, kreist zentral um Ausdrucksmöglichkeiten des eigenen inneren Erlebens. Erst mit Walthers Minne- und Spruchdichtung kommt individuelle Erfahrung zur lyrischen Geltung.

Walther von der Vogelweide wurde um 1170 geboren. 1190 befindet er sich unter der Obhut Leopolds V. am Babenberger Hof zu Wien. Nach dem Tod Leopolds V. (1194) übernimmt sein Sohn Friedrich das Patronat und erst nach dessen Ende 1198 verliert Walther von der Vogelweide seinen Lehensanspruch. Ob eine Auseinandersetzung mit Friedrichs Nachfolger Leopold VI. der unmittelbare Anlaß war, spielt keine Rolle – für Walther beginnt eine Zeit der unsteten Wanderschaft und der materiellen Unsicherheit, die er in seinen Liedern immer wieder beklagt hat. Im Sommer desselben Jahres 1198 steht er bereits in den Diensten Philipps von Schwaben, er findet sich später im Gefolge Ottos IV. und Friedrichs II. Im Jahr 1203 kehrt er im Gefolge des Passauer Bischofs Wolfger von Ellenbrechtskirchen nach Wien zurück, als das Hochzeitsfest Leopolds VI. gefeiert wird. Walthers endgültiger Bruch mit dem klassischen Minnesang ist vollzogen. In den beiden folgenden Jahren kommt der Durchbruch zu einem neuen und unverwechselbaren Dichtungsstil. Als er in den Diensten Friedrichs II. steht, wird er um 1220 mit einem Lehen bei Würzburg belohnt, das ihm sein Auskommen sichert. Der Lebensabschnitt des ruhelosen Wandersängers ist beendet. In einem seiner späten Gedichte widmet sich Walther dem Kreuzzug von 1228/29. Es ist das letzte historische Datum, das sich erschließen läßt. Um 1230 ist er gestorben und in Würzburg begraben worden. Im Laufe der kommenden Jahrhunderte ist sein Grab oftmals aufgesucht und bezeugt worden, es wurde aber auch Gegenstand der Legendenbildung.

Walther von der Vogelweide beginnt als Schüler Reinmars, aber von Anbeginn an ist seine Lyrik von einem helleren, freudigeren Ton durchzogen. Anklänge an die frühe donauländische Dichtung des Kürnbergers und des Dietmar von Aist, die zu seinem unmittelbaren kulturellen Umfeld gehört haben müssen, lassen sich beobachten. Literarisch faßbar wird Walther erst

Walther
von der Vogelweide

Walthers Lebensnähe

*Die Frau
steht unter dem Schutz
der Ritterschaft
(nach einer Miniatur
des 12. Jhs)*

in seiner Auseinandersetzung mit Reinmar. »Gott bewahre mich vor einem traurigen Leben« (»Herre got, gesegene mich vor sorgen / daz ich vil wünneclîche lebe«), ruft er aus und stellt damit der Trauer und der Klage, die den paradoxen Grundzug der Minnelyrik (Anbetung und Unerreichbarkeit der Geliebten) beherrschen, eine neue Daseinsfreude entgegen. Entscheidend aber ist, daß er seiner Dichtung ein anderes Frauenbild zugrundelegt. Ist die Frau im klassischen Minnesang stets abwesend, in Walthers Dichtung nimmt sie in Form der unmittelbaren Begegnung wieder Gestalt an.

> Al mîn fröide lît an einem wîbe:
> der herze ist ganzer tugende vol,
> und ist sô geschaffen an ir lîbe
> daz man ir gerne dienen sol.
> ich erwirbe ein lachen wol von ir.
> des muoz sie gestaten mir:
> wie mac siz behüeten,
> in fröwe mich nâch ir güeten.
> Als ich under wîlen zir gesitze,
> sô si mich mit ihr reden lât,
> sô benimt sie mir sô gar die witze
> daz mir der lîp alumme gât.
> swenne ich iezo wunder rede kan,
> gesihet si mich einest an,
> sô han ichs vergezzen,
> waz wolde ich dar gesezzen.

Auch Walthers Dichtung ist Minnesang, dem der Frauendienst zugrundeliegt. Auch er verliert den Verstand, aber er verliert ihn, wenn er seine Geliebte sieht oder neben ihr sitzt und mit ihr spricht. Walther unterscheidet sich vom klassischen Minnesang durch sein neues Minneprinzip, das auf Gegenseitigkeit beruht – keine Betonung der Hierarchie also, wie es für eine auf die höfische Adresse konzentrierte Dichtung naheliegen mag, sondern weltoffenes Zugehen auf die individuelle Frau, die nicht mehr den »abstrak-

Frauendienst

ten« höfisch-repräsentativen Typus verkörpert. Diese Haltung wird Walther auf seinen Fahrten nach 1198 gewonnen haben, und er gibt ihr ungeschminkten Ausdruck:

Lob
der sinnlichen Liebe

> Ich wil einer helfen klagen,
> der ouch fröide zaeme wol,
> dazs in alsô valschen tagen
> schoene tugent verliesen sol.
> hie vor waer ein lant gefröut um ein sô schoene wîp:
> waz sol der nû schoener lîp?
> Swâ sô liep bî liebe lît
> gar vor allen sorgen frî,
> ich wil daz des winters zît
> den zwein wol erteilet sî.
> winter unde sumer, der zweier êren ist sô vil
> daz ich die beide loben wil.
> Hât der winter kurzen tac,
> sô hât er die langen naht,
> dazu sich liep bî liebe mac
> wol erholn daz ê dâ vaht.
> waz hân ich gesprochen? wê jâ het ich baz geswigen,
> sol ich iemer sô geligen.

Diesen Preis der sinnlichen Liebe kennen der frühe Minnesang, das Volkslied, das Tagelied, die Pastourelle und die Vagantendichtung. Walther integriert sie in sein Konzept – man beachte das fingierte Erschrecken: Er würde es vorziehen zu schweigen, wenn ihm das unmittelbare Erlebnis versagt bliebe –, macht sie aber nicht zum ausschließlichen Gegenstand. Walther kämpft damit nicht nur gegen die Ungerechtigkeit, ja Hohlheit des klassischen Minnekonzepts an, sondern auch gegen die Erniedrigung und Demütigung des Mannes, die er als ganz und gar unritterlich, als höfisch-dekadent empfindet. Darin liegt die ständische Begründung des Einbezugs der sog. »niederen Minne«. So wird auch Hartmann von Aue empfunden haben, als er der hohen Minne seine Absage erteilte:

Absage an die hohe
Minne

> Ze frouwen habe ich einen sin:
> als sî mir sint, als bin ich in;
> wand ich mac baz vertrîben
> die zît mit armen wîben.
> swar ich kum, dâ ist ir vil,
> dâ vinde ich die, diu mich dâ wil;
> diu ist ouch mînes herzen spil:
> waz touc mir ein ze hôhez zil?

Es geht nicht ab ohne Kritik auch am Verhalten der höfischen Frau: den hohen Rang, den ihr die Dichtung einräumt, nutzt sie in arroganter Gleichgültigkeit gegenüber dem Mann aus. Auch Walther unterscheidet – wie hier Hartmann von Aue – »frouwe« und »wîp« und meint damit die ständisch hervorgehobene Frau im Vergleich zur Frau schlechthin; aber er wendet sich nicht wie Hartmann der unteren Frau zu, sondern versucht, das höfische Leitbild zu verändern. Sein Frauenbild ist umfassend und universal zu verstehen, ständisch ist es weder innerhalb noch unterhalb des weltlichen Adels zu fassen.

Bilden neben den Minneliedern die Tagelieder, die Pastourellen und die Kreuzzugsgedichte einen geringeren Anteil der Waltherschen Dichtung, so stellt er sich mit seiner seit 1198 sichtbaren Spruchdichtung als erster politischer Dichter deutscher Sprache vor. Die Spruchdichtung, wie sie durch die Moraldidaxe des sog. «Spervogel» vertreten wird, ist an sich der Lehrdichtung zuzuordnen, aber Walther von der Vogelweide will nicht als Moralist, sondern als staufischer Standesethiker wirken. Die Krise des Reiches trifft ihn 1197 unmittelbar, und wie selbstverständlich äußert er als Dichter, auf den man in Adelskreisen hört, seine Besorgnis über die Zustände im Reich und die Umtriebe des Papstes, der die weltliche Autorität untergraben will. In einem seiner drei »Reichssprüche« fordert er unverhüllt zur Krönung Philipps zum neuen König auf:

Walther als staufischer Standesethiker

> Ich hôrte ein wazzer diezen
> und sach die vische fliezen
> ich sach swaz in der welte was,
> velt walt loup rôr unde gras.
> swaz kriuchet unde fliuget
> und bein zer erde biuget,
> daz sach ich, unde sage iu daz:
> der keinez lebet âne haz.
> daz wilt und daz gewürme
> die strîtent starke stürme,
> sam tuont die vogel under in;
> wan daz si habent einen sin:
> si dûhten sich ze nihte,
> si enschüefen starc gerihte.
> sie kiesent künege unde reht,
> sie setzent hêrren unde kneht.
> sô wê dir, tiuschiu zunge,
> wie stêt dîn ordenunge!
> daz nû diu mugge ir künec hât,
> und daz dîn êre alsô zergât.
> bekêrâ dich, bekêre.
> die cirkel sint ze hêre,
> die armen künege dringent dich:
> Philippe setze en weisen ûf, und heiz si treten hinder sich.

Walther bezweifelt niemals grundsätzlich das Konkordat von weltlicher und geistlicher Macht, dies wird im ersten der Reichssprüche, »Ich saz ûf eime steine«, deutlich; aber er ist der erste deutsche Laiendichter, der die päpstliche Kurie angreift und sie der Simonie (des Ämterkaufes) bezichtigt. Die Zeit des Interregnums und die Machtgier Papst Innozenz' III. beweisen Walther, daß der staufische Kosmos, der sein Weltbild seit seiner Jugend bestimmt hatte, zerbrochen ist. Diese Erkenntnis bezieht er nicht nur auf die politische Situation, sondern ebenso auf die soziale; die Zeit eines selbstbewußten, das Reich tragenden und erhaltenden staufischen Rittertums ist um. In seiner Elegie hat er dieser Erkenntnis, fern einer ritterlich-christlichen oder ständisch-religiösen Selbstgewißheit, verzweifelten und den Tonlagen der Zeit enthobenen Ausdruck verliehen:

> Owê war sint verswunden   alliu mîniu jâr!
> ist mir mîn leben getroumet,   oder ist ez wâr?
> daz ich ie wânde ez wœre,   was daz allez iht?
> dar nâch hân ich geslâfen   und enweiz es niht.
> nû bin ich erwachet,   und ist mir unbekannt
> daz mir hie vor was kündic   als mîn ander hant.

Elegie

liut unde lant, dar inn ich
die sint mir worden frömde
die mîne gespilen wâren,
bereitet ist daz velt,
wan daz wazzer fliuzet
für wâr mîn ungelücke
mich grüezet maneger trâge,
diu welt ist allenthalben
als ich gedenke an manegen
die mir sint enpfallen
iemer mêre ouwê.

von kinde bin erzogen,
reht als ez sî gelogen.
die sint træge unt alt.
verhouwen ist der walt:
als ez wîlent flôz,
wânde ich wurde grôz.
der mich bekande ê wol.
ungenâden vol.
wünneclîchen tac,
als in daz mer ein slac,

Owê wie uns mit süezen
ich sihe die gallen mitten
diu Welt ist ûzen schœne,
und innân swarzer varwe,
swen si nû habe verleitet,
er wirt mit swacher buoze
dar an gedenkent, ritter:
ir tragent die liehten helme
dar zuo die vesten schilte
wolte got, wan wœre ich
sô wolte ich nôtic armman
joch meine ich niht die huoben
ich wolte sœlden krône
die mohte ein soldenœre
möht ich die lieben reise
sô wolte ich denne singen wol,
niemer mêr ouwê.

dingen ist vergeben!
in dem honege sweben:
wiz grüen unde rôt,
vinster sam der tôt.
der schouwe sînen trôst:
grôzer sünde erlôst.
ez ist iuwer dinc.
und manegen herten rinc,
und diu gewîhten swert.
der sigenünfte wert!
verdienen rîchen solt.
noch der hêrren golt:
êweclîchen tragen:
mit sîme sper bejagen.
gevaren über sê,
und niemer mêr ouwê,

Grundzüge der Literatur des Spätmittelalters

Ende des staufischen Rittertums

Walthers von der Vogelweide um 1220 wiederholt geäußerte Klage über den Sittenverfall bei Rittertum und Volk, über die allgemeine unsichere Situation im Lande und den sichtbaren Schwund der staufischen Reichsmacht darf nicht täuschen; sie ist ständische Klage, auch wenn sie im Namen der Menschheit zu sprechen scheint; ihre ideologische Adresse ist das politisch bedeutungslos gewordene staufische Reichsrittertum und nicht die Menschheit des christlichen Weltkreises. So hellsichtig und vielseitig sich diese Standesdichtung oft darbietet, letzten Endes ist sie dem konservativen Lager zuzuordnen, weil ihr – ihre autoritätsbezogene und typologisch eingeengte Spätphase im 13. Jahrhundert weist deutlich darauf hin – ein aufnahmebereiter, aufnahmefähiger Blick für die neuen Realitäten zwangsläufig und aus ihrem eigenen Wesen heraus fehlen muß. Die Epik und Lyrik der Stauferzeit lebt im 13. Jahrhundert weiter, aber sie tut es in Erfüllung eines einmal gefundenen Musters, mit deutlichem Blick zurück. Die Literaturverhältnisse im deutschen Spätmittelalter sind schwierig zu bestimmen. Selbst umfangreiche Darstellungen dieser Jahrhunderte des literarischen Formenwandels und des gesellschaftlichen Ablösungsprozesses haben immer wieder die nicht zu bewältigende Stoffülle auf der einen und die mangelhafte oder gänzlich fehlende Literaturforschung auf der anderen Seite beklagt. Es gibt ein ganzes Bündel von Gründen für diese Situation, aber nur die wichtigsten können genannt werden.

Die Literatur des 13. und 14. Jahrhunderts ist noch keine bürgerliche Literatur im neuzeitlichen Wortverständnis. Sie ist aber auch nicht mehr, wie im 11. bis in die erste Hälfte des 12. Jahrhunderts, eine Literatur der geistlichen Dichter oder später eine Kunstform der Ritter und Ministerialen. Zwar kann man an Stadtbürgern wie der Zürcher Patrizierfamilie Manesse beobachten, daß sie die ritterliche Dichtung der Stauferzeit zu bewahren und zu erhalten sucht und auf dessen Weiterpflege mäzenatisch einwirkt; es handelt sich dabei aber um die Repräsentationsattitüde einer zu Geld und Ansehen gelangten städtischen Oberschicht, um einen nach rückwärts gewandten Nobilitierungsversuch – keineswegs um einen eigenständigen literarischen Ausdruck des immer mächtiger werdenden Stadtpatriziats. Auch die beiden beliebtesten Figuren der Literatur des 13. bis 15. Jahrhunderts, Bauer und Handwerksgeselle, sind für eine »Verbürgerlichung der Literatur« von geringer Aussagekraft, weil sie stets im Kontext komischer Dichtung (Schwank, Satire, Fastnachtsspiel) auftreten und selbst dort diametral entgegengesetzte Rollen einnehmen können. Die Summe des Geschriebenen, und auch des Überlieferten, steigt gewaltig an, Zeichen der sozialen Vertiefung des Bildungswesens insgesamt, aber auch des gesteigerten Bedarfs an Literaturerzeugnissen aller Art, wobei die Fachliteratur bei weitem überwiegt. Dennoch herrscht der mittelalterliche Literaturbegriff auch in den neu entstehenden Formen noch vor; er zieht die Reproduktion literarischer Muster, die Bildung typologischer Reihen der originalen Neuschöpfung vor. Die Herstellung einer Handschriftenkopie, die Nachdichtung eines mittellateinischen oder mittelhochdeutschen Stoffes kommt einer Neuauflage gleich; einen Begriff des geistigen Eigentums, der Originalität, oder des Genies kennt auch das Spätmittelalter noch nicht. Die allgemeine Tendenz zur anonymen Kunstproduktion bleibt gewahrt.

bürgerliche Literatur?

Was ist literarisch neu und zukunftweisend? Der Prosaroman steht in seinen Anfängen und löst das traditionelle, durch Reimpaare gebundene Versepos allmählich ab. Geistliche und weltliche Dramatik entfalten sich und bilden erste Ansätze einer autonomen Dramaturgie. Weltliche und geistliche Fachliteratur bieten einen breiten Fächer theologischen bis philosophischen und mathematisch-naturwissenschaftlichen Schrifttums und legen damit eindeutiger als die Dichtung den Grundstein zur neuhochdeutschen Schriftsprache. Fürstenhöfe, Städte und Universitäten sind die Zentren dieser neuen Entwicklung.

Das Neue

Wie stellt sich die politische und wirtschaftliche Lage dar? Seit dem Tod Heinrichs VI. im Jahr 1197 ist der Reichsverfall im Innern wie im Äußeren immer krasser zutage getreten; die große frühmittelalterliche Konzeption, das Reich als eine christlich überbaute und durch die Konstantinische Schenkung legitimierte Fortsetzung des antiken Imperium Romanum zu gestalten, zerbricht während des Interregnums angesichts der tonangebenden Vormachtstellung Frankreichs und der römischen Kurie. Auf deutschem Boden – gefördert durch den Kampf um die Vormachtstellung im Reich zwischen den Wittelsbachern, den Habsburgern und den Luxemburgern – entwickelten sich die politischen Verhältnisse in die für die kommenden Jahrhunderte verhängnisvolle Richtung vom kaiserlichen Personenverbandsstaat zum territorialen Fürstentum. Hatte der kaiserliche Personenverbandsstaat seine Aufsicht und Wahrung durch ein vielfältiges Lehenssystem delegiert, so be-

Zerbrechen der Reichskonzeption

gannen nun die Territorialfürsten, alle Macht in ihrer Hand zu vereinigen, indem sie die Verwaltung, die Besteuerung, die Rechtsprechung usw. neu ordneten und Reiche innerhalb des Reichs zu bilden begannen. An der politischen Eigenwilligkeit der Kurfürsten, der weltlichen und geistlichen Fürsten sowie der kleinen und kleinsten Landherren und Grafen änderte schließlich auch die Reichsreform Kaiser Maximilians I. nichts: in Deutschland begann das Fürstentum, »Außenpolitik nach innen« zu betreiben; der Partikularismus drang in das politische, gesellschaftliche und kulturelle Leben ein und setzte für den Verlauf der deutschen Geschichte bis ins 19. Jahrhundert verhängnisvolle Akzente.

Geistlichkeit, Rittertum, Bürgerschaft, Bauernschaft

Nicht nur das politische System, auch die Sozialordnung des Mittelalters verändert sich, erhält eine umfassendere Bedeutung. War ursprünglich nur zwischen Geistlichkeit und Laientum unterschieden worden, so kennt das Spätmittelalter die ständische Reihe Geistlichkeit, Rittertum, Bürgerschaft und Bauernschaft. Vor allem die rasch aufblühenden Städte erweisen sich als Attraktions- und Integrationspunkte der Stände, d.h. ständische Grenzen werden nicht mehr als unüberbrückbar angesehen. Die Städte, deren Luft frei macht, verzeichnen den Zuzug von »verbürgerlichenden« Rittern ebenso wie von besitzlosen Bauern. Dieser Kräftebedarf der Städte erklärt sich durch die Steigerung der handwerklichen Produktion, den Ausbau der nationalen und internationalen Handelsbeziehungen (Fernhandel mit den Mittelmeerländern und dem kolonisierten Osten), durch das Entstehen eines von Angebot und Nachfage bestimmten Markts. Die traditionell an den Naturalientauschhandel gewöhnte landwirtschaftliche Produktion gerät dadurch in erhebliche Schwierigkeiten, die große Teile der Bauernschaft und des Landrittertums erfassen. Ein übriges bewirken Mißernten und Katastrophen wie die Pestjahre von 1347 bis 1351, als die Bevölkerung Deutschlands auf die Hälfte zusammenschmolz und im Gefolge der Agrarkrise und des Preisverfalls auch die Grundrenten der Landherren verloren waren. Damit erhielt der Konflikt zwischen Bauern und Grundherren einen konstitutiven politischen Rang. Gegen Ende des 14. Jahrhunderts sind denn auch die ersten Bauernunruhen

Stadtpatriziat

in Süddeutschland und Südwestdeutschland zu verzeichnen. In den Städten selbst gaben die Stadtpatrizier, zu Reichtum gekommene Handelsherren, den in Fragen der städtischen Repräsentanz, des Bürger- und Handelsrechts, der Marktordnung, der Wiegeordnung, der Preise und Zölle, der Polizei und niederen Gerichtsbarkeit ausschlaggebenden Ton an. Erst allmählich gelingt es den in Zünften oder Gilden organisierten Handwerksmeistern, mit Sitz und Stimme in die Stadtmagistrate einzudringen. In Städten wie Köln, Frankfurt, Zürich, Ulm und Augsburg kam es sogar zu bewaffneten Zunftaufständen, mit denen dies Ziel verwirklicht wurde (Mitte des 14. Jahrhunderts). Ihrerseits führen die Zünfte jedoch gegen Gesellen, Zuwanderer und Dienstleute einen deutlichen »Abwehrkampf nach unten«. Wie notwendig dies war, mag die Zusammensetzung der Stadtbevölkerung zeigen: Zwar waren nur durchschnittlich 10% Patrizier, aber 50% waren Handwerker und 40% gehörten der Unterschicht an. In der sozialen Pyramide waren die Handwerker überrepräsentiert und mußten die Aufsteiger abwehren.

Kirche

Im täglichen Leben der Stadt wie des Landes hat die Kirche eindeutig die geistige Vormachtstellung, obwohl auch sie von zahlreichen Krisen geschüttelt wird. Die religiöse Dichtung ist ein wesentlicher Bestandteil der Literatur des Spätmittelalters. Das vorbildliche Leben und der Kreuzestod Christi sind die großen Stichwörter dieser Literatur, die angesichts der Wirren der Zeit, des materiellen Elends wie Glücks und des Kampfes aller gegen alle eine jenseitige Erlösungsgewißheit vermittelt. Ob es sich um die das geistliche

Jahr begleitende kalendarische Legendensammlung handelt, die die abendliche Lektüre bildet, oder aber um das geistliche Drama, das aus dem engen liturgischen Zusammenhang herausgelöst und volkssprachig in mehrtägigen und szenenreichen Vorstellungen als Passionsspiel oder Jüngstes Gericht auf dem Domplatz vorgeführt wird – stets handelt es sich um Literaturformen, die unmittelbar in die alltägliche Erlebnissphäre des Christenmenschen hineinzureichen und dem, was ihm glücklich oder unglücklich begegnet, einen sofort erkennbaren, christlich-allegorischen Sinn zu verleihen suchen. Die christliche Dichtung des Spätmittelalters hat praktisch-moralischen Charakter.

Das geistliche Drama, die wichtigste Gattung der geistlichen Dichtung, *Geistliches Drama* umfaßte Osterspiele, Passionsspiele, Marienklagen, Weihnachtsspiele, Leben-Jesu-Spiele, Prophetenspiele, Paradiesspiele, Prozessionsspiele, Legendendramen u. a. m. Im Unterschied zum weltlichen Drama sind seine lateinischen Fassungen bekannt und können mit den neuen volkssprachigen Versionen verglichen werden. Die geistlichen Dramen werden in erster Linie vom städtischen Klerus inszeniert und geleitet, Bürger und Studenten stellen die Akteure. Stets ist das biblische Geschehen zugrundegelegt, aber bei der Ausgestaltung der einzelnen Szenen und Figuren hatten die Bearbeiter freie Hand. Die Tendenz zu einem immer größeren Figuren- und Szenenaufwand zwang zum Schritt aus der Kirche auf den Marktplatz; ineins damit vollzog sich eine gewisse Verweltlichung der Szenen- und Personengestaltung (es treten Krämer und Ritter auf, Teufels- und Rüpelszenen haben zum Gaudium der Zuschauer schon schwankhafte Züge). Geistliche Dramen waren über den gesamten deutschen Sprachraum verbreitet. Sie waren standortgebunden und erforderten oftmals eine großflächige, mehrere Ebenen umfassende Simultanbühne, die von den Darstellern erst nach Ende der Vorstellung verlassen werden durfte; gelegentlich – besonders im Passionsspiel – wurde das geistliche Drama auch in Form eines Umzugs von Szene zu Szene gestaltet. Individualität durften die Schauspieler ihrer Rolle nicht verleihen, sie hatten sich auf eine maskenhafte Repräsentanz zu konzentrieren.

*volkstümliche
Frömmigkeits-
bewegung*

Das geistliche Drama des Spätmittelalters ist wichtiger Bestandteil einer neuen, volkstümlichen Frömmigkeitsbewegung, deren Kernstück freilich in der Figur der Mutter Maria als gnadenreicher Helferin des sündigen und durch zahlreiche Gefahren auch geängstigten Menschen besteht; die Gottesmutter wird Gegenstand zahlloser, zunächst mündlich tradierter Marienlegenden; sie findet ebenso Eingang in die Malerei und Bildende Kunst wie in die Kleinepik und die lyrisch-hymnische und dramatische Dichtung. Mit dieser Entwicklung ist ein Anknüpfungspunkt an die zweite und dritte cluniazensische Generation der Legenden- und Mariendichtung gegeben, und es mag dadurch deutlich werden, welch erstaunliche Kontinuität die geistliche Dichtung insgesamt vom 11. bis zum 13. und 14. Jahrhundert zu wahren wußte. Es mag daran ebenso bewußt werden, welch engen sozialen Geltungsbereich die frühhöfische wie die höfisch-ritterliche Dichtung eingenommen hatten; während die geistliche Dichtung auf breitester Ebene zu volkstümlichen Formen gefunden hat, ist die höfische Dichtung stets auf die adelig-geistliche Führungsschicht und, gewiß schon eingeschränkt gültig, auf das Stadtpatriziat beschränkt geblieben. Während des Zeitraums vom 11. zum 13. Jahrhundert sind die christlichen Grundtöne der Todesgewißheit, der Vergänglichkeit alles Irdischen, der Ungewißheit des Seelenschicksals nach dem Tode gültig und in vollem Umfang durchgehalten worden, ja sie haben doppelbödig in der allegorischen Gestalt der Frau Welt, in deren Darstellung sich Schönheit und Verwesung, Leben und Tod mischen, frühzeitigen Eingang in die höfisch-ritterliche Dichtung gefunden, so bei Walther von der Vogelweide, Konrad von Würzburg, Frauenlob u. a. m.

*lehrhafte Dichtung,
Moralistik*

Aber diese Tradition trifft nicht mehr auf denjenigen mittelalterlichen Kosmos, dessen Pole zwieträchtig von Papst und Kaiser gebildet werden; die geistige Unsicherheit der Zeit verlangt nach pragmatischeren Orientierungsmustern. Deshalb ist die lehrhafte, moralistische Dichtung, die von Geistlichen wie Laien verfaßt wird, für das Spätmittelalter von großer Bedeutung. Es kommt in dieser Dichtung darauf an, den Christen darüber zu belehren, wie er sich in dieser Welt zu verhalten habe, ohne ihr zu verfallen; diese Dichtung appelliert an die Klugheit des Christenmenschen, der seinen Frieden mit Gott und der Welt als christlich-profaner Quadratur des Zirkels machen soll. Sie stellt keine bürgerliche Ständedidaxe dar, sondern geht im Ansatz von einem christlichen Universalismus aus. Im Angesicht des Jüngsten Gerichts und der Zehn Gebote sind König und Bettler, Bürger und Ritter gleich. Die bevorzugten Gattungen dieser Dichtung sind der Schwank, die Fabel und das Beispiel. Hinzuzuzählen sind die traditionell vorhandenen und bis in die spätantike Dichtung zurückreichenden Gattungen der Bibeldichtung, des geistlichen Lehrgedichts, der christlichen Tugendlehre, der Spruchdichtung, der Tierepik und der Chronikdichtung. Eine umfangreiche, kasuistische Betrachtungsweise von Tugend und Laster entwickelt sich, die Erzählung wird erstmals mit der Belehrung verbunden. Erst gegen Ende des 15. Jahrhunderts zeigt die lehrhaft-moralistische Dichtung Züge der städtisch-bürgerlichen Welt; sie gibt den für sie als christliche Dichtung konstitutiven Dualismus von Diesseits und Jenseits auf und wird zum Medium der städtischen Intelligenz, des Patriziats und des Handwerkerstandes, dessen Meistersang deutlich von dieser Entwicklung geprägt ist.

*weltliche
Literaturformen*

Mit Schwank und Fastnachtsspiel sind weltliche Literaturformen des Spätmittelalters vorzustellen, die unterhaltenden Charakter haben. Schwank wie Fastnachtsspiel erfreuen sich großer Beliebtheit, und ein nicht unwesentlicher Grund für die breitgefächerte Aufnahmebereitschaft des Publikums gegenüber dem geistlichen Drama wird darin bestanden haben, daß szenische und figürliche Elemente aus der komischen in die geistliche Dichtung übertragen wurden. Während der Schwank auf eine bis in die Antike zurückreichende Tradition verweisen kann, tritt das Fastnachtsspiel erstmals im 15. Jahrhundert in schriftlich fixierter Form auf. Das komische Genre des Schwanks entstammt keiner genuin literarischen Form, sondern einer allgemeinmenschlichen Lust auf Entspannung, Witz, Satire und Ironie. Der Schwank ist mit dem Märchen, der Anekdote, der Fabel, dem Witz, dem Exempel, der Humoreske verwandt. Ihm zuzuordnen sind u.a. so weitverbreitete Themen der Zeit wie der »Wettlauf des Hasen mit dem Igel«. Die lateinisch überlieferte Schwankdichtung des Mittelalters wirkt direkt auf die im 14./15. Jahrhundert feststellbaren Formen und Themen ein. Im Rahmen der sich entwickelnden Kleinepik verselbständigt sich der Schwank und wird zu einer eigenständigen Erzählform, die von der Pointe bestimmt ist. Die Schwankdichtung des Spätmittelalters wendet sich zunächst an den Adel und das Patriziat, und erst im Laufe des 16. Jahrhunderts kommt der volkstümliche Prosaschwank auf.

Aus der Vielzahl der überlieferten Schwankliteratur sei als Beispiel Heinrich Wittenwîlers *Ring* herausgegriffen. Der *Ring* ist in der einzig erhaltenen Abschrift von 1410 überliefert. Sein Verfasser wird darin als noch lebender Fünfzigjähriger bezeugt, der vermutlich aus dem Thurgau stammte. Wittenwîler will mit seinem 10000 Verse umfassenden *Ring* begreiflich machen, wie es in der Welt zugeht und wie sich der Mensch angesichts der Fährnisse und Komplikationen zu verhalten habe, um keinen Schaden zu nehmen. Im ersten Teil wirbt der Bauernbursche Bertschi Triefnas aus Lappenhausen um das Bauernmädchen Mätzli Rüerenzumpf. Sein »Minnebrief«, dessen stilistischer und inhaltlicher Abstand zu allen Formen und Inhalten des Minnesangs sofort ins Auge fällt, lautet: »Got grüess dich, lindentolde! / Lieb, ich pin dir holde. / Du bist mein morgensterne; / Pei dir so schlieff ich gerne./ Mich hat so ser verdrossen, / Daz du bist so verschlossen / In dem speicher über tag, / Daz ich nit geschlaffen mag. / Dar zuo han ich mich vermessen, / Daz ich fürbas nit wil essen / Noch gedrinken dhainer stund, / Mich trösti dann dein roter mund. / Dar umb so sag mir an oder ab! / Daz got dein lieben sele hab!« Verlobung und Hochzeit setzen folgerichtig die Handlung fort. Vor der Hochzeit aber findet eine langatmige Disputation der Bauern über die Vor- und Nachteile des Ehelebens statt, das männliche und weibliche Schönheitsideal usw. Während des Hochzeitstanzes kommt es zu einer Schlägerei, aus der sich ein Krieg der Dörfer Lappenhausen und Nissingen entwickelt. Bundesgenossen werden angeworben, es erscheinen die Türken und die Russen, Riesen und Recken der Dietrichepik, Hexen und Zwerge vom Heuberg. Lappenhausen wird dem Erdboden gleichgemacht, und als Bertschi, der einzige Überlebende, Mätzli ebenfalls tot zwischen den Trümmern findet, beschließt er sein Leben als Eremit im Schwarzwald. Mit seinen drei Handlungsschritten ist der *Ring* der Belehrung über die ritterlichen und die musischen Künste (Minneparodie als Motiv der Brautwerbung), der Entwicklung einer Tugendlehre, eines Schülerspiegels, einer Christenlehre, einer Haushaltungslehre und einer Gesundheitslehre (als den parodistischen Gegenständen der »Gelehrtendisputation« vor der Hochzeit), einer ins Farcenhafte übertriebenen Tischzucht während des Hochzeitsmahls und einer Belehrung über das Kriegs- und Belagerungswesen während der abschließenden Kampfhandlungen gewidmet. Wittenwîler hat diese didaktische Absicht im Umfeld der dörflich-bäuerlichen Lebensweise angesiedelt, aber er kritisiert damit keineswegs den vierten Stand; seine »Bauern« sind ins Komische übertriebene Stadtbürger, unter denen er wohl auch sein Publikum gesucht

Schwankliteratur

Minneparodie

hat, weil sie einzig in der Lage waren, die Summe seiner Anspielungen auf den zeitgenössischen Bildungshorizont zu verstehen. »Das Werk enthält [...] die Synthese der Möglichkeiten spätmittelalterlicher Dichtung. Wir haben damit ein Epos vor uns von inneren Dimensionen, wie es die Zeit schon lange nicht mehr aufzuweisen hatte. Weltbild und Wirklichkeitsauffassung des Dichters ermöglichen seinem eminenten Gestaltungsvermögen die enge Verbindung von kräftigem Naturalismus und willkürlich-grotesker Phantastik, Übersteigerung und Verzerrung« (H. Rupprich).

Lachkultur

Michail Bachtin, wichtigster Theoretiker dieser spätmittelalterlichen Lachkultur, schreibt: »Das mittelalterliche Lachen ist kein subjektiv-individuelles und kein biologisches Empfinden der Unaufhörlichkeit des Lebens – es ist ein soziales, ein das ganze Volk umfassendes Empfinden. Der Mensch empfindet die Unaufhörlichkeit des Lebens auf dem öffentlichen Festplatz, in der Karnevalsmenge, indem er sich mit fremden Leibern jeden Alters und jeder sozialen Stellung berührt. Er fühlt sich als Glied des ewig wachsenden und sich erneuernden Volkes. Deshalb schließt das festtägliche Lachen des Volkes nicht nur das Moment des Sieges über die Furcht vor den Schrecken des Jenseits, vor dem Geheiligten, vor dem Tod in sich ein, sondern auch das Moment des Sieges über jede Gewalt, über die irdischen Herrscher, über die Mächtigen der Erde, über alles was knechtet und begrenzt. Indem das mittelalterliche Lachen die Angst vor dem Geheimnis, vor der Welt und der Macht besiegte, deckte es furchtlos die Wahrheit über Welt und Macht auf. Es stellte sich der Lüge und der Beweihräucherung, der Schmeichelei und der Heuchelei entgegen. Die Wahrheit des Lachens »senkte« die Macht, paarte sich mit Fluchen und Schelte. Träger dieser Wahrheit war neben anderen auch der mittelalterliche Narr.«

Auf diese Lachkultur wirkt auch das Fastnachtsspiel ein, das um 1430 zum ersten Mal nachgewiesen werden kann und bald nach 1600 an Bedeutung verliert. Strenger als beim Schwank kann hier der Unterschied zur geistlichen Dichtung gefaßt werden, aus einem äußerlichen, stadtgesellschaftlichen Grund. Das den städtischen Alltag prägende geistliche Jahr wurde während der Fastnacht fast völlig unterbrochen. Es steht die vierzigtägige vorösterliche Fastenzeit bevor, die am Aschermittwoch beginnt und auf die vierzigtägige Fastenzeit Christi in der Wüste zurückgeht. Diese Fastenzeit hat sich seit dem 7. Jahrhundert durchgesetzt. Die Fastnacht selbst, die am Dreikönigstag bzw. an Mariae Lichtmeß beginnt, soll mit all ihrer Betonung der diesseitigen Sinnenfreude, der Gasterei und der grobianischen Ausgelassenheit einen bewußten Kontrast zur nachfolgenden Askese und inneren Sammlung der Fastenzeit bewirken. Dies ist der innere kirchliche Grund der Fastnacht. Zum anderen aber fällt die Fastnacht mit heidnischen Traditionen des Jahreszeitenkampfes, der Frühlingsspiele, des Winter-Sommer-Kampfes zusammen, die im Spätmittelalter zwar ihren heidnisch-mythischen Charakter längst verloren haben, deren fröhlich-erwartungsvolle Stimmung jedoch beibehalten wird und bis heute an den Masken und Kostümen der alemannisch-süddeutschen Narrenzünfte sichtbar ist.

geistliches Jahr – Fastnacht

Fastnachtsspiel

Das gesellige Beisammensein von Männern und Frauen ist grundlegend für die Situation, auf die das Fastnachtsspiel trifft. Es will diese Situation nicht etwa durchbrechen, sondern durch Witz, Parodie oder Rätsel zur Steigerung der ausgelassenen Stimmung beitragen. Der Einzelvortrag der Maske, meist in der Absicht der komischen Selbstdarstellung, dominiert. Vierhebige Reimpaarverse mit vier bis höchstens dreißig Versen sind dabei die Regel:

Herr der wirt, ich heiß der Tiltapp.
Ich bin gar ein einveltiger lapp,
Ich nutz die frauen lieber unten zu zeiten,
Dann solt ich an einem wilden beren streiten.
So trink ich lieber Wein, dann sauers bier,
so leck ich lieber honig, dann wagensmir.
So fleuhe ich große erbeit, wo ich sie weiß.
So verhalt ich unten nimmer keinen scheiß.
So iß ich zuckermus für hebrein brei.
Nu bruft, ob ich icht ein einveltiger lapp sei!

aus Wittenwilers
»Ring«

Während mit dem Aufruf des letzten Verses: »Nun gebt zu, daß ich ein großer Trottel bin!«, das Publikum in die Situation einbezogen wird, tauchen neben dem Einzelvortragenden auch schon Spielgruppen auf, die von Fest zu Fest ziehen und in gewissem Umfang bereits den autonomen Charakter der Theatergruppe beanspruchen. Sie wollen allerdings keine starre Trennung zum Publikum, sie stellen sich nicht frontal auf, sondern treten in die Mitte der Zuhörer und bilden eine Narrengesellschaft unter anderen. Im Gegensatz zum geistlichen Drama kennt das Fastnachtsspiel noch keine Bühne und keinen szenischen Ablauf. Die Grenze der dramaturgischen Durchgestaltung ist mit dem Sprecher erreicht, von dem die Rezitatoren ihren Einsatz bekommen und an den sie ihn wieder zurückgeben. Ihre Vorträge bilden eine Reihe mit offenem Schluß, wie der Einzelvortragende wenden auch sie sich immer wieder an die Umstehenden, fordern sie zur Stellungnahme auf und lassen sich gern unterbrechen. Ziel des Fastnachtsspiels ist es, in der unmittelbaren Situation der Fastnachtsfeier unter den Anwesenden möglichst viel Gelächter und Heiterkeit zu erzeugen und am Schluß die Vortragenden und Zuhörenden im Tanz zu vereinigen.

Narrengesellschaft

An diesem Beispiel zeigt sich, daß die Vortragenden in der Wahl ihrer sprachlichen Mittel und Anspielungen nicht gerade zimperlich sind. Grobianismus, Fäkalsprache und sexuelle Obszönität gehören zu den elementaren Bestandteilen einer von den engen städtischen Verhaltensregeln sich befreienden Triebwelt. Bewußte Tabuverletzung, eine vitale Freude am Aussprechen des an sich Verbotenen ist deren oberstes Prinzip. Es kommt hinzu, daß die Vortragenden, die ihre Texte meist selbst – nach gängigen Mustern – verfaßten, Handwerksgesellen waren, denen nur eine äußerst begrenzte Beziehung zum anderen Geschlecht möglich war; legal wurde sie erst mit der Heirat, d.h. mit dem Erreichen des Meisterstandes. Die beliebteste Figur der Fastnachtsspiele aus Nürnberg, eine der Hochburgen dieser Literaturform, war der Bauer. Er war der städtischen Erlebnissphäre einigermaßen fern und erschien deshalb als die geeignete Projektionsform städtischer Entfremdung und komischer Daseinsbejahung. Die Figur des Bauern hat sowohl einen Passiv- als auch einen Aktivposten innerhalb der spätmittelalterlichen Lachkultur zu verzeichnen. Er läßt nicht nur über sich lachen, er lacht auch über andere.

Für die Herausbildung einer neuhochdeutschen Schriftsprache – ineins damit der neuhochdeutschen Literatursprache – ist die volkssprachliche Fachliteratur des Spätmittelalters von größerer Bedeutung als die Dichtung, sei sie nun weltlichen oder geistlichen Inhalts. Es ist im Vergangenen immer wieder betont worden, wie dünn die sozialen Schichten waren, welche die Entwicklung der Dichtung in Deutschland trugen; das Heranreifen Deutschlands zu einer lesenden und schreibenden Kulturnation bliebe deshalb unerklärt, wenn nicht auf die Funktion der Fachliteratur bei der Verbreitung

Rolle der Fachliteratur

Panorama des
aufstrebenden Köln
als Beispiel
städtischer Expansion

des Bildungswesens und des Sachwissens hingewiesen würde. Ob es sich um theologische Summen, historiographische Weltchroniken, systematisierte Weltlehren, Vogeljagdbücher oder Wundarzneien handelte, ihre Verbreitung war stets größer als die der Dichtung und ihre soziale Wirkung um ein Vielfaches komplexer. Der Hinweis mag überraschen, sollte es aber nicht: Das erste deutsche Buch, der *Abrogans*, war ein solches Gebrauchsbuch, ein lateinisch-deutsches Glossar, das zeitlich noch vor dem *Hildebrandslied* liegt. Es braucht nicht betont zu werden, daß die Fachliteratur die Dichtung auch quantitativ bei weitem übersteigt. Dies trifft nicht nur für die Anzahl der Titel zu, sondern ebenso für deren »Auflagenhöhe« bzw. deren Abschriften und deren Überlieferung: »Wir benützen die Zahl der vorhandenen Handschriften einzelner Literaturwerke als Hilfsmittel zur Schätzung ihrer ein stigen Verbreitung und Wirkung. Unter der höfischen Dichtung steht der *Parzifal* des Wolfram von Eschenbach hinsichtlich der Zahl der erhaltenen Handschriften an der Spitze: es sind 86. Unter den frühhumanistischen Literaturwerken hält der *Ackermann aus Böhmen* des Johannes von Tepl den ersten Platz mit 15 Handschriften und 17 Druckausgaben. Demgegenüber sind vom *Schwabenspiegel* ca. 400 Handschriften nachgewiesen, vom *Sachsenspiegel* ca. 270, von Seuses *Büchlein der ewigen Weisheit* ca. 250, von

Gebrauchsliteratur –
»schöne« Literatur

Albrants *Roßarzneibuch* 205, vom *Leben Jesu* des Heinrich von St. Gallen 136, von der *Praktik* des Meisters Bartholomäus ebenfalls über 100. Und diese Literatur war nicht auf wenige literaturbeflissene Zirkel beschränkt, sondern in den Händen aller Stände. Mögen auf jede erhaltene Handschrift zehn oder tausend verlorene Handschriften kommen – oder rund 150, wie es uns am wahrscheinlichsten erscheint –, die Proportion bleibt stets die gleiche: das Fachschrifttum war das weitaus meistverbreitete und das heißt meistgelesene Schrifttum in jenen Jahrhunderten, als die Schriftsprache entstand« (G. Eis). Um die thematische Spannweite und die Struktur dieser Fachliteratur zu beschreiben, ist ein Rückgriff auf das mittelalterliche Bildungssystem notwendig. Es baut im wesentlichen auf der scholastischen Wissenschaftslehre auf und unterscheidet drei Grundarten von Künsten (»artes«): Die »Sieben freien Künste«, die das universitäre Propädeutikum (Vorschule) für alle Fakultäten bilden und von jedem Studenten erlernt werden müssen; ferner die »Mechanischen Künste«, die das Handwerk, das Kriegswesen, Seefahrt und Erdkunde, den Handel, den Landbau und den Haushalt, Forstwesen und Tierkunde, die Heilkunde und die Hofkünste, schließlich die Rechtskunde umfaßt; als dritte Reihe folgen die »Verbotenen Künste«, die unter das Verdikt der Kirche bzw. der Rechtssprechung fallen: die Pseudowissenschaften der Magie und Mantik, das Berufsgaunertum, betrügerische Praktiken von Handwerkern und Kaufleuten.

Während die »Sieben freien Künste«, eines freien Bürgers würdige Beschäftigungen, die Elementarfächer der Dom- und Klosterschulen, aber auch der Stadtschulen und der artistischen Fakultäten der neu entstehenden Universitäten des Spätmittelalters bildeten, gehörten die »Mechanischen Künste«, die auf zahlreichen antiken Grundlagen beruhten, zum festen Bestand der städtischen Gelehrtenliteratur und nahmen starken Einfluß auf die wirtschaftliche und kulturelle Tiefenstruktur der Städte. Umgekehrt dokumentiert sich der Fortschritt in Medizin, Astronomie, Städtebau, Handel, Architektur, Chemie, Fortifikationswesen, Naturkunde und vieles andere mehr in diesen Schriften. Ihr vielfältiger berufsständischer Wortschatz ist erst zum Teil für die Geschichte der deutschen Sprachentwicklung erschlossen. Das Gewicht der Fachliteratur wird dadurch unterstrichen, daß sie sich im Gegensatz zur Dichtung vom 8. Jahrhundert an ununterbrochen entfaltet und keine Brüche oder Rückentwicklungen kennt; im Gegenteil wird sie zahlreich in andere europäische Sprachen übersetzt, wie umgekehrt die deutsche Fachliteratur von zahllosen Übersetzungen lebt, die sich in den Dienst der Wissensvermittlung stellen. Das Datum 1250, das sich bei der Darstellung der staufischen Literaturepoche als Grenze und Übergang stellte, existiert für die Fachliteratur nicht.

Wissensordnung

Die dem Spätmittelalter immer wieder zu bescheinigende Tendenz zum Universalistischen und Enzyklopädischen – Wittenwîlers *Ring* ist ein dichterischer Beleg dafür – schlägt sich am ehesten in der weltlichen Fachliteratur nieder. Eines der frühesten Beispiele ist das *Summarium Henrici*, das um 1010 bei Worms entstand, lateinisch verfaßt, aber deutsch glossiert. Es ist in zahlreichen Handschriften nachgewiesen und umfaßt den Sprachbestand der mechanischen Künste und des Rechts. Im Auftrag Heinrichs des Löwen entstand zwischen 1190 und 1195 der *Lucidarius*, eine umfassende Weltlehre, die das Reich Gottes (Menschen, Tiere, Elemente, Gestirne u.a.), das Reich Christi (Kirche, Gnadenerwartung) und das Reich des Heiligen Geistes (Jüngstes Gericht, die letzten Dinge) umfaßte. Der *Lucidarius* hat wie andere Weltlehren auch als willkommener Steinbruch für dichterische Anspielungen gedient; die Kenntnis dieser Literatur ist für die Interpretation von Dichtung

spätmittelalterliche Universalität

oft unerläßlich. Welche Wirkung vom *Lucidarius* ausgegangen sein wird, mag die Tatsache beweisen, daß er in 66 Handschriften und 85 Drucken überliefert ist. Die wichtigste deutsche Enzyklopädie des Spätmittelalters ist das um 1349/50 entstandene *Buch der Natur* des Regensburger Kanonikus Konrad von Megenburg. Es faßt die Systematik der Natur in acht Büchern zusammen: Der Mensch und seine Natur, Himmel und Planeten, Tiere, Bäume, Kräuter, Edelsteine, Metalle, Wunderbare Brunnen. So seltsam, zufällig und mitunter unverständlich sich diese Fachliteratur als Produkt einer synkretistischen, kosmologisch-christlichen Weltauffassung ausnimmt, sie ist im Verein mit der steigenden Bedeutung der Universitäten und des städtischen Gelehrtentums die historische Wurzel der heutigen Fachliteratur, ohne die – einer langen griechisch-lateinischen, islamischen und jüdischen Tradition verpflichtet – unser wissenschaftliches Zeitalter kaum bestehen könnte.

HUMANISMUS
UND REFORMATION

»O Jahrhundert, o Wissenschaften!« –
Der Renaissance-Humanismus

Ulrich von Hutten war einer der bedeutendsten deutschen Humanisten. Einen Rechenschaftsbericht stellt sein Brief vom 25. 10. 1518 an den Nürnberger Patrizier Willibald Pirckheimer dar. Stellvertretend für eine ganze Generation drückte Hutten das Lebensgefühl der Humanisten aus, in einer Zeit, worin die geistig-künstlerische Blüte als entscheidender Durchbruch, als Überwindung des Mittelalters angesehen werden konnte: »O Jahrhundert, o Wissenschaften! Es ist eine Lust zu leben, wenn auch noch nicht in der Stille. Die Studien blühen, die Geister regen sich. Barbarei, nimm dir einen Strick und mache dich auf Verbannung gefaßt.« Was Hutten nicht wissen konnte: Zu dem Zeitpunkt, als er das Loblied seines Jahrhunderts sang, erreichte der Renaissance-Humanismus gerade seinen Höhepunkt, um nicht lange danach teils rascher, teils allmählich an Resonanz zu verlieren. Ins Jahr 1527 fällt der »Sacco di Roma«, die grauenhafte Verwüstung des Renaissance-Rom durch die Söldnerheere des deutschen Kaisers Karl V., ein Geschehnis, das man als den Anfang vom Ende der Renaissance anzusehen pflegt. Der Beginn der Renaissance in Italien wird überwiegend ins 13. Jahrhundert – mit dem Ende der Stauferherrschaft – verlegt. Es entstand ein politisches Machtvakuum, in dem sich die Städte und eine neue städtische Kultur entfalten konnten. Für Deutschland werden die ersten Regungen des Renaissance-Humanismus in der Zeit um 1400 beobachtet, die ersten Anzeichen einer humanistischen Bewegung in der zweiten Hälfte des 15. Jahrhunderts. Von den vor der Übernahme der Renaissance ins Reich vorhandenen Neuerungen sind hier vor allem einige weltanschauliche und künstlerische zu erwähnen. Die deutsche Mystik des Spätmittelalters liegt zeitlich gleichauf mit den ersten Höhepunkten der Renaissance in Italien. Von der Forschung sind die Verbindungen zwischen ihr und der italienischen Dichtung nachgewiesen worden, etwa zwischen Dante und der Nonnenmystik in Helfta (bei Magdeburg). Der »unio mystica«, dieser angestrebten Verbindung mit Gott im innersten Heiligtum, der Seele der Gläubigen, wohnte – wie dem Renaissance-Humanismus – eine dem Klerus unangenehme Seite inne: das Überflüssigwerden der Amtskirche und ihrer Hierarchie, was ihr natürlich nicht verborgen blieb (daher Ketzerverfahren und Verurteilung des bedeutendsten deutschen Mystikers, Meister Eckhart, 1329). Mit der »devotio moderna« entstand im 14. Jahrhundert eine neue Frömmigkeitsform, die sich literarisch in dem Buch des Thomas von Kempen, *De imitatione Christi*, dokumentierte (Druck 1470, neben der Bibel eines der am meisten verbreiteten Erbauungsbücher im Christentum). Der später als Haupt des nordeuropäischen Humanismus angesehene Erasmus von Rotterdam lernte Antike und Humanismus in den Schulen der »Brüder vom gemeinsamen Leben« kennen. Die neuen Entwicklungen in der Kunst, besonders in der Architektur und

Vorbild Italien

Mystik und Amtskirche

Der Mainzer Johannes Gutenberg (1397–1468) erfand den Buchdruck mit beweglichen, wieder-verwendbaren Buch-staben. Er löste damit eine Neuerung aus, deren geistige und po-litische Konsequenzen erst allmählich bewußt wurden – Blick in eine Buchdruckerwerkstatt des 16. Jhs

Malerei (Wandmalerei, Altarmalerei, Entstehung des Tafelbilds) werden von der Kunstgeschichte mit dem Begriff der »Gotik« bzw. »Spätgotik« bezeichnet. Eine Sonderentwicklung Westeuropas (Frankreich, Niederlande, England) war die »ars nova«, die Versuche der Aneignung und Kultivierung antiker Inhalte einschloß, bereits auch Naturstudium (Entwicklung von Historienbild, Porträt, Landschaft und Genremalerei, u. a. in der altniederländischen Malerei).

italienischer Renaissance-Humanismus

In diese Welt des unruhigen »Spätmittelalters« hinein wurde der italienische Renaissance-Humanismus künstlich übertragen, durch die bewußt vermittelnde Tätigkeit italienischer und anderer Humanisten. Unter den für Deutschland bedeutsamen Italienern ist hier an erster Stelle Enea Silvio Piccolomini zu nennen (seit 1458 Papst Pius II.), der in Briefen und Lehrwerken unermüdlich die Prinzipien des Renaissance-Humanismus erläuterte und propagierte. Mit seiner Renaissance-Novelle *De duobus amantibus historia* (1444; Geschichte der zwei Liebenden), einer Ehebruchs-Erzählung, wirkte er auf die Entstehung der kurzen Prosa-Genres in Deutschland ein. Dasselbe gilt von den *Facetien* eines anderen italienischen Autors der Zeit, Poggio, die das Emporkommen der Schwankgattung stark beeinflußten. Die *Facetien* (veröffentlicht 1452) sind kürzeste, in einer überraschenden Pointe auslaufende Prosatexte. Poggio, Sekretär mehrerer Päpste, war zugleich ein bekannter Wiederentdecker antiker Werke; C. F. Meyer setzte ihm ein Denkmal in seiner Novelle *Plautus im Nonnenkloster*. Eneas Novelle war der Kirche wegen ihrer Frivolität ein Ärgernis, auch dem Verfasser selber, als er das höchste Kirchenamt erlangte. Poggios *Facetien* enthielten doch, obwohl in den Hinterzimmern des Vatikans entstanden, allerlei Spott und Hohn auf Kosten der hohen Geistlichkeit. Ähnlich attackierten andere zeitgenössische Humanisten den alten Glauben und die alte Kirche. Die kritische Sonde an einen Grundstein des Papsttums – seine weltliche Herrschaft – legte der

Konstantinische Schenkung

italienische Humanist Lorenzo Valla, dem es 1440 gelang, die sog. »Konstantinische Schenkung« als Fälschung zu entlarven; die – fingierte – Schenkungsurkunde besagte, daß Kaiser Konstantin das weströmische Reich an Papst Sylvester I. abgetreten habe. Vallas Schrift wiederum wurde zu einem Hauptbeweisstück für Luther in seiner Argumentation gegen das Papsttum.

Er verwendete sie in seinem Kampfprogramm *An den christlichen Adel* (1520), nachdem er sie in einer der gedruckten Ausgaben kennengelernt hatte, die der deutsche Humanist Ulrich von Hutten 1518–19 in Basel veranstaltete.

»Der Ackermann aus Böhmen«

Die Geschichte der Renaissancedichtung in Deutschland beginnt mit einem zwar isolierten, weil sehr frühen Experiment, das aber eine literarische Leistung ersten Rangs darstellt, ein Stück avantgardistischen Künstlertums, das in Grundzügen seiner Zeit um hundert Jahre voraus war. Im Jahre 1400 oder 1401 verfaßte ein Schriftsteller, den man dem Umkreis des »Prager Kanzleihumanismus« zurechnet, der Stadtschreiber Johann von Tepl, eine Prosadichtung in Form eines Streitgesprächs: *Der Ackermann aus Böhmen* (Druck in Bamberg um 1460). Dialogpartner sind der Ackermann – eigentlich: »der Schriftsteller«, denn er sagt über sich: »Von vogelwat ist mein pflug« (»Mein Arbeitszeug ist aus Vogelgewand, -feder«) – sowie der Tod. Bedeutungsvoll schon die Verwendung von Prosa: es ist die neue, neuzeitliche Ausdrucksweise. Herkömmlich und für mittelalterliche Dichtung verbindlich waren Vers und Reim. Wichtig ferner, daß sich nicht zwei abstrakte Prinzipien gegenübertreten, der Tod und das Leben in allegorischer Gestalt, sondern mit der Todesallegorie wird ein Mensch konfrontiert, ein Individuum von bestimmtem Beruf und gesellschaftlicher Stellung. Der Tod ist einmal der Verfechter einer Weltanschauung, der mittelalterlich-klerikalen; er verkündet die Auffassung von der Nichtigkeit des Lebens, vom Elend alles irdischen Daseins. Zweitens macht er den Herrenstandpunkt geltend: »Doch glauben wir, daß ein Knecht Knecht bleibt, ein Herr Herr.« Damit erhält der Dialog seine soziale Akzentuierung. Gegen diesen Tod, den Verkünder der menschlichen Nichtigkeit und Unterworfenheit, setzt sich der Schriftsteller empört zur Wehr. Er zieht den Tod, der ihm die geliebte Frau geraubt hat, vor das Gericht Gottes, und was er dem Widersacher entgegenhält, ist eine moderne Auffassung von Menschenleben und Menschenglück. Seine Ausgangsvorstellung: der Mensch sei »das großartigste, das kunstreichste und das allerfreieste Werkstück des Schöpfergotts«. Zu seinem Erdenglück tragen wesentlich die Liebe, die Ehe, die Familie bei. Und nicht zuletzt zeichne es den Menschen aus, daß er als einziger Vernunft besitzt, »den edlen Schatz«. Wegen seines mutigen Ankämpfens gegen den Tod gesteht Gott dem Kläger zu, die Ehre davonzutragen. Jedoch dem Tod bleibt der Sieg, weil kein Empörer das Naturgesetz überwinden kann, den Tod, dem alles Leben anheimfällt. Die *Ackermann*-Dichtung ist Bestandteil humanistischer Auseinandersetzung mit dem alten Glauben sowie dem Menschenbild des Mittelalters.

Der Ackermann disputiert mit dem majestätischen Tod

Gegen Mitte des 15. Jahrhunderts traten in Deutschland zunächst die sogenannten »Wanderhumanisten« auf, z. B. Peter Luder und Samuel Karoch von Lichtenberg. Als Studierende und noch später, als Hochschullehrer, wechselten sie manchmal von Semester zu Semester ihre Wirkungsstätte, teils um sich selber die »studia humanitatis« anzueignen, teils um darin anderen Studenten Unterricht zu geben. Die humanistische Lehre mußte an den deutschen Universitäten überhaupt erst einmal installiert werden, in aller Regel gegen den Widerstand der etablierten, scholastisch geprägten altherkömmlichen Fächer. Die Lehrgegenstände der Humanisten bildeten vor allem: antike Sprachen (in erster Linie das Latein), Rhetorik, Poesie und Geschichte. Ein Zeitgenosse der Wanderhumanisten war der Jurist und Schriftsteller Gregor Heimburg. Zunächst im Dienste Enea Silvios als Sekretär beschäftigt, wurde er später der entschiedenste deutsche Gegner dieses Italieners in dessen Amtszeit als Papst. Enea selber hat von seinem Kontra-

Wanderhumanisten

henten ein aufschlußreiches Miniaturporträt überliefert: »Es war aber Gregor ein schöner Mann, hochgewachsen, mit blühendem Gesicht, lebhaften Augen, kahlköpfig. Seine Redeweise wie seine Bewegungen hatten etwas Unbeherrschtes. Eigenwillig wie er war, hörte er auf keinen anderen und lebte nach seiner Art, die Freiheit über alles stellend, so denn auch anstößig im Betragen, ohne Schamgefühl und zynisch. In Rom pflegte er nach der Vesper am Monte Giordano sich zu ergehen, schwitzend und als verachte er zugleich die Römer und sein eigenes Amt. Mit überhängenden Stiefelschäften, offener Brust, unbedecktem Haupt, aufgekrempelten Ärmeln kam er mißvergnügt daher, ständig auf Rom, den Papst und die Kurie wie auf die Hitze Italiens schimpfend.«

Humanisten als Übersetzer

Eine weitere Gruppierung deutscher Humanisten wird im allgemeinen nach ihrer hervorstechendsten Tätigkeit als »frühhumanistische Übersetzer« etikettiert. Ihre Tätigkeit bestand in der Hauptsache immer noch darin, das Gedankengut des Humanismus in Deutschland zu popularisieren, indem sie es eindeutschten. So verfaßte Niclas von Wyle seit 1461 seine *Translationen* (auch: *Translatzen*), die er 1478 gesammelt edierte. Insgesamt sind es achtzehn Schriftstücke, die abermals beweisen: Humanismus mußte nicht vorrangig Befassung mit der Antike bedeuten. Unter allen Texten befindet sich, neben einem mittelalterlichen und demjenigen eines zeitgenössischen Schweizer Autors nur ein einziger der Antike entstammender, bezeichnenderweise eine Erzählung: Lukians *Eselsgeschichte* (2. Jahrhundert). Bei dem stattlichen Rest handelt es sich um nicht weniger als 15 Schriften italienischer Renaissanceautoren; drei rühren von wenig bekannten Verfassern her, zwei von Boccaccio, einer von Petrarca, aber vier von Enea Silvio und sogar fünf von Poggio! Heinrich Steinhöwel übersetzte ebenfalls u.a. Boccaccio, nämlich dessen berühmtes Sammelwerk *De claris mulieribus* (Über die berühmten Frauen, 1360/62). Dazu schuf er eine deutsche Version der 100. Novelle des *Decamerone, Griseldis*, die damit in Deutschland populär wurde (sog. »Volksbuch«) und bis ins 20. Jahrhundert Neugestaltungen anregte (u.a. von G. Hauptmann). Albrecht von Eyb lieferte gelungene Plautus-Übersetzungen, doch auch Originalwerke, mit starker Einbeziehung vor allem antiken Quellenmaterials, darunter drei Abhandlungen über eine – heute wieder aktuelle – Problematik: die Frauenfrage (am bekanntesten davon bis heute: *Das Ehebüchlein*, Druck: Nürnberg 1472).

Konrad Celtis

Als stärkste dichterische Begabung aus der nachfolgenden Generation deutscher Humanisten, ja des deutschen Renaissance-Humanismus überhaupt gilt Konrad Celtis. Als erster Deutscher wurde er zum Dichter gekrönt (von Kaiser Friedrich III. in Nürnberg, 1487). Als Poet trat er vor allem mit den *Quattuor libri amorum* hervor (1502, Vier Bücher Liebesgedichte). Der Editionstätigkeit dieses deutschen »Erzhumanisten«, wie man ihn auch genannt hat, ist die Wiederentdeckung eines so wichtigen Werks wie der *Germania* des Tacitus (1500) zu verdanken, aber auch die des Œuvres der ersten deutschen Dichterin Hrotsvith von Gandersheim (10. Jahrhundert; Edition durch Celtis 1501). Auch als kulturpolitischer Organisator bewies sich Celtis. Nach dem Muster der italienischen Akademien (u.a. in Florenz) gründete er um 1490 mehrere wissenschaftliche Gesellschaften zur Förderung der Bildung und Künste – er nannte sie »Sodalitates«, d.h. Genossenschaften – mit Sitz u.a. in Wien und Heidelberg.

Dunkelmännerbriefe

Im Jahr der Ablaßthesen Luthers, 1517, erschien zugleich der von dem deutschen Humanisten Ulrich von Hutten verfaßte zweite Teil der *Dunkelmännerbriefe (Epistolae obscurorum virorum)*, deren erster Teil bereits zwei Jahre früher vorlag. Dieser erste Teil war hauptsächlich von Huttens Lehrer

Crotus Rubeanus geschrieben. Das Werk als Ganzes ist eine Gemeinschafts-
arbeit, eine der Weltliteratur zugehörige glänzende Satire gegen das Leben
der herabgesunkenen Geistlichkeit. Sie besteht aus mehr als einhundert erfundenen Briefen, vorgeblich von Vertretern des klerikalen Lagers verfaßt,
die ihre geistige Beschränktheit, ihre Heuchelei, ihre Verderbtheit und Rückständigkeit im Selbstbekenntnis enthüllen. In der Person und im Werk Ulrichs von Hutten symbolisiert sich der Wechsel von Teilen der humanistischen Bewegung zur Sache der Reformation. »Daß Teutschland einer Reformation bedürfe«, war dieses Ritters Grundeinsicht, die sich in der
Prespektive des päpstlichen Nuntius Aleander so ausnahm: »Schon hat er
sich einen Umsturz der gesamten deutschen Verhältnisse vorgesetzt.« Für
eine Phase der historischen Entwicklung kam Huttens Wirkung derjenigen
Luthers gleich oder übertraf sie sogar, denn auch Hutten verstand es, den
Empfindungen und Forderungen breiter Schichten des Volks Ausdruck zu
geben. Huttens Themen: der Kampf gegen »Tyrannen«, die »doch alle in die
Hölle« gehörten; gegen Rom, seine Reichtümer und Machenschaften; die
Verbrechen und Kriege der Päpste. Derlei Inhalte entfalteten freilich erst in
deutscher Sprache ihre größte Wirksamkeit. Der Übergang Huttens vom
Latein der Humanisten zur deutschen Sprache zeitigte sogleich die entschei-
denden Folgen: Übergang auch der anderen wichtigsten Autoren zur deutschen Sprache und Entstehung einer revolutionären öffentlichen Meinung.
Das ganze deutsche Volk, die »Nation«, wurde nun als Adressat ins Auge
gefaßt. Denn Latein, so erklärte Hutten, sei »einem jeden nit bekannt«.
Wichtige, von ihm anfänglich in Latein geschriebene Texte übersetzte er oder
ließ er übersetzen, vor allem das berühmte *Gesprächbüchlein (Buch der
Dialoge,* 1521). Seine Sicht der Dinge, die Perspektive eines Adligen, zeigte
sich in bestimmter Weise durch die Situation und Vorurteile der Klasse
eingeengt, der er entstammte. Aber Klassenschranken waren überwindbar,
zumal für den Humanisten Hutten. Nur »eigene Leistung«, führte er aus,
begründete das Vorrecht, sich als adlig zu erachten, anderer Adel sei wertlos.
»Diejenigen, die das Zeug zum Ruhm haben und nutzen, was wir geringschätzen, müssen uns in der Tat vorgezogen werden, selbst wenn sie Söhne
von Webern und Schumachern sind.« – Die Parole, die sich durch alle seine
Schriften der Kampfjahre hindurchzog, lautete »Freiheit«: »Ich sehe, daß an
allen Orten an Freiheit gedacht und Bündnisse zu ihrer Verwirklichung
gemacht werden«, stellte er zufrieden fest und hoffte, selber »aller Gemüt
zur Wiederbringung allgemeiner Freiheit« anzustacheln, wobei er die Gewaltanwendung einkalkulierte: »Unser Vorsatz kann aber nit wohl ohne
Schwertschlag und Blutvergießen Fortschritte machen.«

Ein anderer Teil der Humanisten trat nicht an die Seite der Reformation,
sondern setzte sich, häufig polemisch, mit ihr und ihren Repräsentanten
auseinander, so z.B. Erasmus von Rotterdam. Doch auch er kritisierte, kaum
milder als Luther und die Lutheraner, Dogma und Institution der alten
Kirche. Ebenfalls in dem Epochenjahr 1517 veröffentlichte er seine Kampfschrift *Klage des Friedens (Querula pacis).* Es ist das erste umfassende Frie-
densprogramm der Neuzeit, vorgetragen als Monolog des Friedens. Der
Friede prangert die Kriege und die Kriegspolitik der Päpste und Kirchenfür-
sten an. Der Krieg sei nicht Schicksal, sondern Menschensache, eine von
Menschen gemachte Sache: »Aber obschon das Leben von selbst so viele
kaum tragbare Mühsale mit sich bringt, beschwören die Menschen in ihrem
Wahnwitz den weitaus größten Teil der Übel noch eigens herbei.« Verursa-
cher des Kriegs sind ausnahmslos die »Fürsten, die genau wissen, daß die
Eintracht des Volkes ihre Macht erschüttert«. »Ein sachliches Erwägen der

*Huttens
»Gesprächbüchlein«
von 1521*

Polemik und Satire

Kriegsursachen wird erweisen, daß alle Kriege zum Vorteil der Fürsten vom Zaun gebrochen und stets zum Nachteil des Volkes geführt wurden.« Er wendet sich gegen die Einrichtung von »Pflanzschulen des Kriegs« und empfiehlt die Ächtung des Kriegs: »Alle müssen sich gegen den Krieg verschwören und ihn gemeinsam verlästern. Den Frieden aber sollen sie im öffentlichen Leben und im privaten Kreise predigen, rühmen und einhämmern.«

»Die Grundsuppe des Wuchers, der Dieberei und Räuberei« – Gesellschaftskritik und reformatorische Programme von der »Reformatio Sigismundi« bis Hans Sachs

Der arme schmeichler wil sich mit Christo in ge tichter gütigkeit decken/wider den text Pauli.j. Timoth.j. Er saget aber jm Büch vo kauffhandelig daß die Fürsten sollen getrost vnder die diebe vn Rauber streichen. Im seligen verschweigt er aber den orspnung aller dieberey. Er ist ein Heerholt/er wil danck verdienen/mit der leuthe Blutuergiessen vmb zeitlichs gůts wille/welches doch got mit auff seine maynung Besolben. Sich zů/die grundsuppe des wuchers der dieberey vn Rauberey sein vn ser berrn vn Fürsten/nemen alle creaturen zum aygenthumß. Die visch im wasser/die vögel im lufft/das gewechß auff erden muß alles jr sein. Esaie.v. Darüber lassen sy dann gottes gepot aufgeen vnter die armen/vnd sprechen. Got hat gepoten. Du solt nit stelen/es dienet an nit. So sye nun alle meschen verursachen/den armen ackerman/handt werckman/vnd alles das da lebet/schinden vnnd schaben. Michee.iij.ca. So er sich dann vergreifft am aller geringsten/so můß er hencken. Do saget den Doctor Lügner. Amen. Die herren machê das selber/daß jn der arme man feyndt wirdt/bye vrsach des Auffrůrf wöllen sye nit weg thůn/wie kaiß es die lenge gůt werde? So ich das sage/můß ich auffrůrisch sein. wol hyn.

Aus Müntzers
Schmähschrift gegen
Luther
(Nürnberg 1524)

Oppositions-
bewegungen

Die vielleicht berühmteste gesellschaftskritische Passage der deutschen Literatur vor dem *Kommunistischen Manifest* ist enthalten in Thomas Müntzers Gegenschrift gegen Luther, der *Hochverursachten Schutzrede* (1524); es sind Sätze von großer Entschiedenheit: »Sieh zu, die Grundsuppe des Wuchers, der Dieberei und Räuberei sind unsere Herren und Fürsten. Sie nehmen alle Geschöpfe zum Eigentum. Die Fische im Wasser, die Vögel in der Luft, die Pflanzen auf Erden, ihnen muß alles gehören. Darüber lassen sie dann Gottes Gebot ausgehen unter die Armen und sagen: Gott hat befohlen, du sollst nicht stehlen. Aber selber halten sie sich nicht daran. Indem sie nun alle Menschen peinigen und den armen Ackermann und Handwerksmann und alles, was lebt, schinden und schaben, so muß, wenn einer von diesen sich dann am Allergeringsten vergreift, er hängen. Dazu spricht dann der Doktor Luther: Amen. Die Herren machen das selber, daß ihnen der arme Mann feind wird. Die Ursache des Aufstands wollen sie nicht beseitigen. Wie kann es dann auf die Dauer gutwerden?« Dies ist eine Beschwerde, die nicht erst im Zeitalter der Reformation hörbar wurde, sondern schon Jahrhunderte davor. In einer Zeit, in der sich oppositionelle Strömungen von beachtlicher Stärke zeigten, die Anfänge eines gegen die gesellschaftlichen Zwänge des Mittelalters gerichteten Widerstands, – in der Mitte des 13. Jahrhunderts dichtete Freidank: »Die Fürsten unterwerfen mit Gewalt/ Feld, Gebirge, Wasser, Wald,/ dazu an Tieren alles, wild und zahm./ Verführen mit der Luft sehr gern auch so./ Die aber muß uns allen gemeinsam bleiben:/ Und könnten sie uns den Sonnenschein entwenden,/ desgleichen Winde und den Regen,/ sie ließen sich die Steuer dafür in Gold aufwiegen.«

Aber während in den früheren Jahrhunderten solche Klage und Anklage nur spärlich vernehmbar wurde, bekam sie nach 1500 zunehmend Gewicht und Bedeutung. Der Maler Albrecht Dürer erkannte, »daß man uns unser Blut und unseren Schweiß raubt und abstiehlt, und daß das Gestohlene von den Müßiggängern verzehrt wird, was eine Schande und ein Verbrechen ist. Arme kranke Menschen müssen deshalb Hungers sterben.« Der Drucker, die weltliche und geistliche Obrigkeit ablehnende Schriftsteller und Märtyrer Hans Hergot schrieb: »Ihr Schriftgelehrten lehrt den Adel, daß er der Kuh nichts in dem Euter lasse und die Milch gänzlich aussauge, auf daß die Jungen keine mehr vorfinden. Wirklich, es ist der Punkt erreicht, daß sie alles ausgesogen haben, weder Milch noch Blut ist mehr da, Frauen und Kinder müssen vor Hunger sterben.« Die Ausgebeuteten waren also die Bauern und die Handwerker. Die Bauern vor allem, denn von ihren Erzeugnissen lebte die ganze Nation, wie es in dem »Ständebaum« der Zeit veranschaulicht wurde, einer bildlichen Darstellung, die den Gesellschaftsaufbau in Gestalt eines Baumes präsentierte: unten, als Wurzel und verflochten mit ihr, der Bauer; darüber, auf den ausladenden Ästen, die dem Boden noch am ehesten nahe sind, Handwerker und Kaufleute; dann über diesen Geistlichkeit und geistliche Fürsten, Adel und weltliche Fürsten. Dem Gipfel bereits nahe: Kaiser, Könige und Papst. Auf der höchsten Spitze endlich nochmals zwei Bauern, ein musizierender und ein schlafender, teils Ironie, teils Hinweis, daß die Bauern der Anfang und das Ende von allem sind. Daß die am meisten Geknechteten und Unterdrückten die Bauern waren, berichten – und beklagen – immer wieder die Autoren der Zeit, vom »Oberrheinischen Revolutionär« bis Hutten, von Thomas Müntzer bis Hans Sachs.

Wie deutlich die Gesellschaftsstruktur der Zeit den Zeitgenossen selber erkennbar war, dafür lieferte Hans Sachs den Beweis in seinem Fastnachtsspiel *Ein Bürger, Bauer, Edelmann, die holen Krapfen.* Zum Bürger und Edelmann gewendet, erläutert hierin der Bauer: »O ihr tut euch alle beide ernähren,/ Gott weiß wohl wie: Ich darfs nicht nennen«, nämlich durch Ausbeutung bis hin zur gewaltsamen Ausplünderung. Als seine eigene Aufgabe bezeichnet er: »Ackern, Säen,/ Schneiden, Dreschen, Heuen und Mähen,/ Pferdepflege und andere Arbeit mehr./ Hiermit ich euch alle beide ernähr.« Der Bürger immerhin verrichtet produktive Arbeit, jedoch auf weniger mühsame Weise: »Meinen Unterhalt erwerbe ich in der Ruh,/ brauche nicht solch grobe Arbeit zu tun.« Der Adlige aber, im Gegensatz zu ihnen beiden, erklärt, er habe Unterhalt jederzeit am Fürstenhof: »ohne Arbeit, aber mit Rente und Zins«. Und, zum Bauern gekehrt: »Wir haben die Regierung inne,/ alle Macht liegt in unsern Händen./ Du mußt uns liegen unter den Füßen.« So stellte sich in den Augen eines städtischen Dichters, eines Schuhmachers, die Tatsache der Ausbeutung und Unterdrückung dar.

Die Ständehierarchie gerät in Bewegung

Zu dem Mißstand, den die Autoren der Zeit als »Grundsuppe« aller Übel orteten, kam – auch er schon für die damals Lebenden sichtbar – noch ein neuartiger Tatbestand: der Fortschritt, der die alte Ordnung aufbrach, und der den wichtigsten mittelalterlichen Ständegegensatz Bauer/Adel zu überlagern begann und die Gesellschaftsstruktur als Ganzes aufzulösen drohte. Ein neuer Regent trat auf die Bühne, mit dem Wort des Hans Sachs: »das Geld«, das »jetzunder in ganzer Welt regiert«. Geld spaltete, so erkannte Sachs, die Menschheit – in große und kleine Diebe und nichts sonst. Wie hatte es dazu kommen können? Die Voraussetzung bildete die Trennung der gewerblichen von der agrarischen Gütererzeugung und die Entfaltung der Stadtkultur, in der sich Warenproduktion und Handel konzentrierten. Das Geld – oder die Kaufleute, Händler und Wucherer, die darüber verfügten – trugen immer mehr zur Auflösung der traditionellen, vom Kleinwaren- und Naturalienhandel bestimmten Verhältnisse bei.

Alte Ordnung und Fortschritt

Der Propagandist der Reformation, Johann Eberlin von Günzburg, schrieb: »Nachdem die Händler und Kaufleute derart überhand genommen haben, ist der Adel verdorben, die Bürger in den Städten haben nichts, das Landvolk geht betteln.« Der damals erreichte Zustand: »Die ganze Menschheit ist auf Kaufen und Verkaufen ausgerichtet.« Und: »Solche Kaufleute und Händler schaffen nichts als die Zerstörung der Länder und der Christenheit.« Eberlin nahm also deutlich wahr, wie die neue Erscheinung, die auf Kauf und Verkauf gerichtete Gesellschaft, aus sich sogleich einen neuartigen Gegensatz hervorbrachte: den der Kaufleute und Händler hier, der »Bürger

Kritik der Kaufleute

in den Städten« dort. Ein neues Abhängigkeitsverhältnis entstand: das des
Kaufmanns und Händlers – damals auch als »Verleger« bezeichnet (von
Waren aller Art; heute nur noch von Büchern) – zum Lohnarbeiter. Daher
die Beschwerde des Handwerks, die Hans Sachs ausdrückte: »Mit meinem
Handwerk, das ich treibe,/ Damit gewinne ich kaum das Brot./ Im Haus ist
nichts als Sorge und Not./ Ich arbeite hart Tag und Nacht./ Meine Arbeit
wird mir gänzlich verachtet./ Mein Verleger beugt mich aufs äußerste./ Der
Kaufmann drückt mir den Preis meines Produkts.«

*Reaktion
der Schriftsteller*

Auf Mißstände wie diese konnten die Schriftsteller der Zeit auf mehrere
Arten reagieren: scharf anklagend oder resignierend, mit Ironie, Satire, Sar-
kasmus, Hohn oder mit reformatorischer Programmatik. Im Deutschland
des 15. Jahrhunderts stand die politisch-soziale Revolution noch nicht auf
der Tagesordnung, wie dies in Böhmen der Fall war, wo die Hussiten kirchliche Reformen mit kultureller Erneuerung und politischer Revolution verbanden, die Revolution mit militärischer Expansion. Sie nannten sich nach
Jan Hus, dem tschechischen Reformator, der während des Konstanzer Kon-
zils (1414–1418) entgegen der Zusage des freien Geleits verbrannt worden
war. Das Konstanzer Konzil bildete eines derjenigen politischen Ereignisse,
von denen die Menschen der Zeit eine Reform der unhaltbaren Zustände
erwarteten, besonders der kirchlichen (deshalb »Reformkonzil«).

Die »Reformationen«

Den Typus des Schrifttums, der gesellschaftskritische Analyse mit reformatorischer Programmatik vereinte, repräsentierten in der deutschen Literatur des 15. und 16. Jahrhunderts die sog. »Reformationen«. Die bekannteste
Schrift dieser Art ist die *Reformation Kaiser Sigismunds (Reformatio Sigis-
mundi*, 1439), deren Verfasser den Namen des Kaisers Sigismund benutzte,
um seinen eigenen Gedanken größeres Gewicht zu verleihen. Diese Schrift
war weit verbreitet: wir kennen 17 Handschriften nach 1439 sowie in der
Zeit von 1476 bis kurz vor dem Bauernkrieg mehrere Drucke. Generationen
vor der Bauernrevolution von 1525 formulierte ein Verfasser hier die Notwendigkeit der Abschaffung der Leibeigenschaft, also die Beseitigung des
Fundaments der gesamten feudalen Produktionsweise. »Es ist eine unerhörte
Sache, daß man in der frommen Christenheit das große Unrecht eigens
enthüllen muß, welches vor sich geht, wenn einer, obwohl Gott zuschaut, so
gierig ist, daß er es wagt, zu einem Menschen zu sprechen: ›Du bist mein
eigen!‹ Es ist daran zu denken, daß Gott [...] uns befreit und von allen
Banden löst [...] Darum wisse jedermann, der lebt, der seinen Mitchristen
als Eigentum erklärt, daß er nicht Christ ist«. Das bedeutete zugleich die
Aktualisierung der alten sächsischen Rechtstradition; auch der *Sachsenspiegel* des Eike von Repgow untersagte bereits die Leibeigenschaft. Der Verfasser der *Reformation Kaiser Sigismunds* verkündete darüber hinaus das
Widerstandsrecht gegen solche Herren, die sich weigerten, die Leibeigenschaft aufzuheben. Man dürfe diese »ganz abtun«, und sobald ein Kloster
sich der Forderung verschließe, müsse man es zerstören.

*»Eigentum
ist Diebstahl«*

Ein anderer anonymer Verfasser, der sog. »Oberrheinische Revolutionär«,
schuf zwischen 1498 und 1510 ein umfassendes Reformprogramm: *Das Buch
der hundert Kapitel und vierzig Statuten.* Er ging ebenfalls von der Notwendigkeit aus, die Leibeigenschaft zu beseitigen: »Das ist Diebstahl und schlimmer als jeder andere Diebstahl wegen der damit verbundenen Machtaus-
übung. Der Adlige sagt: ›Du bist mein Eigenmann!‹ Aber die Wahrheit
lautet: Wir Deutschen sind frei, frei nach dem Gesetz Kaiser Karls des
Großen, alle edel.« Nicht weniger scharf erkannte der Autor den anderen
Mißstand der Zeit, den die Ware-Geld-Beziehung mit sich brachte: »Ein
Wucherer [...] ist böser als ein Mörder.« Das Prinzip, das er gegen die von

ihm beklagten Mißstände setzte, gegen den Eigennutz, heißt: »der gemeine
Nutzen«. Diese Entgegensetzung des »Eigennutzes« und des »Gemeinnut-
zes« findet sich in der gesamten gesellschaftskritischen Literatur der Zeit. Es
ist das grundlegende Begriffspaar, das in den Flugschriften der Bauernkriegszeit und bei Hans Sachs, in dem Buch von den Schildbürgern bis hin zur
Literatur der Aufklärung wiederkehrt.

Es bestimmte auch das Weltbild des wichtigsten Zeitkritikers der deutschen Literatur gegen Ende des 15. Jahrhunderts: Sebastian Brant. Sein
Hauptwerk, *Das Narrenschiff* (1494), nach alter Weise noch in Reimpaaren
abgefaßt, stellte alle Gruppierungen der Gesellschaft als Narren vor, die mit
dem Narrenschiff nach dem Lande Narragonien reisen. Basis der Literatur-
satire ist die Klage über den Verfall des Glaubens und, damit zusammenhängend, des Reichs. Warnend wird dem Leser das Beispiel des alten Rom
vorgehalten: »Zur Freiheit wardst du hingeführt,/ Als dich gemeinsamer Rat
(Nutzen) regiert./ Doch als auf Hoffart man bedacht,/ Auf Reichtum und
auf große Macht,/ Und Bürger wider Bürger stritt,/ Und des gemeinen
Nutzens man gedachte nit,/ Da fing die Macht zu zerfallen an [...].« Brant
sah kein Rettungsmittel für seine Zeit und hatte wenig Hoffnung auf eine
Besserung; Reformvorschläge machte er nicht. Und doch zeigte seine Dichtung, obwohl ihr Grundzug konservativ war, typisch bürgerliche Denkansätze, so z.B. in der Ablehnung des Geburtsadels zugunsten eines inneren
Adels: »Aus Tugend ist aller Adel gemacht« (dessen denn auch der Bürger
teilhaftig werden konnte). Brants *Narrenschiff* erlebte in einhundert Jahren
gegen 25 Ausgaben sowie zahlreiche Bearbeitungen und Übersetzungen.

Sebastian Brant:
Das Narrenschiff

»Derhalben mußt du, gemeiner Mann,
selber gelehrt werden« –
Die Entdeckung des Worts als Waffe

Der Siegeszug der zugleich religiösen wie politischen Neuerung des 16. Jahrhunderts, die unter dem Namen »Reformation« bekannt ist, wurde hauptsächlich mitentschieden durch Literatur, insbesondere ein literarisches Medium, das damals seine – frühe – Blütezeit erlebte: die Flugschrift. Die seit
etwa 1400 sich anbahnende Veränderung der Gesellschaftsstruktur bewirkte
einen Prozeß der Bewußtseinsänderung breitester Kreise, und diese wiederum konnten verändernd einwirken. Ein Vorgang, der sich in Sprache
vollzog, mittels des geschriebenen und gesprochenen Wortes, der Literatur
vor allem, die am weitesten wirkte, das hieß in erster Linie Gebrauchsschrif-
ten, didaktische Literatur und Kampfschrifttum. Was neu gesehen wurde,
war: die Gewalt des Worts. Das damit entstehende Bewußtsein bedeutete:
die Vermittlung von Einsichten in den Zusammenhang der sozialen Realität,
Einsichten, wie man sie unter den Bedingungen des Zeitalters gewann und
formulierte, Gedanken, Vorstellungen, Ratschläge, Pläne. Die Literatur begann, Einfluß auf den Willen großer Bevölkerungsteile durch Ideen, Argumente, Forderungen, Kampfrufe, aber auch durch Utopien und phantastische Träume zu nehmen, kurz: Sie leitete zum Handeln an. Diese Literatur
stellte – im Vergleich zu vergangenen Epochen – etwas prinzipiell Neues
dar.

Flugschriftenliteratur

*Der Bauer lehrt
die neue Wahrheit
(Holzschnitt
von 1521)*

*Volkstümliche
Literatur*

So entwarf die jetzt heraufkommende Literatur ein ungewohntes Wirklichkeitsbild, spiegelte die Realität derart wider, daß sie den breitesten Volksschichten – dem »gemeinen Mann« – als ebenso hinfällig wie veränderungsbedürftig offenbar wurde. Mit der neuen Wirklichkeitsdarstellung verband sich der Entwurf eines neuen Menschenbilds: der »gemeine Mann« selber, der Bauer und der Handwerker, trat in die Literatur ein, in der er vorher entweder gar kein Dasein hatte oder allenfalls am Rande seine ständisch fixierte Rolle spielte; er stand gleichberechtigt neben den Rittern, den Geistlichen und den Fürsten, manchmal sogar übergeordnet als Richter über Adel und Klerus. Neu war die Aufgabe, die der Literatur jetzt zufiel: Sie wurde Mittel der geistigen wie politischen Auseinandersetzung. Voraussetzung waren hierfür die neuen Verbreitungsmöglichkeiten seit der Erfindung des Buchdrucks und dem Beginn der Herstellung preiswerter Gebrauchsliteratur. Und neu war nicht zuletzt die Überwindung ständischer und lokaler Schranken. Nun wandten sich Schreibende – Handwerker, geistliche und weltliche Gelehrte, Ritter und sogar Fürsten – häufig nicht mehr nur an einen Stand, an einen begrenzten Adressatenkreis, sondern an die breite Bevölkerung, an den, wie es z.B. Hans Sachs stets ausdrückte, »gemeinen Mann«. Was stattfand, war im Zusammenhang mit der kulturellen Revolution eine literarische Revolution.

Literaturrevolution

Die Literaturrevolution der Jahre um 1520 erweist sich als Bestandteil der umfassenden religiös-politischen Umwälzung, an der sich fast die gesamte deutsche Nation beteiligte, für sie streitend oder sie bekämpfend. Dieser religiös-politischen Revolution (1517 bis 1526, d.h. vom Thesenanschlag Luthers bis zum Ende des Bauernkriegs) darf die Literatur der Zeit jedoch keinesfalls als illustrierende Zugabe, als literarischer Kommentar beigeordnet werden. Das Schrifttum der Reformation versteht nicht recht, wer es lediglich als Beleg für eine sonst davon abgetrennte Bewegung wertet. Es bildete einen die Praxis mitbestimmenden Teil der geschichtlichen Bewegung.

Waren die Autoren des Zeitalters Mitträger einer Literaturrevolution, so sprachen sie dies doch nicht aus. Aber sie umschrieben den Sachverhalt, wußten, was sie taten, verkannten nicht die Wirkung ihrer Pamphlete. Luther notierte: »Es meinen etliche, ich hätte dem Papst ohne alle Faust (Gewaltanwendung) mehr Schaden getan, als ein mächtiger König tun könnte, mit Reden und Schreiben.« Und war die Literaturrevolution Bestandteil einer umfassenden Umwälzung, so sprachen die Autoren auch das keineswegs aus; sie hatten den Begriff der »Reformation«. Ihren Schriften jedoch gaben sie Inhalte, die nichts anderes waren als die Pläne und Parolen, Bekundungen und Forderungen einer religiös-politischen Revolution; handelt es sich um Verfasser, die einer Revolution widerstrebten, ja sie abzuwehren suchten, so wurde die Tatsache der »Revolution« dadurch indirekt bestätigt.

»Daß wir frei sind und es sein wollen« – Flugschriftenliteratur

Die Flugschriftenliteratur im ersten Drittel des 16. Jahrhunderts bildet eines der herausragenden Studienobjekte für jeden, der sich mit der Wirkungsmöglichkeit von Literatur befaßt, mit der Frage vor allem der Umsetzung revolutionärer Ziele vermittels des Worts. Die Zahl der Flugschriften in dem genannten Zeitraum wird auf mehrere hundert geschätzt und übertrifft vermutlich die 1000. Es waren kleine Druckwerke von 3 oder 4 bis zu 50, manchmal 60 Seiten, selten mehr; in z.T. schon recht beträchtlicher Anzahl der Exemplare, die 1000 erreichend und gelegentlich überschreitend, und nicht selten einer Reihe von Auflagen. So erlebte der revolutionäre Dialog *Karsthans* (im Titel der damals volkstümliche Begriff für »Bauer«) binnen eines Jahres zehn Auflagen. Und soweit feststellbar, erzielte der bekannteste Forderungskatalog der Aufständischen, die *Zwölf Artikel*, 1525 innerhalb weniger Wochen 24 Auflagen und wurde auch handschriftlich weiter vervielfältigt. In kürzester Frist waren die *Zwölf Artikel* vom Westen Deutschlands bis Ostpreußen, von Tirol bis nach England verbreitet.

Unter dem Aspekt literarischer Gattungen handelte es sich bei den Flugschriften um Predigt und Sendbrief, Chronik, Traktat, Mitteilung, Dialog und selbst Drama, Versdichtung und Lied. Vor den anderen ragen der Sendbrief und der Dialog heraus; der eine, Unterart des Briefs, vom Privatbrief dadurch gesondert, daß die besprochenen Gegenstände als allgemein interessierende begriffen wurden; der andere: eine der mündlichen Rede verwandte Gattung, so als gingen die zahlreichen Diskussionen und Gespräche, die auf Straßen und Plätzen, in Privathäusern und Schenken geführt wurden, unmittelbar in die Literatur ein. Die Sprache war bestimmt durch das Bestreben der Autoren, größtmögliche Ausdruckskraft und leichte Verständlichkeit zu erreichen, um dadurch um so eindringlicher zu wirken. Drei auffällige Mittel prägten den Stil: verschwenderische Benutzung von Bibelversen, ausgiebige Verwendung von Redensarten und Sprichwörtern sowie Wortschatzelemente grober, beleidigender, den Gegner verletzender Art.

literarische Gattungen

Neben den zahlreichen Diskussionen und Gesprächen, oft vor Tausenden – die damaligen »Religionsgespräche« wären heutigen »Podiumsdiskussionen« vergleichbar, nur daß solche Religionsgespräche sich zuweilen über Wochen hinzogen –, waren es die Flugschriften, die wesentlich das mitbewirkten, was wir als die erstmalig aufkommende freie, öffentliche Meinung bezeichnen dürfen: eine Gegenmacht, dargestellt durch Argumente und Worte, der Religion und der herrschenden politischen Macht entgegengesetzt. Oder: Die Anschauungen und Willensbekundungen der Unterdrückten gewannen in Deutschland für eine erste welthistorische Spanne Überhand

Religionsgespräche

über die Vorstellungswelt der herrschenden Schichten. Die Unterjochten, das waren Handwerker und Bauern, der »gemeine Mann«, der im ganzen Land einbezogen war in die religiösen und politischen Kontroversen. Es fehlte nicht an hastigen Zensurversuchen. Schon das Wormser Edikt (1521) verbot Abfassung, Druck, Verkauf und Verbreitung von Büchern, die der alten Kirche und den alten weltlichen Mächten den Kampf ansagten, denn solche Bücher seien »böser Lehren und Exempel voll«. Die Verfolgungen trafen Autoren, Drucker und Händler mit aller Härte: Ausweisung, Verlust der Bürgerrechte, Gefängnis und Hinrichtung, weswegen die Drucker sich oft außerhalb des geltenden Rechts bewegten und die Autoren in der Anonymität blieben. Bedrängten fundamentale Mißstände die Menschen der Reformationszeit in Deutschland, so stellten genau diese Mißstände die Hauptthematik des gesamten Bestands an Flugschriften dar. Die Veränderungsvorschläge, die von den Autoren, besonders aber 1524/26 von den Wortführern der Rebellion kamen, können wir nach unterschiedlichen Aspekten zusammenfassen: Die Forderung nach Freiheit der unteren Stände finden wir in nahezu jeder der Programmschriften; für nichts kämpften die Aufständischen 1524/26 so sehr wie für die Überwindung der Leibeigenschaft. Der von Luther und Melanchthon am entschiedensten verneinte dritte der *Zwölf Artikel* verlangte, »daß wir frei sind und es sein wollen«. Es ist die Weigerung, überhaupt noch »eigen« zu sein.

revolutionäre Programmatik

Neben der Freiheitsforderung meldete sich das Gleichheitsverlangen zu Wort. Das revolutionäre Programm der Taubertaler z.B. enthielt den Passus: »Es sollen auch die Geistlichen und Weltlichen, Adligen und Nichtadligen in Zukunft sich an das allen gemeinsame Bürger- und Bauernrecht halten und nicht mehr sein als jeder andere.« Ungleichheit der Stände, ebenso wie die Leibeigenschaft im Mittelalter, wurde wesentlich durch Zwang aufrechterhalten. Sichtbare Zeichen dafür: Burgen und Klöster. Deren Besitzer, Adel und Geistlichkeit, hatten sich daher von diesen ihren Besitztümern zu trennen, lautete die politische Konsequenz; Abbruch oder Verbrennung war allen Befestigungen dieserart zugedacht. Die Brüderlichkeitsforderung wurde ebenfalls erhoben. So erklärte in dem Dialog *Neu-Karsthans* einer der Unterredner: »In der Kirche Christi soll Gleichheit bestehen, und wir sollen uns alle untereinander als Brüder begegnen.« Die Aufständischen der Jahre 1524/26 stifteten Bünde, die auch als »brüderliche Vereinigungen« bezeichnet wurden.

egalitäre Prinzipien

Den modernen Charakter der sozialen wie politischen Bewegung beweist ferner die Bedeutung, die dem Kampf um egalitäre Prinzipien während dieser Jahre zukam. Solches Prinzip etwa war das der »Wahl«, z.B. das Recht auf freie Wahl der Pfarrer, das in so gut wie keinem Programm fehlte. Und zur freien Wahl mußte noch das Recht gehören, Amtswalter, die ihr Amt nicht angemessen ausfüllten, abzusetzen, ein Recht, das wir heute in allen Demokratien haben. Die Flugschrift *An die Versammlung gemeiner Bauernschaft* enthält als Kern diese Frage, »ob die Versammlung aller die Obrigkeit absetzen darf« – und bejaht sie. Und der Autor erwog, ob es nicht jetzt an der Zeit sei, Schneider, Schuhmacher und Bauern als Obrigkeiten zu wählen, die in »brüderlicher Treue« zu regieren hätten, um die »christliche Brüderschaft« zu erhalten.

Kritik der Kirche

Unter den mannigfachen Überlegungen, die auf Beseitigung mittelalterlicher Ausbeutungsverhältnisse zielten, war es vor allem die Forderung, die Raubpraktiken der Kirche abzuschaffen, die regelmäßig in den Flugschriften wiederkehrte: Denn: »Alles den Armen geraubte Gut ist im Hause der Reichen oder der Priester.« Daneben zog sich die Forderung durch die zeitgenös-

sische Literatur, die großen Handelsgesellschaften zu beseitigen – z.B. von
Luther, der diese Forderung mittrug, »Monopole« genannt. So hieß es in
dem als gemäßigt geltenden *Reichsreformentwurf* (oder *Heilbronner Programm*), es sollten »die Handelsgesellschaften, z.B. die Fugger, Höchstetter,
Welser u.dergl., beseitigt werden, weil durch diese jedermann im Warenverkehr nach ihrem Gefallen entmündigt und bedrückt wird«. Hinter den –
vorgeblich – religiösen Auseinandersetzungen erkannten die Flugblattverfasser der Zeit zuweilen schon die eigentlichen Motive, so auch bei dem Vorgehen des prominenten Gegners der Reformation, Eck: »Mein Lieber, der Eck
ist kein Narr, er verteidigt die ökonomischen Machenschaften Fuggers.«

Zwei Reformatoren,
ein Propagandist der Reformation

Schneider, Schuhmacher und Bauern als Obrigkeit – der Autor der radikalen
Flugschrift *An die Versammlung gemeiner Bauernschaft* erwog, was bereits
im Juli 1524 Thomas Müntzer bündig in die Formel von der Macht, die nun
dem gemeinen Volke gegeben werden müsse, gepreßt hatte. Diese Erklärung
oder Einsicht wiederholte Müntzer in den Monaten darauf leitmotivisch in
einer Reihe von Briefen und Manifesten. Sie sind in einer Sprache verfaßt, die
das Äußerste an revolutionärer Ausdruckskraft darstellt, dessen die Zeit
fähig war. Er wiederholte besonders in den Kampfwochen von 1525, am
13. Mai nochmals im Feldlager, alle Geschöpfe müssen frei werden, und:
»Die Gewalt soll gegeben werden dem gemeinen Volk«. Es ist das Prinzip der
Volkssouveränität, das hier verkündet wurde, die früheste Willenserklärung
der Demokratie in Deutschland. Gleich Luther und anderen bedeutenden
Schriftstellern der Zeit war Müntzer Theologe, doch der Theologe fühlte
sich zudem als »Landsknecht Gottes«. Im Unterschied zu Luther, dessen
Anhänger Müntzer zunächst war, verließ er sich bald jedoch nicht mehr auf
die »Gnade« und auf die »Schrift«. Er sprach vielmehr von der »Offenbarung Gottes«. Ihrer müsse der Mensch in sich teilhaftig werden. Und während für Luther das Wort der Bibel maßgeblicher Leitfaden für den Christen
zu sein hatte, sollte nach Müntzer das »innerliche Wort« Gottes es sein, auf
das der Christ baute. Dies »innerliche Wort« erkämpfte jedoch keiner ohne
beharrliches Ringen um die Wahrheit, der er sich bloß in »ernstem Mut«
nähern durfte. Solch ernsten Mut, das stete Ringen um die Wahrheit bezeugen alle Schriften Müntzers, und sie bezeugen insbesondere, daß Müntzer
das Erkämpfen der Wahrheit niemals abgetrennt zu sehen vermochte von
dem Kampf um die Herstellung der äußeren Lebensbedingungen, unter
denen jeder, vor allem der gemeine Mann, die Verwirklichung eines christlichen Lebens überhaupt erst beginnen konnte. Das Offenbarungsprinzip
Müntzers unterschied sich von Luthers Lehre auch darin, daß, wenn Nichtchristen (»Heiden«) die Evangelien zwar nicht anerkannten, sie doch jedenfalls die Offenbarung, das innere Wort vielleicht kraft ihrer »menschlichen
Vernunft« wahrnahmen. Mit seinem Vernunftbegriff arbeitete Thomas
Müntzer der Aufklärung vor, dem »Zeitalter der Vernunft«.

Den Zusammenhang des Kampfs um die Wahrheit mit dem Ringen um
die Herstellung äußerer Zustände, unter denen allein Wahrheit von allen
gehört und im Leben verwirklicht werden konnte, begründeten sehr ein-

Thomas Müntzer

»Landsknecht Gottes«

Kampf um Wahrheit

dringlich Müntzers theologisch-politische Schriften. Am wichtigsten davon sind drei, sämtlich aus dem Anfangsjahr des Bauernkriegs (1524): *Auslegung des andern Unterschieds Danielis* (des 2. Kapitels des *Buchs Daniel*); *Ausgedrückte Entblößung des falschen Glaubens* (ausdrückliche Entlarvung); *Hochverursachte Schutzrede und Antwort wider das geistlose, sanftlebende Fleisch zu Wittenberg* (das ist: Luther).

Wortführer der Unterschicht

Als politischer Denker war Müntzer Wortführer im Kampf einer radikalen Fraktion der städtischen Unterschicht, die den äußersten Flügel der Volksbewegung der Zeit bildete. Eine unbillige Vereinfachung wäre es, ihn, der neben Angehörigen der städtischen Unterschicht Teile der aufständischen Bauern führte, schlechterdings als »Bauernführer« zu bezeichnen. Bei Darstellung seiner Politik und seiner Persönlichkeit sind auch heute noch Einschätzungen wie »Schwärmer«, »Utopist« usw. nicht selten. Die in der Gestalt Müntzers verunglimpfte linksprotestantische Fraktion war es schließlich, die – übrigens auch nach Auffassung Luthers – vollendete, was der Reformator bloß angebahnt hatte. Müntzer dachte seiner Zeit weit voraus, dachte ungemein modern, wenn ihm eine religiöse Reform – Umgestaltung des Glaubens, Veränderung im geistigen Bereich – ohne gleichzeitige politisch-soziale Reform unmöglich erschien.

Revolutionierung

Folgerichtig propagierte er daher die Umgestaltung der ganzen Gesellschaftsordnung, die wahrscheinlich auf der Gütergemeinschaft aufbauen sollte. Mit der Ausschaltung der Fürstenmacht beabsichtigte Müntzer aber keineswegs, jeden Staat und jede Regierung zu beseitigen, sondern er zielte auf die Volkssouveränität und die bewaffnete Volksmacht schlechthin. Ausgangspunkt der grundlegenden politisch-gesellschaftlichen Umgestaltung, die bei ihm »eine vortreffliche, unüberwindliche Reformation« hieß, bildete die Erkenntnis der Ausbeutung und Unterdrückung des gemeinen Volks durch Fürsten, Adel und Geistlichkeit. Konnte angesichts solcher Zustände der gemeine Mann erwarten, durch Gelehrte aus der nicht selbst verschuldeten Abhängigkeit herausgeführt zu werden? Müntzer war Realist genug, um zu erkennen, daß die Intellektuellen der Zeit sich im allgemeinen nicht darum gelehrt fühlten, »daß der gemeine Mann ihnen, indem sie ihn lehren, gleich werde«. Zum größeren Teil waren es »gottlose Heuchler und Schmeichler, die da redeten, was die Herren gern hören«, »Schriftgelehrte, die gern fette Brocken essen am Hofe«. Der Ausweg: »Derhalben mußt du, gemeiner Mann, selber gelehrt werden, auf daß du nicht länger irregeführt werdest.« Der Angeredete vermochte aber nicht gelehrt zu werden – »vorm Bekümmernis der Nahrung« (niedergedrückt durch die Notwendigkeit, seine materiellen Bedürfnisse zu befriedigen). Eine Änderung konnte nicht eintreten, solange die »Herren« die Macht besaßen. Deshalb mußte sie ihnen zuvor genommen werden. Tatsächlich hat Müntzer zufolge rechtens »die Gewalt des Schwertes«: »eine ganze Gemeine«, das ist: die Versammlung aller. Und Müntzer zitierte in den entscheidenden Monaten, ebenfalls leitmotivisch, Lukas 1,52: »Er hat abgesetzt die Gewaltigen von ihren Stühlen und erhoben die Geringen.«

Luther gegen die Bauern

Martin Luthers feindseliges Auftreten gegen die Bauernbewegung ist eine bekannte Tatsache, und bekannt, ja berüchtigt ist seine Flugschrift *Wider die räuberischen und mörderischen Rotten der Bauern* (1525), worin es heißt, jetzt vermöchte man »mit Morden und Blutvergießen den Himmel zu verdienen«. »Darum, liebe Herren, befreit hier, rettet hier, helft hier, erbarmet euch der armen Leute! Steche, erschlage, würge hier, wer da kann!« Katholische Gegner waren es, die diese Schrift nebst anderen Äußerungen gegen die Bauern als den Versuch des Reformators erkannten, sich von der Volks- und

*Luther als Mönch –
Der aufständische
Bauer*

bäuerlichen Bewegung abzusetzen und jede Verantwortung, gar Mittäter-
schaft abzustreiten. Sie verwiesen auf Werke Luthers, in denen er Gewaltanwendung nicht nur nicht ausgeschlossen, sondern befürwortet hatte, auch
gegen Übergeordnete, gegen geistliche Obrigkeiten, und besonders auf die
Stelle: »Warum greifen wir sie nicht mit allen Waffen an und waschen unsere
Hände in ihrem Blut?«

In der bedeutendsten Satire auf Luther, *Von dem großen Lutherischen*   *Thomas Murner*
Narren (1522) – deren Verfasser Thomas Murner war, der begabteste Dich-
ter unter den katholischen Gegnern der Reformation – findet sich in den
Statuten des »Lutherischen Ordens« daher: »Das ist unser Plan und unser
Mut,/ Die Hände zu waschen in dem Blut,/ Das wäre eine stolze Lutherei!«
Murner hatte seit 1520 energisch gegen Luther Stellung bezogen, u.a. eine
Entgegnung auf Luthers Schrift *An den christlichen Adel* erscheinen lassen
(1520, mit dem gleichen Adressaten wie Luthers Schrift), immer warnend,
Luther werde zum Anstifter eines Bauernaufstands, zum modernen Catilina.
Tatsächlich drang die Freiheitsparole von Luthers Forderungen am weite-
sten: *Von der Freiheit eines Christenmenschen* (1520). Aber: Nicht den gan-
zen Menschen hatte er für frei erklärt, nicht das Leib- und zugleich Seelenwe-
sen Mensch, sondern den Menschen lediglich als geistliches Individuum, den
»Christenmenschen«. Als Untertan sollte er der Obrigkeit Gehorsam schulden. Solche Zweiteilung konnte der gemeine Mann nicht mitvollziehen.
»Freiheit« bedeutete ihm beides, politische ebenso wie die religiöse Freiheit.
Das wiederum verurteilte Luther als unerhört: »Das heißt christliche Freiheit
ganz fleischlich machen«, und sein Mitarbeiter Melanchthon echote getreulich: »Es ist auch ein Frevel und Gewalttat, daß sie nicht wollen leibeigen
sein!« Dieser Frevel und diese Gewalttat bedeuteten in Wahrheit die Übersetzung der *Freiheit eines Christenmenschen* ins Diesseitige, ihre Vollendung in
der sozialen Realität.

Verkündete Luther ferner, daß nunmehr alle Christen »gleiche Christen«   *Gleichheit*
seien, so gestand er wie die Freiheit auch die Gleichheit nur als Gleichheit der   *aller Christen*
Seelen zu. In der Schrift *An den christlichen Adel deutscher Nation* (1520),
deren Hauptthema die Gleichheit aller Christenmenschen ist, versprach er,
die drei »Mauern«, hinter der die Papisten sich verschanzt hätten, sämtlich
zu schleifen. Als erste: die Ungleichheit, d.h. die Abtrennung des geistlichen

Stands vom weltlichen (»denn alle Christen sind wahrhaftig geistlichen Stands«). Hatte jedoch schon diese von Luther als »geistlich« verstandene Forderung einen weltlichen Aspekt – Beseitigung der weltlichen Macht des geistlichen Stands –, so war überhaupt der Weg kurz von der Gleichheit in geistlichen Belangen bis zu der Frage, die Luther sofort selber stellte: »Warum ist dein Leib, Leben, Gut und Ehre so frei und nicht das meine, obgleich wir doch in gleicher Weise Christen sind, Taufe, Glauben, Geist und alle Dinge gleich haben? Wird ein Priester erschlagen, so liegt ein Land im Interdikt; warum nicht auch, wenn ein Bauer erschlagen wird?« Die Gleichheit erstreckte sich, als Gleichberechtigung, nicht zuletzt auf Fragen der Theologie. So fiel die zweite Mauer: das Monopol des Papstes, Fragen der Lehre zu entscheiden. Mitzureden hatte hier jetzt jeder, ein »geringer Mensch« manchmal eher als der Papst, wurde doch, sagte Luther, »der gemeine Mann verständig«. Also konnte ihm auch die Bibel anvertraut werden.

Luthers
Bibelübersetzung

Luther begann die Bibelübersetzung während seines Wartburgaufenthaltes (seit 1521). Bereits 1522 erschien das *Neue Testament.* 1534 veröffentlichte er das *Alte Testament,* womit nun der gesamte Bibeltext verdeutscht vorlag. Es war die größte literarische, zugleich sprachschöpferische Leistung des Reformators und der Zeit, ihrer Wirkung nach vergleichbar nur dem dichterischen und sprachschöpferischen Werk der deutschen Klassik um 1800. Zwar schuf Luther nicht eine Sprache neu, nicht die neuhochdeutsche Schriftsprache. Selber erklärte er, er rede nach der sächsischen Kanzlei, »welcher nachfolgen alle Fürsten und Könige in Deutschland, alle Reichsstädte«. Grundlage der sächsischen Kanzleisprache aber war die Sprache der ostmitteldeutschen Kolonialgebiete, das »Ostmitteldeutsche«. Jedoch zum volkstümlichen Lesebuch breiter Schichten des Volks konnte die deutsche Bibel erst dadurch werden, daß Luther das Schriftdeutsch der Kanzleisprache erweiterte, indem er es mit der Umgangssprache verschmolz, mit Wörtern und Wendungen, die der Vorstellungs- und Gedankenwelt des gemeinen Mannes Ausdruck gaben.

In der theoretischen Darlegung seiner Verdeutschungsprinzipien (*Sendbrief vom Dolmetschen*, 1530) schrieb er: »Man muß die Mutter im Hause, die Kinder auf der Gasse, den gemeinen Mann auf dem Markt darum fragen und denselbigen auf das Maul sehen, wie sie reden, und danach dolmetschen« (»Maul«: damals nicht ein Schimpfwort, sondern gleichbedeutend mit »Mund«). Infolge ihrer rasch erworbenen und lange anhaltenden Volkstümlichkeit trug die Luther-Bibel wesentlich zur Schaffung der neuhochdeutschen Schriftsprache auf der Grundlage des Ostmitteldeutschen bei.

Es fiel die dritte Mauer: die Alleinherrschaft des Papstes. Die Versammlung aller Christen, das Konzil, sollte höher sein als der Papst. Im Dorf, in der Stadt, auf der unteren Ebene also, stand ebenfalls der Versammlung aller, der »gemeine«, jetzt das Recht zu, Pfarrer zu wählen und abzusetzen, wie es auch der erste der *Zwölf Artikel* der Bauern 1525 wollte. Wahl und Absetzbarkeit der Pfarrer sowie der anderen Geistlichen bis hin zum Papst: eine Forderung Luthers, die ein Element der Demokratisierung darstellte, nochmals allerdings eines, dem er Gültigkeit nur für den geistlichen Bereich zugestand. Freilich rückte er in seinen programmatischen Schriften die Obrigkeit überhaupt, mit Ausnahme vielleicht der städtischen, in ein recht zweifelhaftes Licht. Er, der sich bereits 1520 für die Absetzbarkeit des Papstes ausgesprochen hatte, verpflichtete die Christen 1523, Regenten, die »unchristlich an uns gehandelt haben«, daher »Tyrannen« seien, abzusetzen bzw. zu verjagen, eine Pflicht, von ihm eilig abermals begrenzt auf den geistlichen Sektor: »solche Bischöfe, Äbte, Klöster und was zu Regierungen dieser Art gehört«. Nur: Sollten die Aufständischen nicht die Anwendung auf weltliche Herren machen, wenn Luther selber diese doch als Obrigkeiten gleicher Güte kennzeichnete wie die geistlichen, verbrecherischer als »Räuber und Spitzbuben«? Luther förderte mit jedem solcher Urteile ein gewaltsames Vorgehen gegen bestehende Zustände und Mächte, förderte es unverkennbar, ungeachtet der Enthüllungen Müntzers, der Luthers Radikalität als Radikalität bloß des Wortes kritisierte und nachwies, daß Luther, der den Fürsten Klöster und Kirchen schenkte, es lediglich auch den Bauern habe recht machen wollen.

Werk und Lehre Luthers zeigten dem Zeitgenossen und zeigen uns heute noch zwei Gesichter, das eine rückwärts gewandt, mittelalterliche Zustände erneut herbeiführend, das andere nach vorne gerichtet, neuzeitliche Züge vorweisend. Es kommt hinzu, daß er durch Beseitigung der Kluft zwischen geistlichem und weltlichem Stand und durch die Aufwertung vormals als niedrig geltender Berufe ein neues soziales Ethos mitschaffen half, insbesondere die Wertschätzung des arbeitenden Menschen und der Arbeit selbst. Hier war – alles in allem – eine umwälzende Lehre entstanden, die allerdings in vielem auf halbem Wege steckenblieb. Zusammen mit den Leistungen anderer Zeitgenossen bildeten seine Schriften das weltanschauliche Fundament der ersten ernstzunehmenden sozialen, geistigen und politischen Bewegung in Deutschland, die aus den Bedürfnissen und Mängeln der unteren Volksschichten erwuchs. Indem Luther Rom sowie die katholische Kirche als den größten Feudalherrn Europas zum Hauptziel seines Angriffs wählte, trug er – dies sein zukünftiges Vermächtnis – zu einer Verschiebung des Kräfteverhältnisses in der Praxis zugunsten der weltlichen Herren und städtischen Oberschichten und zu einer künftigen Machtausdehnung des Bürgertums bei.

»Jetzt müssen euch die Schuster lehren«, verkündete Hans Sachs in seinem Prosa-Dialog *Disputation zwischen einem Chorherren und einem Schuhmacher* (1524), in der er sich selbst als »den tollen Schuster« konterfeite. Den

Einschränkung päpstlicher Macht

Martinus Luther Siebenkopff (1529)

Hans Sachs

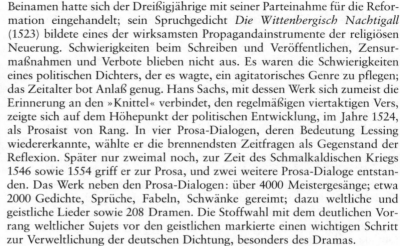

*Titelblatt
des Erstdrucks von 1524*

Beinamen hatte sich der Dreißigjährige mit seiner Parteinahme für die Reformation eingehandelt; sein Spruchgedicht *Die Wittenbergisch Nachtigall* (1523) bildete eines der wirksamsten Propagandainstrumente der religiösen Neuerung. Schwierigkeiten beim Schreiben und Veröffentlichen, Zensurmaßnahmen und Verbote blieben nicht aus. Es waren die Schwierigkeiten eines politischen Dichters, der es wagte, ein agitatorisches Genre zu pflegen; das Zeitalter bot Anlaß genug. Hans Sachs, mit dessen Werk sich zumeist die Erinnerung an den »Knittel« verbindet, den regelmäßigen viertaktigen Vers, zeigte sich auf dem Höhepunkt der politischen Entwicklung, im Jahre 1524, als Prosaist von Rang. In vier Prosa-Dialogen, deren Bedeutung Lessing wiedererkannte, wählte er die brennendsten Zeitfragen als Gegenstand der Reflexion. Später nur zweimal noch, zur Zeit des Schmalkaldischen Kriegs 1546 sowie 1554 griff er zur Prosa, und zwei weitere Prosa-Dialoge entstanden. Das Werk neben den Prosa-Dialogen: über 4000 Meistergesänge; etwa 2000 Gedichte, Sprüche, Fabeln, Schwänke gereimt; dazu weltliche und geistliche Lieder sowie 208 Dramen. Die Stoffwahl mit dem deutlichen Vorrang weltlicher Sujets vor den geistlichen markierte einen wichtigen Schritt zur Verweltlichung der deutschen Dichtung, besonders des Dramas.

Hans Sachs war der größte dichterische Repräsentant des Kleinbürgertums in Deutschland. Dreifache Schranken umgaben das Leben und Wirken der Kleinbürger seiner Zeit: die Schranken der Zunft; die Schranken, in denen das städtische Leben im Gegensatz zum ländlichen sich abspielte; die Grenzen der Gesellschaft einer Zeit im Übergang vom Mittelalter zur Moderne. Diese dreifache Beschränktheit erklärt die Enge kleinbürgerlicher Moral, etwa wenn Sachs die Tristan-und-Isolde-Tragödie als Exempel »unordentlicher Liebe« vorführte, d.h. der vorehelichen Geschlechtsbeziehung und des Ehebruchs; oder wenn Siegfried (»Seufrid«) als Beispiel des ungeratenen Sohns erschien – und des ungeratenen Lehrlings:

Hans Sachs

Seufrid: Ei, warum gibst du mir so einen kleinen Hammer? Einen großen will ich führen. (Der Schmied gibt ihm einen großen Hammer.)
Seufrid: Ja, der tut meiner Stärke gebühren. (Seufrid tut einen grauenerregenden Schlag auf den Amboß.)
Schmied: Ei, das Aufschlagen taugt gar nicht.
Seufrid: Aber ihr habt mich doch zuvor unterrichtet, Ich sollte nicht faul sein, weidlich darauf schlagen? Das habe ich getan, warum tust du klagen!
Knecht: Mich dünkt, du bist nicht recht bei Sinnen.
Seufrid: Halt, halt, dessen sollst du werden innen! (Er schlägt mit dem Hammerstiel Meister und Knecht hinaus.)

Solche Rebellion in der Werkstatt war für den Handwerksmeister der Zeit ein furchtbares Vergehen. Einhaltung der Ehe, Geratenheit der Söhne, besonders deren Gehorsam im Betrieb, dies und anderes bedeutete für das Zunftbürgertum eine Lebensnotwendigkeit. Denn die kleinbürgerlich-zünftlerische Moral war nichts weniger als eine Existenzbedingung dieser Schicht. Ohne die eisernen Gesetze, denen sie sich beugte, hätte sie nicht bestehen können. Aber die Enge der Moral, die dreifache Beschränktheit seiner Schicht hinderten diesen Schuhmachermeister und Poeten keineswegs, klare Einsicht in die Mechanismen von Wirtschaft und Politik seiner Zeit zu gewinnen, und sein Werk ist Spiegel der Spannungen des Zeitalters.

Es ist das wahre Abbild der Gesellschaft seiner Zeit, das Hans Sachs uns hinterließ; darin besteht noch heute der unschätzbare Wert seiner Dichtungen. Er, der die Ausbeutung der Bauern erkannte, beklagte ebenso die der städtischen Unterschichten: »Weiter regiert die Profitsucht gewaltiglich unter den Kaufherren und Verlegern. Sie drücken ihre Arbeiter und Stückwerker, wenn diese ihnen ihre Arbeit und Ware bringen oder neue Arbeit heimtragen. Da tadeln sie ihnen ihre Arbeit aufs schärfste. Dann steht der arme Arbeiter zitternd bei der Tür, mit geschlossenen Händen, stillschweigend, damit er des Kaufherrn Huld nicht verliere.« Sachs war Stimme des einfachen Volks, der Handwerker, Arbeiter und Bauern; das schloß nicht aus, daß er dasselbe einfache Volk, vor allem die Bauern, in seinen Schwänken und Fastnachtsspielen auch wieder von der komischen Seite zeigte. Für den »gemeinen Mann« wollte er schreiben und dichten und für niemand sonst. Schon seine *Wittenbergisch Nachtigall* sollte die Reformation »dem gemeinen Mann« nahebringen. Für ihn nahm er Partei, wenn er die Verheerungen der Kriege schilderte: »Es geht über den armen Mann./ Der muß das Haar herlangen schon,/ Wenn sich die Fürsten raufen.«

»Sie hand gemacht ein Singschul« – Meistersang, Volkslied, Gemeindelied, Bekenntnislyrik

Faßt man den Humanismus als ein neues geistiges Medium, das neben die Kirche trat, so kann man beim Blick auf die deutsche Dichtung zwischen Mittelalter und Neuzeit eine merkwürdige Erscheinung gewahren, die ein ebensolches neues geistiges Medium darstellte, ein Seitenstück zum Humanismus, eine Dichtung, die nicht ohne Verbindung mit der europäischen Renaissance ihre Erklärung findet: den Meistersang. Man hat oft versucht, ihn als geistig unerheblich abzutun, als moralisierend, auch – im Vergleich zum Minnesang, von dem er formgeschichtlich herkommt– als künstlerisch wertlos, ein bloßes Verfallsprodukt. Deshalb zählt kein einziges Beispiel des Meistersangs zum Vorrat älterer deutscher Literatur, soweit sie heute zumindest als Bildungsgut einiger Aufmerksamkeit sicher ist. Selbst der bekannteste Repräsentant des Meistersangs, Hans Sachs, lebt im Gedächtnis der Gegenwart am ehesten als Fastnachtsspieldichter fort. Was man sonst etwa vom Meistersang weiß, entstammt in der Regel Richard Wagners *Meistersingern*.

Konnte man sich den Minnesang noch als hochliterarisch deuten, als Hervorbringung einzelner, häufig adliger Schöpferpersönlichkeiten, so erweist sich der Meistersang dagegen als das ganz andere. In seiner Hinterlassenschaft fassen wir kaum »individuelle hohe Kunst«, statt dessen »kollektiv geprägte Durchschnittsleistung« (B. Nagel). Nur dürfen wir den Begriff des »Durchschnitts« nicht sofort wieder als Wertung nehmen: Dem Kunstschaffen der Meistersinger lag eine Auffassung vom Wesen künstlerischer Leistung zugrunde, die gemessen an der Norm, die seit der klassischen Literaturperiode zur Geltung kam, völlig andersartig ist: Gefordert war keineswegs das Ringen um die »geniale« Dichtung, den Ausdruck höchstentwickelter Individualität, einmaligen Schöpfertums, sondern das Streben nach dichterischer Gestaltung, die einem für alle Kunstgenossen, die »Meister«, gültigen Regelkatalog vollendet entsprach. Meisterlieder gingen aus einer Gemeinschaft hervor, der »Singschule«, und sie dienten der Belehrung

Kollektivkunst

69

Laienkunst

und Unterhaltung eben dieser Gemeinschaft sowie des größeren Ganzen, der Stadt.

' Meistersang war somit ein Produkt der spätmittelalterlichen und frühneuzeitlichen Stadtkultur des in der Ständegesellschaft seinen festen Platz behauptenden bürgerlichen Laien – im Gegensatz zum Kleriker. Die Opposition zum Christentum als Institution – nicht als Glaubenslehre! – wohnte ihm von seinen Anfängen her inne; Zeugnis dafür: die Ursprungslegende, die den Meistersang bis auf die Ottonenzeit zurückführte und von Feindseligkeiten der Papstkirche gegen die ersten Meistersinger zu berichten wußte. Nicht zufällig heißt es in einem Lied über die Gründung der ersten – der Mainzer – Singschule: »Sy hand gemacht ain singschuol,/ Vnd setzen oben vff den stuol,/ Wer übel redt vom pfaffen.« Durchgehender Grundzug, wie des gesamten Humanismus, so auch des Meistersangs, ist daher die Polemik gegen die Geistlichkeit, besonders deren »geitigkeit« (Gier, Habsucht), eine Polemik, die später von der Reformation aufgenommen und in ihre antipäpstliche Lehre eingeschmolzen wurde. Der Gegensatz zum weltlichen Adel zeigt sich – nochmals in Entsprechung zum Renaissance-Humanismus (Boccaccio u.a.) – weniger als offen vorgetragene politische Opposition gegen die Wirtschafts- und Herrschaftspraktiken des Adels und der Fürsten als vielmehr in der Aushöhlung legitimatorischer Grundpositionen der Aristokratie. Zu den Überzeugungen, die von den Singschulen tradiert wurden, gehörte es, daß ihr Metier die Weiterführung »guter« (d.h. adliger) »gesanges kunst« sei, nachdem im Adel die Wertschätzung der Poesie abhanden gekommen war. Nun gäbe es jedoch nichts Edleres als die Gesangskunst, denn: »Der ist wahrhaft adligen Geschlechts, wer sich mit der Dichtkunst beschäftigt« (Michel Beheim, Mitte des 15. Jahrhunderts). Damit erwies sich der Meistersinger als einem neuen Adel zugehörig, dem Adel der Gesinnung (bzw. »Tugendadel«). Ein veränderter Maßstab ist gesetzt; so dichtete bereits der Spruchdichter Frauenlob um 1300: »Schaz unt geburt gên lîbes adel biegen,/ sô wil der geist kunst mit der tugend wiegen« (»Geblütsadel und der Adel des Geldsacks sind Erscheinungen der Körperwelt, in der Welt des Geistes zählt allein, was einer persönlich ist und kann«).

Meistersang besteht ein halbes Jahrtausend

Meistersang ist unter allen Traditionen der deutschen Literatur diejenige mit der längsten Geschichte. Seit dem 15. Jahrhundert sind Singschulen sicher bezeugt, in denen der Meistersang gepflegt wurde. Die letzte schloß im Jahre 1875. Damit erstreckt sich Meistersang also über ungefähr ein halbes Jahrtausend. Die Zahl der Meisterlieder, die während dieser Spanne entstanden (bis heute überwiegend ungedruckt!), ist unüberschaubar. Die Blüteperiode liegt im 15. und 16. Jahrhundert, dem Zeitraum, in dessen Verlauf dem Zunftbürgertum, der wesentlichen Trägerschicht, gesellschaftlich noch eine hohe Bedeutung zukam. Wie die erhaltenen Dokumente bezeugen, waren die Meistersinger in der Mehrzahl Handwerker. Doch ist der handarbeitende Städter des späten Mittelalters und der frühen Neuzeit nicht der sozial gedrückte (freilich finanziell z.T. prosperierende) Handwerker des 20. Jahrhunderts; er verfügt vielfach über großes Selbstbewußtsein; eingeengt in der Welt altdeutscher Städte, vereinigte er mit seinem spezifischen gewerblichen Beruf nicht selten weitgespannte religiöse und spekulative, vor allem aber auch künstlerische Interessen. Der Typus des deutschen Renaissancekünstlers (z.B. Dürer, Riemenschneider, die Erbauer der Dome und bürgerlichen Stadtpaläste) wuchs nicht von ungefähr in dieser Schicht heran. Geistliche und weltliche Bildung waren Voraussetzung für die Mitwirkung in der Singschule, ja Gelehrsamkeit erstaunlichen Umfangs, wie denn umgekehrt auch Gelehrte aufgenommen werden konnten, beispielsweise der erste deutsche

Übersetzer der *Ilias*, der Lehrer, Jurist, Textherausgeber und -übersetzer
Johannes Spreng in Augsburg (16. Jahrhundert). So nimmt es nicht wunder,
daß sich in den Singschulen die Keime einer Haltung ausbildeten, die in
späterer Zeit in die Formel gepreßt wurde: »Wer immer strebend sich bemüht...«. Wer in der Singschule »arbeitet und studiert«, wird zum Schluß
mit der Seligkeit belohnt werden, so der Meistersinger Daniel Holtzmann
(um 1600).

Über die Geschichte des Meistersangs, über die einzelnen Singschulen und *einzelne Schulen*
deren Lehrgebäude sowie über einzelne Meistersinger sind wir verhältnismäßig gut unterrichtet. Zum einen durch historische und theoretische Abhandlungen in Gedichtform, die von den Meistersingern selber verfaßt wurden
(sog. »Schulkünste«); zum andern durch dokumentarische Berichte, sämtlich
aus der Spätzeit (u. a. von Puschmann, Spangenberg, Wagenseil, Ende 16. bis
Ende 17. Jahrhundert). Übereinstimmend betrachtete man als älteste –
damit vornehmste – Singschule die Mainzer, deren Ruhm und Bedeutung im
16. Jahrhundert durch die Nürnberger Singschule abgelöst wurde, eine Verlagerung vom »goldenen Mainz«, dessen Blütezeit ins Spätmittelalter fiel,
hin zur wichtigsten deutschen Stadt in der frühen Neuzeit, Nürnberg, die

auch im Kulturleben den ersten Rang einnahm. Im übrigen bestanden Sing-schulen verstreut über West- und Süddeutschland, wohingegen für Nord-deutschland (niederdeutsches Sprachgebiet), von unbedeutenden Ausnah-men abgesehen, keine Singschulen bezeugt sind.

Formprinzipien

Während all der Jahrhunderte seines Bestehens blieben die Formprinzi-pien des Meistersangs im wesentlichen konstant, eine Kontinuität, wie sie in der Dichtungsgeschichte sonst nicht anzutreffen ist. Zu den obligatorischen Elementen gehörten stets der Reim, das Silbenzählen usw., die in einem Register aller Regeln, der sog. »Tabulatur«, zusammengefaßt waren. Hier findet sich die gesamte Terminologie, die dem Meistersang das formale Gepräge gab: »Bar« (das ganze Lied), »Gesätz» (die Strophe), »Gebänd« (das Reimschema), »Ton« (metrisch-musikalische Gesamtform), die Vor-schrift der Untergliederung jeder Strophe in drei Teile (zwei gleichgebaute »Stollen«, ein »Abgesang«). Zum Inhalt der Meisterlieder konnte alles wer-den: der umfassende Fundus geistlicher Lehren und Anschauungen und die gesamte große und kleine Welt, Antikes, Mittelalterliches, Aktuelles, Morali-sches und Schwankhaftes, doch – wie die »Schulkünste« übereinstimmend belegen – mit dem Hauptakzent auf der geistlichen Thematik: Gott, Maria, Trinität u.a. Auch Sozialkritik findet sich, so die Klage über die aufkom-mende Herrschaft des Geldes.

Seit dem Thesenanschlag 1517 haben die Meistersinger ein neues großes Thema: Die Reformation. Sie werden zu Vermittlern reformatorischen Ge-dankenguts in ihren Liedern. Neue Singschulen entstehen im Gefolge der Reformation: in Österreich ist Meistersang erst durch den Übergang von breiten Teilen der Bevölkerung zur Reformation möglich geworden, Ent-wicklungen, denen allerdings die Gegenreformation im 17. Jahrhundert ein Ende setzt. Luthers Liedschaffen – formal vom Meistersang beeinflußt – bewirkt sogar, daß der Reformator »unter die allerberühmtesten Meistersin-ger gezählt« wurde (Spangenberg).

Meistersingerinnen

Wie in den Zünften älterer Zeit, so fanden auch in den Singschulen Frauen als Meistersingerinnen Aufnahme. Außer von dichtenden Adelsdamen sind uns aus dem Mittelalter die Namen dichtender Frauen nicht bekannt. Hinge-gen kennen wir aus den Singschulen die Namen früher deutscher Dichterin-nen nichtadliger Herkunft; aus der Münchner Singschule z.B. Katharina Holl. Im Unterschied zum Meistersang ist das Volkslied der früheren Jahr-hunderte bekannt geblieben, obwohl man den hierher gehörigen Dichtungen (sowie Melodien) unmittelbar ihr Alter nicht anmerkt: »All mein Gedanken, die ich hab«; »Innsbruck, ich muß dich lassen« u.v.a.m. sind Beispiele von Volksliedern aus dem 14. bis 16. Jahrhundert, jener Periode im Übergang vom Mittelalter zur Neuzeit, die in der Literaturgeschichtsschreibung allge-mein als eine »Blütezeit« der volkstümlichen Lyrik bezeichnet wird. Gleich-zeitig ist es auch die Periode des ersten Sammelns (eine zweite werden im 18. Jahrhundert Herder und Goethe einleiten). Es entstehen umfassende Liedersammlungen, worin das Volksliedgut der zurückliegenden Zeit be-wahrt wird, wie z.B. das *Lochamer-Liederbuch* (1452–60), das *Rostocker Liederbuch* (um 1460), Georg Forsters fünfteilige Anthologie *Frische teut-sche Liedlein* (1539–56), das *Ambraser Liederbuch* (1582) – jeweils mit einer bedeutenden Anzahl von Stücken (Forster: 380). Auch entstehen die ersten gedruckten Liederbücher (seit 1512).

Volkslieder

Insgesamt stellen die Volkslieder einen Ausschnitt aus dem weiten Feld der »Volkspoesie« dar. Dabei ist der Hinweis wichtig, daß diese keinen strikten Gegensatz zur Kunstdichtung bildet. Das Volkslied ist ebenso Kunst wie die Kunstdichtung (hat immer auch einen bestimmten, nur meist nicht feststellbaren Verfasser), so daß also nicht das Kriterium Kunst/Nichtkunst beide Gruppen voneinander trennt, vielmehr lediglich die jeweilige Weise der Überlieferung. Das Volkslied »lebt« in seiner Überlieferung, deren Träger breite Schichten des Volkes sind (Bauern und Handwerker, Handwerksgesellen, überhaupt die mittleren und unteren städtischen Schichten, dazu Bergleute und Schiffer, Soldaten, Studenten und später auch Arbeiter); sein »Leben« in der Überlieferung aber bedeutet: Variiertwerden. Daher ist Variabilität das Gesetz der Volksliedtradition (im Gegensatz zur Bewahrung des kanonischen Texts in der »Hoch«literatur) ein produktiver Prozeß: »Die produktive, schöpferische Überlieferung durch die Gemeinschaft, durch das Kollektiv also ist das Primäre, was das Volkslied von anderen Lied- (und Dichtungs-)arten unterscheidet und in seinem Wesen bestimmt« (H. Strobach).

Die Volkslieder der älteren Jahrhunderte gestatten einen tiefen Einblick in die sozialen Zustände und die Nöte der Menschen. Die elende Lage der untersten Schichten des Volks wurde immer wieder Gegenstand im Lied. So das Leben der Handwerksgesellen, wie es auch der Verfasser des *Eulenspiegel*-Buchs schildert: »Der Winter war kalt und gefror hart, und es kam eine Teuerung hinzu, also daß viele Dienstknechte ledig (ohne Arbeit!) gingen.« Dasselbe Thema hat ein Lied von den Augsburger Webergesellen im Winter, die sich in ihre harte Lage fügen müssen: »Im Winter, wenn die weißen Mücken fliegen/ So müssen sich die Webergesellen schmiegen«. Der Alltag der Landleute hinterließ seine Spur in den Liedern vom Typus »Bauernklage«. Der Ton, auf den sie stets gestimmt sind, klingt wie folgt: »Ach, ich bin wohl ein armer Baur/ Mein Leben wird mir mächtig saur«. Den Bauernklagen reiht sich die Knechtsklage an wie z.B. die niederdeutsche: »Dat ole Leisken van Henneke Knecht«, an dessen Beginn man vernimmt: »Eck will neinen Buren deinen fort,/ Solk Arweit will eck haten« (Ich werde hinfort keinem Bauern mehr dienen,/ solch Mühsal will ich verschmähen). Als Flugblatt rasch vervielfältigt und verbreitet, stellte das Volkslied auch die Begleitmusik des Bauernkriegs. Die meisten Volkslieder aus dem Bauernkrieg sind allerdings bauernfeindlich, also Zeugnisse der Gegenseite; wie kommt das? Nach der Niederlage der Bauernheere verfielen die bauernfreundlichen Lieder der landesherrlichen Zensur; nur einige sind erhalten, etwa in den Folterakten der Zeit. Dem Bauernkrieg entstammt z.B. das trotzige *Bündische Lied*, über dessen Entstehung wir verhältnismäßig gut unterrichtet sind. Es beginnt: »Ein Geier ist ausgeflogen,/ Im Hegau am Schwarzwald« – der Geier ist das Symbol der Aufständischen. Der Verfasser läßt an Deutlichkeit nichts zu wünschen übrig: »Die Bauern sind einig geworden/ Und kriegen mit Gewalt/ Sie haben einen großen Orden/ Sind aufständig mannigfalt/ Und tun die Schlösser zerreißen/ Und brennen Klöster aus:/ So kann man uns nicht mehr bescheißen./ Was soll ein bös' Raubhaus?«

Der überwiegende Teil des Fundus der erhaltenen älteren Lieder behandelt die alltäglichen Geschehnisse im Leben einfacher Menschen, vor allem – immer wieder – die Liebe und ihr Ende, den Abschied oder den Tod. Es gibt – von der Forschung eher zurückhaltend gewürdigt – u.a. den Typ des ausgesprochen erotischen Volkslieds, bis hin zum obszönen Lied. Andere Volkslieder handeln von den Jahreszeiten, von den Festen und von Tanzen und Trinken, noch andere sind geistlichen Charakters oder scherzhaft. Zum älteren Volkslied zählen ferner Balladen, darunter über ritterliche Helden (Hildebrand, »Der edle Moringer«), sind aber gleichwohl auf den volkstümlichen Ton gestimmt: »Nun will ich aber heben an/ Von dem Tannhäuser zu singen.«

*Die elende Lage
der Unterschichten*

Liebe und Tod

Gemeindelied

Als Neuschöpfung entstand in der Reformation das Gemeindelied. Die vorangegangenen Jahrhunderte kannten natürlich das geistliche Lied, auch Kirchenlied; es fehlte aber der Gemeindegesang als Anteil der Gläubigen am Gottesdienst. Abhilfe versuchte als erster Thomas Müntzer in Allstedt herbeizuführen. Er wurde so zum Initiator des protestantischen Gemeindelieds, wie Martin Luther zum eigentlichen Begründer. Die Geschichtsschreiber des Meistersangs, wie schon die Meistersinger selber, zählten Luther zu den Ihren, unter die vortrefflichsten Meistersinger, und bis in die Gegenwart hinein hat sich die Erinnerung daran gehalten, daß der Reformator von allen Künsten der Musik den höchsten Wert zusprach. Seine (Gemeinde-)Lieder, darunter einige immer noch populäre, sind auch heute in den (evangelischen) Kirchengesangbüchern zu finden. Sie bilden hierin den Grundstock.

*Luther
als Liederdichter*

Der Rang, der Luther durch die Meistersinger eingeräumt wurde, verweist darauf, wo eine Quelle des lutherischen Gemeindelieds zu suchen ist. Eine zweite: das Volkslied der Zeit. Aber weder machten seine Kenntnisse des Meistersangs noch seine Musikliebhaberei den Reformator zum Dichter; geistlich-reformatorische Notwendigkeiten waren es, die ihn veranlaßten, seine zweifellos nicht geringe dichterische Begabung dem Gemeindelied zugute kommen zu lassen. Zum Dichter machte den Reformator die Reformation. Allerdings war »Dichten« im 16. Jahrhundert keinesfalls streng gesondert von anderen literarischen Tätigkeiten: dem Übersetzen, dem Bearbeiten, dem Variieren (von Texten älterer Zeit, von Texten anderer Zeitgenossen). Und so finden sich unter den etwa vierzig Liedern Luthers Verdeutschungen altkirchlicher und mittelalterlicher lateinischer Hymnen und Lieder; zu Liedern umgearbeitete und erweiterte deutsche Leisen und Strophen; Lieder über liturgische Stücke: Katechismuslieder; Kinderlieder; nur wenige »freie« Dichtungen (die Zahl der »Originallieder« blieb sehr gering, im Sinne von »frei« erfunden, »selbständig geschaffen«); Festlieder (»Vom Himmel hoch«). Der Wirkung der Lieddichtung Luthers tat dies freilich nicht den geringsten Abbruch, zumal ihr in den konfessionellen Auseinandersetzungen der Zeit Funktionen zukamen, die sie in der Gegenwart nicht mehr besitzt (Heine verglich unter diesem Aspekt »Ein feste Burg« mit der »Marseillaise« der Französischen Revolution). Wir sind daher gewarnt: Man darf nicht den kräftigen Gemeindegesang des 16. mit dem blassen des 20. Jahrhunderts verwechseln.

Bekenntnisdichtung

Den Kämpfen der Zeit entwuchs eine Bekenntnisdichtung höchsten Rangs. Die Möglichkeit tat sich auf, Selbstbekenntnis in liedhafter Form zu äußern. Von manchem Mitstreiter in den Auseinandersetzungen um die Reformation ist Bekenntnislyrik überliefert, teils kontemplativer, eher einsam-reflektierender Art, teils kämpferischer, teils als offene Selbstaussage, teils in verdeckter Form, verschmolzen mit geistlichen Vorstellungsinhalten. Die offene Selbstaussage in militantestem Ton stammt von Ulrich von Hutten: »Ein neu Lied« (»Ich habs gewagt mit Sinnen«), ein Stück Lyrik, das man auch als mittleres Glied zwischen die Selbstaussagen Walthers von der Vogelweide und J. W. Goethes hat einordnen wollen. Persönliche Konfession (Autobiographie) und geistliche zugleich ist Luthers »Nun freut euch lieben Christen gmein« (mit den Zeilen: »Dem Teufel ich gefangen lag/ Im Tod war ich verloren«). Ulrich Zwingli, der Zürcher Reformator, dichtete sein Pestlied (»Hilf, Herr Gott, hilf«) 1519, mit den drei Abschnitten: »Im Anfang der Krankheit«, »Inmitten der Krankheit« und »In der Besserung«. Sebastian Franck setzte sich in seinem Bekenntnisgedicht »Von vier zwieträchtigen Kirchen« schroff von den zu seiner Zeit sich herausbildenden Konfessionen ab, indem er parallel gebaute Strophen verwandte: »Ich will und mag

nicht Päpstlich sein«, »... nicht Luthrisch sein«, »... nicht Zwinglisch sein«,
»Kein Wiedertäufer will ich sein«, um sich am Ende für eine – seine –
individuelle Glaubenshaltung zu entscheiden. Eine tragische Variante der
Bekenntnislyrik steuerte in derselben Epoche Thomas Murner bei, der katholische Dichter und Kontroverstheologe. Auf der Folie einer Abrechnung
mit der Reformation machte er in seiner Lebensbeichte »In Bruder Veiten
Ton« die isolierte Position eines Autors sichtbar und begreiflich, der unter
dem Anprall des Neuen standhaft bei der alten Kirche ausharrt; der dennoch
die Schuld und Schäden der alten Einrichtungen nicht verkennt, sie vielmehr
anprangert, aber dies in niemandes Auftrag tut, nur kraft eigener Legitimation: »ich red' das alles für meine Person,/ Und mein', ich tu damit Recht,/
Daß ich beim alten Glauben stohn«.

»Der Jugend Gottes Wort und Werk mit Lust einzuprägen« – Das Reformationsdrama

Im Übergang vom Mittelalter zur Neuzeit vollzogen sich Änderungen auf
allen Gebieten der Literatur, beschleunigt in den Jahren nach Beginn der
Reformation. So auch die Wandlungsprozesse in der Dramatik, wo sich für
das 16. Jahrhundert ein erster Gipfelpunkt ihrer neueren Entwicklung feststellen läßt. Es ist nicht das Barockdrama und schon gar nicht das Drama der
deutschen Klassik, dem in dieser Hinsicht Priorität zukommt. Richtig ist
allerdings, daß vom Drama des 16. Jahrhunderts allenfalls eine Handvoll
Fastnachtsspiele des Hans Sachs lebendig blieb, obwohl immerhin der Theaterpraktiker Bertolt Brecht es war, der versuchte, ein deutsches Drama des
16. Jahrhunderts für das Repertoire zu beleben, den *Hans Pfriem* des Martin
Hayneccius. Um das vorreformatorische Drama typologisch zu erfassen,
kann man sich mit der Einteilung in drei Genres behelfen: das geistliche Spiel
des Mittelalters, das »weltliche« Spiel, vertreten besonders durch das Fastnachtsspiel, sowie das Humanistendrama in lateinischer Sprache. Dies, obwohl zuletzt gekommen, schuf die Voraussetzungen für die spätere Entwicklung des deutschsprachigen Dramas.

 Die Stückverfasser aus humanistischen Kreisen ahmten das antike Vorbild   *Jakob Wimpfeling*
nach, insbesondere das lateinische des Terenz, und übernahmen von dort
Aufbau, Versbehandlung usw. Als erstes Humanistendrama eines deutschen
Autors gilt der *Stylpho* des Elsässer Jakob Wimpfeling. Dieser Einakter
(6 Szenen, Prolog und Epilog) entstand 1480. Wimpfeling, Dekan der Heidelberger Fakultät der freien Künste, verlieh in Vertretung des Kanzlers den
Lizentiatengrad an sechzehn Bakkalaurei. Anstelle der konventionellen Lob-
rede trug er einen dramatischen Text vor – falls er ihn nicht durch Studenten
vortragen ließ –: den *Stylpho*. Es sind die Lebensläufe zweier angehender
Wissenschaftler, die darin konfrontiert werden, des fleißigen Vincentius, der
eine Universität bezieht, und des trägen Stylpho, der zu Studienzwecken an
die Kurie nach Rom (!) geht. Am Ende bleibt dem Trägen nur übrig – denn er
hat ungenügend studiert –, das ihm vom Bischof und Schultheißen zuge-
dachte Amt des dörflichen Schweinehirten anzunehmen. Fazit des Dichters:
»Welch erstaunlicher Schicksalswandel! Vom Höfling ward er zum Dörfler,

vom Freund von Kardinälen zum Bauernknecht, vom Hohen zum Erniedrig-
ten, vom Seelenhirten zum Sauhirten. Solch elend Ende bringt Unwissenheit.
Dem Vincentius halfen seine Eltern aus, er ging zurück zur Universität,
studierte eifrig die Rechte und wurde dann zuerst in des Fürsten Kanzlei
aufgenommen und darauf durch dessen Fürspruch zum Domherrn befördert; schließlich wurde er einstimmig zur Bischofswürde erhoben und regierte glücklich.«

Die Bühne als Waffe   Überblickt man die dramatische Dichtung, wie sie sich etwa seit den 20er
Jahren darbot, als die Reformation sich über weite Gebiete Deutschlands
und angrenzender Länder ausbreitete, so nimmt man eine Vielzahl dramatischer Entwürfe wahr, Überschneidungen und Verflechtungen der Formen
und Inhalte, die eine Ordnung bzw. Gruppierung zunächst unmöglich zu
machen scheinen. Wodurch die neue Entwicklung stimuliert wurde, erkannte
im 19. Jahrhundert der Literaturhistoriker K. Goedeke. Er brachte seine
Erkenntnis auf die oft zitierte Formel: »Der Gedanke, die Bühne zur Waffe
der Reformation zu machen, hat Hunderte von Stücken hervorgerufen und
drei Menschenalter hindurch Tausende im Spielen und Schauen beschäftigt.«
Als Medium der reformatorischen Lehre wurde das Drama operativ in
einem Maße, daß die Wortführer des Protestantismus sich seiner mit Vorliebe in Konfliktsituationen bedienten, war es doch selber – mit einem Wort
Creizenachs – in manchem Fall »rücksichtslose dramatische Agitation«. Es
wies gleich dem reformatorischen publizistischen Schrifttum überhaupt zwei
Grundzüge auf: Darlegung der »gereinigten« (evangelischen) Lehre sowie
Polemik gegen die alte Kirche und deren Anhängerschaft, soweit diese sich
der Reformation entgegenstellte. Verkündigung des Evangeliums hier, kämpferische Auseinandersetzung mit Rom dort, das ist im Kern die Thematik des
Reformationsdramas aller Schattierungen.

Humanistendrama   Das biblische Humanistendrama oder religiöse Schulspiel entstand in den
30er Jahren des 16. Jahrhunderts. Seine Entwicklung ist begleitet von theoretischer Reflexion; es wurde entscheidend angeregt durch einige Sätze Martin Luthers zur Interpretation der *Apokryphen* (in seinen *Vorreden* zu den
Büchern *Judith, Tobias* und zu den »Stücken« *Esther* und *Daniel*). Luther
deutete diese als geistliche Dichtungen, Spiele möglicherweise, die aufgeführt
worden sein könnten. In den 40er Jahren entbrannte eine Diskussion, an
welcher sich neben anderen auch Luther vermittels eines Gutachtens beteiligte. Die Streitfrage lautete: Durften biblische Geschichten dem Volke in
Dramenform dargeboten werden? Eine Frage, die 1536 schon Johann Ackermann für sich realistisch beantwortet hatte: das Volk ziehe es vor, ein
Schauspiel anzusehen, anstatt selber die Bibel zu lesen. Dies war in der Tat
der entscheidende Gesichtspunkt. Es ging darum, das Nützliche (biblische
Lehre) auf angenehme Weise zu vermitteln, wie es Paul Rebhun, der tonan-
gebende Dramatiker des Genres, 1535 formulierte: »der jugent gottes wort
und werck mit lust« einzuprägen. Was folgte, war im protestantischen Bereich während einiger Jahrzehnte eine Schwemme von Stücken, in der Mehrzahl deutschsprachig, deren Stoff der Bibel entstammte: dem Alten Testament samt Apokryphen (Sündenfall, Kain und Abel, Noah, Abraham,
Jakob, Joseph, Judith, Susanna u.v.a.m.) und dem Neuen Testament (u.a.
Christi Geburt, Hochzeit zu Kana, Lazarus, Judas, der verlorene Sohn, die
Apostelgeschichte).

Paul Rebhun   Seit langem gilt Paul Rebhuns *Geistlich Spiel von der Gotfürchtigen und
keuschen Frauen Susannen* (1536) als Klassiker des Genres, in erster Linie
wegen seiner formalen Vorzüge: konsequente Einteilung in Akte und Szenen
sowie eine Versbehandlung, die nach Möglichkeit Versakzent und Wortak-

zent zusammenfallen läßt (gegen das Prinzip der Silbenzählung). Zeitgemä-
ßes Thema, das an dem biblischen Stoff abgehandelt wurde: der Zusammen-
prall von »bürgerlicher« oder häuslicher Sphäre, worin Susanna als vorbildliche Hausfrau züchtig waltet, und der Sphäre der »Obrigkeit«, hier in
Gestalt zweier Richter. (Wenn man so will: im Zeitalter des Kampfes der
Bürger gegen die Feudalmächte der klassische Konflikt, vgl. *Emilia Galotti*
und *Kabale und Liebe*). Nicht zufällig lautet der Schlüsselbegriff des Textes,
ständig wiederholt: »gewalt« (= Macht). Die Handlung folgt der biblischen
Vorlage: Versuch der Richter, Susanna zu verführen, und, als das mißlingt,
deren Denunziation und anschließende Verurteilung Susannas zum Tode.
Rettung bringt ein »deus ex machina«, der von Gott gesandte Knabe Daniel,
der die Schurkereien der Richter enthüllt. Es ist das Loblied auf die verfolgte
Unschuld, die sich in der Not bewährt und Rettung allein von Gott erhofft.
Dennoch mischt Rebhun »weltliche« Problematik nicht zu knapp mit ein:
z.B. Anklage verbrecherischer Obrigkeit nebst korrupter Justiz, den Ruf
nach einer fähigen Justiz, die dem Angeklagten Gehör gibt und auf der
Grundlage von Beweisen, nicht aufgrund von Verdächtigungen urteilt. Die
Entlarvung der Richter durch Daniel ist eine kleine Kriminalgeschichte für
sich, worin sich der Knabe als rational verfahrender Detektiv erweist! –
Vorangegangen war 1532 Sixt Birck mit einer *Susanna*, worin sich entscheidende Unterschiede zu dem Stück Rebhuns ausfindig machen lassen. Birck
war Schulleiter in Basel. Er legte größtes Gewicht z.B. auf formal-demokrati-
sche Verfahren im Kollektiv, etwa im Richter-Kollegium, und rückte sie in
den Mittelpunkt der Darstellung.

Titelblatt von 1536

Ein anderer bevorzugter Stoff der Zeit: der Joseph-Stoff, vielleicht der
beliebteste überhaupt (noch im 20. Jahrhundert von Th. Mann aufgenommen), bot die Möglichkeit, ebenfalls die Bewährung verfolgter Unschuld
samt späterer Errettung und Erhöhung darzustellen; in gewisser Weise die
Umkehrung des Susanna-Stoffs: es ist der Mann, der verführt werden soll
und nach Abwehr des Versuchs Verfolgung erleidet. Daß sich dem Joseph-
Stoff allerdings wiederum eine zusätzliche weltliche Dimension abgewinnen
ließ, demonstriert die Dramengeschichte des 16. Jahrhunderts auch. So äußerte Thomas Brunner im Epilog seines Spiels *Jacob und seine zwölf Söhne*
(1566) – Joseph figuriert darin als der unbezweifelte Held –: »Was David in
den Psalmen spricht/ Den armen thut erheben Gott/ Vnd reist in mitten aus
dem kott/ Das er jn alles leids ergetz/ Vnd neben grossen Fürsten setz/ Wie
denn Josephus ward zuhand/ Ein Fürst vber Egypten land/ Dem Pharaoni
gleich an gwalt...«. Diese Verse sind nicht ohne das Vorbild Luthers zu
denken, der 1530 in seiner *Predigt, daß man Kinder zur Schulen halten solle*,
eine ausführliche Deutung des angeführten Psalms (113) gegeben hatte.
Traumvision des Bürgers schon in der Frühzeit: nicht die Stelle des Fürsten
gilt es zu erobern, vielmehr den Platz neben ihm.

Josephslegende

Als bedeutsamstes Stück des 16. Jahrhunderts in Deutschland wird die
Tragoedia nova Pammachius des Thomas Naogeorg angesehen (1538; Titel
etwa: »Neue Tragödie vom Allesbekämpfer«, d.i. das Papsttum. Mehrere
Verdeutschungen des lateinischen Originals durch andere Autoren fast
gleichzeitig; Vorrede dazu u.a. von P. Rebhun!). Es ist eine gewaltige Ge-
schichtsdichtung, die den Konflikt zwischen Protestantismus und Papsttum
szenisch vorführt, fast ohne Handlung, dafür aber gefüllt mit intensiver
Disputation. Bemerkenswert der offene Schluß: der fünfte Akt, so der Dichter, werde von der Geschichte selber geschrieben. Das Papsttum ist hier
gemäß Luthers Lehre als der Antichrist gedacht, sein »Sündenregister« wird
in »zwölf Artikeln des christlichen Glaubens« vorgetragen; eine Punktation,

Thomas Naogeorg

worin der (protestantische) Autor die wichtigsten Ansichten der katholischen Kirche aufzählen läßt, bei denen es sich – nach protestantischer Auffassung – um die Hauptverbrechen des Papsttums handelte. Eine literarische Technik: die bekämpfte Anschauung des Gegners von diesem selber monologisierend (verzerrt!) darlegen zu lassen; auch sonst in der Literatur der Zeit nachweisbar, z.B. in Murners Satire, wo Luther selber seine – von Murner als kriminell betrachteten – Ziele enthüllen muß.

europäischer Vergleich   Wenn das deutsche Drama der Reformationszeit bis auf spärliche Ausnahmen nicht mehr aufgeführt wird, so deshalb, weil es insgesamt den konfessionellen Auseinandersetzungen allzu verhaftet blieb, um die – künstlerische – Höhe etwa des (nur wenig späteren) spanischen Dramas (Lope de Vega, Calderón) und des englischen (Shakespeare und seine Zeitgenossen) erreichen zu können. Ein geflügeltes Wort besagt, daß im Waffenlärm die Musen schweigen. Zwar schwieg die dramatische Muse der Deutschen im Zeitalter der Reformation nicht; sie redete sogar besonders viel. Doch ihre Stimme blieb vom polemischen Eifer verzerrt, ihre Inhalte an die konfessionellen Lehrsysteme gebunden. Daneben wird man noch die Enge des territorialstaatlichen, weiterhin alles in allem ständisch geprägten Lebens als Ursache verbuchen müssen, die eine Horizonterweiterung verhinderte, wohingegen das Theater der Spanier und Engländer unter Nationen entstand, deren Blick durch Entdeckungen, überseeisches Ausgreifen und die expandierende Beteiligung am Welthandel erheblich geweitet war, so sehr auch hier der Rückschlag nicht lange auf sich warten ließ: in Spanien durch die von der Inquisition oktroyierte Unfreiheit, in England durch den kunstfeindlichen Puritanismus. Was dem deutschen Reformationsdrama vor allem noch nicht zugute kommen konnte (und wovon die Spanier und Engländer profitierten), waren nicht zuletzt die Erkenntnisse und Lehren der italienischen Renaissance. Deren Rezeption trug entscheidend dazu bei, das Theater in Spanien und England auf die um 1600 und nach 1600 feststellbare Höhe zu erheben. Shakespeares Werk wäre nicht, was es ist, ohne die kongeniale Renaissance-Rezeption dieses Dichters (Renaissance-Humanismus, Philosophie und Anthropologie, v.a. italienische Novellistik speisten es). Das klassische deutsche Drama des 18. Jahrhunderts konnte erst auf den Weg gebracht werden, indem die Renaissance-Rezeption, vermittelt durch Shakespeare, nachgeholt wurde; sie ermöglichte es, die charakteristischen formalen und inhaltlichen Tendenzen der Renaissance-Dichtung auch für die Entwicklung der Dramatik in Deutschland fruchtbar zu machen.

Schwank und Roman vor dem Roman

Der deutschen Literatur in der Epoche des Humanismus und der Reformation fehlte es nicht an Beispielen des Epos, also der umfangreichen Erzählung in (gereimten) Versen. Nur sind diese in Neulatein abgefaßt, was die Wissenschaft bisher davon abgehalten hat, diese Dichtungsgattung ausreichend zu erforschen. Woran es fehlt, ist also – bis auf eine Handvoll Ausnahmen – das große volkssprachliche Epos, das sich dem volkssprachlichen italienischen Epos zur Seite stellen ließe (Bojardo, Ariost, Tasso u.a.). Zu den Ausnahmen zählen insbesondere die Versdichtungen Sebastian Brants und Thomas Murners. Am ehesten entspricht der Bezeichnung »Versepos« der nach einer niederländischen Vorlage entstandene, anonym erschienene *Reynke de Vos* (Druck: Lübeck 1498). In diesen Werken dominiert jedoch die didaktische und satirische Komponente, das Erzählerische tritt in ihnen dahinter zurück.

Die kleineren Gattungen verraten teils noch ihre Abkunft von mittelalterlichen Erzählformen (Exempel, Schwank), teils zeigen sie den Einfluß der Renaissance-Italiener (wieder der Schwank), und bei einer weiteren Gattung, der Facetie, handelt es sich schlechterdings um einen italienischen Import. Die Facetie ist in Deutschland vor allem durch Heinrich Bebels Sammlung *Libri facetiarum iucundissimi* (Die höchst unterhaltsamen Bücher der Facetien, 1509/14) repräsentiert. Das Exempel wurde von Johannes Pauli in einer reichhaltigen Anthologie, *Schimpf und Ernst* (d.h. Spaß und Ernst, 1522), vorgeführt. Beide Werke inspirierten nach der Jahrhundertmitte, seit dem Augsburger Religionsfrieden (1555), eine Reihe von Schwankautoren, so daß nunmehr die Schwankbücher zu Sammelbecken wurden, in die Facetien und Exempel (oder »Predigtmärlein«) einmündeten, zudem weitere Stoffe unterschiedlichen Ursprungs, z.B. die mittelalterliche Versnovelle (in Prosa umgeschrieben), nämlich das französische Fablel und das mittelhochdeutsche »Märe«, so daß am Ende allerlei Buntes zusammenkam. Das wurde möglich, weil ein Begriff von Schwank noch nicht vorhanden war. Neben Fablel und Märe, Novelle, Facetie und Exempel finden sich in den Sammlungen sogar Erzähltexte, die später zu den Märchen gerechnet werden sollten, z.B. *Das tapfere Schneiderlein.*

Nach Auskunft Jörg Wickrams, Verfassers der wohl berühmtesten Schwanksammlung unter dem Titel *Das Rollwagenbüchlein* (1555), sollte das Werk ausschließlich dem Unterhaltungszweck dienen: »Denn dies Büchlein ist allein von guter Kurzweil wegen an den Tag gegeben, niemand zur Unterweisung noch Lehre, auch gar niemand zu Schmach, Hohn oder Spott.« Die Erklärung braucht man aber nicht als bare Münze zu nehmen. Schwänke, auch die Wickrams, enthielten zwar nicht generell, aber doch in einer beachtlichen Zahl eine Moral, Lehre oder Unterweisung. Wie in der gesamten Literatur der zweiten Hälfte des 16. Jahrhunderts, so war auch im Schwank eine unmittelbare politische oder soziale Opposition allenfalls gelegentlich zu greifen: »Hingegen aber ist mancher Herr, der sich solcher seiner Gewalt überhebt und sie mißbraucht, seine armen, ja auch frommen Untertanen mit Brandschatzen einen um den anderen plagt, ihnen das Mark aus den Knochen saugt, daß Gott vom Himmel herabsehen möchte.«

Als Gesamterscheinung bildete die Schwankliteratur des 16. Jahrhunderts einen Bestandteil der (stadt-)bürgerlichen Kultur, eine diesseitig orientierte Gattung, zu deren auffallenden Merkmalen der Mangel eines metaphysischen Bezugs gehörte, bei genretypischem Antiklerikalismus. Die Jenseitsproblematik blieb im allgemeinen ausgespart, da die Erzählung fast nur das Zusammenleben der Menschen im Alltag in den Mittelpunkt rückte, in meistens komischer Beleuchtung. Jedoch gibt es auch Schwänke mit tragischem Ausgang (so bei Wickram), eine Tatsache, die nochmals den Mangel einer klaren Gattungsbestimmung belegt.

In der Geschichte der neueren deutschen Literatur bietet die Ermittlung der Anfänge des großen Prosa-Genres nicht geringe Schwierigkeiten. So konnte beispielshalber bisher nicht genügend geklärt werden, ob es eine kontinuierliche gattungsgeschichtliche Entwicklung bzw. Umformung des Barockromans gibt, an die der Roman der Aufklärung samt seiner Nachfolgeschaft anknüpfen konnte. Die Geläufigkeit des Begriffs »Barockroman« scheint immerhin nahezulegen, daß sich zumindest seit dem 17. Jahrhundert das große Prosa-Genre als »Roman« etabliert habe – de facto, obwohl die

Facetie

Titelblatt von 1557

*Schwank als Form
des Antiklerikalismus*

Anfänge des Romans?

Volksbücher

Poetik von ihm zunächst keinerlei Notiz genommen hat (Opitz, *Buch von der Deutschen Poëterey*, 1624). Ungleich schwieriger noch gestaltet sich indes die Erforschung des Romans vor dem Roman: der »Vor«- bzw. »Früh«-Formen des modernen Romans oder seiner »Vor«- (bzw. »Früh«-)Geschichte. In diese gehören die »Volksbücher« ebenso wie französische, italienische und spanische Vorbilder (Ritterroman, heroisch-galanter Roman, Hirten- und phantastischer Roman), Schwänke und Schwankzyklen nicht minder wie Novelle und Novellensammlung. Nicht selten griffen die Literarhistoriker zu dem Notbehelf, kurzerhand bestimmte »Volksbücher« als »die« Anfänge des deutschen Prosaromans zu deklarieren. Gelegentlich versuchten sie, die Existenz einer Unterart einfach zu »setzen«, indem man etwa den Schwankzyklus zum »Schwankroman« erhob. In Wirklichkeit gewinnen wir damit ebensowenig wie mit dem gegenteiligen Verfahren, das andere Literarhistoriker in Vorschlag brachten, die dem »Volksbuch« – was immer hiermit gemeint sein konnte – die Bezeichnung »Roman« bestritten und von einer »Frühform der romanhaften Gestaltung« sprachen oder von »frühneuhochdeutscher Erzählprosa«: Noch in der Umschreibung »romanhaft« und selbst in der vorsätzlichen Vermeidung des »Roman«-Begriffs bleibt ja der Bezug auf diesen erhalten.

Die Autoren der Zeit selbst verwendeten weder den Volksbuch-Begriff noch die Bezeichnung »Roman«, besaßen allerdings durchaus einen Terminus: »Historia« (z.B. *Historia von D. Johann Fausten*, 1587). Der Verfasser des *Eulenspiegel* (*Ein kurzweilig Lesen von Dil Ulenspiegel*, gedruckt zuerst wohl um 1510) benutzte den Terminus ebenfalls, aber als Äquivalent für unseren Begriff »Kapitel« (1., 2. usw. Histori). 1587 ließ Bartholomäus Krüger eine vergleichbare Sammlung erscheinen; er benannte sie: *Hans Clawerts Werckliche Historien*. Es scheint, daß der Historia-Begriff auf die geschichtliche Wahrheit der Erzählung verweisen sollte. Als Quellen dienten den Verfassern Werke verschiedener Sprachen und Zeiten: neben mittelalterlichen deutschen Vorlagen (höfischen Versepen, die man in Prosa auflöste, daher = »Prosaauflösungen«) vor allem französische und auch lateinische. Als deutsche »Originalschöpfungen« gelten solche Historien, für die bisher keine anderweitige Quelle nachgewiesen werden konnte (wenn auch einzelne Kapitel, Abschnitte und Motive der sonstigen Literatur entlehnt sind): z.B. das *Eulenspiegel*-Buch, das *Lalebuch* (1597; andere Version unter dem Titel *Die Schildbürger*, 1598) und die *Historia von D. Johann Fausten*.

Der *Eulenspiegel* ist unter den Historienbüchern das mit der größten Zahl von Auflagen, Übersetzungen und Bearbeitungen (u.a. von Hans Sachs; gereimte Fassung von Johann Fischart; Hauptmotive im 19. Jahrhundert benutzt von Charles de Coster; Kinderbuchfassungen, u.a. von Erich Kästner). Der Text präsentiert sich als Mischform von Kurz- und Großprosa, als »Schwankzyklus«. Mit dem Begriff »Schwank« bezeichnen wir eine Form kleiner Erzählungen, in Prosa oder gereimt, deren Stoff heiterer Natur ist und die häufig mit einer Pointe schließen. Schwankzyklen entstanden aus einer Anhäufung bekannter Erzählungen und Schwänke, die entweder einer bestimmten Person zugeordnet wurden, dem historisch kaum nachweisbaren Till Eulenspiegel, der nachweislich historischen Figur Fausts usw., oder es stand eine erdachte bzw. reale Ortschaft im Mittelpunkt (Laleburg, Schilda). Die Einheitlichkeit eines modernen Romans mußte dabei kaum erreicht werden.

So blieb das *Eulenspiegel*-Buch im Grunde eine Episodenreihe mit unsicherer Abfolge. Auch bekundete der Autor kein Interesse an einer ausgeführten Lebensgeschichte des Helden: eine Handvoll Mitteilungen über Geburt

Ein kurtzweilig lesen von Dyl Vlenspiegel geboré vß dem land zü Brunßwick. Wie er sein leben volbracht hatt.xcvi.seiner geschichten.

Titelblatt von 1515

und Tod, das ist eigentlich schon alles. Außer daß Till Eltern hat, erfährt man nichts sonst über Verwandte, Freunde oder menschliche Bindungen wie Liebe, nichts über die seelischen Ursachen, die Till bewegen. Er ist äußerst arm an Emotionen, mit Ausnahme von Rachegelüsten und Schadenfreude. Moralische Skrupel irgendwelcher Art kennt er nicht. Der Inhalt der Geschichten ist verblüffend schlicht: Eulenspiegel spielt seinen Zeitgenossen Streiche. Und nicht so etwa, daß diese eine bestimmte Gruppe von Menschen träfen; nein, übel mitgespielt wird Bauern und Handwerkern, Adligen und Geistlichen; Zunftmeistern am häufigsten, aber nicht einmal nur wohlhabenden. Ein einziges Mal meint Till, im Auftrag des »Volks« einen Mißstand enthüllen zu müssen, »damit der Irrtum aus dem Volke komme« (65. Geschichte). Es ist, als ob Eulenspiegel sich nur mit seinem eigenen Tun identifiziert, zu niemandem und zu keiner Klasse gehört, so daß sich ihm die ganze Gesellschaft nur von ihrer Außenseite darbietet, Objekt der spöttischen Streiche eines Außenseiters. Tills Vorgehen ist individuelles Opponieren gegen eine ganze Gesellschaft mittels List. Und das Ziel seiner Opposition? Es lautet: Erwerb materieller Güter kraft Müßiggangs – also alles andere als ein Vorsatz, der einen Fortschrittlichen, einen Freiheitskämpfer verriete. Auffällig modern indes handelt Till in einer Hinsicht: Obwohl selber besitzlos, ohne Geld, Werkstatt und Arbeitsgerät, bedient er sich der neuen, damals modernsten Form des Verkehrs der Menschen untereinander, des Tauschs »Ware gegen Geld«. Er ist keinesfalls ein gewöhnlicher Dieb. Er bettelt nicht, und er wendet keine Gewalt an. Seine Fähigkeit besteht darin, sein Ziel durch überlegenes Auftreten als Käufer oder Verkäufer zu erreichen, immer mit der Absicht, fremdes Geld und Gut einzutauschen. Häufig verkauft er nichts als seine Arbeitskraft, die er jedoch für den Käufer, z.B. einen Handwerksmeister, durch Wörtlichnehmen von Bedingungen des Arbeitsvertrags entwertet.

*Eulenspiegel
spielt allen Ständen mit*

Am Ende des 16. Jahrhunderts haben wir nochmals ein Beispiel des Versuchs der Opposition mittels List: im Schwankzyklus von den Lalen oder Schildbürgern. Das Narrentum der Lalen von Laleburg bzw. der Schildbürger war ursprünglich kein angeborenes oder anerzogenes, sondern ein aus Verstellung angenommenes, und die Verstellung oder List war der Not entsprungen. Die Lalen galten einstmals als die Weisesten und Klügsten. Fürsten und Herren begehrten ihre Dienste in einem Maße, daß darüber ihr Familien- und Gemeindeleben bedroht wurde, die gesamte Existenz. Einziges Hilfsmittel, glaubten sie, konnte angesichts solcher Zustände bloß noch die Torheit oder das Narrentum sein. Ausdrücklich dem Gemeinnutz zuliebe verzichteten deswegen alle Lalen auf ihre Weisheit, und jeder beeilte sich, Narr zu werden. Aber dieser Versuch, mittels List das eigene Überleben zu sichern, gefährdete es mehr als der vorige, an sich schon beängstigende Zustand. Gewiß beabsichtigte der ungenannte Verfasser (Fischart?) keinesfalls, Opposition überhaupt als Narretei zu erweisen. Oppositionelle Züge gab es dem Werk durchaus mit, z.B. Äußerungen gegen die Ausbeutungspraktiken der Wucherer, »die den Armen, welche ohnedies bedrängt und notleidend sind, nicht anders als die Zecken auch das Blut aus dem Leib, ja das Mark aus den Knochen saugen«. Die Protesthaltung der Lalen indes schlägt allmählich um ins unvernünftige Gegenteil. Was als Maßnahme des Selbstschutzes begann, wird Selbstentmachtung, nachdem die einmal angenommene Narrheit zur wirklichen geworden ist, zur neuen (»zweiten«) Natur. Die Selbstentmachtung gerät schließlich zur Selbstvernichtung, Resultat einer Opposition, die, berechtigten Protest gegen unerträgliche Belastung ausdrückend, dem gefährdeten Gemeinnutz letztlich doch nicht zugute

Der Bürger als Narr

HISTORIA
Von D. Johañ
Fausten/dem weitbeschreyten
Zauberer vnd Schwartzkünstler/
Wie er sich gegen dem Teuffel auff eine be-
nandte zeit verschrieben/Was er hierzwischen für
seltzame Abenthewr gesehen/selbs angerich-
tet vnd getrieben/biß er endtlich seinen wol verdienten Lohn
empfangen.

Mehrertheils auß seinen eygenen
hinderlassenen Schrifften/allen hochtragen-
den/fürwitzigen vnnd Gottlosen Menschen zum schrecklichen Beyspiel/abschewlichem Exempel/vnnd trew-
hertziger Warnung zusammen gezo-
gen/vnd in Druck ver-
fertiget.

IACOBI IIII.
Seyt Gott vnderthänig/widerstehet dem
Teuffel/so fleuhet er von euch.

CVM GRATIA ET PRIVILEGIO.

Gedruckt zu Franckfurt am Mayn/
durch Johann Spies.

M. D. LXXXVII.

*Das Volksbuch vom
Dr. Faust
(Ausgabe 1587)*

*Faust – eine der
großen Gestalten der
Weltliteratur*

kommt, sondern ihn im Gegenteil gänzlich tilgt; die Abkapselung im eigenen Narrentum bedeutet den Untergang. Dem richtig verstandenen allgemeinen Nutzen haben die Lalen bloß geschadet: »Denn es ist ja nicht ein Geringes, sich selber zum Narren zu machen: sintemalen hierdurch dem allgemeinen Nutzen, welchem wir auch unser Leben schuldig sind, soweit sich dasselbige erstreckt, das seine geraubt und entzogen wird.«

Weltweite Wirkung beschieden war der *Historia von D. Johann Fausten* (1587). Es gibt nicht nur Übersetzungen in so gut wie alle europäischen Sprachen (neben einer zeitgenössischen niederdeutschen und einer Reimfassung), sondern es wurde auch zum Ausgangspunkt unterschiedlicher Traditionsstränge, eines erzählerischen sowie eines dramatischen. Bereits 1593 entstand eine Fortsetzung, ein (vorgeblich) »Anderer« (2.) Teil, worin dem Famulus Wagner die Hauptrolle zufiel (daher auch: *Wagner*-Buch). Weiterhin gab es stets veränderte Prosa-Versionen, auch sie immer mehrfach aufgelegt, von G. R. Widman (1599), Chr. N. Pfitzer (1674) und einem Anonymus, der sich der »Christlich Meinende« nannte (1725). Die Dramatisierungen nahmen ihren Ausgang mit der *Tragischen Historie von Doktor Faust*. Sie stammte von einem Zeitgenossen Shakespeares, Christopher Marlowe (vermutlich schon 1588/89 geschrieben, uraufgef. 1594; erster Druck: 1604). Von Marlowes Drama leiteten sich wieder das Volksschauspiel vom Doktor Faust und die Puppenspielbearbeitung ab. In Goethes *Faust* zeigen sich Einflüsse beider Traditionsstränge, da auf den Dichter sowohl die erzählenden Versionen einwirkten als auch die dramatischen. Thomas Mann benutzte für seinen *Doktor Faustus* noch einmal die *Historia* von 1587 als Vorlage (wörtliche Zitate!).

Mit dem Faust war der wohl erfolgreichste Stoff der neuzeitlichen Weltliteratur auf die Bahn gebracht, mit dem nur wenige (dann meist mythologische Stoffe der Antike, auch der Bibel) konkurrieren können. Es stimmt nachdenklich, daß im Verlauf einiger Jahrzehnte um 1600 – man könnte sagen: am Ausgang der Renaissance – nicht weniger als vier dichterische Gestalten geschaffen wurden, die in der Forschung zuweilen als »Menschheitstypen« bezeichnet werden; außer Faust: Hamlet (Shakespeare, 1600/01); Don Quijote (Cervantes, 1605/15); Don Juan (Tirso de Molina, 1630).

Worin besteht das Erfolgsgeheimnis des Stoffs? Der Text der Historia gibt Faust als »Warnfigur« (Exempel: so wie Faust soll ein Mensch nicht handeln!). Gewarnt wird vor dem Lebenslauf eines der Weltlichkeit zugewandten Gelehrten, eines Zauberers und Buhlers. Aus der Gegend von Weimar stammend, wird er in Wittenberg Student (wie Hamlet), fällt jedoch bald von der Theologie (vom Glauben, von Gott) ab und lebt als »Epikuräer« (Chiffre: Atheist und Wüstling). Er schließt den Pakt mit dem Teufel, weil er die Mittel in der Hand haben will, um die Erde, den Himmel und die Hölle zu erforschen und genußreich zu leben. Nach einigen Abenteuern und nachdem er einigen Zeitgenossen Possen gespielt, anderen hilfreich unter die Arme gegriffen hat, gewinnt er gegen Ende seines Lebens die griechische Helena als »Concubina«. Als die im Pakt mit dem Teufel vereinbarte Frist von 24 Jahren abgelaufen ist, warten auf Faust der blutige Untergang und die Höllenfahrt. Was der (bis heute unentdeckte) Autor in seinem Werk zusammenfügte, ergab eine hochexplosive Mischung. Er beschwor die Gestalt dessen, dem bei der Konstitution der Moderne eine entscheidende Rolle zufiel: des Renaissance-Gelehrten, und dies, um vor einem Lebenslauf à la Faust gehörig zu warnen. Daraus resultierte eine Dynamik besonderer Art, eine Spannung zwischen Sachverhalt (Gelehrtenleben) und Tendenz (Verwerfung aus orthodox-protestantischer Sicht), so daß das Publikum bei der

Lektüre fühlen mußte, wie in dem Werk zwei gegenläufige Kräfte wirkten,
die identisch waren mit den dominanten Kräften der Epoche, dieses Zeitalters »inmitten der Revolutionen«.

Seit etwa einhundert Jahren hat sich die Erkenntnis festgesetzt, daß in die
»Vor«- bzw. »Früh«-Geschichte des Romans die großen Prosadichtungen
Jörg Wickrams sowie Johann Fischarts *Geschichtklitterung* gehören; individuelle Leistungen bedeutenden Rangs, deren Schöpfer neben Hans Sachs zu
den großen Repräsentanten des Bürgertums in der deutschen Literatur der
frühen Neuzeit zählen.

Wickram veröffentlichte um die Mitte des 16. Jahrhunderts, 1539 bis
1557, neben seiner Schwanksammlung die Reihe seiner fünf umfangreichen
Prosawerke. Von ihnen weisen drei eine Handlung auf, die gänzlich oder
überwiegend im höfischen Milieu angesiedelt ist: *Ritter Galmy; Gabriotto
und Reinhard; Der Goldfaden.* In den zwei übrigen sind ausschließlich oder
hauptsächlich Ereignisse aus dem bürgerlichen Leben dargestellt, die Schau-
plätze daher auch meist bürgerliche Städte und Handelsniederlassungen: *Der
jungen Knaben Spiegel* und *Von guten und bösen Nachbarn.* Wie sehr Wickram mit den beiden letztgenannten am Lesebedürfnis seiner Zeit vorbei-
schrieb, zeigt der geringe buchhändlerische Erfolg, besonders auch im Vergleich zur Rezeption der drei erstgenannten: Diese erfreuten sich beim Publikum großer Beliebtheit und wurden z.T. sogar in die Anthologie gefragter
»Volksbücher« aufgenommen (*Das Buch der Liebe,* 1587). Sie zeigen in der
Motivik und im Sprachstil eine größere Nähe zum »Volksbuch«, wohingegen etwa *Der jungen Knaben Spiegel* u.a. das biblische Motiv vom »verlorenen Sohn« variiert. Jedoch wird man keinem der fünf Werke beim Blick auf
die Komposition, die Personenkonstellation sowie Anlage der Handlung den
Charakter einer Originalschöpfung im Bereich des großen Prosa-Genres absprechen dürfen. Was überdies alle fünf Werke, unbeschadet der Unterschiede des höfischen oder bürgerlichen Milieus, in auffallender Weise verbindet, ist die in ihnen niedergelegte Gesellschaftslehre. Man hat an ihnen
ein inhaltsreiches Kompendium früher bürgerlicher Ideologie. Dazu zählt
vor allem die Wertschätzung der Arbeit und die Einsicht, daß »Unruhe« das
Wesensmerkmal der Gattung Mensch sei: »Wie denn das ganze menschliche
Geschlecht zur Unruhe geboren und erschaffen ist: ein jeder muß nach
Gottes Ordnung, Arbeit und Lebenslauf vollbringen«. Dazu zählt die Über-
ordnung der Liebe über die Unterschiede der Stände und Schichten (mit
glücklichem Ausgang in *Ritter Galmy* und *Goldfaden,* mit tragischem in
Gabriotto und Reinhard), Lobpreis der Familie, Ehe und Erziehung, der
guten Nachbarschaft und nicht zuletzt der Freundschaft. Als grundlegend
erweist sich im Werk Wickrams wie in demjenigen anderer Wegbereiter
bürgerlichen Denkens seit dem Spätmittelalter die Entgegensetzung von Tu-
gend- und Geblütsadel. In der Herabsetzung, schließlich Verwerfung des
Geblütsadels, an dessen Stelle der Tugendadel tritt, haben wir die gedankliche Entsprechung zu dem gesellschaftlichen Wandlungsprozeß, der den
Hauptinhalt der Geschichte der frühen Neuzeit bis 1789 bildete. In symboli-
scher Weise vollzog Wickram solcherlei Umwertung in *Der jungen Knaben
Spiegel,* wenn darin der Sprößling eines Adligen einem Bürgerlichen unterge-
ben und wenn jener – Wilbald – in diesem – der den sprechenden Namen
Fridbert trägt – »seinen Herren« erkennt – der Adlige als Befehlsempfänger
dem Bürger gehorchend.

Fischarts große Prosaschöpfung, gemeinhin abgekürzt zitiert als *Geschichtklitterung* (drei Auflagen zu Lebzeiten des Dichters: 1575, 1582 und
1590), hat im Original einen Titel von »barocker« Länge, ein gutes Dutzend

*Wickrams
»Gabriotto
und Reinhard«
(1511)*

*frühbürgerliche
Ideologie*

Johann Fischart

Zeilen beanspruchend. Er enthält u. a. die Angabe, daß das Buch aus dem Französischen übertragen worden sei: Grundlage ist das Romanwerk des François Rabelais, *Gargantua und Pantagruel* (1532ff.), genauer: dessen erster Teil, *Gargantua*. Rabelais fußte seinerseits auf einem »Volksbuch« vom Riesen Gargantua (1532), in dem sich Elemente der Artusepik sowie mittelalterlicher Volksdichtung (Riesenmärchen) mischten. Fischart legte indes den *Gargantua* von Rabelais nicht in einer Bearbeitung vor, der wir heute die Bezeichnung »Übersetzung« zubilligen würden, sondern als erweiterte Version. Es liegt auf der Hand, daß es Fischart mehr als um die Übertragung um die eigenen Zusätze und Aufschwellungen ging, eine Fülle von Stoff, wobei jedoch die Grundtendenz des Rabelais als eine Komponente erhalten blieb: Verhöhnung des alten Adels und der hohen Geistlichkeit, aller Obrigkeit, des scholastischen Dunkelmännertums ebenso wie auch schon des neuen Geldadels (Fischart: »Pfeffersecklichkeit«); daneben wahrte Fischart den Charakter des Werks als eines »Triumphs der Leiblichkeit« und ihrer Funktionen (E. Auerbach). Als neue Komponente trat bei Fischart der reformierte Bibelglaube nebst kalvinistischer Erziehungslehre hinzu, beide in unversöhntem Gegensatz zum übermütigen Spott und zur Ausmalung der Leiblichkeit und ihrer Funktionen, womit seine Version der Geschlossenheit, der Einheitlichkeit aus dem Geist der Renaissance entbehrt. Dennoch zeichnet sich die *Geschichtklitterung* vor allen Schöpfungen der deutschen Literatur des 16. Jahrhunderts durch ihre »eminent dichterische und unvergleichlich virtuose Sprache« (Sommerhalder) aus.

M. D. XXXVII.

Titelblatt von 1537

LITERATUR DES BAROCK

Deutschland im 17. Jahrhundert

Das Heilige Römische Reich Deutscher Nation war im 17. Jahrhundert nur noch ein brüchiges Gebilde, gefährdet von innen und außen. Während sich Frankreich nach den Religions- und Bürgerkriegen der Vergangenheit zu einem territorialen Einheitsstaat entwickelte, erlebte das Reich mit dem Dreißigjährigen Krieg einen entscheidenden politischen und ökonomischen Rückschlag. Als europäischer Konflikt war dies ein Kampf um die Vorherrschaft in Europa, zwischen Habsburg und Bourbon, in dem die französische Seite zunächst durchaus in der Defensive stand. Es gelang jedoch der französischen Politik, die Einkreisungstaktiken der habsburgischen Mächte Spanien und Österreich zu durchbrechen, und am Ende des Krieges hatte sich Frankreich als führende europäische Macht etabliert. Die Drohung einer habsburgischen Universalmonarchie war, mit schwedischer Hilfe, gebannt.

Der 30jährige Krieg als europäischer Konflikt

Im Kontext des Reichs war der Krieg ein Kampf zwischen den Reichsständen und dem Kaiser um die Vorherrschaft. Während es den Ständen darum ging, ihre im Lauf der Jahrhunderte erworbenen Rechte zu behaupten, sprach aus der Handlungsweise Kaiser Ferdinands II. eine moderne absolutistische Staatsgesinnung. Er versuchte, wie zuvor Karl V., die zentrifugalen Tendenzen aufzuhalten bzw. rückgängig zu machen, die durch die Glaubensspaltung eine noch stärkere Dynamik bekommen hatten. Der Augsburger Religionsfriede von 1555, der die Auseinandersetzungen im Zeitalter der Reformation beendete und den Territorialfürsten Religionsfreiheit gewährte (»cuius regio eius religio«), war kaum mehr als ein vorübergehender Waffenstillstand. Erst die Friedensverträge von Münster und Osnabrück führten zur endgültigen Regelung der zahlreichen Streitfragen. Für die Reichsverfassung bedeuteten diese Verträge eine Bestätigung der Rechte der Stände, ohne die in Reichssachen künftig kaum etwas geschehen konnte, während sie selber Bündnisfreiheit erhielten. Damit war der Kampf zwischen Kaiser und Reichsständen entschieden. Von einer Geschichte des Reichs läßt sich von nun an nur noch mit Einschränkungen sprechen; die Geschichte der großen Territorien tritt an ihre Stelle. Samuel Pufendorf, Professor für Naturrecht und Politik, beschreibt den Zustand des Reichs nach dem Westfälischen Frieden präzise: »Es bleibt uns also nichts anderes übrig, als das deutsche Reich, wenn man es nach den Regeln der Wissenschaft von der Politik klassifizieren will, einen irregulären und einem Monstrum ähnlichen Körper zu nennen, der sich im Laufe der Zeit durch die fahrlässige Gefälligkeit der Kaiser, durch den Ehrgeiz der Fürsten und durch die Machenschaften der Geistlichen aus einer regulären Monarchie zu einer so disharmonischen Staatsform entwickelt hat, daß es nicht mehr eine beschränkte Monarchie, wenngleich der äußere Schein dafür spricht, aber noch nicht eine Föderation mehrerer Staaten ist, vielmehr ein Mittelding zwischen beiden. Dieser Zustand ist die dauernde Quelle für die tödliche Krankheit und die inneren Umwälzungen des Reiches, da auf der einen Seite der Kaiser nach der Wiederherstellung der monarchischen Herrschaft, auf der anderen die Stände nach völliger Freiheit streben« (*De statu imperii Germanici*, 1667).

Der Kampf um die Vorherrschaft im Reich

Pufendorf: Das deutsche Reich – ein »Monstrum«

Noch reicht das Mittelalter herüber: Zeitgenössischer Pestarzt in Schutzkleidung

Afectation

Höfisch-galanter Auftritt

Der Dreißigjährige Krieg hinterließ ein verwüstetes Land, wenn auch der Krieg die verschiedenen Landschaften in unterschiedlicher Härte und Dauer betroffen hatte. Die Bevölkerung im Reich ging von etwa 15 bis 17 Millionen vor dem Krieg auf 10 bis 11 Millionen Menschen im Jahr 1648 zurück, obwohl die unmittelbaren Kriegsverluste relativ niedrig waren. Weder war die Anzahl der Gefallenen in Schlachten besonders groß, noch kann man die Übergriffe auf die Zivilbevölkerung für den bedeutenden Bevölkerungsverlust verantwortlich machen. Es war vor allem die Pest, die die Bevölkerung dezimierte; allerdings verstärkten die Kriegsbedingungen ihre Auswirkungen entscheidend (Seuchengefahr in den von Flüchtlingen überfüllten Städten). Es dauerte bis ins 18. Jahrhundert hinein, ehe die Bevölkerungsverluste ausgeglichen und der Stand der Vorkriegszeit wieder erreicht wurde. Auch die wirtschaftliche Erholung ging nur langsam vonstatten, zumal die Nachkriegszeit mit einer Agrarkrise und einer Depression im Bereich von Handel und Gewerbe begann, die erst gegen Ende des Jahrhunderts überwunden wurde. Schon um die eigenen Einnahmen und damit die eigene Macht zu stärken, griffen die Staaten bzw. ihre Herrscher aktiv in das Wirtschaftsgeschehen ein (Merkantilismus).

Mit dem Ende des Dreißigjährigen Krieges waren die reichsabsolutistischen Bestrebungen in Deutschland endgültig gescheitert. Absolutismus in Deutschland bedeutet Territorialabsolutismus. Die Territorien verschafften sich durch die Schwächung der zentralen Reichsgewalt neue Befugnisse, betrieben die Intensivierung der eigenen Regierungstätigkeit und schränkten nach Möglichkeit die Rechte der Landstände ein, d.h. Landtage wurden nicht mehr einberufen, willkürliche Steuern erhoben, alte Privilegien aufgehoben, religiöser Zwang ausgeübt. Dieses Vorgehen richtete sich nicht nur gegen den Adel, sondern ebenso gegen die Städte, die mehr oder weniger gewaltsam von den Landesherren unterworfen wurden.

Mit der stetigen Zunahme der Staatsaufgaben wurde es nötig, die Landesverwaltung neu zu organisieren. Die intensive Staatstätigkeit mit Hilfe eines wachsenden Behördenapparates führte zu einer Vereinheitlichung des Territoriums und einer Einflußnahme des Staates auf die verschiedensten gesellschaftlichen Bereiche, wobei Rechts- und Erziehungswesen, öffentliche Wohlfahrt und Sicherheit, Wirtschaft und Kirchenwesen in einer Fülle von Verordnungen reguliert wurden. Es blieb kaum ein Aspekt des menschlichen Lebens von dieser obrigkeitlichen Planung und Fürsorge ausgenommen, der Erziehungs- und Regulierungsanspruch des staatlichen oder städtischen Regiments, die Tendenz zur »Sozialdisziplinierung« der Untertanen (Gerhard Oestreich) kannte – in der Theorie – keine Grenzen.

Die Hofkultur des Absolutismus fand ihren sichtbaren Ausdruck in den prachtvollen Schloßanlagen, die seit den 90er Jahren des Jahrhunderts entstanden. Vorbild für den fürstlichen Hof in Deutschland wurde seit dem Ende des Dreißigjährigen Krieges immer mehr das französische Modell, wie es sich im Versailles Ludwigs XIV. darbot (erbaut 1661–1689), wenn sich auch in Wien, der bedeutendsten Hofhaltung im Reich, der spanische Hofstil hielt. Die Nachahmung des in Versailles zelebrierten luxuriösen Hofstils und die Repräsentation absolutistischer Macht durch kostspielige Bauten und Feste überforderte freilich die Finanzkraft der kleineren Territorien Deutschlands. Hier konnte sich ein groteskes Mißverhältnis zwischen herrscherlichem Anspruch und tatsächlichem politischem und wirtschaftlichem Leistungsvermögen herausbilden, unter dem vor allem die Untertanen zu leiden hatten. Der Sinn des Hofzeremoniells lag in der Repräsentation der fürstlichen Macht und der Disziplinierung der höfischen Gesellschaft, d.h. vor

*»Geburtstag
Deß Friedens«
(Johann Klaj, 1650)*

allem des Adels. Der Hof als soziales System regulierte das Verhalten, erlegte Zwänge auf, bot Beschäftigungsmöglichkeiten, stellte den Menschen in eine spannungsreiche, auf Rang und Stand eifersüchtig achtende Welt, in deren Zentrum der Fürst stand. Höfische Repräsentation, höfisches Zeremoniell, höfische Feste und Feiern sorgten auch dafür, daß der soziale Unterschied zur Welt der Untertanen unüberbrückbar wurde, wie sich auch in der Anlage der barocken Schlösser und ihrer stilisierten Gärten der Anspruch einer eigenen, von der Umgebung abgetrennten Welt erkennen läßt.

    Die Ausweitung der Staatstätigkeit und der damit einhergehende steigende Bedarf an akademisch ausgebildeten Beamten brachte eine Aufwertung der humanistischen Gelehrtenschicht mit sich, die einen privilegierten Platz in der Ständeordnung erobern und sich als Stütze des Staates etablieren konnte: Der humanistische Gelehrte versteht sich als idealer Staatsdiener und tritt in Konkurrenz mit dem Adel. Vor allem im Fürstenstaat des 16. Jahrhunderts wurden zahlreiche Funktionen in der Hof-, Gerichts- und Finanzverwaltung mit Gelehrten bürgerlicher Herkunft besetzt, da der Adel die erforderliche Kompetenz für die neuen Aufgaben nicht besaß oder sich weigerte, in den Staatsdienst zu treten. Es bestand aber keineswegs ein Bündnis zwischen

*Der (bürgerliche)
Gelehrte als idealer
Staatsdiener*

humanistischem Gelehrtentum und Fürstentum mit dem Ziel, den Adel zu
entmachten. Die alte ständische Gliederung wurde nicht in Frage gestellt,
sondern es ging nur darum, die politischen Ansprüche des Adels zurückzu-
weisen. Mit der Förderung einer humanistisch gebildeten Beamtenschaft, die
sich auch in Erhebungen in den Amtsadel ausdrückte, stellten die Fürsten
dem alten Adel einen Konkurrenten zur Seite und wiesen ihm zugleich den
Weg zur neuen Realität des Fürstendienstes. Im Verlauf des 17. Jahrhunderts
kehrte sich denn auch die Entwicklung um, und mit der Festigung des
absolutistischen Regiments kam es zu einer »Reprivilegierung« des Adels,
der sich die humanistische Bildungspropaganda zunutze gemacht und durch
ein Universitätsstudium die erforderlichen Qualifikationen für die gehobene
Beamtentätigkeit erworben hatte.

Innere
Auseinandersetzungen

Das 17. Jahrhundert ist nicht nur das Zeitalter des Dreißigjährigen Krieges, der Türkenkriege (Belagerung Wiens 1683) und der Auseinandersetzungen mit Frankreich (Holländischer Krieg 1672–79, Pfälzischer Krieg 1688–
97) und Schweden (Schwedisch-brandenburgischer Krieg 1675–79), es ist
zugleich eine Periode innerer Auseinandersetzungen und sozialer Unruhen,
die zwar weniger spektakulär als die großen machtpolitischen und religiösen
Konfrontationen sein mögen, dafür aber auf Konflikte innerhalb der scheinbar so wohlgeordneten ständischen Gesellschaft verweisen. In zahlreichen
Städten kam es zu Verfassungskonflikten und sozialen Unruhen, auf dem
Land brachen wiederholt Bauernaufstände und -kriege aus, und in weiten
Teilen Deutschlands nahmen die Hexenverfolgungen epidemischen Charak-
ter an.

Judenverfolgung

Ursachen für die Auseinandersetzungen in den Städten waren neben militanten reformatorischen und gegenreformatorischen Maßnahmen ökonomische Krisenerscheinungen (Inflation) und Konflikte zwischen der regierenden
Oberschicht und den Zünften. Im Verlauf der Unruhen in der Reichsstadt
Frankfurt a.M. (Fedtmilch-Aufstand 1612–14) wurde auch die Judengasse,
das Ghetto, von einer aufgebrachten Menge gestürmt und geplündert und
die ganze Gemeinde, etwa 2500 Personen, aus der Stadt vertrieben. 1616
zogen die Vertriebenen unter dem Schutz kaiserlicher Truppen wieder in
Frankfurt ein. Die Plünderung des Ghettos und die Vertreibung seiner Einwohner waren Höhepunkte in einer Reihe von Maßnahmen gegen die
Juden, die von den Zünften ausgingen. In einer Zeit wirtschaftlichen Nieder-
gangs, der Arbeitslosigkeit und Verarmung wurde die Schuld einmal mehr
bei den Juden gesucht, die zudem unter dem Schutz des verhaßten Patriziats
und des Rates standen, von denen sie für profitable Geldgeschäfte gebraucht
wurden. Die Frankfurter Judengemeinde, schon im 13. und 14. Jahrhundert
von Pogromen heimgesucht, lebte seit 1460 in einem Ghetto, in ihrer persönlichen und wirtschaftlichen Entfaltung durch vielerlei diskriminierende Vorschriften behindert. *Der Juden zu Franckfurt Stättigkeit und Ordnung* (1613)
setzte Bußgelder für alle möglichen Vergehen fest und bestimmte unter der
Überschrift »Juden sollen Zeichen tragen« etwa auch: »Damit auch die
Christen vor den Juden zuerkennen seyen / so sollen alle und jede Juden und
Jüdinnen / sie seyen frembdt oder Ingesessen / ausserhalb der Judengassen /
in und zwischen den Messen / ihr gebührlich Zeichen / als mit nahmen ein
runden gelben Ring / offentlich und mit ihren Mänteln unverdeckt an ihren
Kleidern tragen / bey Vermeidung den Ingesessenen der Bussen / nemblichen
12. Schilling. Und den frembden ein Gulden unablößlich zubezahlen / so offt
und dick das noth geschieht / darnach sich ein jeder wisse zurichten.« Wenn
es auch nicht mehr zu schweren Verfolgungen und Massakern wie im späten
Mittelalter kam, blieb die Lage der Juden im Reich prekär. Im 16. Jahrhun-

dert wurden sie aus mehreren Territorien ausgewiesen (Bayern, Pfalz, Branndenburg), 1670 auch aus den österreichischen Erblanden. Die Judenfeindllichkeit Luthers stärkte den Antisemitismus in den evangelischen Ländern.

Das Nachlassen der Judenverfolgungen im 16. und 17. Jahrhundert – im *Hexenwahn* Vergleich zum späten Mittelalter – ging Hand in Hand mit einer stetigen Intensivierung der Verfolgung von sogenannten Hexen, die in der ersten Hälfte des 17. Jahrhunderts einen schrecklichen Höhepunkt erreichte. Der Historiker Hugh Trevor-Roper hat auf diesen Zusammenhang hingewiesen: »Im 16. Jahrhundert verdrängt die Hexe allmählich den Juden, und im 17. Jahrhundert hat sich diese Umkehrung fast vollständig vollzogen. Wenn der allgemeine Sündenbock für den Schwarzen Tod in Deutschland der Jude gewesen war, so wird es für die Religionskriege die Hexe sein.« Die Hexennprozesse ließen sich im kirchlichen und politischen Machtkampf als Mittel der Disziplinierung benutzen. Zu den tieferliegenden Motivationen der Hexxenverfolgungen führt die Tatsache, daß die meisten Opfer Frauen waren. Zwar wurde auch Männern der Prozeß gemacht, doch schien es sich um ein Verbrechen zu handeln, für das Frauen besonders anfällig waren: »Also schlecht ist das Weib von Natur, da es schneller am Glauben zweifelt, auch schneller den Glauben ableugnet, was die Grundlage für die Hexerei ist«, heißt es im Einklang mit dem Frauenbild der mittelalterlichen Kirche und Theologie im *Hexenhammer* (um 1487) von Heinrich Institoris und Jacob Sprenger, dem im 15., 16. und 17. Jahrhundert in 29 Auflagen verbreiteten Handbuch zur Führung von Hexenprozessen.

Es gab zwar auch Stimmen, die sich gegen diesen organisierten Verfoll- *Kritik an den* gungswahn, seine zugrunde liegenden Prinzipien und das fragwürdige Ge- *Hexenprozessen* richtsverfahren wandten, doch konnten sie sich zunächst nicht durchsetzen. Zu den Kritikern gehörte der Jesuit Friedrich Spee, der in seiner *Cautio Criminalis*, 1631 anonym erschienen, aus eigener Anschauung die Praxis der Hexenprozesse seiner Zeit scharf verurteilte. Doch erst Christian Thomaasius, der sich auch auf Spee berief, hatte Erfolg im Kampf gegen die Hexennprozesse, allerdings in einer Zeit, als die Verfolgungen ohnehin schon im Abklingen waren.

Literatur und Gesellschaft

Für die Dichtung des 17. Jahrhunderts gilt zunächst einmal bei aller Diffe- *Gesellschafts- und* renzierung im einzelnen, daß es sich um Gesellschaftsdichtung handelt: »Vor *Gelegenheitsdichtung* der Emanzipation des Subjekts war fraglos Kunst, in gewissem Sinn, unmitttelbarer ein Soziales als danach« (Theodor W. Adorno). Der gesellschaftt- liche Grundcharakter der Literatur des 17. Jahrhunderts wird besonders deutlich bei der Gelegenheitsdichtung, den Casualcarmina, die, obschon von den Poetikern der Zeit häufig angegriffen, massenhaft entstehen und den Menschen von der Wiege bis zur Bahre begleiten: »Es wird«, schreibt Martin Opitz, »kein buch / keine hochzeit / kein begräbnüß ohn uns gemacht; und gleichsam als niemand köndte alleine sterben / gehen unsere gedichte zuee gleich mit ihnen unter.« Zwar erkennt man die Problematik einer derartigen Massenproduktion auf Bestellung und (häufig) gegen Bezahlung, doch tut das der an gesellschaftlichen Konventionen orientierten Praxis keinen Abb- bruch. Der Auftrag als Voraussetzung der Produktion, in der bildenden

Groteske Ballettszene
aus Anlaß einer
Prinzentaufe (1616)

Kunst und der Musik seit je fraglos akzeptiert, charakterisiert aber nicht nur die Casualcarmina, sondern steht auch – allerdings nicht immer so direkt – hinter anderen Literaturgattungen, ob es sich um anlaßgebundene religiöse Dichtung, um das pädagogisch und religiös motivierte Schul- und Jesuitendrama oder um höfische Festspieldichtung handelt.

»Nutzen« der Poesie

Schon der rhetorische Grundcharakter der Literatur des 17. Jahrhunderts und die ungebrochene Gültigkeit der auf Horaz zurückgehenden Forderung, daß der Poet »mit der Lieblichkeit und schöne den Nutzen« verbinde (Augustus Buchner), verweisen auf ihre »Öffentlichkeit«. Dichtung soll lehrhaften Zwecken dienen und zu einem tugendhaften Leben anleiten. Buchner, Professor in Wittenberg, beschreibt in seiner in den 30er Jahren des 17. Jahrhunderts entstandenen Poetik am Beispiel von Dichter und Geschichtsschreiber, wie der lehrhafte Effekt am besten zu erzielen sei: »Lehren also beyde / was zu thun oder zulassen sey; nicht zwar durch gebiethen und verbiethen / oder durch scharffsinnige Schlußreden [...] / sondern durch allerley Exempel und Fabeln / welches die alleranmuthigste Art zu lehren ist / und bey denselben / die sonst nicht so gar erfahren sind / zum meisten verfängt: in dem Sie hierdurch ohn allen Zwang und mit einer sondern Lust / fast spielend zur Tugend / und dem was nützlich ist / angeführet werden.«

Poesie als Mittel
der Disziplinierung

Die Lehre von dem, »was zu thun oder zulassen sey«, umfaßt mehr als allgemeine ethische Anweisungen oder Kataloge christlicher Tugenden: Die Vermittlung ethischer Normen, die Anleitung zur Tugend, schließt gesellschaftliche und politische Verhaltensweisen ein, verweist also darauf, »daß sich die Poesie, indem sie ihren ethischen Auftrag erfüllte, unmittelbar auf gesellschaftliches und politisches Geschehen bezog« (Wolfram Mauser). Das Prinzip der Tugenderfüllung stellt ein wirksames Mittel der Disziplinierung der Bevölkerung dar, und die Poesie hilft, indem sie zur Tugend anhält, Ruhe und Ordnung in der ständisch gegliederten Gesellschaft zu bewahren: »Hüte dich für fressen und sauffen«, »Förchte Gott«, »Ehre vater und mutter«, aber auch »Sey der Obrigkeit unterthan« lauten einige Überschriften in der Sonettsammlung des Johann Plavius (1630), einem instruktiven Beispiel für die Verbindung von Tugend, Gesellschaft und Politik.

Dichter sind Gelehrte

Bis auf wenige Ausnahmen, darunter Grimmelshausen, gehörten die bürgerlichen deutschen Dichter dem Gelehrtenstand an. Sie alle hatten in ihrer Universitätsausbildung die Artistenfakultät durchlaufen, waren also mit

Rhetorik und Poetik vertraut und hatten somit die gelehrte philologische Vorbildung erworben, die als unerläßlich für die Ausübung der Dichtkunst galt. Auch immer mehr Adlige betätigten sich literarisch und gingen dabei von den gleichen gelehrten Bildungsvoraussetzungen aus wie die Autoren bürgerlicher Herkunft. Zwar bezeichneten besonders Aristokraten ihre Dichtungen gern als »Neben-Werck«, doch auch für nichtadelige Autoren war das Dichten keineswegs Beruf. Die Autoren lebten als Geistliche, Universitätsprofessoren, Ärzte, Stadt-, Landes- oder Hofbeamte; sie waren keine freien Schriftsteller.

Die Fürsten waren auf die Leistungen der Gelehrten und Dichter angewiesen, nicht nur wegen ihrer »Begiehr der Unsterbligkeit« (Opitz) oder weil man glaubte, mit »der herrligkeit der wörter« könne der aufrührerische »gemeine mann [...] zur ruhe« beredet werden (Jacob Horst, 1558): Auch die »kulturpatriotischen« Ziele, die einige der Fürsten mit den Dichtern teilten, waren ohne deren fachliche Kompetenz nicht zu verwirklichen. Das zeigt ein Blick auf die »Fruchtbringende Gesellschaft«, die erste und bedeutendste deutsche Sprachgesellschaft des 17. Jahrhunderts. Sie wurde 1617 nach dem Vorbild ausländischer Akademien gegründet und hatte sich die »erbawung wolanstendiger Sitten« und die Pflege der deutschen Sprache zur Aufgabe gemacht. Diese Gesellschaft sollte »jedermänniglichen« offenstehen, »so ein liebhaber aller Erbarkeit / Tugend' und Höfligkeit / vornemblich aber des Vaterlands« wäre (Ludwig von Anhalt-Köthen). In der Tat wurden bürgerliche Dichter und Gelehrte in die mehrheitlich adelige Gesellschaft aufgenommen, und ohne die Leistungen der bürgerlichen Humanistenschicht, die sich auf ihre Weise gegenüber den überwiegend unproduktiven adeligen Mitgliedern profilieren konnte, wäre die »Fruchtbringende Gesellschaft« kaum erwähnenswert. Doch einigen standesbewußten Aristokraten, denen mehr am gesellschaftlichen Aspekt des Unternehmens lag, ging die Öffnung der Gesellschaft zu weit. Ihr Versuch, die »Fruchtbringende Gesellschaft« in einen Ritterorden umzugestalten, traf jedoch auf den Widerstand von Fürst Ludwig von Anhalt-Köthen, der der Gesellschaft bis zu seinem Tod 1650 vorstand: »Der Zweck ist alleine auf die Deutsche sprache und löbliche tugenden, nicht aber auf Ritterliche thaten alleine gerichtet, wiewohl auch solche nicht ausgeschlossen.«

Die »Fruchtbringende Gesellschaft« hatte, wie andere Gesellschaften dieser Art auch, den Brauch eingeführt, die Mitglieder mit Gesellschaftsnamen zu bezeichnen: der Nährende, der Wohlriechende, der Schmackhafte, der Gekrönte. Es ist umstritten, ob diese Namensgebung als spielerische Aufhebung der Standesunterschiede gedeutet werden kann, also die Konzeption der *nobilitas litteraria* wenigstens ansatzweise einen Niederschlag in der Wirklichkeit gefunden hat. Wenn sich Ludwig wohl auch nicht eine ausgesprochene Förderung der bürgerlichen Intelligenz zum Ziel gesetzt hatte, so tat er es doch indirekt mit seiner Gesellschaftspolitik, die vielleicht auch deshalb auf Widerstand in adeligen Kreisen stieß. Jedenfalls trugen die Bestrebungen Ludwigs, die humanistischen Gelehrten und Literaten für die anstehenden kulturpatriotischen Aufgaben zu gewinnen, zu einer Stärkung ihrer gesellschaftlichen Position bei, zugleich wurden sie jedoch – gewiß nicht gegen ihren Willen – in die Pflicht des Staates und der Staatsverwaltung genommen.

Doch so groß die Leistungen der »Fruchtbringenden Gesellschaft« und ihrer Mitglieder bürgerlicher Herkunft zu Anfang auch waren, mit dem Tode Ludwigs von Anhalt-Köthen (1650) änderte sich das Bild, und die Vereinigung nahm immer mehr das Gepräge einer Rittergesellschaft an. Das

Die Fruchtbringende Gesellschaft, Ziele und Konflikte

Titelblatt einer Programmschrift der Fruchtbringenden Gesellschaft (1646)

nobilitas litteraria?

Betonung der Standesunterschiede

machte sich nicht nur in der Aufnahmepolitik und dem Rückgang der literarischen und wissenschaftlichen Leistungen bemerkbar, sondern auch im sozialen Bereich. Für die gesellschaftliche Praxis dieser Zeit der »Reprivilegierung« des Adels sind die Worte Georg Neumarks, des (bürgerlichen) Sekretärs der Gesellschaft, aus dem Jahr 1668 bezeichnend: »Es hat aber die Meinung allhier gar nicht / daß große Herren und hohe Fruchtbringende Gesellschafter / sich mit den Niedrigern / in verächtliche und allzugemeine Kundschaft einlaßen: oder die Niedrigere / weil Sie auch Ordensgenossen / denen vornehmen Standespersonen / wie Etliche aus unbescheidener Kühnheit und thörichter Einbildung / sich unterstanden / alzu nahe treten; Sondern vielmehr erheischender Nohtdurft und Umstände nach / in unterthänigster Aufwartung und geziehmender Demuht verharren sollen.«

Die Mitgliedschaft in der »Fruchtbringenden Gesellschaft« war, wenigstens unter Ludwig, eine Auszeichnung, um die man sich bemühte (unter seiner Leitung wurden 527 Mitglieder aufgenommen; bis 1680 erhöhte sich die Zahl auf 890). Zu den literarisch bedeutendsten »Gesellschaftern« zählten Johann Valentin Andreae, Anton Ulrich von Braunschweig-Wolfenbüttel, Sigmund von Birken, Augustus Buchner, Georg Philipp Harsdörffer, Friedrich von Logau, Johann Michael Moscherosch, Martin Opitz, Justus Georg Schottelius, Diederich von dem Werder, Johann Rist und Philipp von Zesen. Die ausdrückliche Förderung der Übersetzungsliteratur gehört zu den unbestrittenen Verdiensten des »Palmenordens«, wie man die Gesellschaft auch nannte. Nach dem Vorbild der »Fruchtbringenden Gesellschaft« wurden seit den 40er Jahren weitere Sozietäten gegründet: u. a. die von Zesen geprägte »Deutschgesinnete Genossenschaft« (1643) und der »Pegnesische Blumenorden« zu Nürnberg (1644); beide Gesellschaften nahmen auch Frauen auf. Angesichts der territorialen Zersplitterung Deutschlands können die Sprachgesellschaften als »die eigentlichen literarischen Zentren des 17. Jahrhunderts« gelten (Ferdinand van Ingen).

Die Literatur, die unter diesen Bedingungen entstand (und hierzu zählte auch die Zensur), war eine Angelegenheit für ein recht begrenztes Publikum, ein Publikum, das über die entsprechenden Bildungsvoraussetzungen verfügte und eine keineswegs selbstverständliche Aufgeschlossenheit für weltliche Literatur besaß. Außerdem war ein gewisser Wohlstand erforderlich, denn Bücher waren verhältnismäßig teuer. Lesegesellschaften oder jedermann zugängliche Bibliotheken gab es noch nicht. Die umfangreichen höfisch-historischen Romane der Zeit z. B. konnten sich nur gutsituierte Leute leisten – höhere Beamte, Adlige –, denn der Preis von 8 Reichstalern, der für Lohensteins *Arminius* (1689/90) angesetzt wird, stellte etwa das Monatsgehalt für einen niederen Beamten dar. Lakonisch heißt es in Adrian Beiers *Kurtzem Bericht von der Nützlichen und Fürtrefflichen Buch-Handlung* (1690), daß »der gemeine Hauffe den Buchladen nicht viel kothig machet«.

Aus Philipp von Zesens »Assenat« (1670): Josephs Einzug in Ägypten

Begrenztes Publikum, teure Bücher

Die Literaturreform

Die deutsche Verspätung

Zu Beginn des 17. Jahrhunderts, zu der Zeit, in der Shakespeares Meisterwerke entstanden, stellte der Sekretär eines böhmischen Magnaten eine Frage, die nicht nur ihn bewegte:

> Warumb sollen wir den unser Teutsche sprachen,
> In gwisse Form und Gsatz nit auch mögen machen,
> Und Deutsches Carmen schreiben,
> Die Kunst zutreiben,
> Bey Mann und Weiben.

Das Gedicht, dem diese Verse entnommen sind, handelt *Von Art der Deutschen Poeterey* und verweist, auch durch seine Unbeholfenheit, auf den unbefriedigenden Zustand der deutschen Dichtung um die Wende vom 16. zum 17. Jahrhundert: Was seinem Verfasser, Theobald Hock, und anderen gebildeten Zeitgenossen auffiel, war die Diskrepanz zwischen den volkssprachlichen Renaissanceliteraturen Süd- und Westeuropas und der noch weithin spätmittelalterlichen Mustern verpflichteten deutschen Verskunst. Es verwundere ihn »hefftig«, schreibt Opitz 1624 mit patriotischer Emphase, »daß / da sonst wir Teutschen keiner Nation an Kunst und Geschickligkeit bevor geben / doch biß jetzund niemandt under uns gefunden worden / so der Poesie in unserer Muttersprach sich mit einem rechten fleiß und eifer angemasset« habe. Die Betonung liegt auf der Dichtung »in unserer Muttersprach«, denn hier war die deutsche Verspätung in der Tat beträchtlich, hatte man doch den entscheidenden Schritt versäumt, dem die Literaturen der süd- und westeuropäischen Länder ihren Aufstieg verdankten: die Erneuerung der volkssprachlichen Dichtung auf humanistischer Basis.

Am Anfang dieser nationalhumanistischen Bestrebungen stand Italien. Hier hatte die Dichtung in der Volkssprache schon im 14. Jahrhundert mit Dante, Petrarca und Boccaccio ihren ersten, im 16. Jahrhundert mit Ariost und Tasso ihren zweiten Höhepunkt erreicht. In Frankreich waren es die Dichter der Pléiade, die es sich Mitte des 16. Jahrhunderts zur Aufgabe gemacht hatten, Sprache und Literatur nach dem Vorbild der Antike und der italienischen Renaissance zu erneuern. Und auch die Dichter Spaniens, Englands und Hollands waren dem italienischen – und später dem französischen – Beispiel gefolgt und hatten damit das »Goldene Zeitalter« ihrer Literaturen eingeleitet. In Deutschland dagegen war der Frühhumanismus des ausgehenden 15. Jahrhunderts mit seinen Versuchen, maßgebliche Texte der italienischen Renaissance zu verdeutschen und damit eine Erneuerung der deutschen Literatur im Geist der Renaissance zu bewirken, nicht mehr als ein kurzes Zwischenspiel. Die Sprache der humanistischen Gelehrten und Dichter blieb fast ausschließlich das Lateinische. Es bestand weiterhin ein Nebeneinander von zwei Literaturen, einer lateinischen und einer deutschen, die aus ihren eigenen Traditionen lebten, aus dem Humanismus die eine, aus ungelehrten, volkstümlichen Überlieferungen die andere.

Nationalhumanistische Bestrebungen in anderen Ländern

Nicht nur die italienischen Humanisten, die sich ohnehin von Barbarenländern umgeben wähnten, hielten die Deutschen für Barbaren und das Deutsche für eine barbarische Sprache, auch die deutschen Humanisten hegten ähnliche Gefühle. Latein war die Sprache der bedeutendsten deutschen Lyriker im 16. Jahrhundert, in lateinischer Sprache wurden Leistungen von europäischem Rang erreicht, Leistungen, wie sie im Deutschen noch lange nicht möglich waren. Produzenten und Rezipienten dieser neulateinischen Dichtung waren weitgehend identisch. Die gelehrte Humanistenschicht verstand sich als geistige Elite, suchte sich aber auch als eigener sozialer Stand zu etablieren und bestand daher auf deutlicher Abgrenzung nach unten, zur Masse der nicht humanistisch Gebildeten. Diese Kluft verringerte sich auch im 17. Jahrhundert nicht, denn die neue Kunstdichtung in deutscher Sprache, die nun mit kulturpatriotischem Enthusiasmus propagiert und entwik-

Lateinische und deutsche Sprache im 16. und 17. Jahrhundert

kelt wurde, war gelehrte Dichtung auf humanistischer Grundlage. Für Opitz und die anderen Reformer war es selbstverständlich, daß der Übergang zur deutschen Sprache keine Rückkehr zu den Formen und Inhalten der deutschsprachigen Dichtung des 16. Jahrhunderts bedeuten dürfe: »Und muß ich nur bey hiesiger gelegenheit ohne schew dieses erinnern / das ich es für eine verlorene arbeit halte / im fall sich jemand an unsere deutsche Poeterey machen wolte / der / nebenst dem das er ein Poete von natur sein muß / in den griechischen und Lateinischen büchern nicht wol durchtrieben ist / und von ihnen den rechten grieff erlernet hat; das auch alle die lehren / welche sonsten zue der Poesie erfodert werden [...] / bey ihm nichts verfangen können.«

Träger der neuen deutschen Kunstdichtung konnten somit nur die humanistisch Gebildeten sein: Das Deutsche trat an die Stelle des Lateinischen, doch das humanistisch-gelehrte Arsenal der Dichtersprache und die poetologischen Voraussetzungen blieben die gleichen. Dichtung, wenn auch jetzt in der Volkssprache, war weiterhin Reservat einer elitären Schicht. Die Erneuerung der deutschen Dichtersprache und der deutschen Dichtung bedeutete einen entschiedenen Bruch mit der einheimischen Tradition: Es führt kein Weg von Hans Sachs zu Martin Opitz oder Andreas Gryphius. Gleichwohl ist durchaus eine Kontinuität vorhanden; sie ist allerdings nicht an die Sprache gebunden: Die lateinische Dichtungstradition gehört zu den unabdingbaren Voraussetzungen der deutschen Kunstdichtung des 17. Jahrhunderts.

Antike und Renaissance als Vorbilder

Neben der lateinischen Tradition ist es die Renaissancepoesie in den fortgeschritteneren Ländern Süd- und Westeuropas, die zum Vorbild und Maßstab wurde, war doch hier das gelungen, was in Deutschland noch zu tun war: die Erneuerung der volkssprachlichen Dichtung auf humanistischer Basis. Daß das Deutsche zu derartigen Leistungen fähig sei, begründete man mit Hinweisen auf das ehrwürdige Alter der deutschen Poesie und einigen Zeugnissen aus dem Mittelalter, doch Muster für die Ausbildung einer gehobenen Dichtersprache und einer neuen Kunstdichtung konnte nur die Dichtung der Antike und der Renaissance sein.

Titelblatt von 1624

Die Reform der deutschen Dichtung im 17. Jahrhundert wird von den Zeitgenossen und der Literaturgeschichtsschreibung mit dem Namen von Martin Opitz verbunden. Am Anfang seiner zielstrebigen Bemühungen stehen programmatische Ankündigungen und poetologische Rezepte; ihnen schließen sich – nicht minder folgenreich – Muster für fast alle Gattungen und Formen an: Drama, Opernlibretto, höfischer Roman, Lehr- und Bibeldichtung, Lyrik. Sein *Buch von der Deutschen Poeterey* (1624) ist die erste Poetik in deutscher Sprache. Außer den auf die deutsche Sprache und Verskunst bezogenen Vorschriften enthält Opitz' knappe Schrift nichts, was nicht schon in den vorausgehenden Poetiken der Renaissance zu finden wäre. Entscheidend für die deutsche Entwicklung wurde der Abschnitt, der »Von den reimen / ihren wörtern und arten der getichte« handelt und die wesentlichen dichtungstechnischen Aspekte der Reform erläutert. Hier stehen auch die folgenreichen metrischen Vorschriften: »Nachmals ist auch ein jeder verß entweder ein iambicus oder trochaicus; nicht zwar das wir auff art der griechen unnd lateiner eine gewisse grösse [Länge] der sylben können inn acht nemen; sondern das wir aus den accenten unnd dem thone erkennen / welche sylbe hoch unnd welche niedrig gesetzt soll werden.« Damit hatte Opitz die deutsche Poesie auf alternierende Verse (Jamben und Trochäen) verpflichtet und – im Unterschied zum quantitierenden Verfahren der antiken Metrik – ein Betonungsgesetz formuliert. Die Alternationsregel wurde schon bald aufgegeben; der zweite Grundsatz, die Beachtung des natürlichen

Wortakzents, war von Dauer. Darüber hinaus enthält die Poetik neben kurzen Charakteristiken der verschiedenen Literaturgattungen Empfehlungen bestimmter Versformen, wobei Alexandriner und vers commun (fünfhebiger Jambus mit Zäsur) dem Sonett und dem Epigramm zugeordnet werden, während trochäische Verse (oder die Mischung jambischer und trochäischer Zeilen) der freieren Form des Liedes – »Ode« in der Terminologie der Zeit – vorbehalten bleiben.

Die gelehrte Kunstdichtung in deutscher Sprache setzte sich nicht überall durch. Die katholischen Territorien Süd- und Westdeutschlands verschlossen sich weitgehend der Sprach- und Dichtungsreform und führten eigene, lateinische und deutsche, Traditionen weiter. Neben konfessionellen und regionalen Abgrenzungen gab es aber auch soziale: Die Kluft zwischen der gelehrten Humanistenschicht und dem Volk, die im 16. Jahrhundert durch die verschiedenen Sprachen – Lateinisch und Deutsch – ihren deutlichsten Ausdruck gefunden hatte, bestand nun innerhalb einer Sprache. Die Traditionen der deutschsprachigen Literatur des 16. Jahrhunderts, gegen die sich die Dichtergelehrten wandten, brachen daher keinesfalls völlig ab. Zwar setzte sich auf der Ebene der Kunstdichtung weitgehend die gelehrte Richtung durch, doch zeigt eine Sammlung wie das *Venusgärtlein* (1656) mit seiner Mischung älterer und neuerer Lieder, daß das Volkslied durchaus noch lebendig war. Auch die Meistersingerkunst wurde in manchen Städten weiter betrieben – so gab es selbst in Breslau, einer der Hochburgen der barocken Poesie, noch bis 1670 eine Singschule –, doch hatten die Gelehrtendichter für derartige Kunstübungen, die ihnen geradezu als Musterbeispiele dichterischer Rückständigkeit und Stümperei erscheinen mußten, nur Verachtung übrig. Auch die Flugblätter (Einblattdrucke) mit gereimten Kommentaren zu politischen und religiösen Ereignissen, sozialen Problemen und wunderbaren Geschehnissen hielten sich keineswegs immer an die Normen der Kunstdichtung, wie in dieser satirischen Grabschrift von 1634:

Die Grenzen
der Reform

> *Wallensteins Epitaphium*
>
> Hie liegt und fault mit Haut und Bein
>   Der Grosse KriegsFürst Wallenstein.
> Der groß Kriegsmacht zusamen bracht /
>   Doch nie gelieffert recht ein Schlacht.
> Groß Gut thet er gar vielen schencken /
>   Dargeg'n auch viel unschuldig hencken.
> Durch Sterngucken und lang tractiren /
>   Thet er viel Land und Leuth verliehren.
> Gar zahrt war ihm sein Böhmisch Hirn /
>   Kont nicht leyden der Sporn Kirrn.
> Han / Hennen / Hund / er bandisirt /
>   Aller Orten wo er losirt.
> Doch mußt er gehn deß Todtes Strassen /
>   D' Han krähn / und d' Hund bellen lassen.

Die Gruppen, die als Rezipienten der modernen Kunstdichtung ausfielen (große Teile der Landbevölkerung, die Unter- und Mittelschichten der Städte), waren deswegen nicht ohne Dichtung. Hier lebte die »Volkspoesie« in ihren verschiedenen Formen, überwiegend mündlich weiterverbreitet, hier wurden Lieder gesungen, Flugblätter (vor)gelesen. Auf die Entwicklung der deutschen Literatur im 17. Jahrhundert blieben diese Erscheinungen allerdings ohne Einfluß.

Dichtung und Rhetorik

Die Kategorien der Erlebnisdichtung haben keine Gültigkeit für die Literatur des 17. Jahrhunderts. Daß sie gleichwohl noch heute gelegentlich angewendet werden, spricht für die tiefe Verwurzelung der klassisch-romantischen Dichtungsauffassung in der deutschen literaturwissenschaftlichen Tradition. Zugleich zeigt sich hier die Schwierigkeit, eine angemessene Begrifflichkeit für die Beschäftigung mit der vorklassischen Literatur zu entwickeln, eine Begrifflichkeit, die mehr darstellt als eine Antithese zu den Kategorien der Erlebnisästhetik.

Von den Begriffen, die zur Charakterisierung der Barockdichtung und ihrer Andersartigkeit in die Diskussion eingeführt wurden – Distanzhaltung, Repräsentation, Objektivität, höfisch –, ist nur der des Rhetorischen spezifisch an die Sprache gebunden. Daß die Poesie als »gebundene Rede« einen Teil der Redekunst darstellt, war im 17. Jahrhundert unumstritten. »Diesem nach«, schreibt Harsdörffer im *Poetischen Trichter* (1647/53), »ist die Poeterey und Redkunst miteinander verbrüdert und verschwestert / verbunden und verknüpfet / daß keine sonder die andre gelehret / erlernet / getrieben und geübet werden kan.« Diese Ansicht ist ein Erbe der Antike, und sie ist grundlegend für das Verständnis von Dichtung und Poetik in der frühen Neuzeit. Wenn Opitz den vornehmsten Zweck der Dichtung in »uberredung und unterricht auch ergetzung der Leute« sieht, so verwendet er damit Kategorien der Rhetorik – *persuadere, docere, delectare* –, definiert er »Sprachkunst als intentionale Kunst« (Wilfried Barner). Dichtung ist, und das betrifft alle Gattungen, auf Wirkung angelegt, sie hat einen »Zweck«.

Von der Rhetorik übernimmt die Poetik auch die grundlegende Unterscheidung von *res* und *verba*, Sachen (Gegenständen, Themen der Dichtung) und Wörtern, und die daraus folgende Gliederung, wobei nur der Bereich der Verskunst keine Parallele in der Rhetorik hat: »Weil die Poesie / wie auch die Rednerkunst / in dinge und worte abgetheilet wird; als wollen wir erstlich von erfindung und eintheilung der dinge / nachmals von der zubereitung und ziehr der worte / unnd endtlich vom maße der sylben / Verse / reimen / unnd unterschiedener art der carminum und getichte reden.«

Mit diesen Worten leitet Opitz das fünfte Kapitel seiner Poetik ein, mit dem er zu ihrem spezifischen Teil übergeht. Hatten die einführenden Kapitel vom Wesen der Poesie gesprochen, die Poetenzunft verteidigt und das ehrwürdige Alter der deutschen Poesie betont, so folgt nun eine systematische Darlegung der Grundsätze und »Regeln« der Poesie in der Ordnung der rhetorischen Lehrbücher: Inventio (»erfindung«), Dispositio (»eintheilung«), Elocutio (»zubereitung und ziehr der worte«). Daß dieses Nacheinander seine Logik hat, macht Harsdörffer deutlich: »Wann ich einen Brief schreiben will / muß ich erstlich wissen / was desselben Inhalt seyn soll / und bedencken den Anfang / das Mittel / das End / und wie ich besagten Inhalt aufeinander ordnen möge / daß jedes an seinem Ort sich wolgesetzet / füge: Also muß auch der Inhalt / oder die Erfindung deß Gedichts erstlich untersucht / und in den Gedancken verfasset werden / bevor solcher in gebundener Rede zu Papier fliesse. Daher jener recht gesagt: *Mein Gedicht ist fertig / biß auf die Wort.*«

Sachen und Wörter sind einander zugeordnet, Dichtung ist immer auf eine Sache bezogen. Harsdörffers Bemerkung, daß die Rede »verständlich-zierlich und den Sachen gemäß seyn« solle, verweist darauf, daß die Zuordnung

D esem nach ist die Poeterey und Redkunst miteinander verbrüdert und verschwestert / verbunden und verknüpfet / daß keine sonder die andre gelehret / erlernet / getrieben und geübet werden kan. Wie nun der Redner zu seinem Inhalt schickliche Figuren / abgemäßne Wort und der Sachen gemäße Beschminkung und Beschmuckung anzubringen weiß / seine Zuhören zubewegen: Also sol auch der Poët mit fast natürlichen Farben seine Kunst gedanken ausbilden / und muß so wol eine schwartze Kohlen aus der Höllen gleichsam zuentlehnen wissen / die abscheulichen Mord-Greuel eines bejammerten Zustandes aufzureissen; als eine Feder aus der Liebe Flügel zu borgen die Hertzbeherrschende Süssigkeit einer anmutigen Entzuckung zu entwerffen.

Georg Philipp Harsdörfer: »Poetischer Trichter« (1647–53)

Angemessenheit

nicht willkürlich sein darf und die Wörter der Sache angemessen sein müssen. Dem intentionalen Charakter der Dichtung entsprechend richtet sich der sprachliche Ausdruck zudem nach der Wirkung, die bei den Adressaten erzielt werden soll. Dichtung ist also dem Subjektiven entzogen, der Dichter steht in einer Distanz zu Sache und Wort. Die Frage nach dem Erlebnis ist anachronistisch und dem rhetorischen Wortverständnis unangemessen.

Obwohl die Zuordnung von Sachen und Wörtern nicht willkürlich und durch die Lehre vom Dekorum von alters her geregelt ist, so besteht doch immer die Möglichkeit, daß sich die Verbindung von Sache und Wort lockert und die artistische Form zum Selbstzweck wird. Es spricht sogar viel dafür, daß zwischen der auf der Tradition der klassischen Rhetorik basierenden Dichtungstheorie des 17. Jahrhunderts und der Praxis ein Widerspruch besteht: Während die meisten Poetiker die überlieferten Anweisungen nur geringfügig variieren, entfernt sich die dichterische Praxis mehr und mehr von der Theorie und nimmt manieristische Züge an. Verantwortlich dafür ist der Umstand, daß die rhetorische Tradition nicht auf die Theorie begrenzt ist, sondern daß Rhetorik als Disziplin »auf der Dreiheit von *doctrina* (bzw. *praecepta*), *exempla* und *imitatio*« beruht (W. Barner). Eine Verschiebung im Bereich der Muster muß daher bei einer Dichtungsauffassung, die auf dem Prinzip der Imitatio beruht, weitreichende Folgen für die poetische Praxis haben.

Widerspruch zwischen Theorie und Praxis

Imitatio bedeutet hier nicht Nachahmung der Natur, sondern literarischer Vorbilder und Muster. Moderne Vorstellungen wie Plagiat oder Originalität haben in einer derartigen Denkweise keinen Platz. Sich »frembder Poeten Erfindungen« zu bedienen, ist »ein rühmlicher Diebstal bey den Schülern / wann sie die Sache recht anzubringen wissen« (Harsdörffer). Allerdings gehen derartige Aussagen von der Erwartung aus, daß die Imitatio nachahmenswürdiger Werke der Vergangenheit und Gegenwart zu etwas Neuem, Eigenem führt.

Imitatio

Lyrik

Mit der Literaturreform werden die Themen und Formen der europäischen Renaissancedichtung auch für die deutsche Lyrik bestimmend. Die deutschen Dichter setzen die Traditionen der klagenden und heiteren Liebesdichtung, des geselligen Lieds, der Lobdichtung und der Satire fort. Sie übernehmen zugleich den Formenkanon der humanistischen Kunstdichtung. Sonett, längeres Alexandrinergedicht (Elegie), Epigramm und Ode, die als große dreiteilige pindarische Ode und als Lied erscheinen, herrschen vor. Daneben versucht man sich an kunstvollen Gebilden wie der Sestine, gibt es Experimente mit anderen antiken Odenformen (gereimte sapphische Oden). Die große Beliebtheit von Figurengedichten schließlich zeigt die Freude über die neugewonnenen ästhetischen Möglichkeiten der deutschen Sprache.

Auch die geistliche Lyrik macht sich die neuen Vers- und Strophenformen zu eigen, doch bleibt das Kirchenlied in stärkerem Maße einheimischen Traditionen verbunden. Seine Funktion als Gemeindegesang bot ihm nur begrenzte Entwicklungsmöglichkeiten. Gleichwohl – oder gerade deswegen – gehören Kirchenlieder zu den wenigen dichterischen Erzeugnissen des 17. Jahrhunderts, die lebendig geblieben sind. Neben dem für den öffent-

Figurengedicht von Johann Steinmann (1653)

lichen Gottesdienst bestimmten Kirchenlied entsteht im 17. Jahrhundert eine Liedgattung, die für die private Frömmigkeitsübung, die Hausandacht, konzipiert ist und durch ihre musikalische Gestaltung und den Kunstcharakter der Texte auf ein Publikum verweist, dem die Prinzipien der humanistischen Kunstdichtung vertraut sind: das geistliche Lied.

Opitz

Opitz habe das »Eiß gebrochen / und uns Teutschen die rechte Art gezeiget / wie auch wir in unsrer Sprache / Petrarchas, Ariostos, und Ronsardos haben können«, schreibt der Schleswig-Holsteiner Johann Rist in der Gedichtsammlung *Musa Teutonica* (1634), mit der er die regeltreue deutsche Kunstlyrik in den niederdeutschen Sprachraum einführte. Überall im protestantischen Deutschland setzte sich das Reformprogramm durch, wurden die Opitzschen Muster imitiert und variiert. Sein Werk – Regelbuch wie poetische Beispiele – bildete die Grundlage für die großen lyrischen Leistungen der folgenden Jahrzehnte.

Titelkupfer von 1646

Die Dichtung von Paul Fleming, der sich als Opitzianer verstand, stellt den ersten Höhepunkt der deutschen Lyrik des 17. Jahrhunderts dar. Sie wird in der Regel im Zusammenhang mit dem Petrarkismus betrachtet, dessen Motive zwar schon von Opitz, Georg Rodolf Weckherlin und anderen in die deutsche Literatur eingeführt worden waren, der bei Fleming jedoch in seiner ganzen Breite rezipiert wird und weitgehend den Charakter seiner Liebeslyrik bestimmt. Die Liebesgedichte in den postum 1646 erschienenen *Teutschen Poemata* handeln vom Preis und der Schönheit der Geliebten (fein säuberlich nach Körperteilen getrennt) und den mit ihr verbundenen Objekten und Örtlichkeiten, beschäftigen sich mit dem Wesen der Liebe und ihrer Wirkung und benutzen zu diesem Zweck das ganze antithetische und hyperbolische Arsenal der überlieferten Liebessprache, gelegentlich bis an den Rand des Parodistischen. Doch neben den traditionellen Motiven der klagenden Liebe, neben Selbstverlust und Todessehnsucht, behauptet sich ein anderes Thema, das der Treue. Die besten Leistungen finden sich dabei nicht zufällig unter den Oden Flemings. Stellen Sonett und Alexandriner die angemessenen Formen dar, die Antithetik der petrarkistischen Liebesauffassung auszudrücken, so ermöglicht die Ode, das Lied, einen schlichteren Ton, der an das Volks- und Gesellschaftslied anklingt (»Ein getreues Hertze wissen / hat deß höchsten Schatzes Preiß«).

Das Gegenbild des von widerstreitenden Affekten hin- und hergerissenen petrarkistischen Liebhabers, wie er in einem Teil der Liebesgedichte gezeichnet ist, zeigen die großen weltanschaulich-philosophischen Sonette. In dem Sonett *An Sich* formuliert Fleming in eindringlichen Imperativen Maximen einer praktischen Philosophie, ein Tugendprogramm, das auf den Lehren des Neostoizismus beruht. Es gipfelt, gemäß der verbreiteten Auffassung des Sonetts als Epigramm, in einer sprichwortartigen Schlußsentenz, die die Eigenmächtigkeit des Individuums gegenüber allen äußeren Zwängen behauptet:

> Sey dennoch unverzagt. Gieb dennoch unverlohren.
> Weich keinem Glücke nicht. Steh' höher als der Neid.
> Vergnüge dich an dir / und acht es für kein Leid /
> hat sich gleich wieder dich Glück' / Ort / und Zeit verschworen.
>
> Was dich betrübt und labt / halt alles für erkohren.
> Nim dein Verhängnüß an. Laß' alles unbereut.
> Thu / was gethan muß seyn / und eh man dirs gebeut.
> Was du noch hoffen kanst / das wird noch stets gebohren.

Was klagt / was lobt man doch? Sein Unglück und sein Glücke
ist ihm ein ieder selbst. Schau alle Sachen an.
Diß alles ist in dir / laß deinen eiteln Wahn /

und eh du förder gehst / so geh' ich dich zu rücke.
Wer sein selbst Meister ist / und sich beherrschen kan /
dem ist die weite Welt und alles unterthan.

Wirken in Flemings Haltung die Ideale des Renaissance-Individualismus
nach (vgl. auch die *Grabschrifft / so er ihm selbst gemacht*), so rückt Andreas Gryphius das Leiden, das Bewußtsein der Vergänglichkeit und Gebrechlichkeit des Lebens und der Welt in den Mittelpunkt seines Werkes, das
mit einer in der deutschen Lyrik bis zu diesem Zeitpunkt beispiellosen Intensivierung des rhetorischen Sprechens die Grenzen des opitzianischen Klassizismus durchbricht. Doch auch Gryphius baut auf dem von Opitz gelegten *Gryphius*
Fundament auf. Selbst konkrete Bezüge lassen sich nachweisen: Eines der
berühmtesten Gedichte der Zeit, die *Trawrklage des verwüsteten Deutsch-*
landes (später *Thränen des Vaterlandes / Anno 1636*), verwendet Motive
und Formulierungen aus dem *Trostgedichte In Widerwertigkeit deß Krieges*
(1633) von Opitz. Hier ist nicht nur von »grawsamen Posaunen« und »few-
rigen Carthaunen« die Rede, sondern auch die antithetischen Alexandriner
der *amplificatio* sind vorgebildet: »Die Mawren sind verheeret / Die Kirchen
hingelegt / die Häuser umbgekehret«. Diese Elemente, in Opitz' großem
epischen Gedicht über Hunderte von Versen verstreut, verdichtet Gryphius
zu einem symbolischen Bild des von den Schrecken des Krieges heimgesuch-
ten Landes, zu einer apokalyptischen Vision:

Wir sind doch nunmehr gantz / ja mehr denn gantz verheeret!   *Thränen des Vater-*
Der frechen Völcker Schaar / die rasende Posaun   *landes / Anno 1636*
Das vom Blutt fette Schwerdt / die donnernde Carthaun
Hat aller Schweiß / und Fleiß / und Vorrath auffgezehret.

Die Türme stehn in Glutt / die Kirch ist umgekehret.
Das Rathauß ligt im Grauß / die Starcken sind zerhaun /
Die Jungfern sind geschänd't / und wo wir hin nur schaun
Ist Feuer / Pest / und Tod / der Hertz und Geist durchfähret.

Hir durch die Schantz und Stadt / rinnt allzeit frisches Blutt.
Dreymal sind schon sechs Jahr / als unser Ströme Flutt /
Von Leichen fast verstopfft / sich langsam fort gedrungen.

Doch schweig ich noch von dem / was ärger als der Tod /
Was grimmer denn die Pest / und Glutt und Hungersnoth
Das auch der Seelen Schatz / so vilen abgezwungen.

Schon Gryphius' erste Gedichtsammlung (*Lissaer Sonette*, 1637) nimmt das   *Emblematisches*
Thema auf, das kennzeichnend für sein gesamtes Werk werden sollte. Über-   *Städtebild von Breslau*
schriften wie *Vanitas, vanitatum, et omnia vanitas, Trawrklage des Autoris /*
in sehr schwerer Kranckheit, Der Welt Wollust ist nimmer ohne Schmertzen
und *Menschliches Elende* deuten den ganzen Umfang der Vorstellungen von
der Eitelkeit des Irdisch-Menschlichen an, die in seiner Lyrik, seinen   *Vanitas*
Trauerspielen und seinen Leichabdankungen (Leichenreden) immer neu variiert werden. Daß diese Thematik in einen größeren heilsgeschichtlichen
Zusammenhang eingebettet ist, machen die Sonette *An Gott den Heiligen*
Geist am Anfang und über die vier letzten Dinge (*Der Todt, Das Letzte*
Gerichte, Die Hölle, Ewige Frewde der Außerwehlten) am Schluß der ersten

beiden Sonettbücher von 1643 bzw. 1650 deutlich. Zwischen Anfang und Ende stehen die Gedichte auf »irdische Dinge«, nicht zufällig eingeleitet von den Vanitas-Sonetten. Diese Verklammerung erhellt den Stellenwert des Lebens in dieser Welt, das durch Hinfälligkeit und Vergänglichkeit bestimmt ist; zugleich wird eine Beziehung zum Leiden Christi hergestellt, Hinweis auf die Notwendigkeit von Leid und Not im irdischen Leben, aber auch auf den Weg zum ewigen Leben, der über das Leiden führt. Den Gedichten über die Eitelkeit der Welt und die Vergänglichkeit alles Irdischen stehen als Beispiele für die Beschaffenheit und Bestimmung des Menschen die Sonette zur Seite, die sich »Menschliches Elende« zum Thema nehmen (»Was sind wir Menschen doch? ein Wohnhauß grimmer Schmertzen«) und mit krassen Worten von der Gebrechlichkeit des Menschen sprechen: »Mir grauet vor mir selbst / mir zittern alle Glider«, beginnt das Sonett *An sich selbst*.

Auch da, wo Gryphius von der Welt, z.B. von der Natur, zu sprechen scheint, geht es um ihre heilsgeschichtliche Bedeutung und um das Seelenheil des einzelnen. So sind weder das *Einsamkeit*-Sonett noch die Tageszeiten-Sonette Natur- oder Landschaftsgedichte, sondern die Betrachtung der Dinge dieser Welt lenkt die Gedanken auf den Menschen und seine heilsgeschichtliche Bestimmung. Die Naturgegenstände und -elemente haben verweisenden Charakter, sind »Sinnenbilder«, deren Bedeutung häufig in der Geschichte der christlich-allegorischen Naturauslegung zu suchen ist. Dabei ist der Hintergrund der traditionellen Bibelexegese nach dem vierfachen Schriftsinn deutlich erkennbar, zugleich nähert sich die Form mancher Sonette der des Emblems mit seinem dreiteiligen Aufbau: Überschrift (*inscriptio*), Bild (*pictura*) und Epigramm (*subscriptio*). Allerdings ist die Dreiteiligkeit nicht immer so eindeutig ausgeprägt wie in den Sonetten *Einsamkeit, Morgen, Mittag* oder dem folgenden Gedicht, das mit traditionellem Material (Schiffahrtsmetapher) den Typ des allegorisch-auslegenden, emblematischen Gedichts beispielhaft verwirklicht:

XLIV.
TEMPESTATE PROBATUR.

Emblem: »Durch die Zeit wird man probirt (geprüft)«

An die Welt

    Mein offt bestürmbtes Schiff der grimmen Winde Spil
Der frechen Wellen Baal / das schir die Flutt getrennet /
Das über Klip auff Klip' / und Schaum / und Sandt gerennet.
    Komt vor der Zeit an Port / den meine Seele wil.

    Offt / wenn uns schwartze Nacht im Mittag überfil
Hat der geschwinde Plitz die Segel schir verbrennet!
Wie offt hab ich den Wind / und Nord' und Sud verkennet!
    Wie schadhafft ist Spriet / Mast / Steur / Ruder / Schwerdt und Kill.

Steig aus du müder Geist / steig aus! wir sind am Lande!
Was graut dir für dem Port / itzt wirst du aller Bande
    Und Angst / und herber Pein / und schwerer Schmertzen loß.

Ade / verfluchte Welt: du See voll rauer Stürme!
Glück zu mein Vaterland / das stette Ruh' im Schirme
    Und Schutz und Friden hält / du ewig-lichtes Schloß!

Intensivierung der rhetorischen Mittel

Gryphius' Lyrik drängt zur pathetisch bewegten Rede. Worthäufungen, asyndetische Reihungen, Parallelismen und Antithesen gehören zu ihren wichtigsten rhetorischen Mitteln. Diese stehen im Dienst des insistierenden Nennens, umkreisen den Gegenstand, beschreiben ihn durch die Aufzählung seiner einzelnen Teile (*enumeratio partium*) oder durch eine Folge von Definitionen. Durch die Intensivierung der rhetorischen Mittel, eine Vorliebe für Asymmetrie und ein Überspielen der Starrheit der vorgegebenen Formen

(Metrik, Versformen) erzielt Gryphius eine Eindringlichkeit der Rede, deren Wirkung durch die Wahl greller und harter Ausdrücke (»Zentnerworte«) noch weiter gesteigert wird. Besonders in den Worthäufungen, die die insistierende Nennung auf die Spitze treiben, zeigt sich, wie Gryphius um des rhetorischen *movere* willen die Ebene des klassizistisch-maßvollen Sprechens durchbricht:

> Ach! und weh!
> Mord! Zetter! Jammer / Angst / Creutz! Marter! Würme! Plagen.
> Pech! Folter! Hencker! Flamm! Stanck! Geister! Kälte! Zagen!
> Ach vergeh!

Einen anderen Weg, die Ausdrucksmöglichkeiten der Dichtersprache zu erweitern, beschreiten Philipp von Zesen und die Nürnberger Dichter Georg Philipp Harsdörffer und Johann Klaj. Der Daktylus, den Opitz nur in Ausnahmefällen dulden wollte, wird rehabilitiert, und mit Hilfe von Lautmalerei und Binnenreim entstehen in den vierziger Jahren Versgebilde von einer Lebendigkeit und rhythmischen Bewegtheit, wie sie die deutsche Literatur bis dahin nicht gekannt hatte. Harsdörffers Werk enthält überdies zahlreiche Hinweise auf eine Intensivierung der Bildersprache, die spätere Entwicklungen vorbereiten.

Erweiterung der Ausdrucksmöglichkeiten (Zesen und die Nürnberger)

Anregungen der Nürnberger wirken auch bei Catharina Regina von Greiffenberg weiter, der bedeutendsten Dichterin des 17. Jahrhunderts (*Geistliche Sonnette / Lieder und Gedichte*, 1662). Das erste Sonett ihrer Gedichtsammlung, *Christlicher Vorhabens-Zweck*, nennt das »Spiel und Ziel«, dem sie sich in ihrem Leben und in ihrer Dichtung verschrieben hat: Gotteslob, Lob der göttlichen Vorsehung, der Gnade und Güte Gottes, Lob Gottes in der Natur und – ein entscheidendes Paradox – in der Erfahrung des Leides. Sie bevorzugt die kunstvolle Sonettform als das ihrem Denken und ihrer religiösen Erfahrung adäquate Ausdrucksmittel. Dabei ist die ästhetische Wirkung der Gedichte weitgehend von der Musikalität der Sprache (»Jauchzet / Bäume / Vögel singet! danzet / Blumen / Felder lacht!«) und der häufigen Verwendung von außergewöhnlichen Komposita bestimmt: Herzgrund-Rotes Meer, Herzerleuchtungs-Sonn', Anstoß-Wind, Himmels-Herzheit, Meersands-Güt', Anlas-Kerne, Schickungs-Aepffel. Das gibt manchen Gedichten einen manieristischen Anstrich, doch hat diese Technik neben ihrem ästhetischen Reiz auch einen tieferen Sinn: Durch die Wortzusammensetzungen werden verborgene Analogien aufgezeigt, werden Mensch, Natur und Gott aufeinander bezogen, wird die Welt sichtbar als ein Ort, in dem die verschiedenen Bereiche aufeinander verweisen.

C.R. v. Greiffenberg: Gotteslob und manieristische Sprachkunst

Trotz dieser Erweiterungen der Ausdrucksmöglichkeiten läßt sich die Geschichte der deutschen Lyrik im 17. Jahrhundert nicht als kontinuierlicher Prozeß darstellen, als eine Entwicklung, die vom klassizistischen Stil Opitzscher Prägung über einen rhetorisch intensivierenden oder experimentellen, spielerisch-artistischen Stil zu einer Spätphase führt, in der die Artistik Selbstzweck und schließlich wieder zurückgenommen wird. Gegen diese Konstruktion spricht vor allem die Gattungsgebundenheit der Poesie im 17. Jahrhundert, die Gültigkeit der durch die Tradition überlieferten Gattungsgesetze und der Zusammenhang von »Sachen«, d.h. den Gegenständen der Dichtung, Gattung und Wörtern.

Gattungsgebundenheit

Als besonders gattungsgebunden erweist sich das Kirchenlied. Der bedeutendste protestantische Lieddichter des 17. Jahrhunderts ist Paul Gerhardt, dessen Lieder nach und nach in verschiedenen Auflagen von Johann Crügers *Praxis Pietatis melica / das ist Ubung der Gottseligkeit* (1648ff.) veröffent-

Protestantisches Kirchenlied

Titelblatt eines Gebetbuchs (um 1623)

licht worden waren (Gesamtausgabe: *Geistliche Andachten*, 1667). Wie andere geistliche Dichter setzte er die Passion und die Sonntagsevangelien in Verse um, aus der lateinischen Hymnentradition stammt *O Haupt vol Blut und Wunden*, eines seiner bekanntesten Lieder *(Salve caput cruentatum)*. Volkstümlich wurde er mit Liedern wie *Befiehl du deine Wege*, *Geh aus mein Hertz und suche Freud* oder *Nun ruhen alle Wälder*, mit Texten also, die dem Bedürfnis nach einer verinnerlichten Frömmigkeit entgegenkamen. Allerdings bedeutet der häufig postulierte Gegensatz zwischen den »Wir«-Liedern Luthers und den »Ich«-Liedern Gerhardts (noch) keinen Durchbruch zur Subjektivität. In den Versen

> Geh aus mein Hertz und suche Freud
> In dieser lieben Sommerzeit
>   An deines Gottes Gaben:
> Schau an der schönen Garten-Zier /
> Und siehe wie sie mir und dir
>   Sich außgeschmücket haben.

bezeichnet das Ich kein unverwechselbares Individuum, gemeint ist vielmehr – wie fast durchweg im religiösen Lied des 17. Jahrhunderts – der Mensch als Mitglied der Glaubensgemeinschaft. Daß es noch nicht um subjektive Erlebnisweisen gehen kann, zeigt sich auch an Gerhardts Behandlung der Natur. Obwohl die Hälfte des langen Liedes in einer Reihung von Naturbildern besteht, hat Natur nur eine Zeichenfunktion, soll die (vergängliche) Schönheit »dieser armen Erden« auf den Schöpfer und auf »Christi Garten« verweisen und zum Glauben hinführen. Natur- und Genrebilder sind nicht Selbstzweck, sondern stehen in einem Verweisungszusammenhang. Darin treffen sich beispielsweise manche Sonette von Andreas Gryphius mit den Liedern Gerhardts. Auch in der emblematischen Struktur zeigen sich Parallelen: Wenn Gryphius Überschrift, Naturbild und Deutung zu einer formalen Einheit verbindet, so entspricht das dem Verfahren Gerhardts, dem Naturbild die geistliche Deutung folgen zu lassen.

Der katholische Gemeindegesang war freier als das protestantische Kirchenlied, da er nicht an die Bedingungen der Liturgie gebunden war. Er konnte daher stärker an den Stil des volkstümlichen deutschen Liedes anknüpfen. Den Schritt zur Kunstdichtung unternahm unabhängig von Opitz der rheinische Jesuit Friedrich Spee mit den Liedern seiner *Trutz Nachtigal* (1649), die in den 20er Jahren entstanden waren. Ins Zentrum der Lieder führt die Jesusminne, die mit den typischen Ausdrucksweisen der petrarkistischen Liebesdichtung umschrieben wird (»O süssigkeit in peinen! O pein in süssigkeit!«). Daneben hat Spee einen besonderen Blick für die Schönheiten der Natur, für Landschaften, für Tages- und Jahreszeiten. Doch trotz aller Liebe zum Detail ist Spees Naturverständnis nicht anders als das Paul Gerhardts. Die Natur hat zeichenhafte Bedeutung, sie steht für Gottes Liebe, und der Preis der schönen Natur wird zum Lobgesang auf den Schöpfer: »O Mensch ermeß im hertzen dein, wie wunder muß der Schöpffer sein.« Ein weiterer Motivkreis ist bestimmt durch die Hirtenmaskerade. Ein Teil der in der *Trutz Nachtigal* versammelten Lyrik ist geistliche Hirtendichtung, die Spee Eklogen oder Hirtengesänge bzw. -gespräche nennt und mit denen er an das Gleichnis vom guten Hirten anknüpft.

Auch in Süddeutschland behauptete sich eine eigenständige katholische Lieddichtung. Es bestand wenig Neigung, die einheimische oberdeutsche Sprachtradition aufzugeben und sich den sprachlichen und literarischen Reformvorstellungen anzuschließen, die mit dem protestantischen Mit-

Spees »Trutznachtigall« – Entwurf des Titelblatts (1634)

Katholische Lieddichtung in Süddeutschland

teldeutschland verbunden waren. So bildete sich in München eine Lieder-
schule um den Priester Johannes Khuen, der über den Neulateiner Jacob
Balde in enger Verbindung mit den Dichtern des Jesuitenordens stand und
mit der Form seiner Sololieder auf den Jesuiten Albert Curtz (*Harpffen
Davids*, 1659) und den Kapuziner Laurentius von Schnüffis wirkte (*Miranti-
sches Flötlein*, 1682).

Auf einer anderen Ebene findet die Auseinandersetzung mit dem Glauben   *Mystik*
bei den von mystischen und chiliastischen Traditionen geprägten Dichtern
statt. Dichtung ist hier nicht mehr volkstümliche Predigt mit anderen Mitteln, sondern Ausdruck des religiösen Enthusiasmus und scharfsinniger
Spekulation. Entscheidend für die mystischen Strömungen dieser Zeit ist die
Verbindung von Vorstellungen der mittelalterlichen deutschen Mystik mit
der Naturspekulation und Naturphilosophie, wie sie im Zusammenhang mit
dem Platonismus und Neuplatonismus der Renaissance entstanden war. Die
einflußreichste Gestalt war Jacob Böhme, der trotz der Gegnerschaft der
lutherisch-orthodoxen Geistlichkeit und trotz Schreibverbots weit über
Deutschland hinaus wirkte. Aus dem Kreis um Böhme kam Abraham von
Franckenberg, der Böhmes Werke in Holland herausgab und mit seinen
eigenen Schriften und Missionsreisen wesentlich zur Verbreitung mystischen
Denkens im 17. Jahrhundert beitrug. Er stand mit einer Reihe von deutschen
Dichtern in Beziehung und verfaßte selbst Kirchenlieder und geistliche Epigramme. Auch Johannes Scheffler, der sich nach seiner Konversion zum
Katholizismus Angelus Silesius nannte, war durch Franckenberg in die my-
stische Literatur eingeführt und mit der geistlichen Epigrammatik (Daniel
Czepko) vertraut gemacht worden. Seine *Geistreichen Sinn- und Schluss-
reime* erschienen 1657; bekannter ist das Buch als *Cherubinischer Wanders-
mann*, wie der Obertitel der erweiterten Ausgabe von 1675 lautet. Der Hin-   *Angelus Silesius*
weis auf die Cherubim bezieht sich auf die traditionelle Hierarchie der Engel
und deutet an, daß der Versuch, den mystischen Weg zu Gott zu beschreiben,
hier in einer intellektuellen, den Verstand ansprechenden Weise unternommen wird. Dafür eignet sich die Form des Epigramms, auf dessen »geistreiche« Qualität der Untertitel anspielt. Im Mittelpunkt des Buches steht die
Beziehung zwischen Mensch (»Ich«) und Gott, die Scheffler in immer neue
paradoxe Formulierungen faßt:

> *Ich bin wie GOtt / und GOtt wie ich*
> Ich bin so groß als GOtt / Er ist als ich so klein:
> Er kann nicht über mich / ich unter Ihm nicht seyn.
>
> *GOtt lebt nicht ohne mich*
> Ich weiß daß ohne mich GOtt nicht ein Nun kan leben /
> Werd' ich zunicht Er muß von Noth den Geist auffgeben.
>
> *Die Liebe zwinget GOtt*
> Wo GOtt mich über GOtt nicht solte wollen bringen /
> So will ich Ihn dazu mit blosser Liebe zwingen.

Bei diesen Epigrammen wird der Leser auf die Vorrede verwiesen, in der es
heißt, daß sie sich auf die Unio mystica, den Zustand »nach dieser Vereinigung«, beziehen, die Scheffler, gestützt auf Zitate aus der älteren mystischen
Literatur, so beschreibt: »Wenn nu der Mensch zu solcher Vollkommner
gleichheit GOttes gelangt ist / daß er ein Geist mit GOtt und eins mit ihm
worden / und in Christo die gäntzliche Kind- oder Sohnschafft erreicht hat /
so ist er so groß / so reich / so weise und mächtig als GOtt / und GOtt thut
nichts ohne einen solchen Menschen / denn Er ist eins mit ihm.«

Der Dichter als Prophet: Quirinus Kuhlmann

Eine andere Richtung nimmt die religiöse Dichtung bei Quirinus Kuhlmann. Doch so auffallend die manieristischen Züge seiner Sprache sind, entscheidend ist die neue Funktion der Poesie. Kuhlmanns Hauptwerk, der *Kühlpsalter* (1684/86), ist als heiliges Buch konzipiert, sein Verfasser versteht sich als Prophet. Er sieht sich als den schon von Böhme erwarteten Jüngling, der den Antichrist stürzen und zum Tausendjährigen Reich überleiten werde. Sein ganzes Leben, seine Visionen müssen dazu dienen, seine Auserwähltheit zu legitimieren. Die politische Auslegung seines chiliastischen Programms kostete ihm in Moskau das Leben. So unangemessen dies angesichts der wenig praktikablen Vorstellungen Kuhlmanns erscheinen mag, so wenig läßt sich bestreiten, daß in seiner Kühlmonarchie, der Vereinigung der wahren Gläubigen im Kühlreich der Jesueliter, kein Platz für die herrschenden Mächte vorgesehen war (»Auf, Kaiser, Könige! Gebt her Kron, hutt und Zepter!«).

Satire

Die lyrische Auseinandersetzung mit der Welt findet auf verschiedenen Ebenen statt. Je nach Ausgangspunkt und Methode reichen die Ergebnisse von der völligen Negation (im Extremfall des Propheten des Gottesreichs auf Erden) über das generelle christliche Vanitas-Verdikt zur Kritik an konkreten gesellschaftlichen und politischen Mißständen. Hier, am letzten Punkt, setzen die Satiriker an, die einer aus den Fugen geratenen Ordnung den Spiegel vorhalten und die moralischen Pervertierungen und gesellschaftlichen Fehlentwicklungen kritisieren oder – es ist die Zeit des Dreißigjährigen Krieges und deutsch-französischer Antagonismen – parteiisch in die Tagespolitik eingreifen und sich dabei auch häufig über die Maxime hinwegsetzen, daß die Satire zwar die Laster strafen, die Personen aber schonen solle.

Logau: Kritik der gesellschaftlichen und politischen Entwicklung

»Die Welt ist umgewand«, heißt es bei Friedrich von Logau (*Deutscher Sinn-Getichte Drey Tausend*, 1654), in dessen satirischer Epigrammatik sich eine in Unordnung geratene, verkehrte Welt spiegelt. Die Maßstäbe für seine kritische Auseinandersetzung mit der zeitgenössischen Wirklichkeit nimmt Logau aus einer idealisierten Vergangenheit, einer statischen, hierarchisch gegliederten Welt, in der noch die alten deutschen Tugenden wie Treue, Redlichkeit und Frömmigkeit herrschten und die deutsche Sprache, Kleidung und Gesinnung noch nicht überfremdet waren. Vor diesem Hintergrund der (verklärten) altständischen Gesellschaft beurteilt er Ereignisse, Institutionen und menschliches Verhalten der Gegenwart, wendet er sich gegen Neuerungen und verteidigt das Überkommene. Das Neue, das die alten Lebensformen zu zerstören droht, manifestiert sich in erster Linie im Hof und der Hoforganisation, die im Zuge der Etablierung des absolutistischen Regiments entscheidenden Veränderungen unterworfen waren. Elemente traditioneller Hofkritik – »Wer will, daß er bey Hof fort kom, Der leb als ob er blind, taub, stum« (Weckherlin) – verbinden sich dabei mit Angriffen auf spezifische Mißstände. Dem absoluten Herrscher, seinem Hof und seinen Höflingen werden dabei die Ideale eines patriarchalischen Herrschaftsstils gegenübergestellt, der ein persönliches Treueverhältnis zwischen Fürst und Ratgebern voraussetzt. Doch die Welt, in der eine solche Lebensauffassung möglich ist, sieht Logau bedroht:

Heutige Welt-Kunst

Anders seyn / und anders scheinen:
Anders reden / anders meinen:
Alles loben / alles tragen /
Allen heucheln / stets behagen /
Allem Winde Segel geben:
Bös- und Guten dienstbar leben:

> Alles Thun und alles Tichten
> Bloß auff eignen Nutzen richten;
> Wer sich dessen wil befleissen
> Kan Politisch heuer heissen.

Ein neuer Beamtenadel, auf den sich der Herrscher stützt, beeinträchtigt die Stellung des landsässigen alten Adels, ein neuer Typ des Hofmanns, der eine »politische« Moral vertritt, setzt sich gegenüber dem »redlichen Mann« durch, eine von französischer Mode, Sprache und Literatur geprägte Hofkultur verdrängt die alten Lebensformen. So wird die Welt des Hofes durch Ehrgeiz, Heuchelei, Neid, Mißgunst und Undankbarkeit charakterisiert, und der Klage über das »Hofe-Leben« steht topisch die alte Sehnsucht nach dem Landleben gegenüber:

> O Feld / O werthes Feld / ich muß es nur bekennen /
> Die Höfe / sind die Höll; und Himmel du zu nennen.

In den letzten Jahrzehnten des 17. Jahrhunderts bietet die deutsche Lyrik ein wenig übersichtliches Bild. In geistlicher wie in weltlicher Dichtung verstärken sich die manieristischen Züge; zugleich wird eine Gegenbewegung sichtbar, die die Metaphernsprache wieder auf ein klassizistisches Mittelmaß zurückführen will. Die Grundlage der Poesie, das rhetorische Dichtungsverständnis, bleibt dabei unangetastet. Doch wechseln die Muster, die *exempla*, an denen sich die Dichtung orientiert. Hatte sich Opitz die Renaissancepoesie der west- und südeuropäischen Länder zum Vorbild genommen, so wurden in der zweiten Jahrhunderthälfte – ebenfalls mit beträchtlicher Verspätung – die barocken und manieristischen Tendenzen der Literaturen Italiens und Spaniens rezipiert. Die Gegenbewegung wiederum konnte sich am Klassizismus französischer Prägung orientieren.

Manierismus und Klassizismus

Der bedeutendste Repräsentant der spätbarocken Lyrik ist Christian Hoffmann von Hoffmannswaldau. Denn obwohl der Großteil seines Werkes in den 40er Jahren entstanden war, wurde es erst Jahrzehnte später in einer Auswahlausgabe (*Deutsche Übersetzungen und Getichte*, 1679) und dann in den ersten Bänden von Benjamin Neukirchs Anthologie *Herrn von Hoffmannswaldau und andrer Deutschen auserlesene und bißher ungedruckte Gedichte* (1695 ff.) einer breiteren Öffentlichkeit zugänglich gemacht. Hoffmannswaldaus Werk galt – mit dem Daniel Caspers von Lohenstein – den aufklärerischen Kritikern als Inbegriff der Unnatur. Während Opitz »durch seine natürliche und vernünftige Art zu denken [...] uns allen ein Muster des guten Geschmacks nachgelassen« habe, heißt es bei Johann Christoph Gottsched, hätten Hoffmannswaldau und Lohenstein durch »ihre regellose Einbildungskraft, durch ihren geilen Witz und ungesalzenen Scherz« der deutschen Poesie nur Schande erworben. Johann Jacob Bodmer konkretisiert diese Kritik nur, wenn er an Hoffmannswaldaus Metaphernsprache und Lohensteins dunklen Gleichnissen Anstoß nimmt. Der grundsätzliche Einwand gegen diesen »hochgefärbte[n] Schein« bezieht sich auf die (außer Kraft gesetzte) regulative Funktion des Iudicium, der Urteilskraft, die das poetische Ingenium zu kontrollieren hat: »Ihm fehlt' es an Verstand, den Geist geschickt zu lencken«, schreibt Bodmer über Hoffmannswaldau, der mit seinem Irrtum ganz Deutschland angesteckt habe.

Hoffmannswaldau

Kritik der Aufklärung

Die Zeitgenossen sahen das anders; für sie war es gerade dieser ingeniöse Witz, der den Rang eines Poeten ausmachte. Von *stupore* oder *meraviglia*, von dem Ziel, Staunen oder Verblüffung beim Hörer oder Leser zu erregen, schreiben die manieristischen Poetiker der Zeit. Giambattista Marino, der

davon ausgeht, daß die Poesie »die Ohren der Leser mit allem Reiz der
Neuigkeit« kitzeln müsse, faßt diese Anschauung in einem Epigramm zusammen:

> E del poeta il fin la meraviglia
> [...]
> Chi non sa far stupir, vada alla striglia!

> (Das Ziel des Dichters ist es, Verwunderung zu erregen;
> wer nicht Staunen zu machen weiß, soll Pferde striegeln!)

Concetti

In den Sinn- und Wortspielen, den Concetti, zeigt sich die *acutezza*, der
ingeniöse Scharfsinn des Poeten. So nimmt sich Hoffmannswaldau, der die
»gutten Erfindungen« der »Welschen« zu schätzen weiß, in einem nicht für
die Veröffentlichung bestimmten Epigramm den Herzog von Alba vor; er
setzt ihm eine knappe Grabschrift, die nichts an Deutlichkeit vermissen läßt,
zugleich jedoch dem Gebot der Spitzfindigkeit durch die Verknüpfung von
Name (albus = weiß) und Schicksal (»erbleichen«) gerecht wird:

> Hier liegt der wüterich / so nichts von ruh gehört /
> Biß ihm der bleiche tod ein neues wort gelehrt;
> Er brach ihm seinen hals / und sprach: du must erbleichen /
> Sonst würd ich dir noch selbst im würgen müssen weichen.

erotische Dichtung

Trotz einer Anzahl von geistlichen Liedern, Begräbnisgedichten und lyrischen Diskursen herrscht bei Hoffmannswaldau das Thema der sinnlichen
Liebe vor, zeigt er, »was die Liebe vor ungeheure Spiele in der Welt an-
richte«, feiert er mit religiöser Bildersprache den sinnlichen Genuß. Die
Motive und Situationen sind dabei recht beschränkt. Im Hintergrund steht
die petrarkistische Tradition, deren Grundvorstellungen, Motive und Bilder
in einem virtuosen Spiel abgewandelt und ironisiert werden. Der Reiz der
Gedichte liegt daher nicht in diesen Grundmustern selbst – etwa der Klage
über die hartherzige Geliebte oder der Erfüllung der Liebe im Traum –,
sondern im geistreichen, frivolen Spiel, in der ironischen Haltung, mit
der die überkommene Motivik behandelt wird. Hinzu kommt die formale
Eleganz, die zwanglose Virtuosität, die etwa das Sonett *Vergänglichkeit der
schönheit* auszeichnet, in dem zwei Grundthemen der Dichtung Hoffmannswaldaus und seiner Zeit, »Carpe diem« und »Memento mori«, mit schon
leicht parodistisch anmutender Metaphorik aufeinander bezogen werden:

> Es wird der bleiche tod mit seiner kalten hand
> Dir endlich mit der zeit umb deine brüste streichen /
> Der liebliche corall der lippen wird verbleichen;
> Der schultern warmer schnee wird werden kalter sand /

> Der augen süsser blitz / die kräffte deiner hand /
> Für welchen solches fällt / die werden zeitlich weichen /
> Das haar / das itzund kan des goldes glantz erreichen /
> Tilgt endlich tag und jahr als ein gemeines band.

> Der wohlgesetzte fuß / die lieblichen gebärden /
> Die werden theils zu staub / theils nichts und nichtig werden /
> Denn opfert keiner mehr der gottheit deiner pracht.

> Diß und noch mehr als diß muß endlich untergehen /
> Dein hertze kan allein zu aller zeit bestehen /
> Dieweil es die natur aus diamant gemacht.

Die Opposition gegen diese Kunst, die zunächst noch die großen Namen Hoffmannswaldau und Lohenstein schont, kommt von zwei Seiten: von den sogenannten galanten Dichtern und Theoretikern, denen es um eine Abschwächung des scharfsinnigen und schweren Barockstils geht, und – radikaler – von den Klassizisten, die der als exzessiv und unnatürlich empfundenen Bildersprache das auf Vernunft und Natur gegründete Stilideal Nicolas Boileaus entgegenhalten (*L'Art poétique*, 1674). Die klassizistische Richtung, beispielhaft vertreten durch den Freiherrn von Canitz (*Neben-Stunden Unterschiedener Gedichte*, 1700), setzt sich – nach einer langen Übergangszeit – erst mit dem Wirken Gottscheds durch.

Neuorientierung in der Lyrik

In diese Übergangszeit gehört das Werk Johann Christian Günthers, in dem eine Spannung zwischen aufbrechender Subjektivität und traditionellem dichterischen Rollenverständnis erkennbar wird. Das hat zu zahlreichen Versuchen geführt, Günther an die Goethezeit heranzurücken und seine Gedichte vor allem als Dokumente eines genialen, aber auch zügellosen, in Armut und Elend endenden Lebens zu interpretieren (Goethe: »Er wußte sich nicht zu zähmen, und so zerrann ihm sein Leben wie sein Dichten«). Günther selbst sah sich in der Tradition der humanistisch geprägten Gelehrtendichtung (»Vielleicht wird Opiz mich als seinen Schüler kennen«). Die Tradition stellt auch die dichterischen Rollen bereit, mit denen er sich identifiziert: Er, der »deutsche Ovid«, erkennt sein Schicksal wieder in dem des exilierten römischen Dichters, und er sieht sich als anderer Hiob (vgl. u. a. das Gedicht »Gedult, Gelaßenheit, treu, fromm und redlich seyn«). Ohne Zweifel haben autobiographische Momente eine große Bedeutung für Günthers Schaffen, sei es für die Liebesdichtung, die Klagelieder oder die dichterische Auseinandersetzung mit dem Vater. Doch ist dies nicht als Durchbruch zur Erlebnisdichtung im Sinn des späten 18. Jahrhunderts zu verstehen, denn auch der »Eindruck der Erfahrungsunmittelbarkeit und Erlebnisgeprägtheit« ist Resultat rhetorischer Denkformen und Verfahrensweisen (Wolfgang Preisendanz). Günther steht am Ende einer langen Tradition; er verfügt über sie, über die Sprechweisen und Rollen, die sie bereitstellt. Er ist ein professioneller Dichter mit einem ausgeprägten Bewußtsein vom hohen Rang der Dichtung und von seiner Aufgabe als Dichter. Entschiedener als jeder andere Dichter der Zeit bringt er daher seine eigene Person in die Dichtung ein und bereitet insofern, obwohl das Gefüge der traditionellen Poetik unangetastet bleibt, spätere Entwicklungen vor. Berühmt wurde er erst, als 1724, ein Jahr nach seinem Tod, die vierteilige Gesamtausgabe seiner Gedichte zu erscheinen begann (bis 1735).

Zwischen den Epochen: J. Chr. Günther

Von Trauer- und Freudenspielen

Der Gedanke, daß die Welt ein Theater sei, ist in der Literatur des 17. Jahrhunderts allgegenwärtig. Die Schauspielmetapher ist freilich nicht neu – die Antike kennt sie schon –, doch kein Zeitalter hat sie derart beansprucht wie das Barock: »Die Welt / ist eine Spiel-büne / da immer ein Traur- und Freudgemischtes Schauspiel vorgestellet wird: nur daß / von zeit zu zeit / andere Personen auftretten«, schreibt 1669 Sigmund von Birken. Die Welt ist ein Theater, der Mensch ein Schauspieler, der die ihm zugewiesene Rolle spielt. Es ist eine Vorstellung, die alle europäischen Literaturen durchdringt. Calderón weitet sie im *Großen Welttheater* (1675) zu einer umfassenden

Welt als Theater

*Pantalone –
komische Figur der
Commedia dell'arte*

Allegorie des menschlichen Lebens aus, der Satiriker Francisco de Quevedo
faßt sie prägnant zusammen:

> Vergiß nicht, daß das Leben Schauspiel ist,
> und diese ganze Welt die große Farce,
> und sich im Augenblick die Szenen wandeln,
> und alle wir dabei als Spieler handeln.
> Vergiß auch nicht, daß Gott das ganze Spiel
> und seinen weitgedehnten Gegenstand
> in Akte ordnete und selbst erfand. [...]
> Die Texte und die Rollen auszuteilen,
> wie lang, wie hoch sich unsere Handlung spannt,
> liegt in des einz'gen Dramaturgen Hand.

Selbstverständlich berufen sich Theaterdichter besonders häufig auf diese
Metapher. Allerdings: Der Blüte des europäischen Theaters – Shakespeare,
Lope de Vega, Calderón, Monteverdi, Corneille, Racine, Molière, Joost van
den Vondel – hat Deutschland wenig entgegenzusetzen. Auch auf theatrali-
schem Gebiet ist ein Neuanfang erforderlich, der Weg zu einem deutschen
Nationaltheater ist langwierig. Theater im Deutschland des 17. Jahrhunderts bedeutet vielerlei: Laienspiel (Oberammergauer Passionsspiel etwa seit
der Jahrhundertmitte), professionelles Wandertheater, protestantisches
Schultheater, katholisches Ordensdrama, Hoftheater, Oper. Verbindungen
zwischen den verschiedenen Bereichen bestehen durchaus: Wandertruppen
spielen unter dem Patronat von Fürsten, die Jesuitentheater in München
oder Wien übernehmen die Funktion von Hoftheatern, für die Schulbühne
geschriebene Stücke von Gryphius und Lohenstein werden an Höfen gespielt, aber auch für die Wanderbühne bearbeitet.

*Theater
in Deutschland*

*Faust und Molière:
Theaterzettel von 1688
– Titelblatt der
deutschen Übersetzung
von Bidermanns
»Cenodoxus« (1635)*

Ausländische Wandertruppen spielten seit der Mitte des 16. Jahrhunderts in Deutschland. Die Wirkung der italienischen Commedia-dell'arte-Truppen blieb aus sprachlichen Gründen allerdings im wesentlichen auf die süddeutschen und österreichischen Höfe beschränkt. Von größerer Bedeutung für die deutsche Entwicklung waren die sogenannten englischen Komödianten. Diese englischen Berufsschauspieler – die ersten sind für 1586 in Dresden bezeugt – brachten einen neuen Schauspielstil nach Deutschland, der sich durch seine Anschaulichkeit und seinen Naturalismus grundsätzlich vom deklamatorischen Stil des humanistischen Schultheaters unterschied. Die Drastik des Spiels der Engländer, die musikalischen Einlagen und akrobatischen Szenen ihrer Stücke waren auch deshalb angebracht, weil die englischen Komödianten bis zum Anfang des 17. Jahrhunderts nicht in deutscher Sprache spielten. Erst nach der Jahrhundertmitte bildeten sich deutsche Truppen von Bedeutung.

Die englischen Komödianten vermittelten einen ersten Eindruck von der zeitgenössischen elisabethanischen Dramatik (Marlowe, Shakespeare u.a.), allerdings in Bearbeitungen, die die Originale auf eine Reihe möglichst effektvoller Szenen reduzierten. Neben blutrünstigen Haupt- und Staatsaktionen, neben Clowns-Komik und »Pickelhärings Lustigkeit« gehörten aber auch biblische Stücke und Werke deutscher Autoren zum Repertoire der Truppen. Es erweiterte sich in der zweiten Hälfte des Jahrhunderts um italienische, spanische und französische Stücke. Die Truppe des Magisters Johannes Velten, die 1685 vom sächsischen Kurfürsten fest angestellt wurde, pflegte neben dem traditionellen Repertoire vor allem die französische Komödie: Aufführungen von zehn Stücken Molières sind bezeugt. Die Frauenrollen wurden jetzt übrigens nicht mehr von Männern gespielt, ein Fortschritt, der den Widerstand besonders der protestantischen Geistlichkeit gegen das Theaterspielen nicht verminderte.

Trotz des Vordringens des Berufsschauspielertums blieben die Schulen weiterhin die wichtigsten Träger des Theaters. Dabei entwickelte sich das katholische Ordensdrama, vor allem das der Jesuiten, zu einem wichtigen Konkurrenten des protestantischen Schultheaters. Die Ausbildung in den Jesuitenkollegien und die öffentlichen Aufführungen an Festen und am Ende des Schuljahres standen im Dienst der Gegenreformation: Es ging um die Verteidigung des wahren Glaubens, um die Widerlegung der Ketzer und die Bekehrung der Abgefallenen. Der Bericht über die Wirkung einer Aufführung (München 1609) des *Cenodoxus* von Jacob Bidermann zeigt, wie man sich den missionarischen Erfolg vorstellte (der Text kann kaum als Zeugnis eines tatsächlichen Vorfalls gewertet werden; er stammt aus der über fünfzig Jahre später, 1666, erschienen Vorrede zur Ausgabe der Dramen Bidermanns): »So ist bekannt, daß der *Cenodoxus*, der wie kaum ein anderes Theaterstück den ganzen Zuschauerraum durch so fröhliches Gelächter erschütterte, daß beinahe vor Lachen die Bänke brachen, nichtsdestoweniger im Geiste der Zuschauer eine so große Bewegung wahrer Frömmigkeit hervorrief, daß, was hundert Predigten kaum vermocht hätten, die wenigen diesem Schauspiel gewidmeten Stunden zustande brachten. Es haben sich nämlich von den Allervornehmsten der Bayrischen Residenz und der Stadt München im ganzen vierzehn Männer, von heilsamer Furcht vor dem die Taten der Menschen so streng richtenden Gott erschüttert, nicht lange nach dem Ende dieses Spiels zu uns zu den Ignatianischen Exerzitien zurückgezogen, worauf bei den meisten eine wunderbare Bekehrung folgte.«

Bidermanns *Cenodoxus* (erste Aufführung 1602), die Geschichte des berühmten, hochmütigen und scheinheiligen Doktors von Paris, ist ein Ten-

Wanderbühne:
Englische
Komödianten

Tanzender Hanswurst

Jesuitendrama

Missionarische
Wirkung:
Aufführungsbericht

denzstück gegen den Humanismus der Renaissance, die Emanzipation des Individuums. Wie in den Moralitäten, etwa dem *Jedermann*, wird ein Mensch – hier allerdings kein »Jedermann« – durch den nahenden Tod vor die Entscheidung zwischen Himmel und Hölle gestellt, wie in den Moralitäten wird der Kampf um die Seele durch übernatürliche Wesen und allegorische Gestalten geführt. Das ist ein verbreiteter Typ des Jesuitendramas; ein anderer ist das Märtyrerdrama. Doch ob Heiligen- oder Märtyrergeschichte, ob biblische oder historische Stoffe – grundsätzlich geht es um die Verherrlichung der triumphierenden Kirche. Dabei ist die Erweiterung um eine politische Dimension möglich. In Wien etwa entwickelte sich das Schultheater zum höfisch-repräsentativen Festspiel: Nicolaus von Avancinis *Pietas Victrix* (1659) illustriert am Beispiel Konstantins des Großen den Sieg des kirchentreuen Herrschers über alle feindlichen Gewalten und verherrlicht die österreichischen Herrscher als Nachfolger Konstantins. – Die Sprache des Jesuitendramas ist das Lateinische. Um das Verständnis zu erleichtern, wurde zu jeder Aufführung eine Art Programmheft (»Perioche«) hergestellt. Es enthielt in deutscher und/oder lateinischer Sprache eine ausführliche Inhaltsangabe, gegliedert nach Akten und Szenen.

Das deutschsprachige Kunstdrama: Opitz

Der Anstoß zu einem deutschsprachigen Kunstdrama ging wieder von Opitz aus. Seine Versuche, Musterbeispiele für die verschiedenen Literaturgattungen bereitzustellen, erstreckten sich auch auf das Theater. Er übersetzte italienische Operntexte – *Dafne* (1627) nach Ottavio Rinuccini und Jacopo Peri war mit der Musik von Heinrich Schütz die erste deutschsprachige Oper – und zwei antike Tragödien, Senecas *Trojanerinnen* (1625) und Sophokles' *Antigone* (1636). In seinen theoretischen Äußerungen über das Drama findet sich auch die bekannte Ständeklausel: Die Tragödie handle in hohem Stil vom Schicksal hochgestellter Personen, während die Komödie »in schlechtem [geringem] wesen unnd personen« bestehe. Über das Wirkungsziel der Tragödie heißt es: »Solche Beständigkeit aber wird uns durch Beschawung der Mißligkeit deß Menschlichen Lebens in den Tragödien zuförderst eingepflantzet: dann in dem wir grosser Leute / gantzer Stätte und Länder eussersten Untergang zum offtern schawen und betrachten / tragen wir zwar / wie es sich gebüret / erbarmen mit ihnen / können auch nochmals auß Wehmuth die Thränen kaum zurück halten; wir lernen aber darneben auch durch stetige Besichtigung so vielen Creutzes und Ubels das andern begegnet ist / das unserige / welches uns begegnen möchte / weniger fürchten unnd besser erdulden.«

Bedeutung (neu-)stoischer Vorstellungen

Spätere Theoretiker rücken von diesen Gedanken stoischer Affektbeherrschung ab und verweisen in der Regel auf Aristoteles und auf die Erregung von »Schröcken und Mitleiden« als Endzweck der Tragödie. Allerdings bleiben stoische Vorstellungen (christlich-stoisches Constantia-Ideal, Affektbeherrschung, Selbstmächtigkeit der individuellen Vernunft) von großer Bedeutung für die Charakterisierung und Handlungsweise barocker Dramenhelden. Neben Seneca wirken das Jesuitendrama und die Dramen des Holländers Joost van den Vondel auf das barocke Trauerspiel ein.

Gryphius: Märtyrerdrama

Das deutschsprachige Kunstdrama beginnt, nach den Vorarbeiten von Opitz, mit Andreas Gryphius, der in Holland, Frankreich und Italien Theatererfahrungen gesammelt hatte. In seinem ersten Trauerspiel *Leo Armenius / Oder Fürsten-Mord* (entstanden 1646, gedruckt 1650) spricht er von seiner Absicht, »die vergänglichkeit menschlicher sachen in gegenwertigem / und etlich folgenden Trawerspielen vorzustellen«. Dies geschieht am eindrücklichsten in den Märtyrerdramen. Hier wird der Vergänglichkeit und Nichtigkeit des menschlichen Lebens – meist exemplifiziert am Hofleben mit

*Andreas Gryphius'
»Catharina von
Georgien«. Kupfer-
stich einer Aufführung
am Hof zu Wohlau
von 1655*

seinen Intrigen und Verstrickungen – die Haltung des weltüberwindenden
Märtyrers entgegengestellt, der durch die Annahme des Leidens die Passion
Christi nachlebt. Dem Märtyrer steht der Typ des Tyrannen gegenüber, der
gegen die göttliche Ordnung verstößt und nur äußerlich Sieger bleibt: »Tyrann! der Himmel ists! der dein Verderben sucht«, ruft der Geist Catharinas
dem verzweifelten Chach Abas zu (*Catharina von Georgien. Oder Bewehrete
Beständikeit*, aufgeführt 1651, gedruckt 1657).

Die Märtyrerstücke haben zugleich eine politische Bedeutung. Catharina
stirbt für »Gott und Ehr und Land«. Papinianus – im gleichnamigen Stück
von 1659 – widersetzt sich standhaft dem kaiserlichen Ansinnen, Unrecht zu
rechtfertigen, und das aktuelle »Trauer-Spil« *Ermordete Majestät. Oder Ca-
rolus Stuardus König von Groß Britanien* (entstanden bald nach der Hinrichtung Karls I. am 30. 1. 1649) vertritt ganz im lutherischen Sinn das göttliche
Recht der Könige:

> Herr der du Fürsten selbst an deine stat gesetzet
> Wie lange sihst du zu?
> Wird nicht durch unsern Fall dein heilig Recht verletzet?
> Wie lange schlummerst du?

Bei Daniel Casper von Lohenstein, dem bedeutendsten Dramatiker nach
Gryphius, verändert sich die Perspektive. Seine Stücke behandeln ausschließlich heidnische Stoffe: den Zusammenstoß der römischen Militärmacht mit
untergehenden afrikanischen Reichen (*Cleopatra*, 1661; *Sophonisbe*, Aufführung 1669, Druck 1680), Episoden der römischen Geschichte zur Zeit Neros
(*Agrippina*, 1665; *Epicharis*, 1665) und aus der türkischen Geschichte des 16.
und 17. Jahrhunderts (*Ibrahim Bassa*, 1653; *Ibrahim Sultan*, 1673). Es stellt
sich nicht mehr die Entscheidung zwischen Zeit und Ewigkeit, Diesseits und
Jenseits, sondern die Konflikte sind durchaus innerweltlich (ohne daß aber

*Lohenstein:
Politik und Moral*

111

die Transzendenz ganz ausgeschaltet wäre). Thema ist nicht zuletzt die seit Machiavelli vieldiskutierte Frage, inwieweit politisches Handeln sich von den Normen der Religion und Moral lösen darf oder muß. Dabei wird auch der Widerstreit von Vernunft und Leidenschaften im Menschen einbezogen. Sieger im politischen Machtkampf bleibt der, der seine Affekte beherrschen kann: »Ich bin ein Mensch wie du / doch der Begierden Herr«, hält Scipio dem wankelmütigen Massinissa in der *Sophonisbe* vor. Die inneren Konflikte – von Massinissa in der *Sophonisbe* oder von Marcus Antonius in der *Cleopatra* – werden von Frauen, den Titelheldinnen, ausgelöst, die mit allen Mitteln für den Erhalt ihrer Herrschaft kämpfen – vergeblich:

> Ein Fürst stirbt muttig / der sein Reich nicht überlebt.
> Es ist ein täglich Todt / kein grimmer Ach auf Erden /
> Als wenn / der / der geherrscht sol andern dinstbar werden.

Geschichtsbild

Sophonisbe und Cleopatra scheitern, nicht ohne Schuld, aber durchaus mit Größe. Der Lauf der Geschichte, vom Verhängnis gelenkt, steht ihnen entgegen. Lohenstein suggeriert einerseits einen unabänderlichen Geschichtsverlauf, andererseits verweist er auf den Zusammenhang von politischer Vernunft und erfolgreichem Handeln. Das Ziel der Geschichte nennt der »Reyen Des Verhängnüsses / der vier Monarchien« am Ende der *Sophonisbe*, in dem das traditionelle Geschichtsbild von der Abfolge der vier Weltmonarchien um ein fünftes Weltreich ergänzt wird. Das »Verhängnüs« lenkt den Blick über den Sieg Roms hinaus in die Zukunft, wenn »Teutschland wird der Reichs-Sitz sein«:

> Mein fernes Auge siehet schon
> Den Oesterreichschen Stamm besteigen
> Mit grösserm Glantz der Römer Thron.

112

Der Vers des deutschen Trauerspiels von Gryphius und Lohenstein ist der Alexandriner. Ausgenommen von dieser Regel sind die »Reyen«, die durch den Wechsel des Versmaßes und die Darbietung durch Gesang das Geschehen auf eine höhere Ebene stellen: »Dieses Lied«, heißt es im *Poetischen Trichter* Harsdörffers über die Chöre, »sol die Lehren / welche aus vorhergehender Geschichte zuziehen / begreiffen / und in etlichen Reimsätzen mit einer oder mehr Stimmen deutlichst hören lassen.« Bei Lohenstein entwikkeln sich die »Reyen« häufig zu allegorisch-mythologischen Singspielen, in denen die »Lehren« emblematisch verschlüsselt werden. Diese Verbildlichung kennzeichnet überhaupt den dichterischen Stil Lohensteins, der vor allem mit seiner manieristischen Metaphernsprache über Gryphius hinausgeht. Den hohen rhetorischen Stil verwirklichen sie beide.

»Reyen«

Anders verfährt Christian Weise in dem Versuch eines Trauerspiels in Prosa, dem 1682 von Schülern des Zittauer Gymnasiums aufgeführten *Trauer-Spiel Von dem Neapolitanischen Haupt-Rebellen Masaniello*, die Dramatisierung eines Volksaufstands des Jahres 1647. Das Stück ist in zahlreiche kleine Szenen gegliedert, die ein breites Panorama aller Volksschichten ermöglichen (das numerierte Personenverzeichnis zählt bis 82); komische Szenen und Figuren erinnern an das Schauspiel der Wanderbühne. Gegenstand des Trauerspiels, an dem Lessing den »freien Shakespearschen Gang« schätzte, ist die Rebellion des unterdrückten Volkes gegen eine verderbte Obrigkeit, der Umsturz und die Wiederherstellung der alten Ordnung. Verbunden damit ist Aufstieg und Fall des armen Fischers Masaniello, der an die Spitze des Aufstands tritt und uneigennützig für die Sache des Volkes kämpft, bis er in Wahnsinn verfällt und seine Herrschaft in wütende Tyrannei ausartet. Gegenspieler Masaniellos sind der Vizekönig und ein brutaler, egoistischer Adel. Ihre Schachzüge, Rechtsbrüche und Unterdrückungsmaßnahmen werden ohne Verbrämung gezeigt: keine Stellungnahme für die Revolution, sondern Mahnung an die Herrschenden, es nicht so weit kommen zu lassen; ein Lehrstück auch für die Schüler, die Weise mit seinen Stücken – rund 60 an der Zahl – auf die Praxis vorzubereiten suchte.

Chr. Weises »Masaniello«, ein Revolutionsstück

Im barocken Trauerspiel ist der Hof zentraler Schauplatz. Aber auch die Komödie, die in niederen sozialen Rängen spielt, kommt zunächst nicht ohne einen höfischen Rahmen aus. Er hat allerdings eine andere Funktion: Der Hof stellt die gesellschaftliche Norm dar, an der soziales Fehlverhalten gemessen wird. Denn im Verkennen des angemessenen Platzes in der gesellschaftlichen Hierarchie, in der Diskrepanz zwischen Anspruch und Wirklichkeit, zwischen Schein und Sein besteht die Komik. Das gilt für die Maulhelden in der Art des Miles gloriosus bzw. des Capitano der italienischen Commedia dell'arte (Gryphius: *Horribilicribrifax*, 1663), das gilt für die Stücke vom Typ »König für einen Tag« (Christian Weise: *Ein wunderliches Schau-Spiel vom Niederländischen Bauer*, 1685, gedruckt 1700), das gilt für den *Peter Squentz* (1658) von Gryphius, in dem das Theater im Theater zu einer pointierten Gegenüberstellung von höfischer Gesellschaft und dilettierenden Handwerkern und Kleinbürgern verschärft wird, die ihre gesellschaftliche Stellung – und ihre künstlerischen Fähigkeiten – verkennen. Diese Stücke dienen zur Belustigung der höheren Stände; sie bestätigen die herrschende Ordnung, die höfische Weltsicht.

Capitano oder Der Verliebte

Allerdings zeigen sich gegen Ende des Jahrhunderts Ansätze zu einer Komödie, die die Moral enger auf die bürgerliche Praxis bezieht: Weises Spiel *Vom verfolgten Lateiner* (1693) und Christian Reuters *L'Honnête Femme Oder die Ehrliche Frau zu Plißine* (1695). Beide Stücke kritisieren bürgerlichen bzw. kleinbürgerlichen Standesdünkel, in beiden Fällen wird die Anmaßung durch die überlegene Intelligenz der studentischen Gegenspieler entlarvt. Das Handlungsgerüst, bei Reuter durch autobiographische Momente aktualisiert, geht auf Molières *Les Précieuses ridicules* (1659) zurück. Das ist kein Zufall, sondern verweist auf die starke Stellung, die das französische Drama inzwischen im Repertoire der Schauspieltruppen errungen hatte. Waren in den 20er und 30er Jahren Sammlungen *Engelischer Comedien und Tragedien* (1620, 1630) erschienen, so heißt der entsprechende Titel von 1670 *Schaubühne Englischer und Frantzösischer Comödianten*. Enthalten sind auch fünf Stücke Molières. Die Beliebtheit der französischen Komödie wird 1695 durch eine dreibändige Prosaübersetzung der Werke Molières bestätigt. Von der Rezeption Molières führt der Weg zur sächsischen Verlachkomödie.

Roman

Der Anteil der Romanliteratur an der poetischen Produktion war im 17. Jahrhundert noch nicht sehr groß, von einem raschen Anstieg der Romanproduktion und einer entsprechenden Erweiterung des Lesepublikums, wie sie die Zeit nach 1740 kennzeichnet, war noch nichts zu spüren. Als sich der kalvinistische Romankritiker Gotthard Heidegger 1698 über ein »ohnendlich Meer« von Romanen beklagte, das über den Leser hereinbreche, meinte er damit, daß vierteljährlich »einer oder mehr Romans« erschienen. Neuere Berechnungen bestätigen diese Annahme und kommen zu dem Ergebnis, daß gegen Ende des 17. Jahrhunderts kaum mehr als sechs bis acht Romane (einschließlich Übersetzungen) im Jahr gedruckt wurden.

Andere Prosagattungen

Neben dem Roman entwickelt sich ein vielfältiges Prosaschrifttum. Die europäische novellistische Erzähltradition wird in moralisierenden Übersetzungen und Bearbeitungen zugänglich gemacht (u. a. G.P. Harsdörffer, *Der Grosse Schau-Platz jämmerlicher Mordgeschichte*, 1649/50). Journalistische und popularwissenschaftlich-erbauliche Auswertungen von Geschichtsbüchern und Reisebeschreibungen verweisen auf das wachsende Bedürfnis des »curieusen« Lesers nach Neuem, das auch durch die zahlreich entstehenden (und vergehenden) Zeitungen befriedigt wird (die ersten Zeitungen sind für das Jahr 1609 nachweisbar; es sind Wochenzeitungen). Daneben behaupten sich die traditonellen Gattungen: Erbauungsliteratur, Moralsatire, unterhaltende Gebrauchsliteratur (Schwank und andere epische Kleinformen). Auch die sogenannten Volksbücher des 15. und 16. Jahrhunderts verschwinden nicht einfach. Obwohl sie von den tonangebenden Literaten mit Geringschätzung und Verachtung beiseitegeschoben werden, erleben sie im 17. Jahrhundert noch eine beträchtliche Anzahl von Auflagen.

Höfisch-historischer Roman

Die drei Hauptgattungen des deutschen Barockromans – höfisch-historischer Roman, Schäferroman, Pikaroroman – orientieren sich an der europäischen Romantradition. Allerdings ergeben sich bei der Rezeption Abwandlungen der Grundmuster, Mischformen entstehen. Eigenständige deutsche höfisch-historische Romane erschienen erst recht spät, lange nachdem die Gattung durch zahlreiche Übersetzungen vor allem aus dem Französischen, aber auch aus dem Lateinischen, Italienischen und Englischen in Deutschland eingeführt worden war. Unter den Romanen, die in der ersten Hälfte

114

des 17. Jahrhunderts nach Deutschland gelangten, nimmt die *Argenis* von
John Barclay (lat. 1621, frz. 1623, deutsche Übersetzung von Opitz 1626)
eine besondere Stellung ein. Barclay erneuert die kunstvolle Technik von
Heliodors *Aithiopika* (3. Jh. n. Chr.) – unvermittelter Anfang, allmähliche,
die Romangegenwart beeinflussende Aufhellung der Vorgeschichte, Begren-
zung der Handlungsdauer – und übernimmt mit der Form auch das Schema
der Liebesgeschichte: die Geschichte eines jungen Paares, das gegen seinen
Willen auseinandergerissen und nach mancherlei Gefährdungen psychischer
und physischer Art wiedervereinigt wird und so den Lohn für die bewährte
Beständigkeit erhält. Da sich aber das Liebesgeschehen in der *Argenis* fast
ausschließlich unter hohen Standespersonen abspielt, für die private und
öffentliche Sphäre identisch sind, wird es möglich, das alte Romanschema
um eine politische Dimension zu erweitern (Verherrlichung des Absolutismus), die von nun an den höfisch-historischen Roman des 17. Jahrhunderts
prägen sollte. Wie sich das glückliche Ende durch immer neue Unglücksfälle
und Verwirrungen fast beliebig hinauszögern läßt, so ist es möglich, die
einfache Grundstruktur von Heliodors *Aithiopika* oder Barclays *Argenis*
durch die Einführung weiterer Liebespaare fast unübersehbar zu verwickeln.
Auf diese Weise entstehen die barocken Großromane, die – obwohl nicht
sehr zahlreich – die übliche Vorstellung vom höfisch-historischen Roman des
17. Jahrhunderts bestimmen.

Der deutsche höfisch-historische Roman ist ein Produkt der höfischen und   *Roman*
der bürgerlich-gelehrten Kultur. Seine Affinität zur herrschenden politischen   *und Absolutismus*
Doktrin der Zeit, dem Absolutismus, ist offensichtlich, die Akzente werden
freilich – bedingt durch die unterschiedliche soziale Stellung und die jeweiligen Interessen der Autoren – verschieden gesetzt. Die Romane sind gegen-
wartsbezogen, auch wenn sie germanische, römische oder biblische Geschichten erzählen. So ist Lohensteins *Arminius* (1689/90) eine Art Schlüsselroman, der Ereignisse und Personen neuerer Zeit in verdeckter Form mit
einbezieht und als Kommentar zur aktuellen politischen Lage und als Warnung vor den Folgen der deutschen Zwietracht begriffen werden will. Philipp
von Zesens *Assenat* (1670) wiederum handelt in biblischer Verkleidung – es   *Zesen*
ist ein Josephsroman – von der Durchsetzung eines absolutistischen Reform-
programms. Joseph gilt hier als »ein rechter Lehrspiegel vor alle Stahts-
leute«, als »lehrbild« aller »Beamten der Könige und Fürsten«, der seinen
ganzen Ehrgeiz auf die Errichtung eines rational organisierten absolutistischen Macht- und Wohlfahrtsstaats setzt. Werden hier die Interessen des
gelehrten Bürgertums artikuliert, das seine Aufstiegschancen im absolutistischen Herrschaftssystem erkennt, so ändert sich die Perspektive, wenn ein
lutherischer Seelsorger für moralisch einwandfreie, d. h. erbauliche Romanliteratur zu sorgen sucht (Andreas Heinrich Bucholtz in seinen gegen den
Amadís gerichteten Romanen *Herkules*, 1659/60, und *Herkuliskus*, 1665). In
den Romanen Herzog Anton Ulrichs von Braunschweig-Wolfenbüttel   *Anton Ulrich*
schließlich (*Die Durchleuchtige Syrerin Aramena*, 1669/73; *Octavia Römische Geschichte*, 1677 ff.) spiegelt sich die exklusive Welt des fürstlichen
Absolutismus, die für sich und ihre Gesetze fraglose Allgemeingültigkeit
beanspruchen kann, weil der Autor von einem Publikum ausgeht, das seine
Wertvorstellungen teilt. Daß die »Fürstlichen Geschichten« Anton Ulrichs
eine besondere Stellung in der Geschichte des deutschen höfischen Romans
einnehmen, verdanken sie weitgehend dieser durchaus intendierten Exklusivität und der hohen Stellung ihres Verfassers, die für die Authentizität der
geschilderten Welt bürgt. Wird in anderen höfisch-historischen Romanen die
absolutistische Staatsauffassung diskutiert oder ihre Durchsetzung in der

politischen Praxis vorgeführt, so geht es bei Anton Ulrich um eine idealisierte Selbstdarstellung der fürstlich-absolutistischen Welt.

Roman als Theodizee (Anton Ulrich)

Das geschieht nicht ohne einen philosophisch-theologischen Anspruch. Die komplizierte, verwirrende Struktur der Romane – in der *Aramena* werden beispielsweise 36 Lebensgeschichten miteinander verflochten, die nur der allwissende Romanautor überblickt – erhält erst vom Schluß her ihren Sinn: Hinter dem scheinbar chaotischen Geschehen wird das Wirken der Providenz sichtbar. Daß dieses »künstliche zerrütten / voll schönster ordnung ist«, erkannten schon zeitgenössische Leser wie Catharina Regina von Greiffenberg, die den Roman als Abbild der göttlichen Weltordnung beschreibt. Ihre Gedanken über den Roman als dichterische Theodizee werden später von Leibniz weitergeführt, wenn er in Briefen an den Herzog auf die Parallelität von kunstvoller Romanstruktur und Geschichte, von Romanautor und Gott zu sprechen kommt. In einer Anspielung auf den Frieden von Utrecht (1713) vergleicht er den »Roman dieser Zeiten«, dem er »eine beßere entknötung« gewünscht hätte, mit Anton Ulrichs Arbeit an seinem zweiten Roman, die sich – ohne zu einem Abschluß zu kommen – über Jahrzehnte hinzog: »Und gleichwie E.D. [Eure Durchlaucht] mit Ihrer Octavia noch nicht fertig, so kan Unser Herr Gott auch noch ein paar tomos [Bände] zu seinem Roman machen, welche zuletzt beßer lauten möchten. Es ist ohne dem eine von der Roman-Macher besten künsten, alles in verwirrung fallen zu laßen, und dann unverhofft herauß zu wickeln. Und niemand ahmet unsern Herrn beßer nach als ein Erfinder von einem schöhnen Roman.«

Ziglers »Asiatische Banise«

Mit der *Asiatischen Banise* (1689) von Heinrich Anshelm von Zigler und Kliphausen kehrt der höfisch-historische Roman wieder zu einem relativ übersichtlichen Aufbau zurück. Dank der spannenden Handlung, lokalisiert im exotischen Hinterindien, der extremen Charaktere und der rhetorischen Brillanz fand das Werk Leser bis weit ins 18. Jahrhundert hinein: Dem elfjährigen Anton Reiser bereitete die *Banise* immerhin »zum ersten Male das unaussprechliche Vergnügen verbotner Lektüre« (Karl Philipp Moritz, *Anton Reiser*, 1785).

Galanter Roman

Gegen Ende des 17. Jahrhunderts bahnt sich eine Entwicklung an, die vom höfisch-historischen zum sogenannten galanten Roman führt. Mit diesem Begriff bezeichnet man Werke, die formal dem höfisch-historischen Roman verpflichtet sind, aber seine ethischen und theologisch-philosophischen Grundlagen (Beständigkeit, Theodizee) modifizieren und das »heroische« Element (Rittertum, Staatsgeschehen) zugunsten der Darstellung von Liebesverwicklungen zurückdrängen. Wegbereiter dieses Genres ist August Bohse mit Romanen wie *Der Liebe Irregarten* (1684) oder *Liebes-Cabinet der Damen* (1685); seine reinste Form erreicht der galante Roman bei Christian Friedrich Hunold (u. a. *Die Liebens-Würdige Adalie*, 1702); und noch Johann Gottfried Schnabel zehrt von dieser Tradition (*Der im Irr-Garten der Liebe herum taumelnde Cavalier*, 1738).

Schäferroman: deutsche Sonderentwicklung

Während für den höfisch-historischen Roman, bei allen Modifikationen im einzelnen, die Muster aus den anderen europäischen Literaturen verbindlich bleiben, nimmt der deutsche Schäferroman eine Sonderstellung ein. Zwar werden die großen Schäferromane der Renaissance – Jorge de Montemayors *Diana* (1559) und Honoré d'Urfés *Astrée* (1607/27) – ab 1619 ins Deutsche übertragen, doch führt die Rezeption dieser höfisch-repräsentativen Schäferromane, in denen überindividuelle Liebeskonflikte und Liebeskonzeptionen dargestellt und diskutiert werden, nicht zu einer direkten Nachfolge in Deutschland. Hier entstehen vielmehr Sonderformen, kleine Romane, welche die Liebe als »Privat-werck« zu ihrem Gegenstand machen und Persönliches anklingen lassen, diesen (zukunftsweisenden) Umstand jedoch durch eine konventionelle, klischeehafte Darstellungsweise und moralisierenden Eifer zu verdecken suchen. Der erste (und erfolgreichste) dieser Romane ist die unter einem Pseudonym erschienene *Jüngst-erbawete Schäfferey / Oder Keusche Liebes-Beschreibung / Von der Verliebten Nimfen Amoena, Und dem Lobwürdigen Schäffer Amandus* (1632). Erzählt wird freilich weniger eine Liebesgeschichte als ein moralisches Exempel: Die Liebe, die als unwiderstehliche Macht in die höfisch-stilisierte Schäferwelt einbricht, erscheint als sündhafte Leidenschaft. Sie bleibt ohne Erfüllung. Die »kluge Vernunfft« behält den Sieg. Dieses Muster wird verbindlich für eine ganze Reihe von Schäferromanen und wirkt auch auf die empfindsam-melancholische *Adriatische Rosemund* (1645) Philipp von Zesens ein, in der Elemente des höfisch-historischen Romans und des Schäferromans verschmolzen sind. Eine bemerkenswerte Ausnahme von der Regel des unglücklichen Ausgangs ist Johann Thomas' Roman *Damon und Lisille* (1663), der auffallend unkonventionell von der glücklichen Beziehung zweier Menschen in der Ehe erzählt.

Die Autoren des niederen Romans, der dritten Hauptgattung des Barockromans, verstehen ihre Werke als Gegenbilder zum hohen, zum höfisch-historischen Roman, von dem sie sich in wesentlichen Aspekten unterscheiden: in der Figur des Helden und seiner Welt, in der Struktur der Erzählung, in der Erzählweise. Grundsätzliche poetologische Opposition zeigt sich im ausgesprochenen Wahrheitsanspruch des niederen Romans, während es der »hohe« Roman auf eine nur »wahrscheinliche« Verbindung von Geschichte und Fiktion anlegt. Darauf zielt Hans Jacob Christoph von Grimmelshausen, wenn er im *Simplicissimus* (1669) die »rechten Historien« und »warhafften Geschichten« den »Liebes-Büchern« und »Helden-Gedichten« wertend gegenüberstellt; ebenso Johann Beer, der bedeutendste Nachfolger Grimmelshausens, der Wahrheit und Nützlichkeit in Beziehung bringt. In seinen *Teutschen Winter-Nächten* (1682) heißt es im Anschluß an eine Jugendgeschichte: »Natürliche Sachen sind endlich nicht garstig, und deswegen werden solche Sachen erzählet, damit wir uns in der Gelegenheit derselben wohl vorsehen und hüten sollen. Ich habe vor diesem in manchen Büchern ein Haufen Zeuges von hohen und großen Liebesgeschichten gelesen, aber es waren solche Sachen, die sich nicht zutragen konnten noch mochten. War also dieselbe Zeit, die ich in Lesung solcher Schriften zugebracht, schon übel angewendet, weil es keine Gelegenheit gab, mich einer solchen Sache zu gebrauchen, die in demselben Buche begriffen war; aber dergleichen Historien, wie sie Monsieur Ludwigen in seiner Jugend begegnet, geschehen noch tausendfältig und absonderlich unter uns. Dahero halte ich solche viel höher als jene, weil sie uns begegnen können und wir also Gelegenheit haben, uns darinnen vorzustellen solche Lehren, die wir zu Fliehung der Laster anwenden und nützlich gebrauchen können. Was hilft es, wenn man dem Schuster eine Historia vorschreibt und erzählet ihm, welchergestalten einer einesmals einen göldenen Schuh gemacht, denselben dem Mogol verehret, und also sei er hernach ein Fürst des Landes worden? Wahrhaftig, nicht viel anders kommen heraus etliche gedruckte Historien, welche nur mit erlogenen und großprahlenden Sachen angefüllet, die sich weder nachtun lassen, auch in dem Werke selbsten nirgends als in der Phantasie des Scribentens geschehen sind.« Wenn Beer an einer anderen Stelle schreibt, daß sein »Entwurf mehr einer Satyra als Histori ähnlich siehet«, dann weist er darauf hin, daß die Autoren des niederen Romans ihre Werke den satirischen Schriften zurechnen.

Niederer Roman: Opposition gegen den höfisch-historischen Roman

Komische Figur: Der Weinschlauch

Übersetzungen

Wie bei den anderen Gattungen des Barockromans gehen auch beim niederen Roman Übersetzungen und Bearbeitungen ausländischer Romane der eigenen Produktion voraus. Die beiden wichtigsten Ausprägungen des niederen Romans sind vertreten: Spanischer Pikaroroman, in gegenreformatorischem Sinn bearbeitet (u. a. *Lazarillo de Tormes*, 1554; deutsch 1617; Mateo Alemán: *Guzmán de Alfarache*, 1599/1605; deutsch 1615), und französischer *roman comique* (Charles Sorel: *Histoire comique de Francion*, 1623/33; deutsch 1662 und 1668) liegen in Übertragungen vor, als mit Grimmelshausens *Simplicissimus Teutsch* der erste deutsche niedere Roman erscheint. Unter den zahlreichen anderen Quellen Grimmelshausens ragt das Werk des elsässischen Satirikers Johann Michael Moscherosch heraus, dessen Blick auf das »Soldaten-Leben« in den *Gesichten Philanders von Sittewalt* (1640–50) im *Simplicissimus* nachwirkt.

Im Gegensatz zum höfisch-historischen Roman betrachtet der Pikaroroman die Welt von unten, aus der Perspektive des Unterdrückten, von der Gesellschaft Ausgestoßenen. Dies geschieht in der Form der fiktiven Autobiographie, die zur Bewährung des Erzählten dient. Zugleich bietet die retrospektive Erzählweise die Möglichkeit, verschiedene Entwicklungsphasen des Ich miteinander zu konfrontieren und die eigene Handlungsweise zu kommentieren: »zuletzt als ich mit hertzlicher Reu meinen gantzen geführten Lebens-Lauff betrachtete / und meine Bubenstück die ich von Jugend auff begangen / mir selbsten vor Augen stellte / und zu Gemüth führete / daß gleichwohl der barmhertzige GOtt unangesehen aller solchen groben Sünden / mich bißher nit allein vor der ewigen Verdambnuß bewahrt / sonder Zeit und Gelegenheit geben hat mich zu bessern / zubekehren / Ihn umb Verzeyhung zu bitten / und umb seine Gutthaten zudancken / beschriebe ich alles was mir noch eingefallen / in dieses Buch [. . .].« So äußert sich gegen Ende des Romans der Erzähler im *Simplicissimus*, als er auf einer Insel Ruhe vor den Versuchungen der Welt gefunden hat. Was er da auf Palmblättern aufzeichnet, ist zunächst eine »Bekehrungsgeschichte« (die Kategorie »Entwicklung« trifft nicht den Sachverhalt); doch die Geschichte des Helden weitet sich zur eindringlichen Schilderung einer heillosen Welt, der Welt des Dreißigjährigen Krieges.

*Titelkupfer
des »Simplicissimus
Teutsch« (1669)*

*Grimmelshausens
»Simplicissimus«-
Handlung*

Der Roman beginnt mit dem Einbruch des Krieges in die Spessarter Waldidylle, in der der Held unschuldig und unwissend aufwächst. Er findet Zuflucht bei einem Einsiedler, seinem Vater, wie sich später herausstellt, bei dem er »auß einer Bestia zu einem Christenmenschen« wird und der ihm drei Lehren mit auf den Weg gibt: »sich selbst erkennen / böse Gesellschafft meiden / und beständig verbleiben«. Dann wird er endgültig vom Krieg erfaßt, zunächst als Opfer, dann aber auch als Handelnder, der schuldig wird und sich, von gelegentlichen Besserungsversuchen abgesehen, treiben läßt – bis er schließlich »auß sonderlicher Barmhertzigkeit« Gottes zu Selbsterkenntnis und Glaubensgewißheit gelangt und als Einsiedler ein gottgefälliges Leben zu führen trachtet. Das gelingt allerdings erst beim zweiten Versuch. Die Einsiedlerszenen rahmen den Roman ein, runden ihn ab und suggerieren durch die Rückkehr zum Anfang eine Art Kreisstruktur: Die Weltabsage erscheint als zwangsläufige Konsequenz des geschilderten Lebenslaufs. Aber der Schein trügt. Die Rückkehr eines gewandelten Simplicissimus im *Seltzamen Springinsfeld* (1670), einer der »Fortsetzungen« des Romans, macht durch die Betonung eines praktisch-tätigen Christentums deutlich, daß die Abwendung von der menschlichen Gesellschaft nicht das letzte Wort darstellt.

Satire

Grimmelshausen, der horazisch »mit Lachen die Wahrheit« sagen will, hat sich den Zustand der Welt und des Menschen in seiner Zeit zum Gegenstand seiner Romane genommen. Er versteht sie als satirische Romane. Schon das Monstrum auf dem *Simplicissimus*-Titelkupfer zeigt die satirische Intention des Textes an: Die halb tierische, halb menschliche Gestalt mit der Spott- und Verhöhnungsgeste der linken Hand ist eine Anspielung auf den Satyr und damit die »Satyre« (nach einer im 17. Jahrhundert weitverbreiteten Theorie vom Ursprung der Satire), zugleich stellt dieses Monstrum eine Verkörperung des Fabelwesens dar, das Horaz zu Beginn seiner *Dichtkunst* schildert und mit dem er vor Verstößen gegen ein klassizistisches Kunstregle- ment (Naturnachahmung, Wahrscheinlichkeit) warnt. Auf dieser Tradition beruht auch die im 17. Jahrhundert dominierende Theorie des hohen Ro- mans mit ihrer Forderung nach Wahrscheinlichkeit und organischer Hand- lungseinheit. Dagegen hatte sich die Satire schon in der Antike von allzu engem Regelzwang befreit, und auch Grimmelshausen folgt antiaristoteli- schen und antiklassizistischen Baugesetzen, mit denen er sich gegen die Ästhetisierung der Wirklichkeit durch den hohen Roman wendet. Das Titel- kupfer, das die fehlende Vorrede ersetzt, verweist damit auf eine satirisch- realistische Literaturtradition, die mindestens seit dem späten Mittelalter als Korrektiv die idealisierenden Literaturgattungen begleitet. Insbesondere ge- hört Johann Fischarts Konzeption eines grotesken Realismus in seiner Rabe- lais-Verdeutschung (»überschrecklich lustig in einen Teutschen Model ver- gossen«) in diese Tradition, die zu Grimmelshausen führt: der Roman als »ein verwirrtes ungestaltes Muster der heut verwirrten ungestalten Welt« (*Geschichtklitterung*, 1582).

Verschiedene Hinweise Grimmelshausens auf den verborgenen »Kern« des Romans legen ein allegorisches Verständnis nahe. Andererseits führen die großen allegorischen »Einlagen« – Ständebaum-Allegorie, Mummelsee- Episode, Schermesser-Diskurs u. a. – gerade nicht von der konkreten Erschei- nungswelt ab, sondern entwerfen ein anschauliches Bild der zeitgenössischen Gesellschaft und ihrer Konflikte. Diese Ambivalenz charakterisiert den gan- zen Roman. Der moralisch-religiöse Anspruch, den die Beschreibung des exemplarisch oder allegorisch deutbaren Lebenswegs durch die Welt als Ort der Unbeständigkeit und Vergänglichkeit zum Heil erhebt, steht in ständiger Spannung zu einer elementaren Erzählfreude und einem satirisch-realisti- schen Erzählkonzept, für das sich Grimmelshausen auf Charles Sorel und den französischen *roman comique* berufen konnte. Der *Simplicissimus* wei- tet sich so, über die begrenzte Perspektive auf ein Einzelschicksal hinaus, zu einer grellen Schilderung der Welt des Dreißigjährigen Krieges und einer Gesellschaft, in der alle Werte auf den Kopf gestellt sind und deren heilloser Zustand vor dem Hintergrund der christlichen Lehre und verschiedener innerweltlicher Utopien nur um so deutlicher wird. Erst durch die Loslösung von eindimensionaler christlicher Unterweisung, wie sie die Verdeutschun- gen der spanischen Pikaroromane charakterisiert, gewinnt der *Simplicissi- mus* die Weltfülle, die ihn vor allen anderen deutschen Romanen des 17. Jahrhunderts auszeichnet. Die anderen Simplicianischen Schriften Grim- melshausens, darunter *Courasche* (1670), *Springinsfeld* (1670) und die bei- den Teile des *Wunderbarlichen Vogelnests* (1672/75), erreichten bei weitem nicht die Popularität des *Simplicissimus*, der innerhalb von wenigen Jahren sechs Auflagen erzielte. Es fehlte nicht an Versuchen, diesen Erfolg auszunut- zen. Die Begriffe »Simplicissimus« und »simplicianisch« wurden bald zu Reklamezwecken gebraucht, und auch Johann Beer ließ seinen Erstling als *Simplicianischen Weltkucker* (1677–79) in die Welt hinausgehen.

Als eigene Untergattung innerhalb des allmählich bürgerliche Züge anneh- menden niederen Romans etablierte sich in den 70er und 80er Jahren unter

Allegorie und Wirklichkeit

Erfolg des »Simplicissimus«

119

Schnabels »Wunder-
liche Fata« (1731):
Grundriß der Insel
Felsenburg

Politischer Roman

dem Einfluß von Christian Weise (*Die drey ärgsten Ertz-Narren In der
gantzen Welt*, 1672) und Johannes Riemer (*Der Politische Maul-Affe*, 1679)
der sogenannte politische Roman (politisch: weltklug). Er propagiert ein auf
Erfahrung, Klugheit und Selbsterkenntnis basierendes weltmännisches Bildungsideal, das als Voraussetzung für ein glückliches Leben und eine erfolgreiche Karriere im absolutistischen Staat gilt. Die Form des politischen Romans – ein dürftiges episches Gerüst, eine Reise als Vehikel für die Instruk-
tion – war allerdings wenig entwicklungsfähig, ließ sich allenfalls noch
parodieren: In Christian Reuters Lügen- und Abenteuergeschichte *Schel-
muffsky* (1696) lernt der großmäulige Held auf seinen Reisen nichts dazu. Im
übrigen beherrschen Abenteuergeschichten die Szene des niederen Romans.
Auch die meisten Robinsonaden, die im Anschluß an Daniel Defoes *Robinson Crusoe* (1719, deutsch 1720) erschienen, gehören zu dieser Kategorie und
benutzen den Namen Robinson nur zur Werbung. Aus der Masse dieser
Produkte ragen die *Wunderlichen Fata einiger See-Fahrer* (1731/43) von Jo-

Schnabel

hann Gottfried Schnabel heraus. In der *Insel Felsenburg*, wie das Werk bald
genannt wurde, verbindet sich die Robinsonade mit dem Modell eines utopischen, auf Gottesfurcht, Vernunft und Tugend gegründeten Gemeinwesens
von Europamüden. Der Roman, ein komplexes Gebilde ineinander ver-
schachtelter Autobiographien, konfrontiert die Erzählung von der Entstehung und Fortentwicklung dieser Inselrepublik mit den Lebensläufen der
hier zur Ruhe gekommenen Menschen. Anders als Robinson Crusoe und die
Helden vieler Robinsonaden, die die Rückkehr nach Europa kaum erwarten
können, haben die Bewohner der paradiesischen Insel nicht den geringsten
Wunsch, ihr Vaterland »oder nur einen eintzigen Ort von Europa« jemals
wiederzusehen. Mit dieser Utopie eines irdischen Paradieses, dem Traum
einer Ausflucht aus den bedrückenden gesellschaftlichen Verhältnissen der
Gegenwart, beginnt der bürgerliche Roman der deutschen Aufklärung.

AUFKLÄRUNG

Was ist politisch und gesellschaftlich neu?

Zu Recht ist das 18. Jahrhundert von den Zeitgenossen und später von Historikern als eine Epochenwende und als Beginn der modernen Zeit empfunden worden. Das Deutsche Reich war seit dem Dreißigjährigen Krieg in eine Vielzahl von kleinen und kleinsten Territorien zersplittert und ähnelte mehr einem »Monstrum« (Pufendorf) als einem modernen Staat. Neben über dreihundert souveränen Territorien gab es eine Fülle von halbautonomen Gebieten und Städten, die eine kaum zu entwirrende Parzellierung des Reichsgebietes bewirkt hatten. Die Reichsgewalt des Heiligen Römischen Reiches Deutscher Nation – so der offizielle Titel – lag zwar bis zum Jahr 1806 beim Deutschen Kaiser, sie war aber auf ganz wenige Rechte beschränkt und hatte eine mehr symbolische Bedeutung. Die wichtigen politischen Entscheidungen lagen bei den einzelnen Territorialstaaten, die ihre Gesetzgebung, Gerichtsbarkeit, Landesverteidigung, Polizeigewalt (einschließlich der Zensur) usw. unabhängig von der Reichsgewalt ausübten. Das Reich war wenig mehr als eine »formelle Klammer«, die das »Monstrum« nur mühsam zusammenhielt. Es gab kaum einen zeitgenössischen Schriftsteller, der sich nicht über die »Quadratmeilen-Monarchen und Miniaturhöfe« lustig machte und nicht die »Greuel der deutschen Vielherrschaft« beklagte. Man kann das System von kleinen und kleinsten Fürstentümern eigentlich nur als eine Duodezgroteske bezeichnen, die – das sollte man nicht vergessen – zu Lasten der Bevölkerung ging. Die unzähligen Miniaturpotentaten konnten ihre aufwendige Hofhaltung nur durch die rückhaltlose Auspressung ihrer Untertanen aufrecht erhalten. Tatsächlich waren die Lebensbedingungen der Bevölkerung mehr als dürftig. Bedrückt von feudalen Lasten und fürstlicher Willkür, besaßen die Bauern, die zum großen Teil noch Leibeigene ihres jeweiligen Herrn waren, kaum mehr als das Lebensnotwendige, oft sogar, wenn Mißernten dazu kamen, noch weniger. Es ist ein düsteres Bild, das man vom 18. Jahrhundert gewinnt, wenn man sich die Lebensbedingungen der Unterschichten, die über zwei Drittel der Gesamtbevölkerung ausmachten, vergegenwärtigt. Auch in den großen Staaten wie Preußen oder Sachsen sah es nicht viel besser aus. Das Bild der »guten alten Zeit« zerrinnt angesichts der von der historischen Forschung erarbeiteten Daten und Fakten zur Misere im damaligen Deutschland.

Das Deutsche Reich – ein Monstrum

Woher nehmen die Historiker die Rechtfertigung, dennoch vom Anbruch der modernen Zeit zu sprechen? Wenn man die Lage der Unterschichten isoliert von der gesamtgesellschaftlichen Entwicklung betrachtet, übersieht man leicht, daß sich im Schoß jener feudalen Gesellschaft neue ökonomische Kräfte regten und sich eine neue soziale Klasse herausbildete, die die Moderne prägen sollte: der Industriekapitalismus und das handeltreibende und kapitalbesitzende Bürgertum. Vor allem in den Städten entwickelte sich ein Bürgertum, das durch Handel, Bankgewerbe und Manufakturwesen zu Geld und sozialem Prestige gelangte. Zwar war dieses Bürgertum noch schwach und zahlenmäßig klein, aber es machte doch deutlich, daß der Feudalismus historisch überfällig war. Die Kräfteverschiebungen im Verhältnis der einzel-

Wirtschaft und Gesellschaft

121

nen Stände zueinander brachten Spannungen in die seit dem Mittelalter hierarchisch gegliederte Ständepyramide, die zur Auflösung der Ständegesellschaft und zur Herausbildung der bürgerlich-egalitären Gesellschaft führen sollten. Im 18. Jahrhundert zeigten sich diese Spannungen vor allem als Konfrontation zwischen Adel und Bürgertum. Die Bürger waren nicht länger gewillt, die politische und kulturelle Vorherrschaft des Adels, der nur einen verschwindend kleinen Bruchteil der Gesamtbevölkerung ausmachte, als gottgegeben und unveränderlich hinzunehmen. Die Bürger meldeten ihren eigenen Souveränitätsanspruch an. Berufen konnten sie sich dabei auf die Aufklärung, die das feudale Weltbild »von Gottes Gnaden« durch ein neues, sich auf Vernunft gründendes Denken ersetzen wollte. Die Aufklärung war eine gesamteuropäische Bewegung, die in den verschiedenen Ländern einen abweichenden Charakter hatte und von ihren einzelnen Vertretern sehr unterschiedlich definiert wurde. Die Grundsätze der Aufklärung: Berufung auf die Vernunft als Maßstab des persönlichen und gesellschaftlichen Handelns, Hinwendung zum Diesseits, positives Menschenbild, Gleichheit aller Menschen, Einforderung der Menschenrechte für alle Menschen, Religionskritik, Fortschrittsglauben griffen auf Deutschland zwar erst relativ spät über, wurden aber auch hier zu einem zusammenhängenden Gedankengebäude, auf das das Bürgertum seine Souveränität gründete.

reason

Die Öffentlichkeit verändert sich – Der freie Schriftsteller meldet sich zu Wort – Der literarische Markt entsteht

Die höfisch geprägte Literatur des 17. Jahrhunderts war durch Volksferne, Realitätsverlust, Künstlichkeit und Motivarmut gekennzeichnet. Als Hofdichtung war sie zu einem sterilen, funktionslosen Gebilde erstarrt und nicht fähig, die neuen Entwicklungen künstlerisch zu erfassen, geschweige denn ihnen Ausdruck zu geben. Die dramatischen »Haupt- und Staatsaktionen«, die verwirrenden Schäfer- und Heldenromane und die schwülstigen erotischen Gedichte sprachen immer weniger Leser und Zuschauer an. Zudem fanden immer mehr Fürsten ihre Hofpoeten entbehrlich. Der letzte preußische Hofdichter wurde 1713 bei Regierungsantritt Friedrich Wilhelms I. im Zuge von Sparmaßnahmen entlassen. Die Ablösung von der höfischen Dichtung vollzog sich zumeist in den großen reichsunmittelbaren Handelsstädten, die sich zu kulturellen Konkurrenten der Höfe entwickelten und eine eigenständige Literaturgesellschaft ausbildeten. So gab es in Leipzig schon sehr früh ein städtisches Theater, in Hamburg sogar eine städtische Oper. An die Stelle des fürstlichen Mäzens traten hier und da bürgerliche Geldgeber, wie z.B. in Hamburg die »Patriotische Gesellschaft«, die bei Autoren literarische Werke in Auftrag gab. Nicht mehr das Lob des Fürsten und die Unterhaltung der höfischen Gesellschaft, sondern die Würdigung bürgerlichen Lebens und die Aufklärung des bürgerlichen Lesers waren Gegenstand und Ziel der neuen Dichtung. Dieser Adressaten- und Funktionswandel der Dichtung vollzog sich unter großen Schwierigkeiten, da es ein breites Lesepublikum zu der Zeit noch gar nicht gab. Die große Masse der Bevölkerung konnte am Anfang des 18. Jahrhunderts weder lesen noch schreiben, und die

*Geistliche Unter-
weisung von Analpha-
beten – Bänkelsänger
und Lumpen-
proletariat auf dem
Jahrmarkt*

wenigen Bürger, die alphabetisiert waren, beschränkten ihre Lektüre auf die Bibel und religiöse Erbauungsschriften. Noch um 1770 machte der Kreis derjenigen, die lesen konnten, höchstens 15 % der Gesamtbevölkerung aus und erreichte erst um 1800 etwa 25 %. Der Kreis derjenigen, die sich für schöne Literatur interessierten, war natürlich noch kleiner. So rechnete Jean Paul Ende des Jahrhunderts mit einem Publikum von 300000 Lesern und griff damit sicherlich zu hoch. Tatsächlich dürften nicht mehr als 1 % der Gesamtbevölkerung von 25 Millionen Einwohnern Leser schöner Literatur gewesen sein. Ein breites Lesepublikum und eine literarisch interessierte Öffentlichkeit mußten also erst geschaffen werden.

Hierbei spielten die Moralischen Wochenschriften eine große Rolle. Zeitschriften wie *Der Biedermann, Der Patriot* und *Die vernünftigen Tadlerinnen*, die nach englischem Vorbild in der ersten Hälfte des 18. Jahrhunderts wie die Pilze aus dem Boden schossen, haben eine wichtige Funktion für die Herausbildung einer bürgerlichen Öffentlichkeit gehabt. Die Moralischen Wochenschriften, in ihrer räsonierenden und informierenden Form selbst ein Produkt der Aufklärung, setzten sich die Popularisierung aufklärerischen Gedankenguts zum Ziel. Damit wurden sie zu einem wichtigen Bindeglied zwischen höfischer und bürgerlicher Gesellschaft. Durch ihre kurzen populärwissenschaftlichen Abhandlungen, ihre moralphilosophischen Erörterungen und Untersuchungen, ihre neue literarische Verfahrens- und Vermittlungsweise weckten sie die Aufnahmebereitschaft des Publikums für neue Inhalte und Formen, erschlossen breitere Leserschichten und schufen auf

*Moralische
Wochenschriften*

diese Weise erst die Voraussetzungen für literarische Bildung und das Entstehen eines literarischen Marktes. Entscheidend gefördert wurde die Entwicklung bürgerlicher Öffentlichkeit durch die Lesegesellschaften, die vielfältig organisiert waren und sehr unterschiedliche Ziele verfolgten. Die Lesezirkel, die es seit dem Ende des 17. Jahrhunderts in Deutschland gab, dienten der Verbilligung der Lektüre von Zeitungen, Zeitschriften und Büchern, während die Lesegesellschaften darüber hinaus sich als Geselligkeitskreise verstanden, in denen private Lektüre einen gesellschaftlichen Rang erhielt. Die große Zahl von Lesegemeinschaften – zwischen 1760 und 1800 wurden rund 430 solcher Vereinigungen gegründet – zeigt, wie groß das gesellschaftliche Bedürfnis nach Lektüre und Diskussion darüber war. Die meisten Lesegesellschaften fühlten sich der Aufklärung verpflichtet. Ihre aufklärerische Zielsetzung spiegelt sich sowohl in der Lektüreauswahl als auch in den Organisationsstatuten, die die Selbstverwaltung nach demokratischen Prinzipien regelten. Zutritt zu den Lesegesellschaften hatte prinzipiell jeder Mann von Bildung und Geschmack (Frauen und Studenten waren ausgenommen), doch wurde durch die hohen Mitgliedsbeiträge der Kreis auf wohlhabende Bürger und Adlige beschränkt. Kleinbürger und die Unterschichten blieben ausgeschlossen und waren – soweit sie lesen konnten – auf die Leihbibliotheken angewiesen, die es aber erst gegen Ende des 18. Jahrhunderts in nennenswerter Zahl gab. Diese Leihbibliotheken markieren zusammen mit den kommerziellen Bibliotheken, die ebenfalls erst gegen Ende des 18. Jahrhunderts gegründet wurden, einen vorläufigen Endpunkt der gesellschaftlichen Lektüre. Sie schließen die erste Entwicklungsphase bürgerlicher Öffentlichkeit ab und schaffen die Voraussetzungen für eine Reprivatisierung des Lesens.

Lesegesellschaften

Strukturwandel der Öffentlichkeit

Die Abkehr von der höfisch verankerten Dichtung bewirkte nicht nur einen Strukturwandel der Öffentlichkeit, sondern sie hatte auch für die Situation des Schriftstellers Konsequenzen. Das Zeitalter des besoldeten Hofdichters ging zu Ende; an seine Stelle trat der freie Schriftsteller, der von seiner dichterischen Arbeit zu leben versuchte. Dem Vorteil der »freien« Schriftstellerexistenz – geistige Unabhängigkeit von fürstlichen und geistlichen Geldgebern – stand ein großer Nachteil gegenüber: die Unsicherheit des Einkommens. Kaum ein Schriftsteller im 18. Jahrhundert konnte angesichts der geringen Auflagenhöhe und der niedrigen Honorare vom Ertrag seiner Arbeiten leben. Für das Werk eines renommierten Autors galt eine Auflage von 1000 bis 3000 Exemplaren als normal. Lessing hatte 1779 für seinen *Nathan* 2000 Subskribenten, von Klopstocks *Gelehrtenrepublik* wurden gar 6000 Exemplare gedruckt, Goethes *Schriften* wurden 1787–90 in einer Auflage von 4000 Exemplaren herausgebracht. Auch Zeitungen und Zeitschriften erreichten nur eine geringe Auflagenhöhe. Wielands *Teutscher Merkur*, eine der renommiertesten Zeitschriften des 18. Jahrhunderts, wurde in einer Auflage von 2000 Exemplaren gedruckt, wobei der Leserkreis natürlich sehr viel größer gewesen sein dürfte. Wirklich hohe Auflagen erreichten populär geschriebene Ratgeber für die Bevölkerung, wie Beckers *Noth- und Hülfsbüchlein für Bauern*, von dem zwischen 1788 und 1811 über eine Million Exemplare gedruckt und das von vielen Fürsten gezielt als antirevolutionäre Propaganda an ihre Untertanen kostenlos verteilt wurde.

Honorare

Die Honorare wurden nach Bogen berechnet. Das normale Bogenhonorar lag zwischen 5 und 7 Talern. Spitzenverdiener wie Klopstock, Wieland und Lessing bekamen für einige ihrer Bücher ein Honorar, das einem Beamtenjahresgehalt entsprach. Das waren aber absolute Ausnahmen, wobei man bedenken muß, daß auch diese Spitzenverdiener nicht jedes Jahr ein Buch schrieben und infolgedessen über längere Zeiträume von ihrem Honorar

*Jahrmarkt zu
Plundersweilern oder
Die Große Buch-
händlersmesse*

leben mußten. So mußten sich die meisten Schriftsteller, sofern sie nicht von Haus aus wohlhabend waren, nach Nebeneinkünften umsehen, sich als Hofmeister, Beamte usw. verdingen oder sich doch wieder um adelig-höfische Gönner bemühen. Auf Grund ihrer desolaten finanziellen Lage sahen sich viele Schriftsteller gezwungen, ihre Hoffnungen auf die Fürsten zu setzen, von denen sie materielle Unterstützung, z.T. sogar die umfassende Organisation und wirtschaftliche Fundierung der Literatur erwarteten. So arbeiteten Wieland, Klopstock und Herder detaillierte Pläne aus, in denen die Förderung der Literatur und der Autoren von gemeinnützigen Anstalten, sogenannten Akademien, übernommen werden sollte. Diese wiederum sollten von Fürsten protegiert und finanziert werden. Tatsächlich ist keiner dieser Pläne jemals realisiert worden. Die Fürsten zeigten sich uninteressiert. Nur einige wenige Schriftsteller – so z.B. Klopstock – erhielten von fürstlichen Gönnern eine Pension, ohne dafür direkte Dienstleistungen erbringen zu müssen, wie dies z.B. Wieland und Goethe in Weimar als Prinzenerzieher und Fürstenberater tun mußten. Andere sahen sich gezwungen, einen Broterwerb anzunehmen und konnten nur in ihrer kärglich bemessenen Freizeit schreiben. Wieder andere versuchten, als Herausgeber von Zeitschriften und durch journalistische Arbeiten ihre finanzielle Lage zu verbessern.

Mäzenatentum

Eingeengt wurde die neue Freiheit des Schriftstellers aber nicht nur durch seine ungesicherte wirtschaftliche Lage, sondern auch durch ganz handfeste Repression, nämlich durch die in den meisten deutschen Staaten herrschende Zensur. Ein Mitglied der Wiener Bücherkommission, die über die Zensur in Österreich wachte, definierte 1761 die Zensur als »die Aufsicht, daß sowohl im Lande keine gefährlichen und schädlichen Bücher gedruckt, als auch, daß dergleichen Bücher nicht aus andern Landen eingeführt und verkaufet werden«, und wollte nur solche Bücher gedruckt sehen, die »nichts Gefährliches vor die Religion, nichts zu offenen Verderb der Sitten, und nichts wider

Zensur

*Christoph Martin
Wieland*

»Preßfreiheit«

Literarischer Markt

die Ruhe des Staats, und wider die, denen Regenten schuldige, Ehrerbiethung in sich enthalten«. Wie stark die Zensur in das öffentliche Leben eingriff, zeigt die berühmt-berüchtigte Auseinandersetzung zwischen Lessing und dem orthodoxen Pastor Goeze über die Publikation religionskritischer Schriften. Der Herzog von Braunschweig hatte Lessing ursprünglich von der Zensur befreit, nahm diese Maßnahmen aber auf Betreiben Goezes zurück: Durch mehrere herzögliche Erlasse wurde es Lessing verboten, seine religionskritischen Arbeiten zu publizieren und die Auseinandersetzung mit Goeze weiterzuführen. Auch Goethes *Werther* wurde – hier hat sich wiederum der orthodoxe Goeze hervorgetan – in einigen Teilen Deutschlands von der Zensur verboten, ebenso Wielands *Agathon*, dessen Verkaufserfolg durch die Zürcher und Wiener Zensur erheblich behindert wurde. Zwar wurden die Zensurmaßnahmen in den einzelnen Territorien sehr unterschiedlich gehandhabt – so konnte manches Buch, das in Preußen oder Sachsen nicht gedruckt werden durfte, in Hannover, Braunschweig oder Altona erscheinen –, Vertrieb und Verkauf der Bücher wurden aber durch das Bestehen der Zensur generell beeinträchtigt, wobei besonders eine Folge der Zensur, nämlich die Selbstzensur des Autors beim Schreiben, eine große Belastung für die Entwicklung einer »freien« Schriftstellerexistenz war. Um obrigkeitlicher Zensur zu entgehen, sparten manche Schriftsteller anstößige Stellen oder ganze als gefährlich eingeschätzte Gedankengänge und Argumentationsweisen vorsichtshalber aus und nahmen die öffentliche Zensur damit vorweg. Zum Teil nahmen sie auch Zuflucht zur anonymen Veröffentlichung ihrer Schriften. Das Bestehen der Zensur wurde von den meisten Schriftstellern als ein ernstes Problem erkannt und bekämpft. Die Forderung nach »Preßfreiheit«, d.h. nach Abschaffung der Zensur, findet sich bei vielen Schriftstellern der damaligen Zeit. So schrieb Wieland 1785: »Freyheit der Presse ist Angelegenheit und Interesse des ganzen Menschen-Geschlechtes. Dieser Freyheit hauptsächlich haben wir den gegenwärtigen Grad von Erleuchtung, Kultur und Verfeinerung, dessen unser Europa sich rühmen kann, zu verdanken. Man raube uns diese Freyheit, so wird das Licht, dessen wir uns jetzt erfreuen, bald wieder verschwinden; Unwissenheit wird uns wieder dem Aberglauben und dem tyrannischen Despotismus preisgeben; die Völker werden in die scheusliche Barberey der finstern Jahrhunderte zurücksinken; wer sich dann erkühnen wird, Wahrheiten zu sagen, an deren Verheimlichung den Unterdrückern der Menschheit gelegen ist, wird ein Ketzer und Aufrührer heißen, und als ein Verbrecher bestraft werden.« Die politische Funktion der Zensur und der Zusammenhang zwischen Publikationsfreiheit und dem Fortschritt der Gesellschaft wurden insbesondere von den der Aufklärung verpflichteten Schriftstellern klar herausgestellt. Trotz des Kampfes gegen die Zensur gelang es nicht, sie abzuschaffen. Im Gegenteil: Nach 1789 kam es im Gefolge der durch die Französische Revolution hervorgerufenen Revolutionsangst überall in Deutschland zu einer massiven Verschärfung der Zensur, die wie eine Vorwegnahme der Zensurmaßnahmen der Vormärzzeit anmutet.

Finanzielle Misere und Zensur waren zwei Faktoren, welche die neue Freiheit des Schriftstellers einschränkten; ein dritter Faktor kam hinzu: der literarische Markt, der sich seit der Mitte des 18. Jahrhunderts in Deutschland herausbildete. Zwei Entwicklungen vor allem waren dafür verantwortlich. Erstens der rasche Anstieg der Buchproduktion und zweitens der sprunghafte zahlenmäßige Anstieg der Schriftsteller. Zwischen 1740 und 1800 stieg die jährliche Buchproduktion von 755 auf 2569 Titel, wobei die sogenannte Schöne Literatur den Hauptanteil an dieser Steigerung hatte.

Jährlich zu erneuern-
des Privileg
an die Buchhändler
J.B. Metzler und
J.G. Cotta – Titel-
blatt. Beide Dekrete
beleuchten die Risiken
und die Anhängigkeit
der Verlage von obrig-
keitlicher Zensur

Ihre Produktion stieg absolut zwischen 1740 und 1800 um das 16fache, ihr relativer Anteil an der Gesamtproduktion von 5,8 % auf 21,5 %. 1766 gab es zwischen 2000 bis 3000 Autoren, 1800 waren es schon über 10000, von denen 1000 bis 3000 hauptsächlich oder ausschließlich vom Ertrag ihrer schriftstellerischen Arbeit zu leben versuchten. Die rasche Steigerung der Bücherzahlen machte es notwendig, die Buchproduktion und deren Vertrieb nach marktwirtschaftlichen Gesichtspunkten zu organisieren. An die Stelle des nach den Gesetzen des Tauschhandels organisierten Buchhandels – der Tauschhandel war von 1564 bis 1764 die vorrangige buchhändlerische Ver-kehrsform – traten das moderne Verlagswesen und der moderne Buchhan-del. Verlag und Sortiment, bislang in der Person des Verleger-Sortimenters zusammengefaßt, trennten und spezialisierten sich unabhängig voneinander auf die Herstellung bzw. den Vertrieb. Das war die Geburtsstunde des neu-zeitlichen Verlegers und Buchhändlers. Erstmals gab es feste Preise. Bücher wurden nun nicht mehr nur einmal im Jahr auf Messen angeboten, sondern konnten auch während des Jahres über den Buchhändler bezogen werden. Das war von großem Vorteil für die Käufer, die jetzt das Buch wie jede andere Ware ständig kaufen konnten.

Die Expansion und Organisation des literarischen Marktes nach den Ge-setzen der Warenproduktion hatten Konsequenzen für die Situation des Au-tors, sein Selbstverständnis und seine literarische Produktion. Die Schriftstel-ler mußten sich, wie ein Betroffener bitter beklagte, »in manche Verhältnisse der bürgerlichen Gesellschaft fügen, die ihnen wehe thun«. Dazu gehörte vor allem die Anpassung an den Markt und den literarischen Geschmack des Publikums. Literatur wurde, wie schon die Zeitgenossen klar erkannten, zur »Kaufmannswaare«, der Schriftsteller zum »Lohnschreiber«. Die Abstufun-gen der wirtschaftlichen Stellung des Schriftstellers reichten dabei vom ver-lagsabhängigen Lohnarbeiter bis zum selbständigen Warenproduzenten. Ni-colai berichtet in seinem Roman *Sebaldus Nothanker* von einem Verleger,

Selbstverständnis
des Autors

127

»der in seinem Hause an einem langen Tische zehn bis zwölf Autoren sitzen hat und jedem sein Pensum fürs Tagelohn abzuarbeiten gibt«. Renommierte Autoren wie Schiller und Goethe konnten ihren Verlegern selbstbewußter gegenübertreten. So handelte Schiller mit seinem Verleger eine feste Unterhaltssumme gegen die Abgabe einer ganzen Jahresproduktion aus, Goethe bot seinem Verleger die fertigen Produkte zum Kauf an. Die Abhängigkeit vom Verleger wurde allgemein negativ empfunden und häufig bitter beklagt. »Was wird denn aus unserer Literatur werden, wenn sich die Autoren so nach dem Willen der Buchhändler bequemen sollen?«, fragte sich manch ein Schriftsteller besorgt. So machten Lessing *(Leben und leben lassen. Ein Projekt für Schriftsteller und Buchhändler)* und Wieland *(Grundsätze, woraus das mercantilische Verhältnis zwischen Schriftsteller und Verleger bestimmt wird)* Versuche, das Verhältnis zwischen Autoren und Verlegern so zu regeln, daß es nicht einseitig zu Lasten der Autoren ging. Andere Autoren, wie z.B. Klopstock, versuchten, die unliebsame Vermittlungsinstanz des Verlagswesens ganz zu umgehen und boten ihre Bücher im Selbstverlag an. Daß ein solches Verfahren zur damaligen Zeit bereits anachronistisch war, zeigt der Bankrott der Dessauer Gelehrtenbuchhandlung, die 1781 von mitteldeutschen Autoren als genossenschaftliches Verlagsunternehmen gegründet worden war. Aber auch die Versuche, sich über Subskription und Pränumeration vom Verleger unabhängig zu machen, scheiterten; denn, so beklagte ein Zeitgenosse, »das Herausgeben der Bücher auf Subskription und Pränumeration hat tausend Beschwerlichkeiten, die man sich vorher nicht hat träumen lassen, und am Ende gewinnt der Verfasser selten so viel, als ihm ein Verleger gegeben haben würde«.

Urheberrecht

Als besonders gravierend empfanden die Autoren, daß sie nicht Eigentümer ihrer Schriften waren; die Eigentumsrechte lagen vielmehr bei den Verlegern, die mit den Manuskripten willkürlich umgehen konnten. Akut wurde die Frage des geistigen Eigentums durch das Nachdruckunwesen. Ohne Rücksicht auf Autoren- und Verlegerrechte druckten findige Buchhändler beliebte und gefragte Bücher für ihre eigene Tasche nach und schmälerten damit dem ursprünglichen Verleger und mittelbar auch dem Autor die finanziellen Einnahmen. Erst 1835 wurde durch Beschluß des Deutschen Bundes der willkürliche Nachdruck durch gesetzliche Regelungen unterbunden. Die Diskussion über den Schutz des geistigen Eigentums bzw. des Urheberrechts dauerte aber noch während des ganzen 19. Jahrhunderts an. Im 18. Jahrhundert lebte der einzelne Schriftsteller also in einer rechtlich noch völlig ungesicherten Situation und war den Gesetzen des Marktes schutzlos ausgeliefert. Erschwerend kam der starke Konkurrenzdruck unter den Autoren hinzu. Auf dem literarischen Markt überleben konnten nur die Autoren, denen es gelang, sich weitgehend dem Publikumsgeschmack anzupassen, oder solche Autoren, deren Werke durch Originalität in Inhalt und Form das Interesse der literarischen Kenner spontan auf sich ziehen konnten. Die Auffassung bzw. Propagierung des Dichters als »Originalgenie« hat darin einen guten Grund.

Die aufklärerischen Literaturtheorien
von Gottsched über Lessing
bis zum Sturm und Drang

Das Ende des höfischen Dichters bedeutete auch das Ende der höfischen
Literatur. An deren Stelle trat eine neue Literatur, die die zentralen Kategorien der Aufklärung, Vernunft, Nützlichkeit, Menschlichkeit, auf alle Gattungen der Literatur zu übertragen versuchte. Johann Christoph Gottsched
war der erste, der die längst fällige Neuorientierung theoretisch und praktisch vollzog und wegweisend für die Entstehung der neuen Literatur wurde.
In seinem bedeutenden theoretischen *Versuch einer Critischen Dichtkunst
vor die Deutsche* (1730) brach er mit den formalistischen, noch in der
feudalen Gesellschaft verwurzelten Regel- und Anweisungspoetiken des Barock, verurteilte die Barockdichtung vom aufklärerischen Standpunkt aus
und forderte eine Literatur, die sich in den Dienst der Aufklärung stellen, die
aufklärerischen Ideen auf gemeinverständliche und angenehme Weise vermitteln, die Nutzen und Vergnügen (»prodesse et delectare«) verbinden und
breite bürgerliche Bevölkerungsschichten erreichen sollte. Im Mittelpunkt
von Gottscheds Poetik stand der aristotelische Grundsatz von der Nachahmung der Natur und die horazische Forderung, wonach »prodesse et delectare« die Aufgaben der Dichtung seien. Die Regeln der Vernunft waren für
Gottsched gleichbedeutend mit den Gesetzen der Natur. Infolgedessen war
für ihn Regeltreue identisch mit Naturnachahmung. Dabei verstand Gottsched unter Naturnachahmung keine realistische Wirklichkeitswiedergabe,
sondern die »Ähnlichkeit des Erdichteten mit dem, was wirklich zu geschehen pflegt«. Mit diesem Wahrscheinlichkeitsprinzip begründete Gottsched
auch seine Forderung nach der strengen Einhaltung der aristotelischen drei
Einheiten (Zeit, Ort, Handlung) im Drama, die Lessing wenige Jahre später
vehement kritisierte. Auch den dichterischen Schaffensprozeß wollte Gottsched nach den Regeln der Vernunft organisieren: »Zu allererst wähle man
sich einen lehrreichen moralischen Satz, der in dem ganzen Gedichte zum
Grunde liegen soll, nach Beschaffenheit der Absichten, die man sich zu
erlangen vorgenommen. Hierzu ersinne man sich eine allgemeine Begebenheit, worin eine Handlung vorkömmt, daran dieser erwählte Lehrsatz sehr
augenscheinlich in die Sinne fällt«. Nicht weniger bedeutsam war die Gott-
schedsche Zementierung der sogenannten Ständeklausel, wonach in der Tragödie, in Staatsromanen und Heldengedichten nur Fürsten und Adlige als
Handelnde auftreten sollten, in der Komödie, in Schäfergedichten und Romanen dagegen nur Bürger und Landleute Akteure sein durften. Die moral-
pädagogische Indienstnahme der Dichtung hatte auch Konsequenzen für die
Stellung des Dichters. Dieser wurde zum Lehrmeister und Erzieher des Publikums und damit in seiner Bedeutung moralisch und intellektuell aufgewer-
tet, zugleich aber auch in seinem künstlerischen Spielraum beschränkt.

So bedeutsam und bahnbrechend Gottscheds rastlose Bemühungen auf
den Gebieten des Journalismus, des Dramas und der Poetik auch gewesen
sind, so zeigten sich schon früh die Grenzen seiner Auffassungen. Die mecha-
nistische Ansicht vom Schaffensprozeß des Dichters, die nicht weniger mechanische Vorstellung von wirklichkeitsgetreuer Nachahmung der Natur,
das starre Beharren auf der Einhaltung der drei Einheiten und der Ständeklausel erwiesen sich bald als hinderlich und einengend für die Entwicklung
einer neuen bürgerlichen Literatur und wurden von den Zeitgenossen früh-

Titelblatt von 1730

Ehepaar Gottsched

Gottscheds Reform

Titelblatt von 1768

*Entlassung der Dienst-
magd wegen eines
Fehltritts*

*Lessings
»Natürlichkeit«*

zeitig kritisiert. Der wichtigste Kritiker der Gottschedschen Literaturtheorie und -praxis war Lessing. In seinem *Briefwechsel mit Mendelssohn und Nicolai über das Trauerspiel* (1756/57) setzte er sich sowohl von den drei Einheiten und der Ständeklausel als auch vom mechanischen Nachahmungsprinzip und der moraldidaktischen Funktionalisierung der Dichtung bei Gottsched ab, ohne dabei freilich mit dem aufklärerischen Anspruch zu brechen. Innerhalb der Aufklärungsbewegung vertrat Gottsched einen frühbürgerlichen Standpunkt, der von Zugeständnissen an die feudale Gedankenwelt noch nicht ganz frei war, während Lessing eine fortgeschrittene bürgerliche Position einnahm, mit der die feudale Literaturtheorie und -praxis in Deutschland endgültig überwunden wurde. Er konnte sich dabei auf Entwicklungen im literarischen Bereich stützen, die in Frankreich zur Ausbildung des bürgerlichen Lustspiels (von Gegnern verächtlich als »weinerliches Lustspiel« bezeichnet) und in England zur Ausbildung der bürgerlichen Tragödie geführt hatten. In den Dramen der Franzosen und Engländer fand Lessing die Aufhebung der alten feudalen Ständeklausel, die das erwachende bürgerliche Selbstgefühl beleidigte, bereits in dichterische Praxis umgesetzt: der Bürger war tragödienfähig geworden. Lessing überwand die feudale Ständeklausel dadurch, daß er den Menschen abgelöst von seiner ständischen Gebundenheit zum Handelnden machen wollte: »Die Namen von Fürsten und Helden können einem Stück Pomp und Majestät geben; aber zur Rührung tragen sie nichts bei. Das Unglück derjenigen, deren Umstände den unsrigen am nächsten kommen, muß natürlicherweise am tiefsten in unsre Seele dringen; und wenn wir mit Königen Mitleiden haben, so haben wir es mit ihnen als mit Menschen und nicht als mit Königen«. Diese Berufung Lessings auf das Menschliche hing eng zusammen mit seinem Bemühen um eine neue, differenzierte Funktionsbestimmung der Literatur. Nicht moralische Belehrung im Gottschedschen Sinne, sondern sittliche Läuterung wollte Lessing erreichen. Ziel der Tragödie war es in seinen Augen, Furcht und Mitleid beim Zuschauer bzw. Leser zu erregen. Durch Furcht und Mitleid sollte die Tragödie zur Reinigung der Leidenschaften (Katharsis) führen. Der Zuschauer sollte sich mit dem Helden identifizieren, bei seinem Unglück Mitleid empfinden und zugleich von der Furcht ergriffen werden, das gleiche Unglück könne auch ihn treffen. Eine solche Absicht war nur zu verwirklichen, wenn der Held keine idealtypisch gezeichnete Person im Gottschedschen Sinne war; er mußte eine realistische Figur abgeben, einen »gemischten Charakter«, d.h. einen Menschen, der »weder nur gut noch völlig böse angelegt« war. Dieser psychologische Realismus Lessings wird an seinem Begriff der poetischen Nachahmung deutlich. Der Dichter soll die Dinge nicht naturalistisch wiedergeben, sein Ziel soll vielmehr die poetische Wahrheit sein. Diese wird erreicht, wenn der Dichter alles Unwichtige, Zufällige und Nebensächliche wegläßt und sich ganz darauf konzentriert, das Wesentliche und Typische wiederzugeben. »Auf dem Theater sollen wir nicht lernen, was dieser oder jener einzelne Mensch getan hat, sondern was ein jeder Mensch von einem gewissen Charakter unter gewissen Umständen tun werde.«

Lessings Funktionsbestimmung der Literatur eröffnete neue künstlerische Möglichkeiten. Das Prinzip der poetischen Nachahmung, das er gegen das Prinzip der Nachahmung der Natur setzte, machte eine künstlerische Gestaltung im modernen Sinne überhaupt erst möglich. Zugleich bedeutete die Lessingsche Funktionsbestimmung auch eine Aufwertung des Dichters, der erstmals als künstlerisches Subjekt begriffen und legitimiert wurde. Nicht minder bedeutsam als seine Leistungen als Theoretiker, die am deutlichsten in seiner Schrift *Laokoon oder über die Grenzen der Malerei und Poesie*

(1766) zutage tritt, war Lessings Leistung als Kritiker. Seine kritischen Schriften *Briefe, die neueste Literatur betreffend* (1759), die er mit seinen Freunden Nicolai und Mendelssohn herausgab, und die *Hamburgische Dramaturgie* (1767–69), in der er die in Hamburg aufgeführten Dramen besprach, sind Muster einer »produktiven Kritik«, wie der Romantiker Friedrich Schlegel noch Jahrzehnte später lobend hervorhob. Mit Lessings literaturkritischen Arbeiten setzten eine neue Ära der literarischen Auseinandersetzung in Deutschland und ein Aufschwung des literarischen Lebens insgesamt ein.

Viele Gedanken Lessings waren zukunftweisend. Insbesondere seine Ablehnung einer normativen Poetik im Gottschedschen Sinne, sein Konzept der poetischen Wahrheit und die damit verbundene differenzierte Realismusauffassung, die dem Dichter einen schöpferischen Spielraum ließ, wurden für die nachwachsende Autorengeneration wichtig. Vor allem die Stürmer und Dränger, eine Gruppe von jungen Dichtern, die ihren Namen von Klingers Drama *Sturm und Drang* herleiteten, griffen Lessingsches Gedankengut auf und verbanden es mit eigenen Anschauungen zu einer neuen Konzeption von Literatur. Nicht mehr die Regelpoetik, sondern das Genie, d. h. die schöpferische Kraft des dichterischen Individuums, stand im Mittelpunkt der neuen ästhetischen Auffassungen. Der Geniekult der Stürmer und Dränger hob den Dichter über das gewöhnliche Menschenmaß hinaus. Kunst war nicht länger erlernbar (»Schädlicher als Beyspiele sind dem Genius Principien« – Goethe), der Künstler schöpft aus dem ihm eigenen Genie. Wesentliche Anregungen erhielt die Genieauffassung durch die Shakespeare-Rezeption. Hatte Gottsched Shakespeare noch wegen seiner Regellosigkeit abgelehnt, so eröffnete die Entdeckung Shakespeares seit den 50er Jahren des 18. Jahrhunderts den Stürmern und Drängern eine neue Welt und ermöglichte die Ablösung von der französischen klassizistischen Dichtung. In Goethes von Herder beeinflußtem programmatischem Aufsatz *Zum Shäkespears Tag* (1771) bricht sich die Begeisterung für den englischen Dichter und seine psychologische Charaktergestaltung emphatisch Bahn: »Ich erkannte, ich fühlte aufs lebhafteste meine Existenz um eine Unendlichkeit erweitert.« Shakespeare wird zum Sinnbild des genialen Dichters und zum Vorbild der eigenen dichterischen Praxis. So zeigt sich Goethe in seinem *Götz von Berlichingen* (1773) ebenso von Shakespeare beeinflußt wie Klinger in seinem Drama *Die Zwillinge* (1776).

Die Übersteigerung des Geniekultes bei einigen Stürmern und Drängern wird auf dem Hintergrund des sich verschärfenden Konkurrenzdrucks auf dem literarischen Markt verständlich. Die Betonung des genialischen und subjektiven Moments im künstlerischen Schaffensprozeß war nicht zuletzt eine Folgeerscheinung der wachsenden Zahl von Schriftstellern und des Konkurrenzkampfes untereinander. Genialität konnte in dieser Situation eine »Waffe im Konkurrenzkampf« und Subjektivität eine »Form der Selbstreklame« (Hauser) sein. Dabei dürfen negative Aspekte des Geniekultes nicht übersehen werden. Das irrationale Element des Geniebegriffs stand in merkwürdigem, unaufgelöstem Widerspruch zum aufklärerischen Prinzip der Rationalität. Genialität, Spontaneität, Individualität, Gefühl, Empfindung, Natürlichkeit und Originalität waren die Schlagworte der neuen Literaturbewegung, mit der diese sowohl gegen den normativen Anspruch Gottscheds und seiner Schüler als auch, ungeachtet der Hochschätzung von Lessings Leistungen, gegen normierende Vorstellungen Lessings und seiner Freunde Sturm liefen. Wie es falsch ist, Lessing und Gottsched als unversöhnliche Widersacher zu sehen, auch wenn sie sich selbst so verstanden, ist es falsch, den Kampf der Stürmer und Dränger gegen Gottsched und Lessing als unüber-

Gotthold Ephraim Lessing

Geniekult

Gellert als gekrönter Dichter – Geniekult von 1770

brückbare Gegnerschaft zu verstehen. Mit den Stürmern und Drängern tritt die Aufklärungsbewegung, die bei Gottsched eingesetzt und in Lessing ihren Höhepunkt erreicht hatte, in eine neue Phase. Das in der frühen Aufklärungsbewegung vorherrschende, z. T. einseitig betonte Prinzip der Rationalität wurde nicht ersetzt, sondern ergänzt durch den Gefühlskult der Stürmer und Dränger. Die beiden Pole der Aufklärung, Verstand und Gefühl, wurden zu einer neuen, nicht unproblematischen Einheit zusammengefügt.

Daß der Sturm und Drang keine Gegenbewegung zur Aufklärung war, sondern diese vielmehr weiterführte, bereicherte, z. T. auch radikalisierte, wird deutlich an der Literaturauffassung der Stürmer und Dränger. So verstärkte Schiller in seiner Schrift *Die Schaubühne als eine moralische Anstalt betrachtet* (1784) die gesellschaftskritischen Momente, die bereits bei Lessing in dessen Theorie des bürgerlichen Trauerspiels und in seiner Forderung nach einem bürgerlichen Nationaltheater vorhanden gewesen waren, wenn er von der Bühne forderte, daß sie »Schwert und Waage« übernehmen und die Laster und Verbrechen der Mächtigen vor den »Richterstuhl« der Vernunft bringen solle. Eine solche Literaturauffassung veränderte auch die Rolle des Schriftstellers. Dieser wurde zum Sachwalter der unterdrückten Vernunft und zum Kämpfer für die Rechte des Bürgertums. Realisiert werden konnte eine solche Funktionszuweisung nur durch eine Literatur, welche die aktuellen Hemmnisse der bürgerlichen Emanzipationsbewegung thematisierte. Das Interesse an den Problemen des sogenannten gemeinen Mannes zeigt, daß die Stürmer und Dränger in den Emanzipationskampf des Bürgertums auch den Kleinbürger einschließen wollten. So war es nach Lenz für die Dichter von Vorteil, wenn sie »in die Häuser unserer sogenannten gemeinen Leute gingen, auf ihr Interesse, ihre Leidenschaften Acht geben« würden, und Herder forderte den Dichter auf, sich in den Dienst des »ehrwürdigsten Theils der Menschen, den wir Volk nennen«, zu stellen. In der Praxis bedeutete das eine Abkehr von einer Dichtung, die nur einem kleinen Kreis von Intellektuellen verständlich war. So forderte Bürger eine Kunst, »die zwar von Gelehrten, aber nicht für Gelehrte als solche, sondern für das Volk ausgeübt werden muß«. »Popularität eines poetischen Werkes« war für ihn »das Siegel seiner Vollkommenheit«. Der Dichter sollte zum »Volksdichter«, die Dichtung zur »Volkspoesie« werden. Die Konzeption der Volkspoesie macht den weiten Bogen deutlich, den die aufklärerische Literaturtheorie in nur fünfzig Jahren von Gottsched über Lessing bis hin zu den Stürmern und Drängern zurückgelegt hat.

Die aufklärerische Praxis im Drama

Im aufklärerischen Selbstverständnis nahm das Drama eine bevorzugte Stellung ein. Ihm wurde stärker als den anderen literarischen Gattungen eine erzieherische, gesellschaftsverändernde Kraft zugemessen. Als »weltliche Kanzel« (Gottsched), als »Schule der moralischen Welt« (Lessing), als »moralische Anstalt« (Schiller) von den Aufklärern begriffen, wurde das Theater in wenigen Jahren zum wichtigsten Erziehungs- und Bildungsinstitut. Weder vorher noch nachher hat das Theater jemals wieder eine solche Hochschätzung und eine solche Blütezeit erfahren wie im 18. Jahrhundert. Die Intelli-

*Wanderkomödianten
in München (um 1780)*

genz wurde von einer regelrechten »Theatromanie« erfaßt. Zahlreiche Bürgersöhne strebten zum Theater und versuchten sich als Schauspieler. Die
Romane *Anton Reiser* (1785–90) von Karl Philipp Moritz und *Wilhelm
Meisters theatralische Sendung* (1776–85) von Goethe legen von der Theaterleidenschaft der jungen Generation ein deutliches Zeugnis ab. Gerade die
bürgerlichen Intellektuellen suchten auf dem Theater die Rolle zu spielen,
die ihnen im gesellschaftlichen Leben versagt blieb.

Die atemberaubende Entwicklung, die das Theater in wenigen Jahren
erlebte, ist um so erstaunlicher, wenn man bedenkt, daß sie gleichsam beim
Nullpunkt begann. »Lauter schwülstige und mit Harlekins = Lustbarkeiten
untermengte Haupt = und Staats = Actionen, lauter unnatürliche Roman-
streiche und Liebesverwirrungen, lauter pöbelhafte Fratzen und Zoten
waren dasjenige, so man daselbst zu sehen bekam«, so beschrieb Gottsched
1724 das Leipziger Theaterleben. Gottscheds abschätzige Äußerung bezieht
sich auf die Wanderbühnen, die nach Aussage des berühmten Schauspielers
Konrad Ekhof aus »umreisenden Gauklertruppen« bestanden, »die durch
ganz Deutschland von einem Jahrmarkt zum anderen laufen und den Pöbel
durch niederträchtige Possen belustigen«. Daneben gab es noch das angesehene und privilegierte Hoftheater, das der Unterhaltung der aristokratischen
Hofgesellschaft diente und von fest engagierten französischen und italienischen Schauspieltruppen getragen wurde. Beide Theaterformen – das sogenannte Pöbeltheater und das feudale Hoftheater – waren mit dem aufklärerischen Literaturprogramm nicht zu vereinbaren. Es zeugt von Gottscheds
Weitblick und Instinkt, daß er mit seinen Reformversuchen beim verachteten
Pöbeltheater ansetzte. In Zusammenarbeit mit Schauspieltruppen unter-
nahm er den Versuch, das Niveau der Wanderbühnen zu heben und das
Theater für ein bürgerliches Publikum interessant zu machen. Maßstab für
Gottscheds Reformbemühungen war das klassizistische französische Drama,
das er mit eigenen »regelmäßigen« Schauspielen, d.h. Schauspielen, die den
Regeln entsprachen (gebundene Rede, feste Aktzahl, Einhaltung der drei
Einheiten von Ort, Zeit und Raum, der Ständeklausel usw.), umzusetzen
suchte. Mit dem Trauerspiel *Sterbender Cato* (1732) versuchte Gottsched,
ein praktisches Beispiel seiner eigenen Dramentheorie zu geben. Mit »Klei-

*Vom Harlekin zum
bürgerlichen Helden*

Madame Böck und Herr Eckhof ... Bauer mit der Erbschaft.

Konrad Ekhof auf der Bühne – Anbruch eines natürlichen Spiels: »durch Kunst der Natur nachahmen und ihr so nahe kommen, daß Wahrscheinlichkeiten für Wahrheiten angenommen werden müssen oder geschehene Dinge so natürlich wieder vorstellen, als wenn sie erst jetzt geschehen«

Eine schreibende Frau: die Kulmus

ster und Schere«, wie Gottscheds schärfster Kritiker Bodmer später bissig anmerkte, schrieb er auf der Grundlage der Cato-Stücke von Addison und Deschamps »die erste deutsche Originaltragödie«. Tatsächlich besteht das Stück über weite Strecken aus Übersetzungen; nur 174 der insgesamt 1648 Alexandriner des »Originaldramas« stammen aus Gottscheds eigener Feder. Es wäre jedoch falsch, ihm daraus einen Vorwurf zu machen. Er verstand sich nicht als »Originaldichter« im Sinne der späteren Sturm- und Drang-Zeit, sondern als Wegbereiter eines neuen »regelmäßigen Dramas«. Durch Übersetzung und Überarbeitung vorhandener Stücke, vor allem aus dem französischen, aber auch aus dem englischen Sprachraum, versuchte er ein dramatisches Modell zu entwickeln, das auch für die Praxis anderer Autoren vorbildlich werden sollte. Das Stück *Sterbender Cato* ist aber nicht nur als Muster eines »regelmäßigen« Trauerspiels interessant, sondern auch als ein Dokument der antifeudalen Tendenzen, die schon im Drama der Frühaufklärung zu finden sind. So betonte Gottsched in seiner Erläuterung und Verteidigung des *Cato* gegenüber zeitgenössischen Kritikern gerade die politische Komponente des Stückes, wenn er schrieb, »daß die wahre Größe eines Helden in der Liebe seines Vaterlandes und einer tugendhaften Großmuth bestehe; die Herrschsucht aber und die mit einer listigen Verstellung überfirniste Tyrannei unmöglich eine rechte Größe sein könne«. In der Konfrontation zwischen Caesar und Cato arbeitet Gottsched den Unterschied zwischen Tyrannis und Republik heraus, wobei seine Sympathien erklärtermaßen bei der Figur des Cato liegen. Der Erfolg des Stückes war für die damalige Zeit ungeheuer, es wurde das erfolgreichste Theaterstück der nächsten Jahrzehnte und erlebte zahlreiche Neuauflagen und Aufführungen. Der Herausgeber der 10. Auflage des *Cato*, einer der vielen Schüler und Bewunderer Gottscheds, schrieb anerkennend: »So viel ist gewiß, daß nicht leicht eine Residenz, Reichs- oder andre ansehnliche Handelsstadt, von Bern in der Schweiz und Straßburg an bis nach Königsberg in Preußen und von Wien her bis nach Kiel im Holsteinischen, zu nennen ist, wo nicht ›Cato‹ vielfältig wäre aufgeführt worden«.

Wie Gottsched durch seine eigenen Stücke für das Trauerspiel Pionierarbeit leistete, so vollbrachte dies für die Komödie seine Frau, Luise Adelgunde Victorie Kulmus. Die Kulmus gehört zu den prominentesten schreibenden Frauen im 18. Jahrhundert. Ihre *Pietisterey im Fischbein-Rocke* (1736), die wie Gottscheds *Cato* auf ausländischen Vorbildern basiert, zeugt wie ihre anderen Lustspiele *(Die ungleiche Heyrath; Die Hausfranzösin; Das Testament; Der Witzling)* von »einer bemerkenswerten satirischen Ader, von Witz und insgesamt von einem dichterischen Talent«, wie in der neueren Forschung zunehmend bemerkt wird. Das Stück der Gottschedin ist nicht nur unter den formalen Aspekten einer neuen Komödienform wichtig, sondern auch als ein Dokument des antiklerikalen Kampfes der Frühaufklärung anzusehen. Mit Spott und Ironie zieht sie gegen den Pietismus ihrer Zeit zu Felde und brandmarkt alle obskurantistischen und mystischen Züge, die sie in dieser Bewegung vorzufinden glaubt. In Herrn und Frau Glaubeleicht, in Magister Scheinfromm, im jungen Herrn von Muckersdorff und zahlreichen anderen Personen mit sprechenden Namen spießt sie falsche Frömmigkeit und religiöse Schwärmerei auf und formuliert eine Kritik am Pietismus, die in ihrer Entschiedenheit und Schärfe auch später von den Romanen *Der redliche Mann am Hofe* (1740) von Michael von Loen und *Leben und Meinungen des Magisters Sebaldus Nothanker* (1773) von Friedrich Nicolai nicht eingeholt wurde. Nicht zuletzt als bitterböse Satire auf den deutschen Pietismus Franckescher und Spenerscher Prägung war das Stück umstritten

134

und rief die Obrigkeit auf den Plan. König Friedrich Wilhelm I. nannte die *Pietisterey* in einer Kabinettsordre 1737 »eine recht gottlose Schmäh Schrifft«. In Berlin und Königsberg wurde es verboten, Buchhändler wurden verhört und zahlreiche Exemplare beschlagnahmt. Die Verfasserin selbst geriet nicht in die Schußlinie. Sei es aus falscher Bescheidenheit oder sei es wegen der politischen Brisanz des Stückes – sie ließ es anonym und mit falscher Verleger- und Ortsangabe erscheinen. Ihr Mann, der das Stück als Kampfschrift in der Auseinandersetzung mit der Gegenaufklärung hoch schätzte, verzichtete vorsichtshalber darauf, die umstrittene und verfolgte *Pietisterey* in seine sechsbändige *Deutsche Schaubühne* (1740–45), eine Mustersammlung von vorbildlichen Stücken, aufzunehmen.

Die Orientierung an ausländischen Vorbildern, insbesondere am klassizistischen französischen Drama, die Gottsched, seine Frau, deren Anhänger und Nachfolger kennzeichnet, verbesserte zwar spürbar das Niveau der Spielpläne, engte die Dichter aber in ihrer Gestaltungsfreiheit stark ein. Gegen die starre Regeldogmatik Gottscheds und seiner Freunde regte sich daher schon bald Widerspruch. Lessing ging so weit, Gottsched alle Verdienste an der Schaffung eines deutschen Theaters abzusprechen *(17. Brief, die neueste Literatur betreffend)* und beklagte die vorgefundene Theatersituation in den 60er Jahren mit den nicht ganz zutreffenden Worten: »Wir haben kein Theater. Wir haben keine Schauspieler. Wir haben keine Zuhörer«. Tatsächlich unterschieden sich die Vorstellungen, die Gottsched und Lessing vom Theater hatten, so erheblich, daß Lessing nicht imstande war, die Leistungen Gottscheds zu würdigen. Hatte Gottsched aufgrund seines gemäßigt aufklärerischen Standpunkts, der sich nicht immer von feudalen Vorstellungen (Ständeklausel!) freimachen konnte, seine Reformversuche in erster Linie auf eine Verbesserung des Repertoires konzentriert, so vertrat Lessing ein konsequent antifeudales Literaturprogramm. Er hatte sich vorgenommen, ein Nationaltheater zu schaffen, d.h. ein Theater für die ganze Nation, nicht für eine privilegierte Minderheit. Dieses Theater sollte frei von hemmendem ausländischem Einfluß sein und die aktuellen Probleme der Nation selbst thematisieren. Nur ein bürgerliches Theater konnte nach Lessing diese Forderungen erfüllen. Die Idee des Nationaltheaters und die Konzeption des bürgerlichen Dramas bilden bei Lessing wie auch später bei

Orientierung am französischen Klassizismus

Weimarer Hoftheater (1784)

Schiller und den Stürmern und Drängern eine untrennbare Einheit. Mit der Gründung einer stehenden Bühne und der Einrichtung eines festen Ensembles in Hamburg (1765) schien es so, als ob die Lessingsche Nationaltheateridee bereits realisiert wäre. Tatsächlich blieben aber wesentliche Forderungen der Nationaltheater-Programmatik unerfüllt. Die Initiative zur Gründung war nicht von der Bürgerschaft ausgegangen, sondern von Privatleuten, und das Theater wurde auch nicht öffentlich subventioniert. So war es nicht verwunderlich, daß es schon nach zwei Spielzeiten an finanziellen Schwierigkeiten scheiterte. In der Folgezeit wurde die Nationaltheateridee von den Fürsten vereinnahmt. 1776 erhob Joseph II. die Wiener Hofbühne zum Nationaltheater, 1778 wurde das Mannheimer Nationaltheater gegründet. Wenn es auch nicht gelang, die Nationaltheater-Programmatik im Sinne einer rein bürgerlichen Institution organisatorisch zu verwirklichen, so konnte Lessing doch der Entwicklung des bürgerlichen Dramas Auftrieb geben. Mit *Emilia Galotti* (1772), *Minna von Barnhelm* (1767) und *Nathan der Weise* (1779) sind ihm Theaterstücke gelungen, die richtungweisend für das bürgerliche Drama im 18. Jahrhundert wurden. Zusammen mit den Dramen der Sturm-und-Drang-Zeit, mit Schillers *Räubern* (1781) und *Kabale und Liebe* (1784), mit Goethes *Götz von Berlichingen* (1771–73) und Lenz' *Hofmeister* (1774) und den *Soldaten* (1776) bilden die Lessingschen Dramen einen Fundus, der noch heute zum festen Repertoire der Bühnen gehört. In weniger als zwanzig Jahren entwickelte sich aus provinzieller Enge ein deutsches Theater, das den Vergleich mit Frankreich und England nicht zu scheuen brauchte.

Idee eines deutschen Nationaltheaters

Bestimmte Gemeinsamkeiten zwischen all diesen Dramen sind festzustellen Sie liegen in erster Linie in der »Bürgerlichkeit« der Stücke. »Bürgerlich« waren diese Dramen nicht nach heutigem Sprachgebrauch. Im 18. Jahrhundert war die Bezeichnung »bürgerlich« noch keine Klassenbezeichnung im modernen Sinn, sondern ein Begriff, mit dem die private, häusliche, nicht standesgebundene Sphäre gegen die öffentliche Sphäre des Hofes polemisch abgesetzt wurde. In der kontrastierenden Gegenüberstellung von »bürgerlich-privat« und »höfisch-öffentlich« lag nichtsdestoweniger ein starkes gesellschaftskritisches Element; die private Sphäre der Familie wurde als »allgemeinmenschliche« reklamiert, der gegenüber die höfische Sphäre als unpersönlich, kalt und menschenfeindlich erschien. Bürgerlich waren diese Dramen also, weil in ihnen Tugenden wie Humanität, Toleranz, Gerechtigkeit, Mitleidsfähigkeit, Sittlichkeit, Gefühlsreichtum usw. dargestellt wurden, und nicht, weil in ihnen bürgerliche Helden im strengen Wortsinne auftraten. So stammt Lessings Emilia Galotti aus dem niederen Adel, verkörpert aber durch ihre Moralität das bürgerliche Tugendideal, das sich durch den Immoralismus des Hofes nicht korrumpieren läßt. Karl Moor in Schillers *Räubern* ist, obwohl er der Sohn des regierenden Grafen von Moor ist, ein antifeudaler Rebell wie Goethes Götz von Berlichingen, der, obgleich dem Adel entstammend, das Hofleben verachtet und sich für die sozial Unterdrückten einsetzt. Erst in Schillers *Kabale und Liebe* tritt eine wirklich bürgerliche Heldin auf, Luise, die Tochter des Stadtmusikanten Miller. In *Kabale und Liebe* wird ein ähnliches Thema behandelt wie in *Emilia Galotti* und *Miss Sara Sampson* (1755); mit beiden Stücken hat Lessing in Anlehnung an Lillos *The London Merchant* und Diderots *Le père de famille* die Tradition des Bürgerlichen Trauerspiels für Deutschland begründet, die bis ins 19. Jahrhundert zu Hebbels *Maria Magdalene* reicht. In den beiden Dramen Lessings und in dem Schillers geht es um das Motiv der »verführten Unschuld«; in allen drei Dramen stehen Frauen im Mittelpunkt der Ausein-

Das deutsche Theater holt auf

Wilſt du dein Maul halten? wilſt
das Violoncello am Hirnkaſten wiſ
sen? Kabale und Liebe
1. Aufz. 2. Auftr.
B. Chodowiecki inv et ſc.

Mir vertraue dich — Ich will mich
zwiſchen dich und das Schick-
ſal werfen—
5. Aufz. 4. Auftr.

*Illustrationen
Chodowieckis zu
»Kabale und Liebe«
(1786)*

andersetzung zwischen Adel und Bürgertum, alle drei Dramen enden mit
dem Tod der Heldin.

Miss Sara Sampson erliegt dem Charme des Libertins Mellefont, der sie
aus dem Vaterhaus entführt und ihr die Ehe versprochen hat, vor der Legali-
sierung des Verhältnisses aber zurückschreckt, weil er seine Freiheit nicht
gefährden möchte. Die tugendhafte Sara wird zwischen der Sehnsucht nach
dem verlassenen Vater und der Liebe zu ihrem Ent- und Verführer Mellefont
hin- und hergerissen. Sie stirbt schließlich durch das Gift, das von der ehemaligen Geliebten Mellefonts stammt. Mellefont gibt sich angesichts der Leiche
Saras selbst den Tod. Vater Sampson beschließt das Drama mit der versöhn-
lichen Würdigung des Verführers: »Ach, er war mehr unglücklich als laster-
haft.« – Pointierter erscheint der antifeudale Konflikt in der *Emilia Galotti*.
Dort versucht der Prinz von Guastalla, ein typischer Vertreter schrankenloser
Tyrannenwillkür und erotischer Libertinage, die tugendhafte Emilia in seine
Gewalt zu bringen und schreckt dabei auch vor dem Mord an Emilias
Bräutigam Appiani nicht zurück. Emilia ihrerseits ist nicht unempfänglich
für die erotischen Lockungen, die von dem Prinzen, ganz im Gegensatz zu
dem »guten Appiani«, ausgehen. »Verführung ist die wahre Gewalt! – Ich
habe Blut, mein Vater, so jugendliches, so warmes Blut als eine. Auch meine
Sinne sind Sinne. Ich stehe für nichts« – mit diesen Worten, die den Zeitgenossen übrigens höchst anstößig vorkamen, fordert Emilia vom Vater den
Dolch, um sich zu töten. Doch ist es schließlich der Vater, der ihr den Tod
gibt, weil er nicht zulassen kann, daß die Tochter zur Selbstmörderin wird.
In dem Vater Odoardo und dem Prinzen von Guastalla treten feudaler Fürst
und Privatmann schroff und unversöhnlich gegeneinander. Odoardo verachtet das Hofleben und lebt in seiner selbstgewählten Einsamkeit auf dem
Lande in rousseauistischer Abgeschiedenheit, fernab von den Verlockungen
des Hofes. In der Tugend der Tochter sieht er den Garanten der eigenen
moralischen Überlegenheit über den Feudalherren, den er verachtet. – In
Kabale und Liebe ist der Konflikt anders nuanciert. Luise Millerin – nach ihr

*»gemischte
Charaktere«*

hatte Schiller sein Drama ursprünglich benannt – stammt nicht nur aus dem Bürgertum, die von Schiller erzählte Geschichte spielt auch in der deutschen Gegenwart, während Lessing seine *Sara* in England und *Emilia* in einem italienischen Kleinstaat in einer vergangenen, nicht genau bestimmbaren Zeit spielen läßt. Deutlich wird hier die Entwicklung des bürgerlichen Dramas von einer relativen Abstraktheit hin zu einer Präzisierung der politischen und sozialen Konfliktlage. Vergleichbar ist Luise aber mit ihren Vorgängerinnen Sara und Emilia in ihrer Tugendhaftigkeit, die ein unzerstörbarer Teil ihres Wesens ist. Ihr Geliebter Ferdinand ist nicht mehr der gewissenlose Verführer, sondern er will die Klassenschranken überwinden und Luise heiraten. Damit aber rüttelt er an den Grundfesten der feudalen Gesellschaft und fordert die tödliche »Kabale« des Hofes heraus. Durch Intrigen an der Tugendhaftigkeit und Treue Luises irregeführt, vergiftet er seine Geliebte und trinkt selbst aus dem Giftbecher, als er erfährt, daß Luise »unschuldig« ist.

Väter – Töchter   Wie in *Emilia Galotti* und *Miss Sara Sampson* spielt auch in *Kabale und Liebe* die Beziehung zwischen Vater und Tochter eine entscheidende Rolle. Dieses Verhältnis wird nicht nur als ein zärtliches Familienverhältnis, sondern zugleich auch als ein Besitzverhältnis charakterisiert. Die Töchter sind »Eigentum«, »Vermögen« und »Ware« des Vaters, die Tugend ist nicht nur ein ideelles, sondern auch ein materielles Gut. Das Vokabular aus dem bürgerlichen Erwerbsleben ist verräterisch: Es zeigt die Ökonomisierung der Beziehungen in einer sich herausbildenden Warengesellschaft, und es zeigt zugleich, wie sich die bürgerliche Gesellschaft in der Propagierung der väterlichen Gewalt als patriarchalische Ordnung neu zu begründen sucht. Die Tugend der Töchter ist die Macht der Väter. Als »Ware« wird die Tochter zum Objekt des Austauschs zwischen Männern und zum Gegenstand der Auseinandersetzung zwischen Adel und Bürgertum. Die Töchter sind Opfer in doppeltem Sinne: Sie bringen sich nicht einmal um, wie dies die Männer tun, sie werden umgebracht. Und sie sterben lange vor ihrem Bühnentod am Ende der Dramen als Opfer einer fetischisierten Tugendvorstellung, als die sie im Namen der bürgerlichen Moral stilisiert werden. Als entsinnlichte, reine Wesen, kurz als Engel im wahren Sinne des Wortes, sind sie nicht lebensfähig, sondern dem Tod geweiht. Die Auseinandersetzung zwischen Adel und Bürgertum wird also nicht als eine politische geführt, sondern sie wird privatisiert und moralisiert und als ein Konflikt zwischen bürgerlicher Rechtschaffenheit und absolutistischer Willkür auf der Bühne ausgespielt. Dabei ist eine zunehmende Konkretisierung und Präzisierung der sozialen Konfliktlage zu beobachten. Wurde am Anfang des bürgerlichen Dramas die Konzeption privater Humanität noch mit Personen aus dem Adel in Verbindung gebracht, so wurde sie wenige Jahre später bei den Stürmern und Drängern bereits auf die Person des Bürgers übertragen. Diese Verlagerung hat Konsequenzen für die gesellschaftskritische Stoßrichtung der Gattung. Die soziale Präzisierung des Sujets, des Figurenaufbaus und der Konfliktlage konkretisiert zugleich das gesellschaftskritische Element. Die moralische Kritik am Feudalismus wird ins Politische gewendet.

zur Lage
der Intelligenz   Diese Zunahme und die Konkretisierung des sozialkritischen Elements läßt sich besonders gut an den Dramen von Jakob Michael Reinhold Lenz beobachten. Im *Hofmeister* gestaltete Lenz die Schwierigkeiten der damaligen Intelligenz, sich in die bestehende Ständegesellschaft einzufügen, und griff damit ein aktuelles Problem seiner Zeit auf. Läuffer, der Sohn eines Stadtpredigers, ist nach seinem Studium gezwungen, seinen Lebensunterhalt als Hofmeister, d.h. als Erzieher im Hause eines adligen Majors zu verdienen

und wird dort nicht besser als das übrige Dienstpersonal behandelt. Die demütigende Position als Hofmeister wird durch Läuffers Liebesbeziehung zur Tochter des Hauses noch verstärkt. Am Ende sieht Läuffer keinen anderen Ausweg, als sich selbst zu kastrieren. Erst durch seine Selbstverstümmelung wird der soziale Frieden wieder hergestellt. – Auch in den *Soldaten* ist das gesellschaftskritische Element sehr viel stärker ausgeprägt als z. B. in den frühen bürgerlichen Dramen von Lessing. Lenz siedelt seine Dramen in der Gegenwart an, die Konflikte ergeben sich aus den sozialen Spannungen der damaligen Gesellschaftsordnung. Befaßt sich Lenz im *Hofmeister* mit dem Problem der Hofmeisterexistenz, unter der nicht nur er, sondern zahlreiche Intellektuelle und Schriftsteller seiner Zeit zu leiden hatten, so greift er in den *Soldaten* ebenfalls ein aktuelles Zeitproblem auf: die Gefahren des »ehelosen Standes der Herren Soldaten« für die Tugend der Bürgermädchen.

Faszinierend an Lenz' Dramen ist nicht nur die Konsequenz des sozialen Engagements, die sich in der realistischen und differenzierten Gestaltung der Personen und der Konflikte ausdrückt, sondern auch die Vermischung von Tragischem und Komischem. Die ehemals starre Trennung zwischen Komödie und Tragödie, wie sie Gottsched vertreten und Lessing noch praktiziert hatte, wurde bei Lenz zugunsten einer neuen Dramenform aufgehoben, in der sich Tragisches mit Komischem, Satirisches mit Ernstem verbanden. Hier, nicht nur in der politischen Stoßrichtung seiner Dramen, liegt die Modernität von Lenz, die Autoren des 19. Jahrhunderts (vgl. Büchners Novelle *Lenz*) und des 20. Jahrhunderts (vgl. Brechts Bearbeitung des *Hofmeister* und Kipphardts Bearbeitung der *Soldaten*) immer wieder zu produktiven Auseinandersetzungen mit dem zu seiner Zeit völlig verkannten Autor provoziert haben. Auch die idealtypische Zeichnung der Charaktere, wie sie noch im frühen bürgerlichen Theater üblich gewesen war, ist bei Lenz überwunden. Obwohl Lessing in seiner Trauerspieltheorie die richtungweisende Konzeption des »gemischten Helden« entwickelt hatte, waren die Helden bzw. Heldinnen seiner Stücke doch eher Vertreter eines abstrakten bürgerlichen Tugendideals denn realistisch gezeichnete Charaktere. Besonders deutlich wird dies in *Nathan der Weise*: der edelmütige Jude Nathan stellt eine Verkörperung des aufklärerischen Toleranz- und Humanitätsideals dar. Erst die Stürmer und Dränger schufen in ihren Dramen wirklich lebendige Charaktere, wobei aber sowohl Goethe im *Götz* als auch Schiller in den *Räubern* zur Übersteigerung ihrer Helden neigten. Die kraftgenialischen Züge, die Götz oder auch Karl Moor tragen und die sie für den heutigen Zuschauer noch immer interessant machen, hatten keine Entsprechung in der Realität. Sie waren Wunschgestalten der Autoren. Lenz verzichtete nicht nur auf den »gemischten« Helden, er verzichtete sogar ganz auf Helden. Zwar gibt es bei ihm Haupt- und Nebenfiguren, die Personen sind aber weder Tugendgestalten noch stilisierte Kraftgenies oder Schurken, sondern Menschen, deren Charakter und Verhalten von den sozialen Verhältnissen bestimmt werden, in denen sie leben.

Eine wichtige, nicht unproblematische Gemeinsamkeit der bürgerlichen Dramen in jener Zeit liegt in der Darstellung und Konzentrierung auf die bürgerliche Kleinfamilie, die als private Sphäre gegen die öffentliche Sphäre des Hofes gesetzt ist. Die Entdeckung der bürgerlichen Kleinfamilie durch die Dramatiker des 18. Jahrhunderts hängt zusammen mit tiefgreifenden sozialen Veränderungen. Mit der Herausbildung der bürgerlichen Gesellschaft im Verlauf des 18. Jahrhunderts zerfiel der in der Feudalzeit vorherrschende Typus des adligen Familienverbandes bzw. der bäuerlichen Großfamilie, die als Produktions- und Gütergemeinschaft bestanden hatte. Die

*Ein Hoflehrer:
»Der Gerechte
erbarmt sich seines
Viehes« (1791)*

Thema Familie

fortschreitende Arbeitsteilung zerriß den ursprünglichen Zusammenhang von Produktion und Reproduktion und brachte eine Trennung der Bereiche. Die Produktion lief getrennt von der Familie, der Vater arbeitete außer Haus, die Familie wurde reduziert auf Reproduktionsfunktionen, d.h. die Frau wurde ganz auf den häuslichen Bereich und die Kindererziehung verwiesen. Die neue Lebens- und Organisationsform der bürgerlichen Kleinfamilie beruhte auf der strengen Arbeitsteilung zwischen Mann und Frau, wobei die männliche Tätigkeit anerkannt und bezahlt wurde, während die Frau im Haus unbezahlte Arbeit leistete, in finanzielle Abhängigkeit vom Mann geriet und Anerkennung nur in Form von Lob und Hochschätzung erfuhr. Der Mann hatte in der bürgerlichen Kleinfamilie eine so starke Stellung, daß er *Thema Ehe* praktisch Besitzer der Frau war. Dieses Besitzverhältnis, das juristisch abgesichert war, wird in der monogamischen Struktur der Ehe deutlich. In der Forschung ist immer wieder davon die Rede gewesen, daß die Schaffung der Familie zu den »großen Leistungen des Bürgertums« gehöre und daß die bürgerliche Kleinfamilie auf einer »vollkommenen seelischen und einer möglichst weitgehenden geistigen Gemeinschaft« zwischen Mann und Frau beruhe (Schücking). Tatsächlich war die Stilisierung der Familie zu einem Hort bürgerlicher Empfindsamkeit und Tugendhaftigkeit ein Wunschbild von Autoren, die sensibel auf die zerstörerischen Auswirkungen der bürgerlich-kapitalistischen Entwicklung auf das Individuum reagierten. Die Familie wurde zum Schutzraum gegen feudale Willkür erklärt, und sie wurde zugleich zur Enklave des Gefühls gegen das in Wirtschaft und Gesellschaft zunehmend sich durchsetzende Prinzip der Rationalität stilisiert. Die Idylle ist jedoch trügerisch und teuer erkauft. Gerade die bürgerlichen Dramen zeigen, daß die Familie keineswegs die vollkommene seelische Gemeinschaft war, von der die Forschung spricht. In vielen Dramen ist die Familie entweder unvollständig, weil die Mutter schon früh gestorben ist; oder das Verhältnis zwischen den Ehepartnern ist notorisch schlecht, wie z.B. in *Kabale und Liebe*, wo der Vater mit der Mutter ausgesprochen rüde umgeht und sie als »infame Kupplerin« beschimpft; oder aber das Verhältnis zwischen Vätern und Kindern ist außerordentlich gespannt bzw. gestört. So verwickeln sich die Töchter in tödliche Konflikte, wenn sie die Liebe zum Vater mit der Liebe zum Geliebten zu verbinden suchen, und die Söhne geraten untereinander in tödliche Konkurrenz, wenn es um die Liebe und das Erbe der Väter geht. Neben die bürgerlichen Trauerspiele, die vor allem die Beziehung zwischen Vätern und Töchtern thematisieren, treten die Dramen, in denen der Vater-Sohn-Konflikt blutig ausgetragen wird, wie z.B. in *Julius von Tarent* (1776) von Leisewitz, in den *Zwillingen* (1776) von Klinger und den *Räubern* von Schiller.

Thema Insurrektion und Verbrechen   Der dramatische Konflikt in den *Räubern* ergibt sich aus der Rivalität der beiden ungleichen Brüder Franz und Karl. »Warum bin ich nicht der Erste aus Mutterleib gekrochen? Warum nicht der Einzige? Warum mußte sie (die Natur) mir diese Bürde von Häßlichkeit aufladen? gerade mir?« – mit diesen Worten wütet Franz, der zweitgeborene Sohn, gegen das Schicksal, das ihn benachteiligt hat. Mit allen Mitteln versucht er, das »Schooßkind« Karl aus dem Herzen des Vaters und der Geliebten Amalia zu verdrängen und seine Rolle einzunehmen. *Die Räuber* sind aber mehr als ein bloßes Familiendrama. Stärker noch als in *Emilia Galotti* oder in *Kabale und Liebe* sind die antifeudalen, revolutionären Elemente in diesem Stück ausgebildet. In der Räuberhandlung des Stücks findet die soziale Realität des 18. Jahrhunderts (Pauperismus, organisiertes Bandenwesen) stärker als jemals zuvor Eingang in die Literatur. Die Räuberhandlung ist aber nicht nur eine Nachzeichnung

140

*Titelblätter
der erstmals 1781
bei J.B. Metzler
und 1782 bei T. Löffler
erschienenen Ausgaben*

sozialer Realität, sie ist zugleich eine weitausschweifende »Phantasie von der unbedingten Negation der herrschenden Ordnung« (Scherpe), die jedoch im Stück zurückgenommen und durch den Gang der Handlung dementiert wird.

Die Konzentration auf die bürgerliche Familie als Ort und Handlung geht einher mit der Propagierung eines neuen Frauen- und Männerbildes. Tugendhaftigkeit, Treue, Hingabe und Emotionalität werden zu weiblichen Eigenschaften erklärt. Männer dagegen werden als stark, tapfer und handelnd geschildert. Eine solche Rollenzuweisung, die man vor allem in den Trauerspielen mehr oder weniger deutlich vorfindet, leistete der späteren, noch heute vorhandenen Klischeebildung über männliches und weibliches »Wesen« Vorschub und bereitete jene »Polarisierung der Geschlechtscharaktere« (Hauser) vor, die am Ende des 18. Jahrhunderts bei Fichte, Humboldt u.a. philosophisch festgeschrieben wird. Die bürgerliche Gleichheitsforderung, die in der Frühaufklärung, etwa bei Gottsched, auf Männer und Frauen gleichermaßen bezogen worden war und zur Ausbildung des Typus der gelehrten, weltklugen Frau geführt hatte, wurde insbesondere unter dem Einfluß Rousseaus und seines *Emile* und seiner *Nouvelle Héloïse* zurückgenommen und auf den bürgerlichen Mann beschränkt. Die Frau wird nicht mehr als eigenständiges, autonomes Wesen begriffen, sondern nur noch in Hinsicht auf den Mann und sein Glück definiert. Die Frau »hat aufgehört, das Leben eines Individuums zu führen, ihr Leben ist Teil seines Lebens geworden«, wie Fichte in seinem *Grundriß des Familienrechts* ausführen wird. Eine Verschiebung der Rollenzuweisung findet man dagegen in den bürgerlichen Komödien. So ist Lessings Minna als eine starke, selbstbewußte und entschlossene Frau gezeichnet, die den Major von Tellheim mit Hartnäckigkeit und List von seinem übertriebenen Ehrverständnis, das ihrer gemeinsamen Verbindung im Wege steht, abbringt und für sich gewinnt. Eine solche Umkehrung der Rollen – Minna ist die Aktive, Tellheim der Passive –

*Frauen-
und Männerbilder*

war nur in der Komödie möglich. In den Tragödien bleiben die Frauen entweder im Hintergrund, wie z.B. Amalie in den *Räubern* oder Maria im *Götz*, oder sie sind, selbst wenn sie Titel- oder Hauptgestalten sind, wie Emilia oder Luise in *Kabale und Liebe*, auf die Rolle des Opfers festgelegt. Eine gewisse Ausnahme bilden auch hier wieder die Dramen von Lenz, wo zumindest mit der Idealisierung und Entkörperlichung der Frauen Schluß gemacht ist. Marie in den *Soldaten* wird als leichtsinniges, verführbares und sexuell aktives Geschöpf gezeigt (»Soldatendirne«), wobei Lenz nicht ihr, sondern der Gesellschaft ihr tragisches Ende zur Last legt. Das Motiv der verführten Unschuld gewinnt bei den Stürmern und Drängern ein neues Gewicht. Ihr Interesse verlagert sich von der Feudalismuskritik (der Feudalherr als Verführer der bürgerlichen Unschuld) auf eine Kritik an der bürgerlichen Moral, die die sexuelle Intaktheit der Frau vor der Ehe zum höchsten sittlichen Gut erklärte, die sexuelle Betätigung der Männer vor und außerhalb der Ehe als durchaus normal ansah oder zumindest tolerierte. Daß diese doppelte Moral zu Lasten der Frauen ging, haben die Stürmer und Dränger sehr deutlich gesehen. In Wagners Drama *Die Kindesmörderin* (1776) ebenso wie in Goethes *Urfaust* (1775) töten die verführten und von den Männern verlassenen Frauen Evchen und Gretchen ihre neugeborenen Kinder, weil sie die gesellschaftliche Schande, die ein uneheliches Kind damals bedeutete, nicht ertragen können. Statt ihr zu entgehen, verfallen sie ihr in doppelter Hinsicht. Als uneheliche Mütter sind sie »nur« verfemt und sozial deklassiert, als Kindsmörderinnen sind sie gesellschaftlich nicht mehr tragbar, sie werden dem Schafott übergeben. Tatsächlich handelt es sich hier nicht um literarische Übertreibungen, sondern um die Realität des 18. Jahrhunderts. Goethe hat die Anregungen zur Gretchenhandlung für seinen *Faust* aus den Prozeßakten der Kindsmörderin Susanna Margaretha Brandt entnommen, die am 14. Januar 1772 hingerichtet worden ist.

Thema »verführte Unschuld«

Bürgerliche Resignation?

Die Grenzen des bürgerlichen Dramas werden aber nicht nur an der nach heutigem Verständnis fragwürdigen Rollenverteilung zwischen Mann und Frau deutlich, sie zeigen sich auch in dem resignativen Grundzug des bürgerlichen Dramas insgesamt. *Minna von Barnhelm*, deren Konflikt sich glücklich löst, ist eine der wenigen Komödien in der Dramatik der damaligen Zeit. Die Tragödien sind deutlich in der Überzahl. Emilia Galotti wird auf ihren eigenen Wunsch hin von ihrem Vater Odoardo umgebracht, Karl Moor tötet seine Verlobte Amalia und ergibt sich den Häschern, Götz stirbt an seiner Verwundung und der eigenen Mutlosigkeit angesichts der festgefahrenen Verhältnisse, Ferdinand und Luise in *Kabale und Liebe* sterben an Gift, und Läuffer im *Hofmeister* kastriert sich; Mord, Selbstmord und Selbstverstümmelung stehen am Ende der bürgerlichen Tragödien, der bürgerliche Held bzw. die Heldin scheitern an den Verhältnissen und können ihre Identität nur in der Selbstvernichtung bewahren; die antifeudale Intention des bürgerlichen Dramas findet keine revolutionäre Lösung, sondern endet in Selbstzerstörung, Resignation und Unterwerfung. Beispielhaft dafür ist der antifeudale Rebell Karl Moor, der sich am Ende selbst dem Gericht überstellt und sich damit der Ordnung unterwirft, gegen die er vergeblich angekämpft hatte. Die objektiven gesellschaftlichen Verhältnisse lassen eine positive Lösung des Konflikts zwischen bürgerlichem Emanzipationswillen und feudaler Macht nicht einmal auf der Ebene des Dramas zu. Trotzdem ist der Geist der Rebellion in den bürgerlichen Dramen jener Zeit unüberhörbar, und er ist sowohl von den Zeitgenossen wie auch von der Nachwelt immer wieder verstanden worden: Die französischen Revolutionäre stellten Schiller für seine *Räuber* den Ehrenbürgerbrief aus, Piscator inszenierte die *Räuber* in

*Schiller liest seinen
Regimentskameraden
im Bopserwald
bei Stuttgart aus
den »Räubern« vor*

der Weimarer Republik als Modell der russischen Oktoberrevolution, und in
der Studentenbewegung nach 1968 wurden die *Räuber* im Kontext der aus-
serparlamentarischen Opposition neu gelesen *(Das Räuberbuch)*. Eine solche
revolutionäre Traditionslinie konnte sich insbesondere auf die kraftgeniali-
sche Sprache des Stückes stützen, in der sich der Abscheu vor dem »Tinten-
kleksenden Sekulum« und dem »Kastraten-Jahrhundert« pathetisch Luft
machte. »Warum sind Despoten da? Warum sollen sich tausende und wieder
tausende unter die Laune Eines Magens krümmen und von seinen Blähungen
abhängen? – Das Gesetz bringt es so mit sich – Fluch über das Gesetz, das
zum Schneckengang verderbt was Adlerflug worden wäre!« – Diese Worte
Karls aus den *Räubern* rütteln an den Grundfesten der feudal-
absolutistischen Herrschaft und der Herrschaft überhaupt. Die Legitimität
von Herrschaft und Gesetz wird ebenso thematisiert wie die Frage der
Staatsform: »Stelle mich vor ein Heer Kerls wie ich, und aus Deutschland
soll eine Republik werden, gegen die Rom und Sparta Nonnenklöster seyn
sollen.« Solche markigen Worte lesen sich wie die Vorboten jenes Geschehens, das nach 1789 die europäische Szenerie bestimmen sollte.

Der einzelne Mensch erfährt sich im Roman

Neben dem Drama war der Roman die zweite Gattung, die im 18. Jahrhundert eine Blütezeit erlebte und mit der Entwicklung des neuen Selbstverständnisses im engen Zusammenhang steht. Ebenso wie das Drama war auch der Roman am Anfang des 18. Jahrhunderts eine verachtete und als minderwertig eingeschätzte Literaturform. Im Gegensatz zum Drama war der Roman jedoch noch nicht einmal als Gattung in der Poetik der damaligen Zeit anerkannt. Das Heldengedicht, d.h. das Epos, das sich auf antike Traditionen berief (Homer: *Odyssee; Ilias*) galt als einzig legitime Form. Nichtsdestoweniger gab es in der damaligen Zeit eine Vielzahl von Romanen, die vom tradierten Epos abwichen und das Bedürfnis nach Unterhaltung zu befriedigen versuchten. Schwülstige Liebesromane, galante Schäferromane, verwirrende Abenteuerromane und eine Vielzahl von Übersetzungen von spanischen, englischen und französischen Romanen fanden zwar ihre vor allem adligen Leser, von der zeitgenössischen Kritik wurden sie jedoch als »Lugen = Kram« abgelehnt und mit moralischen Argumenten bekämpft. Auch literarisch anspruchsvolle Romane wie Grimmelshausens *Der Abentheuerliche Simplicissimus Teutsch* (1669), der in der Tradition von Cervantes' *Don Quijote* stand, oder Schnabels *Insel Felsenburg* (1731–43), die bedeutendste deutsche Robinsonade, die von Defoes *Robinson Crusoe* (1719) beeinflußt war, fanden vor den gestrengen Augen der Kritiker keine Gnade. »Wer Roman list, der list Lügen« – so faßten die Zeitgenossen ihren Abscheu vor der neuen Gattung zusammen. Erst die Aufklärer erkannten die Möglichkeiten der neuen Gattung und versuchten, der bis dahin verachteten Form im Sinne des »prodesse et delectare« (Nutzen und Vergnügen) eine neue Bestimmung zu geben. Dies war nur möglich auf der Grundlage einer veränderten Romanpraxis. Der höfische Roman mußte durch den bürgerlichen Roman ersetzt werden. Hierbei galten ganz ähnliche Forderungen wie für das bürgerliche Drama. An die Stelle des adligen Abenteurers oder galanten Liebhabers sollte der bürgerliche Held treten, der ähnlich dem »gemischten Charakter« im bürgerlichen Drama mit psychologischer Wahrscheinlichkeit gestaltet werden sollte. Die schwülstige, verwirrende Art des Erzählens im höfischen Roman sollte durch eine »natürliche Art zu erzählen« (Gottsched) ersetzt werden, die Romanschreiber sollten sich von antiken und zeitgenössischen ausländischen Vorbildern lösen und aktuelle und alltägliche Probleme und Themen der eigenen Zeit und der eigenen Nation behandeln. Die Forderung nach dem bürgerlichen Nationaltheater hat eine Parallele im Plädoyer für den bürgerlichen Nationalroman. Hier wie dort ging es darum, die Literatur in den Dienst des bürgerlichen Selbstfindungsprozesses zu stellen.

Vorbilder des Auslands

Wichtige Anregungen empfingen die deutschen Autoren dabei vor allem vom englischen und französischen Roman (Richardson: *Pamela*; Fielding: *Tom Jones*; Rousseau: *Confessions; Nouvelle Héloïse*), der sich angesichts der fortgeschrittenen bürgerlichen Entwicklung in diesen Ländern auf einem hohen Niveau befand. In kürzester Zeit gab es einen regelrechten Boom auf dem Sektor der Romanproduktion. Zwischen 1700 und 1770 erschienen 1287 Romane, einschließlich der Übersetzungen, wobei der Anteil des neuen Romans an der Gesamtproduktion kontinuierlich, nach 1764 sogar stürmisch anstieg. Um 1770 hatte der neue bürgerliche Roman die anderen Romanformen vollständig verdrängt. Einen bedeutenden Anteil an diesem raschen Anstieg hatten die Übersetzungen aus dem Englischen und Französischen gehabt – sie machten in manchen Jahren fast die Hälfte der Neuerscheinungen aus – bzw. die Anlehnungen an ausländische Vorbilder. Die Orientierung auf englische und französische Vorbilder war dabei nicht immer unproblematisch. Wielands *Agathon* (1766/67), in dem die Entwicklung des griechischen Jünglings Agathon idealtypisch dargestellt ist, wurde von Zeitgenossen zwar als Beispiel einer »neuen Classe von Romanen« hochgeschätzt und der Autor selbst als der »erste Romanist« in Deutschland gefeiert, zugleich aber wurde bemängelt, daß Wieland »zu sehr Nachahmer, bald von Fielding, bald von Rousseau, bald von Cervantes« sei. Auch Gellerts *Leben der schwedischen Gräfin von G* (1747/48) und Sophie von La Roches *Geschichte des Fräuleins von Sternheim* (1771), die vom englischen empfindsamen moralischen Roman beeinflußt waren, stellten zwar wichtige Schritte in der Entwicklung des bürgerlichen Romans dar, die Forderungen der Zeitgenossen nach einem »teutschen Original = Roman« lösten sie jedoch nicht ein. Die »Bürgerlichkeit« dieser Romane äußerte sich ähnlich wie beim Drama vor allem im moralischen und empfindsamen Charakter der Helden bzw. Heldinnen, die in der Anfangsphase durchaus noch Adlige sein konnten. Erst mit Goethes *Werther* (1774) trat der bürgerliche Roman in Deutschland als solcher in Erscheinung.

In den *Leiden des jungen Werthers* gestaltete Goethe den Typus des unzufriedenen jungen bürgerlichen Intellektuellen, dessen Integrationsversuche in die ständisch gegliederte Gesellschaft an der starken Hierarchie wie auch an der eigenen hohen Selbsteinschätzung scheitern. Goethes Roman zeigt, daß es für das bürgerliche Individuum unmöglich ist, sich innerhalb des Feudalsystems zu definieren und seine Identität zu finden. Werthers Leiden an der Gesellschaft und sein Scheitern – Werther endet durch Selbstmord – lassen ihn als Verwandten jener bürgerlichen Dramenhelden erscheinen, die wie Karl Moor in den *Räubern* oder Läuffer im *Hofmeister* ebenfalls an der Gesellschaftsordnung zerbrechen. Die Wirkung von Goethes *Werther* war ungeheuer. »Da sitz ich mit zerfloßnem Herzen, mit klopfender Brust, und mit Augen, aus welchen wollüstiger Schmerz tröpfelt, und sag Dir, Leser, daß ich eben die Leiden des jungen Werthers von meinem lieben Göthe – gelesen? – Nein, verschlungen habe«, beschreibt ein Zeitgenosse seine Leseerfahrung. Es brach ein regelrechtes Wertherfieber aus, das sich an der im Roman gestalteten Problematik bürgerlichen Selbstverständnisses im feudalen Staat entzündete. Begeisterte Zustimmung stand neben fanatischer Ablehnung. Insbesondere orthodoxe Theologen diffamierten das Werk wegen angeblicher Verherrlichung des Selbstmordes als »Lockspeise des Satans« und riefen nach dem Zensor. Tatsächlich wurde der Verkauf des *Werther* 1775 in Leipzig verboten. Ein wichtiger Grund für die epochale Wirkung des *Werther* lag neben der im Roman gestalteten Problematik des Verhältnisses von Individuum und Gesellschaft und der empfindsam dargestellten Liebesgeschichte zwischen Lotte und Werther in seiner neuen Form, die beispielhaft für das 19. und 20. Jahrhundert werden sollte. Mit dem *Werther* schlug die Geburtsstunde des modernen Romans in Deutschland. *Werther* war kein moralischer Tendenzroman wie z.B. *Die schwedische Gräfin* oder *Das Fräulein von Sternheim*, sondern eine höchst subjektive Konfession in Briefform. Goethe verarbeitete darin eigene Erlebnisse, Erfahrungen und den Selbstmord eines Freundes; er verschmolz beides mit der Epochenerfahrung der jungen bürgerlichen Intelligenz zu einer für den damaligen Leser höchst außerordentlichen Form. Daran gewöhnt, vom Autor immer eine klare moralische Wertung des Geschehens mitgeliefert zu bekommen, waren die Leser bei der Einschätzung des *Werther* ganz auf ihr eigenes Urteil gestellt. Die

Integrationsprobleme des Intellektuellen

Werther nimmt Abschied von Lotte

monologische Form des Briefromans – es gibt keine Antworten auf Werthers Briefe – führte zu einer Verabsolutierung der Perspektive des Helden und provozierte geradezu die Identifikation des Lesers mit dem Helden. Sein Selbstmord am Ende mußte die Leser in tiefer Verwirrung zurücklassen. Tatsächlich gab es eine erhebliche Anzahl von Selbstmorden unter den *Werther*-Lesern, die Goethe bei der zweiten Auflage (1775) veranlaßte, dem Buch die mahnende Warnung voranzustellen: »Sei ein Mann, und folge mir nicht nach!« Die Wirkung des Romans war aber nicht auf das 18. Jahrhundert beschränkt. Als Versuch, die Selbstverwirklichung des bürgerlichen Individuums zu thematisieren, stellte Goethes *Werther* auch für die nachfolgenden Generationen eine Herausforderung dar. Zahlreiche Autoren des 19. und 20. Jahrhunderts haben sich mit dem Roman auseinandergesetzt und sich von Inhalt und Form anregen lassen (vgl. Ulrich Plenzdorf, *Die neuen Leiden des jungen W.*, 1973).

Autobiographie als Form der Selbstreflexion

Die sehr subjektive Form von Goethes *Werther* muß im Zusammenhang mit der generellen Zunahme des autobiographischen Elements in der Literatur des 18. Jahrhunderts gesehen werden. Die Befreiung aus höfischer und klerikaler Gebundenheit blieb nicht ohne Konsequenzen: Erstmals erfuhr sich das bürgerliche Individuum als eigene, unverwechselbare Persönlichkeit und mußte seine Identität unabhängig von äußeren Autoritäten und Instanzen bestimmen. Bei dieser Identitätssuche wurde die Literatur zu einer wesentlichen Form der Selbsterfahrung und Selbstdarstellung. Wichtige Anregungen empfingen die deutschen Autoren dabei von Rousseau, der in seinen *Confessions* (1765–70) eine Bildungs- und Entwicklungsgeschichte mit schonungsloser Offenheit und großem psychologischen Einfühlungsvermögen beschrieben hat. *Anton Reiser* (1785–90) von Karl Philipp Moritz gehört zu den interessantesten, noch heute lesenswerten Beispielen für diese neue Form. Hier erfährt der Leser nicht nur etwas über den typischen Bildungs- und Entwicklungsgang eines jungen Menschen aus dem Kleinbürgertum, sondern erhält zugleich wichtige kulturhistorische Aufschlüsse über die damalige Zeit und die Lebensbedingungen der literarischen Intelligenz.

Physiognomische Studien vertiefen die Erfassung des individuellen Menschen

Die autobiographischen Dokumente jener Zeit legen – ungeachtet aller Unterschiede im allgemeinen – Zeugnis davon ab, wie schwer es der literarischen Intelligenz fiel, sich als autonome Individuen zu definieren und einen anerkannten Platz in ihr einzunehmen. Zum Teil lag es daran, daß die sozialen Voraussetzungen so schlecht waren, daß Autoren wie Bräker, Laukhard oder Seume den Aufstieg in die bürgerliche Klasse nicht schafften oder ihn teuer bezahlen mußten. Aber auch Autoren, deren Ausgangsbedingungen als Bürgersöhne von vornherein besser waren, fühlten sich durch die »fatalen bürgerlichen Verhältnisse«, an denen Werther zuschanden geht, in ihren Entwicklungsmöglichkeiten gehemmt. In der Erfahrung der Einschränkung liegt der Ursprung jener Melancholie und Hypochondrie, die sich im 18. Jahrhundert zu einer Gesellschaftskrankheit auswächst. Das Ich wird zum Refugium, in das sich der einzelne zurückzieht. Es werden jene Momente von Innerlichkeit und Subjektivität ausgebildet, die das bürgerliche Individuum im 18. Jahrhundert kennzeichnen. Man bevorzugt die Einsamkeit, und im Gefolge der Rousseau-Rezeption kommt es zu einer Sentimentalisierung des Naturerlebnisses, die sich in der Naturlyrik jener Zeit niederschlägt. Die Rückwendung des Individuums von der Gesellschaft auf sich selbst und die Hinwendung zur Natur sind sich ergänzende Fluchtbewegungen aus der Gesellschaft. Die Autobiographie stellt eine wichtige, aber doch nicht die einzige Möglichkeit des bürgerlichen Romans im 18. Jahrhundert dar. Neben den subjektiven, autobiographischen stehen satirische Formen, die in der Nachfolge von Swifts *Gulliver's travels* (1726) und Voltaires *Candide* (1759) unmittelbar Gesellschaftskritik üben. Mit Wezels *Belphegor* (1776), dem »deutschen Candide«, beginnt in Deutschland die Tradition der politischen und sozialen Satire, in der die Widersprüche der Zeit mit erstaunlicher Schärfe und Kompromißlosigkeit diagnostiziert und angegriffen werden. Ein Meister der Satire war Georg Christoph Lichtenberg. In seinen *Sudelbüchern* hielt er Reflexionen über Staat und Gesellschaft, Kunst und Literatur, Philosophie, Religion und Psychologie fest und spitzte seine Ideen aphoristisch zu. Er hinterließ kein Werk im traditionellen Sinn, wohl aber eine Fülle von Einfällen und Gedanken, die in ihrer skeptischen und pessimistischen Sicht auf die deutschen Verhältnisse über den aufklärerischen Denkhorizont hinausweisen.

Subjektivität und Gesellschaftskritik in der Lyrik

Die Ablösung von der höfischen Dichtung setzte im Bereich der Lyrik schon um die Wende vom 17. zum 18. Jahrhundert ein. An die Stelle der abgelebten, in Konventionen erstarrten Dichtung trat eine neue Lyrik, deren Inhalte und Formen von der Aufklärung bestimmt wurden. Dabei erstaunt die Vielfalt der Themen und die Unterschiedlichkeit der Ausdrucksmittel, die es unmöglich machen, die lyrische Produktion im 18. Jahrhundert auf einen Nenner zu bringen. In knapp sechzig Jahren wurde eine höchst kunstvolle, ausdrucksstarke Sprache entwickelt; in nur wenigen Jahrzehnten wurde ein bis dahin nicht gekanntes Niveau erreicht. Neben theoretisch gehaltenen Lehrgedichten und Gedankenlyrik, in denen aufklärerische Vorstellungen mehr oder minder abstrakt vermittelt wurden, sind pathetische Oden und Hymnen zu verzeichnen, in denen religiöse und philosophische Themen behandelt wurden; neben Balladen, in denen z.T. in epischer Breite Ereignisse aus dem bürgerlichen Alltagsleben dargestellt wurden, standen Erlebnis- und Naturgedichte, in denen das lyrische Ich des Autors sich sehr persönlich und gefühlsbestimmt ausdrückte. Die Freisetzung der Subjektivität des Autors und die Artikulation des Individuums im Gedicht waren das Neue und Epochemachende an der Lyrik der damaligen Zeit. Durch die Artikulation der eigenen Subjektivität verlagerte der Autor die bürgerliche Forderung nach Freiheit und persönlichem Glück vom politischen in den lyrischen Bereich. Die Lyrik wurde zu einer privaten Form der Selbsterfahrung und Selbstdarstellung, wobei der politische Zusammenhang mit der Aufklärungsbewegung jedoch, wenn auch nur indirekt und verschlüsselt, immer vorhanden war.

Neben den persönlichen lyrischen Formen, für die die Liebes- und Naturgedichte des jungen Goethe beispielhaft sind (z.B. *Willkommen und Abschied*, 1771; *Mailied*, 1771; *Ganymed*, 1774), entstand aber auch eine betont gesellschaftskritische und kämpferische Lyrik, die auf Mißstände in der Gesellschaft hinwies und Partei ergriff. Bürgers Gedicht *Der Bauer an seinen durchlauchtigen Tyrannen* (1773) und Schubarts *Fürstengruft* (1779) z.B. waren scharfe antifeudale Anklagen. Sie begründeten eine Tradition der agitatorischen politischen Lyrik, die von den deutschen Jakobinern über die Schriftsteller des Vormärz bis zur politischen Lyrik der Moderne reicht. Auch

Schattenriß Goethes (um 1780)

147

Gedichte, die auf den ersten Blick unpolitisch erscheinen, wie z.B. Goethes Ode *Prometheus* (1773), enthüllen sich auf den zweiten Blick als Dokument des erwachenden bürgerlichen und künstlerischen Selbstbewußtseins. Neben Versuchen, die eigene Subjektivität und die Epochenerfahrung des einzelnen in sehr kunstvollen Formen zu verarbeiten, gab es Bemühungen, die lyrische Produktion »volkstümlich« zu gestalten. So forderte Bürger vom lyrischen Dichter, daß er sein Material »unter unsren Bauern, Hirten, Jägern, Bergleuten, Handwerksburschen, Kesselführern, Hechelträgern, Bootsknechten, Fuhrleuten« suchen und »nicht für Göttersöhne«, sondern »für Menschen« dichten und schreiben solle: »Steiget herab von den Gipfeln eurer wolkigen Hochgelahrtheit und verlanget nicht, daß wir vielen, die wir auf Erden wohnen, zu euch wenigen hinaufklimmen sollen«. Nach Bürgers Auffassung konnte nur dann ein »Nationalgedicht« (vgl. die Forderungen nach dem Nationaltheater bzw. dem Nationalroman) entstehen, wenn der Dichter sich von den Themen und von der Form her an den Interessen und an der Aufnahmefähigkeit des Volkes orientierte. Eine solche »plebejische« Konzeption überschritt zumindest in Ansätzen den Rahmen der bürgerlichen Kunstproduktion im 18. Jahrhundert. Vorbild für den volkstümlichen Dichter sollten vor allem die im Volk kursierenden Volkslieder sein. In diesen Zusammenhang gehören die Bemühungen der Stürmer und Dränger um das verschüttete Volksliedgut. Herder und Goethe sammelten im Elsaß Volkslieder und veröffentlichten diese in programmatischer Absicht (1778/79). Die aufgefundenen Lieder betrachteten sie nicht nur als Beweis dafür, daß es schöpferische Kräfte im Volk gäbe, sondern sie verwendeten diese Lieder auch als Muster für die eigene lyrische Produktion. Diese volkstümliche Lyrik, die in Wahrheit kunstvoll durchgestaltet war, findet sich bei Herder und Goethe in zahlreichen Liebes- und Naturgedichten, insbesondere aber im Werk von Schubart, Bürger und Voß, bei denen sich Volkstümlichkeit und Gesellschaftskritik zu einer wirkungsvollen Form von politischer Lyrik verbanden.

Lehrhafte Fabel

Die Fabel erlebte im 18. Jahrhundert den Höhepunkt ihrer mehr als zweitausendjährigen Entwicklung. Bereits im 6. Jahrhundert v.Chr. schrieb der griechische Sklave Äsop die ersten Fabeln, die Vorbild für alle nachfolgenden Fabeldichter wurden und deren Wirkung bis in die Moderne reicht. Schon in ihren Anfängen war die Fabel eine literarische Kampfform. Äsop sah in ihr nach der Aussage von Phädrus, der die äsopischen Fabeln im 1. Jahrhundert n.Chr. bearbeitete, »ein passendes Mittel, da auf eine versteckte Weise die Wahrheit zu sagen, wo man nicht wagen durfte, es offen zu tun«. In Deutschland wurden seit dem Mittelalter Fabeln geschrieben. Einen ersten Höhepunkt ihrer Entwicklung erlebte die Fabel in der Reformationszeit, wo sie insbesondere von Luther als Mittel in der politisch-religiösen Auseinandersetzung eingesetzt wurde. Die Barockdichter im 17. Jahrhundert hatten nur wenig Interesse an der Gattung. In der Zeit von 1600 bis 1730 erschien fast keine neue Fabel. Die Fabel wurde als Dichtung für den »gemeinen pövel« und als Zeitvertreib »für Kinder und alte Weiber« abgelehnt. In extremem Gegensatz zu solchen abschätzigen Auffassungen steht das hohe

*Illustrationen zu
Lessings Übersetzung
von Richardsons
»Sittenlehre für die
Jugend«*

Ansehen, das sie im Zeitalter der Aufklärung genoß. Zwischen 1730 und 1800 erschienen weit über 50 Fabelsammlungen, darunter von so angesehenen Autoren wie Lessing, der auch eine eigene Fabeltheorie (1759) vorlegte. Als »Exempel der praktischen Sittenlehre« (Lessing) erschien sie den Schriftstellern des 18. Jahrhunderts wegen ihres lehrhaften Charakters, ihrer Kürze, ihrer einfachen Struktur und ihrer einprägsamen Bildlichkeit für die aufklärerische Zielsetzung besonders geeignet. In keiner anderen Gattung konnte in so komprimierter Weise Vergnügen und Nutzen für den Leser verbunden werden.

Themen, Aufbau und Form der Fabel fielen dabei sehr unterschiedlich aus. Neben solchen, die Kritik an menschlichen Schwächen übten, gab es Fabeln, die mehr oder minder direkt politische Mißstände der damaligen Zeit anprangerten. In manchen Fabeln traten Tiere auf, in anderen nicht. Manche waren in Versen abgefaßt, andere in Prosa. Manche Fabeln waren sehr umfangreich, andere wiederum knapp gehalten. Einige enthielten am Schluß eine ausdrückliche Nutzanwendung für den Leser, bei anderen fehlte diese. Trotz solcher Unterschiede war das Strukturprinzip immer das gleiche. Durch die Übertragung menschlicher Verhaltensweisen oder gesellschaftlicher Mißstände auf die beseelte und unbeseelte Natur wurde eine allgemein anerkannte Wahrheit auf witzig-satirische oder moralisch-belehrende Weise veranschaulicht. Viele Fabeldichter griffen auf antike Vorlagen zurück (Äsop/Phädrus), erzählten sie für ihre Zeit neu oder gestalteten sie um. Wichtig war auch der Einfluß La Fontaines, der die Fabel zu einer anerkannten Kunstform entwickelt hatte und dessen Erzählstil für viele deutsche Fabeldichter vorbildlich wurde. Neben Übersetzungen, Bearbeitungen, Umwandlungen entstand jedoch auch eine Fülle von Neuschöpfungen. Deutlich lassen sich verschiedene Entwicklungen in der Fabelliteratur des 18. Jahrhunderts erkennen. In der frühen Aufklärung vermittelt die Fabel vorwiegend moralische Lehren und die neuen aufklärerischen Prinzipien, nach 1750 erweitert sich die moralische Kritik zunehmend zur sozialen Kritik, und gegen Ende des Jahrhunderts verlagert sie sich auf die direkte politische Kritik an den Handlungen feudalabsolutistischer Herrscher und ihres Machtapparats (vgl. hierzu das Tanzbärmotiv bei Gellert, Bock, Lessing, Burmann, Kazner und Pfeffel).

*Themen, Aufbau,
Form*

Entstehung der Kinder- und Jugendliteratur

Die Fabel war eine Gattung für Erwachsene, erst im 19. Jahrhundert wurde sie zu einer Gattung für Kinder. Zwar hatte bereits John Locke in seinen *Gedanken zur Erziehung*, die über die Moralischen Wochenschriften früh Eingang in Deutschland fanden, Äsops Fabeln und den *Reineke Fuchs* als leicht faßliche Lektüre für Kinder empfohlen, aber seine Vorschläge wurden nur von einigen wenigen aufgenommen. Auch Richardsons *Sittenlehre für die Jugend in den auserlesensten Fabeln*, die Lessing 1757 übersetzte, änderte daran nichts grundsätzlich. Die zweite Empfehlung Lockes aber, daß »leichte, vergnügliche Bücher«, die den Fähigkeiten und der Fassungskraft der Kinder angemessen sein müßten, geschrieben und verbreitet werden sollten, fand in Deutschland große Resonanz. Es entstand eine Literatur, die ausdrücklich für Kinder und Jugendliche geschrieben wurde. Zwar hatte es bereits im 16. und 17. Jahrhundert Schriften für Kinder gegeben, wie z.B. Zuchtbücher, Anstandsfibeln und ABC-Lehren in der Art des *Orbis pictus* von Comenius, aber eine eigenständige Kinder- und Jugendliteratur war das noch nicht. Diese entstand nicht zufällig erst im 18. Jahrhundert im Zusammenhang der Aufklärungsbewegung. Als eine popularphilosophische Bewegung, der es um »Erziehung des Menschengeschlechts« (Herder) ging, tendierte die Aufklärung von ihrem Selbstverständnis her zur moralischen und geistigen Belehrung und entwickelte eine Vielzahl von didaktischen Formen, von denen die Fabel wohl die populärste geworden ist. Nicht zu Unrecht ist das 18. Jahrhundert als »pädagogisches Jahrhundert« in die

Goethes »Reineke Fuchs« in der Illustration durch Friedrich Kaulbach

Geschichte eingegangen. Kinder und Jugendliche wurden als eine eingegrenzte und fest umrissene Adressatengruppe entdeckt. Vorangegangen war dem ein Wandel in der Auffassung von Kindheit überhaupt. Seit Rousseau war diese als ein eigener, unverwechselbarer Zustand erkannt worden.

Zwar hatte Rousseau in seinem *Emile* davor gewarnt, Kindern überhaupt Bücher in die Hand zu geben (»Die Lektüre ist die Geißel der Kindheit«) und die ältere Traktatliteratur wie die aufklärerischen Fabeln als Lektüre für Kinder zurückgewiesen (»Fabeln können zu Belehrung Erwachsener dienen, den Kindern aber muß man die nackte Wahrheit sagen«), seine deutschen Nachfolger teilten diesen Rigorismus jedoch nicht. Ganz im Gegenteil: Unter Berufung auf Rousseau entwickelten sie eine eigene Form, die sich dem kindlichen Denken und Empfinden anzupassen versuchte, wobei die Rousseausche Vorstellung von Kindheit als Maßstab akzeptiert wurde. Durch Kupfertafeln und Schaubilder und durch spielerisch-unterhaltsame Elemente versuchten sich die Autoren auf das kindliche Publikum einzustellen. Das trug ihnen schon früh den Vorwurf der »Kindertümelei« ein. Nicht minder schwer wiegt der Vorwurf der Trivialisierung der Gattung durch Vielschreiberei und Dilletantismus. Ein Zeitgenosse sprach von dem »unabsehlichen Schwarm von Skriblern«, die sich wie »hungrige Heuschrekken« auf das neue Genre stürzten. Tatsächlich schwoll die Zahl der Kinderbücher besonders in der zweiten Hälfte des 18. Jahrhunderts enorm an und nahm einen großen Anteil an der gesamten Buchproduktion ein. Einer der bedeutendsten Kinderbuchautoren war J.H. Campe, der mit seiner 16bändigen *Allgemeinen Revision des gesamten Schul- und Erziehungswesens* (1785–1792) die pädagogische Diskussion und Praxis maßgeblich beeinflußte. Zusammen mit Rochow, Basedow, Salzmann und Weiße gehörte er zu den erfolgreichsten Autoren der neuen Gattung. Seine Bücher, vor allem seine Bearbeitung des *Robinson Crusoe*, wurden bis ins 19. Jahrhundert immer wieder aufgelegt.

Die Erweiterung des literarischen Marktes auf die neue Adressatengruppe der Kinder und Jugendlichen hat auch ihre negativen Seiten. Damit ist nicht so sehr die Trivialisierung gemeint, auf die schon die Zeitgenossen selbst warnend hingewiesen haben, sondern die Pädagogisierung der Kindheit insgesamt. Als eigenständige Gruppe erfaßt, wurden die Kinder alsbald zum bevorzugten Objekt der Erziehung. Daß es hierbei in erster Linie um eine Disziplinierung von Sinnlichkeit ging, wird nicht nur an den zahllosen Sittenbüchlein, sondern auch an den Schriften und Büchern Campes deutlich. »O pfui! ich wollte, daß wir den Trieb nicht hätten!« – ruft Campe in seiner *Kleinen Seelenkunde für Kinder* (1780) aus. Die Bewahrung der Unschuld des Kindes ist das bevorzugte Ziel der aufklärerischen Erzieher, dem auch die Literatur vollständig untergeordnet wird. Gegen das sogenannte »Laster der Selbstschwächung« – die Onanie – findet ein regelrechter literarischer Kreuzzug statt. Nicht minder problematisch als die hysterische Sexualfeindschaft ist das Rollenverständnis, das in der Kinder- und Jugendliteratur zum Ausdruck kommt. Es entsteht eine eigene »Mädchenliteratur«, die dazu dient, die Mädchen auf ihre spätere Rolle als Hausfrau und Mutter vorzubereiten. In empfindsam-didaktischen Romanen und Erzählungen wird den Mädchen vor Augen geführt, was passiert, wenn sie vom Pfad der Tugend abweichen, und in Predigten und Sittenlehren werden sie auf ihre Pflichten hingewiesen. Campes *Väterlicher Rath an meine Tochter* (1789) und Ewalds *Die Kunst ein gutes Mädchen, eine gute Gattin, Mutter und Hausfrau zu werden* (1798) sind prominente Zeugnisse einer Anpassungsliteratur, die am Ende des 18. Jahrhunderts ihre erste Blüte erreichte.

Bilderbibel – Lesefibel

Pädagogisierung der Kindheit

151

sensitivity (sensibility)

Rationalismus und Empfindsamkeit –
Zur Dialektik der Aufklärungsbewegung

Die Etappen, welche die Aufklärung als literarische und philosophische Bewegung vom Beginn des 18. Jahrhunderts bis zum Ausbruch der Revolution in Frankreich zurücklegte, sind keine Schritte im Sinne einer geradlinigen und kontinuierlichen Entwicklung zunehmender Rationalität, sondern es sind Schritte, in denen Widersprüche, Ergänzungen und gegenläufige Tendenzen zum Ausdruck kommen. Lessing ist Fortführer der literarischen Aufklärung, die mit Gottsched begonnen hatte, und er ist zugleich ihr schärfster Kritiker. Auch die Stürmer und Dränger sind Fortsetzer einer Tradition, die Lessing, aufbauend auf Gottsched, geschaffen hat; sie sind zugleich Begründer einer neuen Tradition, in der Genie und das Gefühl die beherrschende Rolle spielten. Während die Forschung früher stärker das Selbstverständnis der Stürmer und Dränger als Antipoden der Aufklärung betont hat, wird gegenwärtig eher die Kontinuität gesehen. Auch die Empfindsamkeit, die in der Literatur des Sturm und Drang eine neue Qualität erhielt, wird nicht so sehr als Protestbewegung gegen eine sich verhärtende und absolut setzende Aufklärung verstanden, sondern mehr als eine Ergänzung im Sinne einer Verbindung von Verstand und Gefühl gedeutet. In Definitionen der Zeitgenossen wird ablesbar, daß die Empfindsamkeit sich von ihrem Selbstverständnis her im Rahmen der übergreifenden Aufklärungsbewegung ansiedelte. K. D. Küster schrieb 1773: »Der Ausdruck: ein empfindsamer Mensch, hat in der deutschen Sprache eine sehr edle Bedeutung gewonnen. Es bezeichnet: die vortreffliche und zärtliche Beschaffenheit des Verstandes, des Herzens und der Sinnen, durch welche ein Mensch geschwinde und starke Einsichten von seinen Pflichten bekömmet, und einen würksamen Trieb fühlet, Gutes zu thun. Je feiner die Nerven der Seele und des Cörpers sind, je richtiger sie gespannet worden, desto geschäftiger und nützlicher arbeitet er; und desto grösser ist die Erndte des Vergnügens, welches er geniesset, wenn er nicht nur gerecht, sondern auch wohlwollend, oder gar wohlthätig handeln kann. Solche empfindsame Fürsten und Princeßinnen, solche empfindsamen Minister, Helden, Rechtsgelehrte, Prediger, Ärzte, Schulmänner, Bürger und Landleute zu bilden, ist das angenehme und wichtige Geschäft eines jeden selbst empfindsamen Erziehers.«

Freilich wurde in der Empfindsamkeit ein anderer Schwerpunkt gesetzt. Das Gefühl trat an die Seite des Verstandes und ergänzte ihn. Sensibilität, Zärtlichkeit waren die Schlagwörter einer Bewegung, die sich auf das eigene Ich und das Gefühl konzentrierte. Hierin lag natürlich auch ein Protest gegen eine Verabsolutierung des rationalistischen Prinzips, das man bei manchen aufklärerischen Autoren wohl nicht immer zu Unrecht zu beobachten meinte. Im Anschluß an Sternes *Sentimental Journey* (1768) und die Romane Richardsons kam es auch in Deutschland zur Bildung einer neuartigen literarischen und sozialen Strömung, für die sich der Begriff »Empfindsamkeit« sehr schnell einbürgerte und bis heute gehalten hat. Zurückgreifen konnte die Bewegung auf empfindsame Tendenzen im Bürgerlichen Trauerspiel und auf den Gefühlskult der Stürmer und Dränger. Die These von der Empfindsamkeit als säkularisiertem Pietismus ist nur von beschränktem Erklärungswert, wenn man sie nicht im Zusammenhang mit den Einflüssen der englischen »sensibility« und der französischen »sensibilité« sieht. Aber es erhoben sich alsbald auch warnende Stimmen gegen die sogenannte

Empfindung
Sentiment

Empfindung
Sentiment

In sich gekehrt
und entzückt

»Empfindeley«, und man sparte nicht mit Spott gegen die »grassierende empfindsame Seuche«, die vor allem mit Millers *Siegwart* (1776) und den Werken von Schummel und Thümmel verbunden wurde. Es wurden Versuche unternommen, die »wahre« von der »falschen« Empfindsamkeit zu trennen und jenes Gleichgewicht zwischen »Kopf« und »Herz« wieder herzustellen, das zu den Grundforderungen der Aufklärung gehörte.

Die Empfindsamkeit als literarische Bewegung führte überall da, wo sie vernachlässigten und unterdrückten Gefühlsbereichen Ausdruck verschaffte, zur Bereicherung der inhaltlichen und formalen Möglichkeiten der Literatur, wie das Beispiel des *Werther* und die Erlebnis- und Naturlyrik Goethes zeigen, sie führte aber überall dort zu Verflachung, wo die Sensibilität zur schlechten Innerlichkeit verkam. Die Empfindsamkeit trägt ein Janusgesicht: Als Sensibilität war sie eine notwendige Ergänzung und Bereicherung des Rationalismus. Sie öffnete den Blick für die Affekte des Menschen im Sinne der »Erfahrungsseelenkunde« von Karl Philipp Moritz. Als Sentimentalität geriet sie jedoch in Gegensatz zu den Grundforderungen der Aufklärung. An der Empfindsamkeit wird zweierlei deutlich: Zum einen, daß die Aufklärung emotionale Lücken im Bewußtsein des einzelnen ließ, zum anderen, daß die Betonung des Gefühls und der Subjektivität triviale Züge annahm, wenn sie den Bezug zur Aufklärung als politisch-sozialer Emanzipationsbewegung verlor.

Affekte des Menschen

Was Horkheimer und Adorno als Dialektik der Aufklärung beschrieben haben, läßt sich auch an dem Miteinander und Gegeneinander von Rationalismus und Empfindsamkeit beobachten. Als eine von ihren sozialen und politischen Voraussetzungen und Forderungen her widersprüchliche Bewegung konnte die Aufklärung den Ausgleich zwischen »Kopf« und »Herz« nicht praktisch realisieren. Sie trieb damit nicht nur die Nachtseiten einer instrumentalisierten Vernunft hervor, sie produzierte nicht nur jenes »Andere der Vernunft« (Böhme), das als Irrationalität vergeblich abgewehrt und ausgegrenzt wurde, sondern sie ließ auch den Preis erkennen, den der Ausgang aus der Unmündigkeit jedem einzelnen tendenziell abforderte: Die Verkümmerung und Verstümmelung der emotionalen und sinnlichen Kräfte im Menschen zugunsten der Durchsetzung der bürgerlich-kapitalistischen Gesellschafts- und Wirtschaftsordnung. Naturbeherrschung und Affektbeherrschung sind zwei Seiten einer Medaille, sie sind die notwendige Konsequenz des »Prozesses der Zivilisation« (Elias). In der Empfindsamkeit ebenso wie im Sturm und Drang drücken sich jene unterdrückten Wünsche nach einer ganzheitlichen Entwicklung aus, die die Aufklärung geweckt hatte, aber nicht einlöste. In bestimmten Formen der empfindsamen Dichtung sind, wie in bestimmten Formen der Schäferdichtung (Geßner) und Idyllik (Maler Müller), Träume eines besseren Lebens bewahrt, mit der die Dichter gegen die schlechte Wirklichkeit Einspruch einlegten und ihre Erfahrung von Entfremdung abzuarbeiten versuchten. Daß darin eine so geringe gesellschaftliche Sprengkraft lag, ist nicht nur in den übermächtigen gesellschaftlichen Verhältnissen begründet, sondern auch in der frühzeitigen Abmilderung der »wilden Wünsche« *(Kabale und Liebe)* ins Idyllische, Sentimentalische, Gefällige und Unverbindliche. Sehr rasch wurde das Gefühl zu einer Ware und jenem Vermarktungsprozeß unterworfen, der sich im 18. Jahrhundert auf alle Erzeugnisse des literarischen Lebens mehr oder minder stark zu erstrecken begann. Empfindsame Romane wurden zu »Moderomanen«, die auf den Tränenfluß der Leser spekulierten und jene Form der Unterhaltungsliteratur vorbereiten halfen, die im 19. und 20. Jahrhundert den Markt überschwemmen sollte.

Kopf und Herz – ein Gegensatz?

Gefühl als Ware

KUNSTEPOCHE

Zwischen Revolution und Restauration

Als »Kunstperiode« erschien Heinrich Heine in der Rückschau jene Zeit bis etwa 1830, die vor allem durch die übermächtige Gestalt Goethes und seines Werkes geprägt wurde. Das Ende der »Kunstperiode«, von dem auch Hegel in seinen *Vorlesungen über die Ästhetik* spricht und das als Motiv die Schriften der Jungdeutschen nach 1830 wie ein Leitfaden durchzieht, fällt – wenn man der Heineschen Auffassung von der besonderen Bedeutung Goethes folgt – mit dessen Todesjahr (1832) zusammen. Mit dem Begriff »Kunstperiode« verband Heine u. a. die Vorstellung von einer Epoche, in der die Kunst und der Künstler einen besonders hohen Stellenwert einnahmen und in der die Frage nach dem Verhältnis von Kunst und Leben zugunsten der Kunst entschieden wurde. Die besondere Rolle, welche die Kunst zwischen den beiden Revolutionen von 1789 und 1830 gehabt hat, ist auch in der Forschung immer wieder hervorgehoben worden und hat dort zu Formulierungen wie »Zeitalter der deutschen Klassik und Romantik«, »Zeitalter Goethes und Schillers«, »Blütezeit der deutschen Dichtung« usw. geführt. Demgegenüber erscheint der Terminus Kunstperiode neutraler und ideologisch weniger belastet. Eingegrenzter als bei Heine, wird unter Kunstepoche diejenige Zeit verstanden, die, eingeschlossen von zwei europäischen Revolutionen, zwischen den beiden Polen Revolution und Restauration oszillierte.

deutsche Sonderentwicklung

Anders als im Nachbarland Frankreich fand in Deutschland die Revolution nicht statt. Trotzdem blieb sie – positiv oder negativ – immer Bezugspunkt der deutschen Sonderentwicklung. An die Stelle der Revolution trat die Reformbewegung des aufgeklärten Absolutismus, der in mehreren großen Anläufen (Allgemeines Landrecht von 1794 und Stein-Hardenbergsche Reformen seit 1806) eine behutsame Veränderung von Staat und Gesellschaft versuchte und in seinem reformerischen Gestus sehr stark auf die Entwicklung im Nachbarland bezogen war. Historisch gesehen war die Zeit zwischen 1789 und 1830 nicht nur eine Epoche, die zwischen Revolution und Restauration hin- und hergerissen wurde, sondern auch eine Zeit, die durch spektakuläre militärische Auseinandersetzungen (Polnische Teilungen, Koalitionskriege, Napoleonische Kriege, Befreiungskriege) und durch die sogenannte »Anlaufperiode« der Industrialisierung geprägt wurde. Der Beginn der Bauernbefreiung, die allmähliche Durchsetzung der Gewerbefreiheit, die Transformation des alten Handwerks in industrielles Gewerbe, die Entstehung des »freien« Unternehmers und Fabrikanten und die Proletarisierung immer breiterer Bevölkerungsschichten sind Teile einer Neuformierung von Wirtschaft und Gesellschaft, die mit Termini wie »Modernisierung« oder »Dynamisierung« nur ansatzweise beschrieben werden kann. Die Veränderung der wirtschaftlichen Strukturen vollzog sich im Schoße eines »abgelebten alten Regimes«, das, wie Heine schrieb, »noch in der heiligen römischen Reichsvergangenheit« wurzelte. Erst durch den Wiener Kongreß (1815) kam es zu einer Neuordnung des Heiligen Römischen Reiches Deutscher Nation. Von den 314 selbständigen Territorien und über 1400 Reichsritterschaften, die noch gegen Ende des 18. Jahrhunderts bestanden, blieben nur noch

39 Einzelstaaten, darunter vier freie Reichsstädte, übrig. Im Vergleich zu den umliegenden Nationalstaaten war Deutschland zwar hoffnungslos zersplittert, aber die Voraussetzungen für eine nationalstaatliche Entwicklung, die 1871 mit der Bismarckschen Reichsgründung zu einem vorläufigen Ende kam, waren damit gelegt.

Der Zeitgeist (J.M. Voltz, um 1820)

Wenn diese strukturellen Verschiebungen und Veränderungen im wirtschaftlichen und politischen Gefüge zumeist von den Zeitgenossen nicht wahrgenommen worden sind und erst im Nachhinein der historischen Entwicklung des 19. und 20. Jahrhunderts deutlich hervortreten, so waren sie langfristig sicherlich nicht weniger bedeutsam als die spektakulären Ereignisse wie Revolution und Konterrevolution, Eroberungs- und Befreiungskriege, von denen Europa geschüttelt wurde und die den Zeitgenossen den Eindruck einer »neuen Epoche« (Goethe) vermittelten. Die Dramatik und Hektik der Ereignisse im Nachbarland Frankreich waren in der Tat überwältigend: In wenigen Jahren legte das Land den Weg von der Monarchie zur Republik zurück, um dann wieder nach wechselvollen Zwischenetappen unter Napoleon zur Monarchie zu werden und, nach einer kurzen Spanne relativer Ruhe, erneut in den Sog revolutionärer Umwälzungen zu geraten. Revolution, Restauration und wieder Revolution – diese Volten der französischen Geschichte konnten auf Deutschland nicht ohne Auswirkungen bleiben, zumal das Deutsche Reich in die kriegerischen Auseinandersetzungen unmittelbar verwickelt war, zuerst als Mitglied der Koalition gegen die Französische Revolution und später als Opfer der napoleonischen Eroberungspolitik. Gerade die napoleonischen Eroberungskriege entfachten eine erste große Welle nationaler Empörung und förderten im Zusammenhang mit den Befreiungskriegen die Entstehung einer national geprägten Literatur, etwa bei E.M. Arndt und Theodor Körner, die in ihrer Mischung von Nationalismus und Befreiungsdenken ambivalente Züge trug.

Reaktionen auf die Französische Revolution: Klassik – Romantik – Jakobinismus

Die Französische Revolution war nicht nur ein zentrales Ereignis der politischen Geschichte Westeuropas, sondern sie hatte grundlegende Bedeutung auch für die Entwicklung der literarischen Theorie und Praxis nach 1789. Die relative Einheitlichkeit der Literaturperiode von Gottsched bis zu den Stürmern und Drängern, die in der aufklärerischen Funktion der Literatur begründet war, ging in der Auseinandersetzung mit der Französischen Revolution und deren Rückwirkungen auf Deutschland verloren. Hatte die literarische Intelligenz in Deutschland 1789 den Ausbruch der Revolution noch begeistert begrüßt und als des »Jahrhunderts edelste That« (Klopstock) gerühmt, so nahm die Sympathie nach der Hinrichtung des Königs und den Septembermorden, spätestens aber nach dem Beginn der Jakobinerherrschaft spürbar ab und wich alsbald einem tiefen Abscheu vor den »Greueln« im Nachbarland. Die Erfahrungen, welche die Zeitgenossen mit der Französischen Revolution sammelten, führten zu einem grundsätzlichen Nachdenken über die Veränderbarkeit der Gesellschaft und die Rechtmäßigkeit revolutionärer Umwälzungen und revolutionärer Gewalt. Bei dieser Reflexion wurde auch die Rolle der Literatur neu überdacht. Die Frage, ob »Aufklä-

Ablehnung der Revolution

*Errichtung
des Freiheitsbaums
in Speyer (1798)*

lit: cause or effect

rung zur Revolution« führe, bzw. ob »gewaltsame Revolutionen durch Schriftsteller gefördert« würden, gehörte zu den am meisten diskutierten Problemen in den 90er Jahren. Während viele Intellektuelle dazu neigten, den Einfluß der Literatur sehr gering anzusetzen, die Wirkungsmöglichkeiten der Schriftsteller also relativ pessimistisch einschätzten, behaupteten andere die große Bedeutung der aufklärerischen Literatur für die Revolution und für Veränderungen in der Gesellschaft. Die Kontroverse ging quer durch alle politischen Lager. Sie ist der Hintergrund, auf dem die Bemühungen der Schriftsteller um eine neue Literaturtheorie und -praxis in den 90er Jahren gesehen werden müssen.

*Literatur als Medium
des geschichtlichen
Fortschritts*

*Positions on value
of lit*

*1. klassische
2. romantische
3. jakobinische*

Im Rahmen der Neubestimmung der Funktion von Literatur wurde die aufklärerische Selbstgewißheit, daß sich die Wahrheit ihren Weg schon bahnen und die Literatur dabei nur Vermittlerdienste zu leisten hätte, entscheidend eingeschränkt. An die Stelle des aufklärerischen Grundkonsenses über den besonderen erzieherischen Wert der Literatur trat eine Vielzahl von neuen Positionen. Dabei lassen sich drei Hauptrichtungen unterscheiden: die klassische, die maßgeblich von Goethe und Schiller formuliert wurde, die

156

romantische, die insbesondere von den Brüdern Schlegel und Novalis ausgearbeitet wurde, und die jakobinische, die von einer Reihe revolutionärer Demokraten vertreten wurde.

Ausgangspunkt für die klassische Literaturauffassung war die Ablehnung der Revolution. Goethe und Schiller wandten sich vehement gegen die Französische Revolution und insbesondere gegen Versuche, »in Deutschland künstlicherweise ähnliche Szenen herbeizuführen« – so Goethe –, weil sie die Bevölkerung in Deutschland für politisch nicht reif hielten. Unabhängig davon befürworteten sie jedoch gesellschaftliche Veränderungen, ja hielten eine bürgerliche Umgestaltung Deutschlands sogar für dringend erforderlich. Nur wollten sie diese Veränderungen allmählich und nicht auf revolutionärem Wege durchgeführt sehen. Eine wichtige Funktion wiesen sie dabei der Literatur zu. Diese sollte die Bevölkerung moralisch verbessern und auf eine Stufe der Sittlichkeit emporheben, auf sich gesellschaftliche und politische Veränderungen gleichsam von selbst und vor allem gewaltlos vollziehen würden. Die sittliche Verbesserung des einzelnen wie des Volks wurde als die unabdingbare Voraussetzung begriffen. Sie sollte durch die klassische Dichtung erreicht werden, deren Prinzipien Schiller in seiner grundlegenden Schrift *Über die ästhetische Erziehung des Menschen* (1794/95) dargestellt hat. Eine moralische Verbesserung des Menschen schien Schiller nur möglich durch einen Ausgleich zwischen der sinnlichen und der rationalen Natur des Menschen, deren Auseinanderklaffen der eigentliche Grund für alle gesellschaftlichen Mißstände und die Auswüchse der Französischen Revolution sei. Dem Schriftsteller fiel dabei die Aufgabe zu, diesen Ausgleich idealtypisch im Kunstwerk vorwegzunehmen und zu gestalten und dem Leser in der Person des »klassischen Helden«, der diesen Ausgleich zwischen Sinnlichkeit und Rationalität verkörperte, ein Vorbild für die eigene sittliche Vervollkommnung vor Augen zu führen.

Für die dichterische Praxis bedeutete dies einen weitgehenden Verzicht auf die Gestaltung der damaligen Wirklichkeit und der in ihr herrschenden Konflikte und Widersprüche zugunsten einer utopisch vorgreifenden Idealisierung der Wirklichkeit. Angesichts des damaligen Bildungsstandes der Bevölkerung konnte eine solche auf Idealisierung und Veredlung der menschlichen Natur gerichtete Dichtung nur von einer äußerst schmalen Elite des Bildungsbürgertums begriffen werden; die Masse der Bevölkerung wurde nicht erreicht. Die Hoffnung, über eine moralische Verbesserung des Menschen zu einer Veränderung der politischen Verhältnisse zu gelangen, war angesichts dieses Dilemmas illusorisch. Schiller war dies bewußt, wenn er schrieb, daß »das Ideal der politischen Gleichheit«, das die französischen Revolutionäre in die Realität umzusetzen versucht hatten, nur im Reich des ästhetischen Scheins verwirklicht werden könne.

Ähnlich ablehnend wie die Klassiker verhielten sich auch die Romantiker gegenüber der Revolution in Frankreich und den zaghaften Revolutionierungsversuchen in Deutschland (Mainzer Republik). Auch sie gingen davon aus, daß eine Revolution in Deutschland nicht zu wünschen und vom sittlichen Standpunkt aus zu verurteilen war. Eine solche Position schloß jedoch eine Kritik an den bestehenden Verhältnissen in Deutschland nicht aus. Die Romantiker waren sich in ihrer Gesellschaftskritik in vielen Dingen mit den Klassikern einig, nur zogen sie andere literaturtheoretische und -praktische Konsequenzen. Die romantischen Autoren brachen programmatisch mit der sozialen Funktion der Kunst, wie sie in der Aufklärung und auch, zumindest dem Anspruch nach, bei den Klassikern bestanden hatte, und formulierten demgegenüber die Autonomie der Dichtung. Als funktionslos oder funk-

Deutschland nicht reif für die Revolution

Idealisierung der Wirklichkeit

Romantische Opposition

tionsneutral wurde die Literatur sowohl von der Produktionsseite (Autor) wie auch von der Rezeptionsseite (Leser) her aus dem aktuellen gesellschaftlichen Kontext gelöst und auf die Subjektivität ihrer Produzenten und Rezipienten bezogen. Die vorgefundenen sozialen und politischen Widersprüche sollten nicht mehr im Medium der Kunst gelöst oder einer Lösung zugeführt werden, sondern Autor und Leser verschafften sich ersatzweise im Medium der Poesie eine Freiheit, die ihnen im realen Leben versagt blieb. Der Autonomieanspruch, der in der Aufklärung polemisch gegen die feudale und klerikale Indienstnahme der Kunst gerichtet gewesen war und eine progressive Rolle in der Ausbildung einer neuen bürgerlichen Kunst gespielt hatte, wurde von den Romantikern zwiespältig behandelt. Zwar blieb in der Autonomieforderung der bürgerliche Protest gegen politische Instrumentalisierung und gegen Subsumierung unter die Gesetze des literarischen Marktes bewahrt, aber er berechtigte nur noch zum Rückzug in die Sphäre der Subjektivität, der Phantasie, des spielerischen Formexperiments und der ironischen Improvisation. Der romantische Dichter bezog sich ganz auf sich selbst und seine künstlerische Tätigkeit. Das machte eine Reflexion über das Wesen der Poesie unumgänglich. Das Ergebnis war eine höchst anspruchsvolle Poesiekonzeption. Ziel der romantischen Poesie war die Aufhebung der Trennung zwischen Kunst und Leben, zwischen Endlichkeit und Unendlichkeit, zwischen Gegenwart und Vergangenheit, kurz die Poetisierung des Lebens anstelle seiner Politisierung. Im Rückgriff auf das deutsche Mittelalter und religiöse und mythologische Vorstellungsbereiche sollte eine poetische Gegenwelt zur verachteten Gegenwart entworfen werden. Die Orientierung am Mittelalter und die damit verbundene Verherrlichung vorkapitalistischer Produktions- und Lebensweisen konnte keine Alternative zum realen Frühkapitalismus sein; sie ist als nonkonformistische Flucht einzuschätzen. Auswirkungen hatte diese Poesiekonzeption auch auf das Selbstverständnis des Dichters. Die Romantiker knüpften an die Genieauffassung der Stürmer und Dränger an und verstärkten die subjektivistischen und irrationalistischen Elemente bis hin zur Vergöttlichung der Kunst und des Künstlers: »Dichter und Priester waren im Anfang Eins, und nur spätere Zeiten haben sie getrennt. Der ächte Dichter ist aber immer Priester, so wie der ächte Priester immer Dichter geblieben ist« (Novalis, 1798). Tatsächlich waren die Stilisierung der Kunst zur Religion und das übersteigerte Selbstbewußtsein des Künstlers Ausdruck und zugleich Kompensation realer politischer Ohnmacht. Nicht zufällig stand im Mittelpunkt der romantischen Dichtung die Gestaltung der Künstlerproblematik, die an dem schmerzlich erfahrenen Widerspruch zwischen künstlerischem Selbstverständnis und bürgerlicher Alltagswelt aufbrach.

Anders als Klassiker und Romantiker begrüßten die jakobinischen Autoren die Französische Revolution und erstrebten eine revolutionäre Umgestaltung Deutschlands. »Jakobiner« wurden sie genannt, weil sie sich in ihren politischen Vorstellungen tatsächlich oder nach der Meinung der damaligen Reaktion an den französischen Jakobinern orientierten. In Wirklichkeit handelte es sich um eine kleine Gruppe von überwiegend intellektuellen Oppositionellen, die in kritischer Auseinandersetzung mit den Vorgängen in Frankreich die revolutionären Postulate auch für Deutschland einzulösen versuchten. Dabei maßen sie der Literatur eine besondere Bedeutung zu.

In kritischer Absetzung von der klassischen Idealisierungstheorie wie auch von der romantischen Autonomieauffassung entwickelten sie das Konzept einer eingreifenden Literatur, das über das »prodesse et delectare«-Konzept der Aufklärung vor 1789 entscheidend hinausging. Die Literatur erhielt die

*Napoleon gewährt
Goethe eine Audienz
(Erfurt 1808)*

Aufgabe, Einsicht in die Ungerechtigkeit der Sozial- und Gesellschaftsordnung zu vermitteln, das Bewußtsein der Bevölkerung zu entwickeln und die Bereitschaft für revolutionäre Aktionen zu wecken. Erreicht werden konnte dies nach jakobinischem Selbstverständnis nicht durch eine Literatur im klassischen oder romantischen Sinn, sondern durch eine Literatur, die inhaltlich wie formal am Bewußtseinsstand der Adressaten anknüpfte. Das Konzept der Volkstümlichkeit, das bei den Stürmern und Drängern in der vorrevolutionären Zeit bereits ausgebildet worden war, wurde bei den deutschen Jakobinern politisch zugespitzt und mit dem Prinzip der Parteilichkeit verbunden, d.h. mit der Parteinahme des jakobinischen Autors für die unterdrückten und ausgebeuteten Teile der Bevölkerung. Politische Reden, Flugschriften, Aufstandsappelle, Agitationsgedichte, satirische Romane und politische Zeitschriften mit fingierten Druckorten waren die literarischen Formen, die dem Selbstverständnis des jakobinischen Autors am meisten entsprachen, für den heutigen Leser aber wegen ihrer starken Zeitgebundenheit nur noch schwer verständlich sind, als Beispiele für eingreifende Literatur aber ihre Aktualität nicht eingebüßt haben.

Die Zeit zwischen 1789 und 1815 – dem Ausbruch der Französischen Revolution und der konservativen Neuordnung Westeuropas durch den Wiener Kongreß – gehört zu den fruchtbarsten Perioden der deutschen Literaturgeschichte. In etwas mehr als 25 Jahren wurde eine Literatur geschaffen, die sowohl von ihrer Quantität als auch von ihrer Qualität her beeindruckend ist. Die klassischen Werke von Goethe und Schiller, die Werke der Romantiker und die umfangreiche jakobinische Literatur bilden einen verwirrenden Komplex von unterschiedlichen Themen und Formen, der kaum auf einen Nenner gebracht werden kann. Der Eindruck der Vielfalt, den die Kunstepoche vermittelt, wird durch zwei Fakten verstärkt. Zum einen gab es neben den Autoren, die sich den großen literaturtheoretischen Lagern Klassik, Romantik, Jakobinismus ziemlich eindeutig zuordnen lassen, Autoren wie Höl-

159

derlin, Kleist und Jean Paul, die Einzelgänger waren und sich von den literarischen Parteien der Zeit weitgehend fernhielten, nichtsdestoweniger aber mit ihren Werken auf ihre Weise auf die Epochenkonstellation reagierten und eine Literatur schufen, deren Bedeutung heute stärker als früher erkannt wird. Zum anderen gab es eine umfängliche Produktion von Trivialliteratur, die das wachsende Lesebedürfnis gegen Ende des 18. Jahrhunderts zu befriedigen und zugleich den Kampf gegen die Revolution offensiv im Medium der Literatur zu führen versuchte. Die Auseinanderentwicklung und schließlich die Trennung der Literatur in Kunstliteratur und in Trivialliteratur ist eine Unterscheidung, die es in der Aufklärung so nicht gegeben hat; gemessen an der aufklärerischen Zielsetzung unterschied man gute oder weniger gute Literatur. Die trivialen Genres mußten sich da entwickeln, wo die Literatur selber zunehmend ihre gesellschaftliche Basis verlor bzw. auf sie verzichtete und nur noch für eine kleine Bildungsbürgerschicht verständlich war. Die Entstehung der Trivialliteratur ist die historische Antwort auf das an der »großen Masse« vorbeizielende Konzept der ästhetischen Erziehung und auf die Autonomiebestrebungen der romantischen Dichtung. Zugleich ist sie eine politische Reaktion auf das Konzept der eingreifenden Literatur, das die Jakobiner vertraten. Tatsächlich gelang es den Trivialautoren, die – politisch völlig konform – Zensur und Verfolgungen nicht zu befürchten hatten, das Massenpublikum zu erreichen. Die Trivialliteratur richtete sich also gegen den Kunstcharakter der Literatur der klassischen, romantischen und jakobinischen Autoren und damit gegen den politischen Oppositionsgehalt von Dichtung.

Der Eindruck der Vielfältigkeit, der mit den Stichwörtern »Weimarer Klassik« auf der einen und »Trivialliteratur« auf der anderen Seite nur grob umrissen werden kann, verstärkt sich, wenn man die Periode von 1815 bis 1830, die Zeit zwischen Wiener Kongreß und Ausbruch der Juli-Revolution, in die Überlegungen einbezieht. In dieser Zeit entstehen die Hauptwerke von E. T. A. Hoffmann, Eichendorff und anderen Autoren, die unter der Sammelbezeichnung »Spätromantik« in der Literaturgeschichtsschreibung zusammengefaßt werden. Gleichzeitig entstehen in dieser Zeit aber auch schon die ersten Werke von Heine, Mörike u. a., die der Vormärz-Epoche zugeordnet werden. Gerade die Zeit zwischen 1815 und 1830 ist eine Zeit der Überschneidungen und Parallelitäten, des Endes und des Neuanfangs. Unzählige literarische Strömungen und Schulen existieren nebeneinander. Die klassischen und romantischen Autoren publizieren weiter – wenn auch, im Vergleich zum Ende des 18. Jahrhunderts, in veränderter Weise. Goethe stirbt 1832, Brentano 1842 und Tieck 1853. Neue Autoren wie Platen, Rückert, Immermann und Hebel treten ins öffentliche Bewußtsein, ohne daß sie den noch lebenden klassischen und romantischen Autoren das Feld streitig machen können. Bestimmt wurde das literarische Leben aber weniger durch die Dichter und Werke, die heute zum Kanon der Literaturgeschichte gerechnet werden, sondern durch Namen wie Kotzebue oder Iffland. Mit über zweihundert Dramen war Kotzebue der erfolgreichste und anerkannteste Bühnenautor seiner Zeit.

Trivialliteratur

Der Schauspieler Iffland als Wilhelm Tell

Weimarer Klassik

Die Vorstellung, die sich mit der Bezeichnung »Klassik« verbindet, ist von
Goethe und Schiller und durch den Ort Weimar, der im Bewußtsein der
Zeitgenossen und der Nachwelt stets mit dem literarischen Schaffen von
Goethe und Schiller assoziiert wurde, geprägt. »Weimarer Klassik« meint
eine von den Personen, dem Ort und der Zeit her klar eingrenzbare literarische Strömung, die insbesondere in der Rezeption des 19. und 20. Jahrhunderts zum Wertmaßstab literarischen Lebens geworden ist. Ideologischer
Bezugspunkt für die Entstehung der Weimarer Klassik war die Französische
Revolution und deren Auswirkungen auf das öffentliche Leben in Deutschland. Die Voraussetzungen für die Wende, die Goethe und Schiller nach 1789
vollzogen, reichen aber – zumindest für Goethe – in die Zeit vor 1789
zurück. Mit der Entscheidung, nach Weimar zu gehen, stellte Goethe bereits
1776 die Weichen für die spätere Entwicklung. Er nahm Abschied von seiner
eigenen Sturm-und-Drang-Periode und von vielen alten Freunden, mit denen
zusammen er bis dahin seinen Weg gegangen war. Sein Versuch, ehemalige
Weggefährten, wie z.B. Lenz, an den Weimarer Hof zu ziehen, scheiterte.
»Was Teufel fällt dem Wolfgang ein, in Weimar am Hofe herumzuschranzen
und zu scherwenzen [...] Gibt es denn nichts *Besseres* für ihn zu tun?« – In
solchen bangen Fragen des Freundes Merck lag die Furcht, daß Goethe in
Weimar zum Hofdichter verkommen und jene »poetische Individualität«
verlieren könne, die sich im Rahmen der bürgerlich-aufklärerischen Epoche
gerade erst gebildet hatte. Goethe selbst verstand die Entscheidung für Weimar als einen Versuch, seinen eigenen Wirkungskreis zu verbreitern, das
»Unverhältniß des engen und langsam bewegten bürgerlichen Kreyses«,
unter dem schon sein Werther gelitten hatte, zu sprengen und sich für die
»Weite und Geschwindigkeit« seines Wesens einen angemessenen Spielraum

Wende nach 1789

*Lesezirkel
der Herzogin
Anna Amalia*

zu schaffen. Insofern war die Entscheidung für Weimar auch Ausdruck bürgerlichen Aufstiegswillens. Goethe registrierte sehr wohl, daß die Position als Geheimrat in Weimar, die er 1779 erhielt, die »höchste Ehrenstufe« war, die ein Bürger in Deutschland damals erreichen konnte, wie er in einem Brief jener Zeit schrieb.

Weimar war nicht irgendeine unbekannte deutsche Residenz, sondern ein Ort, der durch die Herzogin Anna Amalia einen guten Ruf unter den Intellektuellen und Kunstfreunden in Deutschland genoß. 1772 bereits hatte Anna Amalia Wieland als Erzieher für ihren Sohn nach Weimar geholt und damit jene Entwicklung in die Wege geleitet, die aus Weimar ein Kulturzentrum machen sollte, in einem Land, dem eine Hauptstadt wie Paris oder London fehlte. Als Goethe 1776 von Ernst August, dem damals gerade mündig gewordenen Sohn Anna Amalias, an den Weimarer Hof geholt wurde, fand er dort ein bescheidenes kulturelles Leben vor, das sich von dem in anderen Residenzstädten qualitativ unterschied. Goethe wurde alsbald zum engen Vertrauten und Freund des jungen Herzogs. Als Mitglied des Geheimen Konsiliums war er an den Regierungsgeschäften direkt beteiligt. Ab 1779 übernahm er die Bergwerkskommission und war damit in einen praktisch-politischen Tätigkeitsbereich eingespannt, dem er sich bis 1788 mit großer Aufmerksamkeit widmete. Daneben war er mit dem Ausbau der Universität Jena betraut, an die Schiller, Fichte, Humboldt u.a. berufen wurden. Er lernte die verschiedenen Zweige des Staatsdienstes von Grund auf kennen, was ihm selbst in der Rückschau als ein Vorteil erschien, weil seine Dichtung dadurch realitätsgesättigter geworden sei. Neben die direkten amtlichen Verpflichtungen traten eine Vielzahl von kulturellen Aufgaben. Zunächst war Goethe als Dichter, Regisseur und Schauspieler maßgeblich am Weimarer Liebhabertheater beteiligt, später leitete er über Jahre hinweg das Weimarer Hoftheater, auf dem er nicht nur eigene, sondern auch die Stücke anderer Autoren zur Aufführung brachte. Außerdem baute er mit seiner »Freitagsgesellschaft«, einer »Gesellschaft hochgebildeter Männer«, die später durch ähnliche Zirkel fortgeführt wurde, eine literarisch-kulturelle Gemeinschaft auf. Wenn Weimar auch bis zu seinem Tod zum Wohn- und Arbeitsplatz wurde, so unterbrach Goethe seinen Aufenthalt dort doch immer wieder durch längere und kürzere Reisen in den Harz (*Harzreise im Winter*, 1777), in die Schweiz (1779 und 1797) und nach Italien (1786–88 und 1790). 1792/93 nahm Goethe als Begleiter des Herzogs von Weimar am Ersten Koalitionskrieg teil. Anregungen erfuhr Goethe aber nicht nur durch seine Reisen, die nach 1800 nicht mehr so weit führten, sondern auch durch Personen, die bereits in Weimar wirkten, wie z.B. Wieland, der als Herausgeber des *Teutschen Merkur* einen ähnlich meinungsbildenden Einfluß im öffentlichen Leben Deutschlands ausübte, wie sein ebenfalls in Weimar ansässiger ehemaliger Mitarbeiter Bertuch, der sich später einen eigenen Namen als Herausgeber der *Allgemeinen Literaturzeitung* und des *Journals des Luxus und der Moden* machte. Hinzu kamen Schriftsteller und Gelehrte, die mehr oder minder stark von der Person Goethes und seinem Werk angezogen wurden. 1776 konnte Goethe Herder nach Weimar ziehen, der dort durch seine Vermittlung das Amt des Generalsuperintendenten erhielt und in seinen Weimarer Jahren die für die deutsche Klassik so zentralen geschichtsphilosophischen und kulturkritischen Werke wie die *Ideen zur Geschichte der Philosophie der Menschheit* (1784–1791) und die *Briefe zur Beförderung der Humanität* (seit 1793) schrieb. Später stießen zeitweise auch Fichte und Humboldt dazu und bildeten jenen Kreis, der als »Weimarer Klassik« in die Geschichte eingegangen ist.

162

Das Juno-Zimmer, in dem Goethe gewöhnlich seine Besucher empfing

Wenn Goethe auch immer wieder betont hat, daß sein Leben am Hofe zu Weimar seinen Horizont besonders in Hinsicht auf praktisch-gesellschaftliche Fragen hin erweitert habe, so überwiegen in den ersten Jahren doch seine Klagen über die Einschränkungen, die ihm die Stelle am Hofe auferlegte. Wiederholt stöhnt er über das »Tagewerk«, dem er sich andererseits zumindest in den ersten zehn Jahren so korrekt widmet, daß die literarische Arbeit darunter leidet. Außer kleineren Beiträgen für das Weimarer Hoftheater stellt Goethe in den ersten Jahren seines Weimarer Aufenthalts keine größeren Werke fertig. Dies führte dazu, daß sein Ruhm als Dichter, der mit dem *Werther* und dem *Götz* seinen ersten Höhepunkt erreicht hatte, langsam und stetig sank. »Was er gegeben hat, das hat er gegeben – und jetzt ist er fürs Publikum so unfruchtbar wie eine Steinwüste [...] Seine meiste Zeit und Kraft schenkt er itzt den ersten Geschäften des Staates« – mit diesen Worten beschrieb ein zeitgenössischer Reisender seinen Eindruck (1783/84). Goethe fühlte sich aber nicht nur durch die Fülle der Aufgaben, sondern auch durch die Widerstände, die ihm entgegentraten, erschöpft und abgelenkt. Sätze wie: »Es gehört immer viel Resignation zu diesem ekeln Geschäft, indessen muß es auch sein«, zeigen, daß er schon früh von seinen reformerischen Plänen (»Die Disharmonie der Welt in Harmonie zu bringen«) Abstriche machen mußte. »Resignation«, »Distanz« und »Entfremdung« sind die Begriffe, die in den Briefen jener Zeit auftauchen und anzeigen, daß er sich nur schwer an die neue Lebensform anpassen konnte. Die »fortdauernde reine Entfremdung von den Menschen«, von der er berichtet, ist ein Zeichen dafür, daß er den Versuch unternahm, sich von dem »Gemeinen«, das ihn umgab, abzusondern und jene »Separation« anstrebte, die Schiller wenige Jahre später in den *Ästhetischen Briefen* zur Voraussetzung wahren Dichtertums erklärt hat.

Früher literarischer Ausdruck dieses Bedürfnisses nach Absonderung ist das Drama *Iphigenie auf Tauris*, das als ein »Paradigma jener Trennung von Kunst und Leben« (Ch. Bürger) verstanden worden ist, welche Goethe in den

Iphigenie

70er und 80er Jahren am Weimarer Hof vollzog. An den verschiedenen Entstehungsstufen (1. Fassung 1779, 2. Fassung 1780, 3. Fassung 1786) läßt sich der Werdegang vom Sturm- und Drang-Autor hin zum klassischen Dichter gut verfolgen. Die Enttäuschung vieler Freunde an dem Stück führt Goethe darauf zurück, daß sie »etwas Berlingisches« erwartet hätten. Dies war die *Iphigenie* in der Tat nicht. Zwar enthielt der Stoff (Tantalidenmythos) durchaus große Dramatik, aber Goethes Bearbeitung versuchte gerade, diese Dramatik zu bändigen, nicht nur durch eine neue inhaltliche Auffassung vom Stoff, den vor ihm u. a. schon Euripides, Racine und Gluck gestaltet hatten, sondern vor allem durch die Form. Mit der ersten »schlotternden« Prosafassung war Goethe unzufrieden, aber auch die »gemeßnere« Blankvers-Fassung genügte ihm nicht. Erst die Fassung in Jamben, die er, angeregt duch K. Ph. Moritz' *Versuch einer deutschen Prosodie* (1786), fertigstellte, erfüllte seine Forderung nach »mehr Harmonie im Stil«. Im Streben nach der »reinen Form« wie nach »schöner Humanität« auf der inhaltlichen Ebene drückt sich jene bewußte Separation von der Wirklichkeit aus, die für Goethes erste Weimarer Jahre kennzeichnend ist. Goethe erzählt den Mythos neu: Er versucht, den barbarischen Gewalt- und Schuldzusammenhang von Leidenschaft, Mord, Rache und wieder Mord, der als Verhängnis über dem Geschlecht der Tantaliden liegt, zu sprengen. Dazu wird vor allem die Gestalt der Iphigenie völlig neu konzipiert. Sie wird zur Repräsentantin »reiner Menschlichkeit« stilisiert. Die Versöhnung der Männer und die Überwindung der Barbarei (Abschaffung des Menschenopfers) ist ihr Werk. Der Preis, den sie dafür zahlen muß, aber ist hoch: Die »Entlebendigung« zur »schönen Seele« ist die Voraussetzung dafür, daß sie zur Erlöserfigur werden kann. Hier kündigt sich bereits jenes »Frauenopfer« an, das in den klassischen Dramen Schillers später eine zentrale Rolle spielen wird.

Künstlerproblematik

TASSO

Auch Goethes Dramen *Egmont* (1787) und *Tasso* (1790) tragen deutlich den Stempel seiner neuen weimarischen Umgebung. Im *Egmont*, an dem er ausdauernd und immer wieder neu ansetzend arbeitete, geht es um das Verhältnis von Individuum und Geschichte, wobei er die Problematik des *Götz* auf einer geläuterten, differenzierenden Ebene wieder aufnimmt. Im *Tasso* gestaltet Goethe die Konflikte des bürgerlichen Künstlers seiner Zeit am Beispiel des gleichnamigen italienischen Renaissancedichters. Die nicht überlieferte Urfassung entstand bereits 1780/81, aber erst auf seiner italienischen Reise – mit dem Abstand zu den Weimarer Verhältnissen – konnte er sich dem Stoff wieder zuwenden. *Tasso* ist ein Drama, in dem sich Goethe über seine eigene Stellung als bürgerlicher Künstler an einem Fürstenhof klar wird. In Tassos Zurückweisung durch die höfische Gesellschaft verarbeitet er eigene Kränkungen und Enttäuschungen. Die resignativen Partien des Dramas und der offene Schluß zeigen deutlich, daß Goethe die Anpassung an die Weimarer Verhältnisse immer noch Schwierigkeiten bereitete.

Goethes Krise

Überlagert wurde die Lebenskrise, in der sich Goethe nach zehn Weimarer Jahren befand, durch die große Staatskrise, die 1789 zur Französischen Revolution führte und ganz Europa in ihren Bann zog. Es sei ihm gerade noch gelungen, den *Tasso* abzuschließen, aber »alsdann nahm die weltgeschichtliche Gegenwart meinen Geist völlig ein«, so schreibt Goethe 1822 aus der Rückschau auf jene Jahre. Tatsächlich war er nicht nur Zuschauer. Im Auftrag seines Herzogs nahm er 1792 am Koalitionskrieg gegen Frankreich teil und war auch bei der Belagerung von Mainz dabei. Seine beiden Reiseberichte *Campagne in Frankreich* und *Belagerung von Mainz* sind zwar aus der Distanz des Alters geschrieben, aber sie vermitteln ein gutes Bild von den

Schwierigkeiten, die er als bürgerlicher Intellektueller mit der Revolution hatte. In mehreren satirischen Stücken *(Der Groß-Cophta; Der Bürgergeneral; Die Aufgeregten)*, die zwischen 1792 und 1793 entstanden, machte er den Versuch, sich unmittelbar mit der Revolution im Nachbarland und den Revolutionierungsversuchen im eigenen Lande auseinanderzusetzen. Die Revolution blieb auch der Bezugspunkt für zahlreiche andere Stücke. In dem Fragment gebliebenen Drama *Das Mädchen von Oberkirch* (1795/96), in den Versepen *Reineke Fuchs* (1793) und *Hermann und Dorothea* (1797) und in dem Trauerspiel *Die natürliche Tochter* (1803) wird das Thema Revolution direkt aufgenommen. In *Hermann und Dorothea*, einer bürgerlichen Epopöe in Hexametern, die formal von den Hexameter-Epen von J.H. Voss *(Luise*, 1781) und dessen Homer-Übertragungen *(Odyssee*, 1791 und *Ilias*, 1793) beeinflußt war, hat Goethe den Stimmungsumschwung der linksrheinischen Deutschen von ursprünglicher euphorischer Revolutionsbegeisterung bis hin zum schließlichen Abscheu und Widerstand nachgezeichnet. Die *revolutionäre* revolutionäre Begeisterung von Dorotheas erstem Bräutigam erweist sich als *Schwärmerei* tödliche Illusion: Er stirbt auf dem Schafott in Paris als Opfer seiner Schwärmerei. Der zweite Bräutigam findet gemeinsam mit Dorothea sein Glück in der bewußten Beschränkung auf das häusliche Leben. Die Familie ist der Ort, der allein Schutz vor den dunklen Mächten der Revolution bieten kann. Wie schon in *Iphigenie* dient auch in *Hermann und Dorothea* die »reine Form« dazu, dem Stoff eine zeitlose Klassizität zu verleihen. »Ich habe das reine Menschliche der Existenz einer kleinen deutschen Stadt in dem epischen Tiegel von seinen Schlacken abzuscheiden gesucht, und zugleich die großen Bewegungen des Welttheaters aus einem kleinen Spiegel zurück zu werfen getrachtet«, schrieb Goethe 1796 in einem Brief. Anders als die *Iphigenie* wurde sein Versepos aber von einem breiten Publikum positiv aufgenommen. Die idyllischen Züge und die Idealisierung und Stilisierung des kleinbürgerlichen Lebens ins Archetypische erhoben *Hermann und Dorothea* zusammen mit Schillers Gedicht *Die Glocke*, in dem ebenfalls die Revolution abgewehrt wird, zum festen Bildungsgut des 19. Jahrhunderts.

Freundschaft
Goethes und Schillers

Die Ablehnung der Revolution war die gemeinsame Ebene, auf der sich die Annäherung zwischen Goethe und Schiller in den 90er Jahren vollziehen konnte; sie führte schließlich zu dem vielbeschworenen »Freundschaftsbund«, der das Bild nachfolgender Generationen von der Klassik geprägt hat. Bereits 1787 war Schiller – angezogen von Weimar als kulturellem Zentrum und in der Hoffnung auf materielle Sicherheit – nach unruhigen Wanderjahren nach Weimar gekommen, ohne daß sich die beiden Autoren in den ersten Jahren näherkamen. Der langsame Annäherungsprozeß, der nicht widerspruchsfrei verlief, führte zu einer engen und intensiven Zusammenarbeit auf verschiedenen Gebieten. Es kam zu einem regen Austausch der literarischen und philosophischen Arbeiten, wobei insbesondere Schiller durch seine verständige Kritik Goethe in seiner Arbeit an den *Lehrjahren* entscheidend förderte. Darüber hinaus schlug sich die neue Freundschaft in der gemeinsamen Herausgeberschaft der Zeitschrift *Horen* nieder, die für *Horen.* einige Jahre zu einem wichtigen Organ des literarischen Lebens in Deutschland wurde. Die *Horen* waren als eine Plattform für all diejenigen Autoren gedacht, die sich dem »Ideal veredelter Menschheit« verpflichtet fühlten, das Schiller in seinen *Ästhetischen Briefen* theoretisch formuliert und das Goethe in seiner *Iphigenie* in die Praxis umgesetzt hatte. »Wohlanständigkeit«, »Ordnung«, »Gerechtigkeit« und »Friede« waren die Werte, unter denen sich die Autoren versammeln sollten. Zu den Mitarbeitern gehörten neben

Johann Gottfried Herder

Xenienkampf – Karikatur um 1797

Balladenjahr 1797

den beiden Herausgebern vor allem Wilhelm von Humboldt, Herder und August Wilhelm Schlegel. Schiller veröffentlichte eine Liste von 25 Autoren, die regelmäßig Beiträge zu liefern versprochen hatten. Andere – wie z.B. Hölderlin und Sophie Mereau – kamen später hinzu, ohne daß die Zeitschrift von ihren Mitarbeitern her repräsentativ war. Das Ansehen der *Horen* war anfangs sehr groß, der Verkaufserfolg beträchtlich. Im ersten Jahr gewann man 1800 Abonnenten, eine Zahl, die in den folgenden Jahren jedoch kontinuierlich abnahm. Daran änderte auch nicht, daß Schiller, Humboldt und Fichte mit zentralen Schriften in den *Horen* vertreten waren, daß Goethe seine *Unterhaltung deutscher Ausgewanderter* beisteuerte und zahlreiche Gedichte Schillers hier erstmals publiziert wurden. Anders als z.B. Wielands *Teutscher Merkur* oder Bertuchs *Allgemeine Literaturzeitung*, die ebenfalls von Weimar aus redigiert wurden, konnten sich die *Horen* auf dem Markt nicht durchsetzen. Eine zweite Form der Gemeinsamkeit fanden Goethe und Schiller in der Arbeit an dem *Xenien-Almanach*. In wenigen Monaten schrieben beide nach dem Vorbild Martials weit über sechshundert Epigramme, in denen sie sich satirisch und polemisch mit konkurrierenden Zeitschriften und gegnerischen Autoren auseinandersetzten. In den Almanach wurde nur ein kleiner Teil der Epigramme aufgenommen, ein Teil von ihnen sogar anonym, da Goethe und Schiller ihr Denken und Schreiben so weit einander angenähert hatten, daß ihnen die namentliche Zeichnung nicht in allen Fällen notwendig erschien. Die *Xenien* (Gastgeschenke) bildeten ein gemeinsames Manifest, mit dem sie über »Philister«, »Schwärmer« und »Heuchler« zu Gericht saßen und durch Abgrenzung nach außen ihren Bund zu bekräftigen suchten. Insbesondere die »deutschen Revolutionsmänner« Reichardt und Forster traf der oft ungerechte Spott und Hohn. Das öffentliche Aufsehen, das die *Xenien* erregten, war groß. Erbittert setzten sich viele der Angegriffenen zur Wehr und bezichtigten Goethe und Schiller des Elitedenkens, der Arroganz und der Inhumanität. Zumindest ansatzweise formulierten sie jene Punkte der Kritik, die in der späteren Auseinandersetzung mit der Klassik vorgebracht worden sind.

Der »Bund« Goethes und Schillers, der nicht zuletzt dadurch möglich wurde, daß Weimar von den Wirren der Koalitionskriege verschont blieb und eine kleine friedliche Insel in einer unfriedlichen Umgebung war, erschöpfte sich aber nicht in der Abgrenzung nach außen und der gegenseitigen Förderung, er führte auch zu einem produktiven Schub bei beiden Autoren auf dem Gebiet der Lyrik. Als »Balladenjahr« hat Schiller das Jahr 1797 bezeichnet, in dem der von ihm herausgegebene *Musenalmanach* mit zahlreichen Balladen beider Autoren erschien, die in der Folgezeit zum Bildungsgut breiter Bevölkerungskreise werden sollten. Mit der Ballade entschieden sich Goethe und Schiller im Gegensatz zu den sonst von ihnen bevorzugten antiken oder antikisierenden Genres erstmals für eine populäre Form, um ihre weltanschaulichen Aussagen zum Ausdruck zu bringen. In ihrer Mischung von lyrischen, epischen und dramatischen Elementen war die Ballade bereits in der vorrevolutionären Zeit bei Bürger eine sehr volkstümliche Form gewesen. Die Aneignung der Balladenform, die so berühmt gewordene Ergebnisse wie die Balladen *Die Bürgschaft, Die Kraniche des Ibykus, Der Ring des Polykrates, Die Braut von Korinth, Der Zauberlehrling* und *Der Gott und die Bajadere* zeitigte, ging einher mit der weitgehenden Eliminierung der volkstümlich-politischen Elemente, wie sie die Ballade noch bei Bürger gehabt hatte, und bedeutete eine Annäherung an das philosophische Weltanschauungsgedicht, in dem sich das neue klassische Selbstverständnis Goethes und Schillers am reinsten ausdrückt (*Grenzen der Menschheit; Das*

Ideal und das Leben; Die Götter Griechenlands; Lied von der Glocke). Die
Gestalten und Geschehnisse werden einer tragenden Idee untergeordnet und
auf die Vermittlung einer sittlichen Lehre hin stilisiert.

Neben der Balladendichtung entfaltete Schiller in seinen Weimarer Jahren
ein umfangreiches dramatisches Schaffen, das er mit historischen Arbeiten
vorbereitet hatte. Anders als Goethe hat er sich in seinen Dramen nie direkt
mit dem Thema der Revolution auseinandergesetzt, trotzdem reagieren sie in
vielfältiger Weise auf das Epochenereignis. Das auffälligste Merkmal von
Schillers gewandeltem Selbstverständnis als Theaterautor ist seine Abkehr
vom bürgerlichen Trauerspiel, mit dem er ehemals brilliert hatte. Seine Ansicht, daß der Dichter »sich aus dem Gebiet der wirklichen Welt zurückziehen« und »auf die strengste Separation sein Bestreben richten« solle, war
nicht länger zu verbinden mit der Form und dem Anspruch des bürgerlichen
Trauerspiels, der ja gerade darin bestanden hatte, deutsche Wirklichkeit
künstlerisch zu erfassen und über die Einwirkung auf das Publikum letztlich
auch zu verändern. Hatte Schiller 1784 mit seinen *Räubern* einen Griff in die
deutsche Wirklichkeit getan, so ging er mit seinen Dramen nach 1789 weit in
die Geschichte zurück. Die *Wallenstein*-Trilogie (1798/99) spielt im 17. Jahrhundert, *Maria Stuart* (1800) thematisiert einen Stoff aus der englischen
Geschichte des 16. Jahrhunderts, und in der *Jungfrau von Orleans* (1801)
gestaltet er einen Stoff aus dem französischen 15. Jahrhundert. Zugleich
wandte er sich von der Form des bürgerlichen Dramas ab, wie sie insbesondere Lessing in der Auseinandersetzung mit der französischen »tragédie classique« theoretisch und praktisch entwickelt hatte. Wenn Schiller auf die
ehemals verpönte strenge und geschlossene Form der »tragédie classique«
zurückgriff, so geschah dies aus dem Wunsch heraus, »ästhetische Erziehung« durch die Verwendung einer »reinen Kunstform« zu bewerkstelligen.
Die Wiederbelebung der höfisch-aristokratischen Tragödienform, die Lessing so vehement bekämpft hatte, ist nicht nur ein innerliterarischer Vorgang, sondern auch ein Faktum von allgemeiner gesellschaftlicher Bedeutsamkeit. Die Neubelebung der »tragédie classique« im Drama Schillers signalisierte den Beginn der restaurativen Phase der bürgerlichen Gesellschaft
in Deutschland zu einer Zeit, als im Nachbarland Frankreich nachrevolutio-
näre Kämpfe tobten. Der rebellische Grundton, der die Dramen Schillers
vor 1789 durchzieht, ist fast vollständig verschwunden. Forderte der Marquis
Posa 1787 in *Don Carlos* noch Gedankenfreiheit, so ist die Freiheitsforderung in der *Maria Stuart* aus dem Jahr 1800 gänzlich verinnerlicht und in die
Subjektivität der Heldin verlegt. Im Kampf zwischen den beiden Königinnen
Elisabeth und Maria werden moralische und politische Kontroversen auf
einer so abgehobenen Ebene verhandelt, daß die Bezüge zur deutschen Wirklichkeit kaum noch zu erkennen sind. Zudem führt die Verbindung von
bürgerlichen Inhalten, an denen Schiller ja nach wie vor festhielt, und aristo-
kratischer Form zu Widersprüchen und Unklarheiten, in denen der historische Kompromiß zwischen Bürgertum und Adel, der die politische Geschichte Deutschlands im 19. Jahrhundert prägen sollte, gleichsam vorgezeichnet erscheint.

Besonders deutlich wird dies an der Schillerschen Helden-Konzeption.
Wallenstein, Maria Stuart oder auch die Jungfrau von Orleans werden, den
Gesetzen der klassizistischen Tragödie entsprechend, zu »überbürgerlichen«,
»überhistorischen« Individuen stilisiert. Die bürgerliche Moral, die Maria
Stuart gegen ihre Kontrahentin Elisabeth – entgegen der historischen Wahrheit – vertritt, wird auf diese Weise aus ihrem politischen Funktionszu-
sammenhang gelöst und verliert ihre ursprünglich antifeudalen Qualitäten,

*Friedrich Schiller
(1793)*

*Konzept der ästheti-
schen Erziehung*

Wallensteins Lager.
Stich von 1798

die sie im bürgerlichen Trauerspiel vor 1789 noch gehabt hatte. Eine gewisse
Ausnahme stellt der *Wilhelm Tell* (1804) dar, in dem der Freiheitskampf des
schweizerischen Volkes Anfang des 14. Jahrhunderts mitreißend zum
Thema gemacht wird. Trotz der historischen Ferne des Stoffes ist der Bezug
auf die deutsche Gegenwart immer vorhanden. Er unterscheidet sich jedoch
von den übrigen klassischen Dramen Schillers. Während jene die bürgerliche
Emanzipationsproblematik in verschlüsselter, kunstvoller Form verhandeln,
ist der *Wilhelm Tell*, wie Kleists *Hermannsschlacht* (1808), ein schon von der
Form her volkstümlich gehaltener dramatischer Versuch zum Problem von
Nationalbewußtsein und Fremdherrschaft. Die restaurative Politik Frank-
reichs seit 1799 und die Eroberungskriege Napoleons, die das Deutsche
Reich in seiner Integrität bedrohten, rückten die nationale Frage in den
Vordergrund. So ging es Schiller in erster Linie nicht um die bürgerlichen
Inhalte des Freiheitskampfes, sondern um nationale Fragestellungen. Die

»Vaterland« – eine
deutsche Metapher

Gegensätze zwischen Volk und Adel werden im *Tell* in der gemeinsamen
Berufung auf das »Vaterland« und im Kampf gegen die Fremdherrschaft
überwunden. So steht der greise Freiherr von Attinghaus auf der Seite des
Volkes, sein Neffe Ulrich von Rudenz ist sich mit Wilhelm Tell, dem Mann
aus dem Volke, im Widerstand gegen den Landvogt Geßler einig. Dem
Tyrannenmord – Tell tötet Geßler – fehlt der eigentlich revolutionäre Charakter, es ist eine auf gesellschaftlichen Konsens gegründete Tat des nationalen Widerstandes. Festzuhalten bleibt jedoch, daß auch in der Konzeption
des nationalen Widerstandes gegen die Fremdherrschaft, die Schiller in seinem *Tell* als Vorbild für die deutsche Gegenwart seiner Zeit entfaltet, bürgerliche Elemente aufbewahrt bleiben. Wenn die Abgesandten der drei
Schweizer Kantone den Schwur »Wir wollen sein ein einzig Volk von Brüdern« ablegen, so stellt Schiller mit dem Begriff »Brüder« einen deutlichen
Bezug zur »fraternité«-Forderung der Französischen Revolution her. *Wilhelm Tell* gehört zu den am häufigsten aufgeführten Stücken Schillers. Je
nach historischem Kontext wurde dabei der Akzent entweder auf die soziale
oder aber auf die nationale Problematik gelegt. Eine witzige Neufassung des

Tell-Stoffes hat Max Frisch mit seinem *Wilhelm Tell für die Schule* (1971) geschrieben; er hat dabei die Schillersche Deutung stark ironisiert und zugleich den an ihn anschließenden nationalistischen Mythos vom schweizer Freiheitskampf demontiert.

Der Weg zum Entwicklungs- und Bildungsroman

Die Rehabilitierung des Romans als Literaturgattung war eine Leistung der Aufklärung, aber erst in der Kunstepoche erlangte der Roman weltliterarische Geltung und trat gleichberechtigt neben das Drama. Goethes *Werther* (1774) und Wielands *Agathon* (1766/67) stellten die ersten Versuche dar, Erfahrungen und Entwicklungen des bürgerlichen Individuums episch zu erfassen. Beide Romane waren jedoch noch weit davon entfernt, die hochgesteckten Hoffnungen zu erfüllen, die Blanckenburg in seiner *Theorie des Romans* (1774) mit dem bürgerlichen Roman verbunden hatte. *Werther* bot nur einen höchst subjektivistischen Ausschnitt der Gesellschaft. *Agathon* war in ein antikes Gewand gehüllt und verdeckte die bürgerliche Identitätsproblematik mehr, als daß er sie verdeutlichte. Auch Wilhelm Heinses *Ardinghello* (1787), den Goethe nach eigenem Bekunden mit empörten Gefühlen »wegschmiß« und den Schiller zu Unrecht für eine »sinnliche Karikatur ohne Wahrheit und ohne ästhetische Würde« hielt, spielte im Italien des 16. Jahrhunderts. Stufen auf dem Weg zum Bildungs- und Entwicklungsroman waren die in der *Werther*-Nachfolge stehenden Romane *Aus Eduard Allwills Papieren* (1775) und *Woldemar* (1779) von Friedrich Heinrich Jacobi und der *Anton Reiser* (1785–90) von Karl Philipp Moritz. Insbesondere der *Anton Reiser* gehört wie die Werke von Jung Stilling (*Heinrich Jung Stillings Jugend*, 1777) und Ulrich Bräker (*Lebensgeschichte und natürliche Abentheuer des armen Mannes in Tockenburg*, 1789) zur Gattung der Autobiographie, die dem Roman nach 1789 wichtige Impulse gab. Wie *Wilhelm Meisters theatralische Sendung* war auch der *Anton Reiser* ein Theaterroman, wobei das Theater bei Moritz ein Symbol für die Flucht aus der nicht bewältigten Gegenwart war.

bürgerliche Identität?

Goethe auf der italienischen Reise

    Mit *Wilhelm Meisters Lehrjahre* (1794–1796) gelang es Goethe als erstem, die deutsche Wirklichkeit in einem repräsentativen Ausschnitt zu erfassen und die Epochenerfahrung der bürgerlichen Intelligenz ohne historische Kostümierung zu thematisieren. *Wilhelm Meister* ist das erste gelungene Beispiel für den Typus des Bildungs- und Entwicklungsromans, d.h. eines Romans, der »in sehr bewußter und sinnvoller Komposition den inneren und äußeren Werdegang eines Menschen von den Anfängen bis zu einer gewissen Reifung der Persönlichkeit mit psychologischer Folgerichtigkeit verfolgt und die Ausbildung vorhandener Anlagen in der dauernden Auseinandersetzung mit den Umwelteinflüssen in breitem kulturellen Rahmen darstellt« (Wilpert). Dabei ist zu beachten, daß der Held im Bildungs- und Entwicklungsroman immer ein Mann ist. Dies mag mit der Tatsache zusammenhängen, daß die Autoren Männer waren, die sich im Medium der neuen Gattung mit ihrer individuellen und gesellschaftlichen Sozialisation, mit ihren eigenen Wünschen und Phantasien auseinandersetzten. Der wichtigste Grund liegt aber wohl darin, daß die Frau im 18. Jahrhundert eine gesellschaftlich so

Bürger als Held

untergeordnete Stellung hatte, daß sie als Heldin eines Bildungs- und Entwicklungsromans undenkbar war und eine nur beiläufige Rolle in der Entwicklungsgeschichte des Mannes spielte. Ähnlich dem Faust-Stoff war auch der Wilhelm-Meister-Stoff ein Thema, das Goethe fast sein ganzes Leben beschäftigt hat. Nachdem es ihm nicht gelungen war, den Roman *Wilhelm Meisters theatralische Sendung*, den sogenannten *Urmeister*, an dem er von 1777 bis 1785 gearbeitet hatte, fertigzustellen, griff er das Thema 1794 bis 1796 wieder auf. Die ursprünglich sechs Bücher des *Urmeister* wurden zu vier in den *Lehrjahren*. Das Theater war nicht mehr Endpunkt der Entwicklung, sondern eine Bildungsstufe unter anderen. Ein Vierteljahrhundert später wandte sich Goethe dem Meister-Thema erneut zu; er überarbeitete die *Lehrjahre* und schrieb einen zweiten Teil, *Wilhelm Meisters Wanderjahre* (1821), in dem er die Eingliederung Wilhelms in ein tätiges, sozial verantwortliches Leben darstellte. Wilhelm, der im *Urmeister* seine Selbstverwirklichung noch als Schauspieler gesucht hatte, in den *Lehrjahren* ohne befriedigende berufliche und gesellschaftliche Perspektive geblieben war, wird in den *Wanderjahren* zum Arzt und findet damit zu einer gesellschaftlich nützlichen und ihn zugleich ausfüllenden Tätigkeit. Er tritt, wie Schiller es schon für die *Lehrjahre* zutreffend beschrieben hat, »von einem leeren und unbestimmten Ideal in ein bestimmtes tätiges Leben, aber ohne die idealisierende Kraft dabei einzubüßen«.

Der *Wilhelm Meister* wurde zum Vorbild für alle weiteren Bildungs- und Entwicklungsromane. Seine literarische Wirkung reicht bis ins 20. Jahrhundert. Deutlich ist der Einfluß des *Wilhelm Meister* auf Goethes schreibende Zeitgenossen. Tiecks Roman *Franz Sternbalds Wanderungen* (1798), von Zeitgenossen als »verfehlter Wilhelm Meister« bezeichnet, von Goethe wegen »innerer Leere und falscher Tendenz« abgelehnt, gestaltete die bürgerliche Individualitätsproblematik in sichtbarer Abhängigkeit von Goethe. Die Theaterleidenschaft Wilhelms wird durch die Liebe Franz Sternbalds zur Malerei ersetzt; die Künstlerproblematik rückt in den Mittelpunkt, wie ursprünglich in der *Theatralischen Sendung*. Der grundlegende Unterschied zu Goethe besteht zum einen in der Verlagerung der Handlung ins 15. Jahrhundert, zum anderen in dem Verzicht auf eine Eingliederung des Helden in das bürgerliche Leben. Aus der Reise nach Italien, die Wilhelm Meister und Franz Sternbald um der Identitätsfindung und um der Weiterentwicklung ihrer beruflichen Fähigkeiten willen unternehmen, wird bei Tieck eine romantische Wanderschaft ins Unbestimmte und Geheimnisvolle. Der fragmentarische Charakter des Romans und der offene Schluß deuten auf die romantische Auffassung von der Unerfüllbarkeit menschlicher Sehnsucht im bürgerlichen Leben. Von dieser Auffassung her mußte den Romantikern Goethes Roman als ein angreifbarer Kompromiß mit einer unzulänglichen Wirklichkeit sein. Die Abkehr Wilhelms von der künstlerischen und die Hinwendung zur bürgerlich-tätigen Sphäre war für die Romantiker nicht akzeptabel. So war für Novalis der *Wilhelm Meister* »im Grunde ein fatales und albernes Buch – undichterisch im höchsten Grad, was den Geist betrifft – so poetisch auch die Darstellung ist«.

Mit seinem eigenen Roman *Heinrich von Ofterdingen*, 1802 als Fragment von Tieck herausgegeben, versuchte Novalis nach eigenem Eingeständnis, Goethe zu »übertreffen«, – »aber nur wie die Alten übertroffen werden können, an Gehalt und Kraft, an Mannigfaltigkeit und Tiefsinn – als Künstler eigentlich nicht«. In seinem »Anti-Meister« wollte Novalis darstellen, wie ein junger Mann zum Dichter reift: »Das Ganze soll eine Apotheose der Poesie sein. Heinrich von Ofterdingen wird im ersten Teile zum Dichter reif

Wilhelm Meisters Erzählung von seinem Puppenspiel – nach der Ausgabe letzter Hand von 1828

»Anti-Meister«

und im zweiten als Dichter verklärt«. Von diesem zweiten Teil liegt nur der Anfang vor, der Roman ist wie Tiecks *Sternbald* Fragment geblieben. Der *Heinrich von Ofterdingen* unterscheidet sich von Goethes *Wilhelm Meister* nicht nur durch die Konzentration auf die Künstlerproblematik und die Abkehr von der zeitgenössischen deutschen Wirklichkeit – der Roman spielt wie Tiecks *Sternbald* im Mittelalter –, sondern auch durch die symbolische und märchenhafte Strukturierung der Handlung, die nicht nur die damaligen Leser fasziniert hat. Die blaue Blume ist das Symbol für die wahre und echte Poesie, nach der Heinrich strebt; im Märchen, das der Dichter Klingsor erzählt, ist der Sinn des Romans verschlüsselt: Allein die Poesie ist in der Lage, die Welt und damit die Menschen zu erlösen. An die Stelle des klassischen Konzepts von der ästhetischen Erziehung des Menschen als Vorbedingung gesellschaftlicher Tätigkeit und Veränderung, das im *Wilhelm Meister* in höchst kunstvoller Weise episch entfaltet ist, tritt bei den Romantikern das Erlösungskonzept der Poesie.

Ludwig Tieck

Eine späte romantische Antwort auf den *Wilhelm Meister* ist von E.T.A. Hoffmann mit seinem Roman *Kater Murr* (1820/22) gegeben worden, der sich jedoch auch von den frühromantischen Romanen durch seine satirischen und pessimistischen Züge stark unterscheidet. In der kunstreichen und witzigen Verflechtung der Lebensgeschichte des Kater Murr mit der Biographie des Kapellmeisters Kreisler steckt eine doppelte Kritik: Durch die überhebliche, geschwätzige Autobiographie des Kater Murr wird der Bildungsgang des bürgerlichen Individuums parodiert und als philisterhaft denunziert (Anti-Meister); in dem fragmentarischen Charakter der Kreisler-Biographie wird das Scheitern des romantischen Künstlers an dem Widerspruch zwischen Ideal und Leben sinnfällig gemacht (Anti-Ofterdingen). Die Welt des Bürgers und die des Künstlers sind unvereinbar. Eine Eingliederung des Künstlers ins bürgerliche Leben ist ebenso unmöglich wie eine Erlösung des Bürgers durch die Kunst. Der Bürger arrangiert sich mit der Wirklichkeit und überlebt als Philister, der Künstler zerbricht an den erfahrenen Widersprüchen und wird aus der Welt gedrängt. – Die bürgerliche Identitätsproblematik ist auch Thema in den Romanen von Jean Paul und Hölderlin, die sich in ihrer literarischen Praxis außerhalb der etablierten literaturtheoretischen Lager bewegten. Im Unterschied zum klassischen und romantischen Bildungs- und Entwicklungsroman, in dem die Identitätssuche und -findung im Vordergrund stand, ist das Individuum in den Romanen von Jean Paul (*Hesperus*, 1795; *Titan*, 1800–03; *Flegeljahre*, 1804/05) und im *Hyperion* (1797/99) von Hölderlin sehr viel stärker in den gesellschaftlichen und politischen Kontext der Zeit eingebunden, die Identitätskrise ergibt sich gerade aus dieser Verankerung; die bürgerliche Individualität gerät in Konflikt mit der Gesellschaft.

Bürger und Künstler – Einheit oder Gegensatz?

Die Verbindung von Dramatischem und Epischem in der Novelle

Der Roman als epische Großform stellte an Autor und Leser gleichermaßen hohe Anforderungen. So beschäftigte der *Wilhelm Meister* Goethe fast fünfzig Jahre und wurde als ein äußerst durchdachtes, sorgfältig komponiertes, künstlerisch sehr raffiniert gearbeitetes Zeugnis der Auseinandersetzung mit der bürgerlichen Identitätsproblematik nur von einer schmalen Intellektuellenschicht verstanden. Sehr wenige Autoren waren – auch finanziell – in der Lage, ihre schöpferischen Kräfte so lange an ein Werk zu binden. Hier spielte die wirtschaftliche Sicherheit Goethes als Berater des Herzogs von Weimar eine entscheidende Rolle. Sie bot ihm Zeit, Muße und den langen Atem für literarische Großvorhaben dieser Art. Autoren, die stärker auf den literarischen Markt, d.h. auf den Verkauf ihrer Bücher angewiesen waren, mußten notgedrungen mehr als Goethe auf die Adressatenorientierung und die Verkaufschancen ihrer Werke achten. Dies galt in abgewandelter Form auch für Autoren wie z.B. die Jakobiner, die aufgrund ihrer gesellschaftspolitischen Überzeugung mit ihren literarischen Werken eine direkte Wirkung auf das Publikum erzielen wollten. Hier boten sich epische Kleinformen wie die Novelle als geradezu ideal an. Begünstigt wurde die starke Zunahme kurzer Erzählprosa gegen Ende des 18. Jahrhunderts durch die zahlreichen literarischen Zeitschriften, die dankbare Abnehmer für Kurzprosa waren. Autoren fanden hier unter Umgehung des Verlegers relativ günstige Publikationsmöglichkeiten, die angesichts der großen Zahl von miteinander konkurrierenden Autoren sonst beschränkt waren. Der Zusammenhang zwischen der parallel verlaufenden Entwicklung von Kurzprosa und der Herausbildung eines literarischen Zeitschriftenwesens ist dabei so komplex, daß schwer zu entscheiden ist, was Ursache und was Wirkung gewesen ist.

Zeitschriften – Abnehmer von Kurzprosa

Als selbständige Gattung hat die Novelle ihre Geburtsstunde bereits in der italienischen Frührenaissance, in Deutschland tritt zumindest die Bezeichnung erst sehr viel später auf. Eine klare Unterscheidung zwischen dem Roman und kleineren Erzählformen gibt es erst gegen Ende des 18. Jahrhunderts. Wieland definierte 1772 Novellen als »eine Art von Erzählungen, [...] welche sich von dem großen Roman durch Simplicität des Plans und den kleinen Umfang der Fabel unterscheiden oder sich zu denselben verhalten wie die kleinen Lustspiele zu der großen Tragödie oder Komödie«. Theorie und Praxis der Novelle entwickeln sich in Deutschland in nennenswertem Umfang erst in der Kunstepoche und sind Ausdruck der gewandelten literarischen Marktsituation, in der das finanzielle Interesse des Autors und das wachsende Lese- und Unterhaltungsbedürfnis breiterer Bevölkerungskreise in einem komplizierten Wechselverhältnis standen. Einen wesentlichen Beitrag zur Theorie der Novelle gab Friedrich Schlegel mit seinem Aufsatz *Nachricht von den poetischen Werken des Johann Boccaccio* (1801). Er versuchte, eine Brücke zwischen dem Stammvater der Novelle, Boccaccio (*Decamerone*, 1353), und der romantischen Novellenpraxis zu schlagen. Die Novelle wird als typisch romantische Gattung reklamiert, die andere Formen durchaus in sich vereinigen kann; sie ist »Fragment, Studie, Skizze in Prosa; – eins, oder alles zusammen«. Wichtig für Schlegel ist, daß die Novelle »in jedem Punkt ihres Seins und Werdens neu und überraschend sein muß« und formal sorgfältig durchkomponiert ist: »Zu den Novellen gehört ganz eigentlich die Kunst gut zu erzählen«. Ludwig Tieck, einer der produktivsten Novellenautoren der Kunstepoche, führte eine neue Kategorie ein: den Wendepunkt. Er forderte, daß jede Novelle einen »sonderbaren auffallenden Wendepunkt« haben müsse, »der sie von allen anderen Gattungen der Erzählung unterscheidet«, einen Punkt, »von welchem aus sie sich unerwartet völlig umkehrt, und doch natürlich, dem Charakter und den Umständen angemessen, die Folge entwickelt«. Die theoretischen Bemühungen insbesondere der romantischen Autoren um das »Wesen der Novelle« entsprangen dem dichterischen Legitimationsbedürfnis. Ihre Postulate sollten daher nicht als normative, überzeitliche Kategorien verstanden werden.

Novellentheorie

Die Legitimation des Romans als Gattung war bereits in der Aufklärung geleistet und durch die literarische Praxis abgesichert; die Kurzprosa als eine eigenständige künstlerische, dem Roman und anderen Gattungen ebenbürtige Form mußte erst noch ihre Begründung finden. Aus den theoretischen Bemühungen, das Wesen der Gattung zu erfassen und unter dem Begriff »Novelle« zusammenzufassen, lassen sich die objektiven Gründe für die Ausbildung kurzer Erzählprosa gegen Ende des 18. Jahrhunderts nur indirekt herauslesen. Zweifellos spielt aber bei der Tieckschen Kategorie des Wendepunktes der Publikumsbezug ebenso eine Rolle wie bei der Schlegelschen Forderung, daß die Novelle vor allem gut erzählt sein müsse. Die immer wieder betonte Verwandtschaft zum Drama verweist auf einen weiteren wichtigen Zusammenhang. Als epische Kunstform mit dramatischer Struktur steht die Novelle zwischen dem »öffentlichen« Drama und dem »privaten« Roman. Den unterschiedlichen Reaktionsweisen des Publikums bzw. des Lesers entsprechen die abweichenden Wirkungsabsichten der Dramen- bzw. Romanautors. In der Novelle vermischen sich die Wirkungsabsichten des Autors und die Reaktionsweise des Lesers in aufschlußreicher Form: Die Novelle als pseudo-dramatische Form, die ja individuell gelesen bzw. »erfahren« wurde, ermöglichte dem Leser die Inszenierung des dargestellten Geschehens in der privaten Lektüre und stellte eine entscheidende Etappe auf dem Weg der Reprivatisierung des Lesens am Ende des 18. Jahrhunderts dar. Zugleich bedeutete sie eine Antwort auf die miserable Theatersituation. Kleist, der Dramen- und Novellendichter in einer Person war und den engen Zusammenhang zwischen beiden Gattungen sinnfällig macht, blieb als dramatischer Dichter so gut wie ohne Publikum. Von seinen acht Dramen wurden nur zwei zu seinen Lebzeiten aufgeführt, während er einen Großteil seiner Novellen in eigenen Zeitschriften bzw. als eigenständige Publikationen veröffentlichen konnte. Neben Kleist, E. T. A. Hoffmann und Eichendorff gehören Tieck, Brentano, Fouqué und Hauff mit ihren Märchennovellen zu den produktivsten Autoren kurzer Prosa. Tieck und Eichendorff waren weit über die Kunstepoche hinaus literarisch tätig. Tieck schrieb seine bedeutenden Altersnovellen *Der junge Tischlermeister* (1836) und *Des Lebens Überfluß* (1839) in den 30er Jahren des 19. Jahrhunderts. Gerade an der Kurzprosa dieser beiden Autoren wird deutlich, wie stark die Novelle eine gesellige Unterhaltungsform war, für die ein Bedürfnis über die Kunstepoche hinaus bestand. So ist im 19. Jahrhundert eine starke Zunahme kurzer Prosa zu beobachten; den eigentlichen Höhepunkt erreicht die deutsche Novellendichtung erst im Zeitalter des bürgerlichen Realismus (Keller, Storm, Stifter, Meyer, Raabe, Fontane).

E. T. A. Hoffmann: »Prinzessin Brambilla« (Frontispiz, 1821)

Romantik als Lebens- und Schreibform

Ähnlich vielschichtig wie der Begriff »Klassik« ist auch der Begriff »Romantik«. Auch er hat eine weitere und eine engere Bedeutung. Als epochenübergreifende Kategorie wird Romantik benutzt, um ästhetische Oppositionsströmungen gegen »klassische« und »realistische« Literaturpositionen abzugrenzen. Dabei verbinden sich mit dem Begriff auch bestimmte thematische Schwerpunkte. Abgeleitet von den Genrebezeichnungen »Roman« oder »Romanze« meint »romantisch« das Wunderbare, Exotische, Abenteuerliche,

Sinnliche, Schaurige, die Abwendung von der modernen Zivilisation und die Hinwendung zur inneren und äußeren Natur des Menschen und zu vergangenen Gesellschaftsformen und Zeiten (Mittelalter). Im engeren historischen Sinne meint Romantik eine literarische Tendenz, die sich während der Kunstepoche als Parallel- und Gegenströmung zur Klassik und zum Jakobinismus ausbildete.

Anders als die Klassik, die ein einziges Zentrum – Weimar – besaß, verfügte die Romantik über wechselnde städtische Zentren: Der Berliner Kreis um Tieck unterschied sich von dem Jenaer Kreis der Brüder Schlegel und beide wiederum wichen erheblich von dem Heidelberger Kreis um Arnim und Brentano ab. Die Dresdner und Münchner Kreise grenzten sich von der sogenannten »Schwäbischen Schule« (Uhland, Schwab, Kerner) ab, die ihrerseits vom Heidelberger Kreis angeregt war. Anders als in der Weimarer Klassik, die von Goethe und Schiller als den beiden überragenden Dichtern geprägt wurde, war. das Spektrum der Romantik breiter und der Anteil der sich ihr zugehörig fühlenden Autoren höher. Verbindendes Element zwischen den verschiedenen Zirkeln und Autoren war die Überzeugung, daß »nur durch eine ›romantische‹ Erneuerung der Literatur und Künste eine Überwindung der seit der Französischen Revolution manifest gewordenen globalen Krise der Gesellschaftsordnung wie der individuellen Lebenspraxis zu erreichen sei« (Ribbat). Die frühromantische Revolutionsbegeisterung etwa bei Tieck (» Oh, wenn ich itzt ein Franzose wäre! Dann wollt ich hier nicht sitzen, denn [...] Frankreich ist jetzt mein Gedanke Tag und Nacht«) war sehr schnell der Auffassung gewichen, daß eine Veränderung der Gesellschaft nur durch eine »Revolution« des Denkens und des Schreibens bewirkt werden könne. Novalis sprach in diesem Zusammenhang davon, daß die Welt »romantisiert« werden müsse, damit die Entfremdung überwunden und der ursprüngliche Sinn des Lebens wiederentdeckt werden könne. F. Schlegel forderte 1798 programmatisch: »Die romantische Poesie ist eine progressive Universalpoesie. Ihre Bestimmung ist nicht bloß, alle getrennte Gattungen der Poesie wieder zu vereinigen, und die Poesie mit der Philosophie und Rhetorik in Berührung zu setzen. Sie will, und soll auch Poesie und Prosa, Genialität und Kritik, Kunstpoesie und Naturpoesie bald mischen, bald verschmelzen, die Poesie lebendig und gesellig, und das Leben und die Gesellschaft poetisch machen [...]. Sie allein ist unendlich, wie sie allein frei ist, und das oberste Gesetz anerkennt, daß die Willkür des Dichters kein Gesetz über sich leide.« Wenn auch die einzelnen Autoren sehr unterschiedliche Vorstellungen mit der Forderungen nach Romantisierung verbanden, so gab es doch gemeinsame inhaltliche Schwerpunkte und Stilzüge.

Erneuerung von Kunst und Literatur

Zu den zentralen Forderungen gehört die nach einer neuen Mythologie. Durch diese Forderung unterschied sich die frühromantische Bewegung an einem entscheidenden Punkt von der Aufklärung, zu der sonst durchaus noch Verbindungslinien bestanden. Gerade die Skepsis gegen den Mythos gehörte zu den entscheidenden Elementen der aufklärerischen Weltanschauung. Die Frühromantiker nun versuchten, Poesie und Mythologie wieder miteinander zu verbinden: »Denn das ist der Anfang aller Poesie, den Gang und die Gesetze der vernünftig denkenden Vernunft aufzuheben und uns wieder in die schöne Verwirrung der Phantasie, in das ursprüngliche Chaos der menschlichen Natur zu versetzen, für das ich kein schöneres Symbol bis jetzt kenne, als das bunte Gewimmel der alten Götter« – so F. Schlegel in seinem *Gespräch über die Poesie* (1800). In seiner *Philosophie der Kunst* (1802/03) wandte sich Schelling ausführlich dem Verhältnis von Dichtung und Mythologie zu, und F. Schlegel wies in seiner Schrift *Über Sprache und*

Erneuerung der Mythologie

Weisheit der Inder (1808) auf den reichen Schatz der fernöstlichen Mythologie und Dichtung hin. Eine weitere wichtige Gemeinsamkeit frühromantischer Dichtungsauffassung liegt in einer ganz spezifischen ästhetischen Verfahrensweise. F. Schlegel hat dafür den Begriff »romantische Ironie« geprägt. Damit ist eine bestimmte Art der Reflexion und des Empfindens gemeint, die er als »Agilität«, d.h. als Beweglichkeit der Phantasie und der Reflexion bezeichnet hat. Die Ironie »entspringt aus der Vereinigung von Lebenskunstsinn und wissenschaftlichem Geist, aus dem Zusammentreffen vollendeter Naturphilosophie und vollendeter Kunstphilosophie. Sie enthält und erregt ein Gefühl von dem unauslöslichen Widerstreit des Unbedingten und des Bedingten, der Unmöglichkeit und Notwendigkeit einer vollständigen Mitteilung«. Ironie ist ein durchgängiges poetisches Prinzip, das F. Schlegel immer wieder definitorisch umkreist hat, ohne es jedoch eindeutig zu bestimmen. Die Definitionen selbst sind Ausdruck eben jener romantischen Ironie, die sich auf Eindeutigkeit nicht festlegt: »Ironie ist die Form des Paradoxen. Paradox ist alles, was zugleich gut und groß ist.« Eine dritte entscheidende Gemeinsamkeit liegt in der Entdeckung des Unbewußten und des Irrationalen, das in der Aufklärung verdrängt und tabuisiert worden war. Die Aufklärung hatte sich darauf konzentriert, für das bürgerliche Individuum im Medium der Literatur ein Modell von Subjektivität und Identität zu entwerfen, das durch Abgrenzungen gegen innere und äußere Natur bestimmt war. Die Romantiker hingegen brachten archaische Wunsch- und Triebstrukturen zum Sprechen. Sie ließen sich auf Erfahrungen wie Wahnsinn, Krankheit, Schwärmerei, Sinnlichkeit und Müßiggang ein, die in der Aufklärung »policiert« worden waren. Dabei ist die Romantik aber nicht so sehr Opposition als Ergänzung der Aufklärungsbewegung um die Dimensionen, die im Rationalitätsdiskurs blinde Flecken geblieben waren. Insofern wäre es falsch, wenn man die Romantik als eine irrationalistische, realitätsferne und elitäre Bewegung abtun würde, obgleich solche Züge durchaus vorhanden sind. Die Romantik ist die historisch notwendige Antwort auf eine starr gewordene Aufklärung. Sie kritisiert diese, ergänzt sie und führt sie zugleich weiter.

Ironie

Das Unbewußte

Die Bemühungen um das deutsche Volksliedgut (Arnim/Brentano), um die deutschen Sagen und Märchen (Brüder Grimm), das Anknüpfen an volkstümliche Formen in der eigenen Dichtung (Eichendorff) und die Ausbildung einer satirischen Dichtung (E. T. A. Hoffmann) stellen die Komplexität der romantischen Literaturbewegung unter Beweis und machen deutlich, daß Bezüge zur aufklärerischen Dichtung durchaus vorhanden waren. Das literarische Schaffen war überaus vielfältig, z. T. wirklichkeitsnäher und schlichter, als man es angesichts der anspruchsvollen, esoterischen literarischen Theorie erwarten würde. Die Gründe hierfür liegen in der romantischen Auffassung von der Autonomie der Kunst begründet, die mit dem Grundsatz der dichterischen Freiheit untermauert wurde. Offene Formen wie das Fragment, das freie, schöpferische und spielerische Umgehen mit den tradierten Formen und Gattungen und das selbstironische Formexperiment müssen hier genannt werden. Das Gemeinsame der romantischen Literatur bestand in der Erweiterung der künstlerischen Ausdrucksweisen und der Freisetzung der Phantasie, die sowohl in der Aufklärung als auch in der Klassik der Rationalität bzw. dem klassischen Stilwillen unterworfen gewesen waren. In der Freisetzung der Phantasie lag das eigentliche Neue und Bahnbrechende, indirekt auch das gesellschaftskritische Moment der Romantik. Die Forderung eines künstlerischen Freiraums für Autor und Leser im Medium der Dichtung mußte notwendig mit der realgeschichtlichen Situation um 1800

*Volkslied,
Sage, Märchen*

kollidieren, die das Individuum durch politische Unterdrückung und Disziplinierung und durch entfremdete Arbeits- und Produktionsbedingungen
zunehmend in seinen Freiheits- und Glücksmöglichkeiten einschränkte. Der
Rekurs auf die Phantasie, auf die schöpferischen Kräfte im Menschen stellte
unter diesen Umständen überall dort eine potentielle Gefährdung der bürgerlichen Gesellschaft und der ihr eigenen Moral dar, wo er sich mit aufkläreri-
scher Humanität verband. Er verlor seine gesellschaftskritische Funktion, wo
er zum Elitären erstarrte. Utopie und Illusion, Gesellschaftskritik und Affir-
mation waren die Pole, zwischen denen sich die romantische Dichtung bewegte.

Friedrich Schlegel

Zu den bekanntesten romantischen Autoren gehört Friedrich Schlegel.
Zusammen mit seinem Bruder August Wilhelm Schlegel war er ein führender
Theoretiker der Frühromantik. Die von den beiden Brüdern herausgegebene
Zeitschrift *Athenäum* (1798-1800) hatte einen ähnlich programmatischen
Stellenwert für die romantische Bewegung wie die *Horen* für die Weimarer
Klassik. Beide Brüder waren außerordentlich produktiv im Bereich der Lite-
raturtheorie und -geschichte. A. W. Schlegels Berliner und Wiener Vorlesun-
gen *Über schöne Literatur und Kunst* (1802–1804) und *Über dramatische
Kunst und Literatur* (1808) galten als Höhepunkte romantischer Literaturkritik, und die von ihm begonnene, zusammen mit Tieck fortgeführte Shake-
speare-Übertragung begründete seinen europäischen Ruhm. Mit der Schle-
gel-Tieckschen Shakespeare-Übersetzung fanden die Bemühungen um
Shakespeare und sein Werk, die sich durch das ganze 18. Jahrhundert ziehen,
einen vorläufigen Abschluß. Bereits 1741 war eine Übersetzung des *Julius
Caesar* erschienen, die auf lebhaften Protest von Gottsched stieß, weil darin
»nicht eine einzige Regel der Schaubühne beobachtet ist«. Im Zusammenhang mit der Ablösung der Regelpoetik Gottscheds kam es zu einer neuen
Sicht auf Shakespeare und sein Werk. Vermittelt über Gottscheds Gegner, die
Schweizer Bodmer und Breitinger, machte der junge Wieland Bekanntschaft
mit Shakespeares Werken und lieferte dann mit seiner Prosaübersetzung von
Shakespeares theatralischen Werken (1762–66) die Textbasis für die begeisterte Shakespeare-Rezeption im Sturm und Drang. Vorangegangen waren
die Arbeit von J. E. Schlegel *Vergleichung Shakespeares und Andreas Gryphs*
(1741) und Lessings 17. Literaturbrief (1759), durch den Shakespeares Name
ins Bewußtsein einer breiten literarischen Öffentlichkeit gedrungen war.
Shakespeare und sein Werk wurden zum Sammelpunkt der literaturreforme-
rischen Bemühungen des Sturm und Drang. Die Aufsätze von Goethe, *Zum
Schäkespears Tag* (1771), und Herder, *Shakespeare* (1773), und die *Anmerkungen übers Theater* (1774) von Lenz sind Höhepunkte einer neuen Beschäftigung mit dem englischen Dramatiker, die unter den Schlagworten
Naturnachahmung und Originalgenie stand. In der Berufung auf Shakespeare und sein Werk vollzog sich die Abwendung von der französischen
klassizistischen Tragödie und die Hinwendung zum bürgerlichen Drama.
Die Auseinandersetzung geht aber über die Zeit des Sturm und Drang hinaus, und sie erreicht auch Autoren der Unterschichten wie Ulrich Bräker, der
sich Shakespeare höchst eigenwillig aneignete (*Etwas über Shakespears
Schauspiele*, 1780). Im *Anton Reiser* von Karl Philipp Moritz verbindet sich
mit dem Namen Shakespeares eine neue Form des Denkens und Fühlens, das
die kleinbürgerliche Enge sprengt, und im *Wilhelm Meister* von Goethe ist
Shakespeare immer wieder produktiver Bezugspunkt für die Selbstfindung
des Helden. Wie sein Held Wilhelm Meister hat auch Goethe lebenslang
über Shakespeare nachgedacht. In der Rückschau (*Shakespeare und kein
Ende*, 1815) betonte er, daß alles Reden über Shakespeare »unzulänglich« sei

*August Wilhelm
Schlegel*

und bleiben müsse, weil dieser »zu reich und zu gewaltig sei«: »Eine productive Natur darf alle Jahre nur ein Stück von ihm lesen, wenn sie nicht an ihm zugrunde gehen will. Ich that wohl, daß ich durch meinen ›Götz von Berlichingen‹ und ›Egmont‹ ihn mir vom Halse schaffte [...] Shakespeare [...] giebt uns in silbernen Schalen goldene Äpfel. Wir bekommen nun wohl durch Studium seiner Stücke die silberne Schale, allein wir haben nur Kartoffeln hineinzuthun, das ist das Schlimme!«

Von ähnlich zentraler Bedeutung waren auch die literaturtheoretischen und -kritischen Arbeiten von F. Schlegel. In seinen *Fragmenten* und *Ideen* formulierte er in pointierter Form die romantische Kunst und Lebensanschauung. Berühmt wurde er jedoch durch sein Romanfragment *Lucinde* (1799). Dieser Text, der Schlegel den Vorwurf der Obszönität einbrachte und gegen den ihn Schleiermacher in seinen *Vertrauten Briefen über Lucinde* (1800) vergeblich zu verteidigen suchte, löste einen regelrechten Literaturskandal aus, durch den die romantische Bewegung als Ganzes in die Schußlinie geriet. So war für Schiller die *Lucinde* ein »Gipfel moderner Unform und Unnatur«, er sah in dem Roman all die Tendenzen ausgeprägt, gegen die sich Goethe und er selbst verwahrten. Tatsächlich war die *Lucinde* ein Versuch Schlegels, seine ästhetische Theorie in einem Text zu verwirklichen. Im Mittelpunkt des Romans steht der Entwicklungsgang des Helden Julius. In Briefen an die Geliebte Lucinde und den Freund Antonio, in Gesprächen, Aufzeichnungen und Reflexionen werden von Schlegel die »Lehrjahre der Männlichkeit« entwickelt, die sich als eine Abfolge von Liebeserlebnissen des Helden mit unterschiedlichen Frauentypen darstellen. In diesem Strukturprinzip hat die *Lucinde* übrigens große Ähnlichkeit mit dem *Wilhelm Meister*, gegen den Schlegel so vehement polemisierte. Anders als Goethe reflektierte Schlegel aber sehr direkt über die Körperlichkeit der Liebe. Damit durchbrach er ein herrschendes Tabu und handelte sich von prüden Literaturkritikern den Vorwurf der Unsittlichkeit ein; bei anderen, freizügiger gesonnenen Kritikern stand er im Ruf, ein Manifest der befreiten Liebe und des nichtentfremdeten Lebens geschrieben zu haben. Die Vorstellungen von Rollentausch und Androgynität und das Postulat freier Liebe sind jedoch nicht so revolutionär, wie Schlegel und seine Befürworter zu suggerieren versuchten. Denn diese Vorstellungen und Forderungen sind gebunden an ein Frauenbild, das von dem Ideal der Entwicklung und Progression weitgehend ausgeschlossen bleibt. Das Weibliche wird nicht befreit, sondern ähnlich wie in klassischen Texten mythologisiert und ästhetisch funktionalisiert. Schlegel kritisiert das gespaltene Frauenbild der klassischen Autoren, seine *Lucinde* ist »sinnliche« Geliebte und »geistige« Partnerin zugleich, sie ist die Summe all der Eigenschaften, die der Held Julius sonst – auf verschiedene Frauen verteilt – kennengelernt hat. Lucinde ist »eins und unteilbar« – aber letztlich doch nur eine andere Form männlicher Projektionsarbeit. Als naturhaftes Wesen ist sie vollkommen wie eine Pflanze und dem zerrissenen und entfremdeten Mann durch ihre Ganzheitlichkeit überlegen. Zugleich ist sie damit aber als ein statisches Wesen festgeschrieben und von der unendlichen Progression ausgeschlossen. Weibliches Wachstum und männliche Entwicklung bilden die polare Struktur des Romans, der damit die klassische Geschlechtspolarisierung etwa bei Humboldt *(Über männliche und weibliche Form)* auf einer anderen Ebene wieder aufnimmt. Skandalträchtiger noch als die erotischen Passagen im Roman wirkte die Tatsache, daß Schlegel und seine Freunde das, was als »freie Liebe« im Roman gefeiert wurde, in Lebenspraxis umzusetzen versuchten. Gerade die Frühromantiker um die Brüder Schlegel experimentierten mit neuen Formen des Zusammenlebens und

Shakespeares »Lear« im Schauspielunterricht: Geste und Persönlichkeit bilden eine Einheit

Plädoyer der freien Liebe

177

fühlten sich nicht an die bürgerlichen Konventionen gebunden, die Schiller etwa in seinen Gedichten *Männerwürde* und *Würde der Frauen* beschwor. Auch im alltäglichen Umgang versuchten sie, ein antibürgerliches, bohemienhaftes Leben zu führen. In freundschaftlichen Zirkeln erprobten sie nach dem Muster des Salons in Frankreich eine Form der Geselligkeit, die im öffentlichen Leben Deutschlands bis dahin unbekannt war.

Novalis

Als Gegentypus zum geselligen, vielseitig interessierten und rastlosen Intellektuellen, wie ihn die Brüder Schlegel verkörperten, ist Novalis (Friedrich von Hardenberg) zu sehen. Zwar war er mit F. Schlegel und Tieck eng befreundet, blieb aber ein Außenseiter und Einzelgänger. Als einziger unter den Frühromantikern stammte er aus dem Adel, ging dabei aber einem bürgerlichen Beruf nach. Mit seinem schmalen Werk *Die Christenheit oder Europa* (1799, gedr. 1826), den Romanfragmenten *Die Lehrlinge von Sais* (1798/1800) und *Heinrich von Ofterdingen* (1802) und seinen *Hymnen an die Nacht* (1800) unterschied er sich stark von den anderen frühromantischen Autoren. In die »dunkle« Sprache seiner Prosa und Lyrik gehen eine Vielzahl von mythischen und mystischen Bildern ein, die das Romantikbild der nachfolgenden Generationen geprägt haben. In den *Hymnen* feierte Novalis in freien rhythmischen Gesängen, in denen die Übergänge zwischen Prosa und Lyrik fließend waren, die Nacht als schöpferisches Geheimnis des Lebens und des Todes. Damit berührte er bereits Vorstellungen, wie sie wenig später Schubert in seinen *Ansichten von der Nachtseite der Naturwissenschaften* (1808) und Klingemann in den *Nachtwachen des Bonaventura* (1804) entfalten und gestalten sollten. Sein früher Tod trug dazu bei, daß er schon bald zum Gegenstand der Legendenbildung wurde.

Tiecks Kunstmärchen

Zu den produktivsten Autoren der romantischen Bewegung gehört Ludwig Tieck. Er publizierte bis in die Mitte des 19. Jahrhunderts und war damit ein Autor, der die Entwicklungsphasen der romantischen Bewegung von der Frühromantik bis zur Spätromantik durch sein Werk entscheidend beeinflußte. Mit seinen Romanen *Die Geschichte des Herrn William Lovell* (1795/96) und *Franz Sternbalds Wanderungen* schaltete er sich in die Diskussion um den *Wilhelm Meister* ein, die er 1836 noch einmal mit seiner Novelle *Der junge Tischlermeister* aufnahm. Zugleich war er stark am Theater interessiert (*Der gestiefelte Kater*, 1797) und versuchte sich in der neuen Gattung des Kunstmärchens. Gerade in den märchenhaften Erzählungen fand Tieck eine Form, die seinem Interesse am Phantastischen entgegenkam. Im *Blonden Eckbert* (1796) und im *Runenberg* (1802) stieß er in die imaginären Welten des Unbewußten und des Begehrens vor und thematisierte die Sinnlichkeit in märchenhaft verschlüsselter Form. Der Held Christian im *Runenberg* schwankt zwischen dem Leben im Gebirge und dem in der Ebene. Gebirge und Ebene sind symbolische Landschaften, in denen sich bürgerlich-patriarchalische Ordnung und archaische Wildnis gegenüberstehen. Der Runenberg mit seiner lockenden Venusgestalt symbolisiert all die Wünsche, die in der Ebene verdrängt werden müssen. Die Sozialisation des Helden vollzieht sich als Bewegung zwischen den symbolischen Räumen. Durch seine erste Reise ins Gebirge wird Christian erwachsen und für sein anschließendes Leben als Ehemann in der Ebene vorbereitet. Freilich wird er nicht glücklich. Es drängt ihn zurück ins Gebirge, wo er sich in der Imagination seiner erotischen Wünsche verliert und dem Wahnsinn anheimfällt. Die Venuskult-Metaphorik findet sich auch in anderen romantischen Texten: In Tiecks *Getreuem Eckart* und im *Tannhäuser*, in Eichendorffs *Marmorbild* und E. T. A. Hoffmanns *Bergwerke zu Falun*. Auch hier geht es um den Antagonismus zwischen heidnisch-dämonischer Venus, christlich-spirituellem

Vater-Gott und der oftmals tödlichen Anziehungskraft dämonischer Weiblichkeit für den männlichen Helden.

Bald nach 1800 lösten sich die frühromantischen Zirkel auf, und der Romantikerkreis weitete sich sowohl von den Personen wie auch von den Zentren her aus. In Heidelberg bildete sich eine größere Gruppe um Clemens Brentano und Achim von Arnim, die an die Frühromantik anknüpften, in ihren Werken aber von der neuen historischen Konstellation – den Wirren der napoleonischen Kriege und den Befreiungsbewegungen – beeinflußt waren. Auf die Bedrohung von Außen, die als innere Gefährdung erlebt wurde, reagierte die neue Romantikergeneration mit einer verstärkten Hinwendung zur Religion. Mit ihrer religiösen Wende nahmen sie z. T. die sich nach 1815 durchsetzenden restaurativen Tendenzen vorweg. Die Suche nach Orientierungspunkten in einer zerrissenen und chaotischen Zeit führte aber auch zu einer neuen Aneignung von Sagen und Märchen, die auf einem gewandelten Konzept von Kindheit beruhte. Die frühromantischen Autoren brachen mit der Pädagogisierung der Kindheit, wie sie in der aufklärerischen Kinder- und Jugendliteratur üblich gewesen war. Kindheit wurde zu einem Wert an sich, das Kind zu einem in sich vollkommenen Wesen stilisiert. Die Auffassung von der Kindheit als einem Stadium der Ursprünglichkeit, Natürlichkeit und Vollkommenheit deckte sich mit der Hochschätzung der Urpoesie und der Bewunderung vergangener Zeiten (Mittelalterkult) und ging wie diese auf den Einfluß von Herders Geschichtsphilosophie zurück. Vor allem für Schlegel und Novalis wurde Kindheit zu einem zentralen Thema moralischer und ästhetischer Reflexion und zum Bezugspunkt für ihre weitreichenden Konzepte des Müßiggangs und des Spielens. Die Hinwendung der Romantiker zu den Märchen muß auf diesem Hintergrund gesehen werden, wobei die emphatischen Kindheitsvorstellungen sich aber bald zu idealisierenden Projektionen einer »unschuldigen Kindheit« verfestigten, die in der Praxis ebenso repressiv wurden wie die aufklärerische Auffassung von der ursprünglich »bösen Natur« des Kindes, die durch Erziehung gebändigt werden müsse. Auch in den idealisierenden Leitbildern der Romantiker wird die psychische und die historische Realität der Kinder (Kinderarbeit) verdrängt.

Romantisches Konzept von Kindheit

Arnim und Brentano sammelten deutsche Volkslieder und alte volkstümliche Gedichte und gaben sie unter dem Titel *Des Knaben Wunderhorn* (1806 und 1818) heraus. Die Brüder Grimm veröffentlichten 1812 ihre *Kinder- und Hausmärchen* und 1816 ihre *Deutschen Sagen*. Alle drei Sammlungen sind patriotische Dokumente gegen die nationale Zersplitterung und die zunehmende innere und äußere Entfremdung durch die moderne Zivilisation. In ihrem Konzept der Volkspoesie waren die gesellschaftlichen Widersprüche im Rekurs auf eine angeblich ursprüngliche Natur des Menschen in utopischer Weise getilgt. In den Märchen und Sagen fanden sie – hierin Herders Bemühungen um die *Volkslieder* (1778/79) folgend – eine Ursprünglichkeit wieder, die gegen die moderne Klassengesellschaft gewendet wurde. Zwar hatte es auch schon in der Aufklärung Bemühungen um das Märchen gegeben. Bereits Wieland hatte in seinen nach französischem Vorbild verfaßten Feenmärchen *Dschinnistan* (1786/89) das Wunderbare als ästhetische Kategorie gerechtfertigt, und Musäus hatte eine Sammlung von *Volksmärchen der Deutschen* (1782–1787) herausgegeben, aber beide Autoren waren weit davon entfernt, in den Märchen eine Urpoesie im romantischen Sinne zu sehen. Die Beschäftigung mit den »rohen« Märchen war für die Aufklärer allein durch die ästhetisierende Bearbeitung gerechtfertigt. Die Aufmerksamkeit auf das Märchen als Genre setzte sich in der Klassik und Frühromantik

Titelblatt von 1806

Urpoesie der Deutschen?

fort: Berühmt waren Goethes *Märchen* (1795), in dem er die Utopie eines harmonischen Gesellschaftszustandes gegen die Französische Revolution entwickelt hatte, und die Märchen von Novalis und Tieck. Besonders bei Novalis wurde das Märchen zur romantischen Form schlechthin: »Das Mährchen ist gleichsam der Canon der Poësie – alles poëtische muß märchenhaft seyn.« An solche programmatischen Vorstellungen knüpften Brentano und Arnim an, wenn sie versuchten, in ihrem eigenen literarischen Schaffen die Trennung zwischen Volksmärchen und Kunstmärchen aufzuheben, indem sie die Volksmärchen im romantischen Sinne bearbeiteten und umgekehrt ihre eigenen Märchen dem Ton der Volksmärchen anglichen.

Schreibende Frauen der Romantik

Wenn auch die Romantik – entgegen dem Selbstverständnis einiger ihrer Protagonisten und dem ihrer unkritischen Verehrerinnen – nicht die kulturrevolutionäre Bewegung war, die die Entfremdung des Menschen aufheben und den Menschen zu einem freien Individuum machen konnte, so schuf sie doch einen produktiven Freiraum, der es auch den Frauen ermöglichte, am literarischen Leben teilzunehmen. Freilich hatte es schreibende Frauen bereits in der Aufklärungszeit gegeben. Luise Adelgunde Victorie Kulmus, nachmalige Frau von Gottsched, und Anna Louise Karsch gehörten zu den vielbestaunten Ausnahmefrauen, die mit ihrem Werk breite Anerkennung fanden. Gerade durch die Empfindsamkeit und die Mode des Briefromans kam es zu einer verstärkten Teilhabe von Frauen am literarischen Leben. Sophie von La Roches Roman *Die Geschichte des Fräulein von Sternheim*, die Wieland 1771 herausgegeben hatte, führte alsbald zu einer wahren Flut von »Frauenromanen«, deren Autorinnen (Benedikte Naubert, Elisa von der Recke, Frederike Helene Unger, Karoline Wobeser, Karoline von Wolzogen u.a.) den eigenen emanzipatorischen und ästhetischen Anspruch oft – notgedrungen aus wirtschaftlichen Erwägungen – opfern mußten und ideologisch unanstößige Ware für den literarischen Markt lieferten. Oft reproduzierten die Frauen in ihren Romanen das reaktionäre Frauenbild der männlichen Autoren. Sie hatten große Schwierigkeiten, sich als Autorinnen von dem Bild freizumachen, auf das sie durch den herrschenden Diskurs der Männer festgelegt waren, wonach die Würde der Frau vor allem darin bestand, »nicht gekannt zu sein«, und ihr einziges Glück »in der Achtung ihres Mannes« und »im Glück ihrer Familie« (Rousseau) lag. »Die Feder in der Hand und der Degen in der Faust«, dieser Traum, den die Gottsched-Schülerin Sidonie Hedwig Zäunemann am Anfang des Jahrhunderts noch selbstbewußt träumte, war gegen Ende des Jahrhunderts zu einer ängstigenden Vorstellung geworden. Warnend zitiert Herder seiner Verlobten Caroline Flachsland das arabische Sprichwort: »Eine Henne, die da krähet, und ein Weib, das gelehrt ist, sind üble Vorboten: Man schneide beiden den Hals ab«, und er ermahnt sie, sich als Muse auf die »Verfeinerung«, auf die »Belebung« und die »Aufmunterung« des Mannes zu beschränken.

Salonkultur   Frauen standen im Mittelpunkt der romantischen Zirkel. Sie prägten durch ihren Geist und durch ihre Bildung, durch die Kunst ihres Gesprächs und ihrer Briefe, aber auch durch ihre erotische Anziehungskraft das gesellige Leben jener Jahre. Zu den bekanntesten Frauen gehörten Caroline

Böhmer, später mit A. W. Schlegel, dann mit dem Philosophen Schelling verheiratet, Dorothea Veit, die nach ihrer Scheidung die Frau von F. Schlegel wurde und für die *Lucinde* das Vorbild abgab, Sophie Mereau, die nach ihrer Scheidung Brentano heiratete, Karoline von Günderode, die sich selbst den Tod gab, Bettina Brentano, die Schwester von Clemens Brentano, die später von Arnim heiratete, und schließlich Sophie Tieck, die als besonders begabte Dichterin galt, Henriette Herz und Rahel Levin, die durch ihre Salons berühmt wurden. Alle diese Frauen versuchten, die engen Grenzen der Weiblichkeit zu sprengen, wurden jedoch sämtliche von den herrschenden Rollenvorstellungen eingeholt: Caroline Schlegel-Schelling und Dorothea Veit-Schlegel opferten sich dem weitgefächerten Werk ihrer Männer auf, ja ermöglichten dies erst durch ihre entsagungsvolle Zuarbeit. Caroline Schlegel arbeitete mit an der Schlegelschen Shakespeare-Übersetzung, sie schrieb Rezensionen und Kritiken, die sie z. T. unter Pseudonym veröffentlichte oder die Schlegel in seine Werke aufnahm, ohne ihren Namen zu nennen. Dorothea Schlegel übersetzte für ihren Mann Mme. de Staël ins Deutsche und bearbeitete eine Vielzahl von Sammelbänden, für die Schlegel als Herausgeber verantwortlich zeichnete. Sie veröffentlichte ebenfalls anonym Lyrik und den Roman *Florentin* (1801), den ihr Mann herausgab. Auch Sophie Mereau veröffentlichte anfangs anonym *(Das Blüthenalter der Empfindung)*, später wurde sie jedoch selbstbewußter und publizierte unter ihrem eigenen Namen *(Amanda und Eduard*, 1803); sie gab sogar eine Zeitschrift für Frauen *(Kalathiskos)* heraus. Ihr Mann, Brentano, lehnte jedoch die literarische Arbeit seiner Frau ab und zwang sie zum Verzicht auf die Selbständigkeit, die sie sich nach ihrer Scheidung von dem ungeliebten Mereau erkämpft hatte. An der Geburt ihres fünften Kindes starb sie, knapp 36jährig.

Caroline Schlegel

Nicht an der Ehe, dem »bürgerlichen Amboß«, wie sie Rahel Levin genannt hat, ging Karoline von Günderode zugrunde, sondern an der Widersprüchlichkeit ihrer eigenen Wünsche, in denen sich jedoch nur die ambivalenten Festlegungen spiegelten, denen sie als Frau ausgesetzt war. In Briefen an die Freundin Gunda Brentano haderte die Günderode mit ihrem Schicksal: »Schon oft hatte ich den unweiblichen Wunsch, mich in ein wildes Schlachtgetümmel zu werfen, zu sterben – warum ward ich kein Mann! Ich habe keinen Sinn für weibliche Tugenden, für Weiberglückseligkeit. Nur das Wilde, Große, Glänzende gefällt mir. Es ist ein unseliges, aber unverbesserliches Mißverhältnis in meiner Seele; und es wird und muß so bleiben, denn ich bin ein Weib und habe Begierden wie ein Mann, ohne Männerkraft. Darum bin ich so wechselnd und so uneins mit mir.« Die Günderode hat ein schmales Werk zurückgelassen. Ihre Lyrik *(Gedichte und Phantasien*, 1804; *Poetische Fragmente*, 1805) gab sie unter dem Pseudonym Tian heraus. Ihr Buch *Melete* wurde erst 1906 aus dem Nachlaß veröffentlicht; ihre Dramen haben ihr Publikum bis heute nicht gefunden. Bettina Brentano hat ihr später in dem Erinnerungsbuch *Die Günderode* (1840) ein Denkmal gesetzt, das trotz aller Stilisierung und Selbststilisierung ein authentisches und empfindsames Denkmal einer Freundschaft ist. – Zu den Frauen, die um ihr Leben und ihr Werk betrogen wurden, gehört auch Rahel Levin-Varnhagen. Die Erfahrung, »nur eine Frau« zu sein, verband sich bei ihr mit dem niederdrückenden Gefühl, ein Paria zu sein. Wie Dorothea Veit-Schlegel, die Tochter von Moses Mendelssohn, und Henriette Herz stammte sie aus einer jüdischen Familie und trug – trotz offizieller Judenemanzipation – lebenslang an dem doppelten Makel, Frau und Jüdin zu sein. Sie hat kein Werk im eigentlichen Sinne des Wortes hinterlassen. Ihr Werk sind ihre Briefe. Wie für

Dorothea Veit

andere Frauen der romantischen Bewegung war der Brief für Rahel die einzig erlaubte Form der Selbstaussprache in einem halböffentlichen, durch die gesellschaftliche Konvention geschützten Raum.

Die Mainzer Republik und die Literaturpraxis der deutschen Jakobiner

Ein Gegenmodell zur klassischen und romantischen Literatur liegt – wenn auch nur in Ansätzen ausgebildet – bei den Schriftstellern vor, die von der Reaktion als Jakobiner diffamiert wurden, von ihrem Selbstverständnis her aber jenen Typus des politischen Schriftstellers verkörperten, der in Deutschland eigentlich nie anerkannt, sondern fast immer nur diskreditiert worden ist. Die politischen Vorstellungen waren dabei keineswegs einheitlich, sie differierten von einem eher gemäßigten Reformismus bis hin zu radikalen Konzepten einer revolutionären Umgestaltung Deutschlands. Abhängig waren diese Konzepte, abgesehen von der sozialen und politischen Herkunft der Autoren, auch von den Orten, an denen die einzelnen Schriftsteller lebten. So waren die praktischen Wirkungsmöglichkeiten in Mainz oder im süddeutschen und linksrheinischen Raum ungleich größer als etwa in Norddeutschland oder in Preußen, wo die Reformbewegung des aufgeklärten Absolutismus revolutionär gesonnenen Intellektuellen den Wind aus den Segeln nahm.

Bejahung der Französischen Revolution

Einheitlicher als die politischen Konzepte, die von so vielen örtlichen, biographischen und zeitlichen Gegebenheiten abhingen, waren die Vorstellungen von der Rolle der Literatur im gesellschaftlichen Prozeß. Gegen das Programm der ästhetischen Erziehung Schillers setzten die jakobinischen Autoren ihr Modell einer eingreifenden Literatur. So kritisierte Laukhard die *Horen*-Vorrede Schillers und legte deren idealistischen Kern frei, wenn er darauf hinwies, daß »der hungrige Bauch [...] keine Ohren, keine Augen für idealisierende Kunstwerke« haben könne. Generell schätzten die jakobinischen Autoren die Wirksamkeit der Literatur eher skeptisch ein und gaben der direkten politischen Aktion den Vorzug; sie wollten »Gedichte thun, nicht dichten« (Rebmann). Ihre Auffassung vom tendenziellen Gegensatz von »Wort« und »Tat« nimmt Positionen vorweg, die bei den Autoren des Jungen Deutschland eine große Rolle spielten. Die skeptische Einstellung gegenüber den Wirkungsmöglichkeiten der Literatur ist Ausdruck der Auffassung, daß die Verhältnisse nicht durch Literatur, sondern nur durch revolutionäre Handlungen überwunden werden können. Zum anderen ist sie Reflex des von den Verhältnissen erzwungenen Verzichts auf konkrete revolutionäre Praxis und der frustrierenden Erfahrungen in der eigenen literarischen Praxis.

eingreifende Literatur

Wort und Tat

Daß die Literatur dennoch einen so zentralen Stellenwert für den deutschen Jakobinismus hatte, steht zu dieser generell skeptischen Einstellung und der speziellen Gegnerschaft dem klassischen Konzept der »ästhetischen Erziehung« gegenüber nicht im Widerspruch. Der von den Jakobinern immer wieder beschworene Gegensatz zwischen »Wort« und »Tat«, d.h. zwischen literarischer und politischer Praxis, ist nicht antinomisch zu verstehen, sondern er läßt sich historisch-dialektisch auflösen. Er resultiert aus der spezifischen gesellschaftlichen Situation in Deutschland am Ende des

Freiheitsbaum –
Aquarell Goethes
von 1792

18. Jahrhunderts und kann durch eine Dichtung überwunden werden, die sich politisch begreift und sich in den Dienst der Aufklärung der unterprivilegierten Volksschichten stellt. Nicht »ästhetische Erziehung« im klassischen Sinne, sondern politische Erziehung, d.h. Aufklärung der Bevölkerung über ihre Rechte und Pflichten im Medium der Literatur, ist die Antwort des jakobinischen Schriftstellers auf die vorgefundene gesellschaftliche Situation. Eine solche Erziehung zielt nicht wie das klassische Konzept auf eine Vermeidung der Revolution, sondern versucht, bei der Bevölkerung Einsichten für die Notwendigkeit einer solchen Revolution zu wecken. Damit wird die Dichtung unmittelbar zu einem Element der revolutionären Praxis. Sie verliert an Bedeutung bzw. verändert ihren Charakter, sobald die Umwälzung der Verhältnisse sich vollzogen hat und die bürgerliche Republik errichtet ist.

Der Bruch mit der klassischen und romantischen Literaturkonzeption erfolgte in dreifacher Hinsicht: im Selbstverständnis des Künstlers, in einer neuen Auffassung der Form-Inhalt-Problematik und schließlich in der Stellung künstlerischer Tätigkeit im gesellschaftlichen Lebensprozeß. Anknüpfend an Funktionsbestimmungen der Literatur in der Aufklärung und insbesondere in der Sturm-und-Drang-Poetik, wiesen die Jakobiner der Literatur folgende Aufgaben zu: Literatur sollte Kritik der bestehenden Verhältnisse und Entlarvung der herrschenden Ideologie leisten. Mit Hilfe von Literatur sollten der Bevölkerung gesellschaftspolitische Kenntnisse und Einsichten in die Veränderbarkeit der Verhältnisse vermittelt werden. Durch Literatur sollte die Kluft zwischen der kleinen Schar jakobinischer Intellektueller, die sich als revolutionäre Avantgarde verstanden, und der Masse der Bevölkerung, dem eigentlichen Träger der Revolution, überwunden werden. Die Literatur sollte nicht nur den Intellekt ansprechen, sondern auch die Emotionen der Leser wecken.

Mainzer Republik

Eine besondere Bedeutung hatte die Mainzer Republik. 1792/93 war es in Mainz im Gefolge des Koalitionskrieges zu einer Revolution gekommen, deren Nachhall bis in die Schriften Goethes reicht und die eine breite konterrevolutionäre Propaganda entfesselte. Die kurzlebige Republik, die sich in Mainz konstituierte, war die erste Republik auf deutschem Boden. Wenn Mainz auch seiner kulturpolitischen Bedeutung nach keineswegs mit dem Weimar Goethes und Schillers gleichgesetzt werden kann, so verbindet sich mit dieser Stadt doch die Vorstellung einer ganz spezifischen Literaturpraxis, die aus dem Gegensatz zu Weimar als klassischem Ort lebt. In Mainz entstand eine eigenständige revolutionäre Presse *(Der Bürgerfreund; Der fränkische Republikaner; Der kosmopolitische Beobachter; Der Volksfreund)*, die sich diametral von klassischen und romantischen Zeitschriften unterschied und in Struktur und Inhalt ebenso auf die 48er Revolution vorauswies wie die zahlreichen Flugschriften, die im Umfeld der Mainzer Revolution entstanden. Eine Besonderheit der Mainzer Verhältnisse bildete schließlich das »National-Bürgertheater«, in dem die aufklärerische Idee des Nationaltheaters radikalisiert wurde. Nach der Auflösung der kurfürstlichen Bühne entstand dieses Theater, das von einem Laienensemble getragen und von einem Kollektiv geleitet wurde. Die Neuerungen waren aber nicht auf den organisatorischen Bereich beschränkt, sie erstreckten sich auch auf das Repertoire. Zum Teil griffen die Jakobiner auf die gesellschaftskritischen Stücke der Sturm-und-Drang-Periode zurück. Sie versuchten aber auch, durch eigene, speziell auf die Mainzer Situation zugeschnittene Stücke *(Der Freiheitsbaum*, 1796), die Bevölkerung für die Revolution und die Republik zu gewinnen.

Georg Forster

Zu den führenden Köpfen der Mainzer Republik gehörte Georg Forster. Gegen ihn richtete sich besonders der Haß der damaligen Reaktion. Aber auch Goethe und Schiller fällten in den *Xenien* herbe Urteile über ihn. Allein Schlegel versuchte 1797 in einem längeren Aufsatz eine noble Ehrenrettung; er konnte aber nicht verhindern, daß Forster im literarischen Leben seiner Zeit und der nachfolgenden Generationen wie ein »toter Hund« (Engels) behandelt wurde. Forsters literarische Arbeit war weit gespannt: Als Verfasser von Reiseberichten *(Ansichten vom Niederrhein*, 1791/92; *Parisische Umrisse*, 1793) und Abhandlungen *(Über die Beziehung der Staatskunst auf das Glück der Menschheit)*, als politischer Redner und Journalist *(Der Volksfreund)* fühlte er sich dem Ideal der Humanität verpflichtet, das er nicht nur gegen die Konterrevolution im eigenen Lande, sondern auch gegen die menschenverachtende revolutionäre Praxis der Franzosen nach 1793 verteidigte. Nach dem Scheitern der Mainzer Republik mußte Forster nach Paris fliehen, wo er – auch hier ein Vorläufer der Vormärz-Generation – zwar ungebrochen, aber doch desillusioniert, bis 1794 im Exil lebte.

Neben Forster treten Autoren wie Rebmann und Knigge, die ebenfalls dem Typus des politischen Schriftstellers zugerechnet werden können. Während Rebmann in erster Linie als Publizist und Reiseschriftsteller wirkte, lag der Schwerpunkt von Knigges literarischer Tätigkeit im Bereich der Satire. Reiseroman und satirischer Roman gehörten zu den bevorzugten Gattungen jakobinischer Autoren. Der Reiseroman war eine Form, in die die Selbst- und Wirklichkeitserfahrung des bürgerlichen Individuums in persönlicher, authentischer Weise einging. Er stellt einen Gegentypus zum Bildungs- und Entwicklungsroman dar, wo die Erfahrung bereits so stark literarisiert bzw. objektiviert war, daß breitere Leserschichten nicht mehr angesprochen werden konnten. In der Auseinandersetzung mit fremden Ländern, Menschen, politischen Institutionen, Kultur, Literatur usw. durchbrach das Individuum die Eingeschränktheit seines bürgerlichen Lebenskreises und machte weitergehende Erfahrungen. Die literarische Verarbeitung dieser Erfahrungen war sehr unterschiedlich. Neben Reiseromanen, die stark fiktionalisiert waren, standen Reiseberichte und -beschreibungen, die schon fast Reportagecharakter hatten. Aufgabe der Reiseberichte war es, dem Publikum Nachrichten aus der Fremde zu übermitteln und über Zustände in anderen Ländern zu informieren. Die Reisebeschreibungen verstanden sich als Beitrag zur Unterrichtung der literarischen Öffentlichkeit über die politischen Verhältnisse und setzten insofern die Tradition der Aufklärung fort. Die gründliche Kenntnis der Zustände in anderen Ländern sollte zum kritischen Urteil über die des eigenen Landes befähigen. Nicht zufällig war der Anteil der Reisebeschreibungen, die von den revolutionären Vorgängen in Frankreich berichteten, sehr hoch (Campe: *Briefe aus Paris*, 1790; Halem: *Blicke auf einen Teil Deutschlands, der Schweiz und Frankreich*, 1791; Reichardt: *Vertraute Briefe über Frankreich*; Kerner: *Briefe über Frankreich*, 1797). Jakobinische Autoren wie Forster, Rebmann und Knigge sahen ihre Aufgabe darin, die deutsche Öffentlichkeit über die politische Entwicklung im Nachbarland zu informieren und auf diese Weise Impulse für revolutionäre Veränderungen in Deutschland zu geben. Der satirische Roman als eine publikumsbezogene, populäre Schreibform war ebenfalls eine Domäne der jakobinischen Autoren. Auch hier setzten die jakobinischen Schriftsteller die Tradition der Aufklärung fort und wendeten sie ins Politische. Wegen ihres zugleich belehrenden und belustigenden Charakters war die Satire besonders gut geeignet, auf der Grundlage der aufklärerischen Moral eine Verbindung zwischen Autor und Publikum herzustellen und auf dieser Basis des gemeinsamen Einverständnisses einen Lernprozeß beim Leser einzuleiten. Hervorragende Beispiele für den gesellschaftskritischen Charakter des satirischen Romans sind Knigges Romane *Joseph von Wurmbrand* (1792) und *Des seligen Herrn Etatsraths Samuel Conrad von Schaafskopf hinterlassene Papiere* (1792) sowie Rebmanns *Hans Kiekindiewelts Reisen in alle vier Welttheile* (1795). In schonungsloser Härte und Offenheit wird hier mit den deutschen Verhältnissen, insbesondere mit dem deutschen Adel und seiner gegen die Humanitätsideale der Französischen Revolution gerichteten Politik abgerechnet.

Einen breiten Raum in der jakobinischen Literaturpraxis nimmt die Lyrik ein, mit der Bürgers Konzept der Volkstümlichkeit radikalisiert wurde. Einen Großteil der Lyrik stellen politische Gedichte, die, z.T. anonym und als Flugblätter veröffentlicht, direkt auf die politische Auseinandersetzung bezogen waren. Mit ihrer dezidiert politischen Lyrik (*Freiheitslieder, Liederlese für Republikaner* usw.) begründeten die deutschen Jakobiner eine Tradition, auf der die Autoren der Vormärzzeit aufbauen konnten.

Politisch verwandt, aber formal stark abweichend von der jakobinischen Lyrik hat Klopstock sein lyrisches Werk nach 1789 gestaltet. Als Verfasser des monumentalen religiösen Lehrgedichts *Der Messias* (1748–73) und als Autor von *Oden* (1771) hochgepriesen, aber wenig gelesen, entwickelte sich

Reiseroman

Erfahrungen des Fremden

satirischer Roman

Lyrik im Konzept der Volkstümlichkeit

Klopstock in der Auseinandersetzung mit der Französischen Revolution, die er in ihren Anfängen lebhaft begrüßt hatte, zu einem bedeutenden zeitkritischen Lyriker. Seine Gedichte *Die Etats Généraux, Kennet Euch selbst, Sie und nicht wir, Der Freiheitskrieg* und *Der Eroberungskrieg* sind Beispiele für den in Deutschland seltenen Typus des politischen Zeitgedichts, in dem sich ästhetischer Reiz und zeitkritisches Engagement verbinden.

Im Umkreis von Klassik, Romantik und Jakobinismus: Jean Paul – Kleist – Hölderlin

Neben den drei großen literarischen Lagern gab es Autoren, die sich bewußt abseits hielten, sich keiner Gruppierung anschlossen und ihren eigenen unverwechselbaren Weg gingen. Aufgrund ihrer Sonderstellung führten sie nicht nur, jeder auf seine Weise, ein problematisches Außenseiterleben – die Forschung hat bis heute große Schwierigkeiten, ihre Rolle in der Kunstepoche angemessen zu bestimmen.

Jean Paul

Johann Paul Friedrich Richter, der sich als Schriftsteller Jean Paul nannte, gelang es schon zu seinen Lebzeiten, einen gleichberechtigten und anerkannten Platz neben den klassischen und romantischen Autoren zu behaupten und zu einer Autorität im literarischen Leben zu werden. Die Voraussetzungen dafür waren alles andere als günstig. Als Sohn eines armen Lehrers und Organisten lernte er die Armut früh kennen und litt sehr unter der Strenge des Vaters. Durch die Erfahrungen im Elternhaus, die in vielerlei Hinsicht vergleichbar sind mit denen von Moritz *(Anton Reiser)*, wurden die Grundlagen gelegt für jenen »pathologischen Zwangscharakter« und jene »narzistische Verstrickung« (Minder), aus der sich Jean Paul zeit seines Lebens nicht befreien konnte und die ihn schon früh zum Sonderling und Einzelgänger machte. Wie viele Autoren, die aus kleinbürgerlichem Milieu stammten, wurde auch er in ein ungeliebtes Theologiestudium gedrängt und mußte sich seinen Lebensunterhalt als Hofmeister und Erzieher verdienen, bis er nach langen Jahren der finanziellen Unsicherheit schließlich ein bescheidenes Auskommen als »freier« Schriftsteller fand. Sein Debüt machte Jean Paul mit Satiren, die ganz offenkundig in der Tradition der Aufklärung standen und wohl nicht zuletzt wegen ihrer Bitterkeit und beißenden Ironie kaum eine öffentliche Resonanz fanden (*Grönländische Prozesse*, 1783; *Auswahl aus des Teufels Papieren*, 1789). Erst in den 90er Jahren gelang es Jean Paul, seine satirische Schreibweise um empfindsam-gefühlvolle und humoristische Elemente zu erweitern und jene Stilmischung herzustellen, die seinen Ruhm begründen sollte. Der Roman *Hesperus* (1795) wurde zu einem nachhaltigen öffentlichen Erfolg und erregte ein öffentliches Aufsehen wie vorher nur der *Werther*. Goethe und Schiller wurden auf den neuen Autor aufmerksam und luden ihn nach Weimar ein, ohne ihn jedoch für sich einnehmen zu können. Jean Paul lehnte die Mitarbeit an den *Horen* ab, zu der ihn Schiller zu bewegen suchte, und schloß sich statt dessen an Herder an, der 1796 endgültig mit Goethe gebrochen hatte. Jean Paul fühlte sich insbesondere von Goethe abgestoßen und warf ihm »genialischen Egoismus« vor: »Göthes Karakter ist fürchterlich: das Genie ohne Tugend mus dahin kommen.« Die Abneigung hatte jedoch auch politische Gründe. Jean Paul war ein entschiedener Republikaner und schätzte von den Weimaranern allein Herder, Wieland und Reichardt, weil sie seiner Meinung nach die »eifrigsten Republikaner« waren.

In seinem Roman *Titan* (1800–03) setzte sich Jean Paul direkt mit der Weimarer Klassik auseinander, die er als ästhetische Richtung entschieden ablehnte. Den beiden negativen Figuren Roquairol (»Pseudogenie«) und Gaspard verlieh er die Charakterzüge von Goethe und Schiller, und auch stofflich bezog er sich an zahlreichen Stellen auf die Erfahrungen, die er in Weimar gesammelt hatte. Der *Titan* ist ein Bildungsroman und wendet sich gegen den *Wilhelm Meister*. Jean Paul kritisiert das klassische Bildungsideal, indem er die sozialen und ideologischen Voraussetzungen von Bildung thematisiert. Sein *Titan* ist eigentlich ein »Anti-Titan« und als solcher »gegen die allgemeine Zuchtlosigkeit des Säkulums« gerichtet, wie Jean Paul selbst anmerkte. Zusammen mit dem *Hesperus* und der *Unsichtbaren Loge* (1793) gehört der *Titan* zu den Werken, in denen Jean Paul Idealgestalten deutscher Revolutionäre und ein kühnes politisches Programm der Umgestaltung Deutschlands entwarf. Trotzdem hielt er am Ideal der harmonischen, allseitigen Bildung fest und näherte sich unter der Hand den bekämpften Goetheschen Positionen an. Neben diesen wohl eher unfreiwilligen Bezügen zur Klassik gibt es aber auch zahlreiche Anknüpfungspunkte mit jakobinischen und romantischen Auffassungen. Abgesehen von seinem Republikanismus, teilte er mit den Jakobinern die Skepsis gegen die Wirkungsmöglichkeiten von Literatur und gab der Tat vor dem Wort den Vorzug: »Vorzüglich handle! O in Taten liegen mehr hohe Wahrheiten als in Büchern!« Nach 1800 übersiedelte er nach Berlin und näherte sich aufgrund einer ähnlichen Einschätzung der Rolle des Phantastischen dem Berliner Romantikerkreis, mit dessen führenden Vertretern er bekannt wurde. Er verkehrte in den Salons von Rahel Levin-Varnhagen und Henriette Herz, ohne sich jedoch dem romantischen Kreis zugehörig zu fühlen. Die stärkste Annäherung an die »romantische Schule« (Heine) vollzog er in seiner *Vorschule der Ästhetik* (1804), was von den romantischen Autoren z. T. aber gar nicht gesehen wurde, wenn z.B. Tieck der *Vorschule* vorwarf, daß das Werk nur die »Rechenschaft eines Handwerkers über seine Arbeit« sei. Tatsächlich handelte es sich bei der *Vorschule* um eine Vergewisserung eigener ästhetischer Prinzipien und Verfahrensweisen, wobei Jean Paul aus den verschiedenen literarischen Richtungen diejenigen Elemente übernahm und produktiv verarbeitete, die er in Beziehung zu seiner eigenen literarischen Praxis setzen konnte.

Den Widerspruch zwischen Poesie und Wirklichkeit – die gemeinsame Epochenerfahrung der Intellektuellen um 1800 – machte er immer wieder zum Thema seiner Romane. In den *Flegeljahren* (1804) verkörpern die beiden ungleichen Zwillingsbrüder Walt und Vult nicht nur die gegensätzlichen epochengeschichtlichen Orientierungen, sondern in ihnen verarbeitete Jean Paul auch die beiden divergierenden Seiten, die seiner Selbsterfahrung entsprachen. Nach der Übersiedlung nach Bayreuth (1804), wo er bis zu seinem Tode 1825 lebte, verstärkten sich die philiströsen Züge in seinem Charakter. Er wurde zum Einsiedler und nahm jene Eigenheiten an, die die Sonderlinge in seinen Werken haben. Ein Grund liegt sicherlich darin, daß sich seine weitgesteckten politischen Hoffnungen nicht erfüllten und er statt dessen zum ohnmächtigen Zuschauer der restaurativen Entwicklung verurteilt war. In seinem Spätwerk wandte er sich, in bewußter Anknüpfung an das Frühwerk, wieder der Satire zu. Sein *Komet* (1820–22), ein »gesellschaftskritisches Gemälde der deutschen Restaurationszeit« (Harich), war geprägt von

Titelblatt

Gesellschaftskritik der Restauration

tiefer Skepsis gegen die Literatur überhaupt. Als Fragment war es eine »geborne Ruine«, wie schon *Die unsichtbare Loge* und die *Flegeljahre*.

Ein weiterer Außenseiter: Kleist

Ein Außenseiter im literarischen Leben seiner Zeit blieb auch Heinrich von Kleist: Von der Familie für die Offizierslaufbahn ausersehen, entzog sich der sensible, musisch und literarisch interessierte Kleist schon sehr bald dem soldatischen Leben. Unterstützt vor allem von seiner Schwester Ulrike führte er ein ruheloses, von Selbstzweifeln zerrissenes Wanderleben, das er 1811 durch Selbstmord beendete, weil, wie er in seinem Abschiedsbrief an die Schwester schrieb, ihm »auf Erden nicht zu helfen war«. Mit in den Tod nahm er die sich ihm freiwillig anschließende, schwerkranke Henriette Vogel. Der gemeinsame Tod erregte großes öffentliches Aufsehen und warf ein grelles Licht auf die schwierigen Existenzbedingungen jenseits der etablierten Lager. Die Stärke Kleists liegt auf dramatischem Gebiet. Auch seine Novellen sind dramatische Meisterwerke. Kleists erstes Stück *Die Familie Schroffenstein* (1803) steht noch ganz in der Tradition der Sturm-und-Drang-Dramatik, während er mit seinen folgenden Bühnenwerken einen eigenen, unverwechselbaren Ton fand. Trotzdem wurde ihm keine öffentliche Anerkennung zuteil. Von seinen acht Dramen wurden nur zwei zu seinen Lebzeiten aufgeführt. Die Aufführung des *Zerbrochenen Krugs* (1805/06) wurde 1808 in Goethes Inszenierung am Weimarer Hoftheater zu einem eklatanten Mißerfolg, an dem Kleist schwer trug. Die Gründe für die mangelnde Anerkennung sind vielschichtig: Neben der Misere der deutschen Theatersituation spielten vor allem die ungewöhnliche Thematik und die exzentrische Durchführung eine Rolle.

Kleists antiklassisches Drama

In seiner *Penthesilea* (1807), 1876 erstmals aufgeführt, gestaltete Kleist die in mythischer Vorzeit spielende Beziehung zwischen der Amazone Penthesilea und dem griechischen König Achill und arbeitete die psychopathischen Strukturen in diesem Verhältnis mit großem psychologischem Geschick aus. Dabei entfaltete er eine Phantastik in Handlung und Durchführung, welche die dramaturgischen Möglichkeiten der damaligen Zeit und die Aufnahmebereitschaft des Publikums bei weitem überschritt. Ein Gegenstück zur *Penthesilea* schuf Kleist im *Käthchen von Heilbronn* (1807). Er selbst nannte Käthchen »die Kehrseite der Amazonenkönigin, ihren anderen Pol, ein Wesen, das ebenso mächtig ist durch Hingebung, als jene durch Handeln«. Im Gegensatz zur Penthesilea entsprach das mit Käthchen gestaltete Frauenbild dem damaligen gesellschaftlichen Konsens, und auch die märchenhafte, romantische Durchführung der Handlung konnte auf wohlmeinendes Verständnis des Publikums rechnen. So ist es kein Zufall, daß das *Käthchen* neben dem Lustspiel *Der zerbrochene Krug* das einzige Stück ist, das zu Lebzeiten Kleists aufgeführt wurde. Sein interessantestes Stück jedoch, das im 20. Jahrhundert intensiv gewirkt hat und an dem sich berühmte Regisseure und Schauspieler immer wieder versucht haben, *Prinz Friedrich von Homburg* (1809–1811, hrsg. 1821), wurde von keiner Bühne seiner Zeit angenommen. Die Gründe hierfür liegen wohl weniger in dem politischen Gehalt des Stücks als in der starken Gewichtung des Unbewußten, des Gefühls, des Traums und der Phantasie als handlungsbestimmenden Mächten.

Reflex der Befreiungskriege

Ein eindeutig politisches Drama lieferte Kleist mit seiner *Hermannsschlacht* (1808), mit dem er am Beispiel des Kampfes der Germanen gegen die Römer seine Zeitgenossen zum Aufstand gegen Napoleon aufrufen wollte. Wie sein *Katechismus der Deutschen* (1809) gehört dieses Drama in den Kontext der Literatur der Befreiungskriege, die durch ihr antinapoleonisches Pathos späteren nationalistischen Vereinnahmungen Vorschub leistete. *Die Hermannsschlacht* und *Katechismus der Deutschen* gehören in eine Reihe

*Kleists »Phöbus« –
Titelblatt des ersten
Hefts vom Januar
1808*

mit anderen, mehr oder minder problematischen Texten, die sich dem Kampf gegen Napoleon verschrieben und dem Nationalliberalismus eindeutig den Vorzug vor der Lösung der sozialen Frage gaben. Nur einige wenige Autoren, wie z.B. J.G. Seume (*Mein Sommer 1805, 1806; Apokryphen*, 1807/08) versuchten, in ihrem Werk beide Tendenzen zu verbinden. In seinen *Reden an die deutsche Nation* (1807/08) hatte Fichte, wie später E.M. Arndt (*Katechismus für teutsche Soldaten*), Rückert (*Katechismus für den deutschen Kriegs- und Wehrmann*) und Theodor Körner *(Leyer und Schwert)* den Haß gegen die Franzosen gepredigt und damit die ideologische Grundlage für die spätere »Erbfeindschaft« zwischen Deutschland und Frankreich gelegt. In E.M. Arndts programmatischer Schrift *Der Rhein, Deutschlands Strom, aber nicht Deutschlands Grenze* (1813) sind all jene expansionistischen Elemente angelegt, die in den späteren Auseinandersetzungen mit Frankreich eine Rolle spielten.

*Mythos der nationalen
Orientierung*

Da Kleist mit seinen Dramen keinen Erfolg hatte, versuchte er, seinen Lebensunterhalt als Herausgeber zu bestreiten. Die beiden von ihm gegründeten Zeitschriften *Phöbus* (1807/08) und *Berliner Abendblätter* (1810/11) waren wenig erfolgreich. Eine dritte Zeitschrift *Germania* konnte aufgrund der politischen Verhältnisse nicht realisiert werden. Wenn die Zeitschriften auch kein finanzieller Erfolg für Kleist waren, so boten sie ihm doch die Möglichkeit, eigene Texte zu veröffentlichen. Seine *Erzählungen* (1810/11), die er zum Teil in den eigenen Zeitschriften vorveröffentlichte, nahmen den Widerspruch zwischen psychischer und sozialer Realität wieder auf, um den auch seine Dramen schon gekreist waren und den er auch in dem Aufsatz *Über das Marionettentheater* (1810) theoretisch bearbeitet hatte. Die Prosa Kleists zeichnet sich durch einen Sprachstil aus, der in seiner knappen, dramatischen Form und in seiner scheinbaren Objektivität Erzählstrategien vorwegnimmt, die später als Besonderheit von Franz Kafkas Prosa berühmt geworden sind.

Gewalt
und Gegengewalt

Eine der bekanntesten Erzählungen Kleists ist *Michael Kohlhaas* (1808). In dieser Novelle gestaltete er den Zusammenhang zwischen gesellschaftlicher und individueller Gewalt. Durch Willkürmaßnahmen wird Michael Kohlhaas, »einer der rechtschaffensten zugleich und entsetzlichsten Menschen«, wie es am Anfang des Textes heißt, in seinem Rechtsempfinden beleidigt, persönlich und finanziell schwer geschädigt und zu einem Widerstand gereizt, der zunehmend gewalttätig wird und ihn in unlösbaren Konflikt mit der staatlichen Gewalt bringt. Die Hinrichtung von Michael Kohlhaas am Ende der Novelle ist die Konsequenz seines kompromißlosen Verhaltens, das ihn außerhalb der Normen der Gesellschaft stellt. Der versöhnliche, utopisch anmutende Schluß – Kohlhaas hat vor seinem Tod die Genugtuung, alle seine Forderungen erfüllt zu sehen – seine beiden Rappen werden ihm wohlgenährt vorgeführt, seine Söhne werden vom brandenburgischen Kurfürsten zu Rittern geschlagen –, kann nicht darüber hinwegtäuschen, daß das Problem der Gewalt hier einseitig dem Individuum angelastet und die gesellschaftliche Ordnung allein auf Kosten des Individuums wiederhergestellt wird. Die Geschichte von Kohlhaas wurde alsbald zum Mythos des Mannes, der sich sein Recht mit Gewalt zu ertrotzen versucht und dabei der Schuld verfällt. Dieser Mythos hat Autoren immer wieder zur Auseinandersetzung gedrängt. Bereits im 19. Jahrhundert wurde Kleists Novelle mehrfach dramatisiert. In der Gegenwart haben sich Stefan Schütz (*Kohlhaas*, 1977), Elisabeth Plessen (*Kohlhaas*, 1979) und Yaak Karsunke (*Des Colhaas letzte Nacht*, 1979) dem Thema zugewandt. Dieter Eue hat in seiner Novelle *Ein Mann namens Kohlhaas* (1982) die Verstrickungen der einzelnen Menschen im gesellschaftlichen Räderwerk frei nach Kleist behandelt.

Bewußtes –
Unbewußtes

Auch in der *Marquise von O...* (1808) geht es um Gewalt: Um Gewalt, die der Marquise angetan wird. Bei der Eroberung ihres väterlichen Hauses durch anstürmende russische Truppen wird sie vor der Vergewaltigung durch »viehische Mordsknechte« zwar gerettet, aber ihr Retter, der Graf F., nutzt die Ohnmacht der Marquise aus, um sie seinerseits zu vergewaltigen. Die Marquise wird schwanger, ohne zu wissen, wie und von wem, und läßt, hierin sehr selbstbewußt, den unbekannten Vater durch eine Zeitungsannonce suchen. Nach vielen Umwegen und dramatischen Verwicklungen erlangt der Graf schließlich Vergebung, und mit dem Hinweis auf die »gebrechliche Einrichtung der Welt« kommt es zur glücklichen Versöhnung. Als Erzähler hat Kleist die Vergewaltigungsszene in einem Gedankenstrich zusammengefaßt und statt dessen in Symbolen des Kampfes und des Krieges ausphantasiert. Dadurch bleibt in der Schwebe, was es eigentlich mit der Ohnmacht der Marquise auf sich hat. »In Ohnmacht? Schamlose Posse! Sie hielt, weiß ich, die Augen bloß zu« – mit diesem ironischen Epigramm spielt Kleist mit dem voyeuristischen Interesse, das der Text schon bei zeitgenössischen Lesern ausgelöst hat und das auch Eric Rohmer zum Ausgangspunkt

Zeitungsnotiz
als Quelle Kleists

528　V. Nachricht von Hans Kohlhasen.

tavor angegeben werden; so findet man auch hingegen schon im Albino (58) und andern dessen Abfertigung.

V.

**Nachricht von Hans Kohlhasen,
einem Befehder derer Chur-Sächsischen Lande.**

Aus Petri Haffrii geschriebener Märckischen Chronic.

Anno Christi 1540. Montags nach Palmarum, ist Hans Kohlhase, ein Bürger zu Cölln an der Spree, mit samt seinen Mitgesellen, George Nagelschmidt, und einem Küster, der sie gehauset, vor Berlin auffs Rad geleget. Wie er aber zu diesem Unfall kommen, muß ich kürtzlich vermelden.

Dieser Hans Kohlhase ist ein ansehnlicher Bürger zu Cölln und ein Handelsmann gewesen, und sonderlich hat er mit Vieh gehandelt. Und als er auff eine Zeit schöne Pferde in Sachsen ge-

(58) in der Meißn. Land-Chron. p. 27. 45. sq. 66. 78. 129. 302. 340. conf. Knauths Bericht von Meißnischen Historicis p. 6. Menckenii Disp. de instauratoribus literar. s. a. Rochenberg de veteri Osterlandia §. 26. 27.

V. Nachricht von Hans Kohlhasen.　529

geführt, dieselbe zu verkauffen, welche ihm einer von Abel angesprochen, als hätte er sie gestohlen, (a) hat er die Pferde im Gerichte stehen lassen, auff des Edelmanns Unkosten, wofern er anmassen Beweiß brächte, daß er sie ehrlich gekaufft; oder im Fall, da ers nicht erweisen würde, der Pferde verlustig seyn wolte. Als aber Kohlhase davon gezogen, hat der Edelmann die Pferde etliche Wochen weidlich getrieben, und also abmatten lassen, daß sie gantz und gar verdorben; Derowegen hat Kohlhase auff seine Wiederkunfft, da er gnugsam Beweiß brachte, die Pferde nicht wieder annehmen, sondern bezahlet haben wollen. Und weil es der Edelmann nicht hat thun wollen, und Kohlhasen, ungeacht, daß es beym Churfürsten zu Sachsen ordentlicher Weise gesucht, (b) zu seinem Rechte nicht hat mögen geholffen wer-

Aa 5　　　.ben,

(a) Günters von Zäschwitz Unterfossen zu Melann und Schnattz-Harten es auff ihres Junckern Befehl gethan. Mencius im Sächsischen Stamm, p. 186. 187. ed. a. 1698.

(b) Er hat vom alten und jungen Marggrafen zu Brandenburg Schreiben an den Churfürsten zu Sachsen gebracht, und den von Zäschwitz auf des gedachten Churfürsten Befehl erstlich für Bastian von Kötteritz Hauptmann zu Düben, hernach für Hansen Metzschen, Landvogt zu Wittenberg belagt. Mencius l.c.

für seine Verfilmung der *Marquise von O...* (1976) gemacht hat. Die Marquise erscheint als eine Frau, die nicht wissen will, was der Leser weiß, und für die die Ohnmacht die einzige Möglichkeit darstellt, sexuelle Tabus zu durchbrechen und sich ihren eigenen Wünschen hinzugeben. Aus der Rehabilitierung des Unbewußten und der geheimen Wünsche läßt sich aber kein Modell weiblicher Emanzipation ableiten, ganz im Gegenteil: Die Marquise bestätigt durch ihr ambivalentes Verhalten das gespaltene Frauenbild, das Kleist in den beiden Dramen *Penthesilea* und *Käthchen von Heilbronn* kontrapunktisch gegeneinandergestellt hatte.

Nicht utopisch wie der *Kohlhaas* und keineswegs versöhnt wie die *Marquise* enden dagegen die meisten anderen Erzählungen Kleists: Sie handeln von Gewalt, Begehren, von Sexualität und Kampf, von Affekten und Täuschung, und sie enden zumeist in Mord und Totschlag, wie z.B. *Der Findling, Der Zweikampf, Das Erdbeben in Chili* und *Die Verlobung in St. Domingo*. Gerade auf der inhaltlichen Ebene gibt es viele Berührungspunkte mit der Romantik, von der sich Kleist aber andererseits durch seine lakonische und zugleich emphatische Sprache fundamental unterscheidet.

Kleists dramatisches Leben und Sterben hat gerade Autoren der Gegenwart zur Auseinandersetzung provoziert. Helma Sanders-Brahms hat in ihrem Film *Heinrich* (1977) ein gebrochenes, zerrissenes Leben beschrieben, in dem sich die einzelnen Szenen wie Traumsequenzen aneinanderreihen. Der Film ist kein historischer Film, sondern er versucht, Kleist als Zeitgenossen zu verstehen. Auch Christa Wolf merkt man die Nähe und die Faszination durch einen Autor an, den Goethe als »krank« abgewehrt und den die

Kleists Aktualität

auf die Klassik fixierte DDR-Literaturwissenschaft lange Zeit ausgegrenzt hatte. Mit dem Titel ihrer Erzählung *Kein Ort. Nirgends* (1979) spielt sie auf die Heimatlosigkeit von Schriftstellern an, die entweder durch ihr Geschlecht wie die Günderode oder durch ihre abweichende literarische Praxis wie Kleist aus dem gesellschaftspolitischen Konsens der Zeit herausfielen. Von einer anderen Seite her nähert sich Karin Reschke Kleist. In ihrem *Findebuch der Henriette Vogel* (1982), fiktiven Aufzeichnungen in Tagebuchform, hat Karin Reschke der Frau, die als »Selbstmordgevatterin« zumeist nur in Fußnoten in Kleist-Biographien vorkommt, eine eigene Stimme verliehen und den Blick auf den Dichter und das politisch-literarische Umfeld um eine wichtige Facette erweitert.

Griechenland als Ideal

Friedrich Hölderlin gehört, wie der früh verstorbene Novalis, zu den Autoren, deren Leben und Werk zum Mythos geworden ist. Isoliert und fremdartig neben der klassischen, romantischen und jakobinischen Lyrik stehen seine Gedichte, die durch große sprachliche Dichte, Gedankenreichtum, Bilderfülle und Symbolkraft beeindrucken. Sensibilität und Schwermut verbinden sich mit der Hoffnung auf Wiederherstellung der zerstörten menschlichen und gesellschaftlichen Harmonie zu einer Form des politischen Gedichts, dem alles Agitatorische fehlt, das aber durch Tiefe der Empfindung, Moralität und politische Integrität, sprachlichen Gestus und ästhetische Formung überzeugt. Im idealisierten Griechenland, wie es Winckelmann die Zeitgenossen zu sehen gelehrt hatte (*Gedanken über die Nachahmung der griechischen Werke*, 1755; *Geschichte der Kunst des Altertums*, 1764), fand Hölderlin den Orientierungspunkt für seine Humanismuskonzeption. Die Verwendung antiker Strophenformen war keine äußerliche Übernahme tradierter Formen, sondern Ausdruck inniger Verbundenheit mit der Antike und deren rückerinnernder Aktualisierung. Neben den strengen antiken Versformen stehen die späten, zu freien Rhythmen übergehenden Hymnen und Elegien, in denen die Sehnsucht nach dem verlorenen Griechenland zum Ausdruck kommt *(Archipelagus; Mnemosyne; Patmos)*. Auch die zahlreichen Naturgedichte Hölderlins sind durchdrungen von der Sehnsucht nach der verlorengegangenen Verbindung zwischen Mensch und Natur. Die schmerzliche Erfahrung von Entfremdung ist durchgängiges Motiv von Hölderlins Dichtung, für die die Zeitgenossen nur wenig Verständnis aufbrachten. Erst im 20. Jahrhundert sind die Bedeutung Hölderlins und der humanitär-politische Gehalt seines Werkes erkannt und gewürdigt worden. Erschwert wurde die Rezeption des Werks durch die Tatsache, daß viele Gedichte, besonders die der Spätzeit, nur in schwer entzifferbaren Handschriften vorliegen und die Herausgeber vor fast unlösbare Probleme stellen. Die Stuttgarter Ausgabe (1943 ff.) von Friedrich Beissner und Adolf Beck – eine Pionierleistung auf dem Gebiet moderner Editionstechnik – hat erstmals die Entstehungsstufen der Texte dokumentiert und einen neuen, authentischen Zugang zum Werk versucht. Die Frankfurter Ausgabe (1975 ff.) von D. E. Sattler verzichtet ganz auf die Herstellung idealtypischer Texte und bietet statt dessen neben dem Handschriftenfaksimile eine typographische Umschrift vom ersten Entwurf bis zur letzten Bearbeitung.

Hölderlin 1786

Hölderlin ein Jakobiner?

Isoliert war Hölderlin zu seiner Zeit vor allem durch sein Festhalten an den Idealen der Französischen Revolution. Zusammen mit Hegel und Schelling hatte er sich bereits als Student im Tübinger Stift dafür begeistert. »Bete für die Franzosen, die Verfechter der menschlichen Rechte«, schrieb er 1792 an die Schwester. Durch seinen Freund Isaac Sinclair, der einen Staatsstreich gegen den Herzog von Württemberg vorbereitete und 1805 des Hochverrats angeklagt wurde, war Hölderlin noch nach 1800, als sich die Mehrzahl der deutschen Intellektuellen von der Revolution längst abgewandt hatte, in die revolutionären Bestrebungen im süddeutschen Raum verwickelt. Wenn auch die Frage umstritten ist, wie weit Hölderlin in die Umsturzpläne seines Freundes eingeweiht war, so gilt als sicher, daß der Hochverratsprozeß gegen Sinclair, in dessen Mühlen Hölderlin nur deshalb nicht geriet, weil er laut ärztlichem Attest vernehmungsunfähig war, entscheidenden Anteil an Hölderlins geistiger Verstörung hatte; sie machte es schließlich erforderlich, daß er ab 1807 die restlichen 36 Jahre seines Lebens im Tübinger Turm in der Obhut eines Tischlers verbringen mußte.

Die Revolutionsbegeisterung Hölderlins, die lange Zeit als unerheblich gewertet worden ist, hat in jüngster Zeit zu einer neuen Sicht des Autors geführt; die These von Pierre Bertaux, daß Hölderlin ein Jakobiner gewesen sei und man sein ganzes Werk als eine »durchgehende Metapher« der Revolution lesen müsse (*Hölderlin und die Französische Revolution*, 1969), ist in ihrer polemischen Überspitzung sicherlich auch ein Reflex auf die traditionelle Hölderlin-Forschung, die die politischen Implikationen und den sozialen Erfahrungshintergrund der Dichtungen Hölderlins weitgehend aus ihren Betrachtungen ausgeklammert hatte. Ähnliches Aufsehen wie die Jakobinerthese hat die zweite, spätere These von Bertaux erregt (*Friedrich Hölderlin*, 1978), daß Hölderlin nicht geistesgestört gewesen sei, sondern sein Aufenthalt im Tübinger Turm vielmehr eine selbstgewählte Form des Exils gewesen sei und auch seine späten Gedichte keine Dokumente eines Wahnsinnigen seien, sondern verschlüsselte Botschaften eines Mannes, der aus dem politischen Konsens seiner Zeit herausfiel und nur in der Isolation seine politische und moralische Integrität erhalten konnte. Freilich ist auch diese These vom »edlen Simulanten« Hölderlin ebenso wie die vom Jakobiner nicht unwidersprochen geblieben und durch nachfolgende Arbeiten widerlegt bzw. modifiziert worden, so von Adolf Beck (*Hölderlins Weg zu Deutschland*, 1982). Wenn die Thesen von Bertaux in ihrer Radikalität nicht zu halten sind und sein Umgang mit Begriffen wie Jakobinismus und Wahnsinn viele Angriffsflächen bietet, so haben seine polemischen Ausführungen doch den Blick für die politischen Bezüge des Werks von Hölderlin geschärft. So ist der *Hyperion* (1797/99) eine politische Konfession, in die die Auseinandersetzungen des Autors mit der Französischen Revolution und den Möglichkeiten einer revolutionären Veränderung in Deutschland eingegangen sind. Hyperions avanciertes politisches Bewußtsein, das ihn von den Helden des Bildungs- und Entwicklungsromans unterscheidet, und sein Verlangen nach Freiheit für sich und die anderen – er nimmt am griechischen Befreiungskampf aktiv teil – stoßen auf verfestigte gesellschaftliche Fronten und bleiben ohne Resonanz und Erfolg. Die Verbindung von Privatem und Politischem, die Hyperion zu leben versucht, scheitert angesichts der vorgegebenen gesellschaftlichen Strukturen. Identität kann Hyperion nur noch in der Isolierung bewahren. Die dem *Wilhelm Meister* zugrundeliegende naive Gewißheit des Autors, »daß der Mensch trotz aller Dummheit und Verwirrungen, von einer höhern Hand geleitet, doch zum glücklichen Ziel gelange«, ist bei Hölderlin der schmerzlichen, auf politischen Erfahrungen beruhenden Einsicht gewichen, daß der Glücksanspruch des Individuums in der damaligen Gesellschaft nicht befriedigt werden konnte. Die Desillusionierung über die Möglichkeiten politischen Handelns und politischer Veränderung teilte Hölderin mit seinem Helden Hyperion; die Hoffnung auf einen von Glück und Harmonie getragenen Ausgleich zwischen Mensch, Natur und Gesellschaft, mit dem der Roman ausklingt, konnte Hölderlin in seinem eigenen Leben nicht realisieren. Auch in seiner Fragment gebliebenen Tragödie *Em-*

Hölderlin 1823

Hölderlins Krankheit

pedokles (1797/1800) reflektiert Hölderlin die Entfremdung der Menschen untereinander und von der Natur. Empedokles, in dessen Figur Hölderlin seine eigene Stellung als Dichter verarbeitet hat, will durch seinen Opfertod ein Zeichen setzen und »bessere Tage« vorbereiten helfen. In seinem Kampf gegen eine natur- und götterferne Priesterschaft hat Hölderlin seine Kritik an den politischen Verhältnissen seiner Zeit verschlüsselt: »Dies ist die Zeit der Könige nicht mehr«.

Die späte Romantik

Wie das Ende des 18. Jahrhunderts durch die Erfahrung der Französischen Revolution geprägt war, wurde der Anfang des 19. Jahrhunderts von der Restauration bestimmt. Die Hoffnung auf eine politische Einlösung der Postulate »Freiheit« und »Gleichheit« war doppelt enttäuscht worden: Durch die Entwicklung der Französischen Revolution zurück zur Monarchie und dem damit zusammenhängenden gesamteuropäischen Restaurationsprozeß und durch die Widersprüche, die im Verlauf der bürgerlich-kapitalistischen Entwicklung immer offenkundiger zu Tage traten. Entfremdung war die vorherrschende Reaktion auf die restaurative Entwicklung und die erlebten Gegensätze. Die frühromantische Aufbruchstimmung wich einer eher düsteren, sarkastischen und gebrochenen Sicht auf die Verhältnisse.

Beispielhaft für diese neue Phase der romantischen Bewegung ist das Werk von E.T.A. Hoffmann, das schon bald über Deutschland hinaus beachtet wurde und auf Autoren wie Gogol, Baudelaire und Poe entscheidende Wirkung hatte. Hoffmann führte ein Doppelleben wie viele seiner Figuren, die sich in verschiedene Ichs aufspalten. Tagsüber arbeitete er in dem ungeliebten Beruf eines Kammergerichtsrats, nachts führte er sein »eigentliches« Leben. Seine Begabungen waren weitgespannt und machten es ihm schwer, sich zu entscheiden. Er zeichnete, musizierte und komponierte (so vertonte er Fouqués *Undine* und war als Komponist und Musiktheoretiker erfolgreich) und schrieb immer wieder über jenen Zwiespalt zwischen »Künstler« und »Philister«, dem nicht nur er, sondern dem sich auch andere romantische Autoren ausgesetzt fühlten. In seinen *Fantasiestücken* (1814) und *Nachtstükken* (1817) thematisierte er vor allem die »Nachtseiten« des Zivilisationsprozesses und stellte das Unheimliche, das Dämonische, den Wahnsinn und das Verbrechen in den Mittelpunkt. Insbesondere sein Roman *Die Elixiere des Teufels* (1815/16) zeigt, wie fließend die Übergänge zur Schauerromantik waren.

In ihrem Interesse für die »Nachtseiten« der menschlichen Existenz, für das Abgründige, Abseitige, Geheimnisvolle unterschied sich die Schauerromantik von der Aufklärung, die es gerade als ihre Aufgabe angesehen hatte, die Dunkelheit »aufzuklären« und Licht zu schaffen. Zwar hatte das Wunderbare bereits in der Aufklärung eine Rolle gespielt. Es war dort jedoch immer dem »Vergnügen« und dem »Nutzen« untergeordnet gewesen. Die Legitimation des Wunderbaren als poetischer Kategorie (Bodmer, *Critische Abhandlung von dem Wunderbaren in der Poesie*, 1740) war integraler Bestandteil der aufklärerischen Strategie. Die Anfänge der Schauerliteratur mit ihrem stereotypen Arsenal von Geisterspuk, unterirdischen Gewölben, geheimnisvollen Ruinen, Mord, Inzucht, Vergewaltigung, Folter, Doppelgän-

E.T.A. Hoffmann

Nachtseiten der menschlichen Existenz

gertum, Satanismus und schwarzen Messen reichen zwar bereits in die Aufklärungszeit zurück, das Geheimnisvolle und Wunderbare war dort jedoch stets in einen rationalen Rahmen eingebettet und hatte keinen autonomen Status wie in der sogenannten schwarzen Romantik.

In der Gestalt des Kapellmeisters Kreisler, eine Figur, die im *Kater Murr* (1820–22) ebenso wie in den Erzählungen *Kreisleriana* (1814–16) auftaucht, hat Hoffmann seine eigenen Erfahrungen als Musiker und Schriftsteller verarbeitet. Dabei geht es Hoffmann nicht nur um den Zusammenstoß zwischen Künstlerwelt und Bürgerwelt und dessen zerstörerische Wirkungen auf das künstlerische Individuum, sondern auch um die Problematik künstlerischer Produktivität und Existenz an sich. Die Gefährdung des Künstlers wird als eine doppelte gesehen, sie ist Resultat der gesellschaftlichen Isolierung ebensosehr wie Ergebnis des dämonischen Charakters der Kunst und der künstlerischen Produktivität. Diese existenzielle Gefährdung wird entweder märchenhaft aufgelöst wie in *Der Goldene Topf* (1814), sie endet in Wahnsinn und Selbstzerstörung, wie in den *Kreisleriana*, oder sie führt zum Mord wie in *Das Fräulein von Scuderi* (1819), wo der Goldschmied Cardillac so sehr an den von ihm verfertigten Schmuckstücken hängt, daß er deren Käufer tötet, um wieder in ihren Besitz zu kommen. Zu Hoffmanns berühmtesten Erzählungen gehört *Der Sandmann* aus den *Nachtstücken* (1817), in denen er die verdrängten Ängste, Träume, Wünsche und Phantasien des Bürgers gestaltet hat. Hoffmann ist einer der ersten, der sich für das Unheimliche, Angsterregende, für die sogenannten »Nachtseiten« interessiert und dabei erkannt hat, daß die Ansprüche der Gesellschaft auf Unterordnung schwere psychische Deformationen hervorrufen können. Persönlichkeitsspaltung, Doppelgängertum, Identitäts- und Realitätsverlust, Verfolgungswahn usw. sind in Hoffmanns Erzählungen Reaktionsweisen, die anzeigen, daß der gesellschaftliche Integrationsprozeß nicht gelungen ist. Die Zerstörung der Individualität vollzieht sich nicht nur am männlichen Individuum. Die schon im klassischen Bildungs- und Entwicklungsroman zu beobachtende Tendenz, Frauen auf bloße Entwicklungsstufen des Mannes zu reduzieren, weibliche Identität nur als opfernde Hingabe an den Mann zu definieren, nimmt bei Hoffmann groteske Züge an: Olimpia, die verständnisvolle Geliebte Nathanaels im *Sandmann*, ist in Wahrheit ein Automat, in den Nathanael seine Wünsche und Phantasien hineinliest. Das Verhältnis der Geschlechter ist hier in ein entlarvendes Bild gekleidet, in dem das bürgerliche Liebesideal als das erscheint, was es ist – als eine die weibliche Individualität zerstörende Identitätssuche des Mannes.

Die Entfremdungsproblematik ist auch das Thema der Erzählung *Peter Schlemihls wundersame Geschichte* (1814) von Adalbert von Chamisso. Schlemihl, der Mann ohne Schatten, wurde zum Sinnbild einer Epoche, der die eigene Identität fragwürdig wurde. Peter Schlemihl verkauft seinen Schatten an einen Fremden und bekommt dafür ein Säckchen mit Geld, das sich immer wieder auffüllt. Sein Reichtum macht ihn aber nicht glücklich, weil er durch den Verlust des Schattens zu einem Außenseiter wird, vor dem die anderen Menschen zurückschrecken. Mit Siebenmeilenstiefeln gelingt es ihm schließlich, aus den ihn peinigenden Verhältnissen zu entfliehen. Chamisso verarbeitete in dieser Erzählung auch eigene Erfahrungen: Als französischer Emigrant, der 1792 mit seiner Familie nach Berlin gekommen war, hatte er Schwierigkeiten, sich sozial und politisch in seiner neuen Heimat zurechtzufinden. Erst eine Weltreise (*Reise um die Welt*, 1836) eröffnete ihm neue Erfahrungsräume und ließ ihn einen gemäßigten bürgerlichen Fortschrittsoptimismus entwickeln, der ihn schließlich die Französische Revolution als

Begegnung mit dem Doppelgänger – »Die Elixiere des Teufels«

romantische Entfremdung

195

Schlemihl reist zum Nordpol und wird von diesem freundlich – »Schlemihl for ever« – empfangen – Federzeichnung E. T. A. Hoffmanns

melancholische Harmoniesuche

historisch notwendig erkennen und die sich vollziehende Industrialisierung mit Interesse verfolgen ließ.

Neben Hoffmann und Chamisso tritt als dritter Vertreter der Spätromantik Joseph Freiherr von Eichendorff. In seiner Lyrik beschwor er immer wieder die verlorengegangene Harmonie in stimmungsvollen und melancholischen Naturbildern. Seen, Berge, Wälder, Nachtigallengesang, geheimnisvolle Burgen, Mondscheinnächte usw. sind die immer wiederkehrenden Bestandteile eines eigentümlichen Naturbildes, das nicht Abbild einer realen Landschaft, sondern Wunschbild und Ausdruck einer Stimmungs- und Seelenlandschaft ist. In dem Roman *Ahnung und Gegenwart* (1815) hat er die neue Zeit, die sich für ihn mit dem verhaßten Napoleon verband, scharf kritisiert und die zerstörerischen Auswirkungen auf das Individuum aufgezeigt: »Überall von der organischen Teilnahme ausgeschlossen, sind wir ein überflüssig stillstehendes Rad an dem großen Uhrwerk des allgemeinen Treibens.« Die Gefährdung des Menschen erwächst aber nicht nur aus der »geschäftgen Welt«, sondern auch aus der eigenen Sinnennatur und den Verlockungen der »dunklen Mächte«. Im *Marmorbild* (1819) knüpft Eichendorff an den Venuskult an, der schon im Mittelpunkt von Tiecks *Runenberg* gestanden hatte. Stärker noch als Tieck stellt Eichendorff den Antagonismus zwischen heidnisch-dämonischer Venus und christlich-spirituellem Vater-Gott heraus. In dem »marmornen Venusbild« verkörpern sich, ähnlich dem steinernen Bild der Mutter in Brentanos *Godwi* (1801), die geheimen Wünsche nach einem freien Ausleben der Sinnlichkeit, die jedoch im Text als eine wilde und teuflische Macht erscheint. Das Marmorbild, das im Text mit dem

196

Bild der Mutter Maria kontrastiert wird, verwandelt sich in das grauenhafte
Antlitz der Medusa. Mit der Entscheidung für die jungfräuliche Bianka am
Ende der Erzählung vollzieht der Held Florio zugleich eine Abkehr von den
»dunklen Mächten«, die nach ihm greifen. Die Entfesselung der Sinnlichkeit
war für Eichendorff aber nicht nur ein psychisches Problem, sondern zugleich ein gesellschaftliches. Die Warnung am Ende der Erzählung *Das
Schloß Dürande* (1817) – »Du aber hüte dich, das wilde Tier zu wecken in
der Brust, daß es nicht plötzlich ausbricht und dich selbst zerreißt« – bezieht
sich nicht nur auf die Französische Revolution, sondern auf die Entfesselung
von Sinnlichkeit überhaupt.

Einen »festen, sichern Halt« in der »geschäftgen Welt« und gegenüber den
»dunklen Mächten« bietet allein der bewußte Rückzug des Individuums aus
den entfremdeten Lebensbedingungen. Die Erzählung *Aus dem Leben eines
Taugenichts* (1826) zeigt einen Helden, der sich dem bürgerlichen Erwerbsleben heiter und unbekümmert entzieht und – durch das Leben vagabundie-
rend – sein Glück findet. Gerade diese Erzählung trägt, ungeachtet ihrer
gesellschaftskritischen Stoßrichtung, idyllische und eskapistische Züge, die
auf die Biedermeierzeit vorausweisen. Dennoch ist Eichendorff kein senti-
mentaler Idylliker oder Vorläufer der Wanderbewegung, als der er bis ins
20. Jahrhundert hinein gesehen worden ist. Seine Werke zeigen eine große
Sensibilität für die Widersprüche der Epoche und haben in ihrer Melancholie
über die verlorengegangene Einheit des Menschen eine Doppelbödigkeit, die
hinter der Naivität und Heiterkeit der Texte die Anstrengung des Autors,
sein Leben in dieser Zeit zu leben, hervorscheinen läßt.

Goethes Spätwerk als Bilanz der Epoche

Als die große beherrschende Figur des literarischen Lebens im ersten Drittel
des 19. Jahrhunderts gilt Goethe. Nach Schillers Tod (1805), dem Selbstmord Kleists (1811) und der Umnachtung Hölderlins (1807) gelang es keinem anderen Autor, eine vergleichbar starke Stellung im Bewußtsein des
Publikums zu erobern. Dies gilt auch für Jean Paul, der von den Autoren der
Vormärz-Zeit im nachhinein zwar als Gegenspieler Goethes gesehen wurde,
der aber mit seiner resignativen Wende nach 1804 keinen Gegenpol zu dem
universal ausgerichteten Goethe bilden konnte. Auch Hoffmann und Eichendorff waren von ihrem Temperament und von ihrem Anspruch her bei
weitem einseitiger als Goethe, der in seiner unvollendet gebliebenen Autobiographie *Dichtung und Wahrheit* (1814) sein eigenes Leben als exemplarisch verstanden und sich selbst als historisch-repräsentative Persönlichkeit
entworfen hatte. Mit ihren ironisch-grotesken bzw. idyllisch-resignativen
Werken verkörpern Hoffmann und Eichendorff jeweils Teilaspekte, die Goethe in seinem Spätwerk aufnimmt und durch Unterordnung oder Ausgren-
zung in einer neuen symbolischen Ordnung aufhebt.

In seinem Spätwerk thematisierte Goethe die Epochenprobleme, die er   *Blick in die Moderne*
bereits in seiner klassischen Periode zusammen mit Schiller programmatisch
aufgegriffen hatte, in einer neuen, erweiterten und vertieften Weise. Sein
langes Leben eröffnete ihm Erfahrungszusammenhänge, die anderen Autoren verschlossen blieben. Er war nicht nur Zuschauer der nachnapoleoni-
schen Ära, sondern zugleich auch Zeitgenosse und Beobachter des Anbruchs

der Moderne, die mit Dampfmaschinen, Aktienwesen, Industrialisierung und Straßenbau ihren Einzug hielt. Die *Gespräche mit Goethe* (1836–1848), die sein enger und vertrauter Mitarbeiter Eckermann aufzeichnete, zeigen, wie genau Goethe die sich vollziehenden Wandlungen beobachtet und wie intensiv er sich mit ihnen auseinandergesetzt hat. Die Arbeit am *Wilhelm Meister* und am *Faust* sind die herausragenden Ereignisse in der nachklassischen Phase Goethes. Beide sind Werke, die Goethe fast ein ganzes Leben beschäftigt haben und einen zentralen Platz in seinem Alterswerk einnehmen. Die Arbeit am *Wilhelm Meister*, die nach der Fertigstellung der *Lehrjahre* über ein Jahrzehnt geruht hatte, nahm Goethe nach 1807 wieder auf. 1821 erschien die erste Fassung der *Wanderjahre* mit dem Zusatz »oder die Entsagenden«, 1829 die endgültige Fassung, die den Untertitel »Roman« nicht mehr trug. In den *Wanderjahren* erweiterte den Goethe den ursprünglichen Rahmen der Geschichte nicht nur auf der inhaltlichen Ebene, indem er Wilhelm erneut auf die Wanderschaft schickte und ihm neue Erfahrungswelten (Gesellschaft der Entsagenden, Pädagogische Provinz, Siedlungsprojekt, Auswanderungsunternehmen, Maschinenwesen usw.) eröffnete, sondern auch dadurch, daß er die traditionellen Grenzen des Romans strukturell weit überschritt. In der Mischung von epischen und lyrischen Passagen, in der komplizierten Wechselwirkung zwischen Rahmenhandlung und eingefügten Novellen (»Der Mann von fünfzig Jahren«, »Die neue Melusine« usw.) und in dem Nebeneinander von dokumentarischen und fiktionalen Einschüben stellen die *Wanderjahre* ein erzählerisches Experiment dar, das als komplexes Symbolgefüge auf die Moderne vorausweist.

»Wahlverwandt-schaften«

Die ursprünglich als Einlage für die *Wanderjahre* geplante Novelle *Die Wahlverwandtschaften* weitete sich so aus, daß Goethe sie zu einem eigenen Roman ausarbeitete (1809), der seinerseits durch eingefügte Novellen, Reflexionen und Maximen wiederum strukturelle Ähnlichkeiten mit den *Wanderjahren* bekam. Auch hier ist das Thema die »Entsagung«, aber anders als im welthaltigen *Wilhelm Meister* sind der Raum, die Zeit und die handelnden Personen in die Intimität einer privaten Geschichte eingefügt. Mit dem Titel »Wahlverwandtschaften« spielte der naturwissenschaftlich sehr interessierte und versierte Goethe auf einen Begriff aus der Chemie an. Mit Wahlverwandtschaft war der Vorgang gegenseitiger Annäherung (und Abstoßung) gemeint, der zwischen einzelnen chemischen Elementen stattfindet. Goethe übertrug nun diesen naturwissenschaftlichen Begriff auf das moralische und gesellschaftliche Leben. Eduard und Charlotte, die in selbstgewählter Einsamkeit ein spätes Eheglück gefunden haben, werden durch den hinzukommenden Freund Otto und die Pflegetochter Ottilie in ihrer Ruhe aufgestört; es setzt – wie in einem Reagenzglas – jener Prozeß der Abstoßung und Annäherung ein, der die ursprüngliche Paarbildung aufsprengt und zwei neue Paare entstehen läßt. Zwar kommt es nur in Gedanken zum »doppelten Ehebruch«, aber die Harmonie ist unwiederbringlich zerstört: Die beiden Männer verlassen das Landgut, das Kind von Eduard und Charlotte ertrinkt durch die Schuld Ottiles, diese verweigert daraufhin jegliche Nahrung und stirbt an Entkräftung, auch Eduard stirbt bald danach. Charlotte läßt die beiden Liebenden in einer gemeinsamen Grabstätte beisetzen. Dieser versöhnliche Schluß kann nicht darüber hinwegtäuschen, daß der Konflikt zwischen Sinnlichkeit und sittlicher Ordnung auf der Handlungsebene tödliche Konsequenzen hat, wenn sich die Personen nicht zur Entsagung durchringen und durch ihren freien Entschluß die herrschende sittliche Ordnung als notwendig bestätigen. Das Dämonische, das wie eine Naturgewalt in die Ehe einbricht, hat seine Entsprechung auf der politischen Ebene. Diese Bezüge sind im Text verschlüsselt durch Motive wie Langeweile und Müßiggang, mit denen das aristokratische Milieu gekennzeichnet wird. Goethe selbst hat 1808 Riemer gegenüber geäußert, daß es ihm mit diesem Roman darum gegangen sei, »soziale Verhältnisse und die Konflikte derselben symbolisch gefaßt« darzustellen.

Als »Krönung« nicht nur des Altersschaffens, sondern des Werks insgesamt, gilt die *Faust*-Dichtung, an der Goethe über einen Zeitraum von mehr als fünfzig Jahren als seinem »Hauptgeschäft« gearbeitet hat. Noch vor 1775 schrieb Goethe erste Szenen nieder, die aber erst nach seinem Tod veröffentlicht wurden und als *Urfaust* bekannt geworden sind. Während seiner italienischen Reise (1786–88) arbeitete er erneut am *Faust* und veröffentlichte 1790 *Faust, ein Fragment*. Um die Jahrhundertwende nahm er, inspiriert von Schiller, die Arbeit am Faust-Thema wieder auf und veröffentlichte 1808 *Faust, der Tragödie erster Teil*. Daß für ihn das Thema aber damit keineswegs abgeschlossen war, macht nicht nur der Untertitel »erster Teil« deutlich, sondern auch die Tatsache, daß Goethe sich damals bereits mit dem Helena-Akt beschäftigte. Aber erst 1824 nahm er die Arbeit wieder konzentriert auf, diesmal unterstützt von Eckermann, und konzipierte den zweiten Teil, den er 1831, kurz vor seinem Tod, abschließen konnte. Erschienen ist *Faust, der Tragödie zweiter Teil* erst nach Goethes Tod in den *Nachgelassenen Werken*.

Goethe um 1828

Die Faust-Dichtung Goethes steht in einer langen historischen Tradition und ist ihrerseits wieder Auslöser einer neuen Traditionslinie geworden. Goethes *Faust* geht zurück auf das Volksbuch *Historia von D. Johann Fausten, dem weitbeschreyten Zauberer und Schwarzkünstler* (1587). Dieses hatte bereits Christopher Marlowe zu einer Dramatisierung des Faust-Stoffes angeregt (*Die tragische Historie von Doktor Faustus*, 1604). Im 18. Jahrhundert hatten sich Lessing (*Faust-Fragmente*, 1755–1781), Maler Müller (*Faust Leben dramatisiert.*, 1776/78) sowie Klinger (*Fausts Leben, Taten und Höllenfahrt*, 1791, *Der Faust der Morgenländer*, 1797) mit dem Stoff auseinandergesetzt. Goethes Faust-Bearbeitung galt mit ihrem ersten und zweiten Teil schon bald als »klassische« Deutung, an der sich nachfolgende Generationen weiterversuchten. Als wichtigste Texte in dieser nachgoetheschen Tradition gelten Grabbes *Don Juan und Faust* (1829), Lenaus *Faust* (1836), Heines Tanzpoem *Faust* (1847), Vischers *Faust, der Tragödie dritter Theil* (1862), eine Parodie auf dem Hintergrund der gescheiterten Revolution von 1848, Lunatscharskis Lesedrama *Faust und die Stadt* (1918), ein sozialistisches Faust-Modell auf der Grundlage der revolutionären Erfahrungen im Vorfeld der russischen Oktoberrevolution, Valérys subjektive Aneignung *Mein Faust* (1946) und Thomas Manns Künstlerroman *Doktor Faustus* (1947). Daneben gibt es eine Fülle von weiteren Texten und auch Adaptionen für die Oper (Schumann, Berlioz, Gounod, Busoni, Eisler), die zeigen, daß der Faust-Stoff bis in die Gegenwart lebendig geblieben ist.

Thema des *Faust* ist das Streben des bürgerlichen Individuums nach Erkenntnis, persönlichem Glück und sinnvoller gesellschaftlicher Betätigung. War Faust in der Urfassung mehr die unverwechselbare, einmalige genialische Persönlichkeit gewesen, so wurde er nach der Französischen Revolution zum Vertreter der Menschheit und zum Sinnbild des strebenden, sich höher entwickelnden Menschen erhoben. Sein Entwicklungsgang durch die verschiedenen Lebenssphären – den kleinbürgerlichen Daseinsbereich von Gretchen, den dämonischen Hexensabbat und die klassische Walpurgisnacht, den mittelalterlichen Kaiserhof und die antike Welt – endet ähnlich dem *Wilhelm Meister* bei der praktischen Tätigkeit zum Wohle der Allgemein-

*Faust,
ein deutscher Stoff,
der weiterlebt*

heit. Der Versuch des Teufels, Faust von seinem höheren Streben abzubringen und im »Gemeinen« zu verwickeln, scheitert. Faust, der auf seinem Weg durch die Welt viel Schuld auf sich geladen hat, wird am Ende des Dramas ebenso gerettet wie seine Geliebte Gretchen im ersten Teil. Im göttlichen Weltplan sind das Versagen und der Irrtum des Individuums ebenso wie seine positiven Eigenschaften und Handlungen vorgesehen. Die Harmonie des Ganzen bleibt davon unberührt. Die bürgerliche Individualitätsproblematik wird auf diese Weise objektiviert und in überzeitliche Dimensionen überführt. Vor allem der zweite Teil stellt in seiner kunstvollen Verschränkung der verschiedenen Symbolkreise und in seiner Verbindung zwischen Antike (Helena-Szene), Mittelalter (Kaiserhof) und Neuzeit (Kolonisationsprojekt) hohe Anforderungen an das damalige (und heutige) Publikum. Der erste Teil des *Faust* wurde 1829, der zweite 1854 und beide zusammen 1876 uraufgeführt. Erst im 20. Jahrhundert gehörte auch *Faust II* zum festen Repertoire der deutschen Bühnen.

Wirkung   Die Rezeption des *Faust* ist nur auf dem Hintergrund der politischen Entwicklung Deutschlands im 19. und 20. Jahrhundert verständlich. Erst die Reichsgründung 1871 mit ihrem Bedürfnis nach nationaler Selbstbestätigung auch auf ideologischem Gebiet schuf die Voraussetzungen für eine positive Aufnahme von Goethes *Faust*. Faust wurde zur Idealfigur »deutschen Wesens«, an dem die »Welt genesen« sollte, stilisiert, wobei das »Faustische« als angeblich deutscher Wesenszug sich mehr und mehr vom Goethe-Text ablöste und zu einem »frei herausgelösten Allgemeinbegriff« (Schwerte) und zu einem Modewort wurde, das für unterschiedliche ideologische Absichten benutzt werden konnte. Der dem Nationalsozialismus nahestehende Kulturphilosoph Oswald Spengler erklärte Faust 1918 zum Repräsentanten der gesamten abendländischen Kultur und legte damit die Basis für die Vereinnahmung des Goethe-Textes für imperialistisches Machtstreben und nationalsozialistische Herrscherpolitik. Der Mißbrauch der deutschen Klassik im Faschismus ist sicherlich mit ein Grund dafür, daß der Zugang zu Goethes Text nach 1945 schwierig war und daß die Einschätzung bis heute extremen Schwankungen unterworfen ist. Goethe selbst hat von der »Inkommensurabilität« des Ganzen und von der relativen Selbständigkeit der sich »ineinander abspiegelnden Gebilde« gesprochen und damit auf die Schwierigkeiten hingewiesen, die die Interpretation des Textes macht. Während die ältere Goethe-Philologie die Symbolik in *Faust II* auf überzeitliche »Urphänomene« im Goetheschen Sinne zurückgeführt hat, sind in der neueren Forschung mehr die sozialen und gesellschaftlichen Bezüge des Werkes herausgearbeitet und *Faust II* als »Allegorie des 19. Jahrhunderts« (Heinz Schlaffer) interpretiert worden.

Deutung   Wenn auch die Deutung des Ganzen und einzelner Teile bis heute kontrovers geblieben ist, so sind sich die Kritiker doch in ihrem positiven Urteil über die Form und die metrische Vielfalt einig. *Faust II* ist keine Tragödie im klassischen Sinne, sondern eine Mischung aller wesentlichen Grundformen des europäischen Dramas – »von der attischen Tragödie über das mittelalterliche Mysterienspiel, vom Volksdrama des 16. Jahrhunderts und dem höfischen Theater bis hin zum romantischen ›Gesamtkunstwerk‹ der Gegenwart« (Borchmeyer). Ähnlich vielfältig ist die metrische Formung. Auch hier verarbeitet Goethe die gesamte abendländische Tradition, wobei er das Metrum vom Knittelvers, über den Alexandriner, Trimeter und Jambus, um nur einige wenige metrische Formen zu nennen, jeweils situationsgebunden und zur Kennzeichnung der verschiedenen Personen einsetzt. In *Faust II* hat Goethe die Möglichkeit dichterischen Sprechens in einer vorher nicht gekannten

Weise ausgeschöpft und die dramatischen Ausdrucksmöglichkeiten auf eine Art erweitert, die den Neuerungen vergleichbar ist, welche er in der Lyrik mit der Gedichtsammlung *West-östlicher Divan* (1819, erw. 1827) und für den Roman mit den *Wanderjahren* geschaffen hat.

Klassikverehrung und Klassikwirkung im 19. und 20. Jahrhundert

Was »Klassik« eigentlich ist, läßt sich durchaus nicht eindeutig festlegen. Zum einen ist sie verstanden worden als ein von Ausnahmekünstlern, von Genies geschaffenes überzeitliches Kunst- und Lebensideal, als Norm und Vorbild schlechthin, aus entschwundener Vergangenheit leuchtend und in die Zukunft weisend. So etwa begriffen von der Renaissance bis zum Ende des 18. Jahrhunderts die Humanisten das Klassische und hatten dabei als historische Ausformung stets nur einen Kulturraum vor Augen: die Antike – besonders die perikleische Glanzzeit Griechenlands im 5. Jahrhundert v. Chr. und die augusteische Blütezeit Roms um Christi Geburt. Die Tatsache jedoch, daß darüber hinaus die Italiener schon frühzeitig das 15. Jahrhundert (Leonardo da Vinci, Raffael), die Engländer und Spanier das 16. Jahrhundert (Shakespeare, Cervantes), die Franzosen das 17. Jahrhundert (Corneille, Molière, Racine) und schließlich die Deutschen die Goethezeit als die Epoche ihrer Klassik bezeichneten, zeigt ein verändertes Klassikverständnis an, das auch im Zusammenhang mit der Herausbildung der modernen Nationalstaaten gesehen werden muß. Im Klassischen drückt sich nun neben dem humanistischen Element des Allgemein-Menschlichen auch das besondere Moment nationaler Identität aus, welches so modern ist, daß nicht nur antike und neuzeitliche Klassik, sondern auch diese letztere in ihren nationalen Ausformungen als durchaus verschieden erscheinen. Hier setzen die Auffassungsunterschiede ein, was an der Diskussion um die »deutsche Klassik« besonders deutlich wird. Den einen ist Klassik einer von zwei Polen (gegenüber dem Barocken, Romantischen, Modernen), den anderen ist sie die Synthese zweier Gegensätze (z.B. des Antiken und Modernen, des Weltbürgerlichen und Nationalen, der Natur und des Geistes). Für die einen kann Klassik als Erbe lebendig fortwirken, als gegenwartsbewußte Erinnerung an erreichte Maßstäbe und Werke von Vollendung. Hier gibt die Wirkungsgeschichte Goethes für das 19. und 20. Jahrhundert das wohl neben Homer und Shakespeare einzigartige Beispiel. Klassik kann aber auch als Übermacht des schlechthin Gültigen erdrückend werden, marmorn und kalt wirken, Veränderung behindern, im Klassizistischen erstarren und – gerade im kulturellen Leben einer politisch zu kurz gekommenen Nation – zum Mythos und zur Legende werden. Dies geschah im besonderen Maße im Deutschland des 19. Jahrhunderts und hat nicht unbedeutende Folgen für das kulturelle und politische Selbstverständnis der Nation gehabt. Der Romantiker F. Schlegel meinte als – freilich andersdenkender – Zeitgenosse der deutschen Klassik: »Die meisten können sich das Klassische gar nicht denken, ohne Meilenumfang, Zentnerschwere und Äonendauer.«

Klassisches als Allgemein-Menschliches?

Als zu Anfang des 19. Jahrhunderts Madame de Staël, die erbitterte Gegnerin Napoleons, das später vielzitierte Wort von den Deutschen als dem »Volk der Dichter und Denker« prägte, war das vor allem gegen Frankreich

Madame de Staël

gerichtet, die bis dahin führende europäische Kulturnation, der in Anbetracht ihrer Geschichte wohl zuerst ein derartiges Lob gebührt hätte. Der wenn auch unübersehbare und gewaltige Aufschwung von Philosophie und Dichtung in Deutschland seit 1770 war doch strenggenommen eher das Aufschließen zu einem kulturellen Niveau, das in Frankreich und England schon Tradition hatte, auch wenn es in diesen Ländern zu jener Zeit keinen Goethe oder Hegel vergleichbaren Schriftsteller gab. Die geradezu süchtige Empfänglichkeit vieler Deutschen für kulturelles Lob, begründet im politischen Zwergwuchs des in Kleinstaaten und kümmernde »Großmächte« zerfallenen Deutschland, führte nicht nur zu so harmlos-lächerlichem geistigem Lokalpatriotismus, wie er sich in den schwäbischen Versen ausdrückte: »Der Schiller und der Hegel, der Uhland und der Hauff,/ Das ist bei uns die Regel, fällt gar nicht weiter auf.« Gestützt auf Äußerungen eben jener klassischen Schriftsteller, durch die die geistige Größe Deutschlands gerade gegründet war, bildete sich die Ansicht vom tatenarmen und gedankenvollen Deutschen, dessen Würde eine »sittliche Größe« ist, der »erwählt [ist] von dem Weltgeist, während des Zeitkampfs an dem ewigen Bau der Menschenbildung zu arbeiten« und dessen Tag kommen wird als »Ernte der ganzen Zeit« (Schiller). Bei Fichte heißt es dann wenig später: »Am deutschen Wesen soll die Welt genesen.« Dieser klassische Gedanke vom besonderen Kulturberuf der Deutschen hat im Umschlag seiner weltbürgerlichen Tendenz zu einem nationalistischen und imperialen Messianismus vor allem ab 1850 fatale Folgen gehabt. Das klingt bereits massiv in Geibels Gedicht *Deutschlands Beruf* (1861) an, in dem er Deutschland als »Kern« der Welt, als »Europas Herz« apostrophiert und sich nach dem einigenden, starken Kaiser sehnt, der Franzosen, Engländer und Russen in die Schranken weisen wird:

Deutschlands Beruf

> Macht und Freiheit, Recht und Sitte,
> Klarer Geist und scharfer Hieb
> Zügeln dann aus starker Mitte
> Jeder Selbstsucht wilden Trieb,
> Und es mag am deutschen Wesen
> Einmal noch die Welt genesen.

Hoffmann von Fallerslebens *Lied der Deutschen* (1841) aus dem englischen Exil Helgoland, das im Vormärz das einige Deutschland als höchstes Gut preist, gewinnt nach der Reichsgründung 1871 im Kontext des kleindeutschen Machtstaates eine böse und neue (imperialistische) Bedeutung: »Deutschland, Deutschland über alles / über alles in der Welt!« (Nationalhymne ab 1922). In den chauvinistischen, später faschistischen Begründungen der deutschen kulturellen, politischen und rassischen Sonderart gegenüber slawischem Osten und romanischem Westen haben sich deutsche Dichter und Denker unrühmlich und in teils verdrehender, teils folgerichtiger Berufung auf Gedanken von Klassik und Romantik hervorgetan. Da aber war das geflügelte Wort vom Volk der Dichter und Denker längst ergänzt durch das »Volk der Richter und Henker« (K. Kraus).

»Kunstperiode«

Kurz vor Goethes Tod hat Heine mit der Bezeichnung »Kunstperiode« zum Ausdruck gebracht, daß die zurückliegende Phase der deutschen Literatur- und Geistesentwicklung seit etwa 1780, die für ihn vor allem mit Leben und Werk Goethes verbunden war und deswegen mit dessen Tod auch abgeschlossen sein würde, als Einheit aufzufassen sei. Diese Einschätzung wurde, weit über den Vormärz hinaus, von vielen geteilt: Literaturhistoriker ließen z.B. ihre Darstellungen der deutschen Literaturgeschichte mit dem Jahr 1832 enden. »Modern« war nun die Literatur nach Goethe. Während

*Enthüllung
des Berliner
Schillerdenkmals 1871*

diese umstritten blieb, wurden die Werke bestimmter »klassischer« Autoren der Goethezeit vereinzelt seit den 30er Jahren, vor allem aber ab 1850 immer mehr kanonisiert – damit einher ging die Nichtanerkennung aller übrigen, den Maßstäben klassischer Schriftsteller nicht genügender Literatur als »Trivialliteratur«, so daß eine Minderzahl von »hoher« Literatur, die die literarische Tradition bildete, einer Hauptmasse von geschichtsloser, populärer »niederer« Literatur gegenüberstand. Neben Goethe und Schiller rückten rasch Lessing, Herder und Jean Paul zu »Klassikern« auf, bald folgten einzelne Autoren der zweiten Hälfte des 18. Jahrhunderts (Wieland, Klopstock) sowie – mit Maßen – der Romantik (Eichendorff). Nicht als Klassiker anerkannt, übersehen oder verkannt waren zunächst Schriftsteller wie z.B. Forster, Hölderlin und Kleist. Die Exklusivität des klassischen Literaturerbes hing nicht unwesentlich damit zusammen, daß mit Ausnahme von Jean Paul und Tieck so gut wie alle namhaften Autoren der Goethezeit dem führenden, noblen Cotta-Verlag gehörten. Bis zum sog. »Klassikerjahr« 1867, als die Schutzfrist für alle vor dem 9. 11. 1837 verstorbenen Autoren erlosch (»Die Classiker frei!«), hatte Cotta sozusagen das verlegerische Monopol auf die Elite der deutschen Literatur und nutzte es mit teuren Preisen und nicht immer exakten Editionen.

Klassikerinflation

Zwar gab es schon im Vormärz billigere Konkurrenz durch Raubdrucke, durch Auswahlbände und Serien (z.B. C.J. Meyers *Miniaturbibliothek deutscher Classiker*, die Auflagen weit über 100000 Exemplare erreichte), der Boom in Klassikern kam aber erst nach 1867. Viele neue Editionen, wohlfeile Ausgaben und Klassiker-Prachtausgaben suchten ihre Käufer bis hinunter ins Kleinbürgertum; geblieben bis heute ist immerhin Reclams *Universalbibliothek*, deren erste Nummer damals Goethes *Faust* war. Die Kommerzialisierung brachte gleichzeitig eine erneute Ausweitung des Begriffs »klassische Literatur«, mit der Tendenz, ihn von den Geistesheroen der Jahrhundertwende auszudehnen auf jeden Schriftsteller, der vor 1837 gestorben war. Seit der Mitte des 19. Jahrhunderts intensivierten sich die öffentlichen Jubiläums-Gedenkfeiern für kanonisierte Dichter (besonders für Schiller, mit dem Höhepunkt der Schillerfeiern 1859 zum 100jährigen Geburtstag); Mo-

*Goethe
als Dichterfürst
(Schwanthaler)*

Wirkung der Klassik

numentalplastiken – bislang reserviert für Staatshäupter und Generale – wurden nun auch von berühmten Dichtern und Denkern auf öffentlichen Plätzen aufgestellt (Luther 1821 in Wittenberg; Walhalla 1842 bei Regensburg, Lessing 1853 in Braunschweig; Goethe-Schiller-Denkmal 1857 in Weimar usw.); des weiteren ging man verstärkt dazu über, Straßen und Plätze nach Schriftstellern von Rang zu benennen; schließlich begannen die Klassiker, im Lektürekanon des gymnasialen Deutschunterrichts ihre Stammplätze einzunehmen.

Die öffentliche und offiziell betriebene Klassikerverehrung hatte unübersehbare ideologische Funktionen: neben der andauernden Bestätigung des irrationalen deutschen »Wir-sind-wer«-Komplexes diente das Pochen auf die von (ausgewählten) klassischen Schriftstellern gestiftete geistige Einheit der Nation nach der gescheiterten demokratischen Revolution von 1848 zweifellos der politischen Formierung des »Volkes«, durch die die Vorbereitung und Legitimierung der konservativen, zum Kaiserreich führenden Revolution von oben sichergestellt werden konnten. Doch für kritische Zeitgenossen war es schon damals klar, daß diese gegenüber dem Vormärz neue und sich ausdehnende Anerkennung der Klassiker (und was dafür gehalten wurde) kaum eine vertiefte Auseinandersetzung, geschweige denn Bildung erzeugt hatte. Rund einhundert Jahre früher hieß es dazu bei Lessing:

Wer wird nicht unsern Klopstock loben?
Doch wird ihn jeder lesen? – Nein!
Wir wollen weniger erhoben,
Doch fleißiger gelesen sein!

Wie fleißig wurden die Klassiker gelesen? Von wem? Und was wurde noch – womöglich fleißiger, womöglich an ihrer Stelle – gelesen? Dazu vergegenwärtige man sich zunächst ein paar Rahmenbedingungen, die für Rezeption und Wirkungsgeschichte der klassischen Literatur nicht unerheblich waren. Im Jahre 1820 stellte der Buchhändler Perthes in Hamburg als erster gebundene Bücher zur Ansicht und zum Verkauf in seinem Laden aus. Bis dahin und noch lange danach war es üblich, neue Bücher nur auf Bestellung und dann noch als Druckbögen, die erst beschnitten und gebunden werden mußten, zu liefern – kein leichter und billiger Zugang zur Literatur! Die großen öffentlichen Bibliotheken führten bis zur Mitte des 19. Jahrhunderts nur wissenschaftliche Literatur, keine Belletristik. Diese war, sofern man nicht kaufen wollte oder konnte, nur über das Abonnement von (besonders nach 1815 in Vielzahl erscheinenden) Taschenbüchern, Almanachen, schöngeistigen Journalen usw. oder aber vor allem über die billigeren Leihbibliotheken zu bekommen, die sich seit dem Ende des 18. Jahrhunderts immer mehr verbreiteten, über erhebliche Bestände verfügten und von Arm und Reich gerne benutzt wurden. Freilich, diese oft als »moralische Giftbuden« beschimpften, da auf Massenunterhaltungsromane spezialisierten Institute führten klassische Autoren nur in den seltensten Fällen und dann auch am ehesten deren wenige Publikumserfolge, wozu Goethes *Werther* und *Götz*, Schillers *Geisterseher*, ein wenig Jean Paul und später auch Chamissos *Schlemihl* gehörten. Zu dem Faktum, daß viele Schriften der Klassiker schier unerreichbar waren, kam der Umstand, daß ein nicht unerheblicher Teil ihrer Werke bis 1848 von der Zensur verstümmelt war oder erst aus dem Nachlaß und mit Verspätung veröffentlicht wurde (z.B. Goethes *Urfaust* erst 1887).

Die Dramen der Klassiker fanden bei den Zeitgenossen eine kaum günstigere Aufnahme. Ein Beispiel: Auf der von Goethe und Schiller selbst geleiteten Weimarer Bühne kamen in den Jahren von 1791 bis 1817 von Goethe 17 Werke zu 156 Aufführungen (am häufigsten *Die Geschwister*), von Schiller 14 Werke zu 174 Aufführungen (am häufigsten *Wallenstein*), von Lessing 3 Werke zu 42 Aufführungen und von Kleist ein Werk zur Aufführung (*Der zerbrochene Krug*, der ein Mißerfolg war); dagegen feierten heute so gut wie unbekannte, damals jedoch berühmte Dramatiker wie Iffland (31 Werke in 206 Aufführungen) und Kotzebue (69 Werke in 410 Aufführungen!) immer wieder rauschende Erfolge. Mit an die 120 Dramen noch produktiver war der gefeierte Dramatiker des Königlichen Schauspiels in Berlin, Raupach, dessen 14 Hohenstaufendramen auf königlichen Befehl 1837 mal nacheinander gespielt wurden. Gering war auch die Breitenwirkung der in den Literaturgeschichten seit dem späten 19. Jahrhundert gefeierten Romantiker: Brentanos Werke, zu Lebzeiten nur verstreut erschienen, wurden erstmalig nach 1850 gesammelt und begannen schließlich in der Moderne zu wirken; nur die zusammen mit Arnim herausgegebene Volkslied-Sammlung *Des Knaben Wunderhorn* war ein großer Erfolg. Arnims übrige Werke, wie auch die von Novalis, Wackenroder und selbst F. Schlegel, blieben für das 19. Jahrhundert ohne große Bedeutung. Beachtung und Anerkennung fanden noch am ehesten jene romantischen Schriftsteller, deren Werk sich mehr oder minder unvermittelt mit dem literarischen Ausverkauf reduzierter Vorstellungen von Romantik (als Zauber-, Schauer- bzw. deutsche Waldromantik usw.) in Verbindung bringen ließ, wie z.B. Tieck (laut Hebbel der »König der Romantik«), der das Schlüsselwort »Waldeinsamkeit« erfand, E.T.A. Hoffmann (»Gespenster-Hoffmann«) und Eichendorff, dessen *Taugenichts* (1826) allein zwischen 1850 und 1925 an die einhundert Neuauflagen und Nachdrucke erfuhr.

Alle jene klassisch-romantischen Mitläufer, Nachfahren und Nachahmer, die mit ihren bürgerlichen Familiendramen, Rührstücken, Schicksalsdramen, mit ihren Ritter-, Schauer- und Liebesromanen sowie mit empfindsamer Lyrik den Klassikern den Rang abliefen, konservierten, popularisierten und trivialisierten deren Gedanken und Formen. Ihr Erfolg und ihre Volkstümlichkeit mochten ein Hohn auf die Leistungen eines Schiller oder Novalis sein, müssen aber letztlich doch als Kehrseite eben jener klassischen Erhabenheit und romantischen Kunstsinnigkeit akzeptiert werden, die in ihrer Unbedingtheit und ihrem Zug aufs große Ganze leicht dazu neigten, den gegenwärtigen Leser mit seinem begrenzten Vermögen und seinen aktuellen Bedürfnissen allein zu lassen. »Meine Sachen können nicht popular werden«, so hatte Goethe im Gespräch mit Eckermann die problematische Beziehung des klassischen Schriftstellers zum Publikum entschieden. »Sie sind nicht für die Masse geschrieben, sondern nur für einzelne Menschen, die etwas Ähnliches wollen und suchen, und die in ähnlichen Richtungen begriffen sind.« Wer oder was diese einzelnen überhaupt befähigte, »Ähnliches« zu wollen, stand auf einem anderen Blatt. So glichen die großen Schriftsteller der Goethezeit und ihre wenigen Leser durchaus, wie W. v. Humboldt schrieb, »einer Freimaurerloge; man muß ein Eingeweihter sein«.

Es war die gerade von Humboldts Gedanken über höhere, wissenschaftliche Bildung bestimmte Neukonzeption der Erziehungsinstitutionen im 19. Jahrhundert (Gymnasium, Universität), die besonders im Deutschunterricht und im Studium der deutschen Philologie das Prinzip der Einweihung in Höheres, Zeitlos-Gültiges zu verallgemeinern suchte. Dabei maß man dem Studium der Klassiker von der Antike bis zum 18. Jahrhundert größte Bedeutung zu. Aber die Bildung zur Humanität durch klassische Dichtung nach dem Muster der alten Katechismusschule (»durch tägliches Lesen der Schrift

Konzept der humanistischen Bildung

Deutschunterricht

›groschen‹ im ›beutlin‹ des Glaubens zu sammeln, um von diesem Schatz im
späteren Leben zu zehren«, H. J. Frank) mißriet alsbald. Übrig blieb in der
Praxis ein streng geordnetes »Durchnehmen« der kanonischen Texte nebst
Auswendiglernen des Besten, bis es ein Leben lang saß und sich zumindest
im einschüchternden Zitierenkönnen geflügelter Wendungen kundzutun vermochte. Der gymnasiale Literaturunterricht, die Aufführungspraxis des bürgerlichen Bildungstheaters, kulturpädagogische und -politische Agenturen
von der literarischen Kritik bis zu den Dichtergesellschaften haben seit der
zweiten Hälfte des 19. Jahrhunderts jene Art von literarischer Bildung hervorgebracht, in der »Klassik« einen unumstößlichen ersten Rang innehatte.
So wie sich diese »höhere Bildung« als Privileg einer Elite abhob von einer
»volkstümlichen« Bildung für die breite Mehrzahl der davon Ausgeschlossenen (und auf deren Kosten), blieben »Klassik« und Klassikrezeption im
Kontext der nationalen, bürgerlichen Kultur etwas entscheidend Exklusives.
Man muß daher wohl sagen, daß – aufs Ganze gesehen – nicht das propagierte Humanitätsideal die eigentliche Wirkung der klassischen Botschaft
ausmachte, sondern das latente, »inhumane Moment einer derart partikula-
ren Humanität« (Ch. Bürger). Was aus diesem Dilemma über Ursprung und
Krise bürgerlicher Kulturentwicklung zu lernen wäre, hat wohl noch keine
Klassikrezeption bis heute versucht. Statt dessen bleibt angesichts des tatsächlichen Elends des klassischen Humanitätsideals im 20. Jahrhundert Alfred Anderschs Frage aus *Der Vater eines Mörders* (1980): »Schützt Humanismus denn vor gar nichts? Diese Frage ist geeignet, einen in Verzweiflung
zu stürzen.«

Wilhelminismus   Die wilhelminische Klassikrezeption geriet in den letzten Jahren der Weimarer Republik in die Krise. Schulmänner wie W. Schönbrunn und J. Fran-
kenberger protestierten gegen einen toten Klassikkult und verlangten größere Lebensnähe im Umgang mit Dichtung bzw. lebensnähere, moderne
Texte. Sie fanden bald ungewollte Unterstützung. Die »Modernität« der
Nationalsozialisten bestand darin, dieser Tendenz zu folgen, freilich unter
faschistischem Vorzeichen: germanisch-nordische, heimatverbundene, »völkische« Dichtung drängte als Pflichtlektüre die bürgerlich-humanistisch »du-
selnden« klassischen Texte zurück. Die Konservativität dieses Vorgehens
liegt auf der Hand: am Prinzip des Kanonischen, eng mit dem inhaltslos
gemachten Prinzip des »Klassischen« verbunden, wurde nicht gerüttelt. Daß
dieses Prinzip, auch nach 1945 und nach gehöriger Auswechslung des jeweils
Kanonisierten, weder im Deutschunterricht der Bundesrepublik (vor allem in
der Restauration der 50er und 60er Jahre) noch im davon unterschiedenen
Deutschunterricht der DDR (hier vor allem im Zeichen der Kulturerbetheo-
rie) kaum gebrochen wurde, zeigt einmal mehr die Wirkmächtigkeit eines
Bildungsklischees, das von Anfang an in unseliger Weise mit literaturgeschichtlicher Bildung verknüpft war. »Doch nicht nur dem, der die Werke
der Vergangenheit rezipieren soll, geschieht Unrecht«, so beschrieb E.
Schmalzriedt 1971 die inhumanen Folgen dieser Nachgeschichte der Klassik
von der Antike bis zur Goethezeit, »sondern auch den Werken der Vergangenheit selbst: nicht allein, weil *alle* Werke der Vergangenheit wie der Gegenwart, gleich welcher Epoche, welcher Kultur und welcher geistigen Disziplin,
als Hervorbringungen des menschlichen Geistes Dokumente der Auseinandersetzung des Menschen mit der Welt sind, in der er lebt, also modellhaft
lehrreich sein können, sondern darüber hinaus auch deswegen, weil diese
Werke, sobald sie idealistisch von ihrer historischen Dimension losgelöst
sind, jederzeit für jeden politisch beliebig manipulierbar werden: wenn Pla-
ton und Thukydides, Caesar, Tacitus (!) und Horaz zu Kronzeugen des

Faschismus und seiner kultur- und machtpolitischen Ambitionen werden konnten, dann nicht zuletzt aufgrund der ahistorischen Verherrlichung des ›Klassischen‹, welche die einem als modellhaft angesehenen Werk innewohnenden Humanisierungseffekte brutal in ihr Gegenteil verkehrte.«

Doch kehren wir ins 19. Jahrhundert, vor allem in dessen erste Hälfte zurück. In dieser Zeit finden sich bereits eine Reihe von im klassischen Sinne »eingeweihten« und (im Prozeß der deutschen Literaturgeschichte) bedeutenden, aber wiederum nicht gerade populären Schriftstellern, deren Werk ohne das Vorbild der klassisch-romantischen Kunstleistungen kaum zu denken wäre. Zu nennen sind hier – neben den über 1815 bzw. sogar über 1830 hinauslebenden und produzierenden Schriftstellern der klassisch-romantischen Generation (Goethe, Jean Paul, E. T. A. Hoffmann, Tieck, Eichendorff u. a.) – in erster Linie Schriftsteller wie Grillparzer, Mörike, die Droste, Stifter, Immermann, Hebbel u. a. So sehr sich diese Autoren in ihrem politischen Bewußtsein, ihren ästhetischen Konzeptionen und literarischen Techniken im einzelnen auch voneinander unterscheiden, in einem grundsätzlichen Punkt ihres künstlerischen Selbstverständnisses stimmen sie überein: sie alle gehen davon aus, daß man als Künstler angesichts des sich verschärfenden Widerspruchs von klassischem Kunst- und Humanitätsideal und bürgerlich-kapitalistischer Realität zuerst die Aufgabe der Bewahrung habe und »stehen bleiben [muß], wo Goethe und Schiller standen« (Grillparzer). Indem diese Schriftsteller unter wachsenden Schwierigkeiten daran festhielten, daß die Kunst sich vom »Leben« abzuheben habe, damit dieses sich in jener vollende, konnten sie in ihrer literarischen Praxis zunächst unmittelbar an die von Klassik und Romantik entwickelten Formen, Techniken und Themen anknüpfen (z. B. Entwicklungsroman, Geschichtsdrama, Lied; Begriff des Tragischen und des Symbolischen; der Bürger als Held; Frauenbild usw.). Zugleich übernahmen sie aber auch die Erbschaft der problematischen Beziehung zwischen Künstlertum und Publikum. »In dieser Zeit«, so heißt es dazu nun bei Stifter, »lasse sich keiner, dem Gott Kräfte zu künstlerischen Hervorbringungen verliehen hat, entmutigen, und arbeite in höheren Kreisen, von seinem Geist beseelt, mutig fort, wenn auch die Anerkennung nur von Eingeweihteren kommt, und der Lohn in seinem Bewußtsein liegt.« Damit ist ein Selbstverständnis von Künstlertum bzw. eine Auffassung von Kunst vorformuliert, die im späteren deutschen 19. Jahrhundert und darüber hinaus Folgen haben sollten: gekennzeichnet durch das Verschwinden der ursprünglich aufklärerischen Tendenz nach praktischer Lebensunmittelbarkeit und Wirksamkeit, setzt sich diese nachklassische und nachromantische Kunst als Kontemplation bewußt von der realen Welt ab und konstituiert sich als Welt der entsagenden Innerlichkeit und des Gemüts, in der Tröstung und Utopie, Versöhnung und Bildung (als ästhetischer Schein) möglich sind, wie niemals und nirgends im bürgerlichen Leben.

Demgegenüber wurde in der Literatur des deutschen Vormärz der Versuch gemacht, in einer kritischen Auseinandersetzung durch Weiterentwicklung der ästhetischen Grundpositionen der Kunstepoche zu einer veränderten literarischen Programmatik zu kommen, wobei der von der Aufklärung begründete Zusammenhang von literarischem und politischem Handeln reaktiviert und in bzw. unter den veränderten gesellschaftlichen Bedingungen praktisch entfaltet werden sollte.

*legitime Erben
der Klassik*

VORMÄRZ

Aufbruch in die Industrielle Revolution

Im Jahre 1848 gab es fast durchgehende Eisenbahnverbindungen von München nach Berlin, von Stettin an den Rhein und weiter nach Paris. Dampfschiff, Gaslaterne, Telegraph waren in Betrieb, es gab Fabriken und Kinderarbeit; die bürgerlichen Parteien formierten sich als Konservative, Liberale und Demokraten, Marx und Engels veröffentlichten das *Manifest der Kommunistischen Partei*. Und dennoch: Mit der ersten Hälfte des 19. Jahrhunderts, speziell den Jahren 1815 bis 1848, verbinden auch heute noch die meisten Menschen Postkutsche, Brüder Grimm, Spinnrad und Zipfelmütze, Spitzwegs *Armen Poet in der Dachstube*, Eichendorffs *Taugenichts* zwischen Mühle und Schloß, den Nachtwächter mit Hellebarde und Horn, kurz: Die romantische Biedermeierzeit steht vor ihren Augen, das ländliche Deutschland, vorindustriell und noch so poetisch. In dieser Vergangenheitsverklä-

Epochenbild

rung wird allzu gerne übersehen, daß in jener Zeit des äußeren Friedens ein bis zur Revolution sich verschärfender Bürgerkrieg stattfand, daß durch tiefgreifende politische und soziale Strukturveränderungen, Erfindungen und Entdeckungen in Naturwissenschaft und Technik jahrhundertealte Traditionen in beschleunigter Weise hinweggeräumt werden. Das Finanzkapital, die anonyme Kapitalgesellschaft, das Anlage- und Spekulationsgeschäft beginnen sich auch in Deutschland zu entfalten, und mit dem neuen Typus des Unternehmers, des Fabrikanten, gelangt das Bürgertum zu einer gesteigerten gesellschaftlichen Bedeutung. Politisch freilich ist dieses Bürgertum noch nicht repräsentiert.

Der gemeineuropäische Übergang von der überlieferten feudalen Ordnung zum bürgerlichen Kapitalismus, häufig als »industrielle Revolution« bezeichnet, bereitete sich in Deutschland gegen Ende des 18. Jahrhunderts vor und erreichte etwa Mitte der 30er Jahre des 19. Jahrhunderts die Phase der beschleunigten Umwälzung (in England schon ab etwa 1780). Diese zeitliche

wirtschaftlich-politische Faktoren

Verspätung gegenüber Westeuropa hat Gründe, die weit in die nationale Vorgeschichte (territoriale Zersplitterung, beschränkte ökonomische Ressourcen, aufgeklärter Absolutismus usw.) zurückreichen und u. a. dazu führten, daß das deutsche Bürgertum politisch unselbständig und passiv blieb. Die Lockerung und Beseitigung der feudalen Fesseln vollzog sich bis 1815 nicht durch machtvollen Druck einer sich auch politisch emanzipierenden bürgerlichen Klasse (wie in Frankreich), sondern war von außen (durch die französische Fremdherrschaft in den Rheinbundstaaten) bzw. von oben (durch die staatlichen Reformen in Preußen) bewirkt worden. Mit der Niederwerfung Napoleons 1813 bzw. 1815 und der politischen Reorganisation der feudal-konservativen Kräfte in der »Heiligen Allianz« (Rußland, Österreich, Preußen) sowie im »Deutschen Bund« (34 Erbmonarchien, 4 Stadtrepubliken) auf dem Wiener Kongreß 1815 begann nun eine Phase der politischen Restauration. Zugleich verschärfte sich jedoch auch ständig der Widerspruch zwischen einer immer stürmischer voranschreitenden Industriellen Revolution und der im Interesse der Wiederherstellung vorrevolutionärer Verhältnisse gewaltsam niedergedrückten bürgerlich-politischen Emanzipation.

*Der Denker-Club
(um 1835) –
Karikatur auf
Deutschland
zur Zeit der Zensur
und Metternichs*

Ihren politischen Ausdruck fand die bürgerliche Oppositionsbewegung gegen die feudale Reaktion zunächst im frühen Liberalismus und dessen zentraler Forderung nach bürgerlicher Freiheit, konkretisiert im Eintreten für die konstitutionelle Monarchie (Repräsentativ-Verfassung), Teilung der Gewalten, Unabhängigkeit der Justiz, Garantie der Menschen- und Bürgerrechte (z.B. Freizügigkeit, Presse- und Versammlungsfreiheit usw.), Handelsfreiheit und nationale Einheit. Mit dem Anwachsen der politischen Bedeutung des Kleinbürgertums und des seit den 40er Jahren entstehenden Land- und Stadtproletariats fächerte sich die antifeudale Oppositionsbewegung auf und erweiterte sich um demokratisch-republikanische und sozialistisch-kommunistische Gruppierungen, die mit ihren revolutionären Forderungen nach Republik und sozialer Gleichheit über den Liberalismus erheblich hinauszugehen begannen. Der Widerstand manifestierte sich (wiederum in West- und Südeuropa heftiger als in Deutschland) in einer Kette von Protestationen, revoltierenden Aktionen und revolutionären Kämpfen, die nach einem ersten gemeineuropäischen Ausbruch in den Revolutionen des Jahres 1830 ihren Höhepunkt in den Revolutionen des Jahres 1848/49 fanden, ohne daß jedoch die zentrale Forderung nach Herstellung der nationalen Einheit auf demokratischer Grundlage für Deutschland verwirklicht werden konnte. Die bürgerlich-liberale, erst recht dann auch die radikaldemokratische und sozialistische Opposition wurde von Anfang an massiv von den feudalen Zentralmächten unterdrückt und verfolgt. Diese Unterdrückung sowie die immer noch relativ schwache Position der bürgerlichen Klasse (und erst recht des Proletariats) waren maßgeblich für das Scheitern der demokratischen Revolution und die Entscheidung der Großbourgeoisie, ab 1848/49 verstärkt den politischen Kompromiß mit den feudalen Kräften zu suchen.

Liberalismus

Durch die »Karlsbader Beschlüsse« von 1819 und die Maßnahmen der durch sie eingesetzten »Zentralen Untersuchungskommission« in Mainz wurde sowohl die bürgerliche Verfassungsbewegung als auch die an den Universitäten von enttäuscht aus den Befreiungskriegen gegen Napoleon heimkehrenden Studenten (Deutsche Burschenschaft, Wartburgfest 1817) und Professoren getragene nationale Einigungsbewegung kriminalisiert und z. T. in den Untergrund gedrängt (»Demagogenverfolgungen«). Nach 1830 wurden liberale und demokratische Protestationen und Aufstände (Polen-,

*Repression
und Revolution*

*Zug zum
Hambacher Schloß
am 27. Mai 1832*

Vaterlandsvereine, Hambacher Fest 1832, Frankfurter Wachensturm 1833, Handwerkervereine und Geheimbünde vom »Deutschen Volksverein« bis hin zum »Bund der Gerechten«) noch gnadenloser verfolgt, viele Beteiligte eingesperrt oder ins Exil getrieben und selbst vor blanken Willkürakten nicht zurückgeschreckt (wie im Fall der sieben Göttinger Professoren – darunter die Brüder Grimm –, die 1837 öffentlich gegen den Verfassungsbruch durch den hannoverschen König protestierten und entlassen wurden). Nach 1840 spitzten sich die Konflikte zwischen feudalem Polizeistaat und aufbegehrender Bevölkerung auf breitester Ebene entschieden zu, zumal zum politisch sich organisierenden Protest nun auch noch der Druck des wachsenden sozialen Elends der unteren Klassen trat (Weberaufstand 1844, Hungerrevolten 1847). So kam die Revolution von 1848 durchaus nicht unerwartet. Im Bewußtsein der Menschen war diese Revolution – und zwar nicht im eingeengten Sinne einer bloß politischen Umgestaltung, sondern als eine fundamentale Krise des Überkommenen, als Krise bislang gültiger Traditionen und Werte – seit langem vorbereitet. Als früher Reflex auf die alle bisherigen Lebensverhältnisse revolutionierende kapitalistische Produktionsweise – mochten ihre Auswirkungen in vollem Umfang auch erst in der zweiten Hälfte des 19. Jahrhunderts sichtbar werden – teilte sich diese Einsicht sensiblen Zeitgenossen im mehr oder weniger klaren Bewußtsein einer Zeitenwende jetzt schon mit. In der genauen Analyse der Ursachen des Umbruchs zu einer neuen Zeit sind die meisten Politiker, Gelehrten und Schriftsteller, konservative wie fortschrittliche, noch überwiegend hilflos. Mit Sorge blicken die einen in die Zukunft, mit Wehmut die anderen in die Vergangenheit, und es sind nicht nur die Verteidiger der alten Ordnung, sondern auch Bürger, die vor den Folgen der Befreiung aus den feudalen Fesseln zurückschrecken und sich verunsichert vor den gesellschaftlichen Veränderungen in die Innerlichkeit zurückziehen. Als am Vorabend der Revolution von 1848 das »Gespenst des Kommunismus« beschworen und dem noch gar nicht recht zur Herrschaft gelangten Bürgertum das Ende vorausgesagt wird, ist auf den Begriff gebracht, was dann bis in unsere Gegenwart hinein

210

Geschichte machen sollte: die Erkenntnis, »daß das alte Europa am Anfang seines Endes ist« (Metternich).

Zu fragen ist, welche spezifische Rolle und Funktion die Literatur bei der Auflösung des Alten und der Herausbildung des Neuen eingenommen hat. Dabei greift jedoch zu kurz, wer die epochentypische Leistung der vormärzlichen Literaturentwicklung nur bzw. vor allem in ihrem Bezug zur politischen Auseinandersetzung zwischen Feudalismus, Bürgertum und (entstehendem) Proletariat in den Blick nimmt. Das Vermögen der Schriftsteller im Vormärz, mit ihren Werken dem politischen Prozeß Ausdruck zu geben und zugleich damit praktisch in ihn einzugreifen, ist ohne Zweifel *ein* hervorragendes Charakteristikum: Gerade die ab 1830 und mehr noch nach 1840 sichtbaren Auseinandersetzungen zwischen reaktionären, konservativen, liberalen, demokratischen und schließlich sozialistischen Kräften fanden in und mittels der Literatur ihren Ausdruck, wie kaum jemals zuvor in der deutschen Literaturgeschichte. Deswegen auch gebührt dieser Literatur mehr Aufmerksamkeit, als ihr bislang in literarhistorischen Darstellungen gewidmet wurde. Daraus folgt aber nicht, daß solche Schriftsteller, die sich – erklärtermaßen oder auch nur durch die Wahl anderer Themen und Probleme – nicht so sehr für die politischen Kernfragen der Zeit engagierten, als weniger interessant oder gar rückständig qualifiziert werden müssen. Der Beitrag der Literatur für die Aufarbeitung der Erkenntnis, daß das alte Europa am Anfang seines Endes sei, läßt sich nicht auf die Funktion beschränken, den politischen Prozeß widerzuspiegeln und operativ mitzugestalten. Dieser Bestimmung vorgelagert und zugleich sie einschließend ist eine andere, wichtige Funktion, die sich in folgendem Satz zusammenfassen läßt: Die Literatur des Vormärz gibt in durchaus ambivalenter Weise Auskunft über einen fundamentalen Umstrukturierungsprozeß gesellschaftlicher Erfahrungen von Raum und Zeit, in dem jahrhundertealte Wahrnehmungsweisen im Zeichen von und in Reaktion auf die Industrielle Revolution umgeprägt wurden.

Die durch die Industrielle Revolution beschleunigte bürgerlich-kapitalistische Veränderung der ökonomisch-sozialen Wirklichkeit ist immer auch eine Veränderung der Erfahrung von Wirklichkeit sowie Erfahrung von Veränderung. Dazu schreiben die Sozialhistoriker W. Kaschuba und C. Lipp: »In einer neuen kritischen Wahrnehmungsoptik der konkreten Realität begann man die absolute Gültigkeit der existierenden Verhaltensregeln im Produktions- und Reproduktionsbereich systematisch zu hinterfragen, begnügte sich nicht mehr mit der historischen Logik von Tradition und Gewohnheit, sondern ließ nur noch *Rentabilität* und *Effektivität* als Normen wirtschaftlicher Aktivität gelten. Vieles, was vorher vermeintlich für die Ewigkeit Bestand hatte, schien nun durch Maschinen und industrielle Produktionsweise nahezu beliebig veränderbar: die Relationen zwischen Produkt und Arbeitsaufwand, die technischen Regeln der Herstellungsverfahren, der Einsatz der menschlichen Arbeitskraft, die Zeitökonomie des Arbeitstages, die Reise- und Transportgeschwindigkeit. Hier wird deutlich, daß im Umwälzungsprozeß der ›industriellen Revolution‹ hinter der Kulisse sozialer Umschichtung, industrieller Kapitalformierung und technischer Innovation auch Erfahrungs- und Wahrnehmungsstrukturen entstehen, denen nun ein Bewußtsein der ›Relativität der Verhältnisse‹ zu Grunde liegt. Mechanische und maschinelle Produktion, Eisenbahn, Dampfschiff, Telegraph sind nicht nur technische Neuzeitsymbole, die Arbeits- und Geschäftsvorgänge anders organisieren, sondern sie verändern auch *Raum- und Zeiterfahrung, soziale Beziehungen und Lebensperspektiven.*«

Rolle der Literatur

Der politische Struwwelpeter als Satire auf 1848

veränderte Epochenerfahrung

Kunst
als Neuorientierung

Diese Erfahrung ist geknüpft an materielle Umwandlungsprozesse, bleibt aber nicht deterministisch an sie gebunden. Anders wäre nicht zu erklären, wie im Vormärz Erfahrungen der Industriellen Revolution, die direkt nur in den wenigen sich industrialisierenden Zentren wie z.B. in Westfalen oder in den großen Handelsstädten wie z.B. Hamburg oder Frankfurt zu erlangen waren, auch Menschen erfaßten, die in den damals weitaus überwiegenden Regionen außerhalb der großen Industrie und des Handelskapitals lebten. Ein spezifisches Medium dieses Umorientierungsprozesses von Erfahrungs- und Wahrnehmungsstrukturen kann die Kunst sein. Sie gibt ästhetischen Ausdruck davon und formt zugleich Wahrnehmungsweisen – dies vor allem dann, wenn künstlerische Kommunikation im gesellschaftlichen Bildungs- zuammenhang eine beachtete Rolle spielt. Dies war im Vormärz der Fall. Deswegen ist die Geschichte der vormärzlichen Literatur, gerade und auch in ihren scheinbar unpolitischen bzw. nicht-operativen Zeugnissen, wie sie sich vorzugsweise in der Phase bis 1830 finden, eine hervorragende Quelle ästhe- tisch symbolisierter historischer Erfahrung. In dieser Periode waren es gerade die Schriftsteller, die in besonderer Weise den eben geschilderten Wandel reflexiv und/oder operativ thematisierten. Das hatte nicht zuletzt darin sei- nen Grund, daß sich aufgrund der Kapitalisierung der allgemeinen Produk- tionsverhältnisse ein Literaturmarkt bildete, der den Schriftsteller überhaupt erst instandsetzte, als ein mit Worten »Handelnder« aufzutreten. Die Entfal- tung dieses Literaturmarkts im Vormärz, wie er im Prinzip und lediglich verschärftem Umfang noch heute funktioniert, und die Analyse der befreien- den und erneut fesselnden Folgen für die Literaturproduktion des nun »freien« Schriftstellers werfen dabei Fragen auf, die grundlegend für die von jetzt an immer heftiger diskutierte Rolle der Kunst in den Klassenauseinan- dersetzungen werden sollten.

Literaturmarkt, Berufsschriftstellertum und Zensur

Literaturmarkt

Nach Beendigung der für Handel und Wirtschaft ruinösen napoleonischen Kriege entfalteten sich trotz vielfacher ökonomischer und politischer Behin- derungen Warenproduktion und -austausch in wachsendem Umfang, wobei sie sich immer stärker nach kapitalistischen Gesichtspunkten strukturierten und organisierten. Mit der Zunahme des Warenverkehrs korrespondierte die steigende Nachfrage nach raschen Informationen, und zwar sowohl über den Markt und seine aktuellen Tendenzen (im Blick auf die weniger informierte Konkurrenz) als auch im Hinblick auf die Veränderung der noch bestehen- den politischen Beschränkung einer profitablen Expansion. Handfestes, auf unmittelbare Verwertung gerichtetes wirtschaftliches und längerfristig orien- tiertes politisches Interesse, das vor allem durch räsonierende, später auch agitierende wissenschaftliche und poetische Literatur artikuliert wurde, er- gänzten einander. Das solchermaßen fundierte Informationsbedürfnis ließ, ermöglicht durch die Erfindung der Papiermaschine und der Schnellpresse (Inbetriebnahme ab den 20er Jahren), das Zeitungswesen und die Buchpro- duktion vor allem nach 1830 geradezu sprunghaft anwachsen. Zeitschriften, Zeitungen, Bücher, Broschüren und Flugblätter wurden in einer Menge ver- breitet, wie zu keiner Zeit vorher. Zwischen 1821 und 1838 stieg die jährliche

212

Buchproduktion um 150% auf über 10000 Titel – eine ganz außerordentliche Steigerungsrate, für die in den beiden anderen großen Expansionswellen des Buchhandels, nämlich von 1770 bis 1805 (auf ca. 4000 Titel) und von 1868 bis 1901 (auf ca. 25000 Titel), die doppelte Zeit erforderlich war. Wenn auch die größten Steigerungen vor allem in den im Produktions- und Distributionsprozeß direkt verwertbaren Realwissenschaften sowie im Bereich der unmittelbaren Ideologieproduktion (Theologie) erzielt wurden und der Bereich der Dichtung bis 1830 eher stagnierte, ergaben sich für den Prozeß der Politisierung durch Literatur gleichwohl folgenreiche Auswirkungen. Die Verbreiterung der Produktion bei Verdichtung des Distributionsnetzes (1840: ca. 1350 Buchhandlungen), die Senkung der Preise bei Erhöhung der Auflagen, die Vergrößerung des Absatzes bei Erschließung neuer Käuferschichten (durch Pfennigmagazine, »wohlfeile Ausgaben« usw.), kurz: die Verbesserung der Renditemöglichkeit (geschätzter Jahresumsatz 1844: 4 bis 6 Mio. Taler) ließen ein wirtschaftlich stabiles, sich stetig vergrößerndes Verlags- und Buchhandelswesen entstehen: organisatorisch seit 1825 im »Börsenverein der Deutschen Buchhändler« zusammengeschlossen, wurden die Verleger im Vormärz politisch einflußreich (z.B. im Kampf um Urheberschutz und Pressefreiheit); als kapitalkräftige einzelne wurden sie zum Garanten wirtschaftlicher Besserstellung vieler Schriftsteller, die somit endgültig den Übergang zum Berufsschriftsteller vollziehen konnten.

Nutznießer dieser stabilen Lage der Verlage waren neben den vielen Unterhaltungsschriftstellern, die sich dem Markt anpaßten und schrieben, was gekauft wurde, paradoxerweise auch und gerade die engagierten Autoren. Da die oppositionelle Literatur als Ausdruck des politischen Interessenwiderspruchs zwischen Bürgertum und feudaler Herrschaft immer breiteren Absatz fand, dabei eine allgemeine Politisierung mittrug und deswegen von der staatlichen Administration mit der Zensur bekämpft wurde, waren die an dieser vom Verbot bedrohten Literatur gut verdienenden Verleger immer auch mit hohem finanziellen Risiko, aber interessiert beteiligt: Profitinteresse des bürgerlichen Kapitals fiel also weitgehend mit dem Wirkungsinteresse der oppositionellen Schriftsteller, Journalisten und Gelehrten zusammen. Und nur weil dies wenigstens bis in die 40er Jahre so war, konnte die vom Kapital einigermaßen geschützte kritische Literatur in besonderem Maße operativ werden und mit ihrem literarisch-politischen Erfolg zugleich das Geschäft jener Verleger machen, die das Buch als Ware (be-)handelten und sich dabei nicht scheuten, selbst bis an die Grenzen der Legalität vorzudringen (z.B. Campe). Nebenbei bemerkt: Aus dieser kurz befristeten, historisch einzigartigen Phase im Verhältnis von bürgerlichem Kapital und kritischer Literatur resultierten langfristig wirkende Denkhaltungen: der Verleger/ Buchhändler als selbstloser Diener höchster Werte der Kultur (nicht: als Unternehmer, der marktorientiert mit der Ware Literatur handelt); der freie Schriftsteller, der über den Markt hinweg zu seinem Leser spricht und wirkt (nicht: der in wachsendem Maße abhängige und fremdbestimmte Autor); insgesamt die Verschleierung des Widerspruchs zwischen Zwecken des Marktes und Freiheit der Kunst. Ansätze dieser Widersprüchlichkeiten zeichneten sich allerdings schon im Vormärz ab: Heines Klagen über die Ausbeutung und die zensierenden Eingriffe durch seinen Verleger Campe, Schwierigkeiten fortschrittlicher Verleger mit dem Börsenverein, Publikationsprobleme sozialistischer Autoren usw. sind erste Hinweise. Doch insgesamt bleiben diese Konflikte noch harmlos gegenüber der alles überlagernden Auseinandersetzung mit der staatlichen Zensur sowie, ihr zunächst an Bedeutung überlegen, dem Kampf gegen Raubdruck bzw. für Urheberschutz.

Rotationsdruck auf dem Vormarsch in der Buch- und Zeitschriftenproduktion

*Auf der Suche
nach verbotenen
Büchern (1820)*

Nachdruck

Die den Gewinn kalkulierenden Verleger drängen nach 1815 entschieden
darauf, den bürgerlichen Eigentumsbegriff auf geistige Produktionen auszudehnen und den Urheberschutz bundeseinheitlich zu kodifizieren, um sich
gegen den wachsenden Nachdruck gerade ihrer profitablen Verlagsprodukte
(Realienbücher, Belletristik, Konversationslexika usw.) auf dem expandierenden Markt zu schützen. Auf Betreiben Metternichs behandelte der Frankfurter Bundestag dieses Begehren jedoch so schleppend, daß es erst 1845 zu
einem endgültig verbindlichen Verbot des unlizenzierten Nachdrucks kam.
Die Absicht war klar: Ein durch Nachdruckpraxis in seiner Expansion ge-
hemmter Buchhandel konnte nicht zu einer machtvollen literarischen Verbreitung bedrohender Ideen gelangen, die ökonomische Restriktion sollte
also die inopportune politische Repression mittels Zensur ersetzen. Als sich
vor allem nach 1830 zeigte, daß sich die Entfaltung der Literaturproduktion
und mit ihr die politische Bewußtseinsbildung durch solche Maßnahmen
nicht beschränken ließ, verschärfte der feudale Staat die Zensur. Für Verleger, Buchhändler und Schriftsteller bedeutete die Zensur eine ungleich größere Bedrohung als der Raubdruck, deren Verteidiger immerhin sowohl
antifeudal als auch antikapitalistisch argumentierten (gegen Privilegien,
gegen Monopole) und behaupteten, aufgrund der billigeren Produktion für
eine massenhafte Verbreitung und Popularisierung der immer noch exklusi-
ven Buchkultur sorgen zu wollen. Aber für den erfolgreichen Kampf gegen
die Repressionen der staatlichen Zensur im Vormärz bedurfte der oppositionelle Schriftsteller mehr des Kapitals finanzkräftiger Verleger, um existieren
zu können, als der größeren Verbreitung durch Nachdruck, der Ruhm ohne
Geld einbrachte. Freilich um einen problematischen Preis: Fortan blieben die
Schriftsteller mit ihren kritischen Publikationen mit Verlegern verbunden,
deren Progressivität begrenzt war durch die Sorge um die Wirtschaftlichkeit
des Verlegens bzw. das Interesse am Gewinn.

Zensur

Die 1819 wiedereingeführte, durch Rahmenbestimmungen einheitlich für
alle Staaten des Deutschen Bundes geltende (allerdings unterschiedlich prak-

tizierte) Zensur war eine Vorzensur. Sie betraf alle Publikationen unter 20 Bogen (= 320 Seiten), d.h. vor allem Zeitungen, Zeitschriften, Broschüren und weniger umfangreiche Bücher, Schriften also, die wegen ihrer Form und ihres Preises eine breite Masse erreichten. Bis 1830 wirkte diese Zensur insofern, als eine nennenswerte kritische Presse sich nicht entfalten konnte und politische Kritik in den teuren wissenschaftlichen Werken versteckt blieb. Als aber ab den 30er Jahren Verleger, Redakteure und Schriftsteller immer mutiger und listiger gegen die Zensurknebelung angingen (durch Druck im liberalen Ausland, durch Erweiterung des Buchumfangs auf 21 Bogen, ständige Neugründung verbotener Zeitungen, raschen Verkauf usw.), als sich auch Wissenschaften wie Theologie, Philosophie, Philologie und Ökonomie immer mehr politisierten und dabei populär wurden, verschärfte sich auch die Handhabung der Zensur. Zur Vorzensur trat die nachträgliche Konfiskation bzw. das Verbot, vor allem solcher Werke, die einer Vorzensur gar nicht unterlagen; bald wurden die Produktionen einzelner Schriftsteller (z.B. Heine, das »Junge Deutschland«) und später auch ganzer Verlage generell und im vorhinein verboten. Hinzu kam, daß diese Zensur nur der auf Schriftsteller bezogene Teil eines umfassenden Staatsschutz- und Bespitzelungsapparates war, durch den das oppositionelle Kommunikationssystem (Vereine, Klubs, Gruppen usw.) zerschlagen werden sollte und der disziplinierend wirken mußte, wo nicht schon die vielen Einzelfälle von politischer Verfolgung, Einkerkerung, Berufsverbot und Verbannung seit 1819 (sog. »Demagogenverfolgung«) das ihre taten. In einem zeitgenössischen Studentenlied hieß es: »Wer die Wahrheit kennet und sagt sie frei,/ der kommt nach Berlin auf die Hausvogtei!« (preußisches Untersuchungsgefängnis). Die Polizei und die Zensur hatten viel zu tun. Verboten war nicht nur die positive Erwähnung alles »Demagogischen«, worunter sich jegliche Kritik an den herrschenden Zuständen sowie auch allgemeine Zustimmung zu Prinzipien des Fortschritts und der Bewegung zusammenfassen ließ – so daß Hoffmann von Fallersleben sogar den Frühling als »ewigen Demagogen« ironisch denunzieren konnte. Verboten war Kritik an Herrscherhaus und Regierung, an Adel und Militär, Christentum und Moral. Unmoralisch war fast jede Szene im *Faust I*, viele blasphemisch; den preußischen adligen Offizier beleidigte Kleist, wenn er den Prinzen von Homburg weinen ließ; viel zu liberal war der *Egmont* und geradezu revolutionär Schillers *Tell*: an den durchweg von den Fürstenhöfen abhängigen Theatern blieben diese Dramen mehr oder weniger verboten oder gelangten nur verstümmelt zur Aufführung. Bei Büchern und der Presse war es nicht anders: bornierte, prüde, ängstliche Zensoren »entschärften« je nach Laune und Bildungsstand Texte; anfangs schrieben sie Korrekturen vor, bald wurde einfach gestrichen. Diese Streichungen waren zunächst dem Leser als sog. Zensurlücken oder als Striche noch sichtbar, was Heine im 12. Kapitel von *Ideen. Das Buch Le Grand* zu der Satire inspirierte: »Die deutschen Zensoren ————— Dummköpfe ————.« Ab 1837 war selbst die Zensurlücke in Preußen verboten. Zwar hat auch die rigoroseste Zensurpraxis des feudalen Regimes die bis zur Revolution führende allgemeine Politisierung nicht verhindern können, weil eine einheitliche Handhabung in den 38 Bundesstaaten nicht zu erreichen und wegen der vielen Grenzen der »Ideenschmuggel« mittels Literatur nicht zu unterbinden war. Gleichwohl ist die deformierende Wirkung und der weitreichende Schaden für die deutschen Schriftsteller nicht zu übersehen. Die Kriminalisierung der literarischen Opposition durch Gesinnungsschnüffler und »Jurisdiktion des Verdachts« (Marx) prägte von nun an mit ihren Folgen (einerseits Rebellentum, andererseits Rückzug in

Karikatur der Pressefreiheit nach den Karlsbader Beschlüssen

resignierende Innerlichkeit) den Weg der deutschen Literatur in den Klassenauseinandersetzungen bis heute.

Für den Zeitraum von 1815 bis 1848 läßt sich jedoch zunächst feststellen, daß die deutschen Schriftsteller, unterstützt und zugleich behindert durch die sich entwickelnden kapitalistischen Literaturverhältnisse (bei massiver Fortdauer ästhetischer Traditionen), behindert und zugleich durch die staatliche Repression (bei sich entfaltendem politischen Bewußtsein) aufgerüttelt, literarisch in besonderer Weise aktiv werden konnten. Eng verbunden damit war die Wiederaufnahme der Debatte über die Funktion der Literatur und die Rolle des Schriftstellers, die vor allem im Zusammenhang mit der Französischen Revolution in Gang gekommen war.

Wozu ist Literatur jetzt nützlich?

Begriff der vormärzlichen Literatur

Will man als heutiger Leser Charakter und Bedeutung der vormärzlichen Literatur richtig einschätzen, muß man einige grundsätzliche Unterschiede zum gegenwärtigen literarischen Leben beachten. Zunächst: Die nationale Literatur ist im Bewußtsein der Zeitgenossen nach 1815 noch jung und vor allem aktuell, auch und gerade, weil sie aus dem 18. Jahrhundert stammt. Sie ist in ihrer Thematik und Schreibweise so »modern« gegenüber der damals mit Dichtung schlechthin gleichgesetzten »klassischen« Literatur der alten Griechen und Römer, daß sie auch in den Bildungsinstitutionen noch nicht etabliert war. Bis 1848 gab es an den Universitäten kein selbständiges Fach »Deutsche Literaturwissenschaft«; wenn sie überhaupt betrieben wurde, dann von sog. »Germanisten«, die sich mit (alt)deutschem Recht, (alt)deutscher Geschichte und Sprache befaßten (z.B. die Brüder Grimm, Uhland, Gervinus, Hoffmann von Fallersleben) und die damit schon von ihrem »deutschen« Forschungsgegenstand her (anstelle eines preußischen oder bayerischen) im partikularistischen Deutschland verdächtig waren und entsprechend mit z.T. massiven Disziplinierungen verfolgt wurden. Die von solchen Germanisten und anderen universitären Außenseitern, Schriftstellern oder einfach Literaturliebhabern gehaltenen Vorträge bzw. veröffentlichten Werke zur deutschen Literaturgeschichte (bis 1848 immerhin etwa 50) waren denn auch überwiegend, »wie Goethe von Byrons Gedichten sagt, verhaltene Parlamentsreden« (Th. W. Danzel, 1849), d.h. Ausdruck politischer Opposition. Im Literaturunterricht der Gymnasien herrschten die antiken Autoren vor. Es gab aber immer heftiger werdende Debatten unter den Pädagogen sowie zwischen fortschrittlichen Lehrern und den Unterrichtsministerien über den Bildungswert »klassischer« deutscher Literatur für die Schule. Man fürchtete behördlicherseits, daß die Schüler durch die bürgerlich-oppositionelle, nationale und liberale Literatur seit Klopstock und Lessing gegen den feudalen Staat und die christliche Religion aufgewiegelt würden und griff über Lehrpläne und Schulbibliotheksordnungen reglementierend und zensierend ein. Galten schon die Klassiker als verdächtig, so die zeitgenössische Literatur erst recht. Im Unterricht kam letztere nicht vor.

Literaturgesellschaft im Vormärz

Die junge und jüngste deutsche Literatur entwickelte sich, bevor sie nach 1848 zu einer unpolitischen Bildungsmacht musealisiert wurde, von unten, d.h. über den Markt und von Leser und Text her zu einem durchaus machtvollen Faktor in den realen politischen und weltanschaulichen Auseinander-

Das gelehrte Berlin:
oben G.W.F. Hegel,
unter ihm
C. Ritter und
W. von Humboldt,
links A.W. Neander
und Chr.W. Hufeland,
rechts
F. Schleiermacher
und A. von Humboldt

setzungen: sie hatte entschiedenen Gebrauchswert und erlangte wachsende Wirkungsmöglichkeiten. Es wurde viel gelesen, nicht nur weil der Leserkreis sich wegen steigender Alphabetisierung und Wohlhabenheit erweiterte, sondern weil das Lesen einer aufstrebenden Klasse Orientierungen vermittelte, die sie real nur bedingt erlangen konnte. Frauen, von den Bildungsinstitutionen ausgeschlossen und durch zähe Vorurteile in der geistigen Entfaltung stark behindert, lasen besonders viel und begannen selbst zu schreiben. Salons, Lesezirkel, Lesevereine und Leihbibliotheken nahmen ständig zu, die Zahl der Buchhandlungen verdoppelte sich zwischen 1820 und 1840. Wenn auch nur rund 5% der 23-Millionen-Gesamtbevölkerung in den deutschen Staaten zu Anfang des 19. Jahrhunderts als ständige Leser bezeichnet werden konnten, genügte das doch, um schon bald von einer »literarischen Sündfluth« zu sprechen und Lesewut sowie die sie nährende Vielschreiberei bei den Deutschen zu beklagen. So schreibt der Literaturkritiker W. Menzel 1829: »Die Deutschen thun nicht viel, aber sie schreiben desto mehr [...]. Wir sind ein Schreibervolk geworden und können statt des Doppeladlers eine Gans in unser Wappen setzen. Die Feder regiert und dient, arbeitet und lohnt, kämpft und ernährt, beglückt und straft bei uns. Wir lassen den Italienern ihren Himmel, den Spaniern ihre Heiligen, den Franzosen ihre Thaten, den Engländern ihre Geldsäcke und sitzen bei unsern Büchern.« Metternich sah das anders, er hielt den Umgang mit Literatur nicht für entpolitisierend, sondern für politisierend und veranlaßte Zensurverschärfungen, Schriftstellerbespitzelung und -verfolgung sowie Verlagsverbote.

gesellschaftliche
Bedeutung
der Literatur

Die Literatur (Dichtung, wissenschaftliche und journalistische Texte) wurde im Vormärz ernst genommen, von den Potentaten wie von den Lesern. Es war nicht zuletzt der seit 1815 stetig sich verschärfende Widerspruch zwischen der Festigung des Bürgertums und seiner gleichzeitigen politischen Unterdrückung; er bewirkte eine Verschiebung der Klassenauseinandersetzungen von der politischen auf die ideologische Ebene, wodurch vor allem Philosophie, Wissenschaft und Literatur erhöhte Bedeutung erlangten. Dementsprechend spitzten sich die theoretischen Debatten um deren veränderte Aufgabe und Funktion zu, zugleich trieben diese Auseinandersetzungen auch den politischen Charakter der Kritik immer deutlicher hervor. Wenn der in Berlin lehrende Philosoph Hegel 1820 noch ganz im Einklang mit langer abendländischer Tradition schreiben konnte, daß die Philosophie als Gedanke der Welt immer zu spät, d.h. erst dann erscheine, »nachdem die Wirklichkeit ihren Bildungsproceß vollendet und sich fertig gemacht hat« (»Die Eule der Minerva beginnt erst mit der einbrechenden Dämmerung ihren Flug«), so heißt es gut 25 Jahre später lapidar bei Marx: »Die Philosophen haben die Welt nur verschieden interpretiert; es kömmt darauf an, sie zu verändern.« Ähnlich radikal wandelt sich im Vormärz die Funktionsbeschreibung des Schriftstellers, der nun nicht mehr »Geschichtsschreiber, sondern Geschichtreiber« (Börne) werden soll. Diese neue, praktisch-politische Aufgabenbestimmung der Literatur, die vor allem nach 1830 zuerst durch das Auftreten der jungdeutschen Schriftsteller sowie durch die sprunghafte Zunahme des Journalwesens und der Flugschriftenliteratur bezeichnet ist und nach 1840 im Programm der politischen Dichtung ihren Höhepunkt findet, geriet jedoch nicht nur mit der Polizei, sondern auch mit den überlieferten, d.h. an Klassik und Romantik orientierten Funktionsbestimmungen von Literatur und Schriftstellerberuf in Konflikt. Die aus diesem Widerstreit resultierenden literaturtheoretischen Debatten sind, wie schon Heine 1830 bemerkte, allerdings nicht mehr die literarischen »Kartoffelkriege« von ehedem, sondern der Beginn von bis zur Gegenwart reichenden Auseinandersetzungen über die Aufgaben von bürgerlicher oder nachbürgerlicher Kunst. Denn, so fuhr Heine fort, es gilt »die höchsten Interessen des Lebens selbst, die Revolution tritt in die Literatur und der Krieg wird ernster.«

Titelblatt

Biedermeier oder
Junges Deutschland?

Während Schriftsteller wie Heine, die Jungdeutschen und die politischen Lyriker diese Diskussion offensiv führen und der Zukunft in Erwartung einer neuen Kunst positiv entgegenblicken, schätzen Schriftsteller wie Immermann, Grillparzer und die »Biedermeierdichter« die Situation skeptisch ein und definieren sich im Rückblick auf die Literatur Goethes und Schillers negativ: »Die beiden hatten es noch gut, sie konnten sich noch abschließen und auf das Reingeistige und Ideelle fixieren, während das in unsrer realistisch-politischen Zeit schon ganz und gar nicht mehr möglich ist und der Dichter immerfort in den praktischen, von dem Poetischen ganz hinwegführenden Strudel gerissen wird« (Immermann). Damit sind die zwei repräsentativen Reaktionen auf die eine und gemeinsame Erfahrung der gesellschaftlichen Wirklichkeit nach 1815 bezeichnet: diese Wirklichkeit wird als grundsätzlich sich verändernde gegenüber den althergebrachten Verhältnissen erlebt, die Gegenwart als Krise, als Umbruch erfaßt, die überkommenen ästhetischen Lösungsversuche werden bis 1830 mehr zögernd, ratlos und resignierend praktiziert, nach 1830 zunehmend offensiv kritisiert und ab den 40er Jahren durch veränderte Konzeptionen ersetzt bzw. erweitert.

In vielen, zumeist älteren Literaturgeschichten findet sich häufig noch der

Begriff »Biedermeier« zur Kennzeichnung der literarischen Epoche von 1815/ 30 bis 1848. Zuletzt trat der Kenner dieser Literaturperiode, F. Sengle, dafür ein, die »deutsche Sonderform der späten europäischen Romantik« als »Biedermeierzeit« zu interpretieren. Diese wie auch die damit verbundenen Versuche, analog zur Politik des Metternichschen Systems unter dem Titel »Restauration« die dominierende Literaturbewegung zu erfassen, müssen als unzulässige Verallgemeinerungen *eines* Aspektes dieser höchst komplexen Epoche bezeichnet werden, die schließlich 1848 mit einer fast gesamteuropäischen Revolution endete. Innerhalb eines Epochenkonzepts, in dem die Darstellung des dialektischen Wechselspiels von vergeblich bewahrten alten Traditionen und noch nicht verwirklichbarer Durchsetzung des Neuen eine Fülle von ambivalenten Formen der Traditionskritik zu entfalten hat, dürfen natürlich die Anteile der konservativen Antagonisten nicht übersehen werden. Aber auch dabei reichen die Begriffe »Biedermeierzeit« oder »Restauration« nicht aus. Das zeigt ein kurzer Überblick über die verschiedenen Erscheinungsformen dieser Literatur im Vormärz: Auf dem äußersten Flügel steht die sog. »militante geistliche Restauration«, welche die seit dem 18. Jahrhundert angegriffene Herrschaft von Kirche und Christentum wiederherstellen möchte. Zu ihr gehören Publizisten wie der ehemalige Burschenschaftler und einflußreiche Literaturkritiker W. Menzel, der Herausgeber der *Evangelischen Kirchenzeitung* Hengstenberg und J. Görres mit seinen katholischen *Historisch-politischen Blättern.* Ihnen zur Seite stehen Schriftsteller wie F. Schlegel, Eichendorff, Spitta und Gotthelf, in gewisser Hinsicht auch der späte Tieck, die Droste und Stifter, die auf unterschiedliche Weise für christliche Gesinnung und überkommene politische Ordnung eintreten. Mit dem Begriff »Klassizismus‹ wird versucht, jene Literaturströmung zu bezeichnen, welche die zur deutschen Klassik hinführenden und in ihr zur Entfaltung gelangten Kunstideale und Formengesetze gegen eine kunstfeindliche und bürgerliche Welt bewahren will, dies zumeist eher resignativ als offensiv. Zu nennen sind hier vor allem Platen, Rückert, aber auch Teile des Werks von Mörike und Grillparzer. Ausläufer führen bis zur epigonalen Goldschnittlyrik und -epik eines Geibel und Heyse im Nachmärz. Traditionen der Empfindsamkeit und der antiklassizistischen Romantik werden in unterschiedlicher Weise bewahrt (sog. »Schwäbische Romantik«: K. Mayer, G. Schwab), anverwandelt (Mörike, Lenau) und auch kritisch gebrochen (der junge Heine). Es gibt mehr Übergänge zum politischen Quietismus als zum liberalen Engagement (W. Müller, Hauff, Uhland, Chamisso, Lenau). Kaum noch einzuordnen in den Antagonismus von politisch-ästhetischer Traditionsbewahrung und -veränderung sind Schriftsteller wie der Erzähler Immermann und der Dramatiker Hebbel.

Umgekehrt wäre es jedoch auch nicht zulässig, etwa die Schriftsteller des »Jungen Deutschland« als allein repräsentative Autoren dieser Epoche herauszustellen. Die erst vom Publikationsverbot durch den Deutschen Bundestag in Frankfurt (1835) zu einer Gruppe zusammengefaßten liberalen Schriftsteller waren neben dem gleichfalls verbotenen Heinrich Heine: Ludolf Wienbarg, Heinrich Laube, Theodor Mundt und Karl Gutzkow. Sie waren untereinander wechselnd zerstritten und auch uneins über und mit ihren geistigen Mentoren Ludwig Börne und Heinrich Heine, von denen sie gleichwohl medienwirksame witzige Schreibweise, Thematik (politische, religiöse, moralische Emanzipation), Literaturbegriff (Auflösung der starren Gattungen, Vorrang der Prosa) und Auffassung vom Autorenberuf (Dichter-Prosaist, Journalist, Kritiker) übernahmen. Anders als es den Emigranten Börne und Heine (*Journale sind unsere Festungen,* 1828) möglich war, traten die

Begriff
des Biedermeier

Junges Deutschland

»jungdeutschen« Schriftsteller als Gründer, Herausgeber und Redakteure von vielen kritisch-belletristischen Zeitschriften hervor, in denen diese modernen Ideen wirksam popularisiert wurden. Zu nennen sind: *Deutsche Revue* (Gutzkow / Wienbarg); *Phönix* (Gutzkow); *Aurora* (Laube); *Literarischer Zodiacus / Dioskuren* (Mundt); *Telegraph für Deutschland* (Gutzkow); *Zeitung für die elegante Welt* (Laube) u.a. In Fortsetzung der kritischen Ansätze, wie sie seit den 20er Jahren Börne (vor allem in *Dramaturgische Blätter* und *Briefe aus Paris*) und Heine (vor allem in den *Reisebildern*) vorangetrieben hatten, forcierten die jungdeutschen Schriftsteller die Kritik von Literatur, Kultur und Politik zur hauptsächlichen literarischen Tätigkeit. Laube schrieb 1833: »Es rollt jetzt eine werdende Welt, ihre Fahne ist die Prüfung, ihr Scepter das Urteil. In solcher Periode der Entwicklung scheint selten die wärmende Sonne; alles sucht nach dem leitenden Monde – Kritik.« Deren »blutrote Tochter, die Revolution«, wie Laube formulierte, erschien schon bald am Horizont. Sie ließ die Jungdeutschen rasch zahm werden, als damit einher jüngere und radikalere Kritiker wie D.F. Strauß (Religionskritik), R. Prutz und A. Ruge (Wissenschaftskritik) und nicht zuletzt Marx und Engels (Ideologiekritik) auf den Plan traten. Die im Bundestagsverbot erhobenen Vorwürfe gegen die Jungdeutschen, »in belletristischen, für alle Klassen von Lesern zugänglichen Schriften die christliche Religion auf die frechste Weise anzugreifen, die bestehenden sozialen Verhältnisse herabzuwürdigen und alle Zucht und Sittlichkeit zu zerstören«, bezogen sich vor allem auf die folgenden Werke: Laubes *Die Poeten* (1833, Teil 1 der Trilogie *Das junge Europa*), Mundts *Madonna. Unterhaltungen mit einer Heiligen* (1835) und Gutzkows *Wally, die Zweiflerin* (1835).

Die Auseinandersetzungen über die Funktion von Kunst im Kapitalismus lassen sich jedoch nicht auf den engen Bereich der »hohen« Literatur beschränken, der in der traditionellen Literaturgeschichtsschreibung allein zum Bewertungsmaßstab für literarische Enwicklung gemacht wurde. Es kommt darauf an, Formen und Folgen dieser Auseinandersetzungen auch in jenen Bereichen literarischer Produktion zu berücksichtigen, die gerade im Vormärz im Zusammenhang mit der erhöhten Bedeutung und Wirksamkeit von Literatur wichtig wurden, zumal ihre Adressaten kaum dem gebildeten Bürgertum, sondern den sich rapide vergrößernden Schichten des (städtischen) Kleinbürgertums und Proletariats entstammten. Hier ist zum einen die Volksliteratur mit ihrer regional unterschiedlich langen Tradition (Lokalstück, Volkskalender, Lied usw.) zu nennen sowie zum anderen die gerade sich ausbildende proletarische Literatur (Handwerker- und Arbeiterlieder, Flugschriften usw.), die beide in ihren vormärzlichen Formen Produkt und zugleich Faktor der sich verändernden Funktionsbestimmung von Literatur sind. Vor allem aber muß beachtet werden, daß es neben den genannten literarischen Aktivitäten in Philosophie, Wissenschaft, Kunstdichtung, Journalwesen, Volksdichtung und proletarischer Literatur einen breiten Strom nichtanerkannter, aber viel gelesener Literatur gibt, die mit der Entstehung des literarischen Marktes seit dem Ende des 18. Jahrhunderts entstanden ist und im Vormärz erstmals massenhaft produziert wurde: die Unterhaltungsliteratur, häufig auch abwertend als Trivialliteratur bezeichnet. Nur wenige vormärzliche Literaturkritiker wie z.B. R. Prutz sahen, daß dieser neue Typ von Literatur als »ein nothwendiges Product dieser Zeit und der eigentliche Spiegel ihrer selbst« einzuschätzen war und von daher auch die sog. »hohe« Literatur sowohl in ihrem Anspruch als auch in der Beurteilung ihrer realen Bedeutung für ihre Zeit neu überdacht werden mußte. Für den Vormärz bedeutete das: Neubegründung des künstlerischen Selbstverständnisses (zu-

Volkstheater und proletarische Literatur

gleich Auseinandersetzung mit der Romantik, vorwiegend in den 20er und 30er Jahren); Kritik der Kunstepoche (vorwiegend in den 30er Jahren) sowie Wiederanknüpfung an die jakobinischen und aufklärerischen Positionen.

Das Unglück, Dichter zu sein, oder: Vom Geschichtsschreiber zum Geschichtstreiber

Die seit dem 18. Jahrhundert stetig fortschreitende Wandlung der Schriftsteller vom nebenberuflich schreibenden Autor und/oder Bediensteten feudaler Herren zum »freien« Schöpfer, zugleich aber auch zum Produzenten einer Ware für den Literaturmarkt, hatte im Übergang zum 19. Jahrhundert dem Dichterberuf zu höchstem Ansehen verholfen. Die gestiegene Wertschätzung drückte sich nicht nur in der erheblich verbesserten Bezahlung und vermehrten Veröffentlichung literarischer Werke aus, sondern auch in der erhöhten gesellschaftlichen Anerkennung der »Dichter und Denker« als zu rühmender Repräsentanten und geistiger Führer der Nation wie als zu fürchtender Kritiker. Im Kult um die Person Goethes, im Ruhm und Nachruhm seines epochemachenden Werkes ist dieser neue Rang des Dichters eindrucksvoll sichtbar geworden. Aber es gab auch eine Kehrseite. Nicht jeder Schriftsteller konnte wie der Weimarer Olympier Erfolg, Ruhm und Ansehen so glücklich vereinen und in »Größe« umsetzen, ohne daß mangelndes Talent oder Genie die Ursache dafür gewesen wäre. Seit es den freien Schriftsteller, d.h. seit es den literarischen Markt gab, verschärfte sich auch das Verhältnis von individuellem Talent und gesellschaftlicher Anerkennung, künstlerischem Anspruch und realer Bedeutung. Mit der Möglichkeit massenhafter Verbreitung von Literatur wuchs eben auch die Möglichkeit, mit ästhetisch mäßigen oder ideologisch konformen Produkten Geld und Ruhm zu erlangen bzw. als anspruchsvoller Künstler nicht anerkannt oder gar verkannt zu werden. Dieses Mißverhältnis ist gerade im 19. Jahrhundert und besonders in Deutschland sehr gewöhnlich geworden. Autor zu sein war zunächst prinzipiell chancenreich und positiv; als »Klassiker«, als Unterhaltungsschriftsteller oder als Journalist waren Anerkennung und Auskommen durchaus gesichert. Künstler, Dichter, Poet zu sein bedeutete jedoch mehr und mehr, in einen Gegensatz zur ökonomisch sich etablierenden bürgerlichen Klasse sowie zu einem breiten Publikum und dessen trivialem Kunstgeschmack zu geraten, es bedeutete – und dies blieb ein Grundzug des künstlerischen Selbstverständnisses der meisten nachromantischen deutschen Schriftsteller –, nicht eingebürgert und heimatlos zu sein.

In dem Roman *Nachtwachen des Bonaventura* (1804) ruft der Nachtwächter zum Poeten in die Dachstube hinauf: »O Freund Poet, wer jetzt leben will, der darf nicht dichten.« In Brentanos Novelle *Geschichte vom braven Kasperl und dem schönen Annerl* (1815) schämt sich der Dichter seines Berufes und sagt: »Einer, der von der Poesie lebt, hat das Gleichgewicht verloren [...]«. Bei E.T.A. Hoffmann haben die Künstler durchweg ihr Gleichgewicht verloren, sind zerrissen, krank, irre, toll. Abnorm und verschroben, teils verkanntes – teils heruntergekommenes Genie, wahre Menschlichkeit im gesellschaftlichen Abseits bewahrend und dafür den Preis eines zerstörten Lebens bezahlend, so erscheinen die Künstler und Poeten in der Literatur bis Grillparzers *Der arme Spielmann* (1847) und darüber hinaus. Doch nicht nur literarisch, auch biographisch ist das »malheur d'être

Berufschancen des freien Schriftstellers

Künstlerkrisen

221

poète« (Grillparzer) manifest: Schriftsteller von adliger Herkunft wie z.B. Kleist oder die Droste galten als Schandfleck ihrer Familie; Jean Paul und Grabbe brauchten den Alkohol; Schlegel, Brentano und die Droste flüchteten in die Religion, Mörike und Lenau in die Krankheit. Andere rückten entweder ihre Kunst noch höher und verzichteten auf Ruhm und Publikum wie Platen und Grillparzer, verstummten, widerriefen, gaben das Schreiben (zeitweilig, allmählich, endgültig) auf, verzettelten sich, sattelten um oder brachten sich um (Kleist, Raimund, Stifter). Ähnliche Schicksale finden sich bei Musikern und Malern. Das Leiden an der Kunst hat im Vormärz mehrere Gesichter. Es äußert sich als Verzweiflung über die ins Bürgerlich-Philiströse und Inhumane veränderte Welt (romantischer Antikapitalismus, Weltschmerz), als aristokratische Publikumsbeschimpfung und künstlerischer Titanismus, als Zweifel am Vermögen der Kunst und als (Selbst-)Kritik am Vermögen der Künstler (Epigonenproblem). Es ist als Leiden an der kunstfeindlichen Gesellschaft immer auch zugleich latente Gesellschaftskritik und damit Ausdruck des Wunsches nach einer veränderten Beziehung zwischen Kunst und Gesellschaft. Dabei gibt es allerdings recht gegensätzliche Perspektiven, wie an Lebenslauf, Werk und Rezeption der Schriftsteller Mörike und Herwegh beispielhaft deutlich wird.

Beispiel Mörike

Eduard Mörike wurde 1804 geboren, war früh Halbwaise und lebte in armen Verhältnissen; er galt als mäßiger Schüler, der mit Mühe die Qualifikation schafft, um in dem berühmten Tübinger Stift Theologie studieren zu können – kostenlos, wie vor ihm schon Hegel und Hölderlin und nach ihm u.a. auch Herwegh und viele andere bedeutende Männer der schwäbisch-deutschen Geistesgeschichte, die »durch den Speck der Stiftungen in die theologische Mausfalle gelockt« wurden (D.F. Strauß). Nach dem Examen folgten ab 1826 bedrückende Wanderjahre als Pfarrhelfer und Vikar in schwäbischen Dörfern, unterbrochen von einem fehlgeschlagenen Versuch, freier Schriftsteller zu werden (1828), und unglücklicher Liebe. 1834 wurde Mörike dann endlich Pfarrer. 1832 erschien der Künstler- und Entwicklungsroman *Maler Nolten*, 1836 eine Novelle, 1838 die erste Sammlung der Gedichte. Darauf folgen wachsende Unlust am Pfarramt, zunehmende Kränklichkeit, 1843 vorzeitige Pensionierung und eine späte, glücklose Ehe. Ab 1850 wird Mörike berühmt und öffentlich geehrt, gleichzeitig läßt seine poetische Produktion nach (gelegentlich Gedichte, 1855 die Novelle *Mozart auf der Reise nach Prag*, Umarbeitung des *Maler Nolten*), er vereinsamt, ständig kränkelnd und kurend. Hebbel, der ihn 1862 besuchte, schreibt, daß »er sich in den elendsten, mitleidwürdigsten Verhältnissen herumquält«. Er stirbt 1875; fünf Jahre später erhält er in Stuttgart ein Denkmal.

Provinzialismus und Innerlichkeit

Was auffällt: Zeit seines Lebens ist Mörike nie über den schwäbisch-fränkischen Raum hinausgekommen; Stuttgart (1840: ca. 40000 Einwohner) war die größte Stadt, die er kannte; er hat nie den Rhein gesehen, das sich industrialisierende Westfalen, die Nordsee, Berlin, Wien, London oder gar Paris und Italien. Bis 1850 (Hauptschaffensperiode) hatte er nur knappe Kontakte mit anderen Schriftstellern, zumeist Schwaben; keine literarische Fehde, kaum ein öffentlicher Auftritt, er lebte meist allein. Es gibt kaum Reflexe der großen politischen Ereignisse in seinem Werk, nur wenige in seinen Briefen, obwohl er z.T. persönliche Bezüge hatte: einer seiner Lehrer in Urach wird 1822 als »Demagoge« entlassen; sein Bruder wird wegen »revolutionärer Umtriebe« 1831 verurteilt; sein Freund H. Kurz entwickelt sich vor und in der Revolution von 1848 zum radikalen Demokraten. In Korrespondenz und persönlichem Verhalten zeigt sich immer wieder: Mörike weicht politischen Fragen lieber aus, zieht sich auf eher konformistische

Mörike (rechts)
im Kreis seiner Familie

Standpunkte zurück, distanziert und verweigert sich erschreckt, wenn es ernst wird. Dieser Weg nach innen, in die Selbstabschließung, in die neurotische Krankheit und die am psychologischen Detail interessierte Kunst ist vor allem Ausdruck einer Resignation, wie sie für weite Teile der literarischen Intelligenz im deutschen 19. Jahrhundert typisch ist und ihre Entsprechung im apolitischen Spießbürgertum hat. Diese Reaktion ist aber zugleich auch als ein seit der Romantik zunehmender, protestierender Akt der Selbstausbürgerung des sensiblen Künstlers aus einer bürgerlichen Welt zu verstehen, deren zum Tode verurteilte Fortschrittlichkeit politisch zu kritisieren Mörike nicht vermochte, künstlerisch als gesteigerte Selbstentfremdung subtil darzustellen er jedoch wie kein anderer in der Lage war. Freilich, um welchen Preis im Leben – vom falsch wiedergutmachenden Nachruhm gar nicht zu reden.

Georg Herwegh wurde 1817 als Sohn eines Gastwirts geboren; er begann 1835 seine theologische Ausbildung auf dem Tübinger Stift. Schon hier war er an der zeitgenössischen Literatur des Jungen Deutschland sowie an der modernen linkshegelianischen Religionskritik interessiert; 1836 Verweisung vom Stift wegen Auflehnung, danach freier Schriftsteller. 1839 Desertion aus militärischer Zwangsrekrutierung in die Schweiz; 1841 werden die *Gedichte eines Lebendigen* veröffentlicht, eine Sammlung liberaler bis radikaldemokratischer Lyrik, die trotz Zensurverbots ein Bestseller wird. Herwegh wird mit einem Schlage berühmt; Bekanntschaft mit Heine, V. Hugo, Feuerbach, Marx, Bakunin, Weitling und anderen Sozialisten, Kommunisten und Anarchisten. Heirat mit einer reichen Kaufmannstochter, seitdem finanziell unabhängig. Herweghs Ruhm stand 1842 im Zenit, Triumphreise durch Deutschland, Empfang beim preußischen König; bald aber wachsende Kritik an ihm wegen menschlicher und politischer Extravaganzen, Ausweisung aus Deutschland, Reisen, Übersiedlung nach Paris. 1848 ist er Führer einer deutschen Emigrantenlegion, die von Paris aus nach Baden zur Unterstützung der Revolution einmarschiert, aber geschlagen wird; seitdem Exil in der Schweiz,

Beispiel Herwegh

kaum noch erfolgreiche poetische Produktion, bis auf das 1862 für den Allgemeinen Deutschen Arbeiterverein (Vorläufer der SPD) gedichtete Bundeslied: »Mann der Arbeit aufgewacht!/ Und erkenne deine Macht!/ Alle Räder stehen still,/ Wenn dein starker Arm es will.« 1866 Rückkehr nach Deutschland; er stirbt 1875, wird aber in der Schweiz begraben und erhält kein Denkmal in Deutschland. Was auffällt, ist der ungeheure Erfolg seines Erstlingswerkes; allein 6 Auflagen in den ersten beiden Jahren, ca. 15000 Exemplare bis 1848 (Mörikes Gedichte 1838: 1000 Exemplare, 2. Aufl. 1848); die Lyrik floh nicht mehr »in des Herzens heilig stille Räume« (Schiller), sondern trat ins politische Leben und hatte Wirkung und Erfolg, indem sie Partei ergriff. Selten war und ist, daß ein deutscher (und nicht-jüdischer) Schriftsteller des 19. Jahrhunderts sich in den europäischen Zentren des politisch-geistigen Lebens aufhält und engen Kontakt mit der internationalen kritischen Intelligenz hat. Ungewöhnlich ist die Popularität und Publizität, die Herwegh – wenn auch nur für kurze Zeit – im Vormärz genoß; vor allem: ein Dichter als Sprecher der politischen Opposition!

Georg Herwegh

Mit Herwegh verbunden ist das Bild des Lyrikers, der »seine Harfe zerschlägt« und in Verfolgung seines moralischen Engagements zum politisch Handelnden wird, weil er »die Anmaßung aufgegeben, als ob die Literatur das Leben mache« (Prutz) und nur noch als Revolutionär etwas zu bewirken glaubt – ohne dabei freilich Erfolg zu haben. Die Folge ist, daß er als schlechter Poet und als feiger Revolutionär persönlich diffamiert und als Beweis für die Unmöglichkeit, Dichtung und Politik zu verbinden, ideologisch benutzt wurde; vor allem aber: vergessen, verdrängt und ausgebürgert – wie vor und mit ihm andere demokratische Schriftsteller – zeigt sich exemplarisch an Leben und Schicksal Herweghs, wie das seinen revolutionären Anspruch aufgebende Bürgertum mit seinen literarischen Kritikern seitdem umzugehen beginnt und wozu ihm Literatur in Zukunft nicht mehr taugen soll. Ausweglos in der Zukunftsperspektive und nicht selten in elitären bzw. reaktionären Haltungen endet die Entwicklung des Selbstverständnisses jener Schriftsteller, die an den konservativ gewordenen Anschauungen der deutschen (Spät-)Romantik festhielten (z.B. Eichendorff, Grillparzer, Geibel, Hebbel). Überall dort, wo – nicht selten vermittelt durch Reisen, politische Betätigung usw. – der deutsche Standpunkt erweitert und ideologisch an die westeuropäische Weiterentwicklung der Romantik in Richtung auf den politischen Liberalismus angeknüpft wird (V. Hugo, Béranger, Byron), gelangen deutsche nachromantische Schriftsteller bereits in den 20er Jahren zu einem antifeudalen Standpunkt und gleichzeitig damit zu einem stabileren künstlerischen Selbstbewußtsein (z.B. Uhland, Heine, Chamisso, Platen; nach 1830 Lenau; nach 1840 Freiligrath). Dieser Standpunkt schloß bereits eine kritische Distanzierung von der Romantik ein. An Werk und Entwicklung Heinrich Heines von den 20er zu den 40er Jahren wird dieser für die Gesamtentwicklung der Vormärzliteratur charakteristische Ablösungsprozeß in beispielhafter Weise anschaulich.

Enfant perdu: Heinrich Heine

Heinrich Heine, der sich selbst den »letzten, abgedankten Fabelkönig« der deutschen Romantik nannte, knüpft an Byron an, dem Vertreter der liberalen westeuropäischen Romantik und aktiven Teilnehmer am griechischen

Freiheitskampf. Bei Byron schon findet sich die für die dann in den 20er Jahren gemeineuropäisch verbreitete literarische Haltung des »Weltschmerzes« charakteristische Verbindung von radikaler Subjektivität und reflexiv gebrochenem Gefühl. Mit ihr verbunden sind die Erscheinungen der »Zerrissenheit«, der Hamlet-Gestalten und »problematischen Naturen«, die als Ausdruck einer ersten fundamentalen Krise der sozialen Identität oppositioneller Intellektueller in der Zeit der Heiligen Allianz und Metternichscher Restauration gedeutet werden können. Diese mit sich selbst Zerfallenen sind zugleich resignierend und – im dialektischen Umschlag des Gefühls – revoltierend gegenüber der bestehenden Wirklichkeit, ohne daß allerdings die gesellschaftlichen Ursachen sofort ganz in den Blick geraten (vgl. Grabbe, Immermann). Indem Heine Byron bei dessen Tod 1824 als seinen »Vetter« bezeichnet und dabei auf den politischen Kern von Byrons Weltschmerzhaltung aufmerksam macht (»er hat im Schmerze neue Welten entdeckt, er hat den miserablen Menschen und ihren noch miserableren Göttern prometheisch getrotzt«), rückt er auch für sich den politischen, allerdings radikal subjektiv, ja provozierend privat und bekenntnishaft abgefaßten Protest gegen eine unadlig feudale und philiströs bürgerliche Welt in den Vordergrund – dies freilich zunächst noch ohne Byrons Trotz, dafür aber mit sich steigernder Ironie (vgl. *Reisebilder, 1826 ff; Buch der Lieder,* 1827). So beendet Heine im dritten Gedicht der Sammlung *Die Heimkehr* (»Mein Herz, mein Herz ist traurig,/ doch lustig leuchtet der Mai...«) die Schilderung der friedlichen Idylle vor dem Wall des alten Lüneburg mit der Betrachtung des hannoverschen Wachsoldaten und einem Wunsch:

Heinrich Heine

> Er spielt mit seiner Flinte,
> Die funkelt im Sonnenrot,
> Er präsentiert und schultert –
> Ich wollt', er schösse mich tot.

Die Gegenwart, so schreibt Heine 1831, erfordere den »scharfen Schmerzjubel jener modernen Lieder, die keine katholische Harmonie der Gefühle erlügen wollen und vielmehr, jakobinisch unerbittlich, die Gefühle zerschneiden, der Wahrheit wegen.«

Ab 1831 im Pariser Exil lebend vollendete Heine die begonnene Kritik der Romantik als »Poesie der Ohnmacht« durch eine theoretische Fundierung (*Die Romantische Schule*, 1836; *Zur Geschichte der Religion und Philosophie in Deutschland*, 1834), durch die sein schriftstellerisches Selbstverständnis und seine Einschätzung der Funktion von Literatur im Ensemble der gesellschaftlichen Verhältnisse eine neue Qualität erlangten. Heine stand nun an der Spitze der literarischen Avantgarde, zu der sich auch die jungdeutschen Schriftsteller (Gutzkow, Laube u. a.) rechneten, die nach Heines Worten (und Programm) »keinen Unterschied machen wollen zwischen Leben und Schreiben, die nimmermehr die Politik trennen von Wissenschaft, Kunst und Religion und die zu gleicher Zeit Künstler, Tribune und Apostel sind.« Heine hat dieses Konzept einer operativen Literatur in den 30er Jahren, zunächst unter skeptischem Verzicht auf poetische Umsetzung, theoretisch weiter präzisiert, indem er sich in der polemisch scharfen Auseinandersetzung mit Börne (*Ludwig Börne. Eine Denkschrift*, 1840) schroff abgrenzte von Forderungen der republikanischen Opposition, sein Künstlertum unmittelbar in deren Dienst zu stellen. Heine bestand mit seinem Begriff vom politischen Künstler auf einer Position »zwischen den Parteien«, wofür ihm von seinen Kritikern in völliger Verkennung »Gesinnungslosigkeit«, sogar Verrat vorgeworfen wurde. Die analytische Schärfe, zugleich aber auch die

Kunst und Politik

225

sprachlich-stilistische Meisterschaft seiner journalistisch-»belletristischen Gegenwartshistorie« (Briegleb) in den Artikeln für die *Augsburger Zeitung* (1840ff, 1854 überarbeitet als *Lutetia*) zeigen ihn jedoch als einen politischen Schriftsteller, der mit dieser Position nicht vereinnahmt werden konnte. So konnte Heine der Reaktion die Revolution, der liberalen Geldaristokratie den »Communismus« und den patriotischen Revolutionären die nationalistische Reaktion prophezeien. Ab 1844 griff er mit satirischen Zeitgedichten und vor allem mit dem Versepos *Deutschland. Ein Wintermärchen* (1844), das als die bedeutendste Satire im 19. Jahrhundert gelten kann, auch als Lyriker in den politischen Zeitkampf wieder ein.

»Deutschland. Ein Wintermärchen«

Der Gedichtzyklus *Deutschland. Ein Wintermärchen* entstand unmittelbar nach Beendigung einer Deutschlandreise, die Heine im Jahre 1843, erstmalig nach 12jährigem Exil, von Paris aus gemacht hatte. Die Form der Reisedarstellung war schon seit dem 18. Jahrhundert in Prosa (z.B. Goethe: *Italienische Reise*; Forster: *Ansichten vom Niederrhein*; Seume: *Spaziergang nach Syrakus*; Heine: *Die Harzreise*) und im Vormärz in der lyrisch-zyklischen Form (z.B. Heine: *Reisebilder*; Grün: *Spaziergänge eines Wiener Poeten*; Dingelstedt: *Lieder eines kosmopolitischen Nachtwächters*) ein gern benutztes Mittel, über die Beschreibung des fremden Landes politische Aufklärung und Kritik am eigenen zu formulieren. Heine verstärkt dieses Mittel, indem er als »fremder« Deutscher aus dem Exil die Heimat aufsucht und mit dem Bild des »wirklichen Deutschland, dem großen, geheimnisvollen, sozusagen anonymen Deutschland des deutschen Volkes« im Herzen auf »das alte, offizielle Deutschland, das verschimmelte Philisterland« (Heine, 1852) trifft. Aus diesem Zusammentreffen erwächst eine Deutschland-Kritik, die in ihrer vernichtenden Schärfe eine Abrechnung mit der »deutschen Misere« zeitigt, wie sie im Vormärz nur noch bei Marx und Engels zu finden ist, im Kaiserreich von Heinrich Mann (*Der Untertan*, 1916), in der Weimarer Republik von Kurt Tucholsky und John Heartfield (*Deutschland, Deutschland über alles*, 1929), während des Faschismus von Bertolt Brecht (*Furcht und Elend des Dritten Reiches* mit dem urspr. Titel: *Deutschland – ein Greuelmärchen*, 1938) und in der Gegenwart etwa von Wolf Biermann (*Deutschland. Ein Wintermärchen*, 1972) fortgeführt wurde. Zugleich aber auch äußert sich in diesem vielgescholtenen Werk, was seit dem Vormärz und den wütenden Reaktionen der deutschen Nationalisten zumeist übersehen wurde, eine im Leiden an den herrschenden deutschen Verhältnissen gegründete Liebe zum wirklichen (zukünftigen) Deutschland, ein hymnischer Patriotismus, der von den »Pharisäern der Nationalität« (Heine) allerdings nie mißbraucht werden konnte und von Anfang an etwas ganz anderes war als die schwarz-rot-goldenen bis braunen Anrufungen deutscher Größe, von Hoffmanns von Fallersleben *Deutschland, Deutschland über alles* bis Baumanns *Denn heute gehört uns Deutschland und morgen die ganze Welt*.

»revolutionärer Frühling«

Das ist Deutschland als »Wintermärchen«: das anachronistische Land, das winterlich-entwicklungslos verharrt, »der zu einer eigenen Welt konstituierte Mangel der politischen Gegenwart« (Marx, 1843) – und zugleich auch das Volk, dem ein großer revolutionärer Frühling als Zukunft bevorsteht, wenn, wie es geradezu hymnisch im Vorwort heißt, »wir das vollenden, was die Franzosen begonnen haben, wenn wir diese überflügeln in der Tat, wie wir es schon getan im Gedanken, wenn wir uns bis zu den letzten Folgerungen desselben emporschwingen, wenn wir die Dienstbarkeit bis in ihrem letzten Schlupfwinkel, dem Himmel, zerstören, wenn wir den Gott, der auf Erden im Menschen wohnt, aus seiner Erniedrigung retten, wenn wir die Erlöser Gottes werden, wenn wir das arme, glückenterbte Volk und den verhöhnten

Genius und die geschändete Schönheit wieder in ihre Würde einsetzen, wie unsere großen Meister gesagt und gesungen, und wie wir es wollen, wir, die Jünger [...]«. So entspricht der noch durch die Zensur bestimmten Satire auf das Deutschland der Vergangenheit ohne Gegenwart (repräsentiert in den »Gespenstern« Preußen, Kaisertum, Militär, teutonischer Nationalismus, Kirche und Christentum, Romantik, Mittelalter und Barbarossa ebenso wie im bürgerlichen Philister des wiederaufgebauten Hamburg), die Prophezeiung eines zukünftigen Deutschland. Dabei berührt sich Heine durchaus eng mit Gedanken des jungen Marx, dessen persönliche Bekanntschaft er gerade in der Zeit nach der Rückkehr aus Deutschland gemacht hatte. Dieser Doppelcharakter findet sich vom ersten Kapitel an, in dem der Dichter dem christlichen Entsagungslied des Harfenmädchens sein »besseres Lied« entgegensetzt, das das von geistiger Knechtschaft und ökonomischer Ausbeutung befreite Glück auf Erden preist, bis zum Schluß, da den herrschenden Kräften durch den Dichter, im Namen des »neuen Geschlechts«, der Kampf angesagt wird.

Heine hat *Deutschland. Ein Wintermärchen* als seinen exemplarischen Beitrag zur politischen Poesie und zugleich auch als das »bessere Lied« gegenüber der »Tendenzpoesie« der Zeit betrachtet. Dieses Selbstbewußtsein gründet sich zum einen auf die inhaltliche Radikalität der politischen Kritik vom »Standpunkt der Theorie, welche den Menschen für das höchste Wesen des Menschen erklärt« (Marx), zum anderen auf die Überzeugung, daß diesem Standpunkt eine veränderte künstlerische Technik entspreche, die die ästhetische Geschlossenheit (und gesellschaftliche Isoliertheit) der klassischen Kunstproduktion durch eine kunstvoll-wirksame Mischung von Formelementen aus publizistischer Prosa und volkstümlicher Lyrik, von Satire und Hymne, Ironie und Utopie, Komödie und Tragödie überwindet. Heine steht mit diesem Typ politischer Dichtung, der dem gewandelten Verhältnis von Gedanke und Tat, Kunstproduktion und gesellschaftlicher Veränderung sich verpflichtet weiß (vgl. dazu auch die Kapitel 6, 7 und 27 des *Wintermärchens* sowie das Gedicht *Doktrin*), im Vormärz allein, von Ansätzen bei Herwegh und Folgewirkungen bei Weerth abgesehen. Nach der Revolution von 1848 blickt Heine, nun bis zu seinem Tod ans Krankenbett gefesselt, düster, aber in seinen Prinzipien ungebrochen in die Zukunft. Im Schlußgedicht der *Lamentationen* aus der Sammlung *Romanzero* (1851), in dem Gedicht *Enfant perdu*, heißt es zu Beginn: »Verlorner Posten in dem Freiheitskriege,/ Hielt ich seit dreißig Jahren treulich aus./ Ich kämpfte ohne Hoffnung daß ich siege,/ Ich wußte, nie komm' ich gesund nach Haus.« Die Schlußstrophe lautet: »Ein Posten ist vakant! – Die Wunden klaffen –/ Der eine fällt, die andern rücken nach –/ Doch fall ich unbesiegt, und meine Waffen/ Sind nicht gebrochen – nur mein Herze brach.« Politisch war ihm klar: »Sie ist seit langem gerichtet, verurteilt, diese alte Gesellschaft. Mag geschehen, was recht ist! Mag sie zerbrochen werden, diese alte Welt, wo die Unschuld zugrundeging, wo die Selbstsucht gedieh, wo der Mensch vom Menschen ausgebeutet wurde!« Zerbrochen, so sah es Heine voraus, wird diese alte Welt vom »Kommunismus«, wobei er sorgte, daß mit der notwendigen Beseitigung der Ungerechtigkeit jenes Schöne (Kunst und Sinnlichkeit) bewahrt werden würde, das abzuschaffen und zu verwerten die kleinbürgerlichen Erben der alten Welt längst begonnen hatten.

So spiegelt sich in Heines Entwicklung vom weltschmerzlichen zum politischen Dichter der freilich von viel massiveren Kontinuitätsbrüchen gekennzeichnete Verlauf der deutschen Literatur von 1815 bis 1848. Die spätromantische künstlerische Depression überwindend, die neuen Möglichkeiten einer

politische Poesie

Weltschmerz

operativen Literatur im Vormärz realistisch einschätzend und parteilich einsetzend, erlangt Heine bereits zu Lebzeiten als einziger deutscher Schriftsteller seiner Epoche europäische Geltung, wie vor ihm nur Goethe und E.T.A. Hoffmann. Ihn deswegen den »größten deutschen Dichter nach Goethe« zu nennen, wie es Marx und Engels im Einklang mit der allgemeinen europäischen Wertschätzung taten, fiel damals in Deutschland keinem Literarhistoriker ein, und in der Folgezeit hat diese Zunft lange in nicht unerheblichem Maße dazu beigetragen, den allzu vielen unbequemen und untypischen deutsch-französischen Schriftsteller auf niederträchtigste Weise ein zweites Mal auszubürgern. Nach stetiger Vorarbeit durch eine chauvinistische und antisozialistische Germanistik seit dem späten 19. Jahrhundert wurde Heine von den Nationalsozialisten schließlich zur Unperson erklärt: sein Name hatte zu verschwinden, und sein wohl volkstümlichstes und daher nicht zu unterdrückendes Gedicht *Lorelei* (»Ich weiß nicht, was soll es bedeuten«) wurde zu einem Volkslied von unbekanntem Verfasser erklärt. Ein Grundzug der Kritik an Heine, die schon zu dessen Lebzeiten (vor allem seit der Pariser Emigration) begann, ist die verzerrende Isolierung des Menschen Heine mit seinen politischen und moralischen Anschauungen vom Dichter Heine mit seinem künstlerischen Talent. Während letzteres in der Regel kaum geleugnet werden konnte und Heine partielle Anerkennung vor allem als Lyriker einbrachte, ergossen sich Kritik und Beschimpfung auf die Person und ihre Weltanschauung. Diffamiert als Jude, als zersetzender, undeutscher Intellektueller, als »Revolverjournalist«, charakterloser Libertin, Kommunist usw., war es selbstverständlich, daß die gegen Ende des 19. Jahrhunderts einsetzenden Versuche, in Düsseldorf, Frankfurt und Hamburg Heine ein Denkmal zu errichten, im germanistisch-publizistischen Sperrfeuer scheiterten.

Heine-Rezeption   Wenn auch seit dem Ende des 19. Jahrhunderts liberale und sozialdemokratische, später auch sozialistische Fürsprecher auftraten und Heine in der Zeit der Weimarer Republik sowie unter den deutschen Emigrantenschriftstellern Wirkung ausüben konnte, so bleibt doch eine Tatsache, daß er im schulischen Deutschunterricht weitgehend ausgespart blieb. Als 1936 ein gewisser Lutz forderte: »Heine gehört in keine deutsche Literaturkunde, kein Lese- und Lernbuch. Keine Forschung über Heine. Kein Verleger für neue Heine-Ausgaben«, so war das eine kaum noch radikale Konsequenz vorangegangener Abwertung. Aber noch 1966 wurde in einem Forschungsbericht zur Berücksichtigung der Dichtung Heines im bundesrepublikanischen Deutschunterricht festgestellt: »Wer nach 1945 in einer westdeutschen Schule seine Kenntnisse deutscher Literatur erworben hat, dem ist Heine kaum mehr als ein Name – es sei denn, er habe einen ungewöhnlichen Schulunterricht genossen. In Lehrplänen, Lesebüchern und Anthologien ist Heines Platz (sofern er überhaupt vorkommt) weit hinter Autoren wie Eichendorff, Hauptmann oder Kafka« (E.D. Becker). Manches hat sich seit den 60er Jahren gebessert. Heine wird in der Bundesrepublik, wenn auch mehr in der fachlichen Forschung als in der Öffentlichkeit, beachtet. Dabei wächst jedoch auch die Tendenz, gegen den sozialistischen Heine, wie er von Anfang an und in besonderer Weise in der DDR rezipiert und gepflegt wurde, den ästhetisch »modernen«, politisch überparteilichen Dichter herauszukehren, ihn so freischwebend jeder, vor allem rechtsliberaler und konservativer Tendenz verfügbar zu machen und obendrein stolz zu verkünden, das Unrecht am lange verfemten Schriftsteller Heine sei nun endlich wiedergutgemacht.

Das Ende der Kunst
oder neue Zeit und neue Kunst

Daß junge Schriftsteller gegen überkommene Denk- und Schreibweisen protestieren, die alte Kunst und Literatur für tot erklären und in Programmen und Werken radikal einen neuen Anfang setzen, ist dem Betrachter der Kunstszene des 20. Jahrhunderts fast bis zum Überdruß geläufig. Der Kampf der Richtungen, ihr immer rascherer Wechsel und ihre immer promptere Vermarktung als Mode ist ihm geradezu der Ausweis des »Modernen«, das stets mit dem Anspruch des Fortschritts gegenüber einem zu alt oder gar zu »klassisch« gewordenen Gestrigen auftritt. Die Moderne ist jedoch älter als das jeweils letzte Neue, sie umfaßt vermittels ihrer Marktgebundenheit und ihres Fortschrittsanspruches auch das »alte Neue«, das wieder modern werden kann, weil es – wie Me-ti bei Brecht sagt – ungeheuer viele gibt, für die es ganz neu ist. Diese Moderne reicht weit zurück in die krisenreiche Geschichte der bürgerlichen Klasse und ihrer Widersprüche im Prozeß der Emanzipation vom Feudalismus (18./19. Jahrhundert), und es sind gerade diese Krisen und Widersprüche, die als Ursprung, Antrieb und Gegenstand der modernen Kunst und ihrer permanenten Revolutionierungsversuche zu begreifen sind. Ihr seitdem ständiges, je nach historischer Lage abgewandeltes Thema ist: »daß die Welt aus den Fugen ist« (Brecht), erörtert in der Gestaltung des Verhältnisses von Poesie und Wirklichkeit, Kunst und Klassenauseinandersetzung (Steht sie darüber oder darin? Hebt sie ab oder greift sie ein? Verklärt sie oder klärt sie auf? Ist sie zwecklos oder engagiert? usw.). Nach den (literatur-)revolutionären Bewegungen des Sturm und Drang sowie der Frühromantiker/Jakobiner wird dieses Thema im Vormärz erneut aktuell und zugleich radikal zugespitzt diskutiert.

Ende der Kunst?

Die Zuspitzung der Diskussion über Funktion und Bedeutung der klassisch-romantischen Literatur im Vormärz erklärt sich aus dem Zusammentreffen verschiedener Ursachen: die allgemeine politische und weltanschauliche Krise seit dem Ende des 18. Jahrhunderts, die sich in der Pariser Julirevolution von 1830 konkretisierte und Ausdruck des gemeineuropäischen Umwälzungsprozesses von der feudalen zur bürgerlich-kapitalistischen Ordnung ist; das seit den 20er Jahren vielen Zeitgenossen gemeinsame Bewußtsein, »auf einem kritischen Uebergangspuncte aus einer Weltperiode in die andere [zu]stehen« (Schlegel 1827); die Tatsache, daß gerade in dem Jahrzehnt zwischen 1825 und 1835 eine Reihe der bedeutendsten Vertreter der vergangenen Epoche starben (Jean Paul, F. Schlegel, Goethe, Hegel, W. v. Humboldt u. a.). Dies ist die eine Seite, die andere ist: der neue Aufschwung der bürgerlich-liberalen und demokratischen Protestbewegung ab den 30er Jahren, durch den gerade den ihr politisch verbundenen jüngeren Schriftstellern immer deutlicher wurde, daß sie die neuen Zeitinteressen mit den Mitteln und dem Prinzip der klassisch-romantischen Kunst nicht befördern konnten. Die Streitfrage lautete: war es der Mangel des überkommenen Kunstprinzips, daß es einer epochal veränderten Wirklichkeit nicht mehr zu genügen vermochte – oder waren es die mangelhaften Bedingungen dieser aufgeregten neuen Zeit, die die nach wie vor richtige und in literarischen Meisterwerken verwirklichte Kunstidee nicht mehr zur Entfaltung kommen ließen? Die Debatte ging aus vom Streit um Goethe, dem Repräsentanten dieser Kunstidee.

fragliche Kunstidee

Goethes außerordentliches und dennoch für seine Zeit so exemplarisches Leben und Werk hatten schon früh Anerkennung und geradezu kultische

Streit um Goethe

Verehrung, aber auch – wegen des »Despotismus des Ruhms« (Gutzkow) und der normativen Geltungsmacht seiner Werke – Widerstand und Protest hervorgerufen. Die Tatsache, daß der Weimarer Dichterfürst sich vor allem seit 1815 sowohl reserviert bis kritisch gegen die bürgerlich-oppositionelle Freiheitsbewegung als auch gegen das zeitpolitische Engagement in der Dichtung ausgesprochen hatte, entfachte die Diskussion. Die Argumentation der Goethe-Verteidiger lautete: der wirkliche Künstler hat die Pflicht, »zu keinem Volk und zu keiner Zeit zu gehören« und »der Zeitgenosse aller Zeiten zu sein« (Schiller); Goethe – als Künstler par excellence – hat sich konsequent verhalten, und wer ihm nicht folgen will oder kann, muß eben die Kunst aufgeben, soll aber nicht ihr Prinzip kritisieren. Diesem schon damals nicht nur von Traditionalisten sowie den Biedermeierdichtern eingenommenen (und in der literarischen Wertung z.T. bis heute aufrechterhaltenen) Standpunkt fügte der zeitgenössische Literaturhistoriker Gervinus eine liberale, provozierende Variante hinzu: für ihn war die deutsche Nationalliteratur mit Goethes Tod zu ihrem Abschluß gekommen, eine Fortsetzung vorläufig unmöglich; nun habe sich die Nation von den Büchern zu politischen Taten zu wenden, um ihre äußere Einheit herzustellen, und erst wenn diese verwirklicht sei, könne es zu einer neuen Blüte der Literatur kommen. Auch dieses Argument kehrte seitdem in abgewandelter Form bis heute in der Diskussion immer wieder. Zu völlig entgegengesetzten Ergebnissen gelangten jedoch die – untereinander durchaus nicht konformen – Kritiker Goethes. Ihre Kritik sowie die daran anknüpfende breite Diskussion bereitete im Verlaufe der 30er Jahre eine grundsätzliche literaturtheoretische Neuorientierung über die Aufgabe der Literatur und des modernen Schriftstellers im Verhältnis zur literarischen Tradition und politischen Gegenwart vor.

Wolfgang Menzel als Kritiker Goethes

Der Anstoß zu dieser wichtigen Debatte ging aus vom einflußreichsten Literaturkritiker der Zeit, dem ehemaligen Burschenschaftler Wolfgang Menzel, der in seiner 1828 veröffentlichten Darstellung *Die deutsche Literatur* provokativ erklärt hatte, Goethe sei kein Genie, sondern lediglich ein Talent, das seine Möglichkeiten in der Behandlung von gegen Sittlichkeit, Religion und Vaterland gerichteten Themen verschwendet habe. Menzels schulmeisternde Kritik war gegründet auf eine sich liberal gebärdende, in Wahrheit reaktionäre Haltung, nach der eine verbreitete spießbürgerlich-christliche Moral, ein offen antisemitischer Patriotismus und eine unklar an Romantik orientierte Künstlerauffassung zum Maß aller Dinge gesetzt wurden. Von solch borniert, literaturkritisch-staatsanwaltlicher Warte ist seitdem bis zur Gegenwart in Deutschland immer wieder vergiftende, denunziatorische und zu Ächtung, Verbrennung und Vertreibung aufrufende »Kritik« geübt worden, an »unchristlichen« Schriftstellern wie Goethe ebenso wie an Juden wie Heine, Humanisten wie H. Mann, Sozialisten wie Brecht oder »Sympathisanten des Terrors« wie Böll. Die von ihrem Ursprung her ungeistige Kritik Menzels traf sich allerdings in einem bedeutsamen, in der Folgezeit vieldiskutierten Anklagepunkt mit dem Vorwurf des Publizisten und Literaturkritikers Börne an Goethe: dem Vorwurf der politischen Gleichgültigkeit in den Hauptfragen der Zeit (die Börne aber nicht wie Menzel im Problem der »Nation«, sondern dem der »Freiheit« thematisiert sah). Von Anbeginn seiner literarisch-publizistischen Tätigkeit im Jahr 1818, als er die bald verbotene Zeitschrift *Die Wage* herausgab, bis zu seinem Tode 1837 als Emigrant in Paris hatte Börne durch Argumentation und Polemik, Rezension und eigene schriftstellerische Produktion, durch Kritik an anderen Autoren und selbst praktisch vorgelebtes Vorbild für ein politisch orientiertes, das Interesse von Freiheit und Fortschritt wahrnehmendes »Zeitschriftstellertum« gekämpft. Goethe, der bedeutendste Dichter der Deutschen, hätte nach Börne die Pflicht gehabt, seine künstlerische Autorität für die Sache der bürgerlichen Freiheit und den Kampf gegen ihre Unterdrückung durch die Fürsten einzusetzen und so der Nation wie auch anderen Schriftstellern ein ermunterndes Beispiel geben müssen – aber statt dessen habe er es vorgezogen, als »Stabilitätsnarr« ein Fürstenknecht zu bleiben.

Diese vor allem moralisch begründete Kritik wird 1846/47 von Engels auf eine neue, politische Ebene gestellt. Engels interessiert nicht mehr so sehr das Maß des persönlichen Versagens vor der geschichtlichen Aufgabe, sondern das Ausmaß der gesellschaftlichen Misere, die das Genie beschränkte: »Goethe verhält sich in seinen Werken auf eine zweifache Weise zur deutschen Gesellschaft seiner Zeit. Bald ist er ihr feindselig; er sucht der ihm widerwärtigen zu entfliehen [...]. Bald dagegen ist er ihr befreundet, ›schickt‹ sich in sie [...], ja verteidigt sie gegen die andrängende geschichtliche Bewegung [...]. So ist Goethe bald kolossal, bald kleinlich; bald trotziges, spottendes, weltverachtendes Genie, bald rücksichtsvoller, genügsamer, enger Philister. Auch Goethe war nicht imstande, die deutsche Misère zu besiegen; im Gegenteil, sie besiegte ihn, und dieser Sieg der Misère über den größten Deutschen ist der beste Beweis dafür, daß sie ›von innen heraus‹ gar nicht zu überwinden ist.« Börne hat mit seiner Goethe-Kritik gleichwohl einer ideologischen Ablösung von der als schlechthin vorbildhaft betrachteten klassischen Literatur das Wort geredet, die dann bei Heine theoretisch auf den Begriff gebracht wird. Während Börne überwiegend die Person Goethe und deren »Versagen«, Engels überwiegend die deutsche Misere akzentuiert, dringt Heine in seiner Goethe-Kritik vor zum Prinzip und damit zu einer Gesamtauseinandersetzung mit der »Goetheschen Kunstschule« und der Romantik als »Kunstperiode«.

Die »Goetheaner«, so führt Heine in der *Romantischen Schule* (1836) aus, »betrachten [...] die Kunst als eine unabhängige zweite Welt, die sie so hoch stellen, daß alles Treiben der Menschen, ihre Religion und ihre Moral, wechselnd und wandelbar unter ihr hin sich bewegt.« Diese politisch folgenlose Kunst aber, das war schon vor der Julirevolution Heines Meinung, »muß zu Grunde gehen, weil ihr Prinzip noch im abgelebten, alten Regime, in der heiligen römischen Reichsvergangenheit wurzelt. Deshalb, wie alle welken Überreste dieser Vergangenheit, steht sie im unerquicklichsten Widerspruch mit der Gegenwart. Dieser Widerspruch und nicht die Zeitbewegung selbst ist der Kunst so schädlich [...]. Indessen, die neue Zeit wird auch eine neue Kunst gebären, die mit ihr selbst in begeistertem Einklang sein wird, die nicht aus der verblichenen Vergangenheit ihre Symbolik zu borgen braucht und die sogar eine neue Technik, die von der seitherigen verschieden, hervorbringen muß.« In dieser von Heine wohl am weitesten begründeten Kritik an der alten bzw. in der Forderung nach einer aktuellen und neuen Kunst (Technik), die bis zu Benjamin und Brecht ihre Gültigkeit behalten sollte, folgten ihm in Deutschland die Schriftsteller des »Jungen Deutschland« (Gutzkow, Wienbarg, Laube, Mundt), freilich mit Schwierigkeiten. Theoretisch eher labil, geschockt durch das auf eine denunzierende Kritik Menzels zurückgehende behördliche Publikationsverbot (1835), befangen im kritischen Kleinkrieg untereinander und mit ihren Gegnern auf der Rechten, später auch auf der Linken, reduzierte sich die politische Qualität ihres anfänglich revolutionären Anspruchs rasch. »Wir kämpfen um die Wege zum Ziele, kennen aber das Ziel selbst nicht«, bekannte Gutzkow und brachte damit zum Ausdruck, daß der Kampf um eine neue zeitverbundene Literatur einerseits bereits als Anfang der angestrebten Literaturerneuerung

Ludwig Börne

verstanden werden müsse, daß es aber andererseits das Schicksal des modernen Schriftstellers sei, geistiger Vorläufer und Übergang zwischen gegenwärtiger Vergangenheit und angestrebter Zukunft zu bleiben. In paradoxer Annäherung an das kritisierte Prinzip der Kunstepoche verstanden sich die Jungdeutschen aber bald allein als Wegbereiter einer rein durch Literatur beförderten geistigen Emanzipation, die ihr Publikum schließlich genau dort suchten, wo es auch schon die alte Literatur gefunden hatte: im Kreis der Gebildeten, abseits von den als roh, ungebildet und ungesetzlich eingeschätzten Volksbewegungen der 30er und 40er Jahre.

Beispiel
Georg Büchner

So wenig zu bestreiten ist, daß die Jungdeutschen durch ihre Themen (Eintreten für bürgerliche Freiheit, Emanzipation der Juden und Frauen, Weltbürgertum, Aufhebung der Standesunterschiede, Religionsfreiheit usw.) und durch ihr praktisches Tun als Dichter-Journalisten die Exklusivität der klassisch-romantischen Buchkultur durchbrachen und den Literaturbetrieb in folgenreicher Weise modernisierten, so wenig ist auf der anderen Seite Georg Büchners politische Kritik an der halben jungdeutschen Literaturrevolution abzuweisen. 1836 schrieb er an Gutzkow: »Die Gesellschaft mittelst der Idee, von der gebildeten Klasse aus reformieren? Unmöglich! Unsere Zeit ist rein materiell; wären Sie je direkter politisch zu Werke gegangen, so wären Sie bald auf den Punkt gekommen, wo die Reform von selbst aufgehört hätte.« Büchner war es auch, der mit seinem literarischen Werk radikale Konsequenzen aus der Kritik an der Kunstepoche zog, lange bevor mit dem Programm der operativen Literatur in den 40er Jahren ein weiterer Anlauf genommen werden sollte, durch Aufhebung des »tote[n] Scheinwesen[s] der alten Kunst« (Heine), jene neue Literatur zu verwirklichen, in der »direkter politisch zu Werke gegangen« wird.

Kaum ein deutscher Schriftsteller der letzten zweihundert Jahre, sieht man von Hölderlin ab, ist so schwer in den Entwicklungsprozeß der Literaturgeschichte einzuordnen wie Büchner. Obwohl ein paar Jahre jünger als die Autoren des Jungen Deutschland, begann er wie diese, sich kritisch abgrenzend von der Kunstepoche, in der Zeit nach der Julirevolution 1830 zu schreiben, überholte aber von seinem weltanschaulich fortgeschritteneren (frühsozialistisch-materialistischen) Standpunkt deren Theorie und literarische Praxis erheblich. Heine, dem er noch am nächsten stand, lernte er nie kennen; die sozialrevolutionäre Literatur der 40er Jahre und die Anfänge des wissenschaftlichen Sozialismus erlebte er nicht mehr – ihren Vertretern wiederum war Büchner als Revolutionär und Schriftsteller so gut wie unbekannt, weil seine wenigen Schriften vernichtet oder konfisziert, verstümmelt oder verspätet veröffentlicht worden waren. Einer breiteren Leserschaft wurde er erst seit dem Anfang des 20. Jahrhunderts bekannt, nachdem ab 1879 eine vorläufige kritische Ausgabe der Werke vorlag und zwischen 1885 und 1913 die dramatischen Werke zu Erstaufführungen gelangten. Seitdem gilt Büchner neben Lenz, Kleist und Grabbe als einer der klassischen unzeitgemäßen, »modernen« Dramatiker, von den Naturalisten ebenso wie von den Expressionisten, vom politischen Theater ebenso wie vom absurden Theater als einer der ihren in Anspruch genommen. Eine weitere, nicht nur

Literatur
und Revolution

vom Typ des vormärzlichen politischen Schriftstellers abweichende Besonderheit kommt hinzu: Büchner ist zunächst einmal materialistischer Naturforscher und politisch bewußter Revolutionär, seine schriftstellerische Tätigkeit geht erst hervor aus der Verbindung von naturwissenschaftlich-philosophischer Forschung (Anatomie) und politisch-revolutionärer Praxis (Gründung der subversiven »Gesellschaft für Menschenrechte« in Gießen, die im Kontext der republikanischen und frühproletarischen Agitation nach der Julirevolution ihre Bedeutung hatte): Büchners erste Veröffentlichung ist die vom Butzbacher Pfarrer Weidig, dem wohl bedeutendsten süddeutschen Demokraten der 30er Jahre, redigierte Flugschrift *Der Hessische Landbote* (1834). Diese im Dienst der revolutionären Agitation stehende Schrift entlarvt in biblisch-einfacher und zugleich rhetorisch äußerst wirksamer Sprache detailgenau bis in die statistischen Zahlen und dennoch anschaulich die rücksichtslose Ausbeutungspraxis des feudalen, großherzoglich-hessischen Staates und seiner Nutznießer und ruft die hessischen Bauern zur revolutionären Erhebung auf. Über den *Hessischen Landboten* schrieb 1878 Karl Emil Franzos, Büchners erster Herausgeber: »Zum erstenmale in Deutschland tritt darin ein Demokrat nicht für die geistigen Güter der Gebildeten ein, sondern für die materiellen der Armen und Unwissenden; zum erstenmale ist hier nicht von Preßfreiheit, Vereinsrecht und Wahlcensus die Rede, sondern von der ›großen Magenfrage‹; zum erstenmale tritt hier an die Stelle der politisch-demokratischen Agitation die social-demokratische Klage und Anklage.«

Georg Büchner

Mit realistischem, von jeglichen liberalen Illusionen unberührtem Blick hatte Büchner schon als Student im französischen Straßburg 1833 erkannt: »Wenn in unserer Zeit etwas helfen soll, so ist es Gewalt. Wir wissen, was wir von unseren Fürsten zu erwarten haben. Alles, was sie bewilligten, wurde ihnen durch die Notwendigkeit abgezwungen. Und selbst das Bewilligte wurde uns hingeworfen wie eine erbettelte Gnade und ein elendes Kinderspielzeug, um dem ewigen Maulaffen Volk seine zu eng geschnürte Wickelschnur vergessen zu machen.« Zugleich aber auch hatte er geschrieben, daß er sich jeder aktiven Beteiligung an revolutionären Aktionen enthalte, »weil ich im gegenwärtigen Zeitpunkt jede revolutionäre Bewegung als eine vergebliche Unternehmung betrachte und nicht die Verblendung derer teile, welche in den Deutschen ein zum Kampf für sein Recht bereites Volk sehen.« Diese Spannung von praktisch folgenreicher Erkenntnis (herrschender Gewaltzustand, Notwendigkeit von Gegengewalt, aktive Rolle des Volkes, wobei Büchner nur die verelendeten Bauern sieht) und der resignativen Einsicht, »daß nichts zu tun ist«, weil das Kräfteverhältnis gegenwärtig zu ungünstig ist, bleibt für Büchner bestimmend. Sie führt dazu, daß er sich nach dem Scheitern der durch den *Hessischen Landboten* geplanten Aktionen aus der Untergrundarbeit zurückzieht und seine politische Erkenntnis auf andere Weise wirksam zu machen versucht. Innerhalb von fünf Wochen schreibt er das Drama *Dantons Tod*, das ein zentrales Thema der sich wendenden Französischen Revolution behandelt. Da inzwischen steckbrieflich nach ihm gefahndet wird, flieht er nach Straßburg, später nach Zürich. Hier, im Exil und hauptsächlich mit der Sicherung seiner beruflichen Existenz (Promotion, Privatdozentur) befaßt, entsteht in kurzer Zeit sein übriges literarisches Werk, das Lustspiel *Leonce und Lena*, das Fragment gebliebene Sozialdrama *Woyzeck* und die unvollendete Erzählung *Lenz* sowie Übersetzungen. Am 19. Februar 1837, eine Woche nach dem Tod Börnes, stirbt Büchner an Typhus. Von Herwegh, der drei Jahre später, ebenfalls als Emigrant, nach Zürich kommt, stammt die Grabinschrift: »Ein unvollendet Lied sinkt er ins Grab/ Der Verse schönsten nimmt er mit hinab.«

Konzept der Gewalt

Büchners Kritik an der Kunstepoche ist nicht, wie bei Heine und den Jungdeutschen, theoretisch breit entfaltet; sie entspringt in mehr praktischer Form seinem unmittelbaren politischen Wirkungsinteresse sowie den Problemen seiner literarischen Tätigkeit als Dramatiker und Erzähler. Goethe schätzte er, Hegel interessierte ihn kaum, die Romantiker und vor allem Schiller aber kritisierte er scharf als »Idealdichter«, deren ästhetische Prinzi-

Kunstideal

pien er als idealistisch und »schmählichste Verachtung der menschlichen Natur« (so im *Lenz*) bekämpfte. Gegen deren Theorie und Werk setzte er seine Schriften als praktische Verwirklichung seines Konzepts einer realistischen, gesellschaftsverbundenen Kunst. Seine anti-idealistische, Lebens- und Kunstpraxis auf eine erkenntnisfördernde, handlungsorientierte Weise verbindende Grundansicht ist niedergelegt in dem Satz, den er als Rechtfertigung des *Danton* schrieb: »Der Dichter ist kein Lehrer der Moral, er erfindet und schafft Gestalten, er macht vergangene Zeiten wieder aufleben, und die Leute mögen dann daraus lernen, so gut wie aus dem Studium der Geschichte und der Beobachtung dessen, was im menschlichen Leben um sie herum vorgeht.« Und in dem bekannten Kunstgespräch im *Lenz* läßt Büchner seine Hauptfigur die ästhetische Konsequenz dieser Grundansicht, wiederum gegen den »verklärenden« Idealismus gerichtet, präzisieren: »Ich verlange in allem – Leben, Möglichkeit des Daseins, und dann ist's gut; wir haben dann nicht zu fragen, ob es schön, ob es häßlich ist. Das Gefühl, daß, was geschaffen sei, Leben habe, stehe über diesen beiden und sei das einzige Kriterium in Kunstsachen [...]. Man muß die Menschheit lieben, um in das eigentümliche Wesen jedes einzudringen; es darf einem keiner zu gering, keiner zu häßlich sein, erst dann kann man sie verstehen; das unbedeutendste Gesicht macht einen tiefern Eindruck als die bloße Empfindung des Schönen, und man kann die Gestalten aus sich heraustreten lassen, ohne etwas vom Äußern hineinzukopieren, wo einem kein Leben, keine Muskeln, kein Puls engegenschwillt und -pocht.«

Ästhetik des Häßlichen

Büchner hat sich, nach der Auseinandersetzung mit dem idealistischen Einzelhelden in *Dantons Tod* und der Satire auf die »abgelebte moderne Gesellschaft« in *Leonce und Lena*, im *Lenz* und vor allem im *Woyzeck* dieser mißachteten Wirklichkeit der Geringen und Häßlichen zugewandt und in der Figur des Woyzeck jene Armen und Unterdrückten auf die Bühne gestellt, die er bereits in seiner ersten Schrift *Der Hessische Landbote* in den verelendeten Bauern angesprochen hatte. Seine expressive Technik, »die Gestalten aus sich heraustreten [zu] lassen, ohne etwas vom Äußern hineinzukopieren«, d.h. die szenisch vorgeführte Situation für sich selbst sprechen zu lassen und so Anstöße zu geben, unterscheidet sich dabei nicht nur vom Verfahren des idealistischen Dramas (Proklamation der dramatischen Lösung durch handelnde Rede der Helden), sondern auch von der Strategie der liberalen Gesinnungsdemonstration bei den Jungdeutschen und später auch bei vielen politischen Lyrikern, Heine und Weerth ausgenommen.

Das Programm der politischen Poesie

Schriftsteller und Politik

Seit alters her, vor allem aber seit Reformation und frühbürgerlicher Revolution haben es die Schriftsteller als ihr Recht und ihre Pflicht angesehen, sich mit ihren Werken zu den großen weltanschaulichen und politischen Auseinandersetzungen ihrer Zeit zu äußern. Seit alters her, vor allem aber seit dem 18. Jahrhundert, sind die Schriftsteller dafür, je nach Parteinahme und Schärfe der Kritik, von den Machthabern gelobt und bezahlt bzw. gemaßregelt und verfolgt worden. Luther, Verfasser der »Marseillaise des 16. Jahrhunderts« (Engels), d.i. *Ein feste Burg ist unser Gott* und vieler anderer kirchlicher Lieder und Schriften, vor allem aber Thomas Müntzer, Flugschriftenautor und Agitator des Bauernkrieges, wurden politisch verfolgt; Luther schloß Kompromisse (und überlebte), Müntzer blieb radikal (und wurde enthauptet). Religionskritik war auch nach der Reformation ein Politikum ersten Ranges, traf sie doch immer den mit der Kirche verbundenen feudalen, später auch bürgerlichen Staat. Das erfuhren Lessing in seinem öffentlichen Streit mit dem Pastor Goeze (die Fortsetzung des Disputes wurde ihm verboten) wie auch Fichte, als er 1799, angeklagt des Atheismus, als Philosophieprofessor entlassen wurde. Gutzkow erhielt 1835 zehn Wochen Gefängnis, weil er in seinem Roman *Wally, die Zweiflerin* in antichristlicher Weise für die »Emanzipation des Fleisches« eingetreten war. Direkte politische Stellungnahme, selbst loyale und patriotische, war nicht ungefährlich. Gleims *Grenadierlieder* (1758) zum Siebenjährigen Krieg brachten dem Verfasser Ruhm und Anerkennung; wegen ihrer dichterischen Verherrlichung der bürgerlichen Freiheitsidee wurde Klopstock und Schiller 1792 von der Pariser Nationalversammlung das französische Bürgerrecht verliehen, was ihnen im feudalen Deutschland eher schadete; Goethe hatte eine Audienz bei Napoleon, die folgenlos blieb; die preußischen Patrioten im Kampf gegen Napoleon (Kleist, Körner, Arndt u.a.) waren jedoch dem Berliner Hof überhaupt nicht genehm und wurden eher als Demagogen eingestuft. Königliche Ehrengaben und Pensionen erhielten nur die gut monarchistischen oder unpolitischen Dichter wie z.B. Geibel.

Opposition gegen die herrschenden Mächte und ihre Politik wurde offen und brutal unterdrückt. Schubart saß von 1777 an zehn Jahre auf dem Hohenasperg im Kerker, ehe er, körperlich und seelisch gebrochen, entlassen wurde; Schiller mußte aus Württemberg fliehen, um diesem Schicksal zu entgehen (»Die Räuber kosteten mir Familie und Vaterland«). Verfolgt wurden die jakobinischen Schriftsteller; 1806 ließ Napoleon zur Warnung aller deutschen Schriftsteller den Buchhändler Palm erschießen. Metternich ordnete nach 1819 die Verfolgung der oppositionellen Intellektuellen als »Demagogen« an und bedrückte sie nach 1830 mit verschärfter Zensur, Berufsverbot und Gefängnis. Der preußische Innenminister v. Rochow dekretierte: »Dem Untertanen ziemt es nicht, an die Handlungen des Staatsoberhauptes den Maßstab seiner beschränkten Einsicht anzulegen und sich in dünkelhaftem Übermute ein öffentliches Urteil über die Rechtmäßigkeit derselben anzumaßen.« Die Folgen: Zwischen 1830 und 1848 stieg die Zahl der deutschen Emigranten in Frankreich von 30000 auf 170000, in der Schweiz von 20000 auf 40000, in Belgien von 5000 auf 13000. Die verschärfte Verfolgung oppositioneller Dichtung im Vormärz schien zunächst erfolgreich und damit zu bestätigen, was das in polemischer Absicht vielzitierte Wort aus Goethes *Faust* (»Ein garstig Lied! Pfui! ein politisch Lied/ ein leidig Lied!«) ursprünglich meinte: sich auf Politik in Literatur einlassen, schafft für Autor und Leser Verdruß; es ist allemal klüger, statt dessen mit dem Bierstudenten Brander ein unverfängliches »Lied vom neusten Schnitt« anzustimmen. Und dennoch war gerade ab 1830 nicht aufzuhalten, daß viele Schriftsteller und Gelehrte nicht nur in ihrem Werk direkt politisierten (von Verfassungsfragen bis zum sozialen Elend), sondern sich auch praktisch betätigten (als Parlamentarier: Uhland, Grimm, Arndt, Blum u.a.; im Untergrund: Follen, der Pfarrer Weidig, Büchner, Herwegh u.a.). Wie war das möglich?

Durch die Entstehung und Erweiterung des Literaturmarktes konnte im Vormärz das gedruckte Wort nicht nur rascher und wirksamer in weite Bevölkerungskreise getragen werden, zugleich setzte auch die Herausbildung eines zahlungskräftigen und -bereiten, lesekundigen und interessierten Publikums den engagierten Schriftsteller in den Stand, sich aus der im kleinstaat-

Unterdrückung der Opposition

Politisierung der Literatur

Titelblatt

politische Poesie

lichen Deutschland traditionellen Abhängigkeit vom feudalen Dienstherrn und Mäzen zu befreien und seine Kritik offen auszusprechen. Die Zensur drückte zwar zwischen 1789 und 1848 viele Ansätze eines politischen Engagements von Schriftstellern nieder und deformierte das Verhältnis von Politik und Literatur nachhaltig, dennoch verfehlte sie gerade dann ihren Zweck – die Wiederherstellung der alten Botmäßigkeit –, als sie in den 40er Jahren so unnachsichtig wie noch nie zuvor in der deutschen Literaturgeschichte gehandhabt wurde. Denn dieses letzte Jahrzehnt vor dem Ausbruch der Revolution von 1848 war zugleich jene Zeit, in der sich die Politisierung der Literatur radikal zuspitzte und im Programm der politischen Poesie erstmals ihre theoretische Rechtfertigung fand. Programmatik und Problematik der politischen Poesie – ein Begriff, der so erst als Kampfbegriff und Manifestation einer völlig neuen Literaturentwicklung im Vormärz entstanden ist – entfalteten sich auf dem Hintergrund der verschärften Auseinandersetzungen zwischen Feudalismus und Bürgertum bzw. in Ansätzen zwischen liberaler Geldaristokratie und radikalem Kleinbürgertum und Proletariat sowie gleichzeitig auf dem Hintergrund der verschärften Diskussion über das ästhetische Erbe der »Kunstperiode«. In Anbetracht der von den klassisch-romantischen Schriftstellern bewußt vollzogenen Abwendung von der unmittelbaren politischen Welt (den beginnenden Klassenauseinandersetzungen) und ihrer Zuwendung zu einer sich darüber erhebenden moralisch-ästhetischen Welt war es zunächst notwendig, den Bereich von Staat und Politik als einen nicht nur zulässigen, sondern sogar zentralen Gegenstand von Kunst und Literatur zu begründen.

Legitimiert durch eine längere Tradition von entsprechenden Ansichten über das Verhältnis von Dichtung und Politik seit den 90er Jahren des 18. Jahrhunderts und von Goethe noch in seinen letzten Lebensjahren bekräftigt, besaß die These von der ästhetischen Unvereinbarkeit von Poesie und Politik geradezu dogmatische Kraft. Sie wog auch im Vormärz noch viel, vor allem bei jenen Dichtern, die sich der Klassik und Romantik ästhetisch verpflichtet fühlten. Aber auch die Schriftsteller, die sich im Verlaufe des Vormärz zu politischen Dichtern entwickelten, gingen zunächst von einer ausdrücklichen Bejahung dieser These aus. Börne, der seit 1819 entschieden für ein politisches Zeitschriftstellertum eintrat, meinte immer nur den Journalisten und Prosaisten, nicht den Poeten. Wienbarg, der Theoretiker des Jungen Deutschland, ging zwar schon weiter, wenn er auch dem Lyriker politische Anteilnahme am Zeitgeschehen zugestand, doch schränkte er diese Lizenz sogleich wieder ein, wenn er jene Anteilnahme als lyrische Widerspiegelung verstanden wissen wollte, nicht aber als direkt parteiergreifenden Versuch, »auf den politischen Sinn des Lesers zu wirken.« Heine schloß bis zu Anfang der 40er Jahre die Poesie bei der literarischen Beförderung politischer Interessen ausdrücklich aus (»diese wollen wir befördern, aber nur in guter Prosa«). Selbst Herwegh und Freiligrath äußerten noch wenige Jahre vor ihrem Auftreten als gefeierte politische Lyriker, daß die Poesie das »Ewige« zum Inhalt habe »und nicht immer mit dem verfluchten Dreck und Schund unseres kläglichen, miserablen Menschen- und Staatslebens zu schaffen haben« soll (Freiligrath, 1841). Erst in den 40er Jahren bildete sich ein Standpunkt heraus, der klar mit dem überlieferten ästhetischen Dogma brach und von Prutz, der selbst auch als politischer Lyriker hervorgetreten war, folgendermaßen formuliert wurde: »Wo in einer Nation politisches Bewußtsein ist, da wird dieses Bewußtsein auch seinen poetischen Ausdruck finden, da wird es eine politische Poesie geben. Und ferner: wo wirklich eine politische Poesie ist, da muß die Politik bereits der Inhalt des schönen Individuums geworden sein. Das eine deutet auf das andere; die Politik ist zur Poesie berechtigt und die Poesie zur Politik.« Politische Dichtung war, so betrachtet, nicht bloß eine neue Variante von Dichtung, sondern der geschichtsbedingte Ausdruck einer Erweiterung von Poesie, die grundsätzlich und bewußt wahrgenommene politische Qualität besitzt.

Zum anderen kam es darauf an nachzuweisen, daß die notwendige Partei- *Parteilichkeit* lichkeit und »Tendenz« des politischen Dichters nicht das Ende seines Künstlertums bedeutet, sondern im Gegenteil dieses erst eigentlich begründet. An dieser für die Rolle der Dichtung in den Klassenauseinandersetzungen zentralen Frage entzündete sich erstmals im Vormärz eine Debatte, die in ihren Grundzügen – wenn auch in zeittypisch differenzierter Form und mit großen Unterbrechungen – bis heute fortgesetzt wurde und aktuell geblieben ist. Für die Zeitgenossen gab der Lyriker Georg Herwegh, wenn auch sein Ruhm nur kurze Zeit dauerte, das erste überzeugende Beispiel für die Möglichkeit einer sowohl ästhetisch schönen als auch politisch eingreifenden Dichtung, die bis dahin gerne als »Tendenzpoesie« kritisiert worden war. Schönheit und Tendenz waren in Herweghs Dichtungsverständnis deswegen eng miteinander verbunden, weil der wirkliche Dichter nicht nur der Schönheit, dem »obersten Gesetz jeder Ästhetik«, verpflichtet war, sondern zugleich auch seinem Volk und seiner Zeit, die in einem Gedicht einmal die »Madonna der Poeten« genannt wird.

> *An die deutschen Dichter* (1840)
>
> Seid stolz! es klingt kein Gold der Welt
> Wie eurer Saiten Gold;
> Es ist kein Fürst so hoch gestellt,
> Daß ihr ihm dienen sollt!
> Trotz Erz und Marmor stürb er doch,
> Wenn ihr ihn sterben ließet;
> Der schönste Purpur ist annoch
> Das Blut, das ihr als Lied vergießet!
> [...]
> Dem Volke nur seid zugetan,
> Jauchzt ihm voran zur Schlacht,
> Und liegt's verwundet auf dem Plan,
> So pfleget sein und wacht!
> Und so man ihm den letzten Rest
> Der Freiheit will verkümmern,
> So haltet nur am Schwerte fest
> Und laßt die Harfen uns zertrümmern!

Da der Dichter mit dem Volke zu gehen hatte, da das Prinzip der neuen Literatur (gemeint ist die vor allem seit 1840 anschwellende politische Lyrik, deren hervorragendster Vertreter Herwegh selbst war) »demokratisch« war, *demokratische* wie Herwegh immer wieder betonte, mußte der Dichter notwendig in Oppo- *Tendenz* sition sowohl zu den undemokratischen gesellschaftlichen Verhältnissen des Vormärz als auch zu der als aristokratisch empfundenen klassisch-romantischen Literatur geraten. Die aus dieser Opposition resultierende politische Poesie war für ihn in einem höheren Sinne Tendenzdichtung, weil die dichterische Anteilnahme an der Zeit, die nach Herwegh »ein integrierender Teil« der Ewigkeit ist, und ihm andererseits das Ewige als Tendenz galt. Wenn so die politische Poesie die »ewige Tendenz« der Freiheit aussprach, so war diese Formel trotz ihrer zu bloßer Rhetorik einladenden Allgemeinheit politisch brisant genug, mußte sie doch im Vormärz zugleich als Tendenz der liberalen und demokratischen Opposition parteiisch werden. Wiederum war Herwegh einer der ersten, der die Konsequenz einer klaren Parteinahme bewußt und entschlossen zog.

In der Auseinandersetzung mit Ferdinand Freiligrath, der in seinem Gedicht *Aus Spanien* (1841) erklärt hatte: »Der Dichter steht auf einer höhern Warte,/ als auf den Zinnen der Partei«, legte Herwegh offen dar, daß der Dichter in Anbetracht der politischen Situation Partei zu ergreifen und »einseitige Richtung« zu vertreten habe, »da unsere Universalität ewig nicht zum Handeln kommt.« So hielt Herwegh in seinem berühmten und vielumstrittenen Gedicht *Die Partei* Freiligrath und allen indifferenten Dichtern entgegen:

Ferdinand Freiligrath

> Ihr müßt das Herz an *eine* Karte wagen,
> Die Ruhe über Wolken ziemt euch nicht;
> Ihr müßt euch mit in diesem Kampfe schlagen,
> Ein Schwert in eurer Hand ist das Gedicht.
> O wählt ein Banner, und ich bin zufrieden,
> Ob's auch ein andres, denn das meine sei;
> *Ich* hab gewählt, ich habe mich entschieden,
> Und *meinen* Lorbeer flechte die Partei!

Mit diesen Versen redete Herwegh keineswegs einem Dichten das Wort, das sich zum Zwecke der Propaganda in den Dienst einer politischen Partei stellen sollte. Politische Parteien begannen sich im Vormärz erst allmählich herauszubilden; Parteiorganisationen im modernen Sinne bestanden damals noch nicht. Herwegh trat vielmehr ganz allgemein für das Parteinehmen ein, womit er vor allem jene tradierte Haltung der Überparteilichkeit anzweifelte, die mit Freiligrath viele Dichter in der Nachfolge Goethes behaupteten (»Sowie ein Dichter politisch wirken will, muß er sich einer Partei hingeben, und sowie er dieses tut, ist er als Poet verloren«; Goethe, 1832). Gottfried Keller, im Vormärz ein glühender Verehrer Herweghs, urteilte noch schärfer: »Wer *über* den Partein sich wähnt mit stolzen Mienen,/ Der steht zumeist vielmehr beträchtlich *unter* ihnen.« 1843 freilich stieg auch Freiligrath von der höheren Warte auf die Zinnen der Partei und bekannte im Vorwort zu seiner neuen politischen Gedichtsammlung *Ein Glaubensbekenntnis*: »Fest und unerschüttert trete ich auf die Seite derer, die mit Stirn und Brust der Reaktion sich entgegenstemmen.« Bald genügte ihm auch diese Parteinahme für die politische Opposition gegen die Reaktion, die von den verschiedensten politischen Gruppen bekämpft wurde, nicht mehr. Nun kam es ihm darauf an zu sagen, für welche dieser Gruppen er Partei nehmen wollte – und mit diesem Bekenntnis für eine bestimmte Partei, nämlich die des »Communismus«, ging Freiligrath über die Herweghsche Forderung beträchtlich hinaus.

Kritik der politischen Poesie:
der Widerstreit von politischer Tendenz
und literarischer Praxis

Läßt man einmal die konservative Kritik beiseite, für die – damals wie heute – politische Dichtung ein Widerspruch in sich bleibt, d.h. »für ein Ding gilt, welches entweder, als unmöglich, nicht existiert, oder, als unberechtigt, doch nicht existiren sollte« (Prutz, 1843), so gab es bereits im Vormärz auch eine Kritik, die bei grundsätzlicher Anerkennung des Prinzips operativer Dichtung doch anzweifelte, ob die von Herwegh, Freiligrath, Hoffmann von Fallersleben u.a. verwirklichte politische Poesie zu bejahen sei. Der erste Einwand betraf die politische Tendenz, der zweite die literarische Technik – beide sind eng miteinander verbunden. Die durch den jungen Herwegh repräsentierte politische Lyrik war liberal, d.h. sie gründete sich auf die bürgerlichen Forderungen nach Freiheit, nationaler Einheit, Verfassung und Recht. Die liberalen Lyriker trachteten danach, Kräfte für diesen Kampf durch Mobilisierung der Gefühle (Liebe, Haß, Begeisterung, Empörung) freizumachen, trugen aber gleichzeitig dazu bei, die Kluft zwischen Schriftsteller und politischer Realität größer werden zu lassen, weil Politik eher wie Religion behandelt wurde. Da das konkrete politische Wissen der meisten politischen Lyriker ohnehin gering war, leistete diese Poesie auch der Neigung Vorschub, die mangelhafte politische Bildung durch Leidenschaft, Begeisterung und »Gesinnung«, die keine weitere Rechenschaft abzulegen brauchten, zu ersetzen. Als politische Gelegenheitsdichtung verwirklichte sie sich so überwiegend in der Form der subjektiven Selbstaussprache, d.h. zuerst in Ausweitung des Goetheschen Erlebnisbegriffs als Bekenntnis einer politischen Erweckung, mit dem Ziel, »die eigene Begeisterung fortzuleiten und fremde wachzuhalten« (Freiligrath). Aber auch in der Form der kollektiven Gefühlskundgabe, der Gesinnungsdemonstration einer »Gemeinschaft«, entstand in Liedern, patriotisch-politischen Gesängen und Hymnen (wozu auch die damals entstandene, spätere deutsche Nationalhymne *Deutschland, Deutschland über alles* von Hoffmann von Fallersleben gehört) eine volkstümliche Bewegung, die viele Lyriker zu politischen Volkssängern werden ließ.

Kunst oder Gelegenheitsdichtung?

Heines scharfe Kritik an den Tendenzdichtern der 40er Jahre, die ihm zu Unrecht den Vorwurf des Verrats an der guten Sache eintrug, trifft wohl den Kern. Wenn er Herwegh tadelt, seine politische Begeisterung mache ihn blind für die politischen und sozialen Realitäten und erzeuge schädliche Illusionen, wenn er den Freiheitssängern die Allgemeinheit ihres Protestes vorwirft, die Heuchlern und Dilettanten die Bahn eröffne, dann spricht sich darin die Sorge aus, daß bei einer solchen Handhabung die Waffe der politischen Dichtung, der sich Heine selbst bediente, stumpf werde (vgl. dazu Heines Gedichte *An Georg Herwegh, Die Tendenz, An einen politischen Dichter*). Darin eingeschlossen ist der entschiedene Zweifel des Künstlers Heine daran, daß diese zwar volkstümliche, aber politisch illusionäre Poesie, die auf dem traditionellen Prinzip der Begeisterung beruhte, den Vorgriff auf jenes operative künstlerische Verfahren, auf jene »neue Technik« ermöglichen würde, die nach Heine nötig ist, um der sich verändernden gesellschaftlichen Realität erkennend und eingreifend beizukommen. Heine versuchte, diese neue Schreibweise in seinen Zeitgedichten, politischen Versepen und Prosatexten selbst zu praktizieren, wobei er sich darum bemühte, Momente des Subjektiven und Distanzierten, des Sinnlichen und Ironischen, des

Kritik Heines

Assoziativen und Offenen zu einer Kombination zu bringen. Er wurde damit zum Beiträger der »Urgeschichte der Moderne«, in der von Anfang an Revolutionierung der ästhetischen Mittel (Technik) und politische Parteilichkeit (Tendenz) ein spannungsvolles, z. T. auch ambivalentes Verhältnis eingingen.

Agitation

Aber auch die spätere, politisch präzisere, da parteiliche Lyrik Herweghs und vor allem Freiligraths geriet in die Kritik. In dem Gedicht *Wie man's macht!* (1846) hatte Freiligrath vorgeschlagen, in der Stunde der größten Not zunächst das Landwehr-Zeughaus zu stürmen, sich dort zu bewaffnen und mit dem örtlichen Militär, das überlaufen würde, zur Hauptstadt zu ziehen:

> [...] Anschwillt ihr Zug lawinengleich!
> Umstürzt der Thron, die Krone fällt, in seinen Angeln ächzt das
> Reich!
> Aus Brand und Glut erhebt das Volk sieghaft sein lang zertre-
> ten Haupt!
> Wehen hat jegliche Geburt! – So wird es kommen, eh ihr
> glaubt!

Dieses Gedicht war für die damalige Zeit unerhört, nicht nur, weil es von einem bis dato im deutschen Bürgertum so wohlangesehenen Dichter wie Freiligrath stammte, sondern zugleich auch deswegen, weil es die proletarische Revolution – gerade von der Möglichkeit ihrer technischen Durchführbarkeit her – als verwirklichbar vor Augen führte und obendrein noch empfahl. Gleichwohl wurde es von Marx und Engels gerade wegen der in ihm enthaltenen Unterstellung verworfen, daß es nur auf den Mut und den festen Willen einer Gruppe entschlossener Revolutionäre ankomme, um die Macht zu erobern. Ironisch bemerkten sie zu der im Gedicht vorweggenommenen Revolution (die dann allerdings zwei Jahre später tatsächlich ausbrach), »daß über der ganzen Prozedur gewiß keinem einzigen Mitglied des Proletarierbataillons die Pfeife ausgegangen ist.« Für sie galt, was schon 1838 der später von Marx bekämpfte Arnold Ruge geschrieben hatte: »Eine Revolution wird nicht gemacht, sie macht sich, d.h. wenn sie eintritt, so ist die Gewaltsamkeit der Entwicklung historisch notwendig.« Die sozialistische Agitation geht von dieser historischen Notwendigkeit der Revolution aus.

revolutionäre Literatur?

Ihr Ziel ist es, die Einsicht in die Unausweichlichkeit dieses Prozesses zu vertiefen, um Widerstände gegen die revolutionäre Tat abzubauen. Dabei kam es zu weiteren Veränderungen der operativen Schreibweisen, an deren äußerstem Ende sogar das »Zertrümmern der Harfen« bzw. die politische Tat selbst standen. Es war das Elend der – in gebundenen Büchern gesammelten und auf dem literarischen Markt vertriebenen – politischen Poesie, Politik-Ersatz zu bleiben, d.h. immer noch Kunstprodukt zu sein, obwohl sie ästhetisch darüber hinaus wollte, und als Ware einem Verwertungsinteresse verhaftet zu bleiben, obwohl sie politisch dagegen anging. Die Durchbrechung dieser Formbestimmtheit vollzog sich im Zeichen der sozialistischen Agitation, am entschiedensten bei Georg Weerth. Auffällig dabei war die Veränderung der Technik durch die Veränderung der Verbreitungsform und Erweiterung des Adressatenkreises: vom geschlossenen Buch (Lyriksammlung, Roman, Lesedrama usw.) zu Flugblättern, Plakaten, zur Zeitung usw.; von den literarischen Großformen zu den Kurzformen (journalistische Kleinprosa wie Feuilleton, Glosse, Reportage, Essay usw.; Satire, Witz, Karikatur, Lied).

Literatur und Sozialismus
in Vor- und Nachmärz

Die Themenstellung ist gegenüber den verbreiteten Literaturgeschichten, die sich üblicherweise nur für den Zusammenhang von Literatur und Bürgertum interessieren und deswegen sozialistische Literatur (als Kern der politischen Dichtung bzw. als Parteiliteratur) aus dem Kanon des Überliefernswerten ausschlossen, neu. Ihre Bedeutsamkeit wurde erst in den letzten Jahrzehnten durch literarhistorische Forschungen in der DDR (Interesse am sozialistischen Erbe) und seit den 70er Jahren auch hierzulande (Interesse an der verschütteten demokratisch-revolutionären Tradition) herausgearbeitet. Die Hauptfrage, ob es im Vormärz eine eigene sozialistische Literatur gibt und welche Autoren bzw. Texte ihr angehören, ist allerdings kaum eindeutig zu beantworten.

Anfänge sozialistischer Literatur

Einerseits kann nicht bezweifelt werden, daß Deutschland in der ersten Hälfte des 19. Jahrhunderts am Vorabend einer bürgerlichen Revolution (daher: ›Vor‹-März) stand und die führende Kraft der antifeudalen Bewegung das Bürgertum war, während das Proletariat sich erst in den letzten Jahren vor und dann in der Revolution von 1848 als politisch selbstbewußte Klasse herauszubilden begann. Von dieser Grundlage her muß als Hauptinhalt dieser Epoche der Politisierungsprozeß der bürgerlichen Literatur herausgestellt und die frühe sozialistische Literatur in erster Linie als äußerste Radikalisierung bürgerlicher Philosophie und Dichtung verstanden werden. Dies drückt sich aus in der engen Bezugnahme der sich konstituierenden sozialistischen Theorie auf die Aufklärung und Hegel (beim Marx der *Frühschriften*), der Kritik der idealistischen Kunstepoche (bei Heine), dem Programm der politischen Poesie (bei den politischen Lyrikern) und nicht zuletzt in der bürgerlichen Herkunft der meisten für den Sozialismus eintretenden Schriftsteller, die erst in einem mehr oder weniger komplizierten ideologischen Ablösungsprozeß »zum theoretischen Verständnis der ganzen geschichtlichen Bewegung sich hinaufgearbeitet haben« (Marx). – Auf der anderen Seite wäre nichts verkehrter, als die Entstehung der mit dem Proletariat verbundenen Literatur von ihren vormärzlichen Anfängen abzuschneiden. Innerhalb des breiten Radikalisierungsprozesses der bürgerlichen Philosophie und Literatur gibt es durchaus qualitativ veränderte (neue) Ansätze einer sozialistischen Literatur, die der theoretischen Selbstverständigung des Proletariats als politischer Kraft sowie der künstlerischen Gestaltung proletarischer Identität dienen will. Sie sind im Rahmen einer Literaturgeschichte auch dann zu berücksichtigen, wenn die dafür in Frage kommenden Texte überwiegend theoretisch-wissenschaftlich-publizistischer Natur sind bzw. aus dem sog. subliterarischen Bereich (Volksliteratur) stammen.

am Vorabend einer bürgerlichen Revolution

Für die Selbstverständigung der revolutionär-demokratischen deutschen Intelligenz sowie die Mobilisierung der frühen deutschen Arbeiterbewegung spielten theoretische Schriften (Analysen, Flugschriften, Publizistik) eine erhebliche Rolle. Erste bedeutende Zeugnisse früher sozialistischer (kommunistischer) Propaganda und Lyrik waren in den 30er Jahren die Flugschriften und Lieder deutscher Handwerker und Arbeiter, die sich im Exil (Paris, Schweiz) ebenso wie in deutschen Territorien in einer Reihe von geheimen Bünden zusammenschlossen (Frankfurter Männerbund, Gesellschaft der Menschenrechte, Deutscher Volksverein, Bund der Geächteten, Bund der Gerechten u.a.). Der wichtigste Theoretiker dieser in sich noch durchaus verschiedenen frühsozialistischen Bewegungen war der Schneidergeselle

wichtige Theoretiker

Weitling mit seiner Programmschrift über die Selbstbefreiung der Proletarier, *Die Menschheit, wie sie ist und wie sie sein sollte* (1839) und dem Buch *Garantien der Harmonie und Freiheit* (1842), das Karl Marx später als »maßloses und brillantes literarisches Debut der deutschen Arbeiter« anerkannte. Die im Umkreis dieses sog. »Handwerkerkommunismus« entstandenen politischen Gedichte und Lieder wurden sowohl in besonderen Liederbüchern (*Deutsche Volksstimme*, 1833; *Volksklänge*, 1841 u.a.) als auch mündlich durch die wandernden Handwerksburschen selbst (»Propaganda zu Fuß«) verbreitet. In den 40er Jahren entwickelte sich in Anlehnung an den französischen und englischen utopischen Sozialismus die Theorie des »Wahren Sozialismus«, derzufolge die moralische Besserung der Kapitalisten und Proletarier den Klassenkampf und die soziale Revolution ersetzen soll. In ihrem Gefolge und zugleich angesichts des wachsenden sozialen Elends in Großstädten, Industriebezirken und auch auf dem Lande entstand in Deutschland eine sozialkritische Literatur von erheblichem Umfang (Gedichtsammlungen wie Becks *Lieder vom armen Mann*, 1846; Fabrikarbeiter- und Industrieromane wie Willkomms *Eisen, Gold und Geist*, 1843, und *Weiße Sklaven*, 1845; Reportagen wie Wolffs *Die Kasematten*, 1843, über Armenasyle und Dronkes *Polizeigeschichten*, 1846, sowie sein Großstadtbericht *Berlin*, 1846). Adressat dieser überwiegend an das Mitleid appellierenden und zur Reform mahnenden Literatur blieb aber das aufgeklärte Bürgertum.

Marx, Engels und die sozialistischen Dichter

Diesem Bürgertum, das über Literatur durch moralische Appelle emotional aufgerüttelt und durch Argumentation zu Bewußtseinsveränderung und Vernunft kommen sollte, war die Aufgabe zugedacht, auf gewaltlose Art die Emanzipation von Proletariern und Bürgern zu »Menschen« in Gang zu setzen. Ausgehend von der Verschärfung der sozialen Widersprüche seit dem schlesischen Weberaufstand 1844 entwickelten dann Marx und Engels in ihrer gemeinsamen Kritik des Linkshegelianismus und der Theorie des »Wahren Sozialismus« (*Die heilige Familie*, 1844/45; *Die deutsche Ideologie*, 1845/46; *Das Elend der Philosophie*, 1847) zugleich die Grundsätze des wissenschaftlichen Sozialismus als historisch-materialistische Theorie des Klassenkampfs, die sie alsbald im Februar 1848, mit dem Ausbruch der Revolution von 1848 im *Manifest der Kommunistischen Partei* noch einmal bündig zusammenfaßten. In ihrem Eintreten für die revolutionären Interessen des Proletariats und der direkten Adressierung an die Arbeiter als Subjekt der Geschichte (»Proletarier aller Länder vereinigt euch«) gewannen Marx und Engels die Freundschaft und Unterstützung vieler Schriftsteller von Heine und Herwegh über Freiligrath, Wolff, Dronke bis zu Weerth u.a., von denen die meisten vor allem in der Revolution von 1848 als publizistische und dichtende Mitstreiter im bedeutendsten Sprachrohr der Linken, der *Neuen Rheinischen Zeitung*, auftraten. Eine Reihe der besten Texte von Freiligrath (*Trotz alledem, Abschiedswort an die Neue Rheinische Zeitung*) und vor allem von Weerth (z.B. der satirische Feuilletonroman *Leben und Taten des berühmten Ritters Schnapphahnski*) erschienen bis 1849 in dieser Zeitung.

Georg Weerth

Georg Weerth ist, obwohl Engels ihn schon 1883 als »den ersten und bedeutendsten Dichter des deutschen Proletariats« hervorgehoben hatte, in der Literaturgeschichte bis weit ins 20. Jahrhundert so gut wie unbekannt geblieben. Durch langjährigen Aufenthalt in England und in engem geistigen Austausch mit Engels zum überzeugten Sozialisten geworden, schreibt er Ende 1844: »Wir brauchen hier nur zwei Jahre hintereinander eine Mißernte zu haben, außerdem irgendein Pech in der kommerziellen Welt, und die Revolution ist fertig. Eine Revolution nicht gegen königliche Gewalt, gegen parlamentarische Albernheiten oder gegen die Religion, sondern gegen das Eigentum.« Als Journalist, als öffentlicher Redner (wie z.B. auf dem Brüsseler Freihandelskongreß 1847) und nicht zuletzt als politischer Lyriker setzte er sich für diese Überzeugung ein. Klar und deutlich heißt es in seinem Gedicht *Die Industrie*:

> Doch Tränen fließen jedem großen Krieg,
> Es führt die Not nur zu gewissem Sieg;
> Und wer sie schmieden lernte, Schwert und Ketten,
> Kann mit dem Schwert aus Ketten sich erretten!

Immer wieder weist Weerth am Ende seiner Gedichte auf die kommende Revolution hin – und indem er sie ankündigt, befestigt er im Bewußtsein seiner Leser die Gewißheit, daß sie unausweichlich nahen wird. Er ruft selten, wie Herwegh, als Dichter zur revolutionären Tat auf, er läßt vielmehr im Gedicht die Proletarier drohend über die kommende Revolution sprechen oder aber, wie zumeist in den *Liedern aus Lancashire*, die dargestellte Elendssituation für sich wirken, ohne noch ausdrücklich auf die politischen Folgen einzugehen. So agitiert Weerth für eine proletarische Revolution, die er als im Schoße der Gegenwart angelegt und »historisch notwendig« betrachtet. Die Technik des Angriffs durch beschreibenden Zugriff und durch kommentierendes Zitieren hat Weerth meisterhaft in seiner kleinen Prosa, besonders in Beiträgen für die *Neue Rheinische Zeitung* vom Juni 1848 bis Mai 1849, entwickelt. Die größte Arbeit in diesem Zusammenhang trägt den Heines *Atta Troll* entlehnten Titel *Leben und Taten des berühmten Ritters Schnapphahnski*. Sie brachte ihm wegen der Anspielungen auf den im September 1848 in Frankfurt erschossenen Fürsten Felix Lichnowski eine Gefängnisstrafe ein, auch wenn er sich verteidigte: »Ich habe nicht die Persiflage eines gewissen Menschen geliefert, nein, ich schilderte eine ganze Klasse der Gesellschaft.«

In der Interpretation der Revolution als »historisch notwendig« folgt Weerth ein junger sozialistischer Lyriker, der in seinen Gedichten den Klassenkampf propagierte: Adolf Strodtmann. In dem Gedicht *Kasematten-Parlament in Rastatt* (1849) gelingt es ihm, am Beispiel des ungebrochenen Protests der eingekerkerten Revolutionäre die Situation des Proletariats aufzuzeigen und die Notwendigkeit des Kampfes gegen Unterdrückung und Ausbeutung darzustellen. Zu den von schwerer Zwangsarbeit ermatteten Häftlingen läßt der Dichter ihren Sprecher die Gewißheit aussprechen, daß trotz der fehlgeschlagenen Revolution diejenigen, »durch deren Arm die Menschheit lebt«, »die ewig schaffend, nie erwerben«, über den »Wuchersinn« des »Krämertrosses« dereinst siegen werden, dem die Welt »ein Krämerhaus der Waren« ist. In dieser Gewißheit läßt Strodtmann sich auch nicht durch das endgültige Scheitern der Revolution erschüttern. Wenn Freiligrath, eher die politische Revolution ins Auge fassend, Anfang 1848 erklärt: »Wir sagen kurz: ›Wir oder du!/ Volk heißt es oder Krone!‹«, zielen Strodtmann und mit ihm andere sozialistische Schriftsteller auf die soziale Revolution: »Wir oder sie!/ s'wird anders nie!«. 1851 heißt es im *Arbeiterlied* erläuternd:

> Hinaus zum Kampf! Die Freiheit führt uns an!
> Fortan gehört die Welt dem Arbeitsmann!

Diesen Kerngedanken der sozialistischen Agitation hebt auch Herwegh in seinem *Bundeslied für den Allgemeinen Deutschen Arbeiterverein* besonders hervor, einem Lied, das zwar erst 1863 verfaßt wurde, gleichwohl aber seinem Geiste nach dem Vormärz zugehört:

Georg Weerth

Adolf Strodtmann

Arbeiterlied

In den Kasematten
von Rastatt

Bundeslied

Mann der Arbeit aufgewacht!
Und erkenne deine Macht!
Alle Räder stehen still,
Wenn dein starker Arm es will.

Daneben gab es während der Revolution eine vielgestaltige, zum größten Teil anonym gebliebene kritisch-satirische und lyrische Flugblattliteratur von und für Arbeiter, vor allem in Berlin und Wien. In Luise Otto-Peters, der späteren Gründerin des »Allgemeinen deutschen Frauenvereins«, und ihrer Schrift *Die Adresse eines deutschen Mädchens* (1848) kamen bereits die Forderungen der (proletarischen) Frauen zur Sprache.

sozialistische Literatur
im Nachmärz

Die Niederlage der bürgerlich-demokratischen Revolution 1848/49 hatte bedeutsame Konsequenzen für die (Fort-)Entwicklung der sozialistischen Literatur. Zur wirtschaftlichen Not, die bereits unmittelbarer Anlaß der Revolution gewesen war und die sich durch Verlauf und Ergebnis der Revolutionsjahre nicht verbessert hatte, kam nun noch die politische Verfolgung

244

durch die siegreiche Reaktion. Folge: Zwischen 1848 und 1855 wanderten ca. eine Million Deutsche aus (im ehemals aufständischen Baden rund ein Zehntel der Bevölkerung!), darunter nicht wenige politische Flüchtlinge. Das materielle und psychische Elend dieser Auswanderer, politisch Verfolgten und Enttäuschten dokumentiert sich in vielen autobiographischen Zeugnissen der Zeit, wobei allerdings das proletarische Schicksal literarisch stark unterrepräsentiert blieb (Carl Schurz: *Lebenserinnerungen*, 1906/12; Malwida von Meysenbug: *Memoiren einer Idealistin*, 1876; Stephan Born: *Erinnerungen eines Achtundvierzigers*, 1898 u.a.). Die inländische Unterdrückung der demokratisch-sozialistischen Organisationen, Publikations- und Kommunikationsformen brachte die gerade erst in Gang gekommene proletarische Literatur zunächst völlig zum Erliegen. Der politische Selbstverständigungsprozeß jener (überwiegend bürgerlichen) Schriftsteller, die vor und in der Revolution für den Sozialismus Partei ergriffen hatten, geriet im Exil in schwere Krisen. Heine, isoliert durch seine Krankheit, blieb trotz Zweifel und Skepsis prinzipientreu, sowohl in seiner ästhetischen Praxis als auch in seinem politischen Standpunkt (vgl. das französische Vorwort zur *Lutetia*, 1855). Herwegh veröffentlichte nur noch wenig, das Wenige kennzeichnet ihn jedoch als entschiedenen Demokraten (ab 1869 Mitglied der Sozialdemokratischen Arbeiterpartei) und unversöhnlichen Gegner des Nationalismus und preußischen Militarismus. Freiligrath arbeitete bzw. lebte im Londoner Exil zunächst noch eng mit Marx und Engels zusammen, distanzierte und isolierte sich jedoch in den 60er Jahren mehr und mehr vom Sozialismus, kehrte 1868 amnestiert nach Deutschland zurück und dichtete im deutschfranzösischen Krieg das chauvinistische Lied *Hurra, Germania!*. Weerth gar verstummte nach 1849 völlig, nicht nur, weil sich politische Situation und Perspektive verändert hatten, sondern ganz wesentlich auch, weil es unmöglich geworden war, im alten (satirischen) Stil weiterzuschreiben. Diese Produktionsschwierigkeiten, auf die Weerth radikal reagierte, sind es neben den politischen Selbstverständnisproblemen, die die besondere Misere der sozialistischen Dichtung nach 1849 ausmachen. Während Marx und Engels neben der laufenden politischen Arbeit (Tagespolitik, Parteiorganisation) als Theoretiker ihr Studium der Geschichte und der kapitalistischen Ökonomie vertiefen (*Zur Kritik der politischen Ökonomie*, 1859; *Das Kapital*, Bd. 1, 1867) und so massiv zur ideologisch-organisatorischen Festigung der Arbeiterbewegung beitragen können, bleibt der Anteil der demokratisch-sozialistischen Schriftsteller bis in die Gründerzeit nur von schmaler Bedeutung. Weder gelang die literarische Aufarbeitung der gescheiterten Revolution von 1848, wie sie Lassalle, der spätere Führer des Allgemeinen Deutschen Arbeitervereins, in seinem historischen Drama *Franz von Sickingen* (1859) versuchte (wobei die in der sog. Sickingendebatte brieflich vorgetragene Kritik von Marx und Engels die ideologischen und ästhetischen Mängel aufdeckte), noch war es möglich, die vormärzlichen Ansätze einer realistischen literarischen Gestaltung des Proletariats fortzusetzen. Den Hauptbeitrag leisteten wohl die Lyriker und Sänger mit sozialistischen Kampf- und Festliedern (neben Herweghs bereits erwähntem *Bundeslied* für den Allgemeinen Deutschen Arbeiterverein Lassalles wurde am bekanntesten die sog. »Arbeiter-Marseillaise« von Jakob Audorf: *Lied der deutschen Arbeiter*, 1864); diese Lieder setzen relativ ungebrochen den Stil der überkommenen Kampfhymnentradition fort.

Mit dem Fortschritt des organisatorischen Aufbaus der Arbeiterbewegung (Arbeiterbildungsvereine; 1863 Allgemeiner Deutscher Arbeiterverein; 1864 Internationale Arbeiterassoziation; 1869 Sozialdemokratische Arbeiterpar-

Auswanderungswelle als Folge von 1848

Aufarbeitung der gescheiterten Revolution?

tei) entstanden und entwickelten sich auch publizistische Organe (*Der So-cial-Demokrat, Deutsche Arbeiterhalle, Demokratisches Wochenblatt* u.a.), die eine günstige Plattform für die literarische Artikulierung proletarischen Klassenbewußtseins bildeten. Die Art und Weise, wie in diesen Blättern z.B. der deutsch-französische Krieg, die Pariser Commune und die Reichsgründung 1870/71 (von W. Liebknecht ironisch »fürstliche Versicherungsanstalt gegen die Demokratie« genannt) kommentiert werden, weist auf ein gewachsenes Selbstbewußtsein sozialistischer Autoren hin. Seinen Ausdruck fand dieses Selbstbewußtsein in den 70er und 80er Jahren, unter den Bedingungen der entwickelteren Klassenauseinandersetzungen, im Zeichen der Sozialistengesetze (1878–1890), vor allem in neuen Formen der Satire und feuilletonistischen Kurzprosa, mit denen an Schreibweisen der vormärzlichen Literatur angeknüpft werden konnte (vgl. die satirischen Zeitschriften *Der Süddeutsche Postillon*, 1882 ff.; *Der Wahre Jakob*, 1884 ff.).

Rückblick auf eine Epoche: Neue Schreibweisen in Prosa, Lyrik und Drama

Umbruch
in den literarischen
Techniken

Die für die Literaturentwicklung des Vormärz grundlegende Auseinandersetzung mit dem Erbe der Kunstepoche (ob nun offensiv-kritisch oder bewahrend geführt) sowie mit der praktisch-politischen Funktionsbestimmung der zeitgenössischen Literatur (ob nun von Zustimmung oder Ablehnung getragen) erzeugte insgesamt starke Impulse zu einem (experimentierenden) Aufbrechen der überlieferten Gattungsformen und Schreibweisen bei gleichzeitiger Umwertung ihres Ranges untereinander. Beide Tendenzen sind im Zusammenhang zu sehen mit der einen und unteilbar gleichen Erfahrung der Vormärz-Schriftsteller, daß die sich fundamental umgestaltende Wirklichkeit nur noch mit veränderten literarischen Techniken zu erfassen sei. Die auffälligsten und größten Veränderungen vollzogen sich dabei im Verhältnis von Versdichtung (mit den traditionellen Gattungen Lyrik, Epos, Drama) und Prosa (mit den »modernen Genres« Feuilleton, Reisebericht, Brief, Erzählprosa usw.). In der Auseinandersetzung um die (Neu-)Bestimmung der Funktion der Literatur erfuhr die Prosa auf der Basis des expandierenden Presse- und Verlagswesens eine zunehmende Aufwertung gegenüber der bislang stets hochgeschätzten Versdichtung. Die dabei entwickelten neuen literarischen Formen betreffen nicht nur den Genretyp, sondern vor allem die Schreibweisen, die insgesamt durch eine mediengerechte, an Zwecken und Wirkung (auch Popularität und Erfolg) interessierte und auf ein (neues) lesendes Publikum genau bezogene Orientierung gekennzeichnet sind. Heine nahm für sich und die Autoren des Jungen Deutschland mit Recht in Anspruch, diesen Schreibstil (von Laube einmal als »literarisches Schießpulver« bezeichnet) zu einer politischen Waffe entwickelt zu haben: »Nicht der gefährlichen Ideen wegen, welche ›das junge Deutschland‹ zu Markte brachte, sondern der popularen Form wegen, worin diese Ideen gekleidet waren, dekretierte man das berühmte Anathem über die böse Brut und namentlich über ihren Rädelsführer, den Meister der Sprache, in welchem man nicht eigentlich den Denker, sondern nur den Stilisten verfolgte. Nein, ich gestehe bescheiden, mein Verbrechen war nicht der Gedanke, sondern die Schreibart, der Stil.«

Diese schon damals als »Feuilletonismus« charakterisierte Schreibart, die in ihrer Subjektivität und flexiblen Zeitgemäßheit dem eher esoterischen poetischen »Stil« klassisch-romantischer Kunst entgegenstand, war aber dennoch nicht nur typisch für die politisch-oppositionellen Vormärzschriftsteller, sondern wurde (partiell) auch von traditionsbewahrenden Autoren übernommen. Dies zeigt ein kurzer Überblick über die Vielfalt »moderner« Prosaformen im Vormärz. In den sich breit entwickelnden, spezifisch journalistischen Genres dominierten die modernen Autoren des »Jungen Deutschland« bzw. der politischen Dichtung, zu deren Selbstverständnis als Schriftsteller das Journalistische unabdingbar dazugehörte: so Börne mit seinen gesellschaftskritischen Literatur- und Theaterrezensionen der 20er Jahre, Börne und Heine mit ihren politischen Korrespondenzen (*Briefe aus Paris*, 1832/34; *Französische Zustände*, 1833), die Feuilletons Heines in der *Augsburger Allgemeinen Zeitung*, der Jungdeutschen in ihren vielen Journalen und vor allem Weerths in der *Neuen Rheinischen Zeitung* (1848/49). Die Übertragung der feuilletonistischen Darbietungsformen von der Presse in die wissenschaftlich-theoretische Literatur führte – unter der Zielsetzung, Wissenschaft und Theorie praktisch folgenreich zu machen – zur Intensivierung des Essays (z. B. Heines *Die Romantische Schule*, 1836), der Programmschrift (z. B. Wienbargs *Ästhetische Feldzüge*, 1834, die in vielem das Programm der neuen jungdeutschen Literatur entwarf), der Streitschrift und des Pamphlets (zumeist in der Folge der vielen bahnbrechenden und provozierenden theoretischen Hauptwerke in Theologie, Philosophie, Politik und Ästhetik). In der politischen Auseinandersetzung erlangten Aufklärungs- und Agitationsschriften wie Traktate, Flugschriften, Aufrufe und Manifeste nicht zuletzt deswegen erhöhte Bedeutung, weil sie in einer literarisch modernen sprachlichen Form ihre Kritik vortrugen. Dies trifft nicht nur für die berühmten Dokumente dieses Genres zu, wie z. B. Büchners *Der Hessische Landbote* (1834) oder das *Manifest der Kommunistischen Partei* (1848), sondern gilt in begrenztem Umfang auch für die schnell hinzulernende feudale und klerikale Gegenpropaganda.

Auch in den dichterischen Prosagenres wirkte sich der Feuilletonismus in mehrfacher Hinsicht aus, und zwar sowohl als gesteigerte Subjektivität (vgl. die stark anschwellende Brief- und Reiseliteratur, für die schon der junge Heine mit der *Harzreise* 1826 bedeutende Maßstäbe setzte), wie auch als wachsende Zuwendung zur konkreten Wirklichkeit und ihrer realistischen Erfassung (vgl. die Herausbildung des kritischen Zeitromans aus der Tradition des klassischen Entwicklungsromans in Immermanns *Die Epigonen*, 1836; Weerths *Skizzen aus dem deutschen Handelsleben*, 1845). Damit rückten die kritische Erzählprosa sowie der von den Jungdeutschen nachdrücklich geforderte Roman als moderne Kunstform in den Mittelpunkt des Interesses, ohne daß es allerdings gelang, Anschluß an die Entwicklung zum realistischen Zeit- und Gesellschaftsroman halten zu können, wie sie außerhalb Deutschlands durch Balzac (*Die menschliche Komödie*, ab 1829 in 14 Bänden), Stendhal (*Rot und Schwarz*, 1830), Dickens (*Die Pickwickier*, 1836) u. a. repräsentiert wurde. Neben Büchner, der in seiner Novelle *Lenz* (1835) geradezu programmatisch die (an der Zeit) psychisch erkrankte menschliche Natur – so wie sie ist – darstellte, entwickelten liberal-demokratische Schriftsteller wie z. B. Bettina von Arnim, Willkomm (*Weiße Sklaven*, 1845), Wolff (*Das Elend und der Aufruhr in Schlesien 1844*, 1845), Dronke (*Berlin*, 1846) Ansätze zu einer realistischen Gestaltung, indem sie in Roma-

»moderne« Prosa: Feuilletonismus

Adolf Schroedter: Die Wucherer (1848)

nen soziales Elend, Ausbeutung und Unterdrückung detailliert schilderten. Auch konservativ-humanistische Autoren wie Immermann (*Münchhausen*, 1838), Gotthelf (*Uli der Knecht*, 1841/46), Droste-Hülshoff (*Die Judenbuche*, 1842), Stifter (*Studien*, ab 1844), Grillparzer (*Der arme Spielmann*, 1848) ermöglichten durch intensive Hinwendung zu den neuen Wirklichkeitsbereichen (landschaftliche Regionen, lokale Natur und Geschichte, Psyche) eine Erweiterung des bisherigen literarischen Gegenstandsfeldes. Diese mitunter als »poetischer Realismus« bezeichnete Erweiterung war jedoch bei den letztgenannten Autoren verbunden mit einer Verdrängung der aktuellen Gesellschaftsproblematik und stand von daher in der Gefahr, statt aufklärend letztlich verklärend zu wirken bzw. Widersprüche zu verwischen.

Kriminalgeschichte   Beispielhaft sei hier auf die Entwicklung der Gattung »Kriminalgeschichte« hingewiesen. Getragen von einem aufklärerischen Interesse für Rechts- und Unrechtsverhältnisse im allgemeinen (vgl. die vielen Strafrechtsreformen seit der Wende des 18. Jahrhunderts) sowie für das bürgerliche Fortschrittsdenken provozierende Phänomen des Verbrecherischen im besonderen, entwickelte sich die Kriminalgeschichte seit der zweiten Hälfte des 18. Jahrhunderts in Anlehnung an die juristischen Fallsammlungen und Prozeßberichte (*Pitaval*, dt. 1747 ff.; Richer, dt. 1792 ff.; Feuerbach: *Merkwürdige Criminalrechtsfälle*, 1808 ff.; Hitzig/Alexis: *Der Neue Pitaval*; 1842 ff. u.a.). Sie beanspruchte für sich, in ihrer ausdrücklichen Authentizität einen verbindlicheren Wahrheitsgehalt zu haben als die vielen »erfundenen« Räuber- und Schauergeschichten der Zeit, bis sie dann – anfangend mit E. A. Poes *Der Doppelmord in der Rue Morgue* (1841) – ihrerseits abgelöst wurde von der Detektivgeschichte, die dem Leser in höchst kunstvoller Weise Fiktives und Erfundenes als Authentisch-Faktisches suggeriert. Wie wenig es das Faktische selbst ist (die Begebenheit, die Tat, die Aufdeckung, die Strafe, usw.), das das wirklich Interessierende und Faszinierende dieser Textgattung ausmacht, zeigen die Varianten der Kriminalgeschichte von Schillers *Der Verbrecher aus verlorener Ehre* (1786) über A. G. Meißner, Kleist, Brentano, E. T. A. Hoffmanns *Das Fräulein von Scuderi* (1819) zur *Judenbuche* (1842) der Droste und weiter zu Fontanes *Unterm Birnbaum* (1885), in denen die stets erneute Problematik von Gerechtigkeit, Unrecht, Schuld, Sühne, Ursprung und Macht des Bösen in höchst unterschiedlicher fiktiver Ausgestaltung des faktisch Nachweisbaren behandelt wird. Wo Schiller Aufschluß über »die unveränderliche Struktur der menschlichen Seele« durch Analyse des Verbrechers und der Kausalität der Tat vermittelt, Kleist die Entscheidungsfreiheit der Person in einer gebrechlichen Welt und E. T. A. Hoffmann zeigt, »wie mit dem Keim der schönsten Blüte der Wurm mitgeboren werden kann, der sie zum Tode vergiftet«, weist die Droste auf die soziale und historische Eingebundenheit des Einzelnen in einer Zeit hin, deren vorkapitalistische Idyllik zu Ende geht und die an einen Übergangspunkt anlangt, wo das Überkommene nicht mehr und das Neue noch nicht gilt.

In ihrem »Sittengemälde aus dem gebirgichten Westfalen«, so der Untertitel ihrer Novelle *Die Judenbuche*, schildert die Droste, ausgehend von dieser besonderen Region und ihrer Geschichte sowie den in ihr lebenden Menschen und ihren sozialen Verhältnissen, Herkommen, Lebensentwicklung und Ende des Friedrich Mergel. In einer Reihe von exemplarischen Episoden, zusammengefaßt in fünf Erzählphasen, die Ereignisse aus Friedrichs neuntem, zwölftem, achtzehntem, zweiundzwanzigstem und sechzigstem Lebensjahr behandeln, wird die Geschichte eines Verbrechens und die Psychologie eines Menschen entfaltet, der zum Verbrecher wird. Friedrich, bereits mitschuldig an der Ermordung des Försters Brandes, erschlägt unter einer Buche den Juden Aaron, dem er Geld schuldet, flieht, gerät für 26 Jahre in die türkische Sklaverei und kehrt am Ende seines Lebens in der kümmerlichen Gestalt seines Gefährten und anderen Ichs Johannes Niemand zurück, um sich – gleichsam magisch angezogen vom Ort der Tat – schließlich an der »Judenbuche« zu erhängen: der Täter als Opfer der Tat, die Tat als Folge einer krisenhaften Umbruchzeit, in der die Begriffe »von Recht und Unrecht einigermaßen in Verwirrung geraten« sind. Es bleiben in der *Judenbuche* eine Reihe von interpretatorisch aufzuschlüsselnden Widersprüchen, die nicht zuletzt aus dem für die Droste charakteristischen Konflikt zwischen christlich-konservativer Bindung (vgl. das Anfangsgedicht) und dem Bemühen um eine realistische Wirklichkeitserfassung beruhen. So wie die von der Erzählerin als »verschwunden« verbürgte Zeit des 18. Jahrhunderts, in der sie die Geschichte sich ereignen läßt, im Widerspruch steht zu der präzis geschilderten sozioökonomischen Umbruchzeit (Holzstreit, Proletarisierung der Bauern, Geld, Luxus usw.), die ins vormärzliche 19. Jahrhundert gehört und somit aktuelle Bedeutung hat, lassen sich in bezug auf die Bewertung der Hauptfigur, die Bedeutung der Natur und die Stellungnahme zum sozialen Konflikt Widersprüche entfalten zwischen den eher verrätselnden Sinngebungen durch die mit dem Rücken zum Geschichtsprozeß stehende Erzählerin und dem Sinn, auf den die von ihr subtil dargestellten Realien der heraufziehenden bürgerlich-kapitalistischen Gesellschaft verweisen. Allerdings geht die Droste nicht so weit wie Bettina von Arnim, die 1845 in *Dies Buch gehört dem König* schreibt: »Der Verbrecher ist des Staates eigenstes Verbrechen!« und »Warum ist der Verbrecher nicht Tugendheld geworden? Weil er in die enge verschrobene Kultur seine breiteren Anlagen nicht einpferchen konnte!«

Man könnte die »moderne Prosa«, die im Vormärz zum Durchbruch ansetzte, als die Kunstform der städtischen Zentren bezeichnen. Sie blieb – wie am Werk eines Gotthelf oder der Droste sichtbar – nicht ohne Wirkung auf die »regionalistischen« Schriftsteller, die sich in der noch agrarisch strukturierten »Provinz« angesiedelt hatten. Dennoch beharrten hier die am Vorrang des Verses orientierten Kunstformen ungleich stärker bzw. riefen die Auseinandersetzungen mit dem Anspruch der modernen Prosa heftigere Spannungen hervor. Dies ist im Bereich der Lyrik besonders deutlich zu erkennen. Zunächst einmal ist zu betonen, daß Gedichtelesen und -vortragen sowie Verseschreiben im damaligen bürgerlichen Leben eine bedeutende Rolle spielte (als festliche Gelegenheitsdichtung, in Stammbüchern, Briefen, Poesiealben usw.). Von der höheren Bürgertochter bis zum bayerischen König wurde eifrig gedichtet. Vor dem Hintergrund solchen In-Gebrauch-Nehmens der Lyrik, zu der sich die über Almanache, Zeitschriften und Taschenbücher verbreitete klassizistisch-epigonale »Goldschnitt-Lyrik« eines Rückert, Geibel u.a. gesellte, fanden Lyriker wie Mörike oder die Droste mit ihren sensiblen Erlebnisgedichten, ihren episch-lyrischen Zyklen und Balladen kaum Beachtung. Dabei ist festzustellen, daß ihre Neuerung gegenüber der tradierten Lyrik für die Weiterentwicklung der bürgerlichen Literatur nicht ohne »Modernität« war: Die sprachlich sehr differenzierte und verfeinerte Ausgestaltung des Naturerlebens, die analytische Darstellung der spannungsvollen psychischen Regungen eines allerdings programmatisch privat verharrenden Ichs in einer sich verändernden Welt (Mörike: »Laß, o Welt, o laß mich sein«), eröffneten Perspektiven auf die Problematik bürgerlicher Subjektivität, wie sie erst viel später in Kunst und Wissenschaft thematisiert wurde. Mit der Ende der 30er Jahre immer dringlicher erhobe-

»Goldschnitt-Lyrik«

249

nen Forderung, »das Unpraktischste von allem, die Poesie praktisch [zu] machen« (L. Schücking), wurde innerhalb weniger Jahre die Herausbildung einer politisch-operativen Lyrik eingeleitet, die entschieden mit der seit der Kunstepoche üblichen Beschränkung dieser Gattung auf (formvollendete) Selbstaussage brach und nun auch die politisch-soziale Wirklichkeit immer schärfer in den Blick nahm.

lyrisches Spektrum

Ansätze dazu hatte es im Vormärz schon bald nach 1815 gegeben, zunächst bei den damals wohl volkstümlichsten Lyriker, bei Uhland, der in mehreren politischen Gedichten die Einlösung der nach den Befreiungskriegen gegebenen Verfassungsversprechen verlangte, bald auch bei Chamisso, vor allem aber bei Platen und Lenau, die nach der Julirevolution von 1830 mit ihrer Anteilnahme an den freiheitlichen Bewegungen in Europa (Polen) nicht unerheblich dazu beitrugen, daß ab 1840 junge politische Lyriker in Deutschland auftraten, die nun unter dem Programm der politischen Poesie direkt die deutschen Verhältnisse zur Sprache brachten. Mit der nun einsetzenden Verbreiterung der Massenbasis, die einherging mit der Verschärfung und Differenzierung des politischen Protestes bis hin zu demokratisch-revolutionären Zielsetzungen, wurde die politische Lyrik immer direkter. Neben den in Vielzahl entstehenden patriotischen Gesängen (z.B. *Die Wacht am Rhein*), die in Tonart und Bewußtsein an die vaterländischen Lieder aus der Zeit des Kampfes gegen Napoleon anknüpften (Körner, Arndt), neben Bundesliedern, Festgesängen und Landeshymnen, neben anonymen Moritaten (z.B. *Das Lied vom Tschech*), Kampfliedern (z.B. *Das Blutgericht*) sowie den politischen Volksliedern eines Hoffmann von Fallersleben erschienen auf Flugblättern, in Zeitungen oder in rascher mündlicher Verbreitung politische Gedichte als Aufrufe (Herwegh), Glaubensbekenntnisse (Freiligrath), soziale Anklagen, Satiren und Parodien (Herwegh, Heine, Weerth). Trotz des oftmals abstrakten Pathos der liberalen Zeitlyrik und trotz mancher Illusion in den demokratisch-revolutionären Gedichten war die politische Lyrik in den 40er Jahren nicht nur die beherrschende literarische Gattungsform, sondern sie wirkte auch unzweifelhaft mobilisierend für die politische Revolution. Vor allem in den satirischen Zeitgedichten entfaltete sich eine subversive bis offen polemische Kritik, der dieses Genre seine bis heute ungebrochene Wirksamkeit verdankt. Eine Vielzahl von literarischen Karikaturen des deutschen Wesens, zusammengefaßt im Bild vom verschlafenen und verträumten deutschen Michel, entstammen dieser Zeit; sie sind als Katalog deutscher »Tugenden« exemplarisch in Heines *Deutschland. Ein Wintermärchen* (1844) zusammengestellt: Sangesfreudigkeit, die sich im Lied für das begeistert, was im politischen Leben unverwirklicht ist; Frömmigkeit und Fürstenanhänglichkeit, die ein politisches Bewußtsein ersparen; spekulatives Denken, Gemütlichkeit, Kaisersehnsucht und Teutonismus gepaart mit philisterhafter Häuslichkeit, die keinen Sinn für öffentliches Wirken und Handeln hat.

»modernes« Drama

Wenn auch noch im Vormärz für die meisten Dichter zutrifft, daß es ihr höchster Ehrgeiz ist, ein Drama zu schreiben, so zeigt diese Wertschätzung die starke Beharrung an, von der das Drama als literarische Gattung bzw. das Theater als Institution im 19. Jahrhundert geprägt sind. Als Residenztheater unterstanden die Bühnen nach wie vor den regierenden Fürsten und waren abhängig von deren Geschmack und Launen; es gab aber auch mehr und mehr kommerzielle, von bürgerlichen Geldgebern getragene Theater, die den Bedürfnissen des zahlungskräftigsten Publikums nachkamen. Daneben entwickelten sich in den großen Städten Vorstadt-Theater, deren (Dialekt-)Aufführungen (Possen, Besserungsstücke, Komödien), billig produziert und schnell konsumiert, von der kleinbürgerlich-halbproletarischen Vor-

stadtbevölkerung besucht wurden und die sich nur dort an die sog. Volkstheater anlehnen konnten, wo sich deren subversiv-kritische Tradition noch
erhalten hatte (Nestroy und Raimund in Wien; Frankfurt, Hamburg, München). Exklusivität des Theaters als säkularisierter »öffentliche[r] Gottesdienst« (Grillparzer), konservative Spielplanpraxis, Rücksicht auf das herrschende, Zerstreuung favorisierende Publikumsinteresse und nicht zuletzt
scharfe polizeiliche Überwachungsmaßnahmen stellten durchweg sicher, daß
die Theaterleidenschaft im Sinne politischer Ablenkung funktionierte und
sich im Drama realistisch-kritische Tendenzen nicht so durchzusetzen vermochten wie etwa im Bereich der Lyrik und der Erzählprosa. So blieben
nicht von ungefähr von den vier bedeutenden Dramatikern dieser Epoche
Grabbe und Büchner mit ihren Dramen bis zum Anfang des 20. Jahrhunderts so gut wie unbekannt (Ausnahme: Grabbes *Don Juan und Faust*);
Grillparzer hatte nur mäßigen Erfolg und ließ ab 1838 keines seiner Stücke
mehr aufführen. Nur Hebbel war von Beginn seiner dramatischen Praxis
(*Judith*, 1840) sehr erfolgreich und steigerte seinen Erfolg noch nach 1848.

Grabbe

Grabbe und vor allem Büchner traten im Interesse eines realistischen Zeit-
und Geschichtsdramas, eines Theaters, in dem die Wirklichkeit der herrschenden Zustände vorgestellt und entwickelt wird, gegen die idealistische
Dramaturgie Schillerscher Prägung auf. Der Einzelgänger und Nonkonfor-
mist Christian Dietrich Grabbe entfaltet vor allem in *Napoleon oder die
hundert Tage* (1831, aufgef. 1869) die jüngste Vergangenheit und Gegenwart
als historischen Prozeß, in dem das materielle Interesse des Volkes gegen die
großen, geschichtemachenden Einzelnen anzutreten beginnt. Während er
damit den Ansatz zum modernen politischen Drama entwickelt, geht der
politische Revolutionär Büchner theoretisch und praktisch noch weiter. Ausgehend von der Erkenntnis, daß der Gegensatz von arm und reich »das
einzig revolutionäre Element in der Welt« sei, sowie von dem Grundsatz,
daß es die höchste Aufgabe des dramatischen Dichters sei, »der Geschichte,
wie sie sich wirklich begeben, so nahe als möglich zu kommen«, schildert er
in *Dantons Tod* (1835, aufgef. 1902) am Beispiel der Französischen Revolution und ihrer Protagonisten Danton und Robespierre das notwendige Scheitern der bürgerlichen Revolutionierung des Geschichtsprozesses. Büchner
enthüllt in diesem politischen Drama ebenso wie in der sozialen Tragödie
Woyzeck (1836/37, gedr. 1879, aufgef. 1913) aus der Erfahrung des Vormärz
(der sich etablierenden bürgerlich-kapitalistischen Ordnung, die durch die
Französische Revolution entbunden worden ist) den immer lächerlicher und
immer brutaler werdenden Widerspruch zwischen den Ideen von 1789 und
der sozialen Wirklichkeit, die von ganz anderen, materiellen Triebkräften
beherrscht wird. Die daraus resultierende Verneinung des bürgerlich-idealistischen Freiheitsbegriffs (und damit zugleich des großen »Helden«, wie er
durch einen Egmont, Tell oder Wallenstein vorgebildet war) scheint nihili-
stisch, ist aber in Wirklichkeit der erste Schritt zu einer materialistisch fundierten Perspektive, die die Geschichte vom »notwendigen Bedürfnis der
großen Masse« (Büchner) bestimmt sieht (ohne daß diese schon als Geschichte von Klassenkämpfen erfaßt wird). Mit diesem Ansatz wie mit seinen
(Er-)Neuerungen in der dramatischen Technik (Episierung, Prosa statt Vers,
Dokumentarismus, Expressivität in Sprache und Szene usw.) weist Büchner
auf Wedekind, Brecht und das politische Drama der Gegenwart. – Wenn
Christian Friedrich Hebbel mit seinem (klein-)bürgerlichen Trauerspiel
Maria Magdalene (1843) ein durchaus aktuelles Zeitstück schrieb, so lag
ihm doch nichts an der Büchnerschen Zielsetzung des Dramas, sondern es
ging ihm gerade darum in bewußter Nachfolge der Klassiker den idealisti-

schen Ansatz fortzusetzen. In *Mein Wort über das Drama* (1843) sowie im berühmt gewordenen Vorwort zu *Maria Magdalene* und in weiteren Schriften skizzierte er sein Programm eines historischen (Ideen-)Dramas, das vor allem nach 1848 seine Wirkung auf die Entwicklung der dramatischen Gattung haben sollte.

Unterhaltungsliteratur, Kinder- und Jugendliteratur, Frauenliteratur

Unterhaltungsliteratur

Abschließend sei auf eine Literatur hingewiesen, deren Ursprünge zwar schon älter, deren Umfang jedoch im Zuge der rapiden Kommerzialisierung der Literatur im Vormärz gewaltig zunahm: die Unterhaltungsliteratur. Es war schon erwähnt worden, daß als Kehrseite jener hohen Literatur, die »von Literaten für Literaten« geschrieben ist, eine »zweite Literatur« in Form einer unterhaltenden Massenliteratur entstehen mußte, »die keine anderen Voraussetzungen nötig macht, als die der Neugier und der Langenweile« (Prutz), welche aus der Einförmigkeit des täglichen mühseligen Broterwerbs entspringen. Die zeitgenössische Diskussion darüber ist zwiespältig. Einerseits kommt man kaum über eine moralisierend-ästhetische Wertung hinaus, derzufolge dies Literatur war, die von »Dichterpöbel« für »Leserpöbel« (Eichendorff) fabriziert wurde und an der skrupellose Buchhändler unanständig verdienten. Zum anderen gibt es, angeregt durch ausländische Erfolgsbücher, vom Jungen Deutschland bis zu den konservativen Volksschriftstellern allenthalben Bemühungen, lesbarer, unterhaltender, verständlicher und massenwirksamer zu schreiben. Fest steht, daß im Vormärz keine scharfe Trennung zwischen »hoher« und »niedriger« Literatur bestand, sondern ein fließender Übergang – dies sowohl im Werk einzelner Autoren (bes. bei den Jungdeutschen), in den Gattungsformen (bes. im Roman) wie auch in der Art und Weise, wie rezipiert wurde (man las gemischt, wie es die Journale und Taschenbücher anboten). Dem sich ständig verbreiternden Bedürfnis nach populären Lesestoffen (wie auch dem Markt dafür) kam die im Vormärz feste Formen annehmende Auffächerung der Romanliteratur in Spezialgenres wie »historischer Roman« (Alexis), »Abenteuerroman« (Sealsfield), »Salonroman«, »Gesellschaftsroman« (nach dem Vorbild des französischen Bestsellers von E. Sue: *Die Geheimnisse von Paris*, 1842), »Dorfgeschichte« (Auerbach) usw. entgegen. Diese Entwicklung setzte sich in der zweiten Hälfte des 19. Jahrhunderts noch entschiedener fort in den Unterhaltungsromanen von Gustav Freytag (*Die Ahnen*, 1872), Felix Dahn (*Ein Kampf um Rom*, 1876), Karl May, Eugenie Marlitt (deren Liebesromane ab 1867 in der Familienzeitschrift *Die Gartenlaube* erschienen), Ludwig Ganghofer, Hedwig Courths-Mahler u. v. a. m.; hinzu kamen neue Genres wie der Detektivroman nach dem Vorbild von Edgar Allan Poes *Der Doppelmord in der Rue Morgue* (1841) und Conan Doyles Sherlock-Holmes-Romanen (1887 ff.) sowie der Science-Fiction-Roman nach dem Vorbild von Jules Verne und die Horrorliteratur in der Tradition der sog. »Schwarzen Romantik« bzw. nach dem Vorbild der Romane von Mary Shelley (*Frankenstein*, 1818), Poe und Bram Stoker (*Dracula*, 1897).

Kinder- und Jugendliteratur

Darüber hinaus sind im Vormärz zwei Literaturarten zu beachten, die beide schon erste und bedeutende Ausprägungen im 18. Jahrhundert erhalten haben: die Kinder- und Jugendliteratur sowie die Frauenliteratur. Man kann von einer besonderen Kinder- und Jugendliteratur sprechen, seit die pädagogischen Bestrebungen, die Heranwachsenden durch Lektüre zu belehren und zu unterhalten, nicht mehr gemeinsam auf Erwachsene und Kinder, sondern nur noch auf die Kinder und hier bald auch auf die verschiedenen Entwicklungsstufen gerichtet werden. Dies geschah im letzten Drittel des 18. Jahrhunderts, als sich die bürgerliche Familie neu konstituierte und aufgrund des veränderten Zusammenlebens von Erwachsenen und Kindern eine planvollere Erziehung notwendig wurde. So entstanden im 18. Jahrhundert spezielle Realien- bzw. Anschauungsbücher zur Natur- und Arbeitslehre wie z.B. Basedows *Elementarwerk* (1774), belehrende Abenteuerbücher wie z.B. Campes *Robinson der Jüngere* (1779), die erste deutsche Kinderzeitschrift, F. Ch. Weißes *Der Kinderfreund* (1775 ff.) und viele andere Kinderbücher, die überwiegend in der Form der moralischen Beispielgeschichte nützliche Kenntnisse sowie bürgerliche Denkweise und Moralauffassung einpflanzen sollten. Diese streng an Nützlichkeit orientierte didaktische Kinder- und Jugendliteratur wurde seit dem Anfang des 19. Jahrhunderts ergänzt durch die von Romantikern gesammelten und geschriebenen Märchen (Grimm, Bechstein, Andersen) und andere Volksdichtungen wie Schwänke und alte Sagen (Schwab). Das entwickeltere Schulsystem im 19. Jahrhundert begann, die Kinder- und Jugendliteratur von der direkten Didaktik zu entlasten und ließ sie unterhaltsamer werden; gleichwohl blieb diese Literatur ein wichtiges Sozialisationsmittel, das die bürgerlichen Tugenden (Ordnung, Sauberkeit, Gehorsam, Fleiß, Frömmigkeit usw.) verinnerlichen half. Berühmt wurde im Vormärz das Bilderbuch *Struwwelpeter* (1845) des Frankfurter Arztes Hoffmann, in dem das sich nicht anpassende Kind – untergründig gleichgesetzt mit den politischen Revolutionären der Zeit – offen mit brutaler Gewalt zur Räson bzw. zur Strecke gebracht wird. Hintergründiger geht es da schon in Buschs *Max und Moritz* (1865) zu, wo spießbürgerliche Moral durch freche Jugend bloßgestellt wird, die freilich am Ende auch ihre Strafe findet. Im Kaiserreich verstärkt sich die Tendenz, bürgerliche Haus- und Kinderwelt zu idyllisieren und, eingebettet darin, Untertänigkeit, Frömmigkeit, Patriotismus zu propagieren. Zugleich entstanden in dieser Zeit noch heute bekannte Jugendbücher wie Mark Twains *Tom Sawyer* (1876), Stevensons *Die Schatzinsel* (1884) und Kiplings *Dschungelbücher* (1894/95). Ab den 90er Jahren gab es dann auch erste sozialistische Kinder- und Jugendbücher (z.B. *Märchenbuch für die Kinder des Proletariats* u.a.).

Frauenliteratur

Der Begriff »Frauenliteratur« ist nicht präzis. Gemeinhin wird darunter Literatur von Frauen über Frauenfragen für Frauen verstanden; da darin jedoch auch jene dem Patriarchalismus verpflichtete Literatur eingeschlossen ist, in der die dienende Rolle der Frau als Hausmutter und Geliebte des Mannes verklärt wird, gilt als Frauenliteratur im engeren Sinne häufig nur die Literatur, die die Frage der weiblichen Emanzipation thematisieren und diese vorantreiben will. Diese Frage wird insofern erst im Zusammenhang mit der Aufklärung und den sozialen Veränderungen gegen Ende des 18. Jahrunderts besonders akut, als sich mit der Konstituierung der kapitalistischen Produktionsform und der dadurch bedingten wachsenden Abtrennung des für Beruf und Außenwelt zuständigen Mannes von der auf Haus und Familie (»Kinder, Küche, Kirche«) beschränkten Frau die immer schon vorhandene Ungleichheit verschärfte. Protest dagegen war im 18. Jahrhundert nur einzelnen privilegierten Frauen (aufgeklärten Aristokratinnen, Professorenfrauen und -töchtern) möglich und – trotz des Beispiels, das unabhängige romantische Frauen (Caroline Schlegel-Schelling, Rahel Varnhagen, Bettina von Arnim) gaben – praktisch nur allzu schwer in alternativen

Ehestands-Barricade.

Frau

Du Stickstäuperos, bleib mer von der Barricade, ich will
dich nit mehr als Haustyrann, kreischt ihr Kinner, mer
wählen uns en andern Vatter, es lebe die Republik, es
lebe Hecker, fort mit dir Volleul! die ruthe Fahn ist uff-
gesteckt, mag dich nit bei mich sunst hast de den
Krach.—

Mann.

Frau sei ruhig, schwei nor s, mer wolle uff der Stell a neu
Verfassung mache, raum die Barricad aweg, Gottverdamm.
mich manns Parlament su Sache es fährt, habe mer mor.
ge a Unnersuchungsdeputation hiwe, bist de nit mit mer
zufride, so nähm der lieber stillschweigens en Mittregent.

Lebensformen zu verwirklichen. In dieser Situation erfüllte die Frauenliteratur die wichtige Funktion, das von Männern definierte weibliche Selbstverständnis (gestaltet in solchen literarischen Idealfiguren wie dem Mädchen
Gretchen, der »schönen Seele« Natalie, dem Weib Helena, der Heldin Johanna v. Orleans, der Amazone Penthesilea, dem Machtweib Orsina, Müt-
tern, Jungfrauen, Elfen, Feen, Nixen, Hexen usw.) zu korrigieren, zu kritisieren und weibliches Selbstbewußtsein eigenständig zu artikulieren. Das geschah gegen den massiven Widerstand von vielen Männern, die die
schreibende Zunft beherrschten, und auch Frauen. Waren es im 18. Jahrhundert jedoch noch wenige schreibende Frauen, so erhöhte sich im Vormärz die
Zahl erheblich, nicht zuletzt deswegen, weil es ihnen nun möglich wurde, als
freie Schriftstellerinnen allein vom Schreiben zu leben und somit selbständig
einfordern zu können, was der französische Frühsozialist Fourier deklariert
hatte: der Grad der weiblichen Emanzipation sei das natürliche Maß der
allgemeinen Emanzipation in einer Gesellschaft. Mit diesem in den 40er
Jahren zu beobachtenden selbstbewußten Auftreten von Frauen als Schriftstellerinnen ist jedoch zugleich auch der Punkt erreicht, an dem die Kategorie
»Frauenliteratur« als Besonderheit fragwürdig wird. Denn: Nicht daß
Frauen schrieben, war von nun an bemerkenswert, sondern was sie schrieben.

Als erster deutscher Frauenroman gilt Sophie von La Roches *Geschichte
des Fräuleins von Sternheim* (1771), in welchem die Umrisse eines modernen,
dem Manne ebenbürtigen Frauentyps gezeichnet werden. Seit der Französischen Revolution, in deren Verlauf politisch engagierte Frauen die Erklärung

der Menschenrechte um eine »Verkündigung der Frauen- und Bürgerinnen-rechte« präzisierten, wurde in der literarischen Praxis der Umkreis dessen, wovon und wohin sich die Frauen emanzipieren sollten, immer größer (und zugleich auch für Männer provozierender). Mary Wollstonecraft forderte die Möglichkeit für Frauen, einen Beruf zu ergreifen; Therese Huber kritisierte in ihrem Roman *Die Ehelosen* (1829) das tradierte Eheideal als Joch für die Frau, nachdem F. Schlegel in seinem die Zeitgenossen schockierenden Ro-manfragment *Lucinde* (1799) die geistig und sinnlich selbständige Frau als wahrhafte Ehegefährtin geschildert hatte. Nicht unbeeinflußt durch die pu-blicityträchtige französische Schriftstellerin und Feministin George Sand, die in ihren Romanen (ab 1831) für die freie Liebe der Frau eintrat und den Mann als liebesunfähig verdammte, erschienen seit dem Ende der 30er Jahre, als die ihrerseits Frauenemanzipationsfragen thematisierenden Jungdeut-schen zum Drama übergingen, eine Reihe von Frauenromanen. Ihre Verfas-serinnen waren Luise Mühlbach, Ida Hahn-Hahn, Fanny Lewald, Louise Aston u. v. a.; im Mittelpunkt ihrer heute vergessenen Texte standen, wenn auch in durchaus unterschiedlicher Weise, Diskussionen über die Gleichheit von Mann und Frau, die Bekämpfung der geschlechtsspezifischen Vorurteile, die Ermutigung des weiblichen Willens, die Anklage der doppelten (Männer-)Moral, die (sexuelle) Unterdrückung der Frau im Zusammenhang der ge-sellschaftlichen Verhältnisse und (bei Lewald und Aston) das Eintreten für die politisch-soziale Revolution als Grundlage für die weibliche Emanzipa-tion. Ähnlich argumentierten die Publizistinnen Louise Otto-Peters und Franziska M. Anneke.

An Bettina von Arnim läßt sich beispielhaft verdeutlichen, welches Maß an allgemeiner Emanzipation einer Gesellschaft noch bevorstände, wäre nicht Ausnahme geblieben, was dieser Frau und Schriftstellerin in Leben und Werk an weiblicher Selbstverwirklichung gelang. Sie war keine Frauen-schriftstellerin wie ihre Großmutter, Sophie von La Roche, oder gar wie die Vorkämpferinnen der Frauenemanzipation im Vormärz. Sie war eine sehr selbständige und selbstbewußte Frau (was nicht allein auf ihre Privilegiert-heit zurückführbar ist) und verwirklichte in ihrem Leben und ihrem davon nicht abtrennbaren Werk eine Qualität weiblicher Emanzipation, in der aufklärerische und frühe romantische Bestimmungen des Menschlichen auf-gehoben sind. Anders als die Frauen der Romantiker, die in der künstleri-schen Produktion ihren Männern anregend »dienten«, anders aber auch als die mit Männern konkurrierenden schreibenden Frauen des Vormärz, schuf

Bettina von Arnim

sie sich in der besonderen Art ihres Schreibens (assoziative Sprache, zum »Roman« redigierte authentische Briefe, Dialoge usw.) selbständige Aus-drucksmöglichkeiten, in denen ihre lebendige Subjektivität aufgehoben blieb. Männliches und auch weibliches Unverständnis, verkehrte Anfeindun-gen und falsches Lob (als Kindfrau, Ewig-Weibliche, Feministin usw.) beglei-teten diese vielen rätselhafte Frau von Kindheit an und über ihren Tod hinaus. Anfangs hatte die Familie ihre liebe Not mit dem springlebendigen Mädchen Bettine, das sich nicht im Verhalten, noch weniger im Denken den ohnehin schon aufgeklärt-liberalen Erwartungen der wohlbetuchten Frank-furter Kaufmannsfamilie anpassen wollte. Im Freundeskreis ihres Bruders Clemens, jungen Dichtern, Philosophen und Frauen in Jena (Novalis, Schle-gel, Tieck, Schelling, Schleiermacher, Caroline Schlegel-Schelling, Dorothea Veit-Schlegel, Karoline von Günderode), die sich mit ihren »modernen«, romantischen Ansichten über Liebe, Ehe, Freundschaft, Kultur und Gesell-schaft durchaus quer zu herrschenden Auffassungen befanden, nervte die noch nicht Zwanzigjährige als Kobold und anarchisch-spontanes Naturkind nicht wenig. Den alt und berühmt gewordenen Goethe in Weimar bedrängte sie, als Tochter seiner früheren Geliebten Maximiliane Brentano sich vehement in gleicher Rolle anbietend, mit Briefen, Geschenken und schließlich auch in unerzogener Person, bis die Geheimrätin Goethe eifersüchtig wurde. Dem bedächtig-ruhigen Achim von Arnim, Freund von Clemens und Mitherausgeber der Volksliedsammlung *Des Knaben Wunderhorn*, den sie 1811 heiratete, ist sie bald – obwohl bis 1827 sieben Kinder geboren werden und zu erziehen sind – zu rastlos-aktiv, stets vom Landgut Wiepersdorf zum Berliner Salon drängend.

Erst nach Arnims frühem Tod (1831) als Schriftstellerin hervortretend, löst sie mit dem Briefroman *Goethes Briefwechsel mit einem Kinde* (1835) sogleich heftige literarische Fehden aus, vor allem unter den modernen jungdeutschen Schriftstellern, denen sie von manchen nun selbst zugerechnet wird. Grabbe schreibt in einer Rezension des Buches über Bettina von Arnim giftig: »Treibt die Verfasserin es weiter, so soll sie nicht als Dame, sondern als Autor behandelt werden.« Aber das ist erst der Anfang einer literarisch-politischen Verwirklichung im Leben dieser inzwischen über 50jährigen Frau. In einer Zeit, da Bruder Clemens und F. Schlegel längst mit dem Katholizismus bzw. der politischen Reaktion ihren schlimmen Frieden gemacht hatten, beginnt diese »Sibylle der romantischen Literaturperiode«, den frühromantischen Antikapitalismus praktisch zu machen, weit über die Zielsetzungen des Jungen Deutschland hinausgehend. So wie sie als junges Mädchen gegenüber dem mahnenden Bruder sicher war, in ihrem Umgang mit dem Judenmädchen Veilchen nicht herab-, sondern hinaufzusteigen, so unbeirrt bewahrt und verstärkt sie nach 1830, nun auch öffentlich-wirksam als tätige Frau und Schriftstellerin, ihre Solidarität mit den Armen, Verfolgten und Unterdrückten (Cholerakranke in Berlin, exilierte Polen, Arme im Vogtland, schlesische Weber, politisch Verfolgte wie die Brüder Grimm, Hoffmann von Fallersleben, Kinkel u.a.). Die Familie kritisiert diese Radikalisierung; ein Sohn bricht mit Bettina von Arnim, die Tochter Maxe schreibt ihr: »Es ist ein Jammer, daß du glaubst, die Politik sei dein Feld. Du machst all deinen Kindern Kummer damit.« 1842 lernt Bettina von Arnim Karl Marx kennen. 1843 erscheint ihr *Dies Buch gehört dem König*, eine Kritik am preußischen Feudalstaat vom Standpunkt einer liberalen Frankfurter Stadtbürgerin. Der zweite, radikalere Band *Gespräche mit Dämonen* kam erst 1852 heraus. 1844, im Jahr des schlesischen Weberaufstandes, bittet sie in einem in den größten deutschen Zeitungen veröffentlichten Aufruf um Mitteilungen über die Situation der Armen in Deutschland; das Material und ihren Kommentar (das sog. *Armenbuch*) wagt sie nicht mehr zu veröffentlichen, denn inzwischen ist ihr vom Berliner Magistrat wegen Staatsbeleidigung der Prozeß gemacht worden, der 1847 mit einer Verurteilung zu zwei Monaten Gefängnis endet. Enttäuscht vom Verlauf der Revolution von 1848, die sie mit großen Hoffnungen sowie mit Veröffentlichungen begrüßt hatte (*An die aufgelöste Preußische Nationalversammlung*), zieht sie sich nach Wiepersdorf zurück. Ein Leben lang so gut wie nie krank, erleidet Bettina von Arnim 1854 einen Schlaganfall, muß gepflegt werden und stirbt 1859 in geistiger Verwirrung.

Rückschlag der Emanzipation

Die Niederlage von 1848/49 war auch für die Sache der Frauenemanzipation und damit für die sie verfechtende Frauenliteratur ein erheblicher Rückschlag. In der Folgezeit dominierte die »Frauenliteratur« vom Schlage der Ottilie Wildermuth oder der Marlitt, in der Frauen als passive Heldinnen verklärt werden. Erst zum Jahrhundertende, als sich die Arbeiterbewegung formiert und konsolidiert hatte, als Bebels Schrift *Die Frau und der Sozialis-*

mus (1879) erschienen war, erlebte die Frauenbewegung (nun bürgerlich und
proletarisch akzentuiert) sowohl politisch als auch literarisch einen neuen
Aufschwung.

1848 und das Zerbrechen
der aufklärerischen Perspektive

Je entschiedener das Programm einer politischen Dichtung formuliert, je
entschlossener einzelne Schriftsteller wie Herwegh, Freiligrath, aber auch
Heine und Weerth daran gingen, als Künstler ihren Beitrag für die revolutionäre Veränderung der Verhältnisse zu leisten, desto fragwürdiger wurde
ihnen ihr gerade durch den Kampf für die Revolution neu belebtes Künstlertum. Wie war das möglich? Nur durch den Verzicht, politische Dichter zu
werden, hatten die bürgerlich-progressiven Schriftsteller bis zum Ende der
Goethezeit jene Autorität erlangt, die sie zu geistigen Führern und Erziehern
der Nation werden ließ. Die engagierten Schriftsteller des Vormärz konnten
diese Autorität, ohne die sie ihren bis in den politischen Alltag reichenden
Führungsanspruch schwerlich aufrechtzuerhalten vermocht hätten, nur dann
auch für sich wahrnehmen, wenn sich ihr Tun zugleich als Fortsetzung bzw.
wahre Vollendung der klassischen Literatur verstehen ließ. Mochten die
einzelnen Schriftsteller, mehr oder weniger bewußt, sich auch in diesem
Sinne lange Zeit verstehen, objektiv gesehen mußte ihr ausdrücklich bekräf-
tigter Anspruch, die Poesie politisch-praktisch wirksam machen zu wollen,
zu einem Bruch mit dem traditionellen Dichtungsverständnis und damit zum
Zusammenbruch ihres künstlerischen Selbstverständnisses führen. Auch mit
dem letzten Ausschöpfen der Wirkungskräfte der Kunst waren, so erfuhren
es diese Schriftsteller spätestens in und nach dem Scheitern der Revolution,
jene Verhältnisse nicht umzustürzen, an denen sich ihr politisches Bewußtsein stieß. Wenn Goethe (und mit ihm die Literatur der Kunstepoche) ein
Baum war, aus dessen Holz sich keine Barrikaden machen ließen, wie Heine
kritisch feststellte, so taugte das Holz der politischen Schriftsteller des Vormärz zwar nun auch für Barrikaden (was ein Fortschritt war), aber die
Barrikaden halfen nicht gegen den Gegner. Man blieb entweder (bürgerlicher) Künstler und begrub seine politischen Ansprüche oder wurde politisch
Handelnder und begrub seine künstlerischen Vorstellungen. Beides zusammen ging (noch) nicht, das eine oder andere für sich allein allerdings auch
nicht: in beiden Fällen waren schwere menschliche und künstlerische Krisen
die Folge.

Auf eine überraschende Weise, wenn auch über einen ganz anderen Weg,
waren somit die politisch engagierten Schriftsteller um 1848 dort angelangt,
wo auch der Weg jener nachromantisch-biedermeierlichen Autoren endete,
die im Vormärz am ausdrücklichen Verzicht auf politisches Schriftstellertum
festhielten und damit erst recht in eine Krise ihres künstlerischen Selbstverständnisses gerieten. So mündete der vormärzliche Versuch, die Poesie ohne
Bruch mit der Tradition zu bewahren bzw. als Dichtung praktisch zu machen
und damit das Verhältnis von bürgerlicher Literatur und Herrschaft neu zu
bestimmen, letztlich in der Negation künstlerischen Handelns, d.h. mit der
Zerstörung der aufklärerischen Perspektive. Über 1848 hinaus gesehen, blieb
auf der einen Seite übrig: die sich restaurierende, entpolitisierte idealistische

Hungerkrawall
in Stettin (1847)

Dichtungstheorie, die in der Folgezeit unter dem Programm des (bürgerlichen) »Realismus« die literarische Produktion prägte und die dabei auch dort noch ihren bürgerlichen Klassencharakter (in dazu beschränkt nationalem, z.T. sogar nur regionalem Rahmen) behalten sollte, wo versucht wurde, an emanzipatorische Tendenzen des aufklärerischen Ursprungs anzuknüpfen (Keller, Raabe, Spielhagen). Auf der anderen Seite stand die revolutionäre Perspektive, artikuliert in der marxistischen Theorie und in den Anfängen einer sozialistischen Literatur. Insofern diese bis 1848 vorrangig als das Resultat des politischen Radikalisierungsprozesses der idealistischen Philosophie und Literatur aufzufassen ist (Marx, Engels, Weerth, z.T. auch Heine), ist sie zunächst ebenfalls geprägt von der resignativen Einschätzung der Bedeutung, die der Kunst im politischen Kampf (hier: gegen die bürgerliche Klasse) zukommt. Insofern die sozialistische Literatur jedoch, geschieden von den Traditionen der bürgerlichen Kunstdichtung, aus den vor- und subliterarischen Produktionen des sich formierenden Proletariats schöpfte (anonyme bzw. kollektive Texte von Handwerksburschen, Proletariern von den 30er Jahren bis hin zur Revolution), wurde der vom einst revolutionären Bürgertum formulierte Zusammenhang von literarischem und politischem Tun auf eine selbstbewußte Weise bewahrt, an die spätere sozialistische und bürgerlich-kritische Literatur mit Gewinn hätte anknüpfen können.

REALISMUS UND GRÜNDERZEIT

Die widersprüchliche allgemeine Situation

Geht man bei der Betrachtung dieser Epoche von den Schriftstellern und ihren Werken aus, so ist auffällig, wie viele Autoren der Zeit zwischen der Revolution von 1848 und dem Ersten Weltkrieg längst vergessen sind, obwohl sie zu ihrer Zeit zu den meistgelesenen Schriftstellern gehörten; so der Nobelpreisträger Paul Heyse oder die »nationalen« Schriftsteller Gustav Freytag und Ernst von Wildenbruch. Es muß also, um zu einem vollständigeren Urteil über die Literatur der Zeit zu kommen, gefragt werden, welche Texte für eine Epoche repräsentativ sind: die in der Zeit (und möglicherweise gegen sie geschriebenen) oder die tatsächlich zur Kenntnis genommen, in denen sich ein großes Publikum wiedererkannte?

Es ist auffällig, daß am Anfang des 20. Jahrhunderts sich in Universität, Literaturgeschichte und Schule ein Kanon großer Erzähler (Stifter, Meyer, Raabe, Keller, Storm, Fontane) und Dramatiker des 19. Jahrhunderts (Hebbel, Grillparzer) herausbildete, der als repräsentativ für die Zeit angenommen wurde, sich aber nicht im mindesten mit der zeitgenössischen Literaturgeschichte und den Lesegewohnheiten des Publikums im vorigen Jahrhundert deckte. So fallen in der 15. Auflage von Kluges Literaturgeschichte für die Schule (1884) die Namen Otto Ludwig, Storm, Keller, Meyer, Raabe nicht, und noch in der 34. Auflage (1903) erhält ein heute völlig vergessener zeitgenössischer Autor (Ebers) mehr Raum als die vorhergenannten Autoren zusammen, während die Arbeitsvorschläge Kluges zur modernen Literatur sich auf Gustav Freytags *Die Ahnen* konzentrierten. Schon Zeitgenossen stellten deshalb fest, beim durchschnittlichen Leser beschränke sich die Kenntnis der deutschen Literatur auf etliche geflügelte Worte und das Aufzählen geläufiger Zitate. Zugleich waren Parodie, Anspielung, Wortspiel in der zweiten Hälfte des Jahrhunderts beliebte Mittel der Selbstdarstellung einer Gesellschaft, die die formale Wirkung einer inhaltlichen Auseinandersetzung vorzog.

Diskussionen über Formen, Inhalte und vor allem Tendenzen der Literatur fanden weniger in der allgemeinen Öffentlichkeit statt, sondern blieben zumeist »Zirkeln«, »Kreisen« und »Vereinigungen« vorbehalten. So dienten die Gespräche im 1827 gegründeten Berliner Dichterkranz »Tunnel über der Spree« in den Jahren um die Revolution vor allen Dingen der Bewahrung traditioneller Vorstellungen. Als Fontane z.B. im Oktober 1849 zwei Szenen seines einzigen (unvollendet gebliebenen) Dramas *Karl Stuart* vorlas und die Tunnelmitglieder unschwer Parallelen zum damaligen Preußenkönig Friedrich Wilhelm IV. erkennen konnten, warnte der Protokollant Merkel den jungen Fontane davor, ein Tendenzstück zu schreiben: »Was dem Journalisten frommen mag, steht unter dem Dichter. Er diene der Kunst, nicht der Partei!«

Berliner Lesekabinett –
»Alles liest alles«
(G. Taubert)

Aristokratisches
Bürgertum?

More decoration
✗ peoples uncert
hid behind it

Kennzeichen der
Epoche.

Kultivierung ✗
deutschen Fühlens

Fontanes Beschäftigung mit der historischen Ballade – H.H. Reuter spricht von »Aristokratisierung« und »Entaktualisierung« – hat ihm den Durchbruch als Dichter verschafft »bis in die Lesebücher der Volksschulen, bis in Kalender und Anthologien hinein«; Fontanes »Wende« fand also breite Zustimmung in der Öffentlichkeit. Literatur drohte in Deutschland immer mehr zum Dekor, zur verklärenden Erinnerung zu werden, hinter der sich die Unsicherheit des Bürgertums nach 1848 verbarg. Inhaltlich berührte die Literatur kaum die großen Fragen der Struktur und Entwicklung der Gesellschaft. Sogar die Reiseliteratur, die seit etwa 1790 mit berühmten Beiträgen von Forster bis Laube und Heine aus dem Blickwinkel des staunenden oder kritisch prüfenden Besuchers gesellschaftliche Verhältnisse durchsichtig zu machen versucht hatte, glitt nun ab in beschauliche Betrachtungen, die allerdings wegen dieser Unverbindlichkeit auch viel Zuspruch fanden. Epigonentum und Trivialidealismus hatten nicht nur an den höheren Töchterschulen einen wichtigen Rückhalt gefunden, sondern wurden zu Kennzeichen der Epoche.

Der Literatur wurde also eine Funktion zugewiesen, die ihrer ursprünglichen Intention entgegengesetzt war: Sie sollte die Gefühlsbildung und Kunstanleitung »auf die vom Mann abhängige Rolle der Frau, die auf das Haus beschränkt blieb« (R. Wittmann) einüben. Entsprechende Texte wurden von den Dichtern der Zeit erwartet, bevorzugt und vor allem in den zahlreichen neuentstehenden Journalen veröffentlicht. Da immer mehr Autoren darauf angewiesen waren, daß ihre Werke gedruckt wurden, mußten sie auch häufig literarische Kompromisse schließen und sich zu »überarbeiteten« Vorabdrucken in Journalen wie der *Gartenlaube* bereitfinden, was oft fatale Folgen haben mußte: Ohne Übertreibung wird man sagen können, daß es – von einigen Versuchen im Naturalismus abgesehen – keinen deutschen literarischen Text zwischen 1850 und 1900 gibt, der die ökonomischen und sozialen Bedingungen des neuen vierten Standes wenigstens im Modell aufgezeigt hätte, wie Schiller dies z.B. in seinem Drama *Kabale und Liebe* (1783) für den dritten Stand getan hatte. Zweifellos haben Keller, Raabe, Storm und Fontane Figuren des »einfachen Volkes« dargestellt; das Volk als Proletariat haben sie allerdings nicht auftreten lassen, sondern es in individuelle Gestalten aufgelöst, die mehr oder minder deutlich zu bürgerlichen Helden wurden wie Hans Unwirrsch in Wilhelm Raabes Roman *Der Hungerpastor* (1864) oder Hauke Haien in Theodor Storms Novelle *Der Schimmelreiter* (1888); beim zweiten Beispiel wird das bürgerliche Ideal allerdings überlagert von dem fast aristokratischen Machtkalkül des jungen Deichgrafen, der sich ständig in einer Kampfposition zu befinden meint und unter diesem Druck sein Verhältnis zur Realität, zur Tradition und zum Zwang der Fakten verliert: Der neue Deich, Symbol des neuen Zeitalters, darf aber nicht isoliert betrachtet, sondern muß mit den alten Deichen als Einheit gesehen werden. Indem Hauke Haien sich allein auf das Neue konzentriert, kommt es zur Katastrophe. Sie entlarvt die Vorstellung permanenter bürgerlicher Erfolge in einer Welt des Fortschritts als Illusion: Humanistische Ideale oder einfach Menschlichkeit scheinen im rücksichtslosen Machtstreben rettungslos verloren zu sein. Literarisch ist die Rettung des Menschlichen gegen Macht- und Fortschrittsglauben oft recht unauffällig gestaltet worden, etwa wenn Fontane seinen Roman *Effi Briest* (1895) nach dem Mädchennamen der Hauptfigur benennt und dieser auch auf Effis ausdrücklichen Wunsch auf ihrem Grabstein erscheint, als habe die Ehe mit dem Baron von Innstetten nie stattgefunden. Effis Rückkehr in die Inselwelt des Elternhauses blieb nur ein Zeichen des Mißerfolgs in der Erfolgsgesellschaft und der Distanz zu ihr; zu einem positiven Neuansatz gelangt Effi, die vom Dichter gestaltete Figur, weniger als ihr »Vorbild« in der Realität, die Freifrau von Ardenne, die fast 99 Jahre alt wurde und das Erscheinen des Romans um fast sechzig Jahre überlebt hat. Die völlige Veränderung der Grundstruktur dieser »Geschichte nach dem Leben« (Brief an Marie Uhse, 1895) lag also in Fontanes Gestaltungsplan, der die Lebensformen der Gesellschaft harmonisierte und idealisierte. So löst der Zusammenbruch von Effis Gesundheit die starren Formen gesellschaftlicher Konvention ein wenig, wobei selbstverständlich an deren Grundsätzen nicht gerüttelt werden kann; so billigen Wüllersdorf, der Mitarbeiter Innstettens, und kurz vor ihrem Tode auch Effi selbst Innstettens Handeln gegenüber dem Major von Crampas, den Innstetten wegen eines fast sieben Jahre zurückliegenden Ehebruchs mit Effi im Duell erschießt und zur Begründung anführt, es gehe nicht »wie wir wollen, sondern wie die andern wollen« – aber wer sind diese »andern«, deren Diktat man so kritiklos folgt? Ist der Begriff nicht einfach Paradigma für die ungebrochene Macht alter Herrschaftsstrukturen, die, angereichert mit der neuen, »modernen« Machtfülle, Menschlichkeit einfach verdrängt haben, während sie bei der Lektüre des Romans durchaus im Leser entstehen mag, aber natürlich gesellschaftlich völlig unwirksam bleibt, also literarisch begrenzte Teilnahme statt allgemeiner Solidarität?

Warum diese Schwäche im Selbstverständnis des Bürgertums? Es hatte in der Revolution von 1848 eine schwere Niederlage erlitten, war daran allerdings nicht ohne Schuld; denn eine Revolution gedanklich zu unterstützen

Drei bürgerliche
Generationen
auf dem Weg
in die Gründerzeit
ex. of above.

because then were shot down in 1948 rev.
Schwäche
des Bürgertums

[handwritten: versagen - backed out.]   *[handwritten: after rev. was put down →]*

Die Vögel fliegen. Der
Landmann pflügt und
streut den Samen aus.
Der Segen aber kommt
von oben.

Lesefibeltext

[handwritten: diversionary enjoyment pleasure]

[handwritten: this was the time social lit was poss, realist lit distanced self from everyday soc.]

*Literarisches
Mittelmaß*

[handwritten: these were the ones reading lit. Einfach objektiv]

[handwritten: Dev lil bits as is reality]

und sie tatsächlich zu tragen, das waren in Berlin wie in vielen anderen deutschen Städten zwei völlig verschiedene Dinge. Als die alten feudalen Kräfte unter Führung der beiden ungleichen Brüder Preußen und Österreich sich wieder durchgesetzt hatten, gingen die Aktivitäten des Bürgertums in drei Richtungen: gesellschaftlich wollte man sich dem Adel annähern, politisch wollte man sich vor dem Proletariat schützen und vor allem seinen Aufstieg zur Macht verhindern und wirtschaftlich wollte man die freie Dynamik des Unternehmers (im weitesten Sinn!) weiter ausbauen; alle diese Vorstellungen ließen wenig Raum für Ideale und deren konsequente Verwirklichung, was natürlich immer wieder zu erheblicher Unsicherheit innerhalb der eigenen Klasse führte. So bildeten statt politischer, allgemeingesellschaftlicher und sozialer Entscheidungen Klatsch und künstlich hochgespielte moralische Katastrophen den manchmal pikant wirkenden Hintergrund des gesellschaftlichen Lebens – und leider oft auch der Literatur. Obwohl im 19. Jahrhundert erstmals eine wirklich gesellschaftsbezogene Literatur auf breiter Basis möglich gewesen wäre, hielt also auch die Literatur des Realismus deutliche Distanz zum gesellschaftlichen Alltag. Insgesamt tritt die Tendenz der Literatur dieser Epoche zu ablenkender Unterhaltung erstmals auf breiter Front deutlich hervor. Insofern kann man vom Zeitalter des Realismus und der Gründerzeit als einem Zeitalter der Versorgung der Massen mit Unterhaltungsliteratur sprechen.

Wegbereiter dieser vereinfachten Rezeption waren nicht nur die aufkommenden Zeitschriften für den Massengeschmack wie die *Gartenlaube*, sondern auch die deutschen Fibeln und Lesebücher sowie der Lehrplan und der Unterricht in der Muttersprache. Da sich Literatur nicht in Gewinn umsetzen ließ, blieb der Umgang mit ihr vorzugsweise Gruppen zugewiesen, die nicht eigenverantwortlich ihr Leben gestalten konnten, etwa Schülern, Frauen, alten Leuten, später Angestellten; bei den Unterschichten trat erst um 1890 eine leichte Änderung ein, sie machte die Unterschichten aber nicht allgemein zu einem lesenden und von der Literatur beeinflußten oder gar geprägten Publikum. Unter diesen allgemein für Literatur ungünstigen Bedingungen hat sich eine Schreibweise durchgesetzt, deren Kompromißcharakter Züge eines literarischen »Juste-milieu« trägt – formale wie stoffliche Einfachheit, »Objektivität«, Vermeidung drastischer Stilmittel sowie ausgewogene, ruhige »mittlere« Stillage – und sicherlich nicht geeignet war, dem Publikum große Perspektiven zu vermitteln, sondern eher sorgfältig ausgewählte Aspekte der Welt vor dem Leser aufzubauen, als sei dies die Welt. Das bürgerliche Publikum schätzte die Entwürfe großer landschaftlicher Szenerien, wie sie Raabe, Meyer oder Storm vorführten. Diese Szenerien vermitteln oft einen so plastischen Eindruck – z.B. der Anfang von Meyers *Jürg Jenatsch* (1876) – daß der Leser im Szenarium »gefangen« ist, ehe die eigentliche Handlung beginnt. Zu einer Zeit, da Photographie und Film noch keine Rolle spielten, wurde vor dem Zuschauer eine Kulisse aufgebaut, die Mensch und Landschaft zu einer Einheit verschmolz, ihre gegenseitige Interpretation selbstverständlich erscheinen ließ und damit der Vorstellung einer Gesamtharmonie Vorschub leistete, auch wenn sie, wie z.B. bei Theodor Storm, häufig nicht angestrebt war: Die plastische Bildlichkeit wurde oft beherrschend wie ein Leitmotiv und gab seinen Texten Prägung und Wirkung.

Die literarischen Strömungen und das Geistesleben der Zeit: Nationale und liberale Erziehung statt allgemeiner Freiheit?

Unterhaltungs = triv.

high price of mod. lit lead to much reading of triv lit.

Massenhafte Verbreitung und Wirksamkeit der Literatur waren nicht einfach △ *diff!* eine Folge der neuen drucktechnischen und verlagsrechtlichen Möglichkeiten, die der Deutsche Bund und später der Norddeutsche Bund absicherten. Die allgemeinere Frage war, wer eigentlich an Freiheit für literarischen Austausch interessiert war, so daß Literatur zu einer ernstzunehmenden Handelsware werden konnte, ob es also eine Öffentlichkeit mit einem ausgeprägten Lesebedürfnis gab? Tatsächlich waren die hohen Preise für moderne Literatur – im Gegensatz zu Klassikerausgaben – »für den größten Teil der Bevölkerung unerschwinglich« und trieben das lesende Publikum geradezu in die Unterhaltungsliteratur; denn »für dieselbe Geldsumme, die ein einbändiger Roman kostet, hat man ein Vierteljahr lang eine tägliche Zeitung und ein belletristisches Journal, das heißt, man hat, neben dem unentbehrlich gewordenen Nachrichtenmaterial, drei Romane, ein halbes Dutzend Novellen und drei Schock Feuilletons« (E. Peschkau, 1884). Aber hatte Literatur noch – wie im 18. Jahrhundert – »die Funktion des Übungsfeldes eines gesellschaftlichen Räsonnements«, oder entstand nicht vielmehr schon die anonyme, allenfalls kulturkonsumierende Menge der Bürger, für die Literatur allein der Unterhaltung und der Vermittlung von Ideologien diente? Es gab Ansätze zu einer deutlichen Abgrenzung der modernen Literatur von den Vorbildern der Goethezeit, die bemerkenswerte Aspekte entwickelten.

Diese Abgrenzung macht auf verblüffende Weise deutlich, was sich seit 1780 im literarischen Bewußtsein geändert hatte und welche Folgen dieser Wandel nach sich zog. Der Abschied von den abstrakten Stilisierungen bedeutete aber auch die Aufgabe großer und grundsätzlicher Linienführung zugunsten des Individuellen, des jeweils Besonderen, hinter dessen Vielfalt und Fülle das Ganze kaum erkennbar blieb. Dies Ganze aber sollte dem Volke geboten und angeboten werden, gleichgültig ob real oder als Surrogat, wie es sich z.B. als rückwärtsgewandte Utopie etwa im Goethe-Schiller-Denkmal, das 1857 in Weimar errichtet wurde, offenbarte. »Der ins Leben schauende Goethe und der dem Reich der Ideale zugewandte Schiller«, lautete sinngemäß der Kommentar zu diesem »Zeugnis deutscher Vergangenheit« in einem Bildband für Schüler.

Das neue Vordringen des Staates zeigte sich nach 1848 besonders in den Schulen und der Lehrerausbildung: Auch hier war die Zeit des Idealismus beendet. Während 1843 noch das Amt des deutschen Sprachlehrers von Wackernagel als ein »königliches, ein hohepriesterliches« bezeichnet wurde, wurde nunmehr die Aufgabe des Deutschlehrers beträchtlich erweitert: »Der Deutschlehrer ist nicht nur der Führer in das Reich des Idealen und Mittler des reinen Dichterworts; er ist zugleich der Wahrer des Volksgeistes«, er hat dem »zersetzenden Verstand« streng entgegenzuwirken, »Liebe« und »Gefühl«, »im Herzen eine wärmende Kraft« zu fördern, also Gemütsbildung zu betreiben. Neu ist an diesem Programm, daß es erstmals die Haltung des deutschen Irrationalismus formuliert, der den »Geist als Widersacher der Seele begreift und bekämpft«, daß dies Programm auf behördliche Weisung in die Schulen gelangte und auf diesem Umweg die Rezeption und den

Rietschels Entwurf für das Weimarer Dichterdenkmal (1857): Goethe kosmopolitisch den Horizont absuchend, Schiller idealisch den Blick zum Himmel erhoben

»Verstaatlichung« der Bildung

Begriff von Literatur in der zweiten Hälfte des 19. Jahrhunderts massiv
beeinflußte: Zensur also über Erziehung? Gelegentlich gaben Regierungsver-
treter oder Parlamentarier offen zu, was sie von der Literatur erwarteten: Sie
sollte harmlos unterhalten und künstlerisch anregen, wie 1895 bei der Debatte über den »Skandal« der Aufführung von Gerhart Hauptmanns Drama
Die Weber im Preußischen Haus der Abgeordneten argumentiert wurde.
Diese Debatte gipfelte in dem Satz: »Wie lange sollen wir denn noch zuse-
hen, daß in der schimpflichsten Weise alle die heiligsten Güter der Nation,
die auch dem Volke wirklich noch heilig sind, herabgewürdigt und in den
Schmutz gezogen werden? Noch ist es Zeit, noch haben wir die Macht hinter
uns, noch haben wir die Gewalt, und zwar gebaut und basirt auf den gesunden Sinn des Volkes, was noch nicht vergiftet und verworfen ist, und so lange
wir, die Regierung, die Gewalt hinter uns haben, so lange werden wir sie
benutzen...«.

Symbol Preußen

Preußen war Symbol für militärische und wirtschaftliche Stärke, nicht für
Literatur: Offiziell war das Interesse an ihr gering: alles Reden von Fortschritt bezog sich auf wirtschaftliche und naturwissenschaftliche Fragen;
gesellschaftlich blieben Gott, König, Vaterland, Disziplin, Ordnung, Fleiß
Leitbegriffe, so daß Theodor Storm von dem »großen Militärkasino Pots-
dam« sprach. Schon bei seinem ersten Besuch 1852/53 erkannte Storm, »daß
man auch in den gebildeten Kreisen Berlins den Schwerpunkt nicht in die
Persönlichkeit, sondern in Rang, Titel, Orden und dergleichen Nippes legt«,
als ob eine Entwicklung bürgerlicher Vorstellungen gar nicht stattgefunden
habe. Fontane ergänzte Storms Anschauung sehr plastisch: »Alles berührte,
wie wenn der Hof und die Personen, die den Hof umstanden, mindestens ein
halbes Jahrhundert verschlafen hätten« *(Von Zwanzig bis Dreißig)*. Im Sinne
dieser Verspätung war Preußen nur der »harte Kern«, das Paradigma; andere
Bundesstaaten wichen von ihm zwar in Nuancen, nicht aber im Prinzip ab
und konnten sich dabei immer auf Preußen berufen.

Es ist eine der großen Fehlleistungen des Deutschunterrichts in den
Schulen, daß er an der Verengung des Literaturbegriffs verantwortlich mit-
wirkte und so wesentlich zur literarischen Unmündigkeit beitrug. Die
»Stiehlschen Regulative« für die Ausbildung von Volksschullehrern in Preußen (1854) sind ein berühmtes Muster behördlicher Gängelung im vorigen
Jahrhundert gewesen, vom Geist der Beschränkung getragen mit dem Ziel,
»im Ganzen eine evangelisch-christliche Lebensgemeinschaft« mit der ein-
klassigen Volksschule als Regelschule zu installieren, also »nichts von deutscher Literaturkunde, nichts von Lessing, Goethe und Schiller« (Nyssen)
oder gar von Gegenwartsliteratur. In den höheren Lehranstalten wurde 1859

*»nationale Pflicht«
der deutschen Literatur*

z.B. die Freude am unbefangenen und unreflektierten Genuß als wesentliches
Ziel der Beschäftigung mit Literatur herausgestellt und es als »nationale
Pflicht« für den Schüler des Gymnasiums angesehen, »besonders Werthvol-
les aus der classischen Dichtung des eigenen Volkes als einen unverlierbaren
Schatz im Gedächtnis zu bewahren«. Die Gefahren dieser Bildung liegen auf
der Hand. Sie bestehen im Verkennen internationaler Probleme und ihrer
Behandlung in der Literatur, also einer Tendenz zum Provinziellen; in der
Mißachtung moderner ausländischer Literatur in der Schule, wo weder die
Dramen der nordischen Literatur noch russische, französische oder englische
Romane behandelt wurden und damit ein damals sicherlich unberechtigtes
deutsches literarisches Selbstwertgefühl begünstigt wurde; in der Entwicklung des deutschen Massenklischees der Gemütsbildung, das viele Unsicher-
heiten oder Fragen der Rezipienten einfach mit einer Scheinharmonie zudeckte, jeden selbstkritischen Denkansatz als »zersetzend« verdächtigte und

§ 1. Begriff der deutschen Literaturgeschichte.

Die deutsche Literatur im weitesten Umfange ist der Inbegriff aller in Sprache und Schrift niedergelegten Geisteswerke des deutschen Volkes. Von dieser Gesamtheit bildet die deutsche Nationalliteratur nur einen Teil. Sie hat es nicht mit allen Geistesprodukten unseres Volkes zu tun, am wenigsten mit der sogenannten gelehrten oder wissenschaftlichen Literatur, sie umfaßt vielmehr nur diejenigen literarischen Kunstwerke, welche ein eigentümlich deutsches Gepräge tragen, d. h. die unserm deutschen Volke eigentümliche Anschauung, Gesinnung, Sitte abspiegeln. Da nun in der Poesie, der ältesten und eigentümlichsten Sprache aller Völker, vor allem deutscher Geist und deutsches Leben sich ausprägt, so wird vorzugsweise die poetische Nationalliteratur der Deutschen ins Auge zu fassen sein. Die Geschichte dieser Literatur stellt den Entwicklungsgang der geistigen Bildung des deutschen Volkes dar, so wie diese sich aus jenen Werken erkennen läßt [1]).

ein Wertgefühl zu vermitteln trachtete, das außer einem unreflektierten Wir-Gefühl keine Anknüpfungspunkte bei den einzelnen Menschen hatte, schließlich aber nicht ohne Rückwirkung auf die Literatur blieb, wie die zahlreichen Kriegsgedichte 1870/71 und 1914 z.B. zeigen; in Formalismus, Esoterik, Jüngerschaft, »Schulen«; die Namen H.S. Chamberlain, Langbehn, Nietzsche, Wagner oder George stehen hier nur stellvertretend für viele, die Wirkung mancher der hier Genannten auf die Literatur ist noch gar nicht vollständig geklärt; in der Rückwendung zur Geschichte als einer Flucht vor der Gegenwart, statt einer rationalen Durchdringung des Vergangenen. Das politische Versagen des Bürgertums in der Revolution von 1848/49 wurde schon bald danach auch öffentlich erörtert, etwa wenn Julian Schmidt schon 1850 spottete: »Die deutsche Revolution hatte aber das Eigenthümliche, daß sie an lyrischem Pathos, träumerischem Wesen, trüber und unklarer Sehnsucht mit den Gedichten ihrer Propheten wetteifern konnte. Sie ist jetzt vorüber. Die Abdankung ihres Geschöpfes, des Reichsverwesers ohne Reich, war ihr letzter Akt.«

Das Bürgertum suchte fortan statt nach Idealen nach gangbaren Wegen, um schließlich doch noch politische Macht zu erreichen. Und je nach dem Ausmaß der Trennung von den alten Idealen des Liberalismus (Humanität, Freiheit, Solidarität, Fortschritt) kann man wenigstens drei große bürgerliche Gruppen unterscheiden: die wirtschaftlich orientierten liberalen Großbürger der »Oberklasse« (Schmoller), die wie der Adel »zu einem beträchtlichen Teil aliterarisch, wenn nicht antiliterarisch geprägt« waren (Wittmann); dann die konservativ verinnerlichten (und oft religiös geprägten oder von Resignation gezeichneten) und die fortschrittlich-demokratischen Bürger. Sie waren der Literatur gegenüber offen, besonders wenn sie in aufstrebenden selbständigen Berufen oder als Beamte in Verwaltung, Erziehung und Wissenschaft tätig waren: Für diese Gruppe gehörte Literatur zum Selbstverständnis. Die Mehrheit der Beamten allerdings dachte weiterhin königstreu und konservativ und beschränkte den Umgang mit Kultur auf nationale oder gesellschaftlich notwendige Veranstaltungen. Was konnte unter solchen Umständen eigentlich Stoff oder Gegenstand literarischer Betrachtung oder Gestaltung werden, wer war literarisch zu erreichen, und welchen Wert hatte Literatur für ihr Publikum? Nicht nur für die politische Literatur war diese Frage nach den Möglichkeiten im Zeitalter zunehmender Abhängigkeit vom »Markt« auch eine Frage nach der allgemeinen gesellschaftlichen und politi-

[handwritten margin notes: they were either against or had no things to do w/ lit. most for lit. bound to self certainty]

265

*Bau des
Berliner Reichstags*

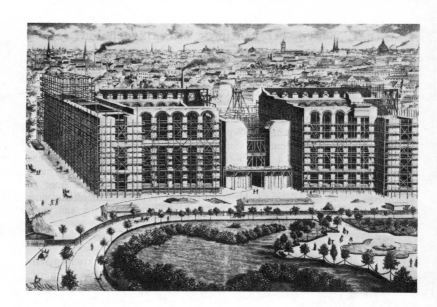

*»Wesen« des
deutschen Volkes*

X Rechtify

X unify

schen Situation im Lande. Persönliche und Gedankenfreiheit, soziale Entwicklung, Ordnungsvorstellungen, politische Toleranz und politisches Interesse spielen eine wichtige Rolle für das Entstehen und Vermitteln von Literatur: Konnte Literatur eigentlich Bedeutung haben in einer Zeit, in der der Wechsel von der Gesinnungs- zur Realpolitik als Fortschritt gepriesen wurde?

Literarisch empfahl man die Versöhnung des Idealismus mit dem Realismus im »Studium des Wesens und der Eigenthümlichkeiten« des Volkes, »ohne daß eine Form deutschen Wesens die andere sich unterthan machen müsse«, die Literatur sollte also auf den »rechten Weg zur politischen Einheit Deutschlands« führen, wobei man oft den landschaftlich gebundenen Charakteren »mehr Individualität und damit auch mehr Realität« zubilligte. Hebbels Lobpreisungen des österreichischen Kaisers und der Wiener Verfassung von 1862, Geibels Wirken am Münchener Hof, Freytags Freundschaft mit dem Großherzog von Sachsen-Coburg-Gotha, das Theater des Herzogs von Sachsen-Meiningen (Die Meininger) zeigen auch, daß viele Höfe sich der Dichter und Schriftsteller als Helfer und Propagandisten oder als Kristallisationspunkte eines Kulturkreises zu bedienen suchten. Für die Literatur bestand dabei natürlich die Gefahr, daß sie zum reinen Dekor herabgestuft wurde wie ein Orden.

*Preußischer Geist der
Gründerzeit*

In dem Maße, wie Preußen nach 1866 zur führenden Macht Deutschlands aufstieg, begann es als Vorbild in fast alle Bereiche des Lebens zu wirken. Es hatte deshalb maßgeblichen Anteil am Geist der Gründerzeit. »Wenn man in dieser Zeit wirklich die Absicht gehabt hätte, die reale Macht und den durch den Krieg errungenen Machtzuwachs darzustellen, und zwar als echten Ausdruck der Zeit, das heißt auf künstlerisch höchster Ebene, dann wäre die Schöpfung des neuen deutschen Reiches und die in ihr beschlossenen Machtfaktoren wie Kaiser und Kanzler der geeignete Ansatzpunkt zu heroisch-monumentaler Gestaltung gewesen. Wo hatte Nietzsche für seine Übermenschentheorie eine bessere Figur als Bismarck finden können, der nach innen und außen damals wohl der mächtigste Mann in Europa war? Überall läßt sich beobachten, daß man sich weniger für die Probleme des Staates interes-

less iht in countries
probst more in their
own.

siert als für das Recht und die Willkür der großen einzelnen« (Hamann/
Hermand).

Die Art der Darstellung großer einzelner und ihres Handelns war in der
deutschen Literatur nach 1848 ein kaum zu überschätzendes Problem. Da
man nicht einfach Abstraktionen oder Typen zeigen wollte, mußte der große
einzelne individuell vorgestellt werden, d. h. er erschien als Mitmensch, aber
ausgezeichnet mit zahlreichen Überhöhungen, die den Wünschen bürgerlicher Leser entsprachen und die auf diese Weise eine Identifikation ermöglichen sollten: eine zunächst noch nebelhafte Vorstellung eines Idols oder
Übermenschen entstand – stilistisch angelegt vom Autor, aber vollzogen über
den Köpfen des jeweils Rezipierenden: Der Traum von »Deutscher Größe«
schien auf diese skurrile Weise Wirklichkeit zu werden.

Freytag stand dem Ideal des »großen einzelnen« näher, auch wenn er
zunächst anderes anzustreben schien: »Die Muthlosigkeit und müde Ab-
spannung der Nation« wollte er wenigstens literarisch aufheben, denn im
Überfluß habe »der Deutsche Demüthigungen, unerfüllte Wünsche und eifri-
gen Zorn« erfahren. »Dem Schönen in edelster Form höchsten Ausdruck zu
geben«, sei nicht jeder Zeit vergönnt, »aber in jeder soll der erfindende
Schriftsteller wahr sein gegen seine Kunst und gegen sein Volk«, schrieb der
Dichter in der Widmung des Romans *Soll und Haben* (1855) an den Herzog
von Sachsen-Coburg-Gotha. Freytags Realismusverständnis findet sich im
Schlußsatz der Widmung und im Motto des Romans; beide zusammen repräsentieren ein Programm. Der Schlußsatz der Widmung lautet: »Glücklich
werde ich sein, wenn Euer Hoheit dieser Roman den Eindruck macht, daß er
wahr nach den Gesetzen des Lebens und der Dichtkunst erfunden und doch
niemals zufälligen Ereignissen der Wirklichkeit nachgeschrieben ist.« Das
Motto ist ein Zitat aus Julian Schmidts *Geschichte der deutschen Literatur
im 19. Jahrhundert*, Band 3 (1855); dort heißt es: »Der Roman soll das
deutsche Volk da suchen, wo es in seiner Tüchtigkeit zu finden ist, nämlich
bei seiner Arbeit.« War für die deutsche Romanliteratur nach 1848 also eine
Tendenz, ein Programm beabsichtigt? Freytags Freund, Julian Schmidt, hat
in zahlreichen Aufsätzen in der von beiden redigierten Zeitschrift *Die Grenzboten* verdeutlicht, was er mit dieser Forderung meinte, so z. B. in einer
Untersuchung unter dem Titel *Wilhelm Meister im Verhältniß zu unserer
Zeit* (1855). Dort schreibt er: »Nun vermissen wir aber unter den Classen,
die er [Goethe] darstellt, zunächst das wichtigste Element des deutschen
Volkslebens, das Bürgertum. Werner, der Repräsentant desselben, ist ein
armseliges Zerrbild. Die Arbeit, die sich einem bestimmten Zweck hingibt
und diesem Zweck alle Kräfte opfert, erscheint als ein Widerspruch gegen
das Ideal, weil sie ein Widerspruch gegen die Freiheit und die Allseitigkeit des
Bildungstriebs ist.« Schmidts Vorwurf an Goethe ist, daß »das wahrhaft
menschliche, das individuelle Leben verlorengegangen« sei; tatsächlich aber
wurde *Soll und Haben* recht schnell positiv vom Publikum aufgenommen
und erreichte stattliche Auflagen bis weit in unser Jahrhundert. Die realistische literarische Darstellung wurde offenbar akzeptiert, und die bürgerlichen
Leser vor allem identifizierten sich mit dem schließlich erfolgreichen Kaufmann Anton Wohlfahrt. Zudem erleichterte der klare Aufbau des Werks die
Rezeption. Fontane sprach 1855 in einer Rezension von einer »innigen Verschmelzung dreier Dramen«; der Roman habe als Mittelpunkt das bürgerliche Schauspiel mit dem Helden Anton Wohlfahrt, der sich vom jungen
Lehrling über mancherlei Gefährdungen und »Bewährungen« schließlich
zum wohlanständigen Teilhaber des Handelshauses seines Lehrherrn entwickelt und die Tochter des Chefs heiratet. Eingerahmt sei dieser bürgerliche

Gustav Freytag

Entwicklungsroman von den beiden Tragödien, die die historischen Bezüge
widerspiegeln, wie Freytag sie sah und – das erkennt Fontane durchaus – wie
das Bürgertum sie gern sehen wollte oder nacherlebte: Der Freiherr von
Rothsattel scheitert, weil er um jeden Preis konservieren, Veitel Itzig und
Hirsch Ehrenthal scheitern, weil sie um jeden Preis erringen wollen.

»Volk«

Aber eine Darstellung des Volkes bei seiner Arbeit lieferte *Soll und Haben*
nicht, wie zahlreiche Kritiker sofort bemerkten, bissig vernichtend Karl
Gutzkow, witzig-ironisch Hermann Marggraff. Es störte den zeitgenössischen Leser kaum, daß kaufmännisches Unternehmertum mit handfester
Vertretung der eigenen Interessen gekoppelt war, wie sie sich – das wurde
von Zeitgenossen mehrfach kritisiert – z.B. in der Auseinandersetzung mit
den Polen zeigte und sich zweifellos auf die preußisch-polnische Auseinandersetzung 1848 bezog. Schon Fontane kritisierte allerdings auch die massiv
antisemitische Grundhaltung des Romans. Sie war im 19. Jahrhundert von
Raabe bis Bismarck weitverbreitet, bevor noch die Herren Stoecker und
Treitschke mit ihrem Berliner Antisemitismusstreit von 1877 deutlich machten, daß die Zeit des Liberalismus ihr Ende gefunden und der Imperialismus
der Gründerzeit seinen Einzug gehalten hatte. In dieser Zeit, also gut zwanzig Jahre nach dem Erscheinen des Romans *Soll und Haben*, waren dessen
Figuren schon *Bilder aus der deutschen Vergangenheit*, falls es eine solche je
gegeben hatte: Lag das Ideale Anton Wohlfahrts etwa in der Unglaubwür-
digkeit seines Erfolgs? Ging es also gar nicht um Realität oder um das
Problem der Arbeit, sondern statt dessen um den Erfolg, gleichgültig wie er
entstanden sein mochte?

»Haltungen« als literarische Antwort auf die gesellschaftliche Entwicklung: »Innerlichkeit«, »Distanz« und die Gefahr der »restaurativen Utopie«

*bürgerlicher
Optimismus*

Freytags Roman *Soll und Haben* setzte mehr als seine anderen Dichtungen
nicht nur einen gebildeten, sondern auch einen gesellschaftlich interessierten
Leser voraus, der der aufblühenden Wirtschaft aktiv und optimistisch zu
begegnen bereit war und wohl eher der städtischen als der ländlichen Bevölkerung angehörte, für die Erfolg das wesentliche Ziel des Lebens bildete.
Freytag war damit ganz bestimmt nicht ein Dichter der Menschen im Schatten und der Stillen im Lande, derjenigen also, die der neuen Entwicklung
skeptisch gegenüberstanden. Volksschriftsteller im umfassenden Sinne des
Wortes war er also bei genauer Betrachtung nicht. Mit Recht fragte schon
1849 Gottfried Keller in den *Blättern für literarische Unterhaltung*, ob es
möglich sei, daß ein Volksschriftsteller das ganze Volk erreichen könne:
»Wir haben überhaupt noch gar keinen Bericht, ob unsere Volksschriftsteller
in den Hütten des Landvolks ebenso bekannt seien wie in den Literaturblät-
tern und allenfalls bei den Bürgerclassen der Städte, und wenn sie es sind,
welche Wirkung sie gemacht haben.« Denn der Bauer sei immer noch arm,
und »wie lange es geht, bis ein Bauer für ein Buch, das nicht gerade die Bibel
ist, vier Gulden disponibel hat«, könne jeder nachvollziehen, der das Landleben kenne.

*Bauernschule
nach Chodowiecki*

Der Schweizer Albert Bitzius, Pfarrer zu Lützelflüh im Kanton Bern, hat die Misere der Landbevölkerung in seinen Predigten wie vor allem in seinen zahlreichen Erzählungen, die er unter dem Namen Jeremias Gotthelf verfaßte, eindringlich dargestellt. *Die schwarze Spinne* (1842), *Elsi, die seltsame Magd* (1843), *Uli der Knecht* (1846) und *Uli der Pächter* (1849) sind die bekannteren. 1854 erschien Gotthelfs Roman *Erlebnisse eines Schuldenbauers*, in dessen Vorwort der Autor erklärte: »Aus Erbarmen mit den Ehrlichen und Fleißigen, welche dem Sumpfe der Armuth entrinnen wollen, ist dieses Buch geschrieben und zwar mit Pein geschrieben, denn wohl wird es einem nicht in dieser trüben Luft. Daher kann diesem Buche, wenn je einem, der Vorwurf gemacht werden, es stelle nicht die ganze Wahrheit dar, nackt in ihrem Umfang und in ihren Tiefen«. Nie hat Gotthelf zu verschleiern versucht, daß er seine Dichtung didaktisch verstand, daß sie massiv beeinflussen und bessern sollte, also eine andere Form der Seelsorge war. Konsequenterweise spalteten seine Texte das Lager der Kritiker schärfer auf, als das allgemein der Fall war: Die Konservativen lobten seine Nähe zum Volk, die einfache Darstellungsweise, die religiöse Tendenz, »die gesunde Kraft des einfachen Familienlebens, der stillen Pflichterfüllung«; die Liberalen empfanden vor allem stilistische Mängel, »Demagogie«, falsche und

Gotthelf

Misere der Landbevölkerung!

viele Kritiker

schwülstige Verallgemeinerungen sowie eine bildungsfeindliche, reaktionäre Einstellung des Autors als störend. Keller hat sich immer wieder (und oft nicht sehr freundlich!) mit Gotthelf auseinandergesetzt, auch mit Bitzius' letztem Werk. Aber Gotthelf nahm vielen Menschen die Angst, den neuen Entwicklungen nicht gewachsen zu sein. Seine Texte wurden deshalb als Bollwerk gegen die neue Zeit mißverstanden: Dämme gegen die Flut des »Fortschritts«, der vor allem die Menschen auf dem Lande zu bedrohen schien. Daß sich Kellers Kritik vor allem gegen diese Einladung zum Mißverständnis in Gotthelfs Werk richtete, wird deutlich, wenn man sein weiteres Verhalten hinzunimmt: Unmittelbar im Anschluß an die Niederschrift zu seiner Rezension über die *Erlebnisse eines Schuldenbauers* erfuhr Keller von Gotthelfs Tod (Oktober 1854) und versuchte als Nachtrag eine Gesamtwürdigung des schweizerischen Theologen und Schriftstellers: Gotthelf habe nie über den Gegensätzen im eigenen Volke zu stehen versucht, sondern tief in den Problemen seiner Landsleute gesteckt und mit ihnen gefühlt; er sei bei aller antiliberalen »Leidenschaftlichkeit kein Reaktionär im schlechten Sinne des Wortes« gewesen, habe nie »Reaktionärlingen« die Lebensluft geliefert, nie seinen angeborenen Republikanismus geleugnet, sondern sei »Volksschriftsteller im engeren und gewöhnlichen Sinne des Worts« gewesen mit der Gabe, seine Dichtungen so zu gestalten, »daß wir alles Sinnliche, Sicht- und Greifbare in vollkommen gesättigter Empfindung mitgenießen«, weil »die Erscheinung und das Geschehende ineinander aufgehen.«

Dämme gegen die Flut
des Fortschritts

deutsche Literatur im
europäischen Vergleich

Während in den großen epischen Werken anderer europäischer Völker die Entwicklung der Hauptfiguren sich längst in einer starken Wechselbeziehung mit den – möglichst genau geschilderten! – sozialen Bedingungen vollzog (Beispiele: Charles Dickens: *David Copperfield*, 1849; Fjodor M. Dostojewskij: *Schuld und Sühne*, 1866), erscheint das gesellschaftliche und soziale Umfeld der deutschen Epik des 19. Jahrhunderts sehr begrenzt: Die Beschaffenheit der Gesellschaft wurde bis etwa 1885 entweder nicht thematisiert, oder sie wurde idealisiert und stilisiert, zum Beispiel bei Wilhelm Raabe. Es ist also nicht Zufall, sondern aus der verschieden verlaufenden Entwicklung zu erklären, daß ein Jahr nach *Soll und Haben* in Frankreich *Madame Bovary* von Gustave Flaubert erschien, ein Roman, der die Brüchigkeit bürgerlicher Ehr- und Moralvorstellungen an fast jeder Figur zeigte und die Hauptfigur eher zum Opfer eigener Fehleinschätzungen als zur Heldin werden ließ, die Verlogenheit und Krise der bürgerlichen Gesellschaft auf jeder Seite demonstrierte – während der deutsche Held Anton Wohlfahrt an das Sendungsbewußtsein und die kulturelle Überlegenheit des Kaufmanns glaubte. Wesentlich in diesem Zusammenhang ist, daß bis zur Epoche des Naturalismus alle Kunst – also auch Literatur – als autonom galt und sich deshalb verpflichtet fühlte, der »Realität« Formen und Inhalte gegenüberzustellen, sich also über den bloßen Alltag zu erheben. Es ging also nicht darum, dem Leser eine reale Welt zu zeigen – die konnte er täglich ohne Vermittlung durch die Kunst »erleben« –, sondern ihn zu befähigen, in der Realität Sinnzusammenhänge zu erkennen, die sich weit über politische, wirtschaftliche usw. erhoben. Seit dem Aufstieg des Bürgertums lag dieser Sinn, den die Literatur vermittelte, nicht mehr im Erkennen oder der Erfüllung einer vorgegebenen (göttlichen) Ordnung, sondern in der Entwicklung des Charakters der Hauptfiguren, der »Persönlichkeit«, also der Fähigkeit zu sittlich verantwortungsbewußtem Handeln, zu sozialen Entscheidungen im Sinne einer allgemeinen Humanität, die als Grundlage der menschlichen Gesellschaft anerkannt wurde. Es war aber höchst fragwürdig, etwa die Traditionen des Bildungs-, Entwicklungs- oder Erziehungsromans fortzuset-

zen, wenn Grundkonsens und Zusammenhalt der Gesellschaft nicht mehr
gegeben waren. Im Sinne des fehlenden Grundkonsenses der Gesellschaft
war das 19. Jahrhundert eine Zeit der Krise des bürgerlichen Bewußtseins,
die nicht nur politisch, sondern auch literarisch schließlich Deutschland erreichte.

Unter den zahlreichen Skizzen, Erzählungen und Romanen, die ländliches
Leben thematisierten, verdienen die Arbeiten zweier Dichter aus völlig unterschiedlichen Gründen besondere Aufmerksamkeit: Gottfried Keller neben
vielen anderen Novellen vor allem durch *Romeo und Julia auf dem Dorfe*
und Adalbert Stifter mit verschiedenen Erzählungen, unter denen *Bergkristall* besonders hervorzuheben ist. Es sei ausdrücklich darauf hingewiesen,
daß beide Texte nicht einfach durch eine der hier genannten Einteilungen
»katalogisiert« werden – die Qualität beider reicht weit über einen solchen
Einteilungsversuch hinaus – sondern daß nur bestimmte Tendenzen und
Perspektiven, die sie vertreten, betrachtet werden sollen. Beide Texte wurden
in Sammlungen veröffentlicht, Kellers Novelle im ersten Band der Erzählungen um *Die Leute von Seldwyla* (1856), Stifters Geschichte in dem Band
Bunte Steine (1853). Wie wir wissen, haben beide Autoren ihre Sammlungen
nicht zusammengestellt, um ein stattlicheres Buch vorzuweisen, sondern alle
Geschichten zusammen als Beiträge zum Thema verstanden.

In der Vorrede zu den sechs Erzählungen, denen er nach mehrfacher
Umarbeitung schließlich den programmatisch gemeinten Obertitel *Bunte
Steine* gab, erläuterte Stifter seine literarischen Absichten und einige Grundsätze seiner Weltanschauung auf wenigen Seiten, die in Aufbau und prägnan-
ter Gedankenführung kaum zu überbieten sind. Ausgehend von einer dreifa-
chen Verneinung: er sei kein Künstler (Dichter); er wolle nicht Tugend oder
Sitte predigen; er habe weder »Großes« noch »Kleines« als Ziel, kann Stifter
sich und seine Freunde abgrenzen gegen die Außenwelt; denn, so sagt er, er
wolle nur »Geselligkeit unter Freunden« und ein Körnchen Gutes zum Bau
der Welt beitragen – und natürlich auch vor falschen Propheten schützen.
Erst nach dieser fast familiären Erklärung greift Stifter weiter aus und erläutert, was er mit dem Großen und dem Kleinen meint. Für Stifter konnte es
keine Frage sein, daß der Mensch den großen Naturgewalten nicht gewachsen war und daß sie deshalb auch als Vorbild für menschliches Handeln
ungeeignet sein mußten. Stifter hielt eine konservativ-rationale Haltung für
möglich und nach 1848 für notwendig, um der Menschengewalt – und nichts
anderes war für ihn eine Revolution! – dauerhaft zu begegnen. Er wollte
erreichen, daß die Menschen sich in kleinen Schritten zu verantwortlichem
Handeln durchringen. Seine Übertragung von der Natur auf den Menschen
war vorsichtig, aber doch eine deutliche Absage an revolutionäre Entwicklungen, wo immer sie auch auftreten mochten: Für den gläubigen Christen
Stifter konnten Revolutionen nicht Teil des göttlichen Weltplanes sein, sondern vielmehr ein Eingriff des Menschen in diesen Plan mit dem Ziel, das
Ganze umzuwerfen.

Die Folgerung, die Stifter weitgehend dem Leser überläßt, ist, daß nur
Menschen, denen die Ehrfurcht vor dem Ganzen fehlt, aus mangelnder Pietät
gegen das rechte Maß der Natur (als Schöpfung Gottes) revolutionäre
Schritte tun können. Damit aber gefährden sie ihr eigenes Leben, denn das
rechte Maß der Natur ist auch im Menschen angelegt, wird aber allzugern
»übersehen«. Revolutionäre Menschen sind also maßlos, der einzelne verachtet das Ganze, die ruhige Entwicklung, und »geht seiner Lust und seinem
Verderben nach«; Bedrohung und Verwirrung für das Volk sind unausweich-
liche Folgen. Stifter hat, was er in der Vorrede zu *Bunte Steine* andeutete, in

*Thematisierung
des »Landes«*

Adalbert Stifter

Maß der Natur

den sechs Erzählungen der Sammlung umgesetzt, am vollendetsten wohl in *Bergkristall*. In dieser Erzählung führt der Dichter den Leser behutsam aber konsequent von »außen« (die Berge als große Kräfte der Natur) immer weiter nach »innen« bis zum Wunder der Rettung zweier Kinder, die, weil sie sich verirrt haben, die Christnacht im ewigen Eis verbringen müssen.

Landschaft

Genau und – so mag es zunächst scheinen: umständlich – beschreibt Stifter die großartige Landschaft der Hochalpen; erst später wird der Grund erkennbar: sie wird Ort der bedrohlichen Handlung und des Wunders; die Berge sind auch stumme Handlungsträger, denn sie trennen die Menschen von alters her. So ist die Mutter der beiden Hauptfiguren, der Kinder Konrad und Susanna, in dem Dorf Gschaid, in dem sie seit ihrer Heirat lebt, eine Fremde geblieben, weil sie von der anderen Seite des Berges (aus Millsdorf) stammt. Die beiden Kinder zieht es ebenfalls mehr auf die andere Seite zu den Großeltern; sie legen den Weg übers Gebirge öfter zurück »als die übrigen Dörfler zusammengenommen«. Auch am Heiligen Abend bringen und holen sie Geschenke über den Berg; auf dem Rückweg überrascht die Kinder ein heftiges Schneetreiben, so daß sie sich trotz guter Kenntnis des Weges verirren und schließlich ins Eis des Gletschers geraten. Sie finden eine Höhle und halten sich wach mit dem Getränk, das als Geschenk der Großmutter für die Mutter gedacht war. Auf diese wunderbare (aber auch erklärbare!) Weise überleben sie die Weihnachtsnacht und werden am Morgen gefunden. Auf viele Feinheiten der Erzählung, besonders die Beziehung der beiden Kinder zueinander in den Stunden der höchsten Gefahr, kann hier nicht eingegangen werden, auch ist Stifters Beschreibung des Schneetreibens sicherlich eine der ganz besonderen Leistungen deutscher Prosa und Thomas Manns »Schneekapitel« in dem Roman *Der Zauberberg* würdig an die Seite zu stellen; die ganze Erzählung »lebt« von einer plastischen anschaulichen Sprache, so daß der Leser, wenn er dem Text aufmerksam folgt, jeden Schritt der Kinder, schließlich aber auch ihr Schweigen, die Pausen der großen Angst, nachvollziehen kann.

restaurative Utopie

Während die *Bunten Steine* als ein »Programm der Abgrenzung und des Rückzuges nach innen« bezeichnet wurden, wollte Stifter noch einen Schritt weitergehen. In seinem Roman *Der Nachsommer* (1857) versuchte er, darin sind sich fast alle Kritiker einig, eine »restaurative Utopie« (H. A. Glaser) zu entwickeln. Stifter hat das wohl auch selbst empfunden; denn an seinen Verleger Heckenast schreibt er am 11. 2. 1858: »Ich habe ein tieferes und reicheres Leben als es gewöhnlich vorkömmt, in dem Werk zeichnen wollen und zwar in seiner Vollendung und zum Überblicke entfaltet daliegend [...]. Dieses tiefere Leben soll getragen sein durch die irdischen Grundlagen bürgerlicher Geschäfte [...] und [die] überirdischen.« Und Stifter nennt in diesem Zusammenhang Kunst, Sitte, reine Menschlichkeit, Religion. Um sein Ziel zu erreichen, wählte er als Hauptfigur des Romans einen durchschnittlichen und unauffälligen, aber außerordentlich bildungsfähigen jungen Mann, Heinrich Drendorf, der sich nicht eigentlich »entwickelt«, sondern in einem unendlichen Austausch mit abgehobenen Bereichen wie Kunst, »Natur«, Geschichte, Religion zu tieferem Verständnis fortschreitet.

Innerlichkeit als Freiraum

Anders als Stifter gestaltet Gottfried Keller Innerlichkeit nicht als Selbstzweck, sondern als eine letzte Möglichkeit, als den Freiraum, der auch dem gesellschaftlich Ausgeschlossenen nicht versagt werden darf. Keller selbst nennt seine Geschichten in der Vorrede zum ersten Band »sonderbare Abfällsel, die so zwischendurch passierten, gewissermaßen ausnahmsweise, und doch auch gerade nur zu Seldwyla vor sich gehen konnten.« Denn die *Leute von Seldwyla* sind leicht als Durchschnittsbürger zu erkennen: Es »ist das

Wahrzeichen und sonderbare Schicksal derselben, daß die Gemeinde reich ist und die Bürgerschaft arm, und zwar so, daß kein Mensch zu Seldwyla etwas hat und niemand weiß, wovon sie seit Jahrhunderten eigentlich leben. Und sie leben sehr lustig und guter Dinge, halten die Gemütlichkeit für ihre besondere Kunst«. Zunächst scheint auch die zweite der fünf Geschichten des ersten Bandes ganz Spiegelbild der in der Einleitung angesprochenen Gemütlichkeit zu sein; denn das große Landschaftsbild der Einleitung strahlt Ruhe, Sicherheit und Behäbigkeit aus; aber am Beispiel der beiden pflügenden Bauern, Manz und Marti, zeigt Keller, was aus Menschen wird, die ihre solide und sorgsam erarbeitete Position verteidigen, aus »wirtschaftlichem Privatinteresse«, das sich bei ihnen zuerst als Raffsucht, dann als Haß, der sich bis zur Gewalttätigkeit steigert, kundtut. Der blinde Eigennutz läßt sie ihre wirklichen Interessen vergessen, so daß sie zu Todfeinden werden und ihre Familien in den Abgrund ziehen: Zwei Männer, die das System, dem sie sich ohne Not unterworfen haben, nicht begriffen. Sali, der Sohn des Manz, und Vreni, die Tochter Martis, sind Opfer dieser Strategie des Übervorteilens, aber gerade der unsinnige Streit ihrer Väter bringt sie zusammen, zwingt sie aufeinander zu. Mit ihrer Liebe beginnt aber eine unglückselige Handlungskette: Sie dürfen sich nicht öffentlich zeigen, weil ihre Väter sofort davon erführen. Ihnen wird klar, daß sie in der bürgerlichen Welt keine Chance haben, zueinanderzukommen. Als sie sich aber ihrer Liebe zueinander dennoch ganz sicher sind, verkaufen sie ihre letzte geringe Habe und genießen von dem Erlös einen gemeinsamen Tag in scheinbarem bürgerlichem Glück. Sie sind aber schon nicht mehr wirklich in der Gesellschaft, in der sie sich noch real bewegen, sondern nur noch bei sich: Diese Form der Innerlichkeit gestattet es ihnen, einen einzigen Tag ihres Lebens selbst zu bestimmen; die bürgerliche Gesellschaft, in der sie sich bewegen, ist nur noch Kulisse für ihre Selbstverwirklichung, die sich in feinem Essen und Tanzen als Hingabe an bürgerliche Regeln und zugleich als völlige Loslösung von ihnen zu ihrer persönlichen Form des Glücks steigert.

Der Lebenstag der beiden Liebenden geht zu Ende, der Tanz zu fortgeschrittener Stunde ist zum Freiheitsakt der Ausgestoßenen und Einzelgänger geworden, eine Welt, in der Sali und Vrenchen nicht dauerhaft leben könnten, wie die kurze Wanderung mit der Gruppe des schwarzen Geigers zeigt: beide können oder wollen nicht Leben und Freiheit um jeden Preis genießen – das eben läßt ihre Ehre nicht zu. So erfüllen sie zwar nicht die bürgerliche Ehre, aber die ihrer Innerlichkeit. Für sich allein vollziehen sie die Ehe, eine Lebensform, die ihnen von der bürgerlichen Gesellschaft verweigert wird, während sie das Angebot des schwarzen Geigers, »gleich hier Hochzeit« zu halten, nicht wahrgenommen hatten; beide wissen, daß es für sie nach der »Hochzeit« keine feste Zugehörigkeit geben wird. Sie entscheiden sich für ihre persönliche Form der Ehre und – anders als der schwarze Geiger – gegen das Leben, »abermals ein Zeichen von der um sich greifenden Entsittlichung und Verwilderung der Leidenschaften«, wie Keller seine Novelle schließt. Die bittere Ironie dieses Schlusses zeigt die Schwierigkeiten realistischer Darstellung, die Keller natürlich vertraut waren, wie man aus zahlreichen seiner Briefe erfahren kann; nur hielt er es lange Zeit für schwierig, wenn nicht unmöglich, sie in seine Dichtungen einfließen zu lassen. Die mehr als dreißigjährige Beschäftigung mit dem Roman *Der Grüne Heinrich* (Plan: 1842/43; erste Fassung: 1846–50; erste Veröffentlichung: 1854/55; umgearbeitete Fassung: 1879/80) zeigt dies auch thematisch: So erkennt eine der Figuren des Romans, der holländische Maler Ferdinand Lys in Italien, daß das Ideal der großen Historienmalerei »von Zeit und Leben keine Erfahrung hatte«, weiß

Keller

Eigennutz

Liebende als Verlorene

*Keller
Der Grüne Heinrich*

aber offensichtlich nicht, wie bei der erdrückenden Fülle der Vorbilder nun
ein eigener Weg gefunden werden könnte, ein Problem, das Keller auch lange
sehr persönlich beschäftigte. Dem *Grünen Heinrich* fehlten trotz treffender
Analyse die Möglichkeiten, zunächst in seinem Innern ein Gegenbild zu
gestalten, das schließlich der Öffentlichkeit standhalten konnte. Keller
strebte, wie bei seinem Künstlerroman und bei *Romeo und Julia auf dem
Dorfe* deutlich wird, in den 50er und 60er Jahren noch einen gewissen
Ausgleich mit der Gesellschaft an.

Gottfried Keller

Keller ist aber über die Haltung der Entsagung im zweiten Band der *Leute
aus Seldwyla* (1874) literarisch hinausgelangt, besonders in seiner Erzählung
Kleider machen Leute, die sich in mancherlei Hinsicht von den anderen
bedeutenden Erzählungen des Jahrhunderts abhebt; denn sie hat zwar eine
Hauptfigur, aber keinen wirklichen Helden (wie etwa C.F. Meyer in *Jürg
Jenatsch* oder Theodor Storm im *Schimmelreiter*): Der Schneider Wenzel
Strapinski ist arm, ist in der Schweiz ein Fremder, wird, ohne dies zunächst
zu ahnen, durch den Schabernack eines Kutschers zum polnischen Grafen
hinaufstilisiert und durch dies Spiel in eine Lebensform gezwungen, die
seinem Wesen nicht entspricht und ihn in eine Rolle zwingt, in die er sich
immer weiter verstrickt, auch weil ihm der Mut fehlt, sich zu sich selbst zu
bekennen. Höhepunkt dieser Komödie der Entfremdung ist schließlich die
Verlobung des vermeintlichen Grafen mit der Amtsratstochter Nette; sie
droht aber zu scheitern, als Strapinski auf einem Maskenfest von der Realität
eingeholt wird: Die Seldwyler nämlich mißgönnen den Goldachern ihren
»Grafen« und zerpflücken dessen adlige Scheinexistenz; Strapinski, das
Opfer, weiß keinen Ausweg mehr und flieht. Nun schiebt sich immer mehr
die Figur der Nette in den Vordergrund: Sie erweist sich als eine Frau von
außerordentlichen bürgerlichen Qualitäten; sie läßt sich nicht durch ihr Gefühl verwirren, sondern vertraut ihrer Menschenkenntnis, ergründet Wenzels
reale Lebensgeschichte und beschließt, da diese ihr eine genügende Grundlage für eine solide bürgerliche Existenz zu bieten scheint, bei ihm zu bleiben: »So feierte sie jetzt ihre rechte Verlobung aus tief entschlossener Seele,
indem sie in süßer Leidenschaft ein Schicksal auf sich nahm und Treue
hielt.«

*Programm
der Seldwyler*

Und diese Treue ist nicht einfach ein Sichabfinden mit den Gegebenheiten,
wie man vermuten könnte, sondern ein Programm: »Nun wollen wir gerade
nach Seldwyl gehen und den Dortigen, die uns zu zerstören gedachten,
zeigen, daß sie uns erst recht vereinigt und glücklich gemacht haben!« Deshalb weigert sie sich auch, mit ihrem Wenzel »in unbekannte Weiten zu
ziehen und geheimnisvoll romantisch dort zu leben in stillem Glücke«, wie
Wenzel gern möchte: »Keine Romane mehr! Wie du bist, ein armer Wanders-
mann, will ich mich zu dir bekennen und in meiner Heimat allen diesen
Stolzen und Spöttern zum Trotze dein Weib sein!« Die Seldwyler Amtsratstochter hat eine solche Selbstsicherheit gewonnen, daß sie für ihren zukünftigen Mann mitbestimmt: »Wir wollen nach Seldwyla und dort durch Tätigkeit und Klugheit die Menschen, die uns verhöhnt haben, von uns abhängig
machen!« Hier geht es nicht mehr um bürgerliche Tugenden, sondern um
unternehmerische Qualitäten, die auch deutlich werden, als Nette den Ho-
noratioren der Stadt klarmacht, warum sie auf die »Rettung ihrer Ehre«
durch den wohlanständigen Bürger Melchior Böhni verzichten will, dessen
keineswegs uneigennützige Motive sie längst durchschaut hat: »Sie rief, gerade die Ehre sei es, welche ihr gebiete, den Herren Böhni nicht zu heiraten,
weil sie ihn nicht leiden könne, dagegen dem armen Fremden treu zu bleiben,
welchem sie ihr Wort gegeben habe und den sie auch leiden könne!« Nicht

nur diese erstaunliche Frauenfigur der Nette handelt recht programmatisch
und löst bei verschiedenen Herren in der Erzählung Unbehagen aus; klar
wird auch, daß Keller nunmehr über die einengenden Vorstellungen der
bürgerlichen Ehre, die noch bei *Romeo und Julia auf dem Dorfe* eine verhängnisvolle Rolle gespielt hatten, hinausgelangt ist; man könnte behaupten,
er habe den Begriff demokratisiert und dadurch dem literarischen bürgerlichen Realismus positive Aspekte hinzufügen können.

Zwei Meisterwerke als unterschiedliche Repräsentanten der Epoche: »Mozart auf der Reise nach Prag« und »Der Heilige«

Eduard Mörikes Schaffen hat seinen Schwerpunkt vor 1848; er hat nach der
Revolution bis zu seinem Tode nur noch wenige Texte veröffentlicht, und sie
waren alle schon in Entwürfen oder Ansätzen vor 1848 notiert; wichtig sind
die Erzählungen *Das Stuttgarter Hutzelmännlein* (1853), das, ohne daß sich
Mörike dessen bewußt war, auf eine alte schwäbische Sage zurückgriff, wie
Uhland und andere dem Dichter versicherten; dann *Die Hand der Jezerte*, im
gleichen Jahr erschienen, sowie die große Novelle *Mozart auf der Reise nach
Prag* (1855); schließlich folgten noch zwei große Gedichte: *Erinna an Sappho*
(1863) und die *Bilder aus Bebenhausen* (ab September 1863, als Mörike dort
längere Zeit zu Besuch weilte). Es mag für heutige Leser merkwürdig klingen, aber es ist wohl kaum übertrieben, wenn man behauptet, Mörike habe
seine Kraft verbraucht, um dem Alltag standhalten zu können; aus diesem
Grunde rang er auch ständig um Distanz zu seiner Umwelt und zu seiner
Zeit allgemein. Mörike wünschte sich eine ideale Welt, »in der sich nicht nur
dichten, sondern auch leben ließ« (F. Sengle); er bemühte sich um Offenheit
zur Welt, aber er konnte diese Offenheit nicht durchhalten: Leben und
Schreiben als einheitliche Lebensform schienen ihm nicht mehr möglich.
Noch in den 30er und 40er Jahren hatte Mörike zahlreiche Gedichte auf
»Dinge« oder »Situationen« verfaßt, z.B. *Auf eine Lampe* (1846), *Inschrift
auf eine Uhr mit den drei Horen* (1846), *Die schöne Buche* (1842), *Auf das
Grab von Schillers Mutter* (1835), die alle als kleine Meisterwerke gelten
können, aber inzwischen hatte sich die bürgerliche Fixierung auf die Umwelt
und die Dinge *als Besitz* vollzogen und diese zu reinen Handelsobjekten
degradiert, so daß es Mörike zunehmend schwerer fiel, seine Lebensperspektive, die die Grundlage seines Dichtens bildete, zu »retten«. Der Dichter
konnte Dinge also nicht mehr durch empfindendes Eindringen in ihr Wesen
beleben und besingen, – Entfremdung in der Poesie?

Einmal, in seiner Erzählung *Mozart auf der Reise nach Prag*, erschienen
zuerst in Cottas *Morgenblatt für gebildete Stände*, hat Mörike sich von
dieser ständigen inneren Gefährdung freimachen können, indem er sie in
seine Hauptfigur hineinlegte. Mörike rückt Mozart scheinbar nahe ans Ro-
koko und eröffnet ihm damit jene spielerischen Möglichkeiten, denen zu
folgen dem realen Mozart so oft hart zusetzte. Zugleich aber stellt Mörike
sich auch seiner Zeit. Mörike gestaltete in der Figur des großen Musikers,
mit dem er sich jahrzehntelang beschäftigt hatte, wohl auch sein eigenes, nie

Titelblatt

Gefährdung

275

völlig erreichtes Wunschbild, da er »nach zwei Jahrzehnten ängstlicher Selbstbewahrung erkannte, daß Größe mit ›Verschwendung‹, d.h. mit einer kühneren Hingabe an Leben und Gesellschaft zu tun hat, und daß der Dichter, der sich nicht einzusetzen bereit ist, den künstlerischen Reichtum Mozarts unmöglich erreichen kann« (F. Sengle).

Bedrohung durch Kunst

Mörike fühlte sich also von der Kunst bedroht, wenn sie ihm, wie er sich ausdrückte, »die Harmonie mit der Welt, mit mir selbst, mit allem« gefährdete. Diese Harmonie war ihm »das wahrste Kriterium eines Kunstwerks überhaupt« (Brief an L. Rau, 10.12.1832); darüber hinaus sollte es »Ableiter und Isolierschemel gegen allerlei Anfechtung« sein. Diese Vorstellungen und Erfahrungen brachte Mörike in seine Mozartnovelle mit ein: Spiel und Kunst, Geistesabwesenheit und Geselligkeit, Heiterkeit und Todesahnung, gesellschaftliche Schranken und ihre Überwindung in der Kunst aufzuzeigen, gelang ihm in dieser Novelle kongenial, was schon von vielen Zeitgenossen erkannt wurde. Mörike hat die Situation des einen besonderen Tages mit dem improvisierten Konzert auf der Reise nach Prag nicht einfach erfunden, sondern sie entsprang seinem tiefsten Empfinden und seiner Weise, sich der Musik Mozarts zu nähern, wie der folgende Brief zeigt; Mörike »lebte« eigentlich immer mit der Musik des großen Komponisten: »In unglaublicher Schnelle stand uns das Wetter überm Kopf. Breite, gewaltige Blitze, wie ich sie nie bei Tag gesehen, fielen wie Rosenschauer in unsere weiße Stube, und Schlag auf Schlag. Der alte Mozart muß in diesen Augenblicken mit dem Kapellmeister-Stäbchen unsichtbar in meinem Rücken gestanden und mir die Schulter berührt haben, denn wie der Teufel fuhr die Ouvertüre zum ›Titus‹ in meiner Seele los, so unaufhaltsam, so prächtig, so durchdringend mit jenem oft wiederholten ehernen Schrei der römischen Tuba, daß sich mir beide Fäuste vor Entzücken ballten« (an Mährlen, 5. 6. 1832).

Mörikes Gestaltungswille

Selbst wenn der Zugang zu Mozart für Mörike von einem biedermeierlichen Lebens- und Kunstgefühl geprägt war, geht Mörikes Gestaltungswille doch weit über diese Grenze hinaus: er entwirft eine Mozartfigur, deren »Genialität auf seinen menschlichen Qualitäten wie auf seiner überragenden künstlerischen Begabung« beruht. »Der Künstler steht also nicht außerhalb der Gesellschaft, obgleich sein Blick tiefer dringt als der seiner Mitmenschen; er ist ein Teil der Gesellschaft, in der er wirkt und lebt, und sein Werk schlingt ein gemeinsames Band um die Mitglieder der Gesellschaft« (E. Sagarra), der Beethovenschen Vertonung von Schillers Ode *An die Freude* vergleichbar. Daß dieses Nachempfindenkönnen zu einer erstaunlichen Intensivierung der Sprachformen geführt hat (W. Höllerer) und diese den Weg zu neuen Entwicklungen wiesen, war Mörike selbst durchaus bewußt; so versuchte er z.B. dem Verleger Cotta klarzumachen, daß er solche Dichtung nicht einfach als »Prosa« honorieren könne. Die durch die unmittelbare Erfassung der Welt Mozarts erreichte »eigene Tiefe des Ausdrucks« (Storm an Mörike) und die »entschiedene Individualisierung der Sprache« (F. Sengle), die mehrere Gedanken- und Redeebenen selbst in völlig banal erscheinenden Sätzen aufschichtete, waren Leistungen, die weit über den Anlaß der Erzählung hinauswiesen, wenn auch der »episodenhafte, scheinbar oder tatsächlich improvisierte Aufbau« (F. Sengle) zunächst nicht verstanden wurde und auf Kritik stieß.

»Der Heilige«

Während Mörike in seiner Mozart-Novelle Distanz weniger aus historischer Entfernung des Geschehens als aus einer gewissen Scheu vor der ungewöhnlichen Gedankenwelt des genialen Komponisten entwickelt – und dennoch gerade durch diese Scheu die Empfindungen Mozarts durchscheinen ließ, macht Conrad Ferdinand Meyer in seiner Erzählung *Der Heilige*, an der er über einen Zeitraum von zehn Jahren (1870–80) arbeitete, eigentlich gar keinen Versuch, die Hauptfigur seines Werks, Thomas Becket, Kanzler Englands, dann Erzbischof von Canterbury und Primas der englischen Kirche, dem Leser nahezubringen, im Gegenteil: Je mehr man über die Handlungen dieses Menschen erfährt, desto größer werden die Zweifel an seinen Motiven – die Wahrheit ergibt sich eben nicht aus der Summe der Fakten. Damit steht diese fein differenzierende Erzählung völlig konträr zum »Zeitgeist« des 19. Jahrhunderts: Weder der englische König Heinrich II. (1154–1189) noch Thomas Becket werden als Helden oder Übermenschen im zeitgenössischen Sinne dargestellt, sondern sind Menschen mit Fehlern – und ihrem jeweiligen Amt. Meyer zeigt eindringlich, wie »Charakter« und »Amt« sich ständig beeinflussen, sich wechselseitig korrumpieren und Möglichkeiten der Rechtfertigung auch für Untaten liefern können. Die Launen, die Taktlosigkeiten und Brutalitäten des Königs sowie seine Verführung der unmündigen Grace Becket bilden eine Art Folie, hinter der das Wesen und der Charakter seines Kanzlers durchschimmern. Während der ganzen Erzählung geht es um eine Bewertung des ersten Mannes hinter dem König am englischen Hofe. Die Schilderung kann, da Hans bei Hofe immer nur eine Randfigur war, kein vollkommenes Gemälde werden, sondern eher ein nicht ganz vollständiges Mosaik, in dem aber um so deutlicher das Zweifelhafte im Wesen Thomas Beckets hervortritt, weil der Armbruster viele Ereignisse zwar berichten, aber nicht wirklich einordnen kann und so nicht nur beim Chorherrn Burkhard, sondern auch beim Leser Zweifel aufkommen läßt. Und es gibt viele Zweifel: Ist Thomas nicht nur aus sarazenischer Abstammung (ein Kind verbotener Liebe zwischen dem gefangenen englischen Kreuzfahrer Gilbert Becket und einer arabischen Fürstentochter; vgl. Meyers Gedicht *Mit zwei Worten*), sondern auch stark vom islamischen Glauben beeinflußt oder sogar heimlich ein Mohammedaner? Kann er also überhaupt ein wirklicher Christ sein? Ist er jener »Prinz Mondschein«, der in Cordova den Kalifen so beeindruckte, daß der ihm seine Tochter zur Frau gab, während der Prinz nach dem frühen Tode seiner Frau und einer barbarischen Handlung des Kalifen über Nacht mit seiner kleinen Tochter verschwunden war? Warum dient der disziplinierte und überlegene Thomas dem sprunghaft-vitalen, oft auch brutalen englischen König als Kanzler und als Erzieher seiner Knaben?

Weitere Zweifel bleiben: Kann Thomas je den Tod seiner Tochter Grace vergessen, an dem der König die Schuld trägt? Ist Thomas, der den König mehrfach vor sich warnt, wirklich ehrlich zu ihm, teilt er ihm, was er sagen will, so mit, daß der König es nicht nur hört, sondern tatsächlich versteht – oder sagt er nur formal die Wahrheit, weil er weiß, daß der König sie gar nicht glauben kann? Die Beantwortung dieser Frage führt zum »Kern« der Erzählung, der Frage nämlich, ob Thomas schließlich aus Glaubensgründen zum Märtyrer wird – oder ob er einfach konsequent machtbesessen ist und die eigene Vernichtung kalkuliert, da er sicher ist, daß sie die des Königs nach sich zieht?

Conrad Ferdinand Meyer läßt seinen »Zeugen«, den Waffenmacher und persönlichen Knecht des englischen Königs, einen Mann von recht guter formaler Bildung, erzählen: Armbruster kann den englischen Kanzler mit arabischen Grußformeln oder einem Vers aus dem Koran in kritischen Situationen für sich gewinnen, er kann die arabische Sprache verstehen und kann Urkunden lesen, er ist durch sein Handwerk und seine Verschwiegenheit den hohen Herren unentbehrlich – aber er ist dennoch dem Charakter des Tho-

Conrad Ferdinand Meyer

not idealised

*Liebe
als Weltreligion?*

mas nicht gewachsen, versucht auch nicht, zweifelhafte Zusammenhänge zu erklären, sondern stellt sie, behaftet mit deutlichem Verdacht, seinem Zuhörer, dem Zürcher Chorherrn, dar. Mir scheint, daß Meyer diese Vermittlerfigur besser gelungen ist als Siegfried Lenz der Sigi in seinem Roman *Die Deutschstunde* (1966); denn Armbruster kann sich in jeder Situation glaubhaft im Milieu des Hofes bewegen, weil er ständig in dieses Milieu verwickelt ist. Armbrusters Erzählung läßt offen, ob die Interessengegensätze die Feindschaft oder die Feindschaft die Interessengegensätze aufbrechen ließen, er neigt nach seinen Beobachtungen aber mehr zur zweiten Version, da offenkundig wird, daß Thomas den Tod seiner Tochter nicht vergessen kann. Der Kampf des Königs gegen den Primas wird damit immer ungleicher: äußerlich setzt sich Heinrich durch, läßt Becket vom Adelsgericht verurteilen und ächten, so daß Thomas nach Frankreich fliehen muß, aber »während so seine Leiblichkeit in Frankreich abnahm und schwand, wuchs seine Macht und geistige Gegenwart in Engelland und stand über den trauernden Sachsen wie der Vollmond in der Nacht.«

1170 wird Armbruster in der Kathedrale von Canterbury Zeuge des Mordes, ist wenige Jahre später auch dabei, als der König am Grabe seines Widersachers Buße tut, will dem König aber nun nicht mehr dienen und verläßt England. Man könnte denken, Armbruster sei nun – durch die Ereignisse mehr gezwungen als aus Neigung – auf die Seite des Heiligen gezogen worden. Zwischen Zweifel und Glauben, Scheinheiligkeit und Machtgier, Offenheit und Kalkül, wilden Emotionen und kluger Distanz bleibt aber ein verwirrter Armbruster zurück und wundert sich über die Verwirrung, die die »Großen« anstiften – ein verblüffend »moderner« Schluß einer ungewöhnlich »modernen« Thematik, wenn auch in mittelalterlichem Gewande, wobei offenbleiben kann, wie weit Meyers meisterhafte Erzählung auch ein Beitrag zum Kulturkampf in Deutschland sein sollte. Mit seiner scheinbar völlig unbeteiligten Charakterbezeichnung der Hauptfiguren ging Meyer sicherlich neue Wege: sie haben auf oft beklemmende Weise die Züge moderner Machtpolitiker; nicht Menschen, sondern Figuren ohne Herz bestimmen das Geschehen, und es ist nicht zu erkennen, ob sich die Dinge, die sie tun, an einer allgemeinen Werteskala ausrichten und wie diese möglicherweise aussehen könnte. Der Stoff wurde im 20. Jahrhundert noch zweimal bearbeitet, zuerst von T. S. Eliot als Versdrama unter dem Titel *Murder in the Cathedral* (1935), dann 1959 von Jean Anouilh als *Becket ou L'honneur de Dieu.*

Wie können politisch engagierte Dichter schreiben und wen können sie erreichen?

nach die Reu. gabes Dichter, die noch politisch eng varen

**Literatur
in Konkurrenz
zum bürgerlichen
Alltag**

they adapted to der anpassen·

Die Wirtschaftskrise ab 1846 und die Revolution von 1848 brachten Bewegung in die literarische Szene; während viele bürgerliche Schriftsteller zwar in Briefen an Freunde ihre Erwartungen und ihre Freude über endlich eintretende Veränderungen ausdrückten, blieben die meisten Autoren aber dem politischen Tagesgeschehen fern – von wenigen Ausnahmen wie dem alten Uhland abgesehen, und Beispiele couragierten Engagements, wie sie Fanny Lewald oder Louise Otto lieferten, lösten wegen ihres Seltenheitswertes Staunen (manchmal allerdings auch Empörung!) aus. Berühmt wurde Louise

Ottos *Offener Brief an den sächsischen Innenminister* vom April 1848 mit
der programmatischen Überschrift: »Vergeßt die arbeitenden Frauen nicht!«
In diesem Brief machte Louise Otto deutlich, wie sie ihre Aufgabe sah: »Ich
erkenne es als meine heiligste Pflicht, der Sache derer, welche nicht den Mut
haben, dieselbe zu vertreten, vor Ihnen meine Stimme zu leihen. Sie werden
mich deshalb keiner Anmaßung zeihen können, denn die Geschichte aller
Zeiten hat es gelehrt und die heutige ganz besonders, daß diejenigen, welche
selbst an ihre Rechte zu denken vergessen, auch vergessen wurden. Darum
will ich Sie an meine armen Schwestern, an die armen Arbeiterinnen, mah-
nen!«

Ein solcher direkter und konkreter Ton war auch für Schriftsteller des
linken Flügels nicht die Regel. Das mag verständlich sein, aber zugleich
wußte man doch auch, daß man »das Volk« anstoßen, bewegen und
zur Unterstützung der neuen Forderungen gewinnen mußte! Die oft hektischen,
aber wenig zielgerichteten und nicht wirklich konkreten Beratungen in Vereinen und Clubs fanden keineswegs überall Zustimmung. Da die meisten
politisch »links« engagierten Schriftsteller sehr wohl um die große Distanz
zwischen sich und dem Bewußtsein des »Volkes«, das sie erreichen und
verändern wollten, wußten, war ihnen auch klar, daß nur appellative Texte,
die sich auf das Tagesgeschehen bezogen, die Chance einer raschen Wirkung
hatten. Es entstanden vor allem in der Revolution, weniger vorher und
nachher, zahlreiche Lieder als Kommentare zu allen möglichen revolutionären Ereignissen, oder es wurden sehr eingängige, oft auch pathetische Texte
als Flugblätter verbreitet. Zur schnelleren Verbreitung von Liedern war es
günstig, wenn sie sich auf schon bekannte Melodien singen ließen, wie z.B.
ein Lied Ludwig Pfaus auf Beckers berühmte *Wacht am Rhein* oder Franz
Dingelstedts Parodie auf Goethes *Lied Mignons*:

*parodistisches
Zähneknirschen*

> Kennst du das Land, wo Einheits-Phrasen blühn:
> In dunkler Brust Trennungsgelüste glühn,
> Ein kühler Wind durch Zeitungsblätter weht,
> Der Friede still und hoch die Zwietracht steht?
> [...]
> Kennst du das Haus? Auf Säulen ruht sein Dach,
> Es hallt der Saal, die Galerie hallt nach,
> Und Volkvertreter stehn und sehn sich an:
> Was haben wir fürs arme Volk getan?

Das für den heutigen Geschmack oft unerträgliche Pathos vieler Lieder hatte
durchaus Vorbilder: Es sollte nach dem Muster der *Marseillaise* einerseits
mitreißen, andererseits sicher auch die Kluft zwischen Anspruch und Wirklichkeit überbrücken helfen – oder wie ein Kritiker unfreundlich bemerkte:
»Solidarität soll herbeigeredet werden«. Deutlich wurde dies bei den zahlreichen *Heckerliedern*, die keineswegs alle den Revolutionär lobten; aber der
badische Revolutionär genoß große Volkstümlichkeit, wie neben den Liedern
die vielen Karikaturen beweisen. Von deutschen Dichtern wurde, wenn sie
offen für die Revolution eintraten, auch erwartet, daß sie für sie im Kampf
einstanden, wo es nötig war. Diese Reaktionen zeigen, daß die politische
Dichtung nach anderen Maßstäben bewertet wurde als die »andere«; feststellen muß man aber, daß Heine schon lange in Paris lebte, Herwegh,
Freiligrath und Strodtmann 1849 ins Exil flüchten mußten, daß Pfau und
Schanz für viele Jahre in den Kerker wanderten und manche andere (wie
Richard Wagner, der damals noch überwiegend literarisch arbeitete) nur
deshalb unbehelligt blieben, weil sie ihre Einstellung nach der Revolution

unerträgliches Pathos

*Die Zeitungspolitiker
– Satire auf Republi-
kaner, konstitutionelle
und absolute Monar-
chisten*

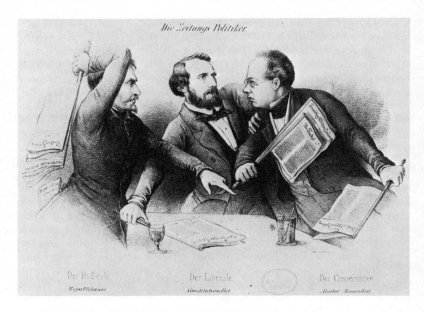

Die Zeitungs Politiker.

Der Radicale   Der Liberale   Der Conservative
Republikaner   Constitutioneller   Absolut Monarchist

adapt

den neuen Verhältnissen anpaßten. Adolf Glassbrenner, der Berliner Volksdichter, brachte Möglichkeit und Wirklichkeit politischer Aktivität des Volkes in die Xenie:

> Der Messias
> Hofft den Messias ihr noch? Nicht kommt er vom Himmel! Ihr Völker,
> Reicht euch zum Kampfe die Hand und – der Messias ist da.

Isolation der Literatur

Die nach 1849 beginnende Zeit des völligen gesellschaftlichen und politischen Stillstands erfaßte auch – schon wegen des Publikums, von dem sie
abhängig war – die politische Dichtung für etwa zehn Jahre. Für die radikalen Demokraten und die Schriftsteller, die ihnen nahestanden, gab es bis zum
Ende des Jahrhunderts drei Probleme, für die lange keine befriedigenden
Lösungen gefunden wurden: sie fühlten sich erstens zu sehr als Dichter und
stellten ästhetische Probleme vor politische; sie fanden zweitens keine ihrer
politischen Absicht entsprechende neue Form der Dichtung; sie führten drittens nach wie vor in der deutschen Gesellschaft ein unbedeutendes Randda-
sein und bekamen in den nächsten Jahren in der sich rasch entwickelnden
Trivialliteratur der Massenpresse insofern eine starke Konkurrenz, als sie
beide auf die Masse des Volkes gerichtet waren. Die These von den unpolitischen deutschen Schriftstellern war also nicht nur bürgerliche Ideologie,
sondern auch das Ergebnis fortschreitender kapitalistischer Verhältnisse im
Verlagswesen mit der Entwicklung der Unterhaltungsliteratur zur unpolitischen Massenliteratur, die Harmonie brauchte und unermüdlich anstrebte.

*Marx' Koalition von
Kleinbürgertum und
Arbeiterschaft*

Anläßlich der Machtergreifung Napoleons III. in Frankreich hat Marx
schon 1852 bemerkt, daß die Koalition von Kleinbürgern und Arbeitern, die
aus der Opposition heraus demokratisch-republikanische Institutionen anstrebte, dies nicht tat, um Kapital und Lohnarbeit, die beiden sich entgegen-
stehenden Extreme, aufzuheben, sondern um ihren Gegensatz abzuschwä-
chen und in Harmonie umzuwandeln. Marx folgerte aus seiner Feststellung,
daß natürlich auch die Schriftsteller des Kleinbürgertums »im Kopfe nicht

über die Schranken hinauskommen«, die ihrer Klasse gesetzt sind, »daß sie daher zu denselben Aufgaben und Lösungen theoretisch getrieben werden«, die das Kleinbürgertum gesellschaftlich auch sonst anstrebte (aus: *Der achtzehnte Brumaire des Louis Bonaparte*); man müßte wohl hinzufügen: Der Mangel an neuen Formen und der Mangel an Arbeiterschriftstellern führten die politisch engagierten Autoren immer wieder ins bürgerliche Lager zurück. Auch aus diesem Grunde wurde Friedrich Theodor Vischer mit seinen *Kritischen Gängen*, die erstmals 1846 erschienen waren und nun zwischen 1860 und 1870 in sechs Bänden neu erschienen, einer der einflußreichsten und wohl der repräsentativste Ästhet des 19. Jahrhunderts. Für die Unmöglichkeit einer politischen Poesie in seiner Zeit fand Vischer folgende Erklärung – und er rechtfertigte damit eine weit verbreitete Ansicht: »Sie taugt nichts, weil sie eine Idee ausspricht, welche noch keinen Körper hat, sondern ihn erst bekommen soll, welche also noch abstrakt ist.«

Als in Deutschland Gelehrte und Schiftsteller Kategorien der Freiheit für Kunst und Wissenschaft zu entwerfen begannen, wurde ihnen sehr schnell klar, daß Freiheit und Geist auf Volk und Wissenschaft angewiesen waren, daß die Schriftsteller aber »zwischen die Fronten« gerieten, weil die Pfründen der Fürsten (und nun allmählich der bürgerlichen Kapitalgeber) und eine freiheitliche Literatur kaum zu vereinbaren waren. Während im 18. und in der ersten Hälfte des 19. Jahrhunderts zahlreiche mutige Autoren sich um Fortschritte der literarischen Theorie und Praxis bemühten – die Reihe reicht von Lessing und vielen seiner Zeitgenossen bis zu Heine –, war dies nach 1848 kaum zu beobachten. Vielmehr kann Fontanes *Realismus*-Aufsatz von 1853 als beispielhaft für Rückzugsdenken gelten. Fontane schob damals wohl bewußt Ästhetik als reinigendes Filter vor alle schriftstellerischen Wahrnehmungen des Lebens, und er brauchte persönlich sehr lange, bis er zu einer neuen bürgerlich-kritischen Form fand. Denn im Bürgertum entstand immer unverkennbarer eine Sehnsucht nach einer klar gefügten und sinnlich erfaßbaren Einheit von Einzelmensch und Gesellschaft. Je weniger diese Einheit in der Realität vorhanden war, um so mehr wehrte man sich gegen eine differenzierte Entfaltung der menschlichen Individualität in der Literatur, was man als Schwäche interpretierte: man wollte keine »Demokratisierungsprozesse des Charakters« in der Literatur, genausowenig wie im Leben. Als Gegenmodell schätzte man immer mehr den starken Charakter des Helden, der die Realität nicht nur mühsam, sondern fast spielerisch bezwingen konnte – wenn nicht im Leben, dann wenigstens in der Literatur. Friedrich Nietzsche hat diese Sehnsucht früh erkannt, immer wieder beschrieben und auch theoretisch ausgenutzt. 1872 schrieb er: »Was hier am einzelnen Beispiel gezeigt wird, gilt im allgemeinsten Sinne: jeder Mensch mit seiner gesammten Thätigkeit hat nur so viel Würde, als er, bewußt oder unbewußt, Werkzeug des Genius ist; woraus sofort die ethische Consequenz zu erschließen ist, daß der ›Mensch an sich‹, der absolute Mensch, weder Würde, noch Rechte noch Pflichten besitzt: nur als völlig determinirtes, unbewußten Zwecken dienendes Wesen kann der Mensch seine Existenz entschuldigen« (aus: *Fünf Vorreden zu fünf ungeschriebenen Büchern*). Ein »realistischer« literarischer Weg hätte sicherlich anders verlaufen müssen. Da aber in dieser Zeit völlig unbefriedigter gesellschaftlicher und politischer Forderungen diese Defizite nur mit Blick auf die konkrete Welt und die sich in ihr konkret ausbreitenden Unfreiheiten sichtbar gemacht werden konnten, mußte eine Literatur, die vornehmlich der herrschenden Ästhetik folgte, zur Apologie der bestehenden Verhältnisse verkommen. Die Epoche nach 1848 wurde also zum Tummelplatz vieler unbefugter Schön- und Vielschreiber, deren Zahl

Friedrich Theodor Vischer

Nietzsches aristokratisches Ideal

nach 1870 in dem Maße zunahm, wie sich die Qualität ihrer Arbeiten verringerte.

1862 begann Ferdinand Lassalle für die Gründung einer neuen, proletarischen Partei zu agieren, die schließlich im Mai 1863 entstand und als Ziel eine soziale Demokratie hatte. Die ersten Reden Lassalles sind noch mit blumigen Wendungen durchsetzt, etwa, wenn er vor Arbeitern der Maschinenfabrik Borsig in Oranienburg erklärte, 1789 habe sich der vierte Stand noch in den Herzfalten des dritten verborgen, jetzt müsse er aber »sein Prinzip zum beherrschenden der Gesellschaft erheben und mit ihm alle Einrichtungen durchdringen«. Zur Gründung der neuen Partei sandte Herwegh an Lassalle sein später berühmtes *Bundeslied*, das auf eine Vorlage Shelleys zurückgeht. Die letzten drei der insgesamt zwölf Strophen lauten:

»Bundeslied«

Mann der Arbeit, aufgewacht!
Und erkenne deine Macht!
Alle Räder stehen still,
Wenn dein starker Arm es will.

Deiner Dränger Schar erblaßt,
Wenn du, müde deiner Last,
In die Ecke lehnst den Pflug,
Wenn du rufst: es ist genug!

Brecht des Doppeljoch entzwei!
Brecht die Not der Sklaverei!
Brecht die Sklaverei der Not!
Brot ist Freiheit, Freiheit Brot!

»Lassalle rezitierte das Gedicht auf vielen Kundgebungen; es hatte jedesmal eine mitreißende Wirkung, ein Erfolg, der den markanten Hammerschlägen der Verse bis heute treu blieb« (W. Grab). Bevor Lassalle sich der praktischen politischen Arbeit zuwandte, hatte er in seinem Drama *Franz von Sickingen* (1858) versucht, die Erfahrungen der Niederlage von 1848 literarisch zu artikulieren, dies aber nicht direkt getan, sondern durch Analogie, indem er die Handlung in die Zeit der Bauernkriege zurückversetzte. Lassalles Drama löste vor allem unter engagierten Demokraten eine heftige Kontroverse aus, die als »Sickingen-Debatte« in die Literaturgeschichte eingegangen ist; Hauptpunkte dieser Auseinandersetzung waren die Fragen, ob Dichtung überhaupt in der Lage sei, politische Probleme zu lösen und ob Probleme der Gegenwart im Gewande der Vergangenheit nicht ihre Aktualität einbüßen und daher »unrealistisch« erscheinen müßten. Lassalle konnte sich dieser Debatte nicht entziehen, denn er hatte früh zugegeben, daß er mit seinem *Sickingen* eine allgemeine Aussage nicht nur zu dieser deutschen, sondern zu Revolutionen schlechthin hatte machen wollen; sein Ziel sei es gewesen, ein Modell zu entwerfen, dem Sickingen nur als »tragende Figur« dienen sollte. Lassalle glaubte also an einen »ewig wiederkehrenden Konflikt des revolutionären Handelns«, so daß sein Stück »die Tragödie der formalen revolutionären Idee par excellence« sei.

Was bedeutet
»Repräsentanz«?

Marx hatte den »Fehler«, den Lassalle mit diesem Anspruch notwendig machen mußte, sofort erkannt, und dies dem Autor mitgeteilt: »Sickingen [...] ging nicht unter an seiner Pfiffigkeit. Er ging unter, weil er als Ritter und als Repräsentant einer untergehenden Klasse gegen das Bestehende sich auflehnte oder vielmehr gegen die neue Form des Bestehenden«. Das aber wurde bei Lassalles Text an keiner Stelle wirklich deutlich, denn er hatte Sickingen trotz aller Radikalität seiner Ideen nicht von der bürgerlichen

*Zivilisations-
dampfmaschine –
Satire auf
die Londoner
Weltausstellung
(»Kladderadatsch«
1851)*

Ästhetik trennen können und als Helden dargestellt; er befand sich also in der Zwangslage, historisch-politische Fragen ästhetisch lösen zu müssen. Lassalles umfangreiche »Rechtfertigungsschrift« an Marx ist daher eher ein theoretischer Rettungsversuch eines praktisch mißlungenen Werks, das zeigt, wie weit damals die literarische Bewältigung politischer Probleme von ihrem theoretischen Anspruch entfernt war. Dieser Mangel hatte drei Gründe: (1) dichterisches Unvermögen; (2) die (bürgerliche) Vorstellung, daß der Staat durchaus zum Garanten der Freiheit entwickelt werden könne, wenn er nur – etwa durch einen Volkstribunen! – umgeformt oder »gereinigt« werde; (3) das Fehlen einer wirkungsvollen fortschrittlichen Ästhetik; deshalb sollte Sickingen zum Sprachrohr moderner politischer Rhetorik werden, also die didaktische Tradition vieler deutscher Prosaerzählungen (E. Sagarra) nun im Drama fortsetzen. Damit wurde der Ritter des Bauernkrieges zu einem Volkshelden ohne Volk, während gleichzeitig in der Realität das Volk zur Masse degradiert wurde.

Es gelang der frühen sozialistischen Literatur in Deutschland selten, »aus dem Sumpf des Trivialen« (F. Mehring) herauszukommen und dem Leser Stoffe, Handlungen und Figuren anzubieten, die ein neues Menschenbild in einer neuen Kunst vermittelten und damit ein neues Bewußtsein entwickeln und prägen konnten. Im Gegensatz zur Aufklärungsepoche hat es literarische Vorwegnahmen politischer Veränderungen zwischen 1850 und 1900 kaum gegeben, statt ihrer aber viele Texte, die voller Mitgefühl leidende Menschen der Unterschichten und des Industrieproletariats beschrieben, ohne es als handelnde Klasse zu zeigen. Friedrich Engels hat das erkannt und vor dem didaktischen Schwulst der Tendenzpoesie eindringlich gewarnt, wie sein Brief an Minna Kautsky zeigt: »Es war Ihnen offenbar ein Bedürfnis, in diesem Buch öffentlich Partei zu ergreifen, Zeugnis abzulegen vor aller Welt von Ihrer Überzeugung. Das ist nun geschehen, das haben Sie hinter sich und brauchen es in dieser Form nicht zu wiederholen. Ich bin keineswegs Gegner der Tendenzpoesie als solcher. Der Vater der Tragödie, Äschylus, und der Vater der Komödie, Aristophanes, waren beide starke Tendenzpoeten, nicht minder Dante und Cervantes, und es ist das beste an Schillers ›Kabale und Liebe‹, daß sie das erste deutsche politische Tendenzdrama ist. Die modernen Russen und Norweger, die ausgezeichnete Romane liefern, sind alle Tendenzdichter. Aber ich meine, die Tendenz muß aus der Situation und

»Sumpf des Trivialen«

283

Handlung selbst hervorspringen, ohne daß ausrücklich darauf hingewiesen wird, und der Dichter ist nicht genötigt, die geschichtliche zukünftige Lösung der gesellschaftlichen Konflikte, die er schildert, dem Leser in die Hand zu geben. Dazu kommt, daß sich unter unseren Verhältnissen der Roman vorwiegend an Leser aus bürgerlichen, also nicht zu uns direkt gehörenden Kreisen wendet, und da erfüllt auch der sozialistische Tendenzroman, nach meiner Ansicht, vollständig seinen Beruf, wenn er durch treue Schilderung der wirklichen Verhältnisse die darüber herrschenden konventionellen Illusionen zerreißt, den Optimismus der bürgerlichen Welt erschüttert, den Zweifel an der ewigen Gültigkeit des Bestehenden unvermeidlich macht, auch ohne selbst direkt eine Lösung zu bieten, ja unter Umständen ohne selbst Partei ostensibel zu ergreifen« (Engels am 26. 11. 1885 an Minna Kautsky).

Sicherlich war dieser Brief auch von einer gewissen Resignation erfüllt, weil sich literarisch wie politisch so wenig bewegte. Engels wollte aber unter allen Umständen ein Einpassen sozialer Stoffe in bürgerliche Moral und Mitleidsbekundungen verhindern, weil er erkannt hatte, daß dann der Unterschied zur Massenliteratur bürgerlicher Unterhaltung nicht mehr auszumachen war, und daß veränderndes politisches Bewußtsein ausgeschlossen blieb; deshalb wohl auch Engels' »Rückzug« auf eine Tendenzpoesie, die dokumentarischen Charakter hatte: In der Dokumentation konnte Deskriptives wenigstens politisch aufklären.

Die Lyrik in der Epoche des Realismus

> Ihr starrt dem Dichter ins Gesicht,
> Verwundert, daß er Rosen bricht
> Von Disteln, aus dem Quell der Augen
> Korall und Perle weiß zu saugen;
>
> Daß er den Blitz herniederlangt,
> Um seine Fackel zu entzünden,
> Im Wettertoben, wenn euch bangt,
> Den rechten Odem weiß zu finden:
> Ihr starrt ihn an mit halbem Neid,
> Den Geisteskrösus seiner Zeit,
> Und wißt es nicht, mit welchen Qualen
> Er seine Schätze muß bezahlen.
>
> (aus Annette von Droste-Hülshoff: *Der Dichter*)

Verdoppelung der Wirklichkeit durch Metaphern

Das Gedicht, aus dem dieser Auszug stammt, kann als repräsentatives Beispiel für Lyrik vor 1848 gelten: In dichter Folge veranschaulichen Metaphern den Gegensatz Publikum (»Ihr«) – Dichter; vor allem sein qualvolles Schaffen will die Droste ausdrücken. Zu diesem Zweck verwendet sie Metaphern oder läßt den Dichter metaphorisch handeln (»daß er Rosen bricht und Disteln«). In einem zweiten Teil ihres Textes beansprucht Annette von Droste-Hülshoff für ihre sorgfältig ausgewählten Metaphern nun zusätzlich eine Wirkung in der Alltagswelt (als bezeichneten sie reale Dinge), zumindest eine dieser Alltagswelt vergleichbare; sie fragt:

> Meint ihr, das Wetter zünde nicht?
> Meint ihr, der Sturm erschüttre nicht?
> Meint ihr, die Träne brenne nicht?
> Meint ihr, die Dornen stechen nicht?

Nimmt man diese Fragen nach den Dingen, die alle in den vorher entwickelten Metaphern genannt wurden, »realistisch«, dann sind Wetter, Sturm, Träne und Dornen für den Dichter Metapher und erlittene Realität zugleich. Dieser »Doppelheit« kann er kaum standhalten, so sehr er das auch wünschte; deshalb endet das Gedicht in scheinbar lakonischer Kürze, fast gewaltsam:

> Ja, eine Lamp hat er entfacht,
> Die nur das Mark ihm sieden macht;
> Ja, Perlen fischt er und Juwele,
> Die kosten nichts – nur seine Seele.

*Annette
von Droste-Hülshoff*

Texte von dieser Dichte gehen sicherlich über »geistreiche Bildnerei« weit hinaus, die Eduard Engels in seiner weitverbreiteten *Deutschen Stilkunst* »als das gemeinsame Laster der barocken und jungdeutschen Poeten« bezeichnete. Eduard Mörikes Lyrik, die zum größten Teil in der Zeit vor 1848 entstand und oft als Biedermeierlyrik abgewertet wurde, ist ein überzeugendes Beispiel für vollendete Sprachgestaltung in einer reichen Tradition (*Er ist's*, 1829; *Im Weinberg*, 1838; *Die schöne Buche*, 1842); Mörike konnte fast spielerisch antike Vorbilder für seine Arbeit fruchtbar machen (*An eine Äolsharfe*, 1837, bezogen auf eine Ode des Horaz), aber auch einen humorvollen, volkstümlich-lyrischen Erzählton finden (*Der alte Turmhahn*, endgültige Fassung 1852), ein Beispiel ohne Nachfolge: Humor, vermengt mit pietistischem Ton, schon ein Abgesang auf eine Gesellschaft, die es kaum noch gab? Natürlich fiel es dem Pfarrer Mörike leicht, die Melodie eines berühmten Kirchenliedes zur Struktur seines Gedichts zu machen (*In der Frühe*, 1828). Sein berühmter *Septembermorgen* nimmt schon 1827 die Entwicklung zum Realismus der Lyrik um mehr als zwanzig Jahre vorweg.

»geistreiche Bildnerei«

Hebbel bemühte sich früh und intensiv, in seiner Lyrik über »Metaphernspiele« hinauszukommen, seine lyrischen Gegenstände als Symbole selbständiger werden zu lassen und seine Gedichte von rhetorischen Formulierungen möglichst frei zu halten; dies nicht ohne Grund, denn es gab noch immer zahlreiche Texte, die mit Metaphern überladen waren, auch solche der Droste. Die massive Kritik an der Metaphernfülle, die nach 1848 in den *Grenzboten* einsetzte, war also durchaus berechtigt: die Sprache der Lyrik war weit entfernt von der des Alltags und wurde auch oft als »Filter« vor Plattheiten verstanden, wie man sie in den Dorfgeschichten monierte. Dieses Abheben vom Alltag in Metaphern verspottete Heinrich Heine in einem Gedicht unter dem Titel *Entartung*:

»Metaphernspiele«

> Ich glaub nicht mehr an der Lilie Keuschheit
> [...]
> Von der Bescheidenheit der Veilchen
> Halt' ich nicht viel
> [...]
> Ich zweifle auch, ob sie empfindet,
> Die Nachtigall, das, was sie singt,
> Sie übertreibt und schluchzt und trillert
> Nur aus Routine, wie mich dünkt.

Schon Hebbels frühes Gedicht *Ich und du* (1843) zeigt den gewaltigen Wandel, der sich gegenüber der Restaurationsepoche in der Gestaltung einer Liebesbeziehung vollzogen hatte. Hebbel beginnt scheinbar völlig »real«, um dann das angeschlagene Thema auszuweiten und in einer Sentenz gipfeln zu lassen, deren Knappheit leicht als Gefühllosigkeit mißverstanden werden könnte:

»Ich und Du«

> Wir träumten voneinander
> Und sind davon erwacht,
> Wir leben, um uns zu lieben,
> Und sinken zurück in die Nacht.

Der innere Gegensatz zwischen den ersten beiden und den letzten beiden Zeilen erfüllt die ganze zweite Strophe und wird in der dritten schließlich in einer Symbolik »aufgehoben«, die in der Dichte der Sprache kaum zu überbieten sein dürfte:

> Auf einer Lilie zittern
> Zwei Tropfen, rein und rund,
> Zerfließen in eins und wollen
> Hinab in des Kelches Grund.

Andere Gedichte Hebbels zeigen die kontinuierliche Fortentwicklung von der Metapher zur konkreten Anschaulichkeit im Sinne realistischer Vorstellungen. Beispiele sind *Ein Bild aus Reichenau* (Juli 1848) und *Liebesprobe* (1854). Als repräsentativ für die reine und vollkommene Konzentration aufs Schauen, bis ein inneres Gesamtbild entsteht, gilt das *Herbstbild* von 1852. Hebbels neue Gegenständlichkeit in der Lyrik strebte aber nicht »Realistik« im allgemeinen Sinne an, sondern Hebbel, Keller, Storm, Meyer und viele andere wollten durchaus eine poetische Gegenwelt gegen den aufkommenden Positivismus der naturwissenschaftlichen Eroberung der Erde schaffen – ein sicherlich zunächst konservativer Grundzug ihrer Arbeit; sie glaubten offensichtlich, daß die Dichter die Aufgabe hätten, den Menschen Reservate zu schaffen oder zu zeigen, in denen ihr Leben und Handeln einen höheren Sinn wenigstens ahnen ließ.

*Ästhetisierung
der Natur*

Berühmte Beispiele dieser idealistisch empfundenen und ästhetisch gestalteten Natur sind neben Hebbels *Herbstbild* vor allem Storms zahlreiche Heimatgedichte wie *Abseits, Meeresstrand, Über die Heide* und seine Liebesgedichte wie *Dämmerstunde, Abends, Im Volkston*. Storm gelangen vollendete Texte immer dann, wenn er »Natur« und Mensch in eine parallel laufende Beziehung bringen konnte (wie in *Über die Heide*), so daß auch für den Außenstehenden das Gefühl des einen lyrischen Ichs als ein allgemeiner Teil der Natur erschien, in ihn eingebettet war. Vollendet ist Storm diese Verschmelzung gelungen in dem Gedicht *Die Nachtigall*, in dem die dritte Strophe, die der ersten völlig gleichlautet, durch den Bezug auf das Mädchen in der zweiten Strophe einen völlig neuen Sinn erhält, so daß alle Teile des Textes sich gegenseitig interpretieren und in einer symbolischen Einheit aufgehen. Vollkommene Texte wie dieser deuten an, daß die Dichter nach der Jahrhundertmitte vielleicht ein letztes Mal auf diese Weise zur Natur in Beziehung treten konnten. Mörike und Keller waren sich dieser Tatsache bewußt, ganz besonders aber Conrad Ferdinand Meyer, dessen Gedicht *Der schöne Tag* schon den Übergang zur Jahrhundertwende vorbereitet, dessen *Zwei Segel, Auf dem Canal Grande* und *Der römische Brunnen* (endgültige Fassung 1882 nach mindestens zwei Vorstufen; wenigstens zwanzig Jahre Arbeit an dem Text nachweisbar!) ein genaues sinnliches Erfassen der »Rea-

lität« mit einer weit über sie hinausweisenden Aussage verbinden konnte; waren solche Texte »Rettungsarbeit des Geistes«?

Der Balladenkult, den die »Schwäbische Schule« – unterstützt vom Verleger Cotta und angeführt vom Dichter Ludwig Uhland – in der Epoche des Biedermeier entfaltet hatte, drohte, wie ein zeitgenössischer Kritiker meinte, zur »fabrikmäßigen Herstellung von Balladen« zu verleiten, deren Form als Ausgleich von »lyrisch« und »episch« im Dramatischen zum häufig genutzten Modell wurde. Ludwig Uhlands *Des Sängers Fluch* und *Das Glück von Edenhall* sind solche Versuche, dem Harmoniebedürfnis der Gegenwart zu entsprechen, indem die Texte zeigten, wie die Geschichte über Maßlosigkeit und Überheblichkeit hinwegging, als wären sie nicht Grundbestandteil jeder Epoche. Uhland prägte mit seinem Humor aber auch ganze Generationen von Schülern, z.B. mit der Ballade *Roland Schildträger*; eine lakonische Einfachheit prägte *Siegfrieds Schwert*, und sein Lied *Der gute Kamerad* ist als stummer und damit wohl unbewußter Teil öffentlicher Trauerveranstaltungen noch gegenwärtig.

Balladenkult

Die Epoche des Biedermeier kannte und tradierte eine Fülle von Balladentönen, deren damals berühmtester sicherlich die Schauerballade war (Droste-Hülshoff, *Der Knabe im Moor*; Mörike, *Der Feuerreiter*; G. Schwab, *Das Gewitter*). »Realistische« Balladendichter überhöhten Darstellungen der Natur zur magischen Allmacht, hinter der sich gelegentlich auch eine unreflektierte Technikfeindlichkeit verbarg (Fontane, *Die Brücke am Tay*), setzten die Tradition der Schauerballade aber nicht fort; statt dessen traten willensstarke Helden, die sich denen der bürgerlichen Romane an die Seite stellen konnten, hervor. Gesellschaftskritik war selten (Heine, *Das Sklavenschiff*, und in historischem Gewand: *Donna Clara*), kritische Balladen zu Tagesfragen auch; so konkurrierten Heines *Die schlesischen Weber* und Dronkes *Das Weib des Webers* mit rührenden Genre- und Mitleidsszenen verschiedener Zeitgenossen (Louise Otto, Ferdinand Freiligrath). Es blieb aber die Regel, daß menschliche Opferbereitschaft die Unzulänglichkeit der

Schauerballade

Verhältnisse, besonders der sozialen, verdeckte: In Fontanes *John Maynard*
wählt der Dichter einen so kleinen Ausschnitt aus der Realität, die er beschreibt, daß man Zusammenhänge kaum erkennt; zusätzlich »veredelt«
Fontane noch die Haltung des Steuermanns, so daß ein zwiespältiges Hel-
denbild entsteht: Sein Tod wird in einer Jubelfeier »aufgehoben«, aber die
Verhältnisse bleiben, wie sie sind.

»große Menschen«   Viel lieber (und häufiger) werden im Realismus große Menschen menschlich dargestellt (Fontane, *Herr von Ribbeck auf Ribbeck im Havelland*) oder
einfach die Erinnerung an sie als Symptom ihrer Größe begriffen (Freiligrath,
Prinz Eugen). Die Geschichte beschworen fast alle Balladendichter des Realismus, am häufigsten wohl Conrad Ferdinand Meyer *(Bettlerballade; Die
Füße im Feuer; Mit zwei Worten; Der gleitende Purpur)*. Dabei stellte Meyer
keineswegs immer den großen historischen Moment dar, sondern oft den
Moment der Größe bei unbedeutenden oder vergessenen Menschen. Da die
Zunahme der kleineren Erzählprosa im Realismus der Ballade als Kunstform
nicht günstig war, entwickelte sich die Balladendichtung nach 1850 insgesamt weg vom Zeitgeist, den Heine noch mehrfach beschworen hatte, zu
einer ideal gesehenen (aber eher abstrakten) »Balladenobjektivität«, zu einer
Kunstform höherer Verdichtung bei gleichzeitiger Distanz sowohl zum Gegenstand als auch zur eigenen Zeit. Dies gilt natürlich nicht für die vielen
»Klapperballaden« Geibels oder Freiligraths, die früher die Lesebücher füll-
ten. Zugeständnisse an ihre Zeit machten auch große Dichter; so hatte der
oft mit scharfem Blick für das Soziale ausgestattete Fontane durchaus auch
einen Sinn für dynamische Augenblicke, für Machtfragen und
»Charaktere«, also für Helden.

Einen neuen Ton fand am Ende des Jahrhunderts Detlev von Liliencron.
Sein Erzählgedicht *Die Musik kommt* (1892) ist trotz seiner Kürze ein Mei-
sterwerk humorvoller Milieuschilderung und zugleich ironischer Distanz zu
einer als Illusion empfundenen Darbietung; denn der ausgebildete Offizier
Liliencron war kein wirklicher »Militarist«. Er stellte z.B. die schwere Niederlage des Preußenkönigs Friedrich II. bei Kolin als Einzelschicksal dar,
aber nicht mit der üblichen Rührseligkeit, allerdings auch ohne Perspektive
(Wer weiß wo):

> Doch einst bin ich, und bist auch du,
> Verscharrt im Sand zur ew'gen Ruh, –
> Wer weiß wo.

Idee und Wirklichkeit des Dramas im Realismus

»zerrissene Literatur«   Für die Phase zwischen Revolution und deutscher Einheit bestand ebenso
wie für die Gründerzeit die Vorstellung, daß engagierte Literatur moralisch
oder ideologisch überladen und damit unglaubwürdig sei (»zerrissen«
nannte F.Th. Vischer sie). Damit widersprach sie der Idealvorstellung der
Zeit; denn »der Realismus führt[e] auf allen Gebieten zu begrenzten, ja
geschlossenen Einheiten, die für universale Tendenzen ebenso schwer zugänglich [waren] wie für partikularistische und deren Charakter daher eher
technisch als organisch, eher abschließend als weiterführend ist« (F. Sengle).
Dies traf für die bürgerliche dramatische Tradition, sofern sie nicht in Genre-
oder Historienmalerei abglitt, viel stärker zu, als man früher angenommen

hat. Am Beispiel Friedrich Hebbels wird dies deutlich; 1813 geboren (wie
Büchner), hatte Hebbel noch kein einziges Drama geschrieben, als Büchner
starb (1836). Für Hebbel hatte, als er schließlich ab 1837 dramatische Stoffe
zu bearbeiten begann, die universalistische Funktion des Dramas entscheidende Bedeutung gewonnen; er mochte also dem Geschichtsdrama Grabbes
und Büchners nicht folgen (auch dann nicht, wenn er historische Stoffe   *Inkongruenz*
bearbeitete!). Hebbels umfassende und nicht an aktuelle Bezüge gebundene   *von Idee*
Auffassung von Tragik, der gemäß »der Begriff der tragischen Schuld nur   *und Erscheinung*
aus dem Leben selbst, aus der ursprünglichen Inkongruenz zwischen Idee
und Erscheinung, die sich in letzterer eben als Maßlosigkeit, der natürlichen
Folge des Selbst-Erhaltungs- und Behauptungstriebes, des ersten und berech-
tigsten von allen, äußert« (Paris, Juni 1844), hatte, wie schon zeitgenössische
Beobachter feststellten, eine Tendenz zu statischer Determiniertheit: Hebbel
war der Ansicht, »daß die Konflikte, die im allgemeinen zur Ausgleichung
gebracht werden, [nicht] auch in den Individuen, welche sie vertreten, zur
Ausgleichung kommen sollen; dies hieße [...], die Individuen umbiegen und
auflösen, also den Grund des Dramas zerstören« (an A. Ruge, 15. 9. 1852).

Trotz seiner Distanz zur eigenen Zeit geriet Hebbel nicht in die Schwierigkeiten Lassalles, weil er von Anfang keinen heimlichen Tagesbezug suchte;
so ließ er vermutlich den Napoleonstoff wieder fallen, weil er ihm noch zu
»nah« und zu »aktuell« erschien. Dagegen strebte Hebbel immer wieder eine
intensive Auseinandersetzung mit den von ihm geschätzten Vorbildern Lessing, Schiller und vor allem Kleist an, wurde aber wegen dieser Tendenz oft
nicht verstanden; das führte dazu, daß er mit mehreren seiner Stücke (wegen
deren dramatischer Qualität) zwar Achtungserfolge hatte, aber keine nachhaltige Wirkung erzielen konnte. Hebbel war keineswegs glücklich, daß sein
Drama *Maria Magdalene* (1843) als Gesellschaftstragödie der unteren
Schichten verstanden wurde; denn nicht einmal in der Sprache des Stücks
glitt er ins Volkstümliche ab. Die strenge Tradition des Sprechstils am Wie-
ner Burgtheater, dem Hebbel durch seine Frau, die Schauspielerin Christine
Enghaus, ab 1846 verbunden war, schützte vor allzu »durchdringendem
Individualismus« (F. Sengle) und wollte ein »reinigendes Element des Allge-   *Friedrich Hebbel*
meinen« sein. In dieser Tadition war das Burgtheater aber fast anachroni-
stisch – und Hebbel in gewisser Hinsicht auch: Während die Epoche des
Realismus »den Abbau der Rhetorik« und »die Ächtung des hohen, des
pathetischen Stils«, dann aber auch die Überwindung der niederen, witzigen,
›zynischen‹ Schreibart zugunsten einer deutlichen stilistischen Vereinheitlichung (F. Sengle) anstrebte, hatte Hebbel ganz andere Ziele: Als letzter   *Dialektik*
deutscher Dramatiker machte Hebbel den Versuch einer umfassenden Lö-   *Individuum –*
sung der Aufgaben, die sich dramatischer Kunst stellen konnten. Das Zen-   *Gesellschaft*
trum dramatischer Spannung lag für ihn in der Dialektik zwischen Individuum und Gesellschaft im weitesten Sinne (wofür er den Begriff »Universum« benutzte). Die Bühne war ihm also weder Guckkasten in die Realität
noch Stätte unterhaltender Kurzweil, sondern poetisch geschaffene Welt oder
Gegenwelt: »Die künstlerische Phantasie ist eben das Organ, welches diejenigen Tiefen der Welt erschöpft, die den übrigen Fakultäten unzulänglich
sind, und meine Anschauungsweise setzt demnach an die Stelle eines falschen
Realismus, der den Teil für das Ganze nimmt, nur den wahren, der auch das
mit umfaßt, was nicht auf der Oberfläche liegt [...]. Götterhaine kennt die
Geographie nicht, den Shakespearschen Sturm, denn Zauber gibt's nicht,
den Hamlet und den Macbeth, denn nur ein Narr fürchtet die Geister usw.«
(an Siegmund Engländer, 1. 5. 1863). Sobald Hebbels Figuren aber auf der
Bühne standen, war nichts mehr dem Zufall überlassen: Die Figuren sind der

Spannung zur Welt unentrinnbar ausgeliefert und haben sich in den »Gesetzen« dieser Spannung zu bewähren. Dabei wollte Hebbel den »kränklichen Anspruch (der zeitgenössischen Stücke), den Umstand, daß das Individuum ihr Ausgangspunkt ist« (*Ein Wort über das Drama*, 1843) nicht betonen, sondern eher aufheben; er suchte also auch hier keine stoffliche Aktualität, sondern betonte das Universale. 1840 bemerkte er in seinem Tagebuch: »Alles Leben ist Kampf des Individuellen mit dem Universum.«

Hebbels »Judith«

Schon in seinem ersten vollendeten Drama *Judith* (1843) hat Hebbel seine Vorstellungen zu verwirklichen versucht. Bei seiner dramatischen Arbeit ging ihm immer die Idee, der Gedanke, über die ausgefeilte sprachliche Form, so sehr er auch auf die Sprache als Mittel der Distanz achtete; es ist nicht einmal sicher, ob Hebbel wirklich alle seine Dramen auf die Bühne bringen wollte, oder ob sie nur große Versuche waren, sich Klarheit über Zusammenhänge des Tragischen zu verschaffen. So werden bei *Judith* die ersten beiden Akte »verbraucht«, um die beiden Hauptfiguren, die Jüdin Judith und den Assyrerherrscher Holofernes, in ihren Bedingungen mehr als ihrem Umfeld vorzustellen. »Nur aus einer jungfräulichen Seele kann ein Mut hervorgehen, der sich dem Ungeheuersten gewachsen fühlt«: Als Judith den jungen Ephraim auffordert, aus Liebe zu ihr das jüdische Volk von Holofernes zu befreien, weicht der junge Mann erschrocken aus – die Tat scheint ihm in jeder Hinsicht unvorstellbar. In diesem Augenblick fordert das maßlose Individuum Judith das Universum heraus, und sie beschließt selbst das zu tun, was sie von Ephraim verlangt hatte; ihre Annäherung an Holofernes geschieht also in klarer Mordabsicht. Damit beginnt eine »dramatische Concentration«, die Hebbel selbst »hie und da zu starr« einschätzte, wie er am 17. 2. 1840 an Ludwig Tieck schrieb: Erst im zweiten Anlauf gelingt schließlich die Untat – aber nun nicht mehr aus nationalen oder religiösen – also »edlen« – Motiven, sondern weil das Mädchen Judith jener »ungeheuerlichen Individualität« des Holofernes, der sich gottgleich jedes Recht anmaßt, Rache für die Vergewaltigung geschworen hat, die aus der Sicht des Holofernes allenfalls ein temperamentvolles Lustgefühl war: Er wollte den Gegenstand, der sich so zierte, endlich besitzen; danach schlief er lächelnd ein. In der Maßlosigkeit ihres verletzten Stolzes empfindet sich Judith aber nicht als Einzelwesen, sondern als Modell des ganzen Volkes der Juden, das unter Holofernes' Gewalt leidet. Die handelnde Judith ist aber auch beleidigte Frau; sie findet zum Universalen zurück, als sie ihrem Volk hilft und die eigene Zerstörung vorbereitet. Judiths Mord reicht also weit über ihre ursprünglichen Vorstellungen von der Tat hinaus; sie handelt stellvertretend für eine Weltordnung gegen eine andere: Das sinnvolle Leben des ganzen Volkes ist »gerettet«.

weitere »Klassiker«

Maria Magdalene (1843) und *Agnes Bernauer* (1851) haben bis ins 20. Jahrhundert eine starke Wirkung gehabt, zumal sie auch in kaum einem Kanon der Schullektüren fehlten. Immer wieder wurde natürlich der Versuch unternommen, sie modern zu spielen und zu interpretieren. Hebbel wollte das nicht; er schrieb isoliert von der Gesellschaft, wie das berühmte Beispiel seiner Tragödie *Herodes und Mariamne* (Uraufführung im Burgtheater, April 1849) zeigt: Unmittelbar vor seinem Fenster in Wien konnte er während der Arbeit an dem Drama die Revolution von 1848 und den Anbruch einer neuen Zeit verfolgen, ihn interessierte aber die Zeitenwende bei Herodes! Sicherlich auch aus dieser bewußten Distanzierung waren viele Inszenierungen seiner Stücke nicht erfolgreich: Possen, Genrestücke, Historien liefen ihm in der Gunst der Theaterdirektoren den Rang ab; sie waren repräsentativ für die Zeit.

Maria Magdalene ist zu beschreiben als das Drama der Unzulänglichkeiten aller Figuren. »Speziell hatte ich bei diesem Stück noch die Absicht, das bürgerliche Trauerspiel einmal aus den dem bürgerlichen Kreise ursprünglich eigenen Elementen, die nach meiner Ansicht einzig und allein in einem tiefen, gesunden und darum so leicht verletzlichen Gefühl und einem durch keinerlei Art von Dialektik und kaum durch das Schicksal selbst zu durchbrechenden Ideenkreis bestehen, aufzubauen. Wenn das Stück daher, abgesehen von der größeren Kette, in der es ein notwendiges Glied bildet, ein partielles Verdienst hat, so dürfte es darin liegen, daß hier das Tragische nicht aus dem Zusammenstoß der bürgerlichen Welt mit der vornehmen [...] abgeleitet ist, sondern ganz einfach aus der bürgerlichen Welt selbst, aus ihrem zähen und in sich selbst begründeten Beharren auf den überlieferten patriarchalischen Anschauungen und ihrer Unfähigkeit, sich in verwickelten Lagen zu helfen« (aus einem Brief an Auguste Stich-Crelinger vom 11. 12. 1843).

Ganz andere Ziele verfolgte Hebbel bei *Agnes Bernauer*, einem Drama, das er nach langen Vorplanungen 1851 in wenigen Monaten fertigstellen konnte. Die Geschichte der Baderstochter aus Augsburg ist belegt: 1342 ging sie die Ehe mit Albrecht, dem Sohn und Thronerben des Bayernherzogs Ernst ein; in Hebbels Tragödie wurde Albrecht zunächst »nur« enterbt, die Ehe aber hingenommen, obwohl Herzog Ernst sich sofort nach der Eheschließung seines Sohnes von seinen Juristen ein Todesurteil gegen die nicht standesgemäße Schwiegertochter hatte ausarbeiten lassen. Noch existierte aber ein Neffe als Thronnachfolger, eine zwar ungeliebte, aber mögliche Lösung. Erst nach dem Tod dieses Neffen nahm das Verhängnis seinen Lauf: Agnes, die einer »legalen« Nachkommenschaft im Wege stand, wurde aus Gründen der Staatsräson in der Donau ertränkt; nach einer Phase des Protestes steht Albrecht dem Staat, weniger seinem Vater, zur Verfügung. Hebbels Drama ist oft politisch verstanden worden; er selbst sah das aber nicht so, er hielt es »politisch und sozial durchwegs unverfänglich«, wie er an Dingelstedt schrieb. Hebbel hatte erkannt, »daß der Gegenstand nur dann tragisch« erscheine, »wenn der Dichter sie [Agnes Bernauer] als die moderne Antigone hinstelle« (an Christine, 3. 3. 1852). Hebbel wollte aber nicht die Tragik der Heldin in den Vordergrund stellen, sondern die »Notwendigkeit [...], daß die Welt besteht; wie es den Individuen aber in der Welt ergeht, ist gleichgültig« (Tagebuch, Paris, Nov. 1843). Das »Verhältnis des Individuums zur Gesellschaft« wird dargestellt »an zwei Charakteren, von denen der eine aus der höchsten Region hervorging, der andere aus der niedrigsten.« Im Verlauf der Tragödie wird »anschaulich gemacht, daß das Individuum, wie herrlich und groß, wie edel und schön es immer sei, sich der Gesellschaft unter allen Umständen beugen muß, weil in dieser und ihrem notwendigen formalen Ausdruck, dem Staat, die ganze Menschheit lebt, in jenem aber nur eine einzelne Seite desselben zur Entfaltung gelangt.«

Diese nun voll entwickelte Totalität des tragischen Geschehens schloß, je älter Hebbel wurde, für ihn jede mögliche andere Perspektive aus, wirkte daher fast lähmend und erleichterte nicht seinen Kontakt mit anderen zeitgenössischen Dramatikern; es gibt zahlreiche Belege dafür, daß Hebbel sich immer wieder mit Zeitgenossen über neue Konzepte der Tragödie auseinandersetzte, nicht aber dafür, daß er seinen Standpunkt geändert hätte; berühmt ist der Brief an S. Engländer vom 27. 1. 1863 (also wenige Monate vor Hebbels Tod), in dem er sich gegen die soziale Tragödie wendet: »Die nähere Entwicklung Ihres Begriffs von der sozialen Tragödie hat mich außerordentlich interessiert [...] Ich kenne den furchtbaren Abgrund, den Sie mir enthüllen, ich weiß, welch eine Un-Summe menschlichen Elends ihn erfüllt. Auch schaue ich nicht etwa aus der Vogel-Perspektive auf ihn herab, ich bin

»Agnes Bernauer«

*Totalität
des Tragischen*

schon von Kindheit auf mit ihm vertraut, denn wenn meine Eltern auch nicht gerade darin lagen, so kletterten sie doch am Rande herum und hielten sich nur mühsam mit blutenden Nägeln fest. Aber das ist eben die dem Menschen selbst gesetzte, nicht etwa erst durch einen krummen Geschichts-Verlauf hervorgerufene allgemeine Misere, welche die Frage nach Schuld und Versöhnung so wenig zuläßt, wie der Tod, das zweite, allgemeine, blind treffende Übel, und deshalb ebensowenig, wie dieser, zur Tragödie führt. Man kommt von hier aus vielmehr zur vollständigen Auflösung der Tragödie, zur Satire, die der sittlichen Welt ihre schreienden Widersprüche unvermittelt ins Gesicht wirft und zuallererst die tragische Form selbst, und den tragischen Dichter [...] nicht bemerkt oder doch vor ihm die Augen zudrückt [...] Das indische Kasten-Wesen, der römische Sklavenkrieg mit Spartacus, der deutsche Bauern-Aufruhr pp, die Sie mir zitieren, können nur auf dem religiösen oder dem kommunistischen Standpunkt Tragödien abgeben, denn der religiöse kennt eine Schuld des ganzen Menschen-Geschlechts, für welche das Individuum büßt, und der kommunistische glaubt an Ausgleichung. Ich kenne die eine nicht und glaube nicht die andere.«

Modernität der Frau?

Andere Perspektiven waren Hebbel früher durchaus geläufig gewesen, ganz besonders die des unzeitgemäßen Verhaltens, das vor allem Frauenfiguren wie Judith, Mariamne und Agnes Bernauer auszeichnet und sie uns näher rückt als deren männliche Gegenspieler; intendiert hat Hebbel diese »Modernität« der Frauenfiguren aber nicht: sie bot allein Stoff zu dramatischer Verknüpfung. Das, was wir heute an Judith, Mariamne oder Agnes Bernauer bewundern – die absolute Kraft des reinen Gefühls –, war für Hebbel selbst nur ein Baustein des tragischen Geschehens. Wenn Mariamne sich Herodes gegenüber wehrt, als Ding behandelt zu werden: Hebbel hat diese Figur – wie andere Frauenfiguren auch – zweifellos als Ding seiner Idee der Tragödie untergeordnet; in der Radikalität der Konsequenz und der Unterordnung aller Teile unter das Ganze stand der Tragiker Hebbel dem politischen Philosophen Marx keineswegs nach, mochten sie auch sonst in völlig verschiedenen »Welten« leben.

Volksliteratur und Dorfgeschichte

Volkston – »so als ob«

Die realistische Kritik und die ihr verpflichtete Literaturgeschichte hat die Vielgestaltigkeit der vorrealistischen Dichtungen getadelt, sowohl was deren Aufbau als auch was deren Ton angeht; auch fehlte der Vorwurf nicht, daß der Volkston oft »gemacht« wirke und mitunter gar nicht getroffen werde (so etwa das Urteil von Heyse und Kurz in ihrer Sammlung *Deutscher Novellenschatz* über Brentanos *Geschichte vom braven Kasperl und dem schönen Annerl* von 1817). Warum kam die Dorfgeschichte im 19. Jahrhundert zu so hohem Ansehen? Vielfach wird sie als »Nachfolgerin« der Idylle und ihr verwandter Erzählformen betrachtet, »wobei das Moment der Idealisierung des Landlebens im Zusammenhang mit der europäischen Tradition der idyllischen Dichtung wie der bäuerlichen Epik allgemein zu sehen ist« (J. Hein). Dieser Idyllenansatz erhält spätestens in der Biedermeierzeit eine Erweiterung, wie aus dem folgenden Textauszug zu erkennen ist: »Nichts von Amerika! Überall ist Boden und Heimat: Wie zu Oasen kommen wir zu wunderbar befriedeten Häusern [...]. Ohne zu fragen, wer ich sei, was ich wolle, wurde mir der Stuhl gerückt. Die Ankunft eines Gastes schien in diesem Haushalt nichts Ungewöhnliches zu sein. Alles atmete Ordnung und jene Reinlichkeit deutscher Meiereien, von der man sieht, daß sie mit Ernst und Fleiß errungen ist. Der Duft der frisch gescheuerten Stube, weißer Sand, noch knitternd unter den Füßen, die Geschirre symmetrisch auf Tür- und Fensterbrett geordnet, hinter dem Spiegel grüne Birkenzweige, um den Wald recht bei der Hand zu haben. Ich fühlte mich im Rahmen zu einer Idylle« (aus Karl Immermann, *Die Papierfenster eines Eremiten*, 1822).

Diese Art des erzählenden Empfindens steht in deutlichem Widerspruch zur historischen Erzählung oder zum Salonroman und spiegelt ein dialektisches Verhältnis zur Heimat und zur immer stärker aufkommenden Exotik, wie sie in Reiseschilderungen und -romanen an den Leser herangetragen wurde. In der Dorfgeschichte liegt das Exotische plötzlich nicht mehr »jenseits des festen Horizonts [...] sondern inmitten der erfahrbaren Welt [...], weil das Heimatliche gar nicht mehr auf den eigentlichen Heimatraum beschränkt ist« (H. Bausinger). So vereinen sich die ursprünglichen Gegensätze nach Bausinger zu einer Art »Binnenexotik«. »Die gesellschaftlichen Voraussetzungen spiegeln sich deutlich in der Dorfgeschichte wider, gerade bei Immermann und Gotthelf, die den wohlhabenden Bauern bevorzugen. Aber sie zeigen auch schon, daß es nie allein auf die Kenntnis des Landes und den Einfluß des Bauernstandes, sondern vor allem auf die Beziehungen zu bestimmten Werten und Idealen, die dieser verkörpert oder verkörpern soll, ankommt. Wie auf einer Insel des fernen Ozeans kann, so scheint es, in einem Dorf das ideale, das vernünftige oder fromme Zusammenleben der Menschen leichter erreicht werden als in der städtischen Zivilisation. Das Utopische und Pädagogische ist wesentliches Strukturelement der Dorfgeschichte« (F. Sengle).

Heimat als Exotik?

Auch wenn man das vielleicht zunächst gar nicht anstrebte, trifft Altvaters Definition den Kern: »Dem Stoffgebiet nach Heimatkunst, in der Form vorwiegend Erzählung, trägt ihre gesamte geistige Haltung und Darstellung zunächst die charakteristischen Merkmale des beginnenden Realismus.« Zugleich aber barg sich in dieser neuen Form ein Kulturprogramm, das Höfig umschreibt: »Konstituierend für die Heimatdichtung [...] ist eben eine Geschlossenheit des Weltbildes, die mit dem Blick auf die gleichzeitige Auflösung einer solchen Welt in der Realität pädagogisch gefordert wird.« Damit wird für das rezipierende Individuum – das ist vor allem der bürgerliche Leser in den Städten – »Heimat zu einem zeitlos-idyllischen Urbild der Wirklichkeit selbst. Heimatverbundenheit beruht nicht mehr auf einer aktiven Beziehung zu objektiven Gegebenheiten, sondern ist Ausdruck einer inneren irrationalen Haltung.« Zunächst ist unbestritten – und Zeitgenossen wie Freiligrath haben das schon betont –, daß die Dorfgeschichte in einer langen Tradition, vor allem der schweizerischen Literatur, steht, die man bei extensiver Auslegung bis zu Wernher dem Gärtner zurückverfolgen kann, bei intensiver aber zumindest beginnend bei Albrecht von Hallers *Die Alpen* (1729) über Pestalozzis *Lienhard und Gertrud* (1779) und Zschokkes *Das Goldmacher-Dorf* (1817) zu Gotthelfs *Bauernspiegel* (1837). Die eigentliche Ursache für die starke Zunahme der Dorfgeschichten, die nach Berthold Auerbachs »Durchbruch« 1843 nicht einfach einem Nachahmungstrieb zuzuschreiben ist, liegt wohl im literarischen Übergang zur Massengesellschaft. »Die Dorfgeschichte wendet sich an kein bestimmtes Publikum, sondern an den einfach fühlenden und denkenden Menschen überhaupt. Ihr Leserkreis umfaßt verhältnismäßig breite Schichten, denn ihre Inhalte sind dem unge-

Kunst und Heimat – ein Widerspruch?

bildeten Leser ebenso mühelos verständlich wie dem literarisch gebildeten, d.h. die gesamte Dorfgeschichte ist als volkstümlich anzusprechen. Dorfgeschichte als eigenwertiger Bezirk zeichnet sich aus durch Volkstümlichkeit (Einfachheit, Klarheit), bäuerliche Erzählperspektive und pädagogische Tendenz; Hauptmotive sind: (1) Der Hof, (2) die Dorfgemeinschaft, (3) Stadt-Land, (4) Sittenkritik (Laster und Leidenschaften)« (J. Hein).

Beliebtheit der Dorfgeschichte

Die Motive zeigen aber nur am Rande, was die Beliebtheit der Dorfgeschichte auslöste, nämlich die bestimmte Situation in der Gesellschaft: Die Unsicherheit, die durch die Aufhebung der Gewerbeordnung, die Bauernbefreiung und die beginnende Industrielle Revolution verursacht wurden, abzufangen durch die »Vorteile eines einfachen gemeinschaftlichen Lebens und die Möglichkeit, die Mißstände ohne Revolution, durch eine besondere moralische Anstrengung und unter kirchlicher Führung zu überwinden« (F. Sengle). Im Sinne dieser Vorstellung ist die Dorfgeschichte von eminenter gesellschaftspolitischer Bedeutung: »Das Ziel einer Erziehung des Volkes zu einem Idealzustand«, wie es von Haller bis Zschokke immer wieder betont worden war, führte natürlich eher zu einer Dorf-Idylle als zu realistischer Darstellung. »Die Dorfgeschichte löst in dem Moment die Idylle ab, wie diese nicht mehr in der Lage ist, das beim Publikum erwachte Interesse an der bäuerlichen Welt zu befriedigen [...]. Die Dorfgeschichte greift den von der Idylle häufig thematisierten Gegensatz ›Wunschbild Land und Schreckbild Stadt‹ (F. Sengle) auf und wendet den politischen Topos nur scheinbar in die Realität, versucht den auch das ländliche Dasein bedrohenden industriellen, ökonomischen und sozialen Umwandlungen eine feste, durch Natur, Landschaft, Tradition und Sitte geprägte Ordnung als unwandelbare Heimat entgegenzusetzen« (J. Hein), d.h. in das Bild des Landlebens werden Wunschfiguren mit Wunschhandlungen gemalt, die um so echter wirken, je größer die reale Distanz der Rezipienten zum Landleben ist. Berthold Auerbach gelang mit seinen *Schwarzwälder Dorfgeschichten* (1843–1854 in vier Bänden) ein sensationeller Erfolg. Erst seit Auerbach wurde Dorfgeschichte als Gattungsbegriff verstanden, ja als Verbindung von »hoher« und »Volksliteratur« zur »Nationalliteratur«. Auerbachs Geschichten, die er in seinem Heimatdorf Nordstetten im Schwarzwald ansiedelte, fallen auf durch Genauigkeit; so wird in der Geschichte vom *Tolpatsch* der Weg von Nordstetten nach Stuttgart so exakt beschrieben, daß man ihn nachwandern könnte. Es ging Auerbach aber eigentlich nicht um »Abbildung, sondern [um] Mythisierung der konkreten Örtlichkeiten« (F. Sengle). Diese Mythisierung wird durch verklärende Perspektiven und seinen ausgeprägten Sinn für symbolische Handlungen unterstützt, darüber hinaus ist volkskundliche Dekoration nachweisbar.

Illustration zum »Barfüßele« Auerbachs

»Ideal-Realismus«

Auerbach wollte also nicht eine »Poesie des Negativen, der Entfremdung«, sondern einen »Ideal-Realismus« (L. Widhammer), wie ihn theoretisch Friedrich Theodor Vischer vertrat. Er warf den Romantikern vor, »kein Herz für das Volk« gehabt und sich »an dem örtlich Fremden« des Bauernlebens ergötzt zu haben, für sich selbst »ungebundenste Subjectivität« zu beanspruchen, »vom Volk aber eine völlige Unterordnung und Hingebung an Autoritäten zu verlangen«. Gemäß dieser Kritik suchte Auerbach einen Kompromiß: Da »die Freiheit des Individuums [...] der vorherrschende Charakter unserer Zeit« sei, könne man »nicht alles im Gemeinbegriffe zusammenfassen und halten«, denn »jeder schafft sich mehr oder minder seine innere und äußere Welt«. Der Dichter hat nach Auerbach nun die Aufgabe, die »auf der Wirklichkeit von ihm aufbaute Welt nach höheren Gesichtspunkten« zu ordnen, Stimmungen und Charaktere zu Konsequenzen zu führen, »die sie vielleicht äußerlich nie gewonnen« hätten; das alles kann er aber nur, »wenn er einen bis zu einer gewissen Festigkeit gelangten Boden hat und nicht erst gestern angeschwemmtes lockeres Land« (*Schrift und Volk*, 1846). Hier wird der konservative Gestaltungs- und Ordnungswille deutlich: Die Dorfgeschichte als Gattung stehe auf festem Boden, Schilderung der »real gegebenen Verhältnisse« sei keine zweifelhafte Sache; so werde es leicht, »die sogenannte Masse in selbständige Individuen aufzulösen. Nicht bloß diejenigen, die auf eine Höhe der Bildung oder Macht gestellt sind, repräsentieren das Zeitleben und seine Konflikte« (Auerbach an J. E. Braun, 1843).

Die Tendenz, Natur als Rettung vor der Zivilisation zu betrachten, die *Natur als Rettung* überschaubare Lebensgemeinschaft zu betonen und ihr eine fast religiöse Kraft zu verleihen, war nicht ursprünglich in den Dorfgeschichten angelegt, sondern entstand eher durch deren Wirkung auf die Rezipienten; bei ihnen lösten sie eine »Empfindung des Fragmentarischen« aus, wie schon ein zeitgenössischer Kritiker erkannte: »Nicht eine äußere, räumliche Beschränkung [...], sondern eine innere, sittliche« entfremde dem (gebildeten) Leser die dargestellten Personen; ihn ärgere die »Stände-Poesie [...], welche durch die Dorfgeschichte vorgestellt wird.« Als F. Kürnberger dies 1848 schrieb, sprach er natürlich nicht für das große Publikum der stark empfindenden, aber wenig reflektierenden Leser. Dennoch löste er sogleich eine heftige Kontroverse aus, in der auch eine gefährliche Tendenz der deutschen Dorfgeschichte berührt wurde: War das Dorf, wie die Intellektuellen behaupteten, ständisch-rückständig – oder war der Bauer durch sein noch unverfälschtes natürliches Empfinden wahrer, religiöser, moralischer, mochte ihm dies auch völlig unbewußt sein? Gab es das einfache Leben, von dem 1936 noch Ernst Wiechert träumte – womöglich gar als Form des Widerstands? Spätestens an diesem Punkt hatte sich die Diskussion um die Thematik der Dorfgeschichte so weit von der Realität des Dorfes entfernt, daß ihrer völligen Ideologisierung nichts mehr im Wege stand. Sengle bemerkt dazu: »Sobald das Ideal einer strengeren, allgemein-deutschen und bürgerlich-volkstümlichen Erzählkunst wieder in den Hintergrund trat, konnte die Bauernepik erneuert werden; aber sie war nun nicht mehr idyllisch, sondern elementar, wild im Sinne von Nietzsches Vitalismus (Anzengruber), ein Vorspiel der Literatur von Blut und Boden.«

Tatsächlich stand hinter der »Mode« der Dorfgeschichten aber auch das *Fluchtort Heimat* Problem, daß viele Dichter des Realismus ihre Stoffe anschaulicher zu gestalten suchten und dabei eine enge Bindung an »Heimat« anstrebten – also nicht unbedingt an die Dorfgeschichte! Diese Verbindung zur »Heimat« gelang Storm, C. F. Meyer, Raabe gut, andern wie Spielhagen oder Wildenbruch selten. Aber gerade die großen Erzähler wurden schon im 19. Jahrhundert für jenen oben erwähnten Vitalismus vereinnahmt, ohne sich wehren zu können, dies galt für Meyers *Jürg Jenatsch* ebenso wie für Storms *Schimmelreiter*. Gerade weil es Storm gelungen war, im Deichgrafen Hauke Haien eine literarische Figur von großer Dichte trotz aller Widersprüchlichkeiten zu formen, wurde der *Schimmelreiter* schon wenige Jahre nach seinem Erscheinen (1888) als heimatverbundener »Gründerzeitmensch« mißverstanden: »Ein Mann, ganz brennende Tatkraft, ganz Gemeinsinn, ganz geschaffen für den Kampf; kraftvoll bis zur Härte, – dabei eine durchaus auf holsteinischem Strandboden erwachsene Natur!« (Clara Lent, 1899).

Darüber hinaus hat das falsche Suchen nach »Realität« in der Literatur, besonders wenn sie heimatgebunden war, diese oft zur Landschaftsbeschreibung nach Art eines guten Reiseführers verkommen lassen. Formale Gründe leisteten dieser negativen Entwicklung Vorschub, so z.B. die Parallelisierung Mensch-Natur, die Erklärung menschlichen Handelns und menschlicher Charaktere allein aus der Landschaft, der heimatlichen Gewohnheit und der »Sitte« (vor allem Ganghofers Romane sind Fundgruben solcher Beispiele). Alle diese Stilmerkmale mögen im Einzelfall eine hervorragende Wirkung erzielen, ihre kumulative oder inflationäre Anwendung macht sie aber rasch zum Klischee, auf das Massenliteratur allerdings auch angewiesen ist, weil sie eine rasche und mühelose Wirkung erzielen will. Natur und Landschaft werden damit zur stets paraten Kulisse, zum Versatzstück epischer Dramaturgie, wie die »Heimatfilme« in unermüdlicher Monotonie demonstrieren. Ist »Heimat« zu einem Topos konservativen Weltverständnisses abgesunken? Die Heimat hat zum Beispiel in Wilhelm Raabes Roman *Der Hungerpastor* (1864) einen festen Stellen- und Orientierungswert für alle Personen, weil der Begriff emotional besetzt wird: Heimat ist Geschichte, Tradition, Bindung, und sie kann Klassengegensätze überwinden; insofern ist der Begriff grundsätzlich konstruktiv, schafft ein »Wir-Gefühl«. Am Verhältnis zur Heimat mißt Raabe seine beiden kontrastierenden Hauptfiguren, den Schuhmacherssohn Hans Jacob Nikolaus Unwirrsch und den Sohn des jüdischen Trödlers, Moses Freudenstein (der sich später Dr. Theophile Stein nennt). Am Verhältnis zur Natur werden die Charaktere der beiden gleichaltrigen Jungen gemessen; die oft drastischen Vergleiche veranschaulichen nicht nur, sondern werten die Personen, auf die sie sich beziehen, ebenso drastisch auf oder ab.

*Illustration zu
»Pole Poppenspäler«*

Insgesamt aber ist Raabe nicht nur mit diesem Roman eine Darstellung gelungen, die weit über die Thematik der Dorfgeschichte oder der Heimatliteratur hinausweist, auch wenn er wesentliche Elemente beider immer wieder benutzt. Ähnliches gilt für zahlreiche Erzähler des Realismus, ganz besonders aber für Storm, dessen Novellen *Pole Poppenspäler* (1874), *Aquis submersus* (1875/76), *Hans und Heinz Kirch* (1881/82) und *Zur Chronik von Grieshuus* (1883/84) neben dem schon erwähnten *Schimmelreiter* (1888) die Heimatkunst weit über deren bisherige Grenze hinausführten. Storm eröffnete Erzählperspektiven – auf die Thomas Mann später dankbar zurückgriff –, die Heimat als prägende Substanz für allgemeinmenschliche Verhaltensweisen, die die Menschen ohne jede Rücksicht auf Stand oder Klasse auszeichnen: Hans und Heinz Kirch sind von der Enge ihrer Stadt genauso geprägt wie Thomas Buddenbrook, und in beiden Dichtungen werden die ersten zerstörerischen Kräfte des Kapitalismus dargestellt, der eben nicht vor der Provinz haltmacht, sondern die Menschen überall verändert.

Die Entwicklung der Massenliteratur nach 1848 und deren Ziele

Roman als Waffe

»Der Roman ist in der Tat die größte literarische Waffe der Gegenwart, er ist das, was im vorigen Jahrhundert die Bühne war, er ist jetzt mächtiger als die Tagespresse, denn er dringt in Zirkel, in die eine Zeitung nie dringt.« Mit diesen Worten begründete Georg Hesekiel die Notwendigkeit des konservativen Romans, bei dem er nicht an den bisher weitverbreiteten Salonroman, sondern »an eine volkstümliche Form des Erzählens« gedacht hatte; Sengle interpretiert: »Dieses Ideal des Volksromans wird vom konservativen Roman eher erreicht als vom liberalen. Man sieht im vierten Stand, der durch die Entfaltung des Hochkapitalismus entsteht, den natürlichen Verbündeten gegen die zu groß gewordenen Geldbürger«. Georg Hesekiel, der 1849 Leiter der *Neuen Preußischen Zeitung (Kreuzzeitung)* wurde, war vor 1848 als Spezialist für soziale Adelsromane bekannt geworden und hatte in den 50er Jahren historische Romane verfaßt, die nach dem Vorbild von Willibald Alexis als Zurückweichen von den Gesellschaftsproblemen der Zeit zu verstehen waren. Insgesamt strebte Hesekiel eine bewußt konservative Tendenzdichtung an, zwischen dem Redakteur und dem Autor bestand also Übereinstimmung.

Kennzeichnend für die Epoche nach 1848 war, daß Lebenspraxis und Literatur immer weiter auseinanderfielen. Sicherlich war der »von der realistischen Literaturkritik gemeinte Realismus [...] nicht Abbild gesellschaftlicher Totalität, sondern Abbild liberaler Ideologie« (L. Widhammer). In diesem Sinne kritisierte Julian Schmidt 1855 in den *Grenzboten* – und diese Kritik nannte Goethe, meinte aber die eigene Zeit ebenso: »Die Arbeit, die sich einem bestimmten Zweck hingibt und diesem Zweck alle Kräfte opfert, erscheint als Widerspruch gegen das Ideal, weil sie ein Widerspruch gegen die Freiheit und die Allseitigkeit des Bildungstriebes ist. Die neue Dichtung zeigt ein Herausstreben des bürgerlichen Lebens aus seiner Sphäre, das allen Halt unserer Gesellschaft zu zerstören droht. Der Stand, welcher die feste Grundlage der Gesellschaft bilden muß, hat den Glauben an sich selbst verloren.«

Im Sinne eines fortschreitenden, scheinbar handlungsbewußten Liberalismus hatte Friedrich Theodor Vischer 1842 festgestellt: »Wir leben in der Zeit der Unzufriedenheit, es gilt nun zu handeln; erst wenn gehandelt ist, kann man auch wieder dichten« (In: *Shakespeare in seinem Verhältnis zur deutschen Poesie, insbesondere zur politischen*), und 1844 hatte der gleiche Vischer provozierend gefragt: »Was ist es denn mit diesen Freiligrath, diesen Lenau, diesen Herwegh? Wie gemacht, wie selbstbeschauend eitel, wie innerlich krank und überlebt, und wenn vom jugendlichen Zorne eingegeben, wie rhetorisch ist das Alles! Wo sind denn die Romane, worin unser Zeitgeist poetische Gestalt genommen hätte?«

Auch wenn Julian Schmidt 1850 die Kunst der Restaurationsphase »inhaltlos, principlos und formlos« nannte und für die neue Dichtung verlangte, daß sie »Ausbreitung und Vertiefung der sittlichen Idee in das Detail des wirklichen Lebens« anstrebe und sie »zur einzigen Grundlage einer echten und großen Poesie« mache, so mußte er doch im gleichen Aufsatz feststellen: »Auch die Märzpoesie hat bisher auf die Bedürfnisse des Publikums nur speculirt; sie hat ihm Heldenthaten und Freiheitsgefühle vorgesetzt, weil diese Waare gut ging.« Diese vom Standpunkt des gebildeten und weitgehend kritikfähigen Bürgertums ausgehende Beurteilung war von den Bewegungen und Bedürfnissen jener Menschen weit entfernt, die erst jetzt in die bürgerliche Schicht aufsteigen oder sich in ihr einigermaßen behaglich einrichten konnten, aber nicht über den traditionellen »Bildungshintergrund« verfügten, sondern ihren Aufstieg eigenem Fleiß oder der Wirkung des Kapitalismus verdankten – als literarisches Beispiel wäre Fontanes *Frau Jenny Treibel* (1892 als Buch) zu nennen: Die »Frau Kommerzienrätin« kann ihre kleinbürgerlichen Vorurteile auch dann nicht überwinden, als ihr klar zu werden beginnt, wie sehr sie sogar sich selbst mit ihnen schadet.

Das Bürgertum hatte also begonnen, sich mit »Kapital« zu umgeben, Vermögen zu zeigen, Reichtum zu demonstrieren. Da infolge der Industrialisierung sich allmählich Wohlstand verbreitete – erst gegen Ende des Jahrhunderts begannen auch Arbeiter am Aufschwung in bescheidenem Umfange teilzuhaben –, veränderten sich auch die kulturellen Ansprüche der

*Lebenspraxis
und Literatur*

*Kunst der
Restaurationsphase*

*Wohlstand
verbreitet sich*

weiter wachsenden Bürgerschicht: Man wollte unterhalten werden, Dinge
aus der ganzen Welt erfahren, man besuchte Massenveranstaltungen (z.B.
Pferderennen), ging in die Oper oder noch lieber in die Operette, weniger ins
Konzert – und man las die neuen Journale, Zeitschriften und Bücher, die
man aber eher als Mode zur Kenntnis nahm. Aber was las man? Sicherlich
fielen die Lesegewohnheiten des deutschen Publikums – sofern man solche
überhaupt verallgemeinernd unterstellen kann – schon seit der Aufklärung
nach Schichten oder Klassen und Interessen weit auseinander, und *Rinaldo
Rinaldini* (1799), der Räuberroman von Goethes Schwager Vulpius, hatte ein
erheblich größeres Publikum als selbst der *Werther,* auch wenn Thomas Mann
uns glauben machen will, »der Kellner des Gasthofs ›Zum Elephanten‹ in
Weimar, Mager« habe Goethes Text genau gekannt (*Lotte in Weimar*, 1939).

*musikalische Kultur
dringt vor*

Wie schon erwähnt, wurde die Operette zum schwungvollen Zeichen
moderner Unkultur, besonders in Berlin, und hier nicht die »revolutionäre
Operette Jacques Offenbachs« (S. Kracauer), sondern die der »Schlösser, die
im Monde liegen«. Andererseits sorgte der Opernstil Richard Wagners unabhängig von der musikalischen Qualität mit seinen Kult- und Weihethemen
für eine Rezeption, die der Mentalität der Gründerzeit so nahekam, daß man
von einer Mode sprechen kann, von einer feinen Massenkultur, deren Wirkung bis heute andauert und zweifellos stark ideologiebefrachtet ist. Fontane
hat in zahlreichen Romanen die Unsicherheit der Gesellschaft im Salongeplauder dargestellt: »Alles Spiel und Glück, sag ich, und daneben ein unendlicher Mangel an Erleuchtung, an Gedanken und vor allem an großen schöpferischen Ideen [...] Taten mit gar keiner oder mit erheuchelter oder mit
erborgter Idee haben etwas Rohes und Brutales [...]. Ich hasse solche Taten.
Am meisten aber hass’ ich sie, wenn sie die Begriffe verwirren und die
Gegensätze mengen und wenn wir es erleben müssen, daß sich hinter den
altehrwürdigen Formen unseres staatserhaltenden Prinzips, hinter der Maske
des Konservativismus, ein revolutionärer Radikalismus birgt.« Der hier stark
gekürzte Auszug aus einem Gespräch über das »versteckte Radikale in der
Gesellschaft und über die Vermengung der Gegensätze« entsprach durchaus
der Furcht des Bürgertums vor Verunsicherung. Die Unterhaltungsliteratur
der »gehobenen Kreise« wußte diesen Umstand zu nutzen und bot in Inhalt
und Form feste Bezugspunkte: Formalismus, symbolische, stets wiederkehrende »Haltungen« sowie feste Handlungsmuster, ein sozialer Ton und Figuren, die mit ihrem Reichtum stets zum Wohle anderer umgingen, gehörten zu
diesem Repertoire. In der »feinen« Trivialliteratur herrschte ein Zug zur
Allegorie, manchmal zur Starrheit, der auch auf Bildern Feuerbachs, Böck-
lins oder Makarts zu finden ist. Der Ausdruck dieser Bilder und die Wirkung
mancher der zahlreichen Novellen Paul Heyses (Nobelpreisträger 1910) zeigen parallele Züge. In ihnen sind »die Personen stets edle Menschen, die
Frauen ohne Unterschied schön und leidenschaftlich, die Männer edel, klug
und kraftvoll« (E. Sagarra) – die Verwandtschaft zur modernen Werbung ist
ebenso unverkennbar wie die zu Märchenphantasien (die später im Jugendstil ja tatsächlich gewollter Bestandteil der modernen Literatur wurden).

Theodor Fontane

Theodor Fontane bewies, daß moderne Unterhaltungsliteratur gesellschaftskritisch und anspruchsvoll sein konnte. In seiner Erzählung *L’Adul-
tera* (*Die Ehebrecherin*; geschrieben 1879/80) machte er das scheinbar völlig
unparteiisch wiedergegebene Salongeplauder zum Mittel der Gesellschaftskritik. Durch die Form der Personifizierung konnte er Stimmen, Ideen, Haltungen der Gesellschaft seiner unmittelbaren Gegenwart darstellen und diskutieren, Umstände also, die sich nicht in der Entwicklung eines großen
Charakters oder außergewöhnlicher Entscheidungen verdeutlichen ließen.

Durch dieses Kunstmittel wurde Fontane zum poetischen Zeitzeugen, zum Zeichner der feinen gesellschaftlichen Einflüsse, der Veränderungen unter der Oberfläche, ein »liebevoller Verunsicherer«, ein Gegner aller erstarrten und zum Unmenschlichen neigenden Konventionen. Bei einem Tafelgespräch im Hause des Kommerzienrats van der Straaten (schon der Name ist bei Fontane »Programm«!) bezweifelt ausgerechnet der anwesende Offizier die Wahrscheinlichkeit eines erneuten Kriegs – der Roman spielt im Berlin der 70er Jahre, also etwa zur Zeit der Krieg-in-Sicht-Krise. Er tut dies mit dem Satz: »Schwager, du stehst zu sehr unter Börsengerüchten, um nicht zu sagen unter dem Einfluß der Börsenspekulation.« Bei der nun folgenden Reaktion der beiden Frauen setzt Fontanes leise Ironie ein, die dann durch eine Äußerung des Polizeirats ins Satirische gesteigert wird: »Beide Damen, die von der entschiedensten Friedenspartei waren, die brünette, weil sie nicht gern das Vermögen, die blonde, weil sie nicht gern den Mann einbüßen wollte, jubelten dem Sprecher zu, während der Polizeirat, immer kleiner werdend, bemerkte: ›Bitte dem Herrn Major meine gehorsamste Zustimmung aussprechen zu dürfen, und zwar von ganzem Herzen und von ganzem Gemüte.‹ Wobei gesagt werden muß, daß er mit Vorliebe von seinem Gemüte sprach. ›Überhaupt‹, fuhr er fort, ›nichts falscher und irriger, als sich Seine Durchlaucht den Fürsten, einen in Wahrheit friedliebenden Mann, als einen Kanonier mit ewig brennender Lunte vorzustellen, jeden Augenblick bereit, das Kruppsche Monstregeschütz eines europäischen Krieges auf gut Glück hin abzufeuern [...]. Hazardieren ist die Lust derer, die nichts besitzen, weder Vermögen noch Ruhm. Und der Fürst besitzt beides.« Dann wird die Unsicherheit deutlich, die gerade in gutsituierten bürgerlichen Kreisen immer latent vorhanden war; der Polizeirat fährt fort: »Der Fürst ist ein sehr belesener Mann und kennt ohne Zweifel das Märchen vom ›Fischer un sine Fru‹.« Diese Passage gibt eine bessere Einsicht in die Erwartungen und Ängste des Bürgertums als das mancher Trivialroman vermochte.

Im 19. Jahrhundert wurde das Buch wichtiges »Prestige-Requisit des Bildungsbürgertums« (R. Schenda), die reale Bildungssituation in Deutschland entsprach dem Prestige aber nicht; denn »im deutschsprachigen Gebiet (ohne Österreich und die Schweiz) gab es 1871 mindestens noch 10% Analphabeten, [...] 1882 zählten die Arbeiter mit Familienangehörigen 17,3 und 1907 bereits 25,8 Millionen Köpfe. Der größte Teil dieser unteren Volksschichten, nahezu die Hälfte der Gesamtbevölkerung, fällt bis weit über die Jahrhundertmitte als Leser, ganz gleich welcher Literatur, aus« (R. Schenda). Wenn dieses Publikum aber liest, dann selten die recht teuren großen Trivialromane, sondern die neue »Massenliteratur für das Proletariat«, die Heftchenromane, die in Serien, Reihen oder Fortsetzungen erschienen und sich nach 1860 rasch ausbreiteten. Eine zeitgenössische Quelle aus dem Jahre 1887 nennt auch die Lesemotivation: »Fortkommen tut man nicht, und eine Unterhaltung muß man haben.« Zeitungen waren allgemein bürgerlichen Kreisen vorbehalten. Solche Lebensbedingungen zerstörten natürlich die Hoffnung auf eine geistige Entfaltung des »Volkes der Dichter und Denker« und bewiesen, daß diese Redensart Legende von Anfang an war, als Madame de Staël sie verbreitete: Deutschland war nie wirklich ein literarisches Land und hatte eigentlich immer zwei verschiedene Literaturen, nämlich – wie Arno Schmidt spottete – »1. die allbeliebten guten 99% gedrucktes Geschwätzes, die Wonne der Strickerinnen & Laternenanzünder; und weiter ›hinauf‹, über den ›kaufmännischen Angestellten‹ bis zum süßen Lesepöbel, der sich auf Ministersessel spreizte, (und der ja sogar der mit Abstand widerlichste Typ ist). Und 2. die wirklich ›große Literatur‹.«

Theodor Fontane

Werbung für Reclams volkstümliche Universal-Bibliothek

*Publikumsgeschmack
– literarische Ware*

Früh erkannten verschiedene Verlagsunternehmer die Massenliteratur als Ware, nachdem die klassische ihr den Weg geebnet hatte (Reclams Universal-Bibliothek als berühmtes Beispiel). Die Verleger der Ware Massenliteratur haben lediglich konsequent die Situation ausgenutzt: Als ein neuer Markt sich bot, da traten bei ihnen ideelle Überlegungen hinter wirtschaftlichen zurück – und der Markt gab ihnen recht. Das Konzept der Zeitschrift *Die Gartenlaube* (gegr. 1853) soll hier angeführt werden für Massenliteratur und ihren rasch wachsenden Einfluß auf den literarischen Geschmack der Zeit. In der Zeitschrift fehlten direkte politische Darstellungen; es wurden Berichte geboten über Kultur als Unterhaltung (Schauspiel, Oper, Kunst und Kunstgewerbe), gesellschaftliches und soziales Leben (Militär, Sport, Großstadt, Frauenemanzipation; Beiträge zu Familie, Mode, Heilkunde), ferner Reportagen über Reisen in ferne Länder, Zeitglossen und – Literatur. Die Zeitschrift setzte also das gehobene bürgerliche Leben als Maßstab (wie fast alle Familienzeitschriften bis heute) und bestimmte mit dieser »Umgebung« auch den »Ort« der Literatur, wie die Herausgeber sie verstanden wissen wollten. Ziel des Gründers und ersten Herausgebers, Ernst Keil, war es, naturwissenschaftliche Bildung, Reportagen, nützliche Bemerkungen für die ganze Familie mit »Literatur« zu verbinden. Einerseits übernahm damit die Zeitschrift die »Funktion einer Volkshochschule« (M. Zimmermann), indem sie vielen Menschen erste Informationen über Biologie, Physik, Technik, Chemie gab, von denen sie in ihrer Schulzeit nie gehört hatten; andererseits band sie Literatur an die häusliche Harmonie, wies ihr den Platz der Unterhaltung an, spekulierte also auf nicht gebrauchte Zeit, auf individuelle »Freizeit« – ein völlig neues Phänomen. Die Auflage von 270000 im Jahre 1870 (später stieg sie auf fast eine halbe Million!) ist auch für heutige Verhältnisse beachtlich – damals war sie sensationell. Sie hatte – sozusagen als Nebenwirkung – zur Folge, daß der »Geschmack« der Zeitschrift richtungweisend wurde: Die Reduktion auf familiengerechte Nützlichkeit im weitesten Sinne erfüllte offenbar die Erwartungen des aufstrebenden (Klein-) Bürgertums.

Titelillustration

Bevor es aber zur Stilisierung der »Gartenlaubenliteratur« kam, entwikkelten sich noch andere Typen der Unterhaltungsromane, nämlich der Reise- und Abenteuer- und wenig später dann der utopisch-technische Roman (z.B. Max Eyth, *Hinter Pflug und Schraubstock*, 1899; Bernhard Kellermann, *Der Tunnel* 1913). Reise- und Abenteuerliteratur hat in Deutschland eine Tradition seit der Aufklärung; nach der Reichsgründung brachte Friedrich Gerstäcker den völkerkundlichen Unterhaltungsroman zur Blüte und schaffte mit ihm auch den Durchbruch als Jugendbuch (z.B. *Die Flußpiraten des Mississippi*, 1848, dem viele andere folgten); zugleich versiegte der Zustrom des erwachsenen Publikums für Reise- und Abenteuerliteratur – sicher eine Folge der Zunahme von Zeitschriften, die auch solche Stoffe boten. Gerstäcker kannte Amerika, hatte dort sogar mehrere Jahre gearbeitet und gestaltete seine Texte nach eigener Anschauung der realen Verhältnisse (er hatte auch Hawaii, Australien und Haiti besucht). Gerstäckers Erfolge als Jugendbuchautor konnte Sophie Wörishöffer fortsetzen (*Das Naturforscherschiff*, 1881); bis zu ihrem Tod 1890 wußte nur der Verlag, daß der Verfasser von 17 spannenden Büchern eine Frau war, die Norddeutschland nie verlassen hatte und sich auf ihre Themen allein über Fachbücher, die der Verlag ihr stellte, vorbereitete; dennoch hat sie bis in den Zweiten Weltkrieg die Jugend begeistern können.

Das »Eigene« im Fremden

Höhepunkt der Abenteuerliteratur, die Reise, »fremde« Kultur und Spannung vereinigte, war für fast ein Jahrhundert im deutschsprachigen Raum Karl May. Zeitlebens hat May, wenn man die zahllosen Übertreibungen

beiseiteschiebt, die Welt als Kerker empfunden und zugleich eine starke
Sehnsucht nach Licht entwickelt. Dieser Dualismus wurde von May zu
einem Mythos stilisiert, und er hat alle Perspektiven seines weiteren Lebens
geprägt, sich besonders in der Bilderwelt seiner Schriften niedergeschlagen.
So meinte er auch, seine Entwicklungs- und Seelenkrisen als Krisen der
Menschheit interpretieren zu können. Ihnen stellte er seine Sehnsucht nach
Harmonie gegenüber und suchte, seine Leser für ein Reich der Harmonie
und Menschlichkeit zu gewinnen (noch sein letzter Vortrag in Wien eine
Woche vor seinem Tode vor 2000 Menschen war diesem Thema gewidmet).
Die verschiedenen real erlebten Gefangenschaften stilisierte May zur Allego-
rie der gefangenen Menschheit, woraus der Drang, allen Menschen Freiheit
zu bringen, entstand. Seine zahlreichen Romane und Erzählungen, deren
Auflage von (geschätzten 50 Millionen – 1983) die aller anderen deutschsprachigen Literatur weit übertraf, dem Autor aber auch eine bis zu seinem
Tode nicht aufhörende Prozeßlawine einbrachte, sind Kolportagen dieser
Sehnsüchte und dieses Wunschdenkens, immer wieder durchsetzt mit Gedanken zur Philosophie, Politik, Theologie und vor allem zur Medizin – gern
wäre Karl May Arzt geworden –, und ärztliche Hilfestellung ist eine der
besonderen Qualitäten seiner Helden. In seinen späteren Jahren stellte der
Kind gebliebene, geschlagene Mann seinem erlebten Ardistan ein geträumtes
Dschinnistan gegenüber, im Bilde gesprochen: dem Sumpf eine Bergland-
schaft.

Karl May

Jugend geschichte

Betrachtet man Ardistan und Dschinnistan als dialektische Gegensätze,
dann ist das Abenteuer, das man in Märdistan anzusiedeln hat, »als neues,
reicheres Leben« der Anfang einer Entwicklung zur Synthese, die die Dialektik der beiden Bereiche aufheben kann; »denn in all diesen verschiedenen
Funktionen verfolgen sie (die Helden: Kara ben Nemsi, Old Shatterhand,
Winnetou, Old Surehand) doch nur den einen Zweck: den Umschlag von der
unheilen in die heile Welt. Ein medizinischer Zukunftschiliasmus liegt dieser
Idee zugrunde, wie er im neunzehnten Jahrhundert von zahlreichen Ärzten
vertreten wurde [...]. Anders als viele seiner Schriftstellerkollegen löste Karl
May das statische Bild der noch verborgenen Identität des Menscheninneren
in die Geschichte seiner Geschichten auf, die alle eins gemeinsam haben: sie
repräsentieren und überholen die Zeit, in der sie entstanden, denn es sind
Zeugnisse eines zielhaften, nicht ablenkbaren Fabulierens auf Freiheit hin«
(G. Ueding).

Die Gartenlaube und die literaturtheoretischen Zeitschriften *(Die Grenzboten; Blätter für die literarische Unterhaltung; Preußische Jahrbücher)*
waren, was die Einstellung zum besitzenden Bildungsbürgertum betraf, keineswegs so weit auseinander, wie sie gern vorgaben: »Es zeigt sich, wie eng
das literarische Selbstverständnis und die poetologische Programmatik an
die innenpolitische Situation der nachrevolutionären Zeit geknüpft ist: es
dominiert ein ›futuristischer Bezug auf die deutsche Einheit und Freiheit‹, die
so tief die gesamte Literaturkritik durchdringt, daß man nur mit Einschränkung von einer spezifisch literarischen Programmatik sprechen darf«
(H. Aust). Es ist bezeichnend für die von Aust umrissene Situation, daß *Die
Grenzboten* und die *Preußischen Jahrbücher* den allgemeinen Umschwung
des Liberalismus zu einer »realpolitischen« Anpassung und schließlich zum
Nationalliberalismus vertraten; Widhammer hat für diese Entwicklung den
Begriff »Illusionsrealismus« geprägt; »der Wertekanon des liberalen Bürger-
tums wird zum zentralen Gesichtspunkt« (H. Steinecke).

Die Literatur der *Gartenlaube* sollte moralisch, unterhaltend, harmonisch
und einfach in der Problematik sein, Handlung und Linienführung der Texte

Titelillustration

sollten möglichst immer diesen Zielen untergeordnet werden; dies allein hätte literarische Qualität noch nicht aus der Zeitschrift verbannen müssen. Hinzu kam aber, daß der Anspruch, möglichst alle Leser (die in aller Regel Abonnenten waren) zu erreichen, durch Rückgriffe auf Bewährtes, Vertrautes in Inhalt, Anspruch und Form angestrebt und fast immer auch durchgesetzt wurde, da vor allem kürzere Geschichten auch »auf Bestellung« angefertigt wurden. Damit war eine positive und eigenständige Entwicklung der Zeitschriftenliteratur – sie hätte ja auch eine Vorreiterrolle übernehmen können! – ausgeschlossen, das neue Medium strebte den marktgerechten »praktischen Konsens, der sich allein im Erfolg zeigt« an, wie der Herausgeber Keil versicherte, und zeichnete so die Einbahnstraße der Trivialität vor.

was hat literarisch Erfolg?

Eugenie Marlitt-Johns Roman *Goldelse* verdoppelte bei seinem Erscheinen in der Zeitschrift 1867 deren Auflage in wenigen Monaten, und der Roman avancierte zum Modell für Erfolgsliteratur in Zeitschriften. Das Menschenbild der Marlitt sprach den einfachen Menschen aus dem Herzen, mied Konflikte oder ersetzte sie nach Aschenbrödelmanier durch Schwarzweißzeichnung der Charaktere, wandte sich gegen Adelsprivilegien und die oft arbeitsscheue Arroganz großbürgerlicher Kreise. Ihre Sympathie galt toleranten, pflichtbewußten und fleißigen Menschen, die in bürgerlichen Berufen etwas leisteten. Dabei ließ sie ihre Figuren zunächst gern Irrwege gehen oder vorübergehend falschem Glanz verfallen. Der aufmerksame Leser wußte aber zumeist schon früher als die Figuren selbst, wer zu wem »gehörte« und engagierte sich bei den gefühlsbetonten Texten entsprechend, zumal das Grundkonzept des Romans immer auf einen positiven Abschluß hinauslief. Dabei entwickelte die Autorin eine überdurchschnittliche sprachliche Gestaltungskraft, was sogar Gottfried Keller auffiel.

Kolportageroman

was lit
trashy novels
fleeing reality
durch Kolport.

Zumindest sieben Romane der Marlitt erschienen in der *Gartenlaube*, ein hinterlassenes Fragment wurde von ihrer Nachfolgerin, Wilhelmine Heimburg, vollendet. Auch ihr brachte gleich der erste Titel (von mindestens ebenfalls sieben!) sprichwörtlichen Erfolg: *Lumpenmüllers Lieschen* (1879). Alle diese »moralischen Traktätchen« (F. Mehring) müssen mit Begeisterung gelesen worden sein und legten den Geschmack des Blattes endgültig fest. Wurde einmal – was ja finanziell längst möglich war – der Text eines großen Schriftstellers abgedruckt, so nahm die Redaktion der Zeitschrift eigenmächtig »außerordentlich starke Veränderungen und Kürzungen« (Ch. Jolles) vor, wie bei Fontanes Roman *Quitt* (1890); sie allein bestimmte also fortan Inhalt und Form der *Gartenlaube*literatur, die Schriftsteller wurden zu »Rohstofflieferanten«.

Gemütlichkeit

Neben dieser Literatur für das mittlere und gehobene Bürgertum setzte sich der Kolportageroman in Heftchenform als Lektüre der Unterschicht sehr rasch durch, auch Karl May erzielte seinen ersten wirklich großen Erfolg mit einem Roman in einhundert (!) Heften zu 24 Seiten (*Das Waldröschen*, ab 1883). Der Heftroman fand also seinen Markt, weil er dem Publikum etwas zu liefern schien, was es nicht hatte: Entspannung und Erbauung in einer harmonischen Welt. Eugenie Marlitt hat diese Erwartung treffend in zahlreichen ihrer Texte ausgedrückt, etwa wenn der intellektuellen, »zersetzenden« Spötterin aus reichem Hause das einfache »realistischere« (!) Mädchen gegenübergestellt wird. Von ihm heißt es: »Sie schreibt auch keine eigenen Verse oder Novellen – dazu fehlt ihr die Zeit, und doch dichtet sie [...] Sie dichtet doch in der Art und Weise, wie sie das Leben nimmt und ihm stets eine Seite abzugewinnen weiß, von der ein verklärendes Licht ausgeht, wie sie ihr einfaches Heim ausschmückt – aus jedem Eckchen guckt ein schöner Gedanke – und wie sie es unsäglich gemütlich und doch ästhetisch anregend

für ihren braven Mann und mich alten Kindskopf und die wenigen auserwählten Freunde des Hauses zu erhalten versteht« (aus: *Im Hause des Kom-
merzienrates*).

Die Gefährlichkeit solcher Texte ist vielleicht nicht offenkundig; sie weichen vor der Realität in die Gemütlichkeit des schönen Heims aus und »da
sie sich der objektiven Realität der [...] Gesellschaft nicht stellen, gehen sie
in die Falle geschickter Manipulationen oder kollektiver Dummheit. Sie
klammern sich an die Tradition und lassen sich willenlos und gedankenlos
von der Gegenwart lenken, statt selbst die Gegenwart zu gestalten«
(Schenda). Es ist bezeichnend für die Erwartungshaltung des Publikums, bis
zu welch »extremen« Situationen – vom Standpunkt bürgerlichen Geschmacks aus gesehen! – sich Trivialliteratur bereits vorwagte, wenn Hefte
wie Victor Falks *Der Scharfrichter von Berlin* (1890) etwa eine Million
Auflage erzielten. Dort findet sich folgendes über die Tätigkeit des Scharf-
richters: »Ich führe das aus, was die Richter beschlossen haben und mein
Kaiser gutgeheißen; das ist gewiß keine Schande, die Befehle solcher Männer
zu vollziehen.«

Es dürfte einleuchten, daß literarische Strukturen dieser Art den Denk-
und Verhaltensformen der Zeit entsprochen haben müssen, sie aber auch
immer aufs neue bestätigen. Die Gefahr dieser Texte liegt also in dem
Teufelskreis von Erwartungshaltung und Bestätigung, von Verhalten und
Entsprechung statt in einer freien Entwicklung von Alternative und selbstän-
digem Urteil. Ist es Zufall, daß der Chefredakteur der *Gartenlaube*, Carl
Wald, 1889 mit seinem Artikel *Sozialdemokratie und Volksliteratur* eine
»Allianz gegen den Fortschritt« anstrebte? Seine Vorstellungen von »Volksliteratur« faßte er zusammen: »Nur dadurch, daß Geburts-, Geld- und die
sogenannte geistige Aristokratie vereint dahin streben, auch unter sich nur
eine echte deutsche, kraftvolle Volksliteratur zu pflegen, – nur dadurch wird
es möglich sein, auf die weitesten Kreise des Volkes, auf die Arbeiter und ihre
Angehörigen, durch eine wahrhaft gesunde und kernige deutsche Volksliteratur Einfluß zu gewinnen [...] Sie soll den nationalen, den christlich humanen
und monarchischen Gedanken haben! Sie soll also, mit einem Wort, das
wollen, was Kaiser Wilhelm will!«

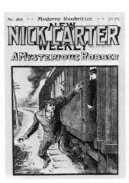

*Titelillustration:
»Nachdem Nick
Carter das Zeichen
zur Weiterfahrt
gegeben, sprang er
vom Zuge herab«*

303

IM ZEICHEN
DES IMPERIALISMUS

Literaturgesellschaftliche Lage
zwischen 1890 und dem Ersten Weltkrieg

Industriekapitalismus

Mit der seit der Reichsgründung sich voll durchsetzenden Entwicklung zur modernen kapitalistisch-industriellen Produktion einschließlich der Herausbildung von Konzernen und Großbanken etablierte sich endgültig das Proletariat als Klasse, welche durch ihre vielfältigen Organisationsformen wachsenden Einfluß auf das politische, gesellschaftliche und literarische Leben zu nehmen versucht. Trotz all dieser Bemühungen bleibt aber die Literatur in diesem Zeitraum ganz bürgerliche Literatur, auch dort, wo sie antibürgerliche Züge annimmt. Die für diese Epoche partiell feststellbare »Ausbürgerung« des künstlerischen Schaffens aus dem offiziellen Kulturbetrieb, der Rekurs des literarischen Autors auf seine Innerlichkeit, die Stilisierung des künstlerischen und dichterischen Schaffensprozesses zu einem gleichsam weihevollen Akt, der gesuchte Widerspruch von »Kunst und Leben«, »Ich und Welt« – all jene Erscheinungen werden oft damit erklärt, daß sich das Bürgertum seiner ehemaligen, vom Vernunftoptimismus bestimmten Fortschrittsideale im Laufe dieses Jahrhunderts entledigt habe und nun in eine »Stagnations- bzw. Dekadenzphase« eingetreten sei.

volkswirtschaftliche Bilanz

Das trifft nicht zu. Dort, wo Bürgertum und Bürgersinn sich ökonomisch betätigten, war stetig-stolzer Aufschwung zu verzeichnen: Im letzten Drittel des 19. Jahrhunderts überholte das Deutsche Reich in der volkswirtschaftlichen Gesamtbilanz Schritt für Schritt das Vereinigte Königreich und konnte sich um 1900 hinter den Vereinigten Staaten auf den zweiten Platz vorarbeiten. Industrie und Handel waren nach dem »Gründerkrach« auf Expansion orientiert; der Klassenkompromiß zwischen Adel und Bürgertum hatte sich für die zweite Hälfte des Jahrhunderts als nützlich herausgestellt und bestimmte die politisch-sozialen Verhältnisse bis zum Ersten Weltkrieg. Geistes- und Naturwissenschaften, auch sie Domäne des »Bildungsbürgertums«, welches nicht allein musisch-literarische Bildung meint, waren auf der Höhe der Zeit und führend in der Welt. Klassische Philologie und Geschichtswissenschaft, Chemie und Theoretische Physik (M. Planck, A. Einstein), einschließlich ihrer Umsetzung in Technologie, mögen davon Zeugnis ablegen. Insgesamt hat das Bürgertum sich also wenig schwer getan, mit der Welt zurechtzukommen. Ausnahmen von dieser Regel, den Horizont der Werte und Fragen des Sich-Einrichtens in den Verhältnissen betreffend, liefern die zeitgenössische Philosophie (Nietzsche), die Psychoanalyse (S. Freud) und Literaten, die rückblickend als Seismographen ihrer Epoche betrachtet werden können, obwohl sie eben nicht zu denen gehören, die in großem Umfang rezipiert wurden. Das gilt vor allem für die im folgenden Kapitel vereinigten literaturgeschichtlichen Strömungen zwischen 1890 und 1914: Der Naturalismus konstatiert die sozialen (Miß-) Verhältnisse und die Differenzen zwischen humanistischen Idealen und der sozialen Realität; der Symbolismus/Ästhetizismus eskapiert in das Reich des schönen Scheins der künstlerischen Idealität; und der Expressionismus protestiert gegen Kunst und Wirklichkeit zugleich, nicht bloß, indem er deren Inhalte attackiert und traditionelle Form zerstört, sondern auch durch Antizipation des künftigen Zusammenbruchs und seiner historischen Alternative.

Die »historische Alternative« im »Zeitalter des Imperialismus« – Sozialismus und Sozialdemokratie – hat aber im ganzen auf die Literatur der Zeit kaum Einfluß gehabt. Das nimmt auch wenig wunder, weil Imperialismus, die weltweite Entfaltung kapitalistischen Erwerbssinns, nicht ihre Sache war und dessen Bekämpfung nicht gewollt wurde oder mißlang.

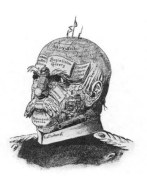

Schädelstudie

Nach Aufhebung des Sozialistengesetzes 1890 wurde deutlich, daß es nicht ohne Wirkung auf die von ihm Betroffenen geblieben war und somit die Funktion erfüllt hatte, die sich die Gegner der Sozialdemokratie von ihm versprochen hatten. Der Weg der sozialdemokratischen Arbeiterbewegung, die sich als Alternative zu den konservativ-nationalistischen Verhältnissen im Wilhelminischen Deutschland begriff, ist im Verlauf zweier Jahrzehnte theoretisch (Revisionismus) wie praktisch (Reformismus) durch die schrittweise erfolgte Integration gekennzeichnet. Die Konzentration der Sozialdemokratie auf die gewerkschaftliche und parlamentarische Arbeit führte zu einer weitgehenden Vernachlässigung des Aufbaus einer »zweiten Kultur«. Entleihzahlen in Arbeiterbibliotheken der Jahrhundertwende machen beispielsweise deutlich, daß das Leseverhalten der organisierten Arbeiter sich nicht von dem der unorganisierten und der kleinbürgerlichen Schichten unterschied: das Interesse an politischer Lektüre war gering, es dominierte die belletristische Unterhaltungsliteratur (Emile Zola, Friedrich Gerstäcker und Jules Verne), die marxistischen Klassiker wurden – mit Ausnahme von Bebels *Die Frau und der Sozialismus*, dessen breite Lektüre sich dem Ansehen des Parteiführers verdankt – so gut wie nicht gelesen.

Franz Mehring, in Kunst- und Literaturangelegenheiten der bedeutendste sozialdemokratische Theoretiker, hat zwar – u.a. mit seiner *Lessinglegende* – die demokratischen Traditionen in der bürgerlichen Literatur herausgearbeitet, aber er richtete sich – ein Beispiel glänzender Bildung – mehr an humanistisch-bürgerliche Intellektuelle, die der Arbeiterbewegung Sympathien entgegenbrachten. Den fruchtbarsten Versuch, die Arbeiterschaft im Umgang mit Literatur und Kunst vertraut zu machen, stellten die Volksbühnenbewegung und die Arbeiterbildungsprogramme dar. Aber auch diese Bemühungen, der bürgerlichen eine autochthone proletarische Gegenkultur gegenüberzustellen, scheiterten, weil die Sozialdemokratie selber zunehmend bürgerliche Züge annahm. Der rege Anteil, den die deutsche Sozialdemokratie an der Pflege des bürgerlichen Erbes zu einem Zeitpunkt nahm, als sie noch die Partei der deutschen Arbeiterklasse war, stellt unter Beweis, daß sie nicht die geistige Kraft besaß, das Neue und Unerhörte aus sich heraus zu entwickeln – lange bevor es um realgeschichtliche Nagelproben wie die Frage der Genehmigung der Kriegskredite im Deutschen Reichstag von 1914 ging.

Karikatur

Literaturgeschichtliche Einheit?

Die Jahre zwischen 1890 und dem Ausbruch des Ersten Weltkriegs stellen keine literaturgeschichtliche Einheit dar. Abgrenzbare Phasen – Naturalismus, Symbolismus, Expressionismus – stehen inhaltlich und stilistisch gegeneinander und überschneiden sich zeitlich. Herausragende Autoren lassen sich nicht eindeutig zuordnen: Fontane reicht aus den Anfängen des Realismus herüber; Thomas und Heinrich Mann bestimmen die Literaturgeschichte bis in die Mitte des 20. Jahrhunderts; Gerhart Hauptmann kann sich in Kaiserreich, Republik und Faschismus – und dann noch kurz bei den Siegermächten – ungeteilter Reputation erfreuen. Die expressionistische Generation verblutet größtenteils in den Schlachten des Ersten Weltkriegs; wer überlebte (Döblin, Becher, Benn usw.), ging in die Literaturgeschichte ein, ohne im ganzen das Etikett der frühen expressionistischen Jahre verpaßt zu bekommen. Allein die nationalistisch-konservative Literaturrichtung, die im 19. Jahrhundert ihre Anfänge hatte und im faschistischen Literaturbetrieb endete, kann als abgeschlossen gelten, während die Arbeiterliteratur über die Weimarer Republik in die Literaturgeschichte der DDR mündet und partiell auch in die der Bundesrepublik (»Literatur der Arbeitswelt«).

Arbeiterliteratur

Einlaßkarte
des Arbeiterbildungs-
vereins
(Vorder- und
Rückseite)

Der Beginn der proletarischen Lyrik in Deutschland ist mit dem anonymen Weberlied *Das Blutgericht* (1844) anzusetzen. Es existiert in mehreren, voneinander abweichenden Fassungen und hat eine ganze Reihe von Weber-Gedichten hervorgerufen, deren bekannteste von Freiligrath, Pfau, Weerth und Heine stammen. Das inhaltliche Spektrum bewegt sich bei diesen Weber-Gedichten vom sentimentalen Mitleid für das Elend der Weber bis zum revolutionären Appell bei Heine (»Deutschland, wir weben dein Leichentuch«). Gerhart Hauptmann hat das ursprüngliche Weberlied zum Leitmotiv seiner *Weber* gemacht. Die frühe Arbeiterlyrik ist an eine Entstehungs- und Verbreitungsweise gebunden, die sich von der bürgerlichen unterscheidet: Sie erscheint nicht in Buchform, sondern in Zeitungen und will öffentlich rezitiert und gemeinsam gesungen werden. Als Gelegenheitsdichtung, die für den aktuellen politischen Anlaß geschrieben wird, ist sie Klassendichtung; sie sucht ausschließlich im Proletariat ihr Publikum und ist damit an die Organisationsformen der Arbeiterbewegung gebunden.

Die erste Sammlung früher Arbeiterlyrik ist die erst 1900 erschienene Anthologie *Stimmen der Freiheit*. 24 der 68 Autoren sind Arbeiterdichter, die in der Sammlung keine Sonderrolle spielen, sondern jenen Autoren bürgerlicher Herkunft gleichgestellt sind, die für die Sache des Proletariats eintreten, wie Herwegh, Weerth und Freiligrath. Das Hauptthema der dort vereinten Lieder und Gedichte sind nicht die Arbeitswelt und die sozialen Probleme der Arbeiterklasse, vielmehr dominiert als Grundzug die optimistische Zuversicht auf die Veränderbarkeit der Verhältnisse; die alltägliche Misere ist aufgehoben in einer sozialistischen Zukunftsperspektive. Wo diese Lyrik die Natur zitiert (Jahreszeiten, Tal und Gipfel, Wetter, Saat, Ernte usw.), tut sie es nicht, um im romantischen Sinn die Einheit von Individuum, Natur und Welt sinnbildlich darzustellen, sondern es kommt ihr darauf an, Natur als Allegorie für eine politische Situation bzw. Perspektive zu benutzen. Selbst die christlichen Feste werden in dieser Absicht instrumentalisiert: Weihnachten wird zur Geburt des Sozialismus, Ostern zur Auferstehung des Proletariats, Pfingsten zum Fest der Solidarität. Auch die Welt der griechischen Mythologie, die Allegorien von Schlachten, Fahnen und Farben, gar die modernen technischen Erfindungen der Zeit bekommen einen politisch-funktionalen Sinn, der darin besteht, der eigenen Klasse die sozialistische Perspektive zu vermitteln. So weiß sich die frühe Arbeiterlyrik frei von den Elendsbeschreibungen, wie sie in der bürgerlichen sozialen Dichtung der Zeit dominieren und vor allem im Naturalismus eine Rolle spielen. Während dort das poetische Ich, auch das sozialkritische, im Vordergrund steht, herrscht in der Arbeiterlyrik das Wir vor. Sie ist folglich antisubjektiv und antiindividualistisch, statt dessen klassen- und parteigebunden. Formal stützt sie sich auf klassische Vorbilder. Ode, Stanze und Sonett beispielsweise werden für die neuen Inhalte und Aufgaben übernommen, wobei die Sprache einen unpersönlichen Zug aufweist. Sie ist stets die kollektive, politische Klassensprache, nie die individuelle des einzelnen Proletariers. Das Vokabular speist sich aus zwei Hauptquellen: einmal dem Wortschatz des Sozialismus, zum anderen dem des bürgerlichen Idealismus, wie er sich in der Dichtung, vor allem des Vormärz, herausgebildet hat. Insgesamt hat das neue politisch-poetische Bewußtsein keine genuinen lyrischen Formen entwickelt, es greift auf alte zurück und macht sie der neuen Funktion dienstbar, wie in J. Audorfs *Lied der deutschen Arbeiter*:

Wohl an, wer Recht und Freiheit achtet,
Zu unsren Fahnen steht zu Hauf!
Wenn auch die Lüg' uns noch umnachtet,
Bald steigt der Morgen hell herauf!
Ein schwerer Kampf ist's, den wir wagen,
Zahllos ist unsrer Feinde Schaar,
Doch ob wie Flammen die Gefahr
Mög über uns zusammenschlagen,
   Nicht zählen wir den Feind,
   Nicht die Gefahren all':
   Der kühnen Bahn nur folgen wir,
   Die uns geführt Lassalle!

»Lied der deutschen Arbeiter«

Das Theater als literarische Form war geeigneter, als Mittel der proletarischen Selbstdarstellung und Agitation zu dienen. Es bildet sich als funktionale Form zunächst unabhängig vom bürgerlichen Theater in den Arbeitervereinen heraus. Als 1878 durch das »Gesetz gegen die gemeingefährlichen Bestrebungen der Sozialdemokratie« die Arbeiterbewegung in die Illegalität gezwungen wurde, änderten sich auch Funktion und Formen des Arbeitertheaters. Wo vorher die Agitationsstücke mit eindeutiger Tendenz vorherrschten, mußten nun die indirekten Formen der allegorischen Darstellung, oft verkleidet in historischem Gewand, an deren Stelle treten. Die literarische Technik der Allegorie bot sich auch an, weil durch sie kollektive, historische Vorgänge und ihr aktueller Stellenwert besser ins Bild gesetzt werden konnten als mittels einmaliger, persönlicher Schicksale. Mit der Aufhebung des Sozialistengesetzes 1890 stieg die Zahl der veröffentlichten Stücke erheblich an; weil die indirekte Sprechweise nun überflüssig geworden war, entledigte sich das Arbeitertheater seiner allegorischen Verhüllung und bekannte sich wieder offen zur sozialistischen Perspektive.

Kampfdrama –
Maifestspiel

Als besondere Form des Arbeitertheaters nach 1890 haben sich das Kampfdrama und das Maifestspiel herausgebildet. Ein Beispiel für den ersten Typus ist Friedrich Bosses Streikdrama *Im Kampf*. Es wurde 1892 veröffentlicht und schildert in vier Akten die Auseinandersetzungen von Industriearbeitern mit dem Unternehmer. Durch Einsatz des Streiks als Mittel der Politik gelingt es den Arbeitern, ihren Anführer zu befreien und das Recht zur politischen Betätigung durchzusetzen. Das Stück weist strukturelle Parallelen zu Schillers *Kabale und Liebe* auf, mit der entscheidenden Wendung freilich, daß das kämpfende Proletariat an die Stelle des aufsteigenden Bürgertums tritt. Der vom Internationalen Arbeiterkongreß 1890 in Paris zum Kampftag der Arbeiterbewegung deklarierte 1. Mai bot den Arbeiterschriftstellern Anlaß, in Form von Maifestspielen den neugewonnenen Optimismus

Arbeiter
gegen Unternehmer

zu artikulieren. Andreas Scheus *Frühlingsboten* verknüpft zwei Handlungsstränge – für den Maifeiertag und für die Einrichtung von Produktionsgenossenschaften – mit einer Liebesgeschichte. Obwohl das Stück märchenhaft mit einem Singspielfinale auf den »Geist der Völkerbürderschaft« und dem Eheversprechen von Held und Heldin endet, warnt es doch abschließend vor allen Illusionen: »Genug, Kameraden! [...] Des Marktes Wettbewerb, dem wir als gütererzeugende Genossenschaft uns unterwerfen müssen, wird stets uns daran erinnern, daß Millionen unserer Brüder noch im Joche schmachten, und daß wir ihnen, den noch Unbefreiten, den besten Teil von unserem Können schulden. Und treuer noch, und heißer noch, als je, mit höherer Kraft und mit geschulter Überzeugung, werden wir für jene große Weltumwälzung kämpfen, die unser Volk zum Meister seines Werkes, die aus dem mörderischen Ringen Aller gegen Alle ein Bündnis starker, edler Menschen machen wird. Frisch auf, zur Arbeit, Kameraden: frisch auf, zum Kampf!«

Professionalisierung

In dem Maße, in dem das Arbeitertheater von Amateurschriftstellern produziert wurde, die sich mit ihren Stücken in Arbeiterbildungsvereinen an das Publikum der eigenen Klasse richteten, hielt es sich von Form und Institutionscharakter des bürgerlichen Theaters fern. Mit zunehmender Professionalisierung jedoch durch hauptberufliche Schriftsteller und Journalisten, die den Ehrgeiz hatten, auch im bürgerlichen Kulturbetrieb Resonanz und Anerkennung zu finden, lehnte es sich der vorherrschenden Form des naturalistischen Dramas an. So lassen sich die nach der Jahrhundertwende entstandenen Stücke in Milieuschilderung und Sprachgestaltung formal dem Naturalismus zuordnen, abgesehen von solchen, die gleich den Weg zum Genre des Volks- und Unterhaltungstheaters im bürgerlichen Sinne einschlugen. Die Tendenz zur Anpassung (Reformismus, Revisionismus) hatte also auch ihre Auswirkungen auf das Arbeitertheater.

proletarischer Roman?

Die Erzählprosa der Arbeiterbewegung hat nicht die Bedeutung erlangt, die Lyrik und Theater gehabt haben. Speziell der Roman hatte es schwer, sich von den Bindungen an die Gedankenwelt und das Lebensgefühl des Bürgertums zu lösen und die neue Weltsicht des Proletariats zu artikulieren. Seit 1876 hatte die organisierte Arbeiterbewegung ein *Illustriertes Unterhaltungsblatt für das Volk* herausgegeben: *Die neue Welt.* Ziel dieses Blattes war es, »durch Wahrheit und Dichtung anregen, belehren, begeistern, den Vorkämpfern der Menschheit im Herzen des Volkes ein Denkmal setzen, das Schöne, Edle, Gute verfechten, echte Bildung verbreiten, die deutsche Jugend erziehen, das deutsche Volk geistig mündig und frei machen helfen«. Es publizierte Reiseberichte, Populärwissenschaftliches, Novellen, Unterhaltungsromane und Lebenserinnerungen. Die dort publizierenden Autoren wie Minna Kautsky verlassen aber kaum die Vorbilder der zeitgenössischen bürgerlichen Unterhaltungsliteratur. Minna Kautskys Roman *Die Alten und die Neuen* spielt fast ausschließlich im Milieu des Hochadels, der klischeehaft als dekadent, distinguiert und einflußreich dargestellt wird, während das proletarische Milieu, an den wenigen Stellen, wo es eine Rolle spielt, in exotischen Farben gemalt ist. Die außerhalb beider Klassen stehende bürgerlich-intellektuelle Autorin hat sich offenbar von der Vorstellung leiten lassen, daß die Arbeiter als Leser sich durch das entgegengesetzte, für sie fremde Milieu faszinieren lassen, um nach des Tages Mühen ihren Tagträumen von der »großen Welt« nachzugehen. Minna Kautsky kam damit gefährlich nahe an dichterische Vorstellungen heran, wie sie auf der anderen Seite von Eugenie Marlitt gehegt wurden. Engels hat den idealistisch-verklärenden Grundzug des Romans mit dem Hinweis kritisiert, daß er nicht die Ansprüche erfülle, die an einen sozialistischen Tendenzroman zu stellen sind.

Engels' Forderung ist von keinem Prosaautor erfüllt worden, so daß als »sozialistische« Form der Erzählliteratur vor 1918 nur die Arbeiterautobiographien betrachtet werden können. Sie sind von bürgerlichen Literaturtraditionen meistens unbeeinflußt geblieben, weil die Arbeiterautoren mangels Anpassungsinteresse und Literaturkenntnis nicht bestrebt waren, den bürgerlichen Vorbildern nachzueifern, sondern von ihrem Lebenslauf und ihren Kämpfen erzählen wollten. Karl Fischers *Denkwürdigkeiten und Erinnerungen eines Arbeiters*, 1903 von Paul Göhre herausgegeben, schildern nicht einfach das Leben des ungelernten Arbeiterautors, sondern sie erheben die Biographie durch die Konfrontation mit Klassen- und Leidensgenossen zur exemplarischen für die der ganzen Klasse. Das Buch erschien in einem bürgerlichen Verlag, in bibliophiler Ausstattung (Vignetten, Leisten und Initialen von Heinrich Vogeler!), und konnte folglich die vom Autor angesprochenen Leserschichten nicht erreichen. Auch die anderen, von Göhre herausgegebenen Arbeiterautobiographien wurden um ihre Wirkung gebracht. Bromme, Rehbein und Holek galten dem Herausgeber mit ihren Schilderungen von Verfolgung, Ausbeutung, Arbeitslosigkeit und Elend als »Material für die Volkskunde unserer Zeit«. Zu den Arbeiterautobiographien gesellten sich vor dem Ersten Weltkrieg eine Reihe von Bekenntnisschriften und Bildungsromanen. Ihr gemeinsames Merkmal ist das Bekenntnis zum Sozialismus, in das der eigene Lebensweg mündet. Viele der Autoren, wie Adelheid Popp, Josef Peukert und Heinrich Georg Dikreiter arbeiteten sich zum sozialdemokratischen Funktionär empor; Lesen und Schreiben waren konstitutiv für diesen Aufstieg. Ihre Lebenserinnerungen nähern sich formal dem bürgerlichen Bildungsroman an; am Ende steht statt des »allseitig gebildeten Menschen« im klassisch-humanistischen Sinn der klassenbewußte Sozialist als Ergebnis, freilich derartig überhöht, daß der Sozialismus als etwas rein Geistiges, als eine Glaubenssache erscheint. In dieser Rückwendung auf die Formen der bürgerlichen Literaturtradition manifestiert sich das Abweichen der Arbeiterbewegung von revolutionären Positionen, noch bevor es sich am Inhalt der Werke selbst ausmachen läßt. Wo das Arbeiterleben als Bildungsgang im bürgerlich-idealistischen Sinn dargestellt wird, muß es als niederer Zustand erscheinen, aus dem man sich durch sozialistische Bildung und eine Karriere in den Organisationen der Arbeiterbewegung befreit.

Autobiographisches

Umschlag eines Nachdrucks von 1905

Was ist Naturalismus?

Unter Naturalismus verstehen wir in einem allgemeinen Sinn jede künstlerische Richtung, die sich um die unmittelbare Naturnachahmung bemüht und bestimmte Ausschnitte der natürlichen oder gesellschaftlichen Wirklichkeit mit den je eigenen literarischen, bildnerischen oder musikalischen Mitteln »naturgetreu« wiedergeben will. Im besonderen ist diejenige literarische Strömung gemeint, die sich in dem Jahrzehnt zwischen 1890 und 1900 entwickelte. Sie begriff sich als künstlerische »Moderne« und wurde insbesondere von der jungen Generation als »Revolution« von Kunst und Literatur empfunden. Dabei ist nicht zu übersehen, daß seit den Tagen des Realismus erstmals wieder eine europäische Dimension der Kunsttheorie ins Blickfeld rückte, an der die junge Intellektuellengeneration im Bewußtsein der »Jahrhundertwende« lebhaften Anteil nahm.

Perspektiven des Begriffs

Hans Baluschek:
Proletarierinnen (1900)

» *Wilhelminismus* «

Die wirtschaftlichen, gesellschaftlichen und geistigen Faktoren des Wilhel-minischen Zeitalters bilden den Hintergrund, auf dem diese neue Bewegung gesehen werden muß. Das nach der endgültigen Aufhebung der deutschen Kleinstaaterei im Zweiten Deutschen Kaiserreich nach 1871 rasch und mit aller Macht gesteigerte Kapitalwachstum beschleunigte auch die Proletarisie-rung großer Bevölkerungsteile und schuf unübersehbare soziale Probleme. Hatte noch wenige Jahre zuvor die Mehrheit auf dem Land gewohnt, so setzte nun eine Wanderungsbewegung in die Städte ein, die kaum aufgefan-gen wurde. Berlin, das Zentrum der naturalistischen Literaturbewegung, hatte sich im Laufe von knapp vier Jahrzehnten von einer preußischen Residenzstadt mit kaum einer halben Million Einwohnern zur Reichshaupt-stadt mit anderthalb Millionen Menschen vergrößert, die durch die Indu-strialisierung, d.h. durch Arbeit ermöglichtes Einkommen angelockt wur-den. Die Naturalisten richteten ihre ganze Aufmerksamkeit auf die kapitali-stischen Realitäten im neuen preußisch-deutschen Reich und machten die eben entstandenen Elendsquartiere, das Fabrikarbeiter-, Dirnen- und Knei-penmilieu zu ihrem literarischen Gegenstand. So heißt es in dem Roman *Adam Mensch* (1889) von Hermann Conradi: »Man gewöhne sich bitte daran, allenthalben als das Selbstverständlichste von der Welt nur Dreck, Moder, Schweiß, Staub, Kot, Schleim und andere Parfums [...] zu erwar-ten.« Dieses Milieu – ein sowohl für die soziale Lage der Betroffenen wie für die naturalistische Literaturtheorie folgenschwerer, weil deterministischer Begriff – war nach den traditionellen ästhetischen Normen nicht darstel-lungswürdig, weil es als häßlich, abstoßend und krankhaft galt. Allein durch diese Stoffwahl bekam der Naturalismus einen antibürgerlichen Zug und handelte sich sofort den Ruf des »Revolutionären« ein.

Positivismus

Der Naturalismus orientierte sich an den philosophischen wie anthropolo-gischen Erkenntnissen des Positivismus, wie er am entschiedensten von dem französischen Soziologen Hippolyte Taine vertreten wurde. Der Positivismus forderte eine auf empirischen Untersuchungen beruhende Naturerkenntnis und übertrug dieses den exakten Naturwissenschaften entnommene Metho-denideal auch auf die Frage nach dem »Wesen« des Menschen und der ihn umgebenden Gesellschaft. Wie die Naturwissenschaften war der zwar jeder idealistischen Spekulation abholde, letzten Endes aber doch wieder philosophierende Positivismus darauf aus, im Verhalten des einzelnen wie der Gesellschaft bestimmte, voraussagbare Gesetzmäßigkeiten, Ursachen und Wirkungen, Kausalitäten zu erkennen. Demnach war das Individuelle, der einzelne durch die drei Faktoren von »race« (Herkunft), »milieu« (sozialer Umgebung) und »temps« (den Zeitumständen) bestimmt. Dieser anthropologische Determinismus wurde unverändert auf die Kunst- und Literaturtheorie übertragen und erklärt, weshalb der Naturalismus über die Darstellung des sozialen Elends hinaus keine Veränderungsperspektive entwickeln wollte.

Ztlmng

Als literarische Bewegung ist der Naturalismus keine isoliert deutsche Erscheinung, er konnte vielmehr auf europäische Vorbilder zurückgreifen. Schriftsteller wie Dostojewski und Tolstoi, Jakobsen und Ibsen, Maupassant und die Brüder Goncourt, vor allem aber Emile Zola übten Einfluß auf die Naturalisten in Deutschland aus. Zola schildert in seinem 20-bändigen Romanwerk *Les Rougon-Macquart* die Geschichte einer Familie im zweiten französischen Kaiserreich (1852–70) und bedient sich in Methode und Darstellung einer detailgetreuen und exakten Erfassung der Wirklichkeit. Die ihr zugrunde liegende literarische Programmatik beeinflußte auch die deutschen Naturalisten. Zola hatte festgestellt: »L'œuvre d'art est un coin de la nature, vu à travers un tempérament« (»Das Kunstwerk ist ein Stück Natur, gesehen durch ein Temperament«). Entsprechend formulierte dann der Naturalist Arno Holz: »Die Kunst hat die Tendenz, wieder die Natur zu sein. Sie wird sie nach Maßgabe ihrer jeweiligen Reproduktionsbedingungen und deren Handhabung«, oder formelhaft ausgedrückt: »Kunst = Natur – x.« Für die schriftstellerische Praxis war damit die Forderung erhoben, die Erscheinungen der Wirklichkeit möglichst deckungsgleich wiederzugeben, wobei jener Faktor x, die künstlerische Subjektivität und die Unvollkommenheit der künstlerischen Mittel, möglichst klein zu halten war, um die Differenzen zwischen Realität und Abbild auszuschalten. Präzision in der Erfassung der Wirklichkeit, die zu schildern war, so lautete das oberste Gebot für die schriftstellerische Technik. Das beinhaltete eine wissenschaftsähnliche Beobachtung der Realität und eine Orientierung an Tatsachenmaterial. Intuition und Phantasie, ein schöpferischer Umgang mit den von der Wirklichkeit gelieferten Fakten und deren künstlerisches Arrangement zu einer neuen, fiktiven Realität waren den Naturalisten ebenso verdächtig wie eine artistische Sprache, die nichts mit der gesprochenen gemein hatte. Sie bevorzugten die Umgangssprache, den Dialekt, den unvollständigen oder gar fehlerhaften Satz, um so Natürlichkeit zu erreichen und näher an die Wirklichkeit zu gelangen. Das Bestreben, Natürliches darzustellen, führte hinsichtlich der Auswahl von Stoffen und Figuren zur Ablehnung außergewöhnlicher Vorlagen und »edler Helden«. Statt dessen wurde Normalität gesucht, ja das nach traditionellen Maßstäben Häßliche, Abseitige und Niedere: Dirnen, Alkoholiker, Geisteskranke, die unteren sozialen Schichten wurden zu Handlungsträgern, deren Milieu eben deshalb für die Naturalisten von Interesse war, weil es am Rande, außerhalb der bürgerlichen Welt lag, von der man sich abheben wollte. Die naturalistische Literatur sollte vermittels der objektiven Darstellung der Wirklichkeit aufklären, wenn möglich die schlechte Wirklichkeit verändern und dem gesellschaftlichen Fortschritt dienen. Das setzte voraus, daß die Literatur sich in den Dienst einer vorurteilsfreien Wirklichkeitserkenntnis stellte und die unzeitgemäßen, idealistischen Züge vergangener und zeitgenössischer Literatur bekämpfte. Inwieweit programmatischer

Blick auf Europa

Milieu

Karikatur

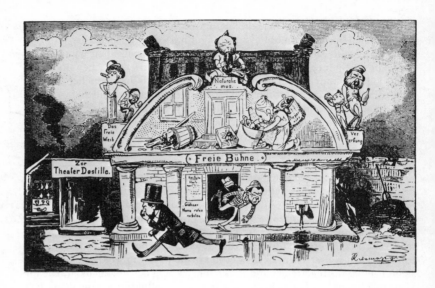

»Die Weber«

Anspruch und literarische Praxis zur Deckung kamen, läßt sich exemplarisch an einem Werk demonstrieren.

Gerhart Hauptmanns Stück *Die Weber* erschien 1892. Ursprünglich war es in schlesischem Dialekt abgefaßt, eine hochdeutsch gefärbte Fassung entstand aber fast gleichzeitig. Die Uraufführung fand 1893 an der Freien Bühne in Berlin statt; weitere Aufführungen des »Umsturzdramas« wurden polizeilich verboten; erst nach gerichtlichen Auseinandersetzungen konnte das Stück 1894 im Deutschen Theater Berlin und an anderen Bühnen wieder aufgeführt werden. Den Stoff des Dramas schöpfte der Autor aus drei Quellen: Einmal waren Erzählungen seines Großvaters, der selbst als Weber in Schlesien gearbeitet hatte, zum Keim seiner Dichtung geworden, wie Hauptmann berichtet. Ferner verschaffte er sich selbst Eindrücke vor Ort, indem er eine Reise durch das Webergebiet im Eulengebirge im Jahre 1891 unternahm; und schließlich konnte er auf zeitgenössische Darstellungen zurückgreifen, die sich mit dem schlesischen Weberaufstand von 1844 befaßten: Zimmermanns *Blüte und Verfall des Leinengewerbes in Schlesien* (1885) und Wolffs Schilderung *Das Elend und der Aufruhr in Schlesien* (1845).

Form

Hinsichtlich der Form muß festgehalten werden, daß trotz der traditionellen fünf Akte das Stück den klassischen Dramenaufbau aufgibt und ihn durch eine lose Folge sich ergänzender Bilder ersetzt, die keinen strengen Zusammenhang aufweisen. Auch steht kein Einzelheld mehr im Zentrum, an dem sich Handlung und Ergebnis orientieren; vielmehr ist die Gruppe bzw. Klasse Zentrum und Träger des Geschehens. Die Ereignisse des Stücks entsprechen weitgehend dem historischen Verlauf des Weberaufstands, jedoch müssen die Akzentuierung der Handlung, die Charakterisierung der Figuren und die literarische Rekonstruktion des Milieus der künstlerischen Leistung des Verfassers, jenem Zolaschen »tempérament« zugute gehalten werden. Der erste Akt charakterisiert die allgemeine Situation, indem er die Arbeitsverhältnisse und das aus ihnen erwachsende Elend vor Augen führt. Der zweite konkretisiert die Lage durch Schilderung des Weberelends am Beispiel der betroffenen Familie. Waren die Weber als Masse bis hierhin eher passiv und als demütige Bittsteller aufgetreten, so ist der Keim der Revolte in

den beiden ersten Akten aber bereits durch Bäcker und Jäger angelegt. Das
Verbot des Weberliedes, welches sich leitmotivisch durch das Stück zieht und
gleichsam Klammerfunktion bekommt, löst dann im dritten Akt bereits
breiteren Protest unter den Betroffenen aus, so daß im vierten die revolutionäre Stimmung in Aktion umschlägt: Die Aufständischen plündern und
zerstören die Fabrikantenvilla. Der fünfte Akt beschließt die Handlung, zum
Teil in Berichtform; es wird erzählt, daß die Aufständischen die Unternehmer
vertreiben wollen und das Militär zum Eingriff und zur Niederschlagung des
Aufstands bereitsteht. Das Stück läßt den Ausgang der Auseinandersetzung
offen; nur der alte Hilse, der sich gegen den Aufstand ausgesprochen hatte,
wird von einer verirrten Kugel getroffen.

Die Aussage bzw. den Gehalt des Stücks verstehen wollen heißt, sich u. a. *Aussage*
mit der Geschichte seiner Rezeption befassen, denn für jede Epoche hat es
einen anderen Stellenwert. Das kann hier nicht geleistet werden, wohl aber
können einige Streiflichter auf die damalige Wirkung geworfen und mit der
heutigen Einschätzung konfrontiert werden. Die öffentliche Aufführung
wurde vom Berliner Polizeipräsidenten mit der Begründung verboten, sie
könne »ein Anziehungspunkt für den zu Demonstrationen geneigten Teil der
Bevölkerung Berlins« werden. Zwar gelang es nach längeren gerichtlichen
Auseinandersetzungen, die *Weber* für öffentliche Aufführungen freizube-
kommen, aber der Kaiser sah sich angesichts der thematischen Brisanz des
Stücks veranlaßt, seine Loge im Deutschen Theater der »demoralisierenden
Tendenz« wegen zu kündigen. Nach Freigabe des Stücks wurde die Angelegenheit Gegenstand der Beratungen des Preußischen Abgeordnetenhauses in
der Sitzung vom 21. 2. 1895, in der sich der Abgeordnete Freiherr von
Heeremann vernehmen ließ: »[...] ich möchte im Allgemeinen den Herrn
Minister bitten, wenn es ihm möglich ist, durch die Polizei schärfer und
stärker dahin wirken zu lassen, daß sie manchen theatralischen Aufführungen, welche entweder der Sitte, der Religion völlig Hohn sprechen oder
andere bedenkliche Tendenzen anzuregen und die Gemüther aufzuregen
geeignet sind, schärfer entgegentrete, als es bisher geschehen ist. [...] Ich
meine, man kann in dieser Richtung nicht scharf genug sein; denn der Zweck
des Theaters, einen Menschen harmlos zu unterhalten, oder auch literarisch
und künstlerisch anzuregen, wird durch diese Stücke nicht erreicht; es werden leichtfertige Begriffe über Sitte und Ordnung, Mangel an religiöser Auffassung und vielfach auch Anregungen, die auf Unzufriedenheit, Umsturz
und Unordnung im Staate sich richten, gefördert und gestärkt.«

Die Reaktionen der Presse lassen ein Spektrum erkennen, das sich bei *zeitgenössische Kritik*
ähnlichen Anlässen heute wohl gleich darbietet. Der Rezensent der konservativen *Neuen Preußischen Zeitung (Kreuzzeitung)* operiert unausgesprochen
mit gängigen Vernebelungskategorien wie »Objektivität« und »Ausgewogenheit«, wenn er darlegt: »Man wird gepackt von dem tiefen Menschen-
elend, das uns in anschaulicher Weise geschildert wird, und doch auch
wieder abgestoßen durch die Häufung des Häßlichen, des Widerwärtigen
und Tendenziösen. Man erkennt die Kunst des Dichters, Volkstypen zu
schaffen, nach dem Leben zu zeichnen und kraftvolle Massenszenen mit
wahrhaftem Lebensblute zu erfüllen, gern an, während man andererseits
über die Unbeholfenheit, das Konventionelle und das übertrieben Tenden-
ziöse in der Darstellung der ›besseren Klassen‹ erstaunt den Kopf schüttelt.
[...] Die Tendenz seiner Stücke, vor allem der *Weber*, wird dadurch nicht
sympathischer, daß sie eine verhetzende, aufreizende Wirkung der einzelnen
Volksklassen gegeneinander ausübt und alles Licht auf die Seite des ›Volkes‹,
allen Schatten auf Seite der ›besseren Klassen‹ sieht. Die Polizei hatte infolge-

Käthe Kollwitz:
Weberzug (1897)

Franz Mehrings
Würdigung

dessen recht, als sie die öffentliche Aufführung der *Weber* untersagte, denn wenn sich die Parteileidenschaft eines Theaterstücks zur Aufhetzung bedienen wollte, kein anderes Stück als die *Weber* wäre geeigneter dazu.«

Dem wären auf der anderen Seite Äußerungen Franz Mehrings, des bedeutendsten Literaturkritikers der damaligen Sozialdemokratie, entgegenzuhalten: »Die *Weber* von Gerhart Hauptmann sind die einzige Bühnendichtung der Gegenwart, die auf der vollen Höhe des modernen Lebens steht und für das Ende des neunzehnten Jahrhunderts eine ähnliche Bedeutung in der deutschen Literatur beanspruchen kann wie Schillers *Räuber* für das Ende des achtzehnten Jahrhunderts. [...] Keine dichterische Leistung des Deutschen Naturalismus kann sich auch nur entfernt mit den *Webern* messen. Dagegen sind sie selbst gewissermaßen ein Prüfstein geworden, an dem sich erkennen läßt, was echt und was falsch ist am modernen Naturalismus. Die *Weber* stehen im schärfsten Gegensatz zu der ›genialen Kleckserei‹, die irgendein beliebiges Stück banaler und brutaler Wirklichkeit mit photographischer Treue abkonterfeit und damit wunder was erreicht zu haben glaubt. Die *Weber* quellen über von echtestem Leben, aber nur, weil sie mit dem angestrengten Bemühen eines feinen Kunstverstandes gearbeitet sind. Eine wie sorgfältige Abtönung und Abwägung war notwendig, um einem bunten Mosaik genrehafter Szenen dramatische Spannungen zu geben! Welch ernsthaftes Nachdenken gehörte dazu, jene Fülle lebendiger, meist trefflich und mitunter ganz meisterhaft geratener Gestalten zu schaffen, aus denen die handelnden Massen bestehen mußten, wenn sie wirklich in dramatische Bewegung gesetzt werden sollten. Hauptmann hat in diesem Schauspiele den alten Satz erhärtet, der durch kein naturalistisches Renommieren umgestoßen werden kann: nicht nur das Talent, sondern auch der Fleiß macht den echten Künstler.«

Fontanes Stimme

Eine kollegial-abwägende Rezension legte Fontane vor, die weise Lob und Tadel mischt: »Es ist ein Drama der Volksauflehnung, das sich dann wieder, in seinem Ausgange, gegen die Auflehnung auflehnt, etwa nach dem altberlinischen Satze: ›das kommt davon‹. Was Gerhart Hauptmann für seinen Stoff begeisterte, das war zunächst wohl das Revolutionäre darin; aber nicht ein berechnender Politiker schrieb das Stück, sondern ein echter Dichter, den einzig das Elementare, das Bild von Druck und Gegendruck reizte. Die *Weber* wurden als Revolutionsdrama gefühlt, gedacht, und es wäre schöner und wohl auch von unmittelbar noch mächtigerer Wirkung gewesen, wenn es sich ermöglicht hätte, das Stück in dieser seiner Einheitlichkeit durchzuführen. Es ermöglichte sich aber nicht, und Gerhart Hauptmann sah sich, und zwar durch sich selbst, in die Nothwendigkeit versetzt, das, was ursprünglich ein Revolutionsstück sein sollte, schließlich als Anti-Revolutionsstück ausklingen zu lassen. Es ließ sich nicht anders thun, nicht blos von Staats- und Obrigkeits-, sondern, wie schon angedeutet, auch von Kunst wegen. Todessühne, Zugrundegehn eines Schuldigen, das ist ein Tragödienschluß, Radau und Spiegelzertrümmerung nicht. Das ist einerseits zu klein, andererseits die reine Negation. Wir wollen das Unrecht unterliegen, aber zugleich auch das Recht (das kein absolutistisches zu sein braucht) triumphiren, sich als rocher de bronce stabiliren sehn. Was triumphirt, muß des Triumphes würdig sein. Hier aber, im Schluß des 4. Aktes, hätte der revolutionäre Sieg nichts bedeutet, – was zu wenig ist – den Sieg der Rache. Das Einsehen davon schuf den 5. Akt. Auch in ihm, – wiewohl er nicht bloß ein Verstandes-, sondern sogar ein Widerspruchsprodukt ist – bewährt sich noch Gerhart Hauptmanns großes dichterisches Talent, aber doch mit der Einschränkung, die sich aus dem alten ›gebt ihr euch einmal für Poeten, so kommandirt die Poesie‹, von selbst ergiebt. Der 5. Akt ist ein Nothbehelf, ein Zwang, aber, was uns trösten muß, ein Zwang, der nicht blos in Klugheitserwägungen oder wohl gar in von außen kommenden Einflüssen, sondern viel viel mehr in der eigenen Einsicht von der Unvermeidlichkeit einer solchen Zuthat wurzelt. Daß dadurch etwas entstand, was revolutionär und antirevolutionär zugleich ist, müssen wir hinnehmen und trotz des Gefühls einer darin liegenden Abschwächung doch schließlich auch gutheißen. Es ist am besten so. Denn das Stück erfüllt durch dieses Doppelgesicht auch eine doppelte Mahnung, eine, die sich nach oben und eine andere, die sich nach unten wendet und beiden Parteien ins Gewissen spricht. In einer gewissen Balancirkunst des 5. Aktes gegen die vier voraufgegangenen, erinnert das Stück an Schillers *Tell*.«

Eine aktuelle Auseinandersetzung mit dem Stück und dem Naturalismus könnte sich neben der Frage, inwiefern es repräsentativ für die literarische Richtung ist, mit dem Problem befassen, warum der Autor das historische Scheitern des Weberaufstands nicht auf die Bühne gebracht habe, sondern den Ausgang offen läßt; und warum gerade Hilse, der Gegner des Aufstands, tödlich getroffen wird. Denn entgegen den historischen Fakten und damit auch entgegen den naturalistischen Prinzipien der Realitätstreue wird am Schluß des Stücks der Anschein erweckt (»se treiben de Soldaten zum Dorfe naus«), als bewege sich der Aufstand zum Erfolg hin. Man kann aufgrund dieses Tatbestands und des Tods des alten Hilse zu der Schlußfolgerung kommen, daß letztlich, trotz Dominanz der Darstellung der miserablen Verhältnisse, eine – wenn auch unverbindliche – positive Perspektive für die Adressaten eröffnet wird. Kritisch wäre dem Stück entgegenzuhalten, daß im Sinne einer einfachen (photographischen) Reproduktion schlechte Verhältnisse geschildert werden, ohne daß irgendwie deutlich würde, worin deren Ursachen begründet sind und wie sie konkret überwunden werden können. Das Verdienst Hauptmanns besteht freilich darin, das Thema überhaupt zum Gegenstand einer literarischen Verarbeitung gemacht zu haben; denn trotz der Begrenztheit der Darstellung (der Aufstand erschöpft sich in der Abrechnung mit dem Fabrikanten und der Zertrümmerung von Maschinen – dem historischen Verlauf getreu) ist der grundlegende Klassenkonflikt

warum offener Schluß der »Weber«?

(mehr als Naturereignis, wie kritisch angemerkt werden muß) anschaulich und nachvollziehbar herausgearbeitet.

Naturalismusdebatte

Es verwundert kaum, daß die Partei der deutschen Arbeiterbewegung sich – wenn auch verspätet – in die Auseinandersetzungen um die naturalistische Bewegung eingeschaltet hat (Naturalismusdebatte). Die dort vorgetragenen Standpunkte sind weder einheitlich, noch unterscheiden sie sich von denen der bürgerlichen Literaturkritik der Zeit mit ihren pro- bzw. antinaturalistischen Positionen. Da ist einmal die Zustimmung Edgar Steigers, des Redakteurs der Zeitschrift *Die Neue Welt*, einer Unterhaltungsbeilage für sozialdemokratische Zeitungen; er sprach angesichts der oft im proletarisch-volkhaften Milieu angesiedelten Stoffe, Themen und Figuren des Naturalismus von der demokratischen, für die Mitglieder vorbildlichen Substanz des Stücks; es ist aber auch eine kleinbürgerlich-bornierte Ablehnung durch viele Funktionäre zu verzeichnen, die dem Naturalismus vorwarfen, er schildere das Elend zu kraß, biete »stinkende Schweinereien« an und halte sich nicht an die Grenzen des Anstands. Immerhin mag festgehalten werden, daß auf dem Parteitag von Gotha 1896 eine anderthalbtägige (!) Literaturdebatte zu diesem Thema geführt wurde und der Naturalismus die einzige literarische Bewegung blieb, über die es in der Partei eine ausführliche Diskussion gab.

Realismus gegen Naturalismus

Den Naturalisten ist später von Franz Mehring wie von Georg Lukács vorgeworfen worden, sie seien als dekadente Spätbürger in ihren eigenen Untergang verliebt und thematisierten die Not der unterdrückten Klasse wegen ihres exotischen Reizes, ohne Perspektiven für eine Änderung eröffnen zu können. Von einer ähnlichen Beurteilung mag Brecht ausgegangen sein, als er die Prinzipien und Mängel der naturalistischen Methode mit einer realistischen konfrontierte; eine Schematisierung, die auch zur Kritik neonaturalistischer Darstellungsweisen in der aktuellen Literatur geeignet ist:

Bertolt Brecht

der unterschied zwischen realismus und naturalismus ist immer noch nicht geklärt

naturalismus	realismus *(neu) Brecht*
die gesellschaft betrachtet als ein stück natur *Certain message*	die gesellschaft geschichtlich betrachtet *more global.*
ausschnitte aus der gesellschaft (familie, schule, militärische einheit usw.) sind kleine welten für sich	die kleinen welten sind frontabschnitte der großen kämpfe
das milieu *Soc. Surroundings*	das system *structuren.*
reaktion der individuen	gesellschaftliche kausalität
atmosphäre	soziale spannungen
mitgefühl	kritik
die vorgänge sollen für sich selbst sprechen	es wird ihnen zu verständlichkeit verholfen
das detail als zug	gesetzt gegen das gesamte
sozialer fortschritt empfohlen	gelehrt
kopien	stilisierungen
der zuschauer als mitmensch	der mitmensch als zuschauer
das publikum als einheit angesprochen	die einheit wird gesprengt

316

phot   *documentary.*

d iskrete

diskretion

in descrete

indiskretion

menschen und welt, vom standpunkt des der vielen
einzelnen

der naturalismus ist ein realismus-ersatz.

(mit »realismus« meint Brecht seine eigene Schreibweise).

Der generelle Vorwurf, den Brecht hier dem Naturalismus gegenüber erhebt, ist der, daß er die schlechten Verhältnisse beschreibt, wie sie sind, aber nicht zeigen kann, warum sie dazu geworden sind (Kausalität), was es an ihnen zu kritisieren gibt und wie sie verändert werden können. Der Naturalismus ist deshalb ein Realismus-Ersatz, weil er sich zwar auf die soziale Wirklichkeit einläßt (weshalb er progressiver ist als literarische Strömungen, die sie ignorieren oder verdrängen), aber es in einer Weise tut, die nichts an ihr ändert. Um das zu leisten, bedarf es einer im Brechtschen Sinne realistischen Schreibweise, die dadurch gekennzeichnet ist, daß sie die naturalistische in sich aufhebt (also auch bestrebt ist, die Verhältnisse zu zeigen, wie sie sind), aber darüber hinaus ihre Kritik, Erklärung und Veränderung anstrebt.

Festschreibung der Misere?

Gab es einen bürgerlichen Freiraum für Kunst und Literatur? *Neu*

Theodor Fontanes Briefe an Georg Friedlaender sind für die Zeit nach 1884 bis zum Tod des Dichters (1898) eine schier unerschöpfliche Fundgrube der Gesellschafts- und Kulturkritik. Sie haben die Legende von des Dichters heiterem »Darüberstehen« gründlich zerstört. In ihnen hat er gefordert, was er in späten Romanen (wie z.B. dem *Stechlin*, 1897) nur erwartet hat: »Fontane setzt ein Menetekel über die Sozialstruktur seiner Gegenwart und weiß, daß eine Umgestaltung erfolgen wird« (K. Schreinert). In einem dieser Briefe aus dem Jahre 1897 vertraut der Dichter dem Freund an: »Preußen – und mittelbar ganz Deutschland – krankt an seinen Ost-Elbiern. Über unseren Adel muß hinweggegangen werden; man kann ihn besuchen wie das Ägyptische Museum [...], aber das Land ihm zuliebe regieren, in dem Wahn: dieser Adel sei das Land, – das ist unser Unglück« (5. 4. 1897). Fontane nannte den Adel, meinte aber das gesamte feudale System, das angepaßten Untertanen die Möglichkeit des wirtschaftlichen Aufstiegs bot, solange sie systemtreu blieben. Diese Unterwerfung wurde personifiziert (»kaisertreu«), als ob es in einer Massengesellschaft noch solche Bindungen geben könnte; entscheidend aber ist, daß diese frühe Form des Massenwahns funktionierte und noch immer von Verwaltung, Polizei und Armee stabilisiert werden konnte. Damit schien die Machtfrage im Staat weitgehend entschieden; denn auch linke Parteien und Gewerkschaften konnten zwischen 1890 und dem Ersten Weltkrieg keine grundsätzliche Veränderung der politischen Lage erzwingen, mochten die Spannungen auch immer wieder das erträgliche Maß überschreiten. In der maßgebenden Gesellschaft bewirkten große Skandale wie die *Daily-Telegraph*-Affäre nichts (außer dem Austausch eines Reichskanzlers), wie Helene von Nostitz bei einem Berlin-Besuch im November 1908 verwundert feststellte: »Politisch war alles wohl erregt, aber auf eine so laue

Fontanes Antifeudalismus

höfliche Weise und das Ganze ist so kläglich uninteressant in seiner Ursache. Comme des petits écoliers qui ont fait une faute d'orthographe« (an Hugo von Hofmannsthal, 6. 11. 1908).

selbstverständliche Gewalt?

Die unsäglich triste Selbstverständlichkeit der Gewalt, die hier stark vereinfacht dargestellt ist, hatte weitreichende Folgen für das kulturelle Leben. Es konnte sich nur unter »Allerhöchster Zustimmung« oder wenigstens Duldung ereignen – oder es wurde als gegen die Ehre des Vaterlands gerichtet bewertet: In einem machtbewußten Staat sollte Kunst rühmen, aufbauen, erheitern – kurz: von tatsächlichen Spannungen ablenken und die Ideologie der deutschen Stärke verbreiten. Die reaktionären Ideologen Nietzsche (*Unzeitgemäße Betrachtungen*; 1873–1876) und Langbehn (*Rembrandt als Erzieher*; 1890, der »Verkörperung eines alten, idealen Zustands eines Lebens in der Ganzheit [...]: ein antimodernes Leitbild« – U. Ketelsen); die Schriften von Adolf Bartels (der als antisemitischer Literaturwissenschaftler zu dubioser Berühmtheit gekommen war) und Friedrich Lienhard (*Wege nach Weimar*; 1905–1908) haben das deutsche Bürgertum nachhaltig beeinflußt und den schon vorhandenen politischen Einfluß des »Flottenvereins« und des »Alldeutschen Verbandes« kulturell wirksam ergänzt.

ästhetische Opposition

Daß viele Künstler aller Bereiche mit dieser Bevormundung nicht einverstanden waren, ist selbstverständlich, die Art ihrer Reaktion aber sehr verschieden. Wollte man nicht in das »national«, machtbewußt und auf Durchsetzung hin argumentierende Herrschaftslager geraten, blieb nur Verweigerung als Ausweg. Diese Verweigerung konnte sich als unpolitisches Ästhetentum traditioneller Prägung zeigen – in diesem Fall hielt man das Herrschaftssystem für zu wenig liberal, zu wenig kulturbewußt, zu wenig human und zog sich selbst in durchaus verbliebene Nischen zurück, die eine auch damals schon gegebene »moderne Unübersichtlichkeit« den Künstlern aller Art zahlreich ließ, wodurch dem flüchtigen Betrachter der Eindruck der Vielfalt vermittelt werden konnte; oder man trieb ganz bewußt eine ästhetische Opposition voran, setzte sich unbekümmert über die gesellschaftlichen Leitbilder hinweg und setzte ihnen den freien Künstler als utopischen Anspruch auf den freien Menschen entgegen – die zahlreichen Sezessionen von Malern (»Die Brücke«, 1905) und Literaten (Berlin und München), die Gründungen von Zeitschriften (*Freie Bühne/Die neue Rundschau*, 1890; *Blätter für die Kunst*, 1892; *Pan*, 1895; *Simplizissimus*, 1896; *Jugend*, 1896; *Die Fackel*, 1899; *Die Insel*, 1899) und Verlagen (S. Fischer, 1886; Insel-Verlag, 1902), die internationalen Begegnungen und Ausstellungen ohne Hilfe und Zustimmung, ja oft ohne Kenntnis des Staates sind noch heute unvergessene Beispiele dieser Aktivitäten. Man darf aber nicht übersehen, daß sie damals weitgehend unbeachtet neben der Gesellschaft einherliefen und allenfalls als zusätzliche Glanzlichter empfunden wurden, selbst wenn wir sie heute als wegweisende Sterne interpretieren.

Aufsässigkeit, Ironie als Protesthaltungen

Zunächst vollzog sich fast alle literarische Opposition im Innern der Autoren selbst. Mit einer gewissen Arroganz standen die zumeist noch jungen Literaten in einem kritischen Gegensatz zur Welt, zum »Lebensdurchschnitt«, wie sie sich ausdrückten, aufsässig und ironisch gegen die bürgerliche Ordnung, »das unbeschränkte Reich der Möglichkeiten« (H. Wysling) vor sich. Sie empfanden das Auseinanderklaffen zwischen geistig-seelischer Verfeinerung, die ihnen besonders durch Philosophie und die neu aufkommende Psychologie vermittelt wurden, und der politisch-sozialen Realität (von der sie weitgehend ausgeschlossen blieben) als »schizoide Katastrophe des Bewußtseins«. Die Rezeption der Schriften Nietzsches dienten der jungen Generation der 90er Jahre zur Entwicklung einer Haltung der persönlichen

Unabhängigkeit: »Wir vertrauten mit Freude dem Individualisten, der es bis auf das Äußerste war, dem Gegner des Staates [...]. Derart bereitete man sich auf die eigenen Leistungen vor, und höchst willkommen war uns dieser Philosoph. Er stellte an die Spitze seiner geforderten Gesellschaft den stolzen Geist, – warum nicht uns selbst?« (H. Mann). Zur »Mode- und Massenwirkung« von Nietzsches Philosophie zählte Thomas Mann ironisierend: »Renaissancismus«, Übermenschenkult, Cesare Borgia-Ästhetizismus sowie die »Blut- und Schönheitsgroßmäuligkeit, wie sie damals bei groß und klein im Schwange war«. Er nannte diese Erscheinungsformen »Blasebalg-Poesie«. Das Verfahren, Ideen, Stoffe und schon literarisch geformte Texte zu einem neuen Ganzen zu verschmelzen, das bei Hofmannsthal (*Das Erlebnis des Marschalls von Bassompierre*, 1900), Thomas Mann (*Tristan*, als Buch 1903) und Heinrich Mann (im gesamten Frühwerk 1898–1914) zu eindrucksvollen Texten führte, ist sicherlich auch als Versuch zu begreifen, einen konstruktiven Ausweg aus der literarischen Opposition zu finden. Diese ersten Vorformen der Montage-Technik zeigen auch, daß man experimentierfreudig war und einen bewußt subjektiven Weg suchte, indem die reizempfindliche Intellektualität und die permanente Reflexion (z.B. Tonio Kröger im Gespräch mit Lisaweta Iwanowna) in eine Gefühlsbewegung mündete (z.B. im *Tristan*, als Gabriele Klöterjahn und Detlev Spinell die Tristan-Partitur spielen), die die Literatur zu einem rauschhaften Erlebnis machte. Aber was war eine solche Literatur: Abweichung? Modifikation? Positive Aneignung? Parodie? Kontrafaktur der Realität? Konnte die hohe Sensibilisierung dieser Künstler überhaupt noch in eine Sprache gezwungen werden, die auch einem größeren Publikum begreifbar blieb? Zeigten nicht die Äußerungen des Befremdens, der Distanz, der Empörung bei der Kritik die Unüberbrückbarkeit zwischen Kunst und Leben? Welche Wege konnten auch weiterhin begangen werden, wenn Literatur wirksam sein wollte?

Heinrich und Thomas Mann (um 1899)

Urteile wie: kalt, seelenlos, ruchloser Ästhetizismus, ästhetischer Nihilismus, gelogene Gefühle, Phantast der Impotenz über Heinrich Mann und sein Werk vor 1914 zeigen deutlich, wie wenig der etablierte Literaturbetrieb bereit war, die Radikalität der Darstellung in seinen Romanen der Dekadenz (*Im Schlaraffenland*, 1900; *Die Göttinnen*, 1902; *Die Jagd nach Liebe*, 1903) hinzunehmen, und die schon am Anfang des Jahrhunderts aufkommende große Spannung zwischen den Brüdern Heinrich und Thomas hatte zumindest auch mit den neuen Stoffen und Darstellungsformen der Literatur zu tun; das Problem war damals, vereinfacht und zugespitzt, »der Konflikt zwischen dem artistischen Künstler und dem moralischen Literaten« (H. Wysling), nur hatten beide Brüder auch beide Positionen zumindest der Tendenz nach in sich; Thomas versuchte sich besonders als junger Mann gegen solche Unterstellungen zu verwahren: Er sah im Künstler gern den Schauspieler und Scharlatan, »die morbide ›Zwischen-Spezies‹ des Artisten.« Thomas Mann geht im *Tonio Kröger* näher auf diese »Zwischen-Spezies« ein, und unverkennbar beschreibt er den Bruder Heinrich ebenso wie sich selbst während der frühen Münchener Zeit (1894–1896) und des Aufenthaltes in Italien (1896–1898): »Ein Ekel und Haß gegen die Sinne erfaßte ihn und ein Lechzen nach Reinheit und wohlanständigem Frieden, während er doch die Luft der Kunst atmete, die laue und süße, duftgeschwängerte Luft eines beständigen Frühlings, in der es treibt und braut und keimt in heimlicher Zeugungswonne. So kam es nur dahin, daß er, haltlos zwischen krassen Extremen, zwischen eisiger Geistigkeit und verzehrender Sinnenglut hin und her geworfen, unter Gewissensnöten ein erschöpfendes Leben führte, ein ausbündiges, ausschweifendes und außerordentliches Leben, das er, Tonio

Ästhetizismus, Nihilismus

Kröger, im Grunde verabscheute. Welch Irrgang! dachte er zuweilen. Wie war es nur möglich, daß ich in alle diese exzentrischen Abenteuer geriet? Ich bin doch kein Zigeuner im grünen Wagen, von Hause aus ... Aber in dem Maße, wie seine Gesundheit geschwächt ward, verschärfte sich seine Künstlerschaft, ward wählerisch, erlesen, kostbar, fein, reizbar gegen das Banale und aufs höchste empfindlich in Fragen des Taktes und Geschmacks. Als er zum ersten Mal hervortrat, wurde unter denen, die es anging, viel Freude und Beifall laut, denn es war ein wertvoll gearbeitetes Ding, was er geliefert hatte, voll Humor und Kenntnis des Leidens.«

»Verrat am Geist« –
Sozialkritik

Während der Autor des Textes sich aber weiterhin kaum für Politik interessierte, sie für »Verrat am Geist« hielt und mit Verachtung auf alle bürgerlichen Macht- und Interessenkämpfe herabsah, widmete sich sein Bruder Heinrich Mann früh der Sozialkritik, wandte sich immer entschiedener von seinem früheren Ideal, dem Flaubertschen Ästhetizismus ab und, wie seine Essays ab etwa 1910 zeigen, einer neuen kulturpolitischen Verantwortung zu, trat mit Nachdruck auch in Deutschland für eine Republik ein und betonte freiheitliche Traditionen gegen den Mißbrauch der Macht. Heinrich Mann wurde also zu einem vehementen Verfechter des Fortschritts, brachte den politischen Essay wieder zu voller Blüte und begann sich für die Idee des Friedens in Europa einzusetzen; Thomas Mann dagegen war – gestärkt durch den Erfolg der *Buddenbrooks* und seine Einheirat in das Münchener Großbürgertum – schon aus Rücksicht auf familiäre Bindungen, wie er immer wieder betonte, zu einem erfolgreichen Bürger geworden, der diesen Erfolg auch moralisch zu rechtfertigen begann. Damit spitzte sich die brüderliche Auseinandersetzung unversehens zu einem deutschen Schicksal zu: Während Thomas meinte, das Literatendasein könne »bei politischer Teilnahme zu einem fast trivialen, fast kindlichen Radicalismus führen« (1909) veröffentlichte Heinrich seinen berühmten Essay *Geist und Tat* (1910): »Niemand hat gesehen, daß hier, wo so viel gedacht wird, die Kraft der Nation je gesammelt worden wäre, um Erkenntnisse zur Tat zu machen. Die Abschaffung ungerechter Gewalt hat keine Hand bewegt. Man denkt weiter als irgendwer, man denkt bis ans Ende der reinen Vernunft, man denkt bis zum Nichts: und im Lande herrscht Gottes Gnade und die Faust. Wozu etwas ändern. Was anderswo geschaffen, hat man in Theorien schon überholt. Man lebt langsam und schwer, man ist nicht bildnerisch genug begabt, um durchaus das Leben formen zu müssen nach dem Geist. Mögen neben und über den Dingen die Ideen ihre Spiele aufführen. Wenn sie hinuntergelangten und eingriffen, sie würden Unordnung und etwas nicht Absehbares stiften. Man klammert sich an Lügen und Ungerechtigkeit, als ahnte man hinter der Wahrheit einen Abgrund. Das Mißtrauen gegen den Geist ist Mißtrauen gegen den Menschen selbst, ist Mangel an Selbstvertrauen. Da jeder einzelne sich lieber beschirmt und dienend sieht, wie sollte er an die Demokratie glauben, an ein Volk von Herren. Die angestammten und bewährten Herren mögen manchmal, unbeleckt wie sie sind, der hochgebildeten Nation auf die Nerven fallen: mit ihnen aber ist sie gewiß, zu leben, sicherer zu leben als die,

Monarchie:
Herrenstaat

die nur der Geist führt. [...] Die Monarchie, der Herrenstaat ist eine Organisation der Menschenfeindschaft und ihre Schule. Die Masse der Kleinen, die hier wie überall die größere Wärme des Geschlechts enthält, wird zu entlegenen Hoffnungen verdammt und verdorben für die tätige Verbrüderung, die ein Volk groß macht. Kein großes Volk: nur große Männer.«
Für ihn waren damit klare Fronten gezogen, für Thomas noch immer nicht: Noch 1913 bekannte er dem Bruder seine Unfähigkeit, sich »geistig und politisch eigentlich zu orientieren, wie Du es gekonnt hast« (Brief vom

8. 11.). Thomas Mann und mit ihm Dehmel, Hesse, Kerr, Rilke, Schaukal, R.A. Schröder, Werfel haben ihre Dichtung 1914 bei Ausbruch des Ersten Weltkriegs als Opfer an das eigene Volk verstanden und »vaterländische« Essays und Verse geschrieben. So kam es bei Thomas schließlich zu jener dubiosen Haltung aus falsch verstandener Pflicht: zur Verteidigung des »protestantisch-romantischen, un- und antipolitischen Deutschtums, das ich als meine Lebensgrundlage empfand.« Diese Selbsttäuschung vieler an sich weltoffener Dichter kann man als zweite, sublime Phase des deutschen Imperialismus beschreiben.

Gab es eine »literarische Revolte«?

Die »literarische Revolte« hat sich nicht als plötzliche Eingebung einiger wilder junger Leute ergeben, sondern sie ist nur der formal radikalste Schritt einer sich lange abzeichnenden Tendenz. Diese »Revolution« vollzog sich aber nur an der Oberfläche, nämlich in der Form, nicht so sehr in Inhalten: sie war »ohne wesentliche Basis« und zeigt oft mehr Momente der Resignation und des Trotzes als positive Ansätze. Bismarcks Wort von der ökonomischen Unproduktivität der Literaten traf trotz Fontanes brillanter Replik (1891) den Kern: die Frage nach dem »gesellschaftlichen Nutzen«; so deutlich war sie der Literatur bisher nicht gestellt worden. Es gab aber Anlaß zu dieser Frage; denn um 1890 schon wurde offenkundig, daß auch die meisten Naturalisten auf dem Weg waren, den gesellschaftlichen Bezug zu verpassen. Nach kurzer Zeit der Sympathie hatten sie sich nicht der »Basis«, dem Volke, oder der Arbeiterliteratur angeschlossen, sondern suchten individuelle Wege, weil sie weiterhin an eine schöpferische Funktion des Dichters in der Gesellschaft glaubten und folglich nicht – wie es die naturalistische These noch gefordert hatte – »den Künstler im Kunstwerk aufgehen lassen« wollten oder konnten. Auch weiterhin sollte der Dichter als Individuum Kunst und Leben miteinander verbinden. In diesem Ziel waren sich die Redaktion der *Freien Bühne für modernes Leben* einig mit den Idealvorstellungen von kulturbewußten Sozialdemokraten, die bei der Gründung ihrer Zeitschrift *Die Neue Zeit* (1883) auch davon ausgegangen waren, daß »durch ihre Vermählung mit dem praktischen Leben Kunst und Wissenschaft erst zu den menschheitserlösenden Kulturträgern« werden.

Bismarck als Kritiker

Der rasche Zusammenbruch des Naturalismus in Theorie und Praxis schon in den frühen 90er Jahren und die aufkommende Gegenbewegung werden allgemein als Wende zur »modernen Literatur« (H. Kaufmann) verstanden. Diese Wende ist gekennzeichnet durch die »unüberbrückbar gewordene Kluft zwischen Kunst und bestehender Gesellschaft« – also das genaue Gegenteil des naturalistischen Ziels: Die Kunst muß jetzt erneut um einen legitimen Platz und eine humane Funktion in der Gesellschaft kämpfen (H. Kaufmann). In diesem Kampf werden Einsamkeit und Distanz, Fremdheit und Isolierung, verworrene Suche nach Sinn und Zusammenhang zu bestimmenden Themen der Literatur. Eine von starken Emotionen, Widersprüchen und Polemik durchsetzte Sprache bannte, ohne Genauigkeit anzustreben, die Leser, deren »dunkles Ahnen« bestätigt wurde: Die Krisenliteratur stieß auf ein breites Publikum, die Manieriertheit vieler Autoren aber auch auf herbe Kritik. Das »antizipierende Feingefühl« der Dekadenz;

Weg in die Moderne

[themen der autoren]

*Der »Phantasus« von
Arno Holz*

Phantasus
Von Arno Holz

1.

Ich bin der reichste Mann der Welt.

Meine silbernen Yachten
schwimmen auf allen Meeren.

Goldne Villen glitzern durch meine Wälder in Japan,
in himmelhohen Alpenseeen spiegeln sich meine Schlösser,
auf tausend Inseln hängen meine purpurnen Gärten.

Ich achte sie kaum.

An ihren aus Schlangen gewundenen Bronzegittern
geh ich vorbei,
über meine Diamantgruben
lass ich die Lämmer grasen.

Die Sonne scheint,
ein Vogel singt,
ich bücke mich
und pflücke eine kleine Wiesenblume.

Und plötzlich weiss ich:
ich bin der ärmste Bettler.

Ein Nichts ist meine ganze Herrlichkeit
vor diesem Thautropfen,
der in der Sonne funkelt.

2.

In meinem schwarzen Taxuswald
singt ein Märchenvogel —
die ganze Nacht.

Blumen blinken.

Unter Sternen, die sich spiegeln,
treibt mein Boot.

Meine träumenden Hände
tauchen in schwimmende Wasserrosen.

Unten, lautlos, die Tiefe.

Fern die Ufer! Fern das Lied!

3.

Im Thiergarten, auf einer Bank, sitz ich und rauche;
und freue mich über die schöne Vormittagssonne.

Vor mir, glitzernd, der Kanal:
den Himmel spiegelnd, beide Ufer leise schaukelnd.

Über die Brücke, langsam Schritt, reitet ein Leutnant.

Unter ihm,
zwischen den dunklen, schwimmenden Kastanienkronen,
propfenzieherartig ins Wasser gedreht,
— den Kragen siegellackroth —
sein Spiegelbild.

Ein Kukuk
ruft.

4.

Auf einem vergoldeten Blumenschiff
mit Ebenholzmasten und Purpursegeln
schwimmen wir ins offne Meer.

Hinter uns,
zwischen Wasserrosen,
schaukelt der Mond.

Tausend bunte Papierlaternen schillern an seidnen Fäden.

In runden Schalen kreist der Wein.

Die Lauten klingen.

Aus unsern Herzen
jauchzt ein unsterbliches Lied
von Li-Tai-Pe!

5.

Ein kleines Haus mit grüner Thür
und Herzen in den Fensterläden

Abends.
unter den Silberpappeln,
sitzen wir mit unsern Jungens.

»Mutter, Mutter, der Mond is kaput!«

Der Kleinste kuckt auch.

»Biela!
Bist du ein Maikäfer?«

»Sa.«

»fin de siècle«

»geistvolle Aphorismen, ohne System verstreut«; »faszinierend hyperrevolutionär erscheinende Gesten«; »tiefe Unzufriedenheit mit der Kultur der Gegenwart« (G. Lukács) bei gleichzeitigem teurem Genuß dieser Kultur zeichnete die Fin-de-siècle-Stimmung aus. Über deren unproduktives Gehabe spottete Arno Holz 1898 in einer Selbstanzeige des *Phantasus*: »Nur wenig Getreue, die ein vorsorgliches Geschick mit begüterten Vätern gesegnet, folgten ihr in die Einöde, wo der Mond sich in ihren Brillantringen spiegelte; und unter seltsamen Pappeln, die unter seltsamen Himmeln ein seltsames Rauschen vollführen, trieb nun ein seltsamer Kult ein seltsames Wesen. Ich kondensiere nur, ich übertreibe nicht. Das Kleid dieser wohlhabenden Jünglinge war schwarz vom schweren Violett der Trauer, sehnend grün schillerten ihre Hände, und ihre Zeilen – Explosionen sublimer Kämpfe – waren Schlangen, die sich wie Orchideen wanden [...] Noch nie waren so abenteuerlich gestopfte Wortwürste in so kunstvolle Ornamentik gebunden. Half nichts. Ihr Dasein blieb ein submarines, und das deutsche Volk interessierte sich für Lyrik nur noch, insofern sie aus den Damen Friederike Kempner und Johanna Ambrosius träufelte.«

Zweifellos sollte die Stilisierung aller Lebensräume, wie sie die Kunst um 1900 anstrebte, auch eine tiefe Betroffenheit und Unsicherheit verdecken, deren Perspektivlosigkeit auch durch mutige Bekenntnisse sich nicht aufheben ließ. Gerade solche Dokumente gesellschaftlichen Unverhaltens beeindruckten aber offenbar tief. Rilkes *Briefe an einen jungen Dichter* (zwischen 1902 und 1908 geschrieben) waren ein beliebter Geschenkband aus der berühmten *Inselbücherei*, die 1912 mit Rilkes *Weise von Liebe und Tod des Cornets Christoph Rilke* (1899) eröffnet wurde. Über die Situation des Dichters schreibt Rilke an Franz Xaver Kappus: »Das ist kein Grund zu Angst oder Traurigkeit [Außenseiter der Gesellschaft zu sein]: wenn keine Gemeinsamkeit ist zwischen den Menschen und Ihnen, versuchen Sie es, den Dingen nahe zu sein, die Sie nicht verlassen werden: noch sind die Nächte da und die Winde, die durch die Bäume gehen und über viele Länder: noch ist unter den Dingen und bei den Tieren alles voll Geschehen, daran Sie teilnehmen dürfen; und die Kinder sind noch so wie Sie gewesen sind als Kind, so traurig und so glücklich« (23. 12. 1903).

Rainer Maria Rilke

Ohne Zweifel ist hier der Ansatz zu vielen seiner sogenannten Dinggedichte zu finden, die also als eine Abwendung von der als nicht mehr intakt empfundenen menschlichen Gesellschaft zu begreifen sind; dabei soll das menschliche Verstehen, das Nachempfinden, das der Dichter gegenüber dem Ding oder Tier gestaltet, eine emotionale Brücke bilden, auf der die Mitmenschen aus ihrer Alltagssituation herauskommen. So wird verständlich, daß Generationen von Bürgern sich in der Kunst des Nachempfindens übten. Dabei veredelten sie ihr Gefühl gesellschaftlicher Isolierung zu einem Kult der Einsamkeit, der auch schon von Rilke vorgezeichnet war: »Wie sollten wir es nicht schwer haben? Und wenn wir wieder von der Einsamkeit reden, so wird immer klarer, daß das im Grunde nichts ist, was man wählen oder lassen kann. Wir sind einsam. Man kann sich darüber täuschen und tun, als wäre es nicht so. Das ist alles. Wieviel besser ist es aber, einzusehen, daß wir es sind, ja geradezu, davon auszugehen. Da wird es freilich geschehen, daß wir schwindeln; denn alle Punkte, worauf unser Auge zu ruhen pflegte, werden uns fortgenommen, es gibt nichts Neues mehr, und alles Ferne ist unendlich fern [...] So verändern sich für den, der einsam wird, alle Entfernungen, alle Maße; von diesen Veränderungen gehen viele plötzlich vor sich, und wie bei jenem Mann auf dem Berggipfel entstehen dann ungewöhnliche Einbildungen und seltsame Empfindungen« (12. 8. 1904). Die hier geschilderte »Entfremdung des Menschen vom Mitmenschen« ist die Kehrseite einer durch die Entfaltung des Kapitalismus bedrohten Gesellschaft. Auf diese Krise suchte die Literatur auf verschiedene Weisen zu antworten.

» Wir sind einsam«

Thomas Mann hat in der autobiographischen Skizze *Im Spiegel* (1907) die erste Antwort gegeben; der Schriftsteller als Narr der Gesellschaft: »Diejenigen, die meine Schriften durchblättert haben, werden sich erinnern, daß ich der Lebensform des Künstlers, des Dichters stets mit dem äußersten Mißtrauen gegenüberstand. In der Tat wird mein Erstaunen über die Ehren, welche die Gesellschaft dieser Spezies erweist, niemals enden. Ich weiß, was ein Dichter ist, denn bestätigtermaßen bin ich selber einer. Ein Dichter ist, kurz gesagt, ein auf allen Gebieten ernsthafter Tätigkeit unbedingt unbrauchbarer, einzig auf Allotria bedachter, dem Staate nicht nur nicht nützlicher, sondern sogar aufsässig gesinnter Kumpan, der nicht einmal besondere Verstandesgaben zu besitzen braucht, sondern so langsamen und unscharfen Geistes sein mag, wie ich es immer gewesen bin, – übrigens ein innerlich

Schriftsteller: Narr der Gesellschaft

kindischer, zur Ausschweifung geneigter und in jedem Betrachter anrüchiger Scharlatan, der von der Gesellschaft nichts anderes sollte zu gewärtigen haben – und im Grunde auch nichts anderes gewärtigt – als stille Verachtung.« Thomas Mann zog aber aus seinen Bemerkungen selbst die Folgerung: »Tatsache ist aber, daß die Gesellschaft diesem Menschenschlage die Möglichkeit gewährt, es in ihrer Mitte zu höchstem Ansehen und Wohlleben zu bringen« – weil die Gesellschaft die Schriftsteller als Retter ihrer Harmonien dankbar mißverstand – und auszeichnete. Die Figur des Hochstaplers Felix Krull zeichnet sich schon ab.

Geistesaristokratie

Die zweite »Antwort« wird in Gestalt des literarischen Esoterikers gegeben, der die Gesellschaft verachtet – wie Stefan George –, ihr fernsteht, wie Hofmannsthal, als er sich mit Borchardt, Schröder und anderen zu einem »Kreise« zusammenschloß, mochte er auch noch so gegensätzlich und locker gefügt sein. Eine grundsätzlich künstliche, zur Esoterik neigende Abwehrhaltung gegenüber dem »Leben« finden wir aber auch in literarischen Figuren Thomas Manns, wie zum Beispiel bei seinem Gustav von Aschenbach in der Novelle *Der Tod in Venedig* (1911). Er ist der Realität ausgeliefert, als er eine Reise nach Venedig antritt, er kann ihr nicht standhalten, weil sie ihn aus seiner gewohnten künstlichen Welt herausgelockt hat: die Berührung mit der Realität ist subjektiv höchstes Gefühl – objektiv ist sie tödlich.

Die dritte Antwort schließlich stellen die expressionistischen Versuche einer radikalen Humanität – außerhalb der Gesellschaft – dar, wie sie exemplarisch in Wolfensteins Gedicht *Städter* dargestellt wird; Humanität ist hier aber auf Beobachtung und Gefühl reduziert:

»Städter«

Nah wie die Löcher eines Siebes stehn
Fenster beieinander, drängend fassen
Häuser sich so dicht an, daß die Straßen
Grau geschwollen wie Gewürgte sehn.

Ineinander dicht hineingehakt
Sitzen in den Trams die zwei Fassaden
Leute, wo die Blicke eng ausladen
Und Begierde ineinander ragt.

Unsre Wände sind so dünn wie Haut,
daß ein jeder teilnimmt, wenn ich weine,
Flüstern dringt hinüber wie Gegröhle:

Und wie stumm in abgeschloßner Höhle
Unberührt und ungeschaut
Steht doch jeder fern und fühlt: alleine.

nochmals Fontane

Die Einstellung der begüterten Jugend zur Kultur hat Kritik von allen Seiten provoziert. Der alte Fontane z.B. war zufrieden, nicht vom Besitz geblendet zu sein: »Die Dinge beobachten gilt mir beinah mehr als sie besitzen [...] Immer bloß Zaungast.« Dieses abwartende Beobachten hat sich auch seinen Figuren mitgeteilt: Fontane wollte und konnte keine »großen Helden« darstellen. Mit seinen Figuren der liebenswürdigen Zweifler, der skeptischen Betrachter, der unentschiedenen Humanisten stellte er sich wohl auch bewußt außerhalb und machte den Kontrast zu den lauten Deklamatoren der »neuen Zeit« – mochten sie nun gründerzeitliche Machtmenschen oder geldgierige Kaufleute sein – besonders deutlich: der »Konflikt von verbalem Anspruch und realem Sein« (Ch. Jolles) geht durch alle Romane der Spätzeit Fontanes von *Frau Jenny Treibel* (1892) über *Effi Briest* (1895) und *Der*

Stechlin (1898) bis zu der unvollendeten *Mathilde Möhring* (1906). Auf diese Weise wurde Fontane schon zu Lebzeiten bei aufmerkamen Zeitgenossen als der Dichter des »Augenmaßes« beliebt, das ihn befähige, die differenziertesten Charaktere gerade in der Auseinandersetzung mit der Gesellschaft seiner Zeit zu zeichnen. Fontanes Meisterschaft hat Thomas Mann, wie er selbst versichert hat, intensiv beeinflußt.

Volkhaft-Monumentales und Ästhetisch-Dekoratives

Ebenso sicher wie in der bildenden Kunst der Zeit kann man in der Literatur eine »volkhaft-monumentale« und eine »ästhetisch-dekorative« Richtung unterscheiden (Hamann/Hermand). Die volkhaft-monumentale Richtung ist durch eine vehement zunehmende Bauernliteratur gekennzeichnet, in der das Lob der Scholle gesungen und Volkskunst, heimatliche Sitten und Gebräuche und der unverdorbene Mensch verherrlicht werden. Carl Carlssons berühmtes Bilderbuch *Das Haus in der Sonne* (1899) sei exemplarisch genannt. Zeitschriften wie *Die Rheinlande* (herausgegeben von W. Schäfer, ab 1900), *Heimat* (herausgegeben von Meyer, Bartels und Lienhard), *Eckart* (ab 1906) und *Blätter für deutsche Art und Kunst* (herausgegeben von R. Benz, ab 1915) bestimmten neben zahlreichen, konfessionell ausgerichteten Blättern die »Theorie«. »Praktisch« im Sinne dieser Vorstellungen arbeiteten Michael Georg Conrad, der anfangs von Zola beeinflußt war, dann aber (1902) das Geheimnis der Kunst auf »Blut und Boden« zurückführte; Adolf Bartels, dessen Roman *Die Dithmarscher* (1898) richtunggebend für diese literarische Entwicklung wurde, während der Dichter persönlich wie gedanklich die Verbindung zum Faschismus vollzog; Lulu von Strauß und Torney, Helene Voigt-Diederichs, Timm Kröger, Gorch Fock und Hermann Löns haben z. T. nachhaltige Wirkung als Schriftsteller gehabt, Gorch Fock durch den im Sinne der kaiserlichen Politik propagandistischen Titel seines Buches *Seefahrt ist not!* (1913) und seinen frühen Tod im Skagerrak (1916), Hermann Löns durch seine Tiergeschichten (*Mümmelmann*, 1909) und Lieder (*Der kleine Rosengarten*, 1911). Diese Texte wurden Massenliteratur der feineren Leute, des aufstrebenden Bürgertums, der Stadtjugend: Man träumte vom Lande, man zog sonntags »im Frühtau zu Berge«, wie es die Jugendbewegung des Wandervogel empfahl. Die dieser Bewegung verbundenen Schriftsteller wie Hermann Löns lieferten kompensatorische Texte: in der Vorstellung der Leser eröffneten sich Welten, die ihnen in der Realität zeitlebens verschlossen bleiben mußten.

    Ähnlich kompensatorisch ist die Wiederbelebung der Balladenform durch »Heimatdichter« wie Börries von Münchhausen und Agnes Miegel zu verstehen. Schon 1916 urteilte Soergel über Münchhausen: Sein »Herrenstolz sieht nur seine Standesgenossen, er ist ganz unsozial«, und mit Fontane faßte er zusammen: »All dat Tüg ist to spektakolös [...] Dat allens bummst und klappert to veel«. Jedenfalls reagierten Münchhausen und seine Freunde auf die Probleme ihrer Gesellschaft, indem sie sie nicht zum Gegenstand ihrer Texte nahmen (Kaufmann). Längst vergangene Zeiten, Sage, Mythologie und Aberglaube sind die Themen. Die eigentlichen Gestaltungsmöglichkeiten der Ballade: Individuum und gesellschaftliche Umwelt (Fontane), Dra-

»im Frühtau zu Berge«

Renaissance der Ballade

matisierung einer Idee und menschlicher Handlungsmöglichkeiten (Schiller), soziale Spannungen im konkreten Fall (Brecht) werden kaum berührt.

Stilistisch und inhaltlich deutlich abgesetzt von dieser »Volksdichtung« ist die ästhetisch-dekorative, die auch oft unter dem aus der bildenden Kunst übernommenen Begriff »Jugendstil« zusammengefaßt wird. Sie schwärmt für die Nachtseite der Natur, für zauberhaft Unwirkliches (Einhorn, Nymphen, Najaden); sie verbindet ekstatische Religiosität mit erotischer Hysterie – berühmt wurde die *Salome* des Engländers Oscar Wilde (1893) –, sie übertreibt oft die Oberflächenwirkung, etwa, indem sie Sinnenreize zur »Gebärde« stilisiert und verstärkt diese Wirkung noch durch einen ausgesprochenen Schönheitskult, der besonders in der Lyrik beobachtet werden kann. Durch bewußte Ungenauigkeit in der Einzelheit, die gepaart ist mit einer beschwörenden Sprache, entwickelt die Lyrik eine »Anschaulichkeit«, die nicht mehr alltäglich nachvollzogen werden kann, sondern einer pseudosakralen Stimmungslage des »Nachempfindens« bedarf:

> Ich lebe mein Leben in wachsenden Ringen
> die sich über die Dinge ziehn . . .
> (Rilke, 1899)

Die Assoziationstechnik kann zu so freien Verbindungen mit dem Gegenstand des Textes führen, daß schließlich die Worte nur noch »Ornament«, sind, Rankenwerk, das das Eigentliche, Wesentliche, ausspart: Es wird »eingekreist«, wie z.B. in Rilkes Gedicht *Die Gazelle* (1907). Hier ist die Impression so gefaßt, daß sie ohne assoziatives Zutun des Lesers kein Ganzes ergeben kann. Rilke – wie viele andere Schriftsteller dieser Zeit auch – setzt also die Kenntnis und die Beherrschung einer hochentwickelten literarischen Sensibilität voraus, die den Kreis seiner Leser zwangsläufig einschränkt und einer »Gemeindebildung« Vorschub leistet.

Verbindet man Inhalte und Formen der Literatur um die Jahrhundertwende mit ihrem historischen Umfeld, so zeigt sich eine klare Distanz von jeder Realität des Alltags. Die antinaturalistische Tendenz wird in Oscar Bies *Ästhetik der Lüge* (1903) zum Programm erhoben: »Die Wahrheit der Natur muß untergehen, damit die Lüge der Kunst strahlen kann. Nachahmende Kunst, Armeleutekunst, Wirklichkeitskunst ist niedrig, sie bewundert viel zu sehr die Natur.« Der Dichter wird nun – wieder einmal! – zum Mittler, Priester, Führer. Im Kreis um Stefan George wird aus dieser Einschätzung des Dichterberufs ein Kult, aber auch Hoffmansthal und Rilke behaupten oft und gern die besondere Führungs- oder Mittlerrolle des Dichters. Beispiele für diese Haltung sind Rilkes Gedichte *Gesang der Frauen an den Dichter* (1907) und *Der Tod des Dichters* (1906); bei George finden sich viele Texte, die diese Haltung belegen; berühmt geworden ist *Des sehers wort ist wenigen gemeinsam* (aus: *Das Jahr der Seele*, 1897).

Charakteristisch für die antinaturalistische Tendenz in Stil und Haltung, in Perspektive und Aufbau der Figuren sind das Spielerische und das Spiel. Da es feste Rollen verteilt, gibt es Sicherheit; seine Regeln prägen den Stoff vor, heben ihn ab vom Alltag und verhindern so das »Hereinbrechen« der Natur, des Lebens in den Bereich der Kunst: Die Kunst des Spiels bedeutet also bewußte Aussperrung der Realität bei gleichzeitiger Intensivierung des Erlebens. Diese esoterische Tendenz ist häufig in der Lyrik zu beobachten, etwa bei Georges Gedichten *Wir schreiten auf und ab im reichen flitter* und *Komm in den totgesagten park und schau*, beide aus der Sammlung *Das Jahr der Seele*. Die Suggestion, die von der Magie der Worte ausging, mochte den Rezipienten eine heilere Welt vortäuschen, als vielen Autoren lieb war. Den

» Jugendstil «

» Ästhetik der Lüge «

ästhetisches Spiel

beiden Österreichern Hugo von Hofmannsthal und Arthur Schnitzler, die die Thematik des Spiels in fast allen denkbaren Varianten erprobt hatten und sich auch in der Theorie mit ihm beschäftigten, haben seine Grenzen schließlich so weit verschoben, daß das Spiel in die Realität der Köpfe vordrang, den Rezipienten Perspektiven eröffnete, die ihnen im Alltag zumeist verschlossen blieben.

Bei Hofmannsthal spannt sich der Bogen der Erprobungen vom *Prolog zu dem Buch ›Anatol‹* (seines Freundes Schnitzler, 1892) bis zum Spiel vom *Sterben des reichen Mannes*, dem *Jedermann* (1911), ja man könnte auch die beiden späten Komödien *Der Schwierige* (1921) und *Der Unbestechliche* (1923) unbedenklich in die Nähe dieser Auffassung von Spiel bringen, auch wenn sie neue Dimensionen der Darstellung erstrebten und – zumindest im *Schwierigen* – auch erreichten (Darstellung von »Sprachlosigkeit«, Vorstellung eines Charakters, ohne ihn darzustellen). Schnitzlers Spiele hatten nach vielen Proben im *Reigen* (1896/97) einen ersten Höhepunkt – die Reaktionen des Bürgertums auf den Umstand, daß Schnitzler in diesem Lesestück seine Figuren in einem Reigen sexueller Kontakte tanzen läßt, sind als »wütender Protest« milde umschrieben; aber gerade die Form des Spiels – das Schnitzler durchaus auch als gesellschaftliches Denkspiel verstanden wissen wollte – macht die Behandlung des Themas (es gibt eine Gleichheit und es gibt ein Kriterium des Charakters – in der Liebe) überhaupt erst möglich. Seine Erzählungen *Leutnant Gustl* (1900) und *Fräulein Else* (1924) haben mit dem Spiel die geschlossene Form, hier die des konsequent eingehaltenen inneren Monologs, gemeinsam (den James Joyce in seinem *Ulysses*, 1922, zu völlig neuen Möglichkeiten führte): Ohne jede Exposition berichtet Schnitzler allein aus der Wahrnehmung der Hauptfigur, alle Wahrnehmungen der Außenwelt, vor allem die Auftritte anderer Menschen, gehen durch den Kopf der Hauptfigur, lediglich wörtliche Reden anderer werden (in anderer Schrift) wiedergegeben. Diese radikal subjektive Darstellung zwingt den Leser »mitzuspielen«, sich zunächst den Standpunkt der Hauptfigur vollkommen zu eigen zu machen, da »Realität« nur über diese subjektive Form des Monologs zu erfahren (richtiger: zu rekonstruieren) ist. Damit dringen diese Erzählungen zu einer Intimität vor, die mit anderen Darstellungsformen nicht erreicht werden kann – aber »Nähe« ergibt sich dadurch nicht; denn zugleich ist die redende Figur vollkommen auf sich isoliert und »ausgeliefert«, eine »Pause« hat sie nicht (grundsätzlich müssen solche Texte also die Einheit der Zeit strikt wahren). Die innere Konstellation, die Substanz des Charakters wird zum eigentlichen Handlungsträger. Bei *Fräulein Else* wird der Leser hilfloser als die Figur selbst der Katastrophe ausgeliefert, ihm bleibt nicht einmal ein Gegengedanke – auch in der Unerbittlichkeit ist diese Subjektivität also nicht zu übertreffen. 1927 gelang Schnitzler mit der Novelle *Spiel im Morgengrauen* ein Text, welcher bewies, daß die hermetische Einheit des Spiels keine Flucht vor der Realität sein muß, sondern die besondere Fähigkeit der bedrückenden Symbolik eines geschlossenen Modells bietet, dessen Eindruck nicht so leicht verwischt werden kann.

Die Neigung des Jugendstils, alle Bereiche des Alltagslebens künstlerisch zu durchformen, durchzustilisieren, erfaßten auch den weiteren Bereich der Literatur: Jeder Text wurde als Kunstwerk verstanden, selbst Kritiken und Jugenderinnerungen (ein spätes Beispiel ist Walter Benjamins *Berliner Kindheit um 1900*, 1933). Berühmt geworden ist Rilkes Darstellung Worpswedes und seiner Menschen in der Einleitung zu der Monographie gleichen Namens (1902), die der jungen Künstlerkolonie gewidmet war. In diesem Text erkannte Rilke deutlich das Idealistisch-Utopische solcher Sezessionen und

Bucheinband

Arthur Schnitzler

ästhetische Utopie

suchte sie zu retten: »Sie [die Künstler] helfen diesen Leuten nicht, sie belehren sie nicht, sie bessern sie nicht [...] Sie tragen nichts in ihr Leben hinein, das nach wie vor ein Leben in Elend und Dunkel bleibt, aber sie holen aus der Tiefe dieses Lebens eine Wahrheit heraus, an der sie selbst wachsen, oder, um nicht zu viel zu sagen, eine Wahrscheinlichkeit, die man lieben kann [...] Denn das ist alle Kunst: Liebe, die sich über Rätsel ergossen hat – und das sind alle Kunstwerke: Rätsel, umgeben, geschmückt, überschüttet von Liebe. Und da lagen nun vor den jungen Leuten, die gekommen waren, um sich zu finden, die vielen Rätsel dieses Landes. Die Birkenbäume, die Moorhütten, die Heideflächen, die Menschen, die Abende und die Tage, von denen zwei nicht einander gleich sind, und in denen auch nicht zwei Stunden sind, die man verwechseln könnte. Und da gingen sie nun daran, diese Rätsel zu lieben.«

Viel intensiver noch als Hofmannsthal unterwarf George seine gesamte Dichtung einem Ordnungssystem, in dem jeder einzelne Text einen festen Platz hatte und entsprechend von seinem Umfeld abhängig war. Darüber hinaus gestaltete er Zeichensetzung, Orthographie und Typologie des Buchsatzes nach seinen Vorstellungen und war zur Zusammenarbeit nur mit Menschen bereit, die seine Kunstvorstellungen anerkannten. Georges Bedeutung ist schwer abzuschätzen. Die Bewunderung gilt dem Frühvollendeten (wie Hofmannsthal), dem Dichter (*Die Bücher der Hirten- und Preisgedichte, der Sagen und Sänge und der Hängenden Gärten*, 1895; *Das Jahr der Seele*, 1897; *Der siebente Ring*, 1907) und dem Vermittler aus fremden Sprachen (Baudelaire, Dante, Shakespeare). Daneben war er Herausgeber der Zeitschrift seines Freundeskreises (*Blätter für die Kunst*, ab 1892), lebte zurückgezogen und arbeitete jahrelang völlig fern von jedem Buchmarkt; für ihn war »Dichtertum« mit »Tagesschreiberei« nicht zu vereinbaren (Hofmannsthal z.B. war auf sie angewiesen!). Gleichmäßig fern stand er dem »süsslichen bürgertum der nachfahren« wie dem »formlosen plebejertum der wirklichkeitsapostel«. »Gegen das unvornehme geräusch des tages« wollte er »der schönheit und geschmack wieder zum siege [...] verhelfen«. Dazu nutzte er die Führer- oder Meisterstellung in seinem Kreise »in heilsamer diktatur«, aber auch zu pseudoreligiöser Abhängigkeit (z.B. gegenüber Wolfskehl, Klages, Wolters). Allem politischen Geschehen seiner Zeit stand er distanziert gegenüber, ohne sich aber intensiv mit seiner Gegenwart auseinandergesetzt zu haben. Für die Zeit vor 1914 wird man sagen können, daß kaum ein Dichter weniger mit oder in der Gesellschaft seiner Zeit gelebt hat als George. Die unüberbrückbare Kluft zwischen Kunst und bestehender Gesellschaft interessierte ihn kaum.

Bucheinband

Das problematische Ich und seine Beziehung zur »Welt«

Protestantismus gegen Katholizität?

In der Zeit nach 1890 zeichneten sich unter den jungen deutschen Intellektuellen zwei grundsätzlich verschiedene Richtungen der Entwicklung ab: eine protestantische, an Nietzsche orientierte »norddeutsche« und eine eher katholisch geprägte, universalere, süddeutsch-österreichisch orientierte. Mochten die Anhänger beider Richtungen sich auch austauschen (z.B. Hofmannsthal mit R.A. Schröder oder die Brüder Mann, die beide früh nach München und Italien zogen) und sich keineswegs als fremd gegenüberstehend empfinden, so war ihre Reaktion auf die geistige Krise um die Jahrhundertwende doch grundverschieden. Es wurde schon erwähnt, daß vor allem Heinrich Mann als junger Mensch Nietzsche nicht nur las (wie die meisten Intellektuellen der Zeit), sondern ihn geradezu »benutzte«, auch wenn er dies mit jugendlich-eitler Distanz tat. Aber es gab erheblich massivere und vor allem weitreichendere Einflüsse des Philosophen auf die Jugend; Harry Graf Kessler beschreibt sie sehr anschaulich. Sie verkörpern jenen schon erwähnten Imperialismus des Geistes, der bald das Gedankenspiel mit der Macht verließ und zur Waffe gegen jeden freien Geist degenerierte. Hugo von Hofmannsthal, der wie Rilke, Musil, Schnitzler in der Spätphase der Habsburgermonarchie aufwuchs, war von einer ganzheitlichen Anschauung geprägt, die sein Verhältnis zur Welt besonders in seiner frühen dichterischen Phase (1890–1905) stark beeinflußte. Zwei Maximen, die er später im *Buch der Freunde* (1922) festgehalten hat, drücken dies Verhältnis zur Welt anschaulich aus: »Der Mensch wird in der Welt nur das gewahr, was schon in ihm liegt; aber er braucht die Welt, um gewahr zu werden, was in ihm liegt. Dazu aber sind Tätigkeit und Leiden nötig. [...] Es ist ein entscheidender Unterschied, ob Menschen sich zu andern als Zuschauer verhalten können, oder ob sie immer Mitleidende, Mitfreudige, Mitschuldige sind: diese sind die eigentlich Lebenden.«

1902 hatte Hugo von Hofmannsthal unter dem unscheinbaren Titel *Ein Brief* (veröffentlicht in einer katholischen Berliner Tageszeitung – also an entlegener Stelle) einen Essay geschrieben, der in historischer Verkleidung höchstpersönliche Erfahrungen ausdrückte. In diesem imaginären Brief läßt Hofmannsthal Philipp Lord Chandos im Jahre 1603 sich bei Francis Bacon »wegen des gänzlichen Verzichts auf literarische Betätigung« entschuldigen. In der so verhüllten eigenen Lebens- und Welterfahrung suchte Hofmannsthal zu erklären, warum er, der früh Berühmte, nun nicht mehr über seine dichterischen Kräfte verfügen zu können glaubte: Chandos schreibt in dem Brief an Bacon, er habe bisher aus einer vorgestellten Einheit von Ich und Welt schaffen können: »Geistige und körperliche Welt schien mir keinen Gegensatz zu bilden, [...] das eine war wie das andere [...], überall war ich mitten drinnen.« Jetzt aber sei ihm plötzlich die Fähigkeit abhanden gekommen, »über irgendetwas zusammenhängend zu denken und zu sprechen [...] Die abstrakten Worte, deren sich doch die Zunge naturgemäß bedienen muß, um irgendwelches Urteil an den Tag zu geben, zerfielen mir im Munde wie modrige Pilze«, der Austausch von Ich und Welt war also gestört. Alle Versuche, diese Situation als persönliche Unsicherheit zu interpretieren und zu überwinden, seien gescheitert, die Anfechtung habe sich »wie ein fressender Rost« ausgebreitet und den Alltag erfaßt: »Es wurden mir auch im familiären und hausbackenen Gespräch alle die Urteile, die leichthin und mit schlafwandlerischer Sicherheit abgegeben zu werden pflegen, so bedenklich, daß ich aufhören mußte, an solchen Gesprächen irgend teilzunehmen [...]. Es zerfiel mir alles in Teile, die Teile wieder in Teile, und nichts mehr ließ sich mit einem Begriff umspannen. Die einzelnen Worte schwammen um mich; sie gerannen zu Augen, die mich anstarrten und in die ich wieder hineinstarren muß: Wirbel sind sie, in die hinabzusehen mich schwindelt, die sich unaufhaltsam drehen und durch die hindurch man ins Leere kommt.«

Nachdem Chandos den Zusammenhang zur Welt nicht mehr beherrschen konnte und die Lektüre antiker Autoren auch keine »Rettung« bot, er sich folglich der eigenen Einsamkeit immer bewußter wurde, entdeckte er schließlich, mit welcher Gewalt »Unbekanntes und wohl kaum Benennbares« in seine Phantasie, ja in seinen alltäglichen Lebensablauf einbrach und ihm vor

Hofmannsthals »Ein Brief«

Sprachkrise

*Nach der Aufführung
des »Rosenkavalier« –
stehend M. Reinhardt,
H. von Hofmannsthal,
A. Roller; sitzend in
der Mitte R. Strauss*

*abgründige
Empfindung*

Augen trat wie (ihm aus Erzählungen bekannte) Katastrophen aus früherer Zeit, aber: »Es war Gegenwart, die vollste erhabenste Gegenwart«, ein »Hinüberfließen« in die Totalität des Daseins, die der Mensch keineswegs ordnen kann: »Es scheint mir alles, alles, was es gibt, alles, dessen ich mich entsinne, alles, was meine verworrensten Gedanken berührten, etwas zu sein. Auch die eigene Schwere, die sonstige Dumpfheit meines Hirns erscheint mir als etwas.« Dieses neue Erlebnis der Realität faßte Hofmannsthal in den Satz: »Es ist mir dann, als bestünde mein Körper aus lauter Chiffren, die mir alles aufschließen. Oder als könnten wir in ein neues, ahnungsvolles Verhältnis zum ganzen Dasein treten, wenn wir anfingen, mit dem Herzen zu denken. Fällt aber diese sonderbare Bezauberung von mir ab, so weiß ich nichts darüber auszusagen.« Man könnte den hier beschriebenen Zustand als statische Utopie bezeichnen, als unfreiwilligen Aufbruch zu den anderen Ufern des Ich, dem die Perspektive zur Gesellschaft und zur Zukunft abhanden gekommen ist. Deshalb klafft zwischen der neuen Intensität des inneren Erlebens und der Möglichkeit zu seiner Gestaltung ein Abgrund: Das Erlebte ist nicht beschreibbar, als sei es ein Rausch oder ein Traum gewesen: »Ich könnte dann ebensowenig in vernünftigen Worten darstellen, worin diese mich und die ganze Welt durchschwebende Harmonie bestanden und wie sie sich mir fühlbar gemacht habe.« Dieses Zurückgeworfenwerden-auf-sich-selbst empfindet Chandos als Leere, auf die er sich nicht einzustellen weiß:

»Von diesen sonderbaren Zufällen abgesehen, von denen ich übrigens kaum weiß, ob ich sie dem Geist oder dem Körper zurechnen soll, lebe ich ein Leben von kaum glaublicher Leere und habe Mühe, die Starre meines Innern [...] zu verbergen.« Es fällt schwer, sich vorzustellen, daß Hofmannsthal je eine solche Starre verspürt haben sollte; es ist aber offenkundig, daß die Phase der leichten, sinnenfrohen, außerordentlich harmonisch klingenden spontanen Lyrik vorbei war.

Dennoch gab Hofmannsthal die Grundform seines Gestaltens nie auf; *Harmonisierung* auch dann, wenn die Theaterarbeit und die großen Essays die intensive *der Welt* Nutzung rationaler, ja organisatorischer Kräfte voraussetzten, wurde er doch nie ein Dichter der modernen Gesellschaft, sondern suchte andere Wege, die eher abseits der Gesellschaft verliefen (die Opernlibretti für Richard Strauss und die Mitarbeit an den Salzburger Festspielen gehören hierher), ihm aber die Möglichkeit ließen, seinem Ideal zu leben: Des Dichters »unaufhörliches Tun ist ein Suchen nach Harmonien in sich, ein Harmonisieren der Welt, die er in sich trägt. In seinen höchsten Stunden braucht er nur zusammenzustellen, und was er nebeneinanderstellt, wird harmonisch« (*Der Dichter und diese Zeit*, 1907). Das bedeutete aber auch, daß, je mehr die Realität ihn »bedrängte«, die schöpferischen Phasen schrumpfen mußten.

Dies harmonische Nebeneinanderstellen von Innen- und Außenwelt, von *Aneignung der Welt* völlig verschiedenen Erscheinungen also, gelang vielen Lyrikern in einem erstaunlichen Maße, so auch Rainer Maria Rilke (*Der Panther*, 1903; *Das Karussell*, 1906). Die Technik der Gestaltung ist einfach: Das dichterische Ich versenkt sich völlig in den zu beschreibenden Gegenstand und setzt die Empfindungen während dieses Assimilierungsprozesses in Worte um: Beobachtung, Empfindung, Vorstellung, Assoziation und Ausdruck gehen eine höchst artifizielle Symbiose ein. Ausgangspunkt bleibt aber das »partnerschaftliche Verhältnis« zwischen dichtendem Ich und Gegenstand. Die Gesellschaft tritt allenfalls über die Empfindung des Dichters an den Gegenstand heran; ein tatsächliches Wechsel- oder gar Spannungsverhältnis von Gesellschaft und isoliertem Gegenstand gibt es kaum. Müßte es auftreten, dann wird es auf das Erlebnis der Isolierung reduziert, der »Rest« wird allenfalls geahnt; er ist »wie ein Tanz von Kraft um eine Mitte,/ in der betäubt ein großer Wille steht« (Rilke, *Der Panther*). Wenn also der Dichter »die Inhalte mancher Industrien und dergleichen« nicht darstellt, so hat er den neuen Rhythmus, die eigene Form des Lebens in diesen Betrieben noch nicht entdeckt, konnte sie noch nicht in sich aufnehmen, »die unendliche ›Symbolhaftigkeit der Materie‹« noch nicht entdecken, um »alles was da ist, in ein Verhältnis zu bringen«. Hier wird exemplarisch deutlich, was die antinaturalistischen Dichter um die Jahrhundertwende nicht wollten: Hofmannsthal z.B. mag nicht jedesmal die eigene, hart erkämpfte Harmonie mit der Welt aufs Spiel setzen, wenn ein neuer Stoff ihn bestürmt. Sein Gestaltungsprinzip beruht auf einer Ästhetik, die zwischen dem Individuum des Dichters mit seiner Psyche und der »Außenwelt« so »vermittelt«, daß eine vollendete, sinnlich wahrnehmbare Form diese Vermittlung beweist. Gelingt das nicht, hat der Dichter also entweder keinen Zugang zur »Außenwelt« oder nimmt er so viel »Außenwelt« in sich auf, daß er nicht in der Lage ist, sie auch formal zu bewältigen, so »verstummt« er.

Die Welt sinnlich wahrnehmen, aufnehmen und sie ästhetisch bewältigen *»Reitergeschichte«* können, das sind Hofmannsthal und seiner Generation gleichermaßen zu verfolgende dichterische Ziele; sie bilden die dichterische Kraft. In seiner Novelle *Reitergeschichte* (1899) hat Hofmannsthal am Beispiel des Wachtmeisters Anton Lerch gezeigt, wie ein Mensch scheitern muß, der die Möglichkeit der Realitätsbewältigung nicht hat, wohl aber Realität sinnlich wahrnehmen kann, ja ihr ausgeliefert ist. Allmählich wird er nicht der Wahrnehmung selbst, sondern den durch sie ausgelösten unbewältigten Vorstellungen erliegen, bis schließlich der inneren Verwirrung die äußere geradezu zwangsläufig folgt. Die drei außergewöhnlichen Begebenheiten, die den Wachtmeister am letzten Tag seines Lebens bestimmen, tragen alle das Zeichen von Gewalt: Ihr hat Anton Lerch sich ausgeliefert, ohne sich dessen bewußt zu sein. Der Leser folgt nur mit Unbehagen dem Gang der Handlung, denn er spürt, wie eine zweifelhafte »Ordnung« immer mehr ihre »Schönheit« verliert – »so ritt die schöne Schwadron durch Mailand« – und zu brutaler Gewalt verkommt – »der Offizier [...] wendete dem Wachtmeister ein junges, sehr bleiches Gesicht und die Mündung einer Pistole zu, als ihm ein Säbel in den Mund fuhr«. Zweimal hat Anton Lerch »Gewalt« an diesem Tage äußerlich für sich benutzen können, nämlich bei dem kurzen Gespräch mit Vuic und dem kurzen Kampf mit dem Reiteroffizier, beidemal war die Gewalt mit einem Vorteil für den Wachtmeister verbunden. Dann folgt der Umschwung in Sekunden – eine viel zu kurze Zeitspanne für diesen besessenen Mann: Er wird zum Paradigma der »ordnenden« Gewalt, noch lebend ist er eigentlich nur noch Gegenstand. Der Rittmeister erschießt Anton Lerch gelangweilt, um die Disziplin seiner Truppe wiederherzustellen. Aus der schönen Schwadron des Anfangs ist am Schluß die angstvolle Ordnung des Todes geworden, die – das spürte Hofmannsthal genau – auch die Habsburger Monarchie bedrohte. Außer seinen Dichtungen und ideellen Bemühungen vermochte er aber nichts dagegen zu tun, so sehr er auch unter der Bedrohung litt.

Empfindung von Gewalt

Fremdheit der Welt

Meisterhaft gestaltet wurde diese »Fremdheit« der Bürger in ihrer Welt von Rainer Maria Rilke in seiner Erzählung *Die Turnstunde* (endgültige Fassung 1902), dann in oft geradezu enthüllenden Textpartien in den *Aufzeichnungen des Malte Laurids Brigge* (1910), so zum Beispiel der folgenden: »Die Zeit ging unberechenbar schnell, und auf einmal war es schon wieder so weit, daß der Prediger Dr. Jespersen geladen werden mußte. Das war dann für alle Teile ein mühsames und langwieriges Frühstück. Gewohnt an die sehr fromme Nachbarschaft, die sich jedesmal ganz auflöste um seinetwillen, war er bei uns durchaus nicht an seinem Platz; er lag sozusagen auf dem Land und schnappte. Die Kiemenatmung, die er an sich ausgebildet hatte, ging beschwerlich von sich, es bildeten sich Blasen, und das Ganze war nicht ohne Gefahr. Gesprächsstoff war, wenn man genau sein will, überhaupt keiner da; es wurden Reste veräußert zu unglaublichen Preisen, es war eine Liquidation aller Bestände. Dr. Jespersen mußte sich bei uns darauf beschränken, eine Art von Privatmann zu sein; das gerade aber war er nie gewesen. Er war, soweit er denken konnte, im Seelenfach angestellt. Die Seele war eine öffentliche Institution für ihn, die er vertrat, und er brachte es zuwege, niemals außer Dienst zu sein, selbst nicht im Umgang mit seiner Frau, ›seiner bescheidenen, treuen, durch Kindergebären seligwerdenden Rebekka‹, wie Lavater sich in einem anderen Fall ausdrückte. [...] Dr. Jespersen gegenüber konnte Maman beinah ausgelassen sein. Sie ließ sich in Gespräche mit ihm ein, die er ernst nahm, und wenn er dann sich reden hörte, meinte sie, das genüge, und vergaß ihn plötzlich, als wäre er schon fort. ›Wie kann er nur‹, sagte sie manchmal von ihm, ›herumfahren und hineingehen zu den Leuten, wenn sie gerade sterben.‹ Er kam auch zu ihr bei dieser Gelegenheit, aber sie hat ihn sicher nicht mehr gesehen. Ihre Sinne gingen ein, einer nach dem andern, zuerst das Gesicht. Es war im Herbst, man sollte schon in die Stadt ziehen, aber da erkrankte sie gerade, oder vielmehr, sie fing gleich an zu sterben, langsam und trostlos abzusterben an der ganzen Oberfläche. Die Ärzte kamen, und an einem bestimmten Tag waren sie alle zusammen da und beherrschten das ganze Haus. Es war ein paar Stunden lang, als gehörte es nun dem Geheimrat und seinen Assistenten und als hätten wir nichts mehr zu sagen. Aber gleich danach verloren sie das Interesse, kamen nur noch einzeln, wie aus purer Höflichkeit, um eine Zigarre anzunehmen und ein Glas Portwein. Und Maman starb indessen.« Wie aus zahlreichen Briefen Rilkes hervorgeht, war er nach Abschluß dieses Werkes ratloser denn je und erwog bereits, sich psychoanalytisch behandeln zu lassen und das Schreiben aufzugeben. In diesem einzigen biographischen Moment wiederholt sich die letzten Endes neurotisierende Dialektik des Ich und Es, des Bewußten und des Unbewußten, des Einzelnen und der Gesellschaft. Die Hofmannsthalsche *Chandos*-Krise jedenfalls hat in dem resignativen und gebrochenen Fazit Rilkes ihre Entsprechung.

Am deutlichsten stellte Robert Musil die Krise im Verhältnis des Schrift- *Robert Musil*
stellers zur Realität in seiner Erzählung *Die Verwirrungen des Zöglings Törleß* (1906) dar. Äußerlich hat Musils Erzählung fast die Struktur eines psychologischen Kammerspiels: Einfach, klar, überschaubar, fast sparsam im Stil, der oft von einer nüchternen Distanz getragen wird. Der Stil korrespondiert zur scheinbaren Ordnung in der Kadettenanstalt: Die Zöglinge leben in einem Mikrokosmos, der nahezu hermetisch abgegrenzt ist von der Außenwelt, »wohl um die aufwachsende Jugend vor den verderblichen Einflüssen einer Großstadt zu bewahren«, wie der Autor ironisch kommentiert. Die Widersprüche zwischen der gesellschaftlichen Realität und den scheinbaren pädagogischen Absichten der Eltern und Erzieher wird noch deutlicher, wenn die Funktion der Anstalt erwähnt wird: »Denn hier erhielten die Söhne der besten Familien des Landes ihre Ausbildung, um nach Verlassen des Instituts die Hochschule zu beziehen oder in den Militär- oder Staatsdienst einzutreten, und in allen diesen Fällen sowie für den Verkehr in den Kreisen der guten Gesellschaft galt es als besondere Empfehlung, im Konvikte zu W. aufgewachsen zu sein.« Hier werden also Menschen bewußt von der Gesellschaft getrennt und in gleichmäßige Disziplin genommen, damit sie später um so besser führende Funktionen wahrnehmen können. Elitäre Haltungen sind bei einigen Zöglingen unverkennbar (z.B. Beineberg und von Reiting), werden aber offensichtlich von den Erziehern nicht wahrgenommen. Eltern, Erzieher und Kadetten haben sehr unterschiedliche Vorstellungen von dem, was die Anstalt leisten sollte, deshalb fehlen den Zöglingen in allen schwierigen Situationen Rat und Hilfe, so daß jeder schließlich seinen Interessen folgt – oder dem, was er dafür hält: Ein Kampf aller gegen alle ist die Folge. Es entwickeln sich Rollenspiele und Positionskämpfe, bei denen jeder versucht, durch Eigenschaften, Erlebnisse und Erfahrungen, die die anderen nicht haben – z.B. bei der Dirne Božena –, die eigene Stellung auszubauen. – Vor diesem mehr soziologisch und psychologisch interessanten Hintergrund entwickelt sich die Geschichte des jungen Törleß. Seiner scharfen Beobachtung entgeht nicht der Gegensatz zwischen Anspruch und Wirklichkeit bei den Kameraden, aber auch bei sich selbst; eine Lösung weiß er nicht. So ist er unsicher, oft verwirrt und gilt als Träumer.

Eine dramatische Zuspitzung tritt ein, als Törleß in das Spannungsfeld der *alltäglicher Sadismus*
sadistischen Interessen zweier Kadetten gerät. Der Anlaß ist wieder ganz alltäglich für ein solches Internat: Basini hat Beineberg Geld gestohlen, um seine Schulden bei von Reiting zu bezahlen; von Reiting hat das Spiel durchschaut und Basini zu einem Geständnis zwingen können. Törleß erfährt die Zusammenhänge in der »roten Kammer«, dem geheimen Treffpunkt im

Der Bunte Vogel von Achtzehnhundertundneunundneunzig. Ein Kalenderbuch von Otto Julius Bierbaum. Mit Buchschmuck von Peter Behrens. Im Verlage von Schuster & Loeffler in Berlin und Leipzig

Titelblatt von 1899

Verwirrungen

Konvikt, und erkennt die Alltäglichkeit des Delikts: »Was Reiting von sich und Basini erzählte, schien ihm, wenn er sich darüber befragte, ohne Belang zu sein. Ein leichtsinniges Vergehen und eine feige Schlechtigkeit von seiten Basinis, worauf nun sicher irgendeine grausame Laune Reitings folgen werde [...]«. Törleß wird von der Wucht dieser »Realität« überwältigt, kann eine klare Linie auch nach mehrfachen Versuchen nicht finden und beteiligt sich schließlich gar an dem Komplott gegen Basini, das sich bis zu widerlichen Versklavungsszenen steigert: »Er [Basini] hat sich mit dem Gehorsam, den er uns schuldet, abgefunden und leidet nicht mehr darunter [...] Es ist also an der Zeit, mit ihm einen Schritt weiterzugehen [...] Wir müssen ihn noch weiter demütigen und herunterdrücken. Ich möchte wissen, wie weit das geht.« Die zahlreichen Quälereien, die nun vorgeschlagen werden, sind, wie die deutsche Geschichte nach dem Erscheinen des Romans gezeigt hat, durchaus nicht auf die Literatur beschränkt geblieben: Der Leser stellt erschrocken fest, daß Musil Verhaltensweisen dargestellt hat, die auf fatale Weise Wirklichkeit geworden sind. In diesem allgemeinen Sinne enthält seine Erzählung also Wahrheiten, die auch heute noch nicht »bewältigt« sind. Musil hat – im Gegensatz etwa zu Kafka – den gesellschaftlichen Hintergrund der Perversion durch Gewalt viel deutlicher hervorgehoben.

Gegenüber dem großartigen Aufbau der Erzählung mit ihrer inneren Dramatik fällt der Schluß deutlich ab, weil der Dichter »nur« eine individuelle Lösung findet und alle allgemeinen Probleme offenläßt – auch in dieser Hinsicht ist der Text ja nicht ganz weltfremd. – In äußerster seelischer Anstrengung gelingt es Törleß schließlich, die Leitung der Anstalt auf die sadistischen Exzesse aufmerksam zu machen und seine eigene Entlassung zu erreichen. Es zeigt sich aber, daß die Leitung auch jetzt der Situation keineswegs gewachsen ist. Als Törleß – das erste Mal in seinem Leben – sich öffentlich über seine Gefühle und Denkansätze klarzuwerden versucht, hält man ihn für »verwirrt«; Törleß meint nämlich, man könne mit dem Denken allein nicht jedes Ziel erreichen, sondern bedürfe einer anderen tragenden Gewißheit, er weiß aber noch nicht, welcher. Da er aber nicht von der Wissenschaft weg sich religiösen Gesichtspunkten zuwenden will, ist die Welt der Lehrer und Erzieher in Frage gestellt, und auf eine philosophische Auseinandersetzung mit dem Zögling will man sich nicht einlassen: Die Schulleitung wehrt die Gefahr der eigenen – unter Umständen sehr fruchtbaren! – Verunsicherung ab und schickt Törleß zu seinen Eltern zurück. Damit hat er seine private Freiheit, das Problem der Gewalt und Aggression aber ist keineswegs gelöst, das System der Kadettenanstalten hat sich erhalten.

Die literarische Revolte des Expressionismus

Als Expressionismus (Ausdruckskunst) wird eine Richtung in Literatur, Malerei, Musik, Theater und Film bezeichnet, die etwa in der Zeit zwischen 1906 und 1923 das damals moderne literarisch-künstlerische Leben in Deutschland und anderen europäischen Staaten bestimmte. Sie wurde getragen von der Generation der zwischen 1880 und 1895 geborenen Literaten und Künstler, die die seit der Jahrhundertwende sich abzeichnende Krise der bürgerlich-imperialistischen Gesellschaft zu spüren begann und sie künstlerisch zu verarbeiten suchte. Die Einheit dieser durchaus widersprüchlichen,

334

von unterschiedlichen Tendenzen bestimmten Bewegung bestand in der gemeinsamen ablehnenden Haltung gegenüber einer Gesellschaft, die als in der Krise befindlich, dem Untergang geweiht und der Erneuerung bedürftig betrachtet wurde. So prägten Vorstellungen, Bilder und Visionen von Verfall, Untergang, Krieg, Weltende und Depression die Kunst des Expressionismus, aber auch solche von Aufbruch, Revolution, Offenbarung und Glück. Die Ursachen dieser widersprüchlichen Haltung sind für Deutschland im ökonomisch-gesellschaftlichen und kulturellen Zustand des Wilhelminischen Zeitalters zu suchen, das sich auf dem Höhepunkt seiner imperialen Blüte befand und sich auf seinen Untergang im Ersten Weltkrieg zubewegte.

Als die expressionistischen Autoren um 1910 zu schreiben begannen, hatte sich das imperialistische System des Wilhelminischen Deutschlands voll ausgebildet: Die moderne Industrie war in Großbetrieben konzentriert, das Bankwesen zu einem bedeutenden wirtschaftlichen Faktor geworden, Kleinbetriebe und Handwerker waren in großer Zahl in Konkurs gegangen. Die Arbeitermassen in den Großstädten hatten der Sozialdemokratie zu steigendem politischen Einfluß verholfen.

Die jungen Dichter des Expressionismus stammten zumeist aus bürgerlich-intellektuellen Schichten und besuchten fast alle das Gymnasium und die Universität. In Elternhaus und Schule wurden sie mit der in Konventionen erstarrten traditionellen Kultur und Bildung konfrontiert, deren Maximen und Ideale in krassem Gegensatz zu den sozialen Realitäten stand. Aus diesem Widerspruch resultierte die Verunsicherung ihrer bürgerlichen Wertvorstellungen und persönlichen Perspektiven. Die Karriere auf der Basis eines das akademische Studium voraussetzenden Berufs galt folglich nicht mehr als erstrebenswert, obwohl der feste Beruf als Existenzgrundlage für viele Schriftsteller notwendig war. Die Kunst wurde das Medium der Auseinandersetzungen mit der bürgerlichen Welt und selten nur die Politik. Aus dieser Interessenlage heraus wurde ihre Funktion bestimmt: Sie sollte Mittel sein, die gesellschaftliche Bewegung in Richtung auf Freiheit, Humanität, Natürlichkeit und Glück zu befördern, konnte aber auch autonomes Feld einer resignativ-depressiven, sich selbst genügenden ästhetischen Tätigkeit des »l'art pour l'art« (»Kunst um der Kunst willen«) sein. Entsprechend war der Künstler entweder Verkünder, Vorläufer, Repräsentant einer neuen Zeit oder aber jemand, der sich im Medium Kunst selbst befreit. Beides setzte eine radikale Antibürgerlichkeit im Sinne der damaligen ästhetischen Normen voraus.

Der ästhetisch-stilistische Ausfluß dieser angesichts der etablierten moralischen und künstlerischen Normen von Ohnmacht und Verzweiflung, aber auch von ekstatischem Aufbruch und von Erlösungshoffnungen geprägten expressionistischen Weltsicht läßt trotz divergierender Ansätze und Positionen gemeinsame Merkmale deutlich hervortreten. Nicht die äußeren Realitäten des Lebens sollten ihren Niederschlag in der Kunst finden, sondern das innere Erlebnis des Künstlers, dessen Wirklichkeit sich im Kunstwerk gestaltet und damit nach außen tritt. Maßstab für das Gelingen dieses Prozesses der Entäußerung der Innenwelt waren nicht Schönheit und Gekonntheit im traditionellen Sinn, sondern die Kraft der Ausdrucksstärke (deshalb »Expressionismus«), die aufgrund ihres Fühlens und ihres Pathos ihr Publikum in ihren Bann zog. Die ungebändigte, regellose, an keine syntaktischen Zwänge gebundene Sprache wies das gelungene, weil gefühlsintensive, anklägerische und rauschhafte Kunstwerk aus. Das aufwühlende Pathos steigerte sich bis zur Ekstase, zum expressionistischen »Schrei« in einer orgiastischen, von freien Rhythmen geprägten Sprache, welche sich in freien lyri-

Holzschnitt von Ernst Ludwig Kirchner

Erlösungshoffnungen

schen Formen präsentierte. Die solchermaßen von Subjektivismus und Individualität getragene Dichtung bevorzugte Themen von Untergang und Wiedergeburt der Welt, vom neuen Menschen und vom Generationskonflikt zwischen Vätern und Söhnen. Es ging dabei nicht darum, die Probleme zu verobjektivieren, indem man sie in den Zusammenhang ihrer historisch-sozialen Genese stellte; die Darstellung wollte sich auf das (unveränderliche) »Wesen« einer Sache, den »Menschen« schlechthin konzentrieren.

Lyrik

Während die Lyrik zu Beginn der expressionistischen Epoche zur bevorzugten Form wurde, weil sie am besten geeignet war, den anklagenden, aufrufenden und verkündenden Gefühlsüberschwang zum Ausdruck zu bringen, trat mit der zunehmenden Politisierung der Literaten während des Ersten Weltkriegs das Drama in den Vordergrund. Die Forderung nach dem wahrhaften Ausdruck menschlicher Gefühle von Not, Leiden und Versagung verband sich mit dem Kampf gegen den Krieg. Der Pazifismus wurde zum hervorstechenden Merkmal der expressionistischen Gedankenwelt, die sich vom nationalistischen Patriotismus abkehrte und die Forderung aufstellte, menschheitlich zu denken. Es galt, vom eigenen privaten, einmaligen Erleben, wie in der Lyrik artikuliert, wegzukommen und das Leiden der Menschheit ins Blickfeld zu rücken. Den Urhebern des Leids, wie es sich während des Ersten Weltkriegs den kriegsteilnehmenden expressionistischen Literaten erschreckend darbot, Kapitalismus und Militarismus, wurde der Kampf angesagt. Ihnen stellte man die meist vagen und gefühlsbetonten Vorstellungen von Anarchismus, Pazifismus und Sozialismus entgegen. Die Erfahrungen mit dem Krieg, die viele expressionistische Schriftsteller in persönliche Krisen brachten, eröffneten ihnen neue Dimensionen der Wirklichkeit. Die Auseinandersetzungen mit ihr bezogen sich nun nicht mehr primär auf kulturelle und geistige Phänomene, sondern vorwiegend auf soziale und politische. Eher auf emotionaler Basis statt auf der einer rationalen Einsicht in sozioökonomische Zusammenhänge wurde an Menschlichkeit, Völkerversöhnung, Frieden und Menschenliebe appelliert und gegen Krieg und Völkerhaß Stellung bezogen. Die pazifistische Grundhaltung, die angesichts der Kriegsleiden sich bei den meisten Literaten spontan herausgebildet hatte, entwickelte sich im Laufe der Kriegsjahre zu einer antiimperialistischen Einstellung weiter, die sich zum Teil bis zum revolutionären Engagement steigerte.

Drama

Die geeignetste Form zur Darstellung dieser Haltungen und Einstellungen war das Drama. Die expressionistischen Szenenfolgen, auch kompositorisch eine Abkehr von den klassischen dramatischen Bauformen, orientierten sich stilistisch an Vorbildern wie Büchners *Woyzeck*, der eben erst für die Bühne entdeckt worden war (1911), und waren meist lyrisch-monologisch und balladenhaft geprägt. Sie verzichteten auf die naturalistische Nachzeichnung des Milieus und die psychologisierende Ausgestaltung der Figuren. Im Zentrum stand als Hauptfigur oft ein »junger Mensch«, namenlos und typologisch konzipiert, der gegen die übermächtigen Gewalten des Schicksals, den eigenen Vater oder die borniert Umwelt revoltierte. Die programmatischen künstlerischen und politischen Zielsetzungen der Expressionisten dokumentierten sich in einer Reihe von Zeitschriften, zu deren wichtigsten die folgenden gehörten: *Der Sturm*, seit 1910 in Berlin herausgegeben von Herwarth Walden; *Die Aktion*, seit 1911 in Berlin herausgegeben von Franz Pfemfert; *Die weißen Blätter*, seit 1913 in Leipzig, seit 1914/15 in Zürich herausgegeben von René Schickele; *Die Schaubühne* (1905–18), später *Die Weltbühne*, herausgegeben von Siegfried Jacobsohn, dann von Carl von Ossietzky und Kurt Tucholsky; *Der Brenner*, seit 1910 in Innsbruck herausgegeben von Ludwig von Ficker (Mitarbeit vor allem von Georg Trakl).

Die Krise der bürgerlichen Gesellschaft, der Verfall ihrer Wertvorstellungen und weltanschaulichen Perspektiven führte im Werk des frühen Gottfried Benn zu einem radikalen Nihilismus und zu einer Irrationalität, die das
»einsame Ich«, die monomane Subjektivität ins Zentrum des literarischen   *»einsames Ich«*
Schaffens rückte. In der ersten Sammlung *Morgue* (Leichenschauhaus) von
1912 sind Gedichte aus der Welt des Arztes zusammengefaßt, die den Ekel an
der Welt thematisieren: ein Rattennest in der Bauchhöhle eines ertrunkenen
Mädchens, eine kleine Aster zwischen den Zähnen eines ersoffenen Bierfah-
rers, ein Besuch in einer Krebsbaracke u.a. Die in einem nüchtern-prosai-
schen Ton vorgetragenen, oft mit schnoddrigen Zynismen durchsetzten
Verse mit ihren Leitmotiven von Krankheit, Sterben und Tod setzen sich
inhaltlich und formal von den romantisch-verklärenden, idealisierenden lyrischen Produkten des offiziellen Kulturbetriebs ab und schockierten die Leserschaft (»Die Krone der Schöpfung, das Schwein, der Mensch«). Sachlich
werden körperliche Vorgänge und Zerstörungen ins Bild gesetzt, um dem
»ideologischen Geschwätz« vom Menschen als »höherem Wesen« entgegenzutreten. Dem morbiden Gegenstand entspricht ein Sprachstil, der sich durch
assoziative Wortkombinationen, gemischt aus Arztjargon und philosophischer bzw. naturwissenschaftlicher Terminologie, auszeichnet. Dieser stilistische wie thematische Affront gegen die bürgerlichen Kunstnormen, wie er
sich auch in den 1915/16 entstandenen *Rönne*-Erzählungen zeigt, zielte jedoch nicht auf Überwindung der als desolat empfundenen Zustände ab,
sondern artikulierte Apathie und Resignation in einer entfremdeten Welt,
aus der allein die Halluzinationen und Rauschzustände des enthemmten
Individuums den Ausweg boten. Typisch ist die Flucht ins Un- und Vorbe-
wußte, in südliche Sphären und paradiesische Zonen der pazifischen Inselwelt, in denen das Ich, frei von sozialen und zivilisatorischen Bindungen, eins
mit der Natur sein kann. Die solchermaßen magisch heraufbeschworene
Welt hat nichts von einer Utopie der besseren sozialen Zustände an sich, sie
ist vielmehr dezidiert antisozial, Metapher für das nur im Augenblick des
Rausches zu erlangende Glück der Erlösung des einsamen Ichs. Mit dieser
Sicht verbindet sich die Absage an die Entwicklungsmöglichkeit des einzelnen wie der Gesellschaft, ein statisches Weltbild, das die Herausbildung des
Gehirns beim Menschen als »Irrweg« denunziert und die Rückkehr zum
»Rückenmark«, ins Vor-Zeitliche und Unbewußte, propagiert. Die ebenso
aggressiv-polemische wie brillante Sprache seiner Essays weist Benn als intel-
ligentesten Vertreter der literarischen Reaktion aus, dessen Bedeutung über
die im engeren Sinne expressionistische Phase weit hinausweist.

Georg Trakls Gedichte formulieren ein Weltgefühl von Ohnmacht, Fata-   *Georg Trakl*
lismus und Verzweiflung, konkretisiert in Bildern von Bedrohung und Zerstörung. Mit ihnen reflektiert sich in einer indirekt-vermittelten Weise der
Zustand der verfallenden Donaumonarchie vor dem Ersten Weltkrieg, deren
Morschheit, soziale Spannungen und Krisen ihren strukturellen Niederschlag in Trakls Lyrik fanden. Das lyrische Subjekt, als solches kaum in
Erscheinung, sondern hinter seine bildlichen Visionen tretend, artikuliert
sich in eindringlichen Vorstellungen von Trauer und Schrecken, holt die
äußeren Erscheinungen des Verfalls gleichsam in sich hinein, um sie als
komprimierte lyrische Konkretionen wieder zu entäußern. Der Zustand der
Welt wird identisch mit dem des Subjekts und umgekehrt. Das den Autor
prägende Grundgefühl von Verfehlung und Verlust hat unmittelbaren Einfluß auf die Bilderwelt seiner Lyrik. Gefühle vom Chaos der Welt und
Vorstellungen vom Verlust des gesellschaftlichen Zusammenhangs kor-
respondieren mit einer lyrischen Form und Methode, die zeilenweise einzelne

Dichterrunde
»Minerva« –
in der Mitte sitzend,
mit aufgestütztem
Arm, Georg Trakl

Johannes R. Becher

Bildteile zu einem neuen Eindruck fügt, der seine Ausdrucksintenstität dadurch gewinnt, daß er dem spontanen Wirklichkeitserlebnis unmittelbar Ausdruck verleiht. Auf diese Weise entsteht eine lyrische Bildersprache, die die Worte, jenseits ihrer gängigen Funktion als konventionell besetzte Zeichen, zu neuen Chiffren individueller Stimmungen und Visionen macht, vermittels derer sich eine bislang unbekannte poetische Realität jenseits der empirisch faßbaren konstituiert. Die vom Autor unwissend-leidend erfahrene Realität vom drohenden Untergang erfährt ihre Bestätigung durch die historische Wirklichkeit des Kriegs, dessen Schrecken und Chaos Trakls Lyrik prophetisch antizipierte. Das ist ihr realistisches Moment. So besteht ihre Bedeutung nicht darin, durch unvermittelte Widerspiegelung individueller Stimmungen und sozialer Strömungen zur Erkenntnis der Wirklichkeit beizutragen, sondern durch Struktur und Aussage des lyrischen Bildes selbst.

Zu Beginn seiner literarischen Entwicklung wurde das Schaffen Johannes R. Bechers von ähnlichen Themen und Motiven geprägt wie das der anderen Expressionisten: Einerseits Vorstellungen und Empfindungen von Lebensekel und Weltende, andererseits Protest und Aufbruchwille. Der Autor war davon überzeugt, daß die eigenen Leiden und Wünsche mit denen seiner Zeit identisch waren, so daß er die Gewißheit haben konnte, mit seinen literarisch-öffentlich vorgetragenen Nöten die entsprechende Resonanz zu finden. Die Widersprüche des Subjekts wurden von ihm als solche der Gesellschaft begriffen. Das Gedicht hatte die Funktion, das eigene Erleben inhaltlich und formal aufzunehmen, es zu erklären, um schließlich zur Selbstbefreiung beizutragen. Aber im Gegensatz etwa zu Benn nicht als monomaner Selbstzweck, sondern vielmehr als Beispiel für den Leser, als gesellschaftlich relevanter Entwurf zur allgemeinen Konfliktbewältigung und Befreiung. Indem das Subjekt seine Leiden und Hoffnungen lyrisch entäußerte, sollte es exemplarisch die seiner Zeit dokumentieren. Der Dichter, der so verfährt, war zugleich auf der Suche nach Kräften, welche die als überfällig begriffene Umwälzung vorbereiten und durchführen konnten. Das setzte voraus, daß die neue Poesie sich nicht mehr an den erlesenen Zirkel der Eingeweihten wendet, sondern als »Fanfaren-Ruf« von der Tribüne erschallt, um die Massen zu erreichen, denen sie als »brausende Parole« dient. Das lyrische Subjekt nimmt die Umwälzung und Befreiung vorweg, damit es seine Adressaten mobilisieren kann. Dieser Prozeß stellt sich auf drei Ebenen dar: »O Trinität des Werks: Erlebnis, Formulierung, Tat«. Vom subjektiven Erlebnis des *»Erlebnis,* Dichters über die Formulierung der Gedichte bis zur im Werk artikulierten *Formulierung, Tat«* Tat als Modell der realen Veränderung. Bechers Veränderungswille zielte nicht auf eine konkrete Menschengruppe, konnte keine Lösungen für praktische Aufgaben und Aktionen anbieten, sondern appellierte eher an eine allgemeine emotionale Bereitschaft zur Veränderung. Oft stand die Person vor der Sache, um die es ging, stilistische Exzentrik verstellte das Verständnis. Aber anders und deutlicher als seine expressonistischen Zeitgenossen setzte Becher sich im Gedicht mit den Widersprüchen seiner Zeit auseinander, der »Hunger nach einer Tat« trieb ihn; er begriff, daß nur sie die gesellschaftlichen Widersprüche lösen konnte. Die Parteinahme für die revolutionären Umwälzungen 1917 und 1918/19 waren die logische Konsequenz seiner literarischen Entwicklung bis zum Ende des Kaiserreichs.

Man mag die literarische Bewegung des Expressionismus in die deutsche *Parallele* Tradition einordnen und findet dann mancherlei Berührungspunkte mit der *zum Sturm und Drang?* Revolte des »Sturm und Drang« im 18. Jahrhundert. So wie damals die Unzufriedenheit der bürgerlich-literarischen Intelligenz mit den feudal-absolutistischen Zuständen ihren Ausdruck im lyrischen und dramatischen Protest fand, so auch in der literarischen Revolte des Expressionismus zu Beginn des 20. Jahrhunderts. Gemeinsam ist beiden literarischen Strömungen, daß sie großen historisch-politischen Umwälzungen (Französische Revolution, Russische Revolution) vorangingen, ohne für Deutschland eine direkte politische Wirkung zu zeitigen. Sie beschränkten sich auf eine Revolutionierung der literarischen Formen und Inhalte und sind insofern eine typisch deutsche Erscheinung. Die Expressionisten begriffen in der Regel weder die Ursachen der von ihnen erlebten und dargestellten Krise, noch entwickelten sie Vorstellungen zu ihrer Überwindung. So konnte Karl Liebknecht bereits 1918 in einer brieflichen Bemerkung zu Fritz von Unruhs Drama *Geschlecht* feststellen, daß der Autor zwar die Probleme mit großem Ernst darstelle, »aber doch nur als ein mit dem Geschicke hadernder Angehöriger der bürgerlichen Gesellschaft, der seine Faust gegen die Sterne ballt, das Weltall anklagt und sich selbst zerfleischt, der keinen Ausweg sieht – fliehen möchte und nicht kann –, in tatenloser Verzweiflung zusammenstürzt, statt kämpfend zu handeln, um eine neue Welt zu schaffen. Sekundäre Probleme verdecken ihm das Primäre, über den Folgen erkennt er nicht die Ursachen, erkennt nicht die sozialen Wurzeln des Furchtbaren, das ihn umklammert, nicht die Kraft, die sie ausrotten kann. Dieses Werk ist das Drama der aus dem Wahne von der

Göttlichkeit ihrer eigenen Weltordnung gerissenen Bourgeoisie. Doch durchbrodelt revolutionär gärender Geist die ungemein konzentrierte und intensive Gestaltung. Warten wir, ob dieser Dämmerung der Tag folgt.«

Es folgte 1918/19 nur ein sehr dämmriger Tag, auch deshalb, weil den radikalisierten Schriftstellern eine politische Orientierung fehlte, die sie in der vom Reformismus geprägten sozialdemokratischen Arbeiterbewegung nicht finden konnten. Das zeigt sich besonders deutlich an der programmatischen Kritik der Zeitschrift *Die Aktion* gegenüber der Sozialdemokratie, deren opportunistischen Parlamentarismus sie ablehnte und durch eine anarchistische Programmatik zu ersetzen versuchte. Ihre Aktivitäten richtete die Zeitschrift primär auf die Veränderung der politisch-sozialen Verhältnisse, zu der die Literatur ihren Beitrag leisten sollte, indem sie die Veränderungsbedürftigkeit darstellte und selbst zur Veränderung beitrug. Das ist nur in sehr bescheidenem Maße gelungen. Nur wenige Literaten griffen praktisch in die Auseinandersetzungen der Revolution 1918/19 ein (Ernst Toller); einige starben in jungen Jahren (Trakl, Heym); die meisten entwickelten sich in höchst unterschiedliche Richtungen: Becher zum Sozialismus, Döblin zum Christentum, Benn partiell zum Faschismus. Einige wurden zu erfolgreichen Vielschreibern wie Werfel, andere zu hungernden Emigranten wie Else Lasker-Schüler. So verfiel denn auch Anfang der 20er Jahre der Expressionismus als einheitliche literarische Bewegung recht schnell. Die Heterogenität der Ansätze und Perspektiven war tragfähig, solange der Protest sich auf die gemeinsame Gegnerschaft gegen die imperialistischen Verhältnisse im Wilhelminischen Deutschland konzentrieren konnte; er war hinfällig in dem Moment, als die parlamentarische Republik per Verfassungsnorm die Freiheit von Kunst und Literatur und damit die individuelle der Schriftsteller zu garantieren schien.

Titelblatt V. Jahrgang

Bilanz der bürgerlichen Epoche (Th. Mann, Sternheim, H. Mann)

Es sollen in diesem Abschnitt Autoren exemplarisch charakterisiert werden, deren Werke sich schwer einer bestimmten literarischen Epoche bzw. Strömung zuordnen lassen. Gemeinsam ist ihnen eine im Kern kritische Darstellung des bürgerlichen Zeitalters, wobei es unerheblich erscheint, ob diese Kritik bewußt als persönliche Absicht des Autors vorgetragen wird oder aufgrund der literarischen Objektivität des Werks selbst beim Leser bewirkt wird. Überblickt man Thomas Manns Werk vor dem Ersten Weltkrieg, so zeigt sich, daß vier Hauptfiguren seines literarischen Schaffens (Hanno in *Buddenbrooks*, Spinell in *Tristan*, Tonio Kröger in der gleichnamigen Novelle und Gustav von Aschenbach in *Der Tod in Venedig*) Künstler sind, die am gespannten Verhältnis zur Gesellschaft ihrer Zeit (der Differenz zwischen »Kunst und Leben«) leiden oder an ihr zugrunde gehen. Deren Konflikte und Probleme hat Mann aus der Perspektive des lebenden Individuums dargestellt; der soziale Ursachenkomplex bleibt im Hintergrund, die scheinbare Trennung Individuum – Gesellschaft gilt als unüberwindbar. Das kritische Moment im Mannschen Werk vor 1914 ist dessen Darstellungsprinzip: die Ironie. Ironie als stilistisches Prinzip setzt ein gebrochenes, distanziertes Verhältnis zum Gegenstand der Darstellung voraus, die erlebte Wirklichkeit ist

Thomas Manns Dilemma: Kunst und Leben

zwar noch darstellenswert, aber sie wird nicht mehr ganz ernst genommen, sondern vermittels Heraushebung ihrer Widersprüche, Absonderlichkeiten und Brüche des vordergründigen Scheins entkleidet.

Ein Leitthema des Mannschen Werks, das spannungsreiche Verhältnis von bürgerlichem Leben und Kunst, ist am deutlichsten in der Novelle *Tonio Kröger* (1903) angeschlagen. Ausführliche Erörterungen über diese Problematik im zweiten Teil der Erzählung zwischen der Titelfigur und ihrer Freundin Lisaweta lassen dieses Werk, das der Autor rückblickend ein halbes Jahrhundert später zu seinem liebsten erklärte, fast zu einer essayistischen Abhandlung werden. Tonio Kröger ist mit starken autobiographischen Zügen ausgestattet, wie viele der Mannschen Figuren. Er schwankt zwischen herablassender Verachtung der bürgerlichen Welt und der Sehnsucht nach deren Normalität und Geborgenheit. »Ein Bürger«, wie er sich selbst auf den Begriff bringt, »der sich in die Kunst verirrte, ein Bohemien mit Heimweh nach der guten Kinderstube, ein Künstler mit schlechtem Gewissen.« Er ist sich bewußt, daß der Zustand der bürgerlichen Welt, dem er wegen seiner banalen Geschäftigkeit und »Gesundheit« zu entfliehen versucht, auch ihn geprägt hat. Das Dilemma löst sich freilich nicht: »Ich stehe zwischen zwei Welten, bin in keiner daheim und habe es infolgedessen ein wenig schwer.«

»Tonio Kröger«

Die *Buddenbrooks* (1901) erzählen den »Verfall einer Familie«, einer großbürgerlichen im Lübeck des 19. Jahrhunderts, basierend auf dem biographischen Material der Familie Mann, das der Autor bis in die Details für die epische Gestaltung übernommen hat. Sie ist Chronik und Bilanz einer Epoche, mit der der Autor kritisch-skeptisch den Aufstieg und Fall einer Patrizierfamilie über vier Generationen hinweg darstellt. Er war dabei von der Überzeugung getragen, »daß [er] nur von [sich] zu erzählen brauche, um auch der Zeit, der Allgemeinheit die Zunge zu lösen.« Das ist freilich nicht völlig gelungen, weil die Entwicklung der Familie Buddenbrook/Mann nicht repräsentativ für die des deutschen Bürgertums im 19. Jahrhundert ist. Dennoch vermittelt die mit äußerster Akribie und analytischem Scharfsinn nachgezeichnete Wirklichkeit der hansischen Kaufmannschaft eine Menge allgemeingültiger Züge wie bürgerliches Klassenbewußtsein, politischen Konservatismus und Tugenden der Ehrbarkeit und Aufrichtigkeit, die das Bürgertum groß gemacht haben. Obwohl der Autor durch seine Darstellungsweise zu erkennen gibt, daß er stolz auf seine bürgerlich-patrizische Herkunft und ihre Normen ist, gehört seine auf sich selbst bezogene Liebe dennoch ganz jenem morbiden Spätprodukt, das für die bürgerlichen Geschäfte nicht mehr die rechte Fähigkeit und Neigung aufzubringen vermag und sich dilettierend der Kunst verschreibt: Hanno Buddenbrook. Sie ist als einzige Figur des Romans aus der ironisierenden Darstellung herausgenommen und genießt die volle Sympathie des Autors. Die *Buddenbrooks* stehen in der Tradition der europäischen und deutschen realistisch-kritischen Erzählkunst des 19. Jahrhunderts; oft genug hat der Autor darauf hingewiesen, auf wessen Schultern er da steht: das sind Storm und Fontane einerseits, und auf der anderen Seite Tolstoi, Dostojewski und Turgenjew. Mann gehörte seit dem Erscheinen der *Buddenbrooks* bis zu seinem Tode zu den – auch international – erfolgreichsten Schriftstellern des Jahrhunderts (Nobelpreis 1929). Seine ironisch-brillante und nuancenreiche Schreibweise stellt hinsichtlich der Ausnutzung der Möglichkeiten, die die deutsche Sprache bietet, wohl einen der Höhepunkte epischer Kunst dar.

»Buddenbrooks«

Carl Sternheims Komödienzyklus *Aus dem bürgerlichen Heldenleben* entstand in den Jahren zwischen 1909 und 1915. Er stellt den Aufstieg der deutschen Bourgeoisie im Zeitalter des Imperialismus dar und richtet dabei den Blick auch auf die ökonomisch-politischen Ursachen der Entwicklung. Dieser realistische Grundzug macht Sternheims Werk zum bedeutendsten innerhalb der deutschen Dramatik in der ersten Hälfte des 20. Jahrhunderts – Brecht ausgenommen. Die künstlerische Verarbeitung und Gestaltung der Zeitgeschichte als Prozeß, in dessen dramatische Realisation die Einheit von ökonomischen, politischen, ideologischen und persönlichen Momenten der je individuellen Repräsentanten eingeht, wird getragen vom stilistischen Mittel der Satire, die, anders als die letztlich versöhnliche Ironie, ihren Gegenstand der unmittelbaren Kritik und Vernichtung aussetzt. Die »Helden« sind keine mehr, und dort, wo sie triumphieren, triumphiert ihre Hohlheit, Borniertheit und Aufschneiderei. So werden in den Komödien des Zyklus (*Die Hose*, 1911; *Die Kassette*, 1911; *Bürger Schippel*, 1912; *Der Snob*, 1913; *1913*, 1913/14) die falschen Vorstellungen, die sich das Bürgertum von sich selbst macht, der Lächerlichkeit preisgegeben, entlarvt, indem Vorstellung und Realität miteinander konfrontiert werden. Auf diese Weise entsteht eine satirisch-realistische Chronik der kleinbürgerlich-bürgerlichen Gesellschaft vor dem Ersten Weltkrieg. Das wichtigste Strukturelement des Zyklus ist die Tatsache, daß der komische Held, Vater Theobald und Sohn Christian Maske (die bürgerliche »Charaktermaske«), sich auf drei Ebenen fortentwickelt und so in der Familie individuell das nachvollzogen wird, was für die gesellschaftliche Gesamtentwicklung repräsentativ war: Maske ist Kleinbürger in der *Hose*, wird zum Kapitalisten im *Snob* und steht als Monopolkapitalist, der Wirtschaft und Politik des Landes im Griff hat, in *1913* auf dem Höhepunkt seiner Entwicklung. Ähnliche Aufstiegsprozesse durchlaufen die bürgerlichen »Helden« Krull in der *Kassette* und der Proletarier Schippel, dessen Aufnahme ins Bürgertum im *Bürger Schippel* dargestellt wird und der in *tabula rasa* als Direktor eines Betriebes wieder auftaucht. Die von den »Helden« repräsentierten Verhaltensweisen und Einstellungen sind als Variationen eines einzigen Grundmusters zu begreifen; es kommt weniger auf ihre persönlich-individuelle Struktur an, sondern darauf, sie als Repräsentanten einer objektiven sozioökonomischen Entwicklung zu sehen. Das Gesamtbild, das durch die Einheit aller Komödien des Zyklus sich erstellt, liefert eine die Schichten der bürgerlichen Klasse erfassende differenzierte Darstellung der Epoche. Bereits in dem im Jahre 1914 fertiggestellten Stück *1913* werden das Ende des Kaiserreichs und der Ausgang der Novemberrevolution vorweggenommen: Der »Revolutionär« Krey verbündet sich mit dem Kapital und gewinnt Maskes Tochter Ottilie. Sein scheinrevolutionärer Reformismus rettet Kapital und Bürgertum im Moment ihrer höchsten Gefährdung. Das Stück war als satirischer Beitrag zum Jubeljahr der Hohenzollernmonarchie gedacht. Indem es die deutsche Gesellschaft der Zeit durch seine dramatische Gestaltung politisch-moralisch beurteilt, zieht es zugleich die kritische Bilanz dieser Epoche.

Carl Sternheim –
Holzschnitt von
Conrad Felixmüller

Heinrich Mann

Von ähnlichen ästhetisch-politischen Intentionen ist Heinrich Manns Roman *Der Untertan* (1916) geprägt. Es gibt darüber hinaus formale und inhaltliche Parallelen: Wie Sternheim mit seinem Komödienzyklus, versucht Mann in einer Romantrilogie, die Bilanz des Wilhelminischen Kaiserreichs zu ziehen. Zum *Untertan* treten die Romane *Die Armen* (1917) und *Der Kopf* (1925). Reale zeitgeschichtliche Vorgänge, Ereignisse des gesellschaftlichen und politischen Lebens bilden das Fundament der dargestellten fiktiven Handlungen der Romane. *Der Untertan* schildert die Karriere des Papierfabrikanten und Kommunalpolitikers Diederich Heßling. Formal stellt der Roman eine Parodie auf den klassisch-romantischen und realistischen Erziehungs- und Bildungsroman des 18. und 19. Jahrhunderts dar, der in der deutschen Romanliteratur vorherrscht. So wird der äußere Aufstieg Diederich Heßlings als Niedergang geschildert – von Stufe zu Stufe macht er sich die zunächst entrüstet abgelehnten Werturteile und Normen im Brustton der Überzeugung zu eigen – bis von der Individualität des »Helden« nichts mehr übrig bleibt und er ganz als Repräsentant des reaktionären Zeitgeistes entlarvt ist. Mit nicht geringerer satirischer Schärfe als das konservativ-reaktionäre Bürgertum in Gestalt Heßlings wird der parlamentarisch-politische Opportunismus der deutschen Sozialdemokratie aufs Korn genommen. Der Arbeiterführer Napoleon Fischer – revolutionär im Wort und opportunistisch in der Tat – steht mit seinem Verhalten exemplarisch für die Entwicklung von Sozialdemokratie und Gewerkschaftsbewegung seit den 90er Jahren des vorigen Jahrhunderts. Die Sympathie des Autors gehört demgegenüber den Liberalen des Bürgertums von 1848, deren politischer Einfluß mit Gründung des Zweiten Reichs, jener nationalen »Revolution von oben«, ständig schwand und die im Roman in Gestalt des alten Buck ihre Verkörperung und ihr Ende finden. Vielschichtig sind die wirtschaftlichen Prozesse (Heßlings Aufstieg vom Klein- zum Großunternehmer), die gesellschaftlich-politischen Verhältnisse (Kaiser, Adel, Militär, konservatives und liberales Bürgertum, Arbeiterschaft und Sozialdemokratie) sowie die spezifischen Sozialisationsverhältnisse im autoritären Kaiserreich (Erziehung zum Untertanen) und die ideologisch-moralischen Normen erfaßt, so daß im Kleinen ein literarisch-künstlerisches Bild des faulen Ganzen entsteht. Obwohl vor dem Ersten Weltkrieg konzipiert, verbleibt der Roman nicht bei satirischer Kritik am Gesellschaftszustand seiner Zeit, vielmehr wird am Schluß ein Vorspiel des Umsturzes und Untergangs der Epoche gestaltet: Das Gewitter bricht metaphorisch über die Jubiläumsfeier und die Einweihung des Kaiserdenkmals herein und deutet das Ende des Untertans und der Verhältnisse, die ihn hervorbrachten, unübersehbar an.

LITERATUR
IN DER
WEIMARER REPUBLIK

Nach der Niederlage des Ersten Weltkriegs

George Grosz frei nach Rilke: »Armut ist ein großer Glanz von innen«

Das oft beschworene Bild von den »Goldenen Zwanziger Jahren« trügt. Am Anfang stand der militärische und politische Zusammenbruch des Kaiserreichs als Folge des zwar mit Begeisterung begonnenen, aber zuletzt verlorenen Weltkriegs, die Erschütterung traditioneller Werte und Normen und die gescheiterte Novemberrevolution, am Ende der Verfall der Demokratie und die Machtübernahme der Nationalsozialisten. Die Tatsache, daß die neuen demokratischen Herrschaftsformen, die an die Stelle der abgewirtschafteten alten monarchischen Ordnung traten, nicht auf einem klaren Willensbildungsprozeß der Bevölkerung beruhten, sondern sich als Ergebnis des militärischen Zusammenbruchs einstellten, erwies sich als eine nicht minder schwere Hypothek für die politische Zukunft wie die Tatsache, daß der Bruch mit der alten Ordnung in der Realität nicht so radikal vollzogen wurde, wie er in der Verfassung kodifiziert worden war. Tatsächlich lebten die antidemokratischen Traditionen des Kaiserreichs und des alten Obrigkeitsstaats in der Weimarer Republik in sehr viel stärkerem Maße fort, als dies Zeitgenossen auf den ersten Blick deutlich gewesen sein mag. In den fünfzehn Jahren ihres Bestehens wurde die erste Republik auf deutschem Boden – wenn man von dem kurzen Zwischenspiel der Mainzer Republik 1792/1793 absieht – von schweren Krisen geschüttelt; Kapp-Putsch (1920), Ruhrkampf (1920), Hitler-Ludendorff-Putsch (1923), Inflation, Weltwirtschaftskrise und das wachsende Heer von Arbeitslosen nach 1929 waren äußere Anzeichen einer strukturellen Krise, der die Weimarer Republik schließlich zum Opfer fallen sollte. Die Phase der relativen Stabilisierung zwischen 1924 und 1929, die den Mythos der »Goldenen Zwanziger Jahre« prägte, war nur ein kurzes Zwischenspiel. Der Demokratisierungsprozeß, der mit der Schaffung der Republik und der republikanischen Verfassung eingeleitet worden war, wurde von einer zunehmend aggressiven Faschisierung unterlaufen.

Schwäche der Republik

Die Zurückdrängung und Liquidierung der in der Verfassung angelegten demokratischen Elemente wurde ermöglicht bzw. erleichtert durch das Fehlen eines demokratischen Grundkonsenses in der Bevölkerung, durch die Aufspaltung der Arbeiterbewegung in einen sozialdemokratischen und einen kommunistischen Flügel und die immer stärkere Fraktionierung der Linken, die dem geschlossenen Vordrängen der faschistischen Kräfte keine Gegenwehr bieten konnte. Nicht im Kampf zwischen rechts und links, d.h. zwischen Faschisten und Kommunisten, wurde die Republik zerrieben, sondern sie ging an der fehlenden Aktionseinheit des demokratisch gesonnenen Flügels zugrunde. Statt gegen den gemeinsamen Gegner anzugehen, zersplitterten die Linken ihre Kräfte in Richtungs- und Fraktionskämpfen. Die Kom-

munisten beschimpften die Sozialdemokraten als »Sozialfaschisten«, die
Sozialdemokraten ihrerseits diffamierten die Kommunisten als antidemokra-
tische Gruppierung, die im Prinzip genauso gefährlich wie die Nationalsozialisten sei. Die reale Gefahr einer nationalsozialistischen Machtergreifung, die
sich seit der Weltwirtschaftskrise von 1929 deutlich abzeichnete, geriet dabei
weitgehend aus dem Blick.

Literarisch war diese von Klassenauseinandersetzungen und Strukturkri-
sen erschütterte Epoche eine höchst widerspruchsvolle Zeit, die sich dem
vereinheitlichenden Zugriff entzieht. Der Zusammenbruch des Wilhelminischen Reichs wurde von vielen Schriftstellern auch als ein Zusammenbruch
traditioneller literarischer Techniken und Themen erlebt. Die rasche Abfolge
von Richtungen und Moden, – Expressionismus, Dadaismus, Neue Sachlichkeit, Amerikanismus – war Ausdruck der Orientierungsschwierigkeiten der
literarischen Intelligenz angesichts der neuen Epochenkonstellation. Auf die
Erfahrung von Krieg und Revolution antwortete ein Teil der Autoren mit der
Politisierung ihrer Kunstproduktion, andere dagegen führte eben diese Erfahrung zu einer programmatischen Absage der Kunst an die Politik.
Dazwischen gab es eine Vielzahl von Positionen, in denen die umfassende
gesellschaftliche Verantwortung des Schriftstellers neben Individualismus,
Traditionalismus, Nihilismus, extremem Subjektivismus und Innerlichkeit
stand.

rascher Wechsel der Moden

Literatur als Ware

Die Weimarer Republik stellt nicht nur politisch eine Umbruchphase dar,
welche die Schriftsteller zur ideologischen und künstlerischen Standortbestimmung zwang, sondern sie brachte auch eine Veränderung der Entste-
hungsbedingungen von Literatur. Der Autor geriet zunehmend in Abhängigkeit von einem ihm fremden und undurchschaubaren Produktions- und Distributionsapparat, der sich nach den Gesetzen des Marktes organisierte und
Kunst ausschließlich unter Verwertungsinteressen betrachtete. Der Einsicht,
daß Literatur eine Ware ist, konnten sich auch Schriftsteller, die ihre literarische Produktion als »reinen« künstlerischen Schöpfungsakt verstanden und
sich selbst als »autonome Schöpfer ewiger Kulturwerte« begriffen, nicht
länger entziehen. Die Erkenntnis, daß Literatur eine Ware war, machten
bereits die Schriftsteller am Ende des 18. Jahrhunderts, aber erst im 20. Jahrhundert drang sie ins Bewußtsein der Zeitgenossen. Der Prozeß, den Brecht
in den 20er Jahren gegen die Nero-Film AG führte und mit dem er sich gegen
die Verfälschung seines Werkes durch die Verfilmung zur Wehr zu setzen
versuchte – als *Dreigroschenprozeß* ist er in die Literaturgeschichte eingegangen –, machte deutlich, daß ein Kunstwerk, einmal auf den Markt gelangt,
beliebig verwertbar war. Brecht selbst hat die Veränderung seiner *Dreigroschenoper* durch die Nero-Film AG als eine »Abbauproduktion« beschrieben, in der das ursprüngliche Kunstwerk zerlegt, zerstört und bis zur Unkenntlichkeit entstellt erscheint. Die Demontierung von Kunstwerken folgte
nach Brecht denselben Gesetzen des Marktes wie die Demontierung von
schrottreifen Autos. »Ein Kunstwerk ist zerlegbar in Teile, von denen einzelne entfernt werden können. Es ist mechanisch zerlegbar, nämlich nach
wirtschaftlichen und polizeilichen Gesichtspunkten« *(Dreigroschenprozeß).*

Kunst geht nach Geld

Original
gegen Reproduktion

Walter Benjamin hat in *Das Kunstwerk im Zeitalter seiner technischen Reproduzierbarkeit* (1936) scharfsinnig die Veränderungen beschrieben, die diese Arbeitsteilung im Produktionsprozeß bewirkt: aus einem »freien« Produzenten wird der Autor zunehmend zu einem bloßen Lieferanten für den bürgerlichen Kulturbetrieb. Die ästhetisch-inhaltliche Qualität der Literatur, die ihren eigentlichen Kunstcharakter ausmacht, gerät in ein widersprüchliches Verhältnis zu ihrem wirtschaftlichen Wert, der seinerseits von Faktoren wie Publikumsinteresse, Geschmack, Lesegewohnheiten, Moden bestimmt wird. Da sich die ästhetische Qualität eines Werkes nur über den Markt vermitteln kann, erlangt die wirtschaftliche Seite ein deutliches Übergewicht. »Sie drückt der gesamten Literaturproduktion somit ihren Stempel auf, indem ihre Instanzen in ihrem Interesse in die literarische Produktion auf vielfältige Weise hineinwirken und literarische Produkte verändern, sei es durch offene Einflußnahme oder sei es dadurch, daß der Autor bereits die Erwartungen seiner Auftraggeber oder Abnehmer bewußt oder unbewußt antizipiert« (F. Kron).

Autor/Unternehmer

Nur in Ausnahmefällen deckten sich ästhetische Qualität und wirtschaftlicher Erfolg eines Werkes und eröffneten dem Autor einen relativ breiten Raum der literarischen Selbstverwirklichung. Im allgemeinen führten die Gesetze des Marktes zu einer Nivellierung zwischen vermeintlich »hoher« Literatur und Trivialliteratur und beschleunigten damit eine Entwicklung, die im sogenannten Bestsellerwesen ihren Ausdruck fand und deren zerstörerische Wirkungen von Zeitgenossen wie Carl von Ossietzky sehr deutlich gesehen wurden: »Der bedrängte Verleger aber braucht Erfolg um jeden Preis. Er bestellt, impft Ideen ein oder was er dafür hält, zwingt einen Autor, der zu Dunkel neigt, hell zu schreiben, er verwirrt ihn, nimmt ihm den persönlichen Zug. Oder er ermutigt einen Autor, den ein Zufallserfolg hochgehoben hat, nun weiter auf gleichem Feld zu ackern, er lehnt andere Vorschläge als nicht zugkräftig ab. Er raubt seinen Leuten damit das Recht auf die Entwicklung, nimmt der Literatur den Reiz der Vielfältigkeit, stellt seine genormten Autoren wie gespießte Schmetterlinge nebeneinander. [...] Erreicht ein Buch, neuartig in Form oder Motiv, in ein paar Tagen Bedeutung, so heißt es gleich in soundsovielen Verlagskontoren: ›So etwas müssen wir auch haben‹« (1929).

Assimilationskraft
des Markts

Es wäre jedoch falsch anzunehmen, daß die gesamte Literaturproduktion in der Weimarer Republik gleichsam normiert gewesen sei und abweichende Autoren überhaupt keine Chancen auf dem Markt gehabt hätten; im Gegenteil. Im beschränkten Maß war es möglich, auch Themen und Techniken, die sich den herrschenden literarischen Moden entzogen oder ihnen sogar widersprachen, über den Markt zu vermitteln. Schon Benjamin machte die auf den ersten Blick verblüffende Entdeckung, »daß der bürgerliche Produktions- und Publikationsapparat erstaunliche Mengen von revolutionären Themen assimilieren, ja propagieren kann, ohne damit seinen eigenen Bestand und den Bestand der ihn besitzenden Klasse ernstlich in Frage zu stellen« (1934). Die Vermarktung des Expressionismus und der dadaistischen Literaturrevolte zu Beginn der Weimarer Republik sprach eine ebenso deutliche Sprache wie die Vermarktung des Kriegsromans an deren Ende, die sich am deutlichsten an Remarques Bestseller *Im Westen nichts Neues* und der an ihn anschließenden Kriegsromanmode ablesen läßt. Zwischen 1928 und 1932 wurden weit über zweihundert Kriegsromane veröffentlicht. Eine solche Massenproduktion hatte die Neutralisierung der gesellschaftskritischen Möglichkeiten des Kriegsromans zur Folge.

Pressekonzentration

Darüber hinaus wurde die schriftstellerische Arbeit von der zunehmenden

Pressekonzentration beeinflußt, die ebenfalls von Marktgesetzen diktiert wurde. Um leben zu können, hatten die Schriftsteller bereits im 18. Jahrhundert Beiträge für Zeitschriften verfaßt oder aber ihre Werke als Vorabdrucke an Zeitungen gegeben. Die Pressekonzentration in der Weimarer Republik schränkte insbesondere kritische Intellektuelle in ihren Publikationsmöglichkeiten erheblich ein. Das Presseimperium des deutschnational gesonnenen ehemaligen Krupp-Managers Alfred Hugenberg, das von der deutschen Schwerindustrie finanziert wurde, öffnete seine Spalten nur solchen Autoren, die sich der ideologischen Generalrichtung des Konzerns – Antisemitismus, Antidemokratismus, Intellektuellenhetze – anzupassen bereit waren. Gegenüber der Massenpresse des Hugenberg-Konzerns, zu dem Zeitungen und Zeitschriften, eine eigene Nachrichtenagentur, Druckereien sowie ein eigener Materndienst für die Provinzpresse gehörten, war der Einfluß der demokratischen, liberalen und sozialistischen Blätter verschwindend gering. Zwar genossen profilierte Zeitschriften wie die von Ossietzky und Tucholsky herausgegebene *Weltbühne* und die von Karl Kraus herausgegebene *Fackel* ein großes Renommee unter kritischen Intellektuellen und erlangten als oppositionelle Blätter auch eine gewisse politische Wirksamkeit und Bedeutung; ein Gegengewicht zur Massenpresse konnten sie ebensowenig bilden wie die zahlreichen linken Blätter, die nur in kleiner Auflage erschienen.

Die Konzentration auf dem Gebiet der Presse, die Herausbildung von Großverlagen (Ullstein, Mosse, Scherl) und der Aufbau einer ausufernden Unterhaltungsindustrie, die durch eigens eingerichtete Buchgemeinschaften strukturiert und organisatorisch abgesichert wurde, übten einen gewaltigen Anpassungsdruck auf Schriftsteller aus, dem sich nur solche Autoren entziehen konnten, die entweder prominent oder erfolgreich waren oder aber Publikationsmöglichkeiten in linken Verlagen und Zeitschriften hatten. Linke Autoren erkannten frühzeitig die Gefahr der Konzentration und antworteten mit der Gründung von eigenen Verlagen (Malik-Verlag), eigener Presse und eigenen Buchgemeinschaften, die als Alternative zum bürgerlichen Literaturbetrieb konzipiert waren, eine Gegenöffentlichkeit schaffen und gleichgesinnten Autoren Publikationsmöglichkeiten bieten sollten. Die gesteigerte Verbreitung von Massenliteratur nahm in der Weimarer Republik eine neue Qualität an und stellte eine zusätzliche Beeinträchtigung schriftstellerischer Arbeit dar. Der zum Hugenberg-Konzern gehörige Scherl-Verlag stieß Heftchenliteratur in Millionenauflage aus und überflutete den Markt mit billiger Trivialliteratur; insbesondere Unterhaltungsschriftsteller hatten es schwer, sich neben dieser Konkurrenz zu behaupten. Die vom »Bund proletarisch-revolutionärer Schriftsteller« im Malik-Verlag herausgegebene Reihe der *Rote-Eine-Mark-Romane* stellte einen Versuch dar, dieser angepaßten Massenliteratur entgegenzuwirken.

Buchumschlag

Schriftsteller organisieren sich

Als Reaktion auf die Abhängigkeit vom Markt und seinen Gesetzen kam es in der Weimarer Republik zur Bildung von Schriftstellerorganisationen, welche die wirtschaftliche Interessenvertretung der Autoren übernahmen. Ansätze zu einer wirtschaftlichen Interessenvertretung finden sich bereits Ende des 18. Jahrhunderts, aber erst 1842 wurde mit der Gründung des »Leipziger Literatenvereins« eine Organisation geschaffen, die als schriftstellerische Be-

Verbandswesen

rufsorganisation Bedeutung gewann. »Nachdruck, gesetzlicher und ungesetzlicher Zustand der Presse, Handhabung der Zensur« waren die »drei Punkte«, die der »Leipziger Literatenverein« laut Satzung »zu Gegenständen unausgesetzter Beratung und Entschließung« erklärte. Die Frage des Nachdrucks berührte urheber- und verlagsrechtliche Bestimmungen, die Frage der Zensur berührte dagegen allgemeine politische Fragen, die der Literatenverein laut Satzung eigentlich ausschließen wollte. Nachdem der »Leipziger Literatenverein« nach der gescheiterten Revolution von 1848 nahezu bedeutungslos geworden war, kam es 1878, wiederum in Leipzig, zur Gründung des »Allgemeinen Deutschen Schriftsteller-Verbandes«, der sich die »energische Vertretung der Interessen des Schriftstellerstandes nach Innen und Außen« zum Ziel setzte und insbesondere für eine Verbesserung der sozialen Lage der Schriftsteller eintrat. In nur wenigen Jahren kam es zu einer Vielzahl von überregionalen Organisationsgründungen (»Deutscher Schriftsteller-Verein«, 1885; »Deutscher Schriftsteller-Verband«, 1887; »Schutzverein deutscher Schriftsteller«, 1887; »Deutscher Schriftstellerbund«, 1888; »Allgemeiner Schriftstellerverein«, 1901), die zum Teil fusionierten, sich zum Teil aber auch Konkurrenz machten. Eine schlagkräftige, einheitliche Organisation scheiterte an dem individualistischen Selbstverständnis der Schriftsteller und an den divergierenden gesellschaftspolitischen Vorstellungen. Die Frage, ob Schriftstellerorganisationen sich auf eine rein ökonomische Interessenvertretung ihrer Mitglieder beschränken oder auch eine politische Interessenvertretung übernehmen sollten, blieb ein ständiger Streitpunkt und führte zu Auflösungen, Splitterungen und Fraktionierungen. Wirkliche Bedeutung erlangte erst der 1909 in Berlin gegründete »Schutzverband deutscher Schriftsteller« (SDS). In ihm waren nahezu alle bedeutenden Autoren der Zeit organisiert. Er bezweckte »den Schutz, die Vertretung und Förderung der wirtschaftlichen, rechtlichen und geistigen Berufsinteressen seiner Mitglieder«.

SDS Der SDS wurde zur maßgeblichen schriftstellerischen Berufsorganisation. Er hatte detaillierte Vorstellungen über die berufliche, rechtliche, wirtschaftliche und soziale Interessenvertretung der in ihm organisierten Schriftsteller und gewährte laut Satzung auch »Rechtsschutz bei der Beschlagnahme von Büchern, sowie bei sonstigen Ein- und Übergriffen der Staatsgewalt in die Tätigkeit der Verbandsmitglieder«. Fast alle prominenten Autoren der Weimarer Republik waren im SDS organisiert, 1924 wurde Alfred Döblin, später Theodor Heuss, nachmaliger erster Bundespräsident der Bundesrepublik, Vorsitzender des Verbandes. Neben dem SDS erlangte der 1921 unter dem Eindruck des Ersten Weltkriegs gegründete internationale PEN-Club, der sich »für Weltfrieden« und »gegen Völker- und Rassenhaß« engagierte, eine Bedeutung für die Standortbestimmung der Autoren. Hier ging es nicht um eine wirtschaftliche Interessenvertretung, sondern um ein gesellschaftspolitisches Ziel, das aus der internationalen Zusammensetzung des Verbandes deutlich wurde. SDS und PEN-Club waren also keine Konkurrenzunternehmen, sondern sie ergänzten sich. Doppelmitgliedschaften von Schriftstellern in beiden Verbänden waren keine Ausnahme.

BPRS Einen anderen Charakter als diese beiden bedeutenden Schriftstellerorganisationen – der PEN-Club existiert noch heute – hatte der 1928 gegründete »Bund Proletarisch-Revolutionärer Schriftsteller« (BPRS). Er wurde hauptsächlich von einer Arbeitsgemeinschaft kommunistischer und sozialistischer Schriftsteller im SDS getragen und bildete die deutsche Sektion der 1927 gegründeten »Internationalen Vereinigung Revolutionärer Schriftsteller« (IVRS), die sich als Gegengründung zum PEN-Club verstand. Der BPRS, in

Alfred Döblin, Thomas Mann und Ricarda Huch während einer Sitzung der Preußischen Akademie der Künste

dem so prominente Autoren wie Erich Weinert, Johannes R. Becher, Anna Seghers, Willi Bredel, Karl Grünberg und Hans Marchwitza organisiert waren, begriff Literatur als »wichtigen Bestandteil des ideologischen Überbaus der Gesellschaft« und verstand sich im Gegensatz zum SDS als eine Organisation mit politischem Vertretungsanspruch. Die Ansätze einer proletarischen Literatur, die sich in Deutschland während der Weimarer Republik unter dem Eindruck der russischen Oktoberrevolution und der Zuspitzung der sozialen Probleme bildeten, wurden vom BPRS aufgegriffen, um der proletarisch-revolutionären Literatur »die führende Stellung innerhalb der Arbeiterliteratur zu verschaffen und sie zur Waffe des Proletariats innerhalb der Gesamtliteratur zu gestalten« (Aktionsprogramm, 1928).

Nicht nur sozialistische und kommunistische Autoren organisierten sich in politischen Interessenverbänden, auch nationalistische, konservative, reaktionäre und faschistische Schriftsteller begannen sich bereits während der Weimarer Republik in eigenen Interessenverbänden zusammenzuschließen. So hatten der »Nationalverband deutscher Schriftsteller« und der »Wartburgkreis deutscher Dichter« eine eindeutig nationalistische Ausrichtung. Der »Kampfbund für deutsche Kultur«, 1927 von Alfred Rosenberg als »Nationalsozialistische Gesellschaft für deutsche Kultur« gegründet, stand den Nationalsozialisten nahe. Er war praktisch eine faschistische Kulturorganisation.

völkische Verbände

»Eine Zensur findet nicht statt« – Schriftstellerverfolgungen

In Artikel 118 der Verfassung der Weimarer Republik stehen die wichtigen Sätze: »Jeder Deutsche hat das Recht, innerhalb der Schranken der allgemeinen Gesetze seine Meinung durch Wort, Schrift, Druck, Bild oder in sonstiger Weise frei zu äußern«, und: »Eine Zensur findet nicht statt«. Die Realität freilich sah anders aus. Die verfassungsmäßig garantierte Meinungsfreiheit

freiheitliche Meinungsäußerung

bestand nur auf dem Papier, in den letzten Jahren der Republik wurde sie durch Sondergesetze zunehmend ausgehöhlt. Die allmähliche Zerstörung bürgerlicher Freiheiten läßt sich anhand der Weimarer Republik beispielhaft beobachten. Sie beginnt 1922 mit dem »Gesetz zum Schutz der Republik«, das ursprünglich nach der Ermordung Rathenaus gegen die nationalistische Rechte erlassen worden war, aber fast ausschließlich gegen liberale, linksbürgerliche, sozialistische und kommunistische Autoren angewendet wurde. Schriftsteller, die sich zum Konservatismus oder gar Nationalsozialismus bekannten und mit ihren Schriften Gewalt, Mord und Grausamkeiten verherrlichten, wie z.B. die Verfasser der zahlreichen rechtsradikalen Freikorpsromane, blieben in der Regel ungeschoren und wurden z.T. noch öffentlich belobigt und gefördert, wie der ehemalige Expressionist und nachmalige Nationalsozialist Arnolt Bronnen, der mit seinem Freikorpsroman *O.S.* (1929) eindeutig gegen die bestehenden Gesetze der Republik verstieß. Einen anderen ehemaligen Expressionisten jedoch, der sich unter dem Eindruck des Ersten Weltkriegs und der Novemberrevolution der Arbeiterbewegung angenähert hatte und 1919 in die KPD eingetreten war – Johannes R. Becher –, traf das neue Republikschutzgesetz hart. 1925 wurde ein Gedichtband von ihm beschlagnahmt, der Autor kam vorübergehend in Haft. 1927 fand ein Hochverratsprozeß gegen Becher statt, der sich nicht nur auf den bereits beschlagnahmten Gedichtband stützte, sondern auch auf weitere, in der Zwischenzeit erschienene Schriften. Strafbare Handlungen konnten Becher

Johannes R. Becher

nicht nachgewiesen werden, sie standen überhaupt nicht zur Diskussion. Die Anklage stützte sich allein auf die literarischen Äußerungen. Die öffentliche Empörung war groß, an den Protesten beteiligten sich auch viele Intellektuelle und Schriftsteller, die die politischen und literarischen Positionen Bechers nicht teilten. So schrieb Alfred Kerr, einflußreicher Kritiker der damaligen Zeit, den denkwürdigen Satz: »Johannes R. Becher, das bist Du und Du und Du, das sind morgen wir alle«, und machte damit deutlich, daß sich die Maßnahmen der Anklagebehörde gegen die gesamte kritische Intelligenz der Weimarer Republik richteten. Tatsächlich wurde das Verfahren gegen Becher nicht zuletzt unter dem Druck der Öffentlichkeit 1928 eingestellt. Die Verfolgung kritischer Intellektueller ging jedoch weiter.

Schund-
und Schmutzgesetz

Das 1926 erlassene »Schund- und Schmutzgesetz« bot mehr noch als das »Gesetz zum Schutz der Republik« eine glänzende Handhabe zur Unterdrückung mißliebiger Autoren. Die politische Stoßrichtung des Gesetzes wurde von Thomas Mann erkannt, wenn er schrieb: »Die Notwendigkeit, unsere Jugend gegen Schmutz und Schund zu schützen, diese Notwendigkeit, auf die der leider in Rede stehende Gesetzentwurf sich gründen soll, ist für jeden Lesenden und Wissenden nichts als ein fadenscheiniger Vorwand seiner Autoren, um sich durchschlagende Rechtsmittel gegen den Geist selbst und seine Freiheit zu sichern«. Trotz zahlreicher öffentlicher Proteste konnte das Gesetz nicht verhindert werden. Auf der Grundlage der 1922 und 1926 erlassenen Sondergesetze wurden zahlreiche Verbote von Büchern und Filmen ausgesprochen. Eisensteins Film *Panzerkreuzer Potemkin*, der proletarisch-revolutionäre Film *Kuhle Wampe* und *Im Westen nichts Neues* nach dem gleichnamigen Bestseller von Remarque wurden ebenso verboten wie Brechts Theaterstücke *Die Mutter* und *Die heilige Johanna der Schlachthöfe*. Betroffen von den Verboten waren hauptsächlich linke und kommunistische Autoren, deren Werke als Gefährdung und politischer Affront empfunden wurden. Der ironische Satz von Heinrich Mann: »In der Verfassung steht wohl auch etwas von der Freiheit der Rede und der Schrift. Gemeint sind bürgerliche Rede und bürgerliche Schrift«, benennt den Charakter der offiziellen Verbotspraxis präzise. Erschwerend kam hinzu, daß sich die Maßnahmen nicht nur gegen die Autoren und ihre Werke richteten, sondern auch gegen Verleger und Buchhändler, die als Hochverräter vor dem Reichsgericht angeklagt wurden.

Obwohl die bestehenden Sondergesetze der politischen Justiz freie Hand bei der Verfolgung und Unterdrückung mißliebiger Autoren ließen, waren den konservativen und reaktionären Kräften die Gesetze immer noch zu liberal. 1930 wurde eine verschärfte Neufassung des »Gesetzes zum Schutz der Republik« verabschiedet, 1931 wurde eine sogenannte »Pressenotverordnung« erlassen, die es den Behörden ermöglichte, ohne richterliche Anordnung Druckschriften zu beschlagnahmen und das Erscheinen von Zeitungen und Zeitschriften für die Dauer von bis zu acht Monaten zu verbieten. Aufgrund dieser neuen verschärften Gesetze wurde Willi Bredel, Autor der berühmten proletarisch-revolutionären Romane *Rosenhofstraße* und *Maschinenfabrik N & K* und Redakteur der *Kommunistischen Volkszeitung*, wegen literarischen Hoch- und Landesverrats zu zwei Jahren Festungshaft verurteilt. Trotz öffentlicher Proteste gelang es diesmal nicht, wie im Falle Bechers, eine Einstellung des Verfahrens zu erzwingen. Auch andere proletarisch-revolutionäre Romane wie *Sturm auf Essen* von Hans Marchwitza und *Barrikaden am Wedding* von Klaus Neukrantz wurden verboten. Die Überwachung und Bespitzelung von Autoren, die der KPD nahestanden oder als deren Sympathisanten eingestuft wurden, war am Ende der Weimarer Republik an der Tagesordnung. Im Mai 1930 waren über dreißig Redakteure kommunistischer Blätter in Haft, 1931 belief sich die Zahl der verhafteten Redakteure und Schriftsteller bereits auf über 65. 44 kommunistische Zeitungen und Zeitschriften durften 1931 nicht erscheinen. 1932 fiel auch der sozialdemokratische *Vorwärts* unter ein mehrtägiges Verbot. Die allgemeine Verschärfung der Lage und die Zunahme der Repression werden besonders deutlich an dem Hochverratsprozeß gegen Carl von Ossietzky im Jahr 1931. Ossietzky, Herausgeber der renommierten *Weltbühne*, der später an den Folgen der im Konzentrationslager erlittenen Folterungen starb, wurde wegen eines Artikels vor Gericht gestellt, in dem Einzelheiten über die laut Verfassung verbotene Aufrüstung im Luftwaffenbereich aufgedeckt wurden. Anstatt die verfassungswidrigen Praktiken des Reichswehrministeriums strafrechtlich zu verfolgen, wie es ihre Aufgabe gewesen wäre, verurteilten die Richter Ossietzky, der diese Rechtsbrüche ans Tageslicht gebracht hatte, zu eineinhalb Jahren Gefängnis.

In dieser Situation versagte der »Schutzverband Deutscher Schriftsteller« (SDS) fast gänzlich. Bereits in der Auseinandersetzung um den »Schmutz- und Schundparagraphen« war es zu einer Spaltung innerhalb des Verbandes gekommen. Während die Mehrheit den neuen Paragraphen vehement bekämpfte und die Öffentlichkeit aufmerksam zu machen suchte, stimmte der Reichstagsabgeordnete und Vorsitzende des Verbandes, Theodor Heuss, für die Annahme des umstrittenen Gesetzes im Reichstag. Die darauf erfolgten Auseinandersetzungen innerhalb des Verbandes führten zu einer weiteren Polarisierung zwischen Vorstand und Mitgliedern. Die hinter den Auseinandersetzungen stehende Kontroverse, ob der SDS eine reine Interessen- und Standesvertretung von Schriftstellern sein oder auch zu politischen Fragen Stellung beziehen solle, führte schließlich 1932 zur Spaltung. Neben dem linken Berliner Verband, in dem die literarische Prominenz organisiert war, etablierten sich rechte Provinzverbände, in denen konservative und nationalsozialistische Mitglieder das Wort hatten und linke Autoren ausgeschlossen wurden. Die Hetze gegen linke Autoren nahm in der Spätphase der Weima-

Pressenotverordnung

Spaltung des SDS

rer Republik bereits solche Ausmaße an, daß der *Völkische Beobachter*, das offizielle Presseorgan der Nationalsozialisten, im August 1932 ungestraft eine Liste von Autoren veröffentlichen konnte, die als »Repräsentanten einer dekadenten Niederungsperiode« diffamiert wurden und denen für den Fall der nationalsozialistischen Machtübernahme mit dem Verbot ihrer Bücher gedroht wurde. Auf ihr befanden sich bereits die Namen vieler Autoren, deren Bücher 1933 tatsächlich verboten, verbrannt und die ins Exil getrieben wurden.

Literatur in der Medienkonkurrenz

Kapitalistische Struktur des Literaturbetriebs, Unterdrückung und Zensur sind prinzipiell keine Erscheinungsformen des 20. Jahrhunderts. Sie finden sich in Ansätzen bereits im 18. Jahrhundert ausgeprägt. Neu in der Weimarer Republik dagegen war das Aufkommen der beiden Medien Film und Rundfunk. Wie die Entdeckung der Photographie im 19. Jahrhundert die Malerei revolutionierte, veränderten die neuen Medien die Literatur, ohne daß den davon betroffenen Zeitgenossen die Umwälzung in ihrer ganzen Tragweite bewußt gewesen wäre. Die neuen Medien machten der geschriebenen Literatur bzw. dem Theater ihren seit Jahrhunderten bestehenden kulturellen Alleinvertretungsanspruch streitig und schufen eine Konkurrenzsituation, auf die die Schriftsteller sehr unterschiedlich reagierten. Einige versuchten, die Medien einfach zu ignorieren oder aber, wie Thomas Mann, als »unkünstlerisch« abzutun; andere, wie Kafka, befürchteten nicht zu Unrecht eine »Uniformierung« des Bewußtseins; wieder andere spielten die »entseelte Mechanik des Films« gegen die »Unsterblichkeit des Theaters« (Max Reinhardt) aus. Während sich die meisten Autoren an der ziemlich unfruchtbaren und angesichts der rasanten Entwicklung und der Erfolge der neuen Medien anachronistisch anmutenden Diskussion beteiligten, ob es sich bei Rundfunk und Film um Kunstformen handele, erkannten einige wenige, daß sich durch die neuen Medien der Charakter der Kunst zu verändern begann: »Die alten Formen der Übermittlung nämlich bleiben durch neu auftauchende nicht unverändert und nicht neben ihnen bestehen. Der Filmesehende liest Erzählungen anders. Aber auch der Erzählungen schreibt, ist seinerseits ein Filmesehender« (Brecht, *Dreigroschenprozeß*). Brecht und Benjamin gehörten zu den ersten, die die neue Situation theoretisch zu erfassen suchten. Brecht zog aus seinen Einsichten alsbald Konsequenzen für seine literarische Arbeit und experimentierte mit den neuen Medien (*Dreigroschenfilm, Ozeanflug*).

Film- und Hörfunkindustrie

Als grundlegendes Problem stellte sich die Subsumption von Film und Hörfunk unter die Gesetze der Warenproduktion dar. Die Ausbeutung der neuen Medien unter dem Gesichtspunkt der Profitmaximierung und die Funktionalisierung des Films zum reaktionären Propagandainstrument – die UFA, Deutschlands größtes und erfolgreichstes Filmunternehmen, gehörte zum rechtsradikalen Hugenberg-Konzern – entzogen gesellschaftskritischen Autoren weitgehend die Möglichkeit, schöpferisch mit den neuen Medien umzugehen. Symptomatisch sind die Erfahrungen, die Brecht mit der Verfilmung seiner *Dreigroschenoper* durch die Nero-Film AG machte. Obgleich er vertraglich ein Mitbestimmungsrecht am drehfertigen Filmskript ausgehandelt hatte, hielt sich die Filmgesellschaft nicht an die Abmachung und drehte einen Film, der Brechts künstlerisch-politischen Absichten diametral entgegenlief. Brecht machte die Erfahrung, daß der Schriftsteller den »Apparaten« gegenüber ohnmächtig blieb und sich zum bloßen Lieferanten degradierte, solange es nicht gelang, die Medien aus den Fesseln ihrer kapitalistischen Verwertung zu befreien. Angesichts der Tatsache, daß die Kinos einen Massenzulauf hatten – die *Internationale Presse-Konferenz* schätzte 1926, daß etwa 800000 Werktätige täglich Filmvorstellungen besuchten, allein in den Industriegebieten gab es über 8000 große und mittlere Filmtheater –, sahen es linke und kommunistische Autoren als ihre vordringliche Aufgabe an, die neuen Medien aus dem kapitalistischen Verwertungsprozeß herauszulösen und, wo dies nicht möglich war, ein alternatives Film- und Rundfunkprogramm aufzubauen, um die revolutionären Möglichkeiten, die in Funk und Film schlummerten, zu nutzen (vgl. Willi Münzenberg, *Erobert den Film!*, 1925). Tatsächlich gelang es, trotz der äußerst schwierigen Produktionsbedingungen außerhalb des bürgerlichen Filmbetriebs, so bedeutende, am avantgardistischen russischen Film (Eisenstein) orientierte gesellschaftskritische Filme wie *Kuhle Wampe* und *Mutter Krausens Fahrt ins Glück* zu drehen. *Kuhle Wampe* freilich wurde sofort verboten und erst nach Schnitten für die Vorführung freigegeben. Neben der proletarischen Filmbewegung, an der sich prominent linke Autoren theoretisch und praktisch beteiligten, entstand auch eine Arbeiter-Radio-Bewegung, die von verschiedenen linken Parteien und Gruppierungen getragen wurde und die über Programmkritik und den angestrebten Einfluß auf die Programmgestaltung hinaus eine demokratische Rundfunk-Alternative zu entwickeln suchte (Arbeiterfunk, Arbeitersender).

Wie der Film wurde auch der Rundfunk zu einer heiß umkämpften Bastion, nicht zuletzt, weil er den wirtschaftlich bedrängten Autoren neue Arbeits- und Verdienstmöglichkeiten eröffnete und sie aus der als steril empfundenen traditionellen Kunstproduktion herausführte. Auf der 1929 stattgehabten Arbeitstagung »Dichtung und Rundfunk« nahmen neben Programmredakteuren auch zahlreiche Schriftsteller teil, u.a. Alfred Döblin, der auf die Chancen des neuen Mediums für die Literatur hinwies. Die Rückgewinnung des akustischen Mediums, des »eigentlichen Mutterbodens jeder Literatur«, hielt er für einen großen Vorteil, den die Schriftsteller ausnützen müßten. »Es heißt jetzt Dinge machen, die gesprochen werden, die tönen. Jeder, der schreibt, weiß, daß dies Veränderungen bis in die Substanz des Werkes hinein zur Folge hat. [...] Formveränderungen muß oder müßte die Literatur annehmen, um rundfunkgemäß zu werden.« Döblin schrieb zu seinem Roman *Berlin Alexanderplatz* selbst eine Funkfassung, mit der er seiner eigenen Forderung nach Rundfunkgemäßheit gerecht zu werden versuchte.

Veränderung der Wahrnehmung

In nur wenigen Jahren entwickelte sich die neue Kunstgattung des Hörspiels. Nachdem der deutsche Rundfunk am 29. Oktober 1923 sein Programm mit musikalischer Abendunterhaltung und Gedichtrezitationen begonnen hatte, wurden alsbald auch kleinere Szenen der dramatischen Dichtung, Einakter und Schwänke bis hin zu größeren Dramenbearbeitungen als sogenannte »Sendespiele« über den Äther ausgestrahlt. Allein 1926 wurden rund 500 Dramenbearbeitungen gesendet, vor allem von klassischen Stücken. Hier lag der Ursprung für das Hörspiel, das sich in der Folgezeit als eigene Kunstgattung etablieren konnte, seinen Höhepunkt aber erst nach 1945 in der Bundesrepublik erreichen sollte. Sehr früh wurde versucht, die neue Gattung theoretisch zu erfassen und in ihren möglichen Funktionen zu bestimmen. Während Hermann Pongs (*Das Hörspiel*, 1930) das Hörspiel zusammen mit dem Film als »Organe des modernen Kollektivgeistes« be-

Hörspiel

schrieb und seinen Wert vor allem in der »Erzeugung und Stärkung eines
überparteilichen Gemeinschaftsgefühls« sah, verstand Richard Kolb (*Das
Horoskop des Hörspiels*, 1932) das Hörspiel als eine Form, die »uns mehr
die Bewegung im Menschen als die Menschen in Bewegung zu zeigen« hat.
Beide Konzepte haben die Hörspielproduktion während der Weimarer Repu-
blik wie auch die während des Nationalsozialismus bestimmt. Während das
Pongssche Konzept von Gerhart Eckart 1941 in Hinsicht auf eine offene
Indienstnahme der Gattung für die Nationalsozialisten (*Der Rundfunk als
Führungsmittel*, 1941) präzisiert wurde, ebnete das Kolbsche Konzept einer
Verinnerlichung den Weg, die parallel zu den Konzepten der Innerlichkeit im
literarischen Bereich lief und die »Innere Emigration« auch im Bereich des
Hörspiels (Eich, Huchel) vorbereiten half.

Brechts Radiotheorie

Einen Versuch, die Möglichkeiten des Rundfunks gesellschaftskritisch zu
nutzen, unternahm Brecht mit seiner Radiotheorie, die in engem Zusammenhang mit seiner Lehrstücktheorie steht. Brecht machte den Vorschlag, den
Rundfunk aus einem »Distributionsapparat« in einen »Kommunikationsapparat« zu verwandeln: »Der Rundfunk wäre der denkbar großartigste Kommunikationsapparat des öffentlichen Lebens, ein ungeheures Kanalsystem,
das heißt, er wäre es, wenn er es verstünde, nicht nur auszusenden, sondern
auch zu empfangen, also den Zuhörer nicht nur hören, sondern auch sprechen zu machen und ihn nicht zu isolieren, sondern ihn in Beziehung zu
setzen. Der Rundfunk müßte demnach aus dem Lieferantentum herausgehen
und den Hörer als Lieferanten organisieren« (*Rede über die Funktion des
Rundfunks*, 1932). Mit seinem Hörspiel *Ozeanflug*, in dem der aufsehenerre-
gende Flug Charles Lindberghs über den Atlantischen Ozean zu einem dialektischen Lehrstück über die Möglichkeiten der neuen Technologie gestaltet
war, wollte Brecht das Radio in einem anderen Sinn nutze: »Dem gegenwärtigen Rundfunk soll der Ozeanflug nicht zum Gebrauch dienen, sondern er
soll ihn verändern. Die zunehmende Konzentration der mechanischen Mittel
sowie die zunehmende Spezialisierung in der Ausbildung – Vorgänge, die zu
beschleunigen sind – erfordern eine Art Aufstand des Hörers, seine Aktivie-
rung und seine Wiedereinsetzung als Produzent«. Dabei war Brecht der
utopische Charakter seines Vorschlags, aus dem Rundfunk einen »Kommunikationsapparat« zu machen, bewußt: »Dies ist eine Neuerung, ein Vorschlag, der utopisch erscheint und den ich selber als utopisch bezeichne,
wenn ich sage: der Rundfunk könnte, oder: das Theater könnte: ich weiß,
daß die großen Institute nicht alles können, was sie könnten, auch nicht alles,
was sie wollen. Von uns wollen sie beliefert sein, erneuert, am Leben erhalten durch Neuerungen. Aber es ist keineswegs unsere Aufgabe, die ideologischen Institute auf der Basis der gegebenen Gesellschaftsordnung durch
Neuerungen zu erneuern, sondern durch unsere Neuerungen haben wir sie
zur Aufgabe ihrer Basis zu bewegen. Also für Neuerungen, gegen Erneuerung! Durch immer fortgesetzte, nie aufhörende Vorschläge zur besseren
Verwendung der Apparate im Interesse der Allgemeinheit haben wir die
gesellschaftliche Basis dieser Apparate zu erschüttern, ihre Verwendung im
Interesse der wenigen zu diskutieren. Undurchführbar in dieser Gesellschaftsordnung, durchführbar in einer anderen, dienen die Vorschläge, welche doch nur eine natürliche Konsequenz der technischen Entwicklung bilden, der Propagierung und Formung dieser anderen Ordnung«.

*Der Hörfunk als Ver-
mittler authentischer
Wirklichkeit:»Der ge-
heime Sender« –
Linolschnitt von
Clément Moreau*

Ansätze zu einer proletarisch-revolutionären Literatur

Verlorener Krieg, gescheiterte Revolution, Verschärfung der Klassenauseinandersetzung, Spaltung und Polarisierung der Arbeiterbewegung auf der einen, Konzentrationsbewegungen und Medienkonkurrenz auf der anderen Seite schufen ein Krisenbewußtsein, das die Schriftsteller zwang, über ihr eigenes literarisches Tun nachzudenken. Die Erfahrung, daß Literatur sich in ihrer Gesamtheit als unfähig erwiesen hatte, Wesentliches zur Lösung der großen Fragen der Zeit beizutragen, war nicht nur unter linken Autoren verbreitet, führte aber bei ihnen zu den durchgreifendsten Veränderungen in der literarischen Praxis und zu einer höchst aufschlußreichen Debatte über den Gebrauchswert von Literatur. Provoziert bzw. angeregt wurde die im linken Lager geführte Debatte durch das Beispiel des russischen Proletkults, der proletarischen Kunst, die sich im revolutionären Rußland herausgebildet hatte und die auf die linke literarische Intelligenz in der Weimarer Republik eine große Faszination ausübte.

Grosz gegen die Konterrevolution

Der Proletkult stützte sich in erster Linie auf die Konzepte von Bogdanov (*Die Kunst des Proletariats*), Lunatscharski (*Die Kulturaufgaben der Arbeiterklasse*) und Kerschenzew (*Das schöpferische Theater*), die sich in ihren Vorstellungen von proletarischer Kunst zwar erheblich unterschieden, in ihrer proletarischen Zielsetzung jedoch übereinstimmten. Bogdanov legte das Schwergewicht vor allem auf den kollektivistischen Charakter der proletarischen Literatur, der sie von der individualistischen bürgerlichen Literatur unterscheidet. Dieser kollektivistische Charakter hängt nach Bogdanov mit dem durch den kapitalistischen Arbeitsprozeß hervorgerufenen Kollektivbewußtsein der Arbeiter zusammen. Ziel einer so verstandenen proletarischen Literatur ist die Integration des Rezipienten in das proletarische Gemeinschaftsgefühl. Intellektuelle können durchaus im Sinne des Proletariats Kunst schaffen und sogar zum »künstlerischen Sprecher des Proletariats« und zum »Organisator seiner Kräfte und seines Bewußtseins in künstlerischer Form« werden, wenn sie »wahrhaftig und aufrichtig von Bestrebungen und Idealen des Kollektivs, von seiner Denkungsart durchdrungen« sind. Demgegenüber unterschied Lunatscharski zwischen sozialistischer (nur im Sozialismus zu verwirklichender) und proletarischer Kunst, die Klassenkunst in der Phase des Klassenkampfes sei. Diese müsse proletarisches Bewußtsein reflektieren und den Interessen des Proletariats entsprechen, ohne dabei Rücksicht auf »rückständige« Proletarier zu nehmen. Eine gegenüber Bogdanov modifizierte Auffassung vertrat Lunatscharski in der Frage des Erbes. Er hielt das Bündnis zwischen Proletariern und fortschrittlichem Bürgertum für eine Notwendigkeit, da das Proletariat bei der Aneignung tradierter Kunst ebenso wie bei der Entwicklung einer eigenen literarischen Praxis Unterstützung brauche. Dabei sollten Kunstwerke früherer Epochen im dialektischen Sinne für die proletarische Kunst nützlich gemacht werden. – Von besonderer Bedeutung gerade für die deutschen Intellektuellen waren die Theorien Kerschenzews, die sich direkt auf das Theater bezogen. Bei Kerschenzew war der Unterschied zwischen Spieler und Zuschauer aufgehoben; alle, die Lust hatten, sollten spielen, die Arbeiterschauspieler sollten unbedingt Laien bleiben, damit sie den Kontakt zur Wirklichkeit nicht verlören, die Aufführungen sollten den Klassenkampf heroisieren und einen unmittelbaren Kontakt zum Volk herstellen. Die Beteiligung von fortschrittlichen Intellektuellen am

Proletkult

*Grosz für
das Proletariat –
Kapital, Reichswehr
und Nazis thronen
auf den Kanonen,
aber wer bezahlt die
Zeche? – »Für's
Vaterland
zur Schlachtbank«*

Traditionslinien?

proletarischen Theater hielt Kerschenzew eher für schädlich, weil er glaubte, daß sie in das aufkeimende Kunstverständnis des Proletariats nur bürgerliche Kunstkategorien hineintragen würden. Ein Rückgriff auf bürgerliche Stücke war für Kerschenzew nur ein Notbehelf, solange es eine geeignete proletarische Produktion noch nicht gab. Für die Aufführung mußten bürgerliche Stücke aktualisiert, aus ihrem Traditionszusammenhang herausgelöst und verändert werden.

Als zentrales Problem für die deutsche Intelligenz erwies sich, ähnlich wie für die russischen Schriftsteller, die Frage, wie sie ihr eigenes Verhältnis zur Tradition, d.h. zur bürgerlichen Literatur, ihren Inhalten und Techniken bestimmen und was sie daraus für ihre gegenwärtige Praxis lernen konnten. So stand hinter dem wütenden Angriff von George Grosz und John Heartfield auf den expressionistischen Maler Kokoschka in der Kunstlump-Debatte (1919/20) nach Heartfields eigener Aussage »eine politisch begründete Absage an die Kunst, speziell an den Expressionismus, der von der Bourgeoisie nach anfänglichem Widerstreben schon während des Krieges und vollends nach dem Novembersturz salonfähig gemacht worden war«. Übertragen auf die Literatur legte eine solche Absage an die Kunst die grundsätzliche Frage nahe, ob ein Anknüpfen an das bürgerliche Erbe überhaupt möglich war, und welche Haltung der Künstler in den Klassenauseinandersetzungen seiner Zeit einnehmen sollte. Kokoschkas Aufruf an die Dresdner Einwohnerschaft anläßlich der Beschädigung eines Rubens-Gemäldes durch eine verirrte Kugel, sich in den revolutionären Straßenkämpfen so zu verhalten, »daß menschliche Kultur nicht in Gefahr kommt«, wurde von Grosz und Heartfield als Ausdruck eines menschenverachtenden Zynismus empfunden, dem es mehr auf die Unversehrtheit von Kunstwerken denn auf die von Menschenleben ankam. Bürgerliche Kunst und spätbürgerlicher Avantgardismus, wie ihn Kokoschka repräsentierte, waren für Grosz und Heartfield, die mit ihrer eigenen Kunst neue Wege zu gehen versuchten – Grosz als Zeichner, Heartfield als Schöpfer der politischen Fotomontage –, bloße Ablenkungsinstrumente der jeweils Herrschenden, die für die Masse der Bevölkerung keinen »Lebenswert« haben können. Hinter der provokatorischen Frage: »Was soll der Arbeiter mit Kunst?«, stand die Frage nach dem Klassencharakter von Kunst. Gerade die Erfahrungen im Ersten Weltkrieg hatten Grosz und Heartfield zu der Überzeugung gebracht, daß es »vollendeter Irrsinn war zu glauben, der Geist oder irgendwelche Geistigen regierten die Welt. Goethe im Trommelfeuer, Nietzsche im Tornister, Jesus im Schützengraben – da gab es noch immer Leute, die Geist und Kunst für eine selbständige Macht hielten« (1925).

Als Reaktion auf die »Wolkenwanderertendenzen der sogenannten heiligen Kunst, deren Anhänger über Kuben und Gotik nachsannen, während die Feldherren mit Blut malten« (Grosz/Heartfield), formierte sich in der Phase der revolutionären Nachkriegskrise der Republik der Dadaismus, eine antibürgerliche Kunst- und Literaturrichtung, deren »revolutionäre Stärke« nach Benjamin darin bestand, »die Kunst auf ihre Authentizität zu prüfen«. Der revolutionäre Elan dieser Antikunstbewegung konnte überall dort produktiv werden, wo er sich mit der Einsicht in den Klassencharakter von Literatur und mit der Orientierung auf eine neue proletarische Literatur verband, er wurde überall dort steril und verkam zur bloßen Bilderstürmerei und wirkungslosen Protestgebärde, wo er eine eigene Kunstauffassung unabhängig von einer gesellschaftlichen Funktionsbestimmung zu praktizieren und zu legitimieren suchte. Die in dem Kunstlump-Pamphlet enthaltene Negation bürgerlicher Kunst (»Wir begrüßen mit Freude, daß die Kugeln in Galerien und Paläste, in die Meisterbilder der Rubens sausen, statt in die Häuser der Armen in den Arbeitervierteln!«) und der rüde Ton, der sich auch in anderen dadaistischen Manifesten dieser Zeit findet, stieß innerhalb des linken Lagers auf Kritik und wurde insbesondere von der *Roten Fahne*, dem Literaturorgan der KPD, als öffentliche Aufforderung zum Vandalismus gebrandmarkt. Gegenüber Grosz und Heartfield hielt Gertrud Alexander, die als einflußreiche Literaturkritikerin der *Roten Fahne* den literaturpolitischen Kurs der KPD in den ersten Jahren der Weimarer Republik bestimmte, am »Lebenswert« bürgerlicher Kunst für die Arbeiterschaft fest und sah gerade in der klassischen Literatur des 18. Jahrhunderts ein Erbe, an das die Arbeiterklasse der Weimarer Republik anknüpfen sollte. Die Hochschätzung der klassischen deutschen Literatur, die auch aus den zahlreichen Rezensionen von Klassikeraufführungen in der *Roten Fahne* deutlich wurde, ging einher mit der strikten Ablehnung avantgardistischer Literaturströmungen wie des Expressionismus und des Dadaismus, die – ungeachtet der zwischen ihnen bestehenden Feindschaft – beide als Verfallserscheinungen und Verfallsprodukte der bürgerlichen Gesellschaft angesehen wurden und zu kritisieren waren. Die Orientierung an der klassischen Literatur war auch die Ursache für das extreme Mißtrauen, mit dem die KPD in den Anfangsjahren der

Antikunstbewegung

Weimarer Republik die zaghaften Bemühungen um eine proletarische Literatur verfolgte: So schrieb die *Rote Fahne* zu Piscators Projekt eines proletarischen Theaters: »Dann wähle man nicht den Namen Theater, sondern nenne das Kind bei seinem rechten Namen: Propaganda. Der Name Theater verpflichtet zu Kunst, zu künstlerischer Leistung! [...] Kunst ist eine zu heilige Sache, als daß sie ihren Namen für Propagandamachwerk hergeben dürfte! [...] Was der Arbeiter heute braucht, ist eine starke Kunst [...], solche Kunst kann auch bürgerlichen Ursprungs sein, nur sei es Kunst«.

kommunistische Erbe-Konzeption

Die Erbe-Konzeption der KPD – eine Konzeption, die auf Franz Mehrings epochemachenden literaturkritischen Arbeiten zur deutschen Aufklärung und Klassik im 19. Jahrhundert zurückging –, die in der sogenannten Expressionismus-Debatte während des Exils eine Rolle spielte und in abgewandelter Form noch heute von großer Bedeutung für Literaturtheorie und -praxis in der DDR ist, war vor allem deshalb so problematisch, weil sie eine bestimmte historische Form von Literaturpraxis verabsolutierte, gegen die Moderne ausspielte und damit die Entwicklung einer proletarischen Kunst ebenso belastete wie das schöpferische Experimentieren mit neuen literarischen Techniken. Gegen die hohe Wertschätzung der frühen bürgerlichen Literatur und die Unterschätzung der Möglichkeiten proletarischer Literatur unter kapitalistischen Verhältnissen in der offiziellen Kulturauffassung der KPD erhob sich lautstarker Widerspruch gerade von solchen Künstlern und Schriftstellern, die sich unter dem Eindruck der Novemberrevolution politisch radikalisiert und links von der KPD in unterschiedlichen Parteiorganisationen formiert hatten. So begrüßte die Literaturzeitschrift *Die Aktion* das Kunstlump-Pamphlet mit den Worten: »Es kann gar nicht ›Kultur‹ genug vernichtet werden, wegen der Kultur. Es können gar nicht ›Kunstwerke‹ genug zerstört werden, wegen der Kunst. [...] Genossen! Fort mit der Achtung vor dieser ganzen bürgerlichen Kultur! Schmeißt die alten Götzenbilder um! Im Namen der kommenden proletarischen Kultur!« (1920).

Kunst des Proletariats?

In den Krisenjahren zwischen 1919 und 1923 kam es zu einer vor allem von anarchistischen und linkskommunistischen Autoren getragenen lebhaften Diskussion über die Möglichkeiten proletarischer Literatur im Rahmen bürgerlicher Gesellschaft, in deren Verlauf sich nicht nur eine, wenn auch schmale proletarische Literaturpraxis ausbildete, sondern erstmals auch zu bestimmen versucht wurde, was proletarische Literatur in Deutschland sein könne bzw. sein solle: »Proletarische Kunst ist Kunst des Proletariats als herrschender Klasse. Solange das Proletariat als herrschende Klasse noch nicht existiert, ist proletarische Kunst die Kunstäußerung der unterdrückten Klasse und als solche ebenfalls unterdrückt, d.h. verschwiegen, verfolgt, verboten, ohne Mittel der Verbreitung, illegal. Im gegenwärtigen Augenblick der scharfen Zuspitzung der Klassengegensätze wird sie, da sie aus dem Erlebnisfonds dieses Übergangsstadiums der proletarischen Klasse schöpft, Ausdruck des Klassenkampfes sein als des stärksten Zeichens, unter dem die proletarische Klasse im Augenblick steht« (Kanehl).

Bund für proletarische Kunst

Bereits 1919 wurde in Berlin ein »Bund für proletarische Kunst« gegründet, in dem Schriftsteller, bildende Künstler und Betriebsräte organisiert waren und »eine neue proletarische Kultur vorbereiten« wollten, »um die Revolution zu durchgeistigen und voranzutreiben«. Der Bund gründete nach kurzer, spannungsreicher Zusammenarbeit mit der gewerkschaftlich orientierten expressionistischen *Tribüne* ein eigenes »Proletarisches Theater des Bundes für proletarische Kultur«, das jedoch schon nach wenigen Monaten an inneren Widersprüchen scheiterte. Die intendierte spontaneistische Umsetzung von Kunst in revolutionäre Aktion im proletarischen Theater (»Das

Die Piscatorbühne

Der technisierte Thespiskarren – sitzend Erwin Piscator, vor ihm Tilla Durieux, Max Pallenberg und Paul Wegener. Karikatur auf die Abhängigkeit der Schauspieler vom Theaterapparat (1928)

Theater soll der Mund der Masse sein, die durch ihn sich selbst aufruft. Sie will sich in ihm ihr Signal zur Aktion geben, die Not ihrer Lage und die Hoffnung ihres Strebens sich zurufen«) erwies sich als illusionistisch und wurde zudem durch die Theaterpraxis dementiert. So hatte das vom Bund aufgeführte Stück *Die Freiheit* von Herbert Kranz, in dem acht wegen pazifistischer Haltung zum Tode verurteilte Arbeiter und Matrosen die Chance auszubrechen nicht wahrnahmen und sich statt dessen zu »innerer« Freiheit läuterten und die Exekution auf sich nahmen, eher eine hemmende denn die angestrebte revolutionierende Wirkung auf die Zuschauer. Die Entwicklung einer proletarischen Literaturtheorie und -praxis steckte noch in den Kinderschuhen. Die Stücke von Franz Jung, *Die Kanaker* und *Wie lange noch?*, die Lyrik Oskar Kanehls, *Steh auf, Prolet, Straße frei!*, sowie die Überlegungen von Erich Mühsam, Erwin Piscator, Gustav Wangenheim, George Grosz und John Heartfield bildeten zwar Ansätze zu einer proletarischen Literaturtheorie und -praxis, sie waren jedoch noch weit von einer Realisation ihres ehrgeizigen Literaturkonzepts entfernt.

Bereits im Herbst desselben Jahres kam es zur Gründung eines zweiten Theaters durch Piscator und Schüller. Der Untertitel »Bühne der revolutionären Arbeiter Groß-Berlins« macht deutlich, daß es sich hier nicht um eine autonome Kulturinstitution handelte, wie es der »Bund für proletarische Kultur« trotz aller gegenteiligen Anstrengungen immer geblieben war, sondern um einen Teil der Arbeiterbewegung und der mit ihr verbundenen politischen Organisation. Vom Oktober 1920 bis zum Verbot im April 1921 veranstaltete das »Proletarische Theater« über 50 Aufführungen. Als Mitgliederorganisation mit regelmäßigen Versammlungen, in denen über die Arbeit des Theaters entschieden wurde, machte das »Proletarische Theater«, das in Vereinslokalen spielte und bewußt kein festes Haus anstrebte, der

Bühne revolutionärer Arbeiter

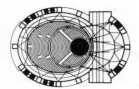

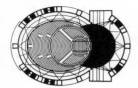

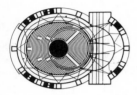

Das Totaltheater, das Gropius für Piscator entwarf. Die drei Bühnenpositionen ergeben sich, je nach dem der kreisförmige Zuschauerraum gedreht wird

Programmheft

sozialdemokratischen »Volksbühne« Konkurrenz. Im »Proletarischen Theater« war nicht nur die traditionelle hierarchische Theaterorganisation aufgehoben und durch Kollektivarbeit ersetzt, sondern auch die Trennung zwischen Schauspieler und Zuschauer tendenziell getilgt.

Piscator forderte, daß ein proletarisches Theater »als Betrieb mit den kapitalistischen Traditionen bricht und zwischen Leitung, Darstellern, Dekorateuren, all den übrigen technisch und geschäftlich Angestellten sowie zwischen der Gesamtheit und den Konsumenten (d.h. den Theaterbesuchern) ein ebenbürtiges Verhältnis, ein gemeinsames Interesse und einen kollektiven Arbeitswillen schafft«. Als seine Hauptaufgabe sah das »Proletarische Theater« die Aufführung zeitgenössischer Ansätze zu einer proletarisch-revolutionären Dramatik an, aber auch durch Bearbeitung von bürgerlichen Dramen (z.B. Büchners *Dantons Tod*, Hauptmanns *Weber*) wollten Piscator und Schüller die Arbeiter für den Standpunkt des revolutionären Proletariats gewinnen. »Die Ausnützung der überkommenen Literatur« durch »Streichungen, Verstärkungen gewisser Stellen, eventuell durch Hinzufügen eines Vor- und Nachspiels« war ein Versuch, das bürgerliche Erbe funktional zu verwerten: »Es wird in solchen Stücken noch die alte Welt gefunden, mit der auch der Rückständigste vertraut ist, und es wird sich auch hier zeigen, daß jede Propaganda damit beginnen muß, am Seienden das Seinsollende aufzuzeigen«. Nach dem Verbot des »Proletarischen Theaters« sollte es lange Zeit dauern, bis sich Piscator wieder ein eigenes Theater schaffen konnte. Nach mehreren Jahren Inszenierungsarbeit für die ehemals bekämpfte »Volksbühne«, in denen Piscator seinen Inszenierungsstil entwickelte, eröffnete er erst 1927 wieder ein eigenes Theater, die sogenannte erste Piscator-Bühne, in der er ein unabhängiges politisches Theater realisierte, das sich vom proletarischen Theater Anfang der 20er Jahre grundlegend unterschied. Mit den Mitteln der Regie, des Films, der Projektion etc. versuchte Piscator, eine Form des politischen Lehrtheaters zu verwirklichen, in der der Unterschied zwischen bürgerlichem und proletarischem Theater aufgehoben zu sein schien. Tatsächlich wurde die Piscator-Bühne alsbald ein gesellschaftliches Ereignis, das auch die sogenannten »feinen« Leute goutierten. Im Verlaufe seiner Theaterarbeit trieb Piscator die Entwicklung des technischen Apparates unter Ausnutzung der neuen Medien in erstaunlicher Weise voran und setzte Maßstäbe für einen modernen Inszenierungsstil. Die Schwächen seiner dramatischen Vorlagen konnte er jedoch auf die Dauer nicht ausgleichen. Die Einsicht, daß die Form allein niemals revolutionär sein könne, sondern der Inhalt sie dazu mache – von Piscator gemeint als Kritik am bürgerlichen Theaterbetrieb seiner Zeit –, benennt das Dilemma, das er mit anderen Regisseuren teilte.

Der Zulauf, den das »Proletarische Theater« Piscators unter den Arbeitern Berlins hatte, blieb nicht ohne Rückwirkungen auf die Haltung der KPD. Hatte Gertrud Alexander das »Proletarische Theater« noch als bloßes »Propagandamachwerk« disqualifiziert, so revidierte die KPD in der Auseinandersetzung mit der proletarischen Theaterpraxis allmählich ihre ablehnende Haltung: »Die Theaterbewegung ist spontan aus den Massen hervorgegangen und ein Teil der proletarischen Gesamtbewegung. Wir müssen die Feststellung machen, daß das Interesse da ist, deshalb da ist, weil die Aufführungen, die die reformistischen Arbeiterbildungsvereine ihren Zuhörern vorsetzten (meist klassische Stücke), das Proletariat nicht mehr befriedigen. Aus dieser Opposition gegen die bürokratische Praxis der Arbeiterbildungsvereine erwächst die proletarische Theaterbewegung. Daher ist es die Aufgabe der Kommunistischen Partei, diese Opposition zu stärken, die erkannt hat, daß diese Klassikeraufführungen nur dazu dienen, den proletarischen Klassenkampf zu schwächen, die sich aber noch nicht klar darüber ist, was sie an die Stelle der Theaterpraxis setzen soll. Hier ist es Aufgabe der Kommunistischen Partei, mit einem klaren, revolutionären Theaterprogramm in diese Vereine hineinzugehen, um sie zu Zentren des Klassenkampfes zu gestalten, deren Zweck es letzten Endes ist, die Arbeiter von der Bühne aus zu revolutionieren und die ideologische Beeinflussung von seiten sozialdemokratischer Bildungsbonzenkreise zu bekämpfen« (Reimann).

Auch unter den Schriftstellern in der KPD regte sich Widerstand gegen den restriktiven klassizistischen Literaturkurs der Partei und gegen ihr Beharren auf den traditionellen bürgerlichen Kunstformen. So bemühte sich Johannes R. Becher darum, eine neue Literaturkonzeption zu entwickeln, in der der Widerspruch zwischen Propaganda und Kunst einerseits und der zwischen bürgerlicher und proletarischer Kunst andererseits dialektisch aufgehoben war: »Die Kunst ist eine Waffe der Klassen im Klassenkampf. Ebenso wie die große bürgerliche Dichtung als Waffe der damals noch fortschrittlichen Bourgeoisie gegen den Feudalismus diente, ist heute die proletarisch-revolutionäre Dichtung die Waffe des Proletariats in seinem Kampf gegen die Bourgeoisie«. Eine solche Absicht hatte Konsequenzen auch für die Erbe-Konzeption: »Unser Verhältnis zur bürgerlichen Literatur ist die Frage unseres Verhältnisses zur Vergangenheit. Dieses Verhältnis ist ein dialektisches. Wir scheiden das Wertlose aus, wir bewahren das Wertvolle auf, übernehmen es, werten es aus«.

Wandel der Erbekonzeption

Das gewandelte Verhältnis der KPD in der Frage der proletarischen Literatur zeigte sich auf verschiedenen Gebieten. Es fällt in die relative Stabilisierungsphase zwischen 1924 und 1929, in der die KPD zu einem neuen offensiveren Selbstverständnis fand. Zum einen unterstützte die KPD die Entwicklung eines deutschen, am russischen Vorbild orientierten Agitproptheaters und die Konzipierung von politischen Revuen, die auf Piscators *Revue Roter Rummel* (1924) zurückgingen. In wenigen Jahren entstanden unzählige Agitpropgruppen (*Das rote Sprachrohr, Die roten Raketen* usw.). – 1929 gab es in Deutschland über dreihundert verschiedene Agitprop-Truppen und zahlreiche Revuen (Revue *Roter Rummel*, Revue *Hände weg von China*), die dem Arbeitertheater neue theatralische Ausdrucksformen erschlossen und die proletarische Literaturpraxis vorantrieben. Des weiteren gelang es Becher und anderen Autoren 1925, die Zustimmung der KPD zur Bildung eines »Arbeitskreises kommunistischer Schriftsteller« (AKS) im SDS zu erlangen. Seit 1927 konnte Becher im Auftrag der KPD eine *Proletarische Feuilleton-Korrespondenz* herausgeben, in der Arbeiter als sogenannte Arbeiterkorrespondenten von ihren Erfahrungen im Betrieb usw. berichteten und so zur eigenen literarischen Produktion angeregt wurden. Gerade von den Arbeiterkorrespondenten, die die Verbindung zwischen Basis und Partei herstellten, gingen wichtige Impulse aus. Aus ihnen rekrutierte sich ein Stamm von schreibenden Arbeitern (Bredel, Daudistel, Kläber, Lorbeer, Grünberg usw.). Ausgangspunkt der Arbeiterkorrespondenten waren die eigenen Erfahrungen, die in autobiographische Form umgesetzt wurden. Gerade die Form der Autobiographie war ein Medium, in dem Authentizität und Betroffenheit stärker als z.B. in fiktionalen Formen zum Ausdruck kommen und vermittelt werden konnte. Beispielhaft für die Gattung der Arbeiterautobiographien ist Ludwig Tureks *Ein Prolet erzählt* (1930). Hier lagen Ansätze zu einer Verbindung zwischen privater und politischer Sphäre in der proletarischen Literatur, die in der geschlossenen Romanform unter ungleich größeren Schwierigkeiten herzustellen war.

Vorbild Agitprop?

neuer Roman – eine
Organisationsfrage?

1928 schließlich gründete der AKS zusammen mit den Arbeiterkorrespondenten, Regisseuren und Mitarbeitern von kommunistischen Verlagen den »Bund Proletarisch-Revolutionärer Schriftsteller« (BPRS), eine literarische und politische Organisation, die ein proletarisches Literaturkonzept entwikkeln und durchsetzen wollte und eine neue Phase der Literaturentwicklung einleitete, in der sich der Übergang von kurzen Reportageformen und autobiographischen Aufzeichnungen zur geschlossenen Romanform vollzog. In dieser Phase, die mit der Auflösungskrise der Republik zusammenfällt, entstanden die wichtigsten Romane wie Willi Bredels *Maschinenfabrik N & K* (1930) und *Rosenhofstraße* (1931), Karl Grünbergs *Brennende Ruhr* (1928), Hans Marchwitzas *Sturm auf Essen* (1930), Franz Kreys *Maria und der Paragraph* (1931), Klaus Neukrantz' *Barrikaden am Wedding* (1931) und Walter Schönstedts *Kämpfende Jugend* (1932), die alle in der *Rote-Eine-Mark*-Reihe erschienen. In diesen Romanen wurde entweder über die jüngste Weimarer Vergangenheit aus der Perspektive kämpfender Arbeiter berichtet (Kapp-Putsch bei Marchwitza, Ruhrkämpfe bei Grünberg), oder es wurde über die aktuellen Konflikte in Betrieb *(Maschinenfabrik N & K)* und Straßenzelle (Neukrantz, Schönstedt, Bredels *Rosenhofstraße*) Zeugnis abgelegt oder ein so zentrales soziales und politisches Thema wie der § 218 (Abtreibung) in den Mittelpunkt gestellt. Gemeinsam war allen diesen Romanen der Klassenstandpunkt, das Bemühen um eine einfache, verständliche Sprache und Erzählweise und der agitatorische Charakter.

Der Bund war als deutsche Sektion der Moskauer »Internationalen Vereinigung Revolutionärer Schriftsteller« (IVRS) gegründet worden und war angesichts der zeitweiligen Reserviertheit der KPD auf Unterstützung aus Moskau angewiesen. So trug das Büro des IVRS und nicht die KPD die Herstellungskosten für die *Linkskurve*, die von 1929 bis 1932 im KPD-eigenen Internationalen Arbeiterverlag in Berlin als offizielles Organ des Bundes erschien. Grundlage der Tätigkeit des Bundes war ein Aktionsprogramm, das folgende Ziele enthielt: Praktische Entwicklung der proletarisch-revolutionären Literatur; Ausarbeitung einer proletarisch-revolutionären Literaturtheorie; Kritik der bürgerlichen Literatur; Organisatorische Zusammenfassung der proletarisch-revolutionären Schriftsteller; Verteidigung der Sowjetunion. Über das Aktionsprogramm und die Ziele des Bundes kam es zu lebhaften Auseinandersetzungen. Es gelang nicht, ein verbindliches, von allen Mitgliedern akzeptiertes Programm zu verabschieden. Die Auffassung davon, was proletarische Literatur eigentlich sei und in welchem Verhältnis sie zur bürgerlichen stehe, wurde als vom jeweiligen Trend der kommunistischen Politik im nationalen bzw. internationalen Rahmen abhängig diskutiert. Dabei blieb ungeklärt, »worin der Klassencharakter von Literatur überhaupt, speziell der proletarischen Literatur besteht bzw. wodurch er sich ausweist. Sollte sie eine Literatur von Proletariern sein, wie Gábor sie forderte? Oder sollte sie eine Literatur für Proletarier sein, wie es die Versuche der Agitprop-Truppen zur Erschließung eines neuen Publikums nahelegten? Oder beides? Sollte das ›Proletarisch-Revolutionäre‹ in neuen literarischen Formen zum Ausdruck kommen und bzw. lediglich im Gegenstand (Sujet) der Literatur? Sollte diese Literatur die Lebensweise, die Kämpfe und Perspektiven des Proletariats schildern? Oder sollte jedweder Gegenstand mit den Augen eines revolutionären Proletariers gesehen werden?« (H. Gallas).

Trotz der Unklarheit in diesen wichtigen Fragen distanzierte sich die *Linkskurve* in den Jahren 1929/30 scharf gegenüber linksbürgerlichen Intellektuellen und verprellte damit wichtige Bundesgenossen. Döblin, Toller,

Proletarische Kritik
an Deutschland

BPRS – eine Sektion

Position
der »Linkskurve«

Tucholsky, ja selbst das BPRS-Mitglied Piscator wurden wegen ihrer Weigerung, sich der KPD anzuschließen, kritisiert. Döblins Roman *Berlin Alexanderplatz* wurde verurteilt, weil der Held Franz Biberkopf keinen Kontakt zu kommunistischen Arbeitern sucht und der Autor nur den Typ des unaufgeklärten, unorganisierten Arbeiters vorführe und damit ein falsches Bild von der revolutionären Kraft der deutschen Arbeiterbewegung zeichne. Nicht weniger schädlich als diese Abgrenzungsmanie war die sogenannte Geburtshelferthese, die zeitweilig im Bund dominierte. Danach hatten die Intellektuellen lediglich die Aufgabe, die Arbeiter zu eigenem Schreiben zu ermutigen, ihnen Techniken des Schreibens beizubringen sowie für Veröffentlichungsmöglichkeiten zu sorgen. Eine solche Konzeption riß einen unüberbrückbaren Graben zwischen Intellektuellen und Arbeitern auf.

In den letzten Jahren des Bundes verlagerte sich die Frage nach dem Verhältnis zwischen bürgerlicher und proletarischer Kunst zunehmend auf Fragen einer marxistischen Ästhetik. Die literaturtheoretische Entwicklung in der Sowjetunion (Liquidierung des Proletkults) begünstigte im BPRS die Durchsetzung eines traditionalistischen Literaturkonzeptes gegen die ursprüngliche Intention des Bundes. Zum maßgeblichen Theoretiker wurde Georg Lukács, der in polemischer Auseinandersetzung mit den Ansätzen einer proletarisch-revolutionären Literatur sein Realismus-Konzept entwikkelte *(Tendenz oder Parteilichkeit?; Reportage oder Gestaltung?)*, das in der literaturtheoretischen Debatte während des Exils eine wichtige Rolle spielen sollte. Tatsächlich bedeutete die Durchsetzung des Lukácsschen Realismus-Konzeptes im BPRS und in der *Linkskurve* das Ende einer eigenständigen proletarisch-revolutionären Literatur, die mit soviel Hoffnungen und Enthusiasmus begonnen hatte. Die proletarische Literatur wurde von Lukács auf das Vorbild der bürgerlich-realistischen Literatur des 19. Jahrhunderts verwiesen und damit letzten Endes ihres revolutionären Charakters beraubt. Die Frage des Erbes war zugunsten der Tradition und gegen die Moderne entschieden. Der in der Weimarer Republik aufgebrochene Widerspruch zwischen bürgerlicher und proletarischer Literatur wurde, noch ehe er theoretisch und praktisch die Gestalt einer wirklichen Alternative annehmen konnte, durch das Realismus-Konzept von Georg Lukács eingeebnet und entschärft.

marxistische Ästhetik

Entwicklungstendenzen in der Prosa

Die Erfahrung von Weltkrieg, Revolution und Klassenauseinandersetzungen in der Weimarer Republik führte zu einer Neuorientierung auch im bürgerlichen Literaturlager. Während die Mehrheit der Schriftsteller von einem Politisierungsprozeß ergriffen wurde, verstärkten sich die schon vor dem Krieg vorhanden gewesenen Flucht- und Rückzugstendenzen bei einer Minderheit zu einer programmatisch unpolitischen Haltung. Ein Autor wie Gottfried Benn etwa sah sich in seiner Auffassung vom »besonderen Nihilismus der Kunst« bestätigt und erblickte die Größe der Kunst gerade darin, daß sie »historisch unwirksam, praktisch folgenlos« sei. Er forderte die Dichter auf, »sich abzuschließen gegen eine Zeitgenossenschaft«, alle ethischen und politischen Skrupel beiseitezuschieben und nur noch nach »individueller Vollendung« zu streben (*Können Dichter die Welt verändern?*, 1930). Eine solche

nochmals: Politisierung gegen Innerlichkeit

eskapistische Haltung, deren Problematik nach 1933 in der zeitweiligen Zusammenarbeit Benns mit den Nationalsozialisten deutlich wurde, verband sich mit der Hinwendung zum artistischen Formexperiment, das in seiner expressionistischen Zertrümmerung bürgerlicher Formvorstellungen einen scheinrevolutionären Charakter besaß. Auch die Konzeption der »Innerlichkeit«, die Werfel (*Realismus und Innerlichkeit*, 1931) gegen den angeblichen »Realismus« und »Materialismus« seiner Zeit entwarf, war eine Reaktion auf eine Epochenkonstellation, die den Schriftsteller zur Entscheidung und Parteinahme zwang. Gegen die Politisierung der Literatur setzte Werfel seine Position der Innerlichkeit, in der die verschiedenen späteren Formen der »Inneren Emigration« gleichsam theoretisch vorweggenommen erscheinen. In seiner Forderung, die »Welt mit Geistesgesinnung zu durchdringen« und durch die »Steigerung des inneren Lebens« ein Gegengewicht sowohl gegen den Sozialismus als auch gegen den Kapitalismus der Zeit zu schaffen (vgl. auch Hesses *Der Weg nach innen*, 1931), berührte er sich mit Vorstellungen der »schöpferischen Restauration«, die Hofmannsthal (*Der Schwierige*, 1921), Rilke (*Duineser Elegien*, 1923), George (*Das neue Reich*, 1928) und andere in unterschiedlicher Akzentuierung vertraten. Alle diese Konzepte waren Spielarten des politischen Konzepts der »konservativen Revolution«, das zum ideologischen Sammelbecken verschiedener oppositioneller Strömungen gegen die neugeschaffene Republik wie gegen sozialistische Revolutionierungsbemühungen wurde. Bei anderen Schriftstellern äußerte sich das Krisenbewußtsein vor allem als Reflexion über die traditionellen literarischen Techniken und als Suche nach neuen Formen (Innerer Monolog, Montageprinzip, Reportageformen, Parabelstruktur usw.), auf inhaltlicher Ebene als kritische Auseinandersetzung mit den Voraussetzungen der eigenen Epoche und der eigenen schriftstellerischen Existenz, wobei sich der neugewonnene Zeitbezug vor allem als Verstärkung des sozialkritischen Elementes bemerkbar macht.

Stefan George

Heinrich und Thomas Mann

Die Gewinnung einer gesellschaftskritischen Dimension im Roman der Weimarer Republik läßt sich beispielhaft am Schaffen der beiden Brüder Thomas und Heinrich Mann ablesen. Die Romane *Der Zauberberg* (1924) von Thomas Mann und *Der Untertan* (1916) von Heinrich Mann waren literarische Aufarbeitungen und Abrechnungen mit der jüngsten Zeitgeschichte. Beide Autoren traten mit dem Anspruch auf, einen »Roman der Epoche«, d.h. einen Roman über die deutsche Vorkriegszeit geschrieben zu haben. Heinrich Mann nannte seinen Roman, dessen Entstehungszeit in die Kriegsjahre zurückgeht (erste Notizen erfolgten bereits 1906), »Geschichte der öffentlichen Seele unter Wilhelm II.«; Thomas Mann bezeichnete seinen Roman später als »Zeitroman«, der »historisch [...] das innere Bild einer Epoche, der europäischen Vorkriegszeit, zu entwerfen versucht«. Freilich wurde dieser analoge Anspruch sehr unterschiedlich eingelöst.

Als zwei voneinander abweichende Formen bürgerlicher Epochenbilanz sind *Der Untertan* in seiner offensiv-satirischen Tendenz und *Der Zauberberg* in seiner verhalten-ironischen Art bedeutende Dokumente der Zeit. Dabei ist es Heinrich Mann gelungen, sozialpsychologische Strukturen und Mechanismen des autoritären Staates herauszuarbeiten und den Zusammenhang zwischen autoritärem Individualcharakter und autoritärem Staat aufzuzeigen. Heinrich Mann hat poetisch Einsichten vorweggenommen, die erst später durch die sozialpsychologischen Forschungen von Adorno und Horkheimer über den autoritären Charakter bestätigt werden sollten. Zugleich hat Heinrich Mann einen der bedeutendsten satirischen Gesellschaftsromane der Zeit geschrieben. Auch seine Romane *Die Armen* (1917) und *Der Kopf*

(1925), die mit dem *Untertan* eine innere Einheit bilden, sowie der Roman *Ein ernstes Leben* (1932) sind Beiträge zu einer Gattung, die in Deutschland kaum Tradition hat. Demgegenüber bleibt Thomas Mann mit seinem *Zauberberg* in seinem analytischen Zugriff den Zeitproblemen gegenüber unentschieden und wenig konkret. Die Humanismus-Konzeption des Romans ist sehr verschwommen und zeigt, daß der Autor sich von den nationalkonservativen Positionen seiner Jugend (*Betrachtungen eines Unpolitischen*, 1918) erst allmählich zu lösen begann. Eine sehr viel klarere Haltung nimmt Thomas Mann bereits 1930 in der Novelle *Mario und der Zauberer* ein, wo er in der Gestalt des Zauberers Cipolla dem Sadismus und der suggestiven Demagogie des Faschismus symbolische Gestalt verliehen hat. *Untertan* und *Zauberberg* sind, abgesehen von ihrem Zeit- und Epochengehalt, bedeutsam auch als Ausdruck der unterschiedlichen Entwicklung, die der bürgerliche Roman im 20. Jahrhundert nahm. Der satirische, gesellschaftskritische Romantyp Heinrich Manns stellt eine Möglichkeit des modernen Romans dar; der reflexive, ironisch vielfach gebrochene, erzählerisch sehr raffiniert gebaute Romantyp Thomas Manns zeigt eine weitere Möglichkeit. Die Kultivierung und Verfeinerung der traditionellen erzählerischen Mittel mußten gerade in einer Zeit, die von vielen Schriftstellern als Zerstörung alter Werte erlebt wurde, große Faszination auf Autoren ausüben. Ästhetisches Raffinement und gesellschaftskritische Absicht stehen dabei häufig in einem problematischen, spannungsvollen Verhältnis.

So zeigen die Romane von Hermann Broch (*Die Schlafwandler*, ersch. 1931/32) und Robert Musil (*Der Mann ohne Eigenschaften*, ersch. 1930–52) die Grenzen traditionellen Erzählens sehr deutlich. Brochs Roman ist der großangelegte Versuch, den Zerfall der deutschen bürgerlichen Gesellschaft zu schildern. Das erste Buch der Trilogie, *Pasenow oder die Romantik 1888*, entwirft ein Bild des Vorkriegsdeutschlands, in dem sich die Zerstörung der humanistischen Werte bereits ankündigt. Das zweite Buch, *Esch oder die Anarchie 1903*, zeigt die skurpellose Machtübernahme der Kleinbürger, im dritten Buch, *Huguenau oder die Sachlichkeit 1918*, schließlich triumphieren die Amoralität und die Mittelmäßigkeit endgültig über die alten humanistischen Werte. Der Untergang der bürgerlichen Kultur wird durch eingefügte essayistische Exkurse kommentiert, in denen sich der Geschichtspessimismus des Autors ebenso ausdrückt wie seine Unfähigkeit, gesellschaftliche Triebkräfte analytisch zu erfassen. Diese Einschübe haben die Tendenz, sich zu verselbständigen, sie unterbrechen die Romanhandlung. Bei Broch kündigt sich damit die Zerstörung der epischen Form an, die bei Musil noch sehr viel auffälliger ist. Im *Mann ohne Eigenschaften* gewinnt das reflexive, erörternde Element endgültig die Oberhand über das eigentlich erzählerische Handlungselement. Die traditionelle Romanform wird aufgesprengt und in einer Weise von Reflexionen, Kommentaren, Erörterungen, Abschweifungen usw. überwuchert, daß ein erzählerischer Abschluß des Werkes unmöglich wurde. So ist das Werk, an dem Musil über zwanzig Jahre gearbeitet hat und von dem zu Lebzeiten des Autors nur die ersten beiden Teilbände erscheinen konnten, notwendig Fragment geblieben. Thema Musils ist die Identitätskrise und der gesellschaftliche Orientierungsverlust des bürgerlichen Intellektuellen in der Umbruchzeit von Krieg und Revolution. Musil verstand seinen Roman als einen »aus der Vergangenheit entwickelten Gegenwartsroman«. Das bürgerliche Individuum erfährt sich selbst als entfremdet und kann die ihm gesellschaftlich angetragene Rollenidentität nicht mehr übernehmen, es reagiert mit Identitätszerfall, psychischer Deformation und dem Verlust der sozialen Kompetenz. Das Bewußtsein von Entfremdung gegen-

Robert Musil

Entfremdung

über der Gesellschaft und der eigenen Subjektivität, das Musil als Folge der arbeitsteiligen, hochorganisierten Industriegesellschaft begriff und das er in der ironischen Formel vom »Mann ohne Eigenschaften« zu fassen suchte, ist dabei eine Grunderfahrung bürgerlicher Intellektueller in der damaligen Zeit.

So steht die Entfremdungsproblematik auch bei Franz Kafka im Mittelpunkt seines Werkes und hat bei ihm den wohl gültigsten Ausdruck gefunden. Obwohl die meisten Werke Kafkas bereits vor dem Krieg oder während des Kriegs entstanden sind (*Die Verwandlung, Das Urteil*, 1912; *Der Prozeß, In der Strafkolonie*, 1914) – der wichtige *Brief an den Vater* und der Roman *Das Schloß* wurden jedoch erst 1919 bzw. 1922 niedergeschrieben –, hatte Kafka eine bescheidene öffentliche Wirkung erst nach seinem frühen Tod 1924, als sein Freund und Nachlaßverwalter, der Schriftsteller Max Brod, die Manuskripte, die ihm zur Vernichtung anvertraut waren, gegen den verfügten Willen Kafkas veröffentlichte. Eine breitere öffentliche Wirkung setzte jedoch erst nach dem Zweiten Weltkrieg ein, als die gesammelten Werke und Briefe (1950ff.) in der Bundesrepublik erschienen und Kafkas Werk als Deutung der eigenen bedrängten Nachkriegssituation aufgefaßt und reklamiert wurde. Zu seinen Lebzeiten erschienen nur einige wenige Prosastücke im Druck, die ihn zum Geheimtip eines kleinen Kreises von literarischen Kennern machten. Alfred Döblin sagte von Kafkas Texten, daß sie »Berichte von völliger Wahrheit« seien, »ganz und gar nicht wie erfunden, zwar sonderbar durcheinander gemischt, aber von einem völlig wahren, sehr realen Zentrum geordnet«. »Es haben einige von Kafkas Romanen gesagt: sie hätten die Art von Träumen – und man kann dem zustimmen. Aber was ist denn die Art der Träume? Ihr ungezwungener, uns jederzeit ganz einleuchtender, transparenter Ablauf, unser Gefühl und Wissen um die tiefe Richtigkeit dieser Dinge, und das Gefühl, daß diese Dinge uns sehr viel angehen.« Die Betroffenheit, mit der Zeitgenossen und in der Folgezeit viele Leser auf Kafkas Texte reagiert haben, hängt mit der Art und Weise zusammen, wie Kafka scheinbar private Erfahrungen poetisch umgesetzt und damit als allgemeine erkennbar gemacht hat. Kafkas Konflikt mit dem Vater, der ihn unfähig zu einem bürgerlichen Leben im Sinne der Eltern machte und seine psychische und soziale Entwicklung bestimmte, ist ein Reflex auf den in der bürgerlichen Kleinfamilie herrschenden Autoritarismus, unter dem Kafka zwar in extremem Maße gelitten hat, wie er aber in ähnlicher Form auch von zahlreichen anderen bürgerlichen Intellektuellen erlebt und gestaltet worden ist, so von Heinrich Mann in seinem *Untertan* (1916), Werfel in seiner Erzählung *Nicht der Mörder, der Ermordete ist schuldig* (1920), Hasenclever in seinem *Sohn* (1913), Unruh in seinem Drama *Ein Geschlecht* (1918) und Bronnen im *Vatermord* (1920). Gerade im Vergleich zu den expressionistischen Vater-Sohn-Stücken, in denen die Söhne gegen die autoritären Väter aufbegehren und den Aufstand gegen die in Tradition erstarrten, anachronistisch gewordenen Wertvorstellungen bürgerlicher Familien- und Sexualmoral mit großem Pathos und pseudorevolutionärer Attitüde proben, wird die besondere Qualität und Leistung Kafkas erkennbar. Im Gegensatz zu den vordergründigen, auf Effekt und spektakuläre Verletzung bürgerlicher Tabus bedachten Stücken von Hasenclever, Unruh und Bronnen liefern Kafkas Texte einen Beitrag zum Verständnis des Generationskonflikts, indem sie die deformierenden Rückwirkungen dieses Konflikts auf das Individuum mit der Genauigkeit eines Psychogramms aufzeichnen und damit der Analyse durch den Leser zugänglich machen. Wie Kafkas *Brief an den Vater* (1919) ein erstaunliches Dokument der Selbstanalyse ist, in der wesentliche Erkennt-

Franz Kafka

Realität der Träume?

nisse der Psychoanalyse Freuds wie selbstverständlich präsent zu sein scheinen, so sind auch die anderen Texte Versuche, den erlebten Autoritätskon-
flikt zu verarbeiten und zu objektivieren. Die realen Erfahrungen werden
dabei in einer Weise chiffriert, daß die Texte wie »hermetische Protokolle«
(Adorno) wirken, die nur mit Anstrengung dechiffriert und als das gedeutet
werden können, was sie sind: Alpträume des bürgerlichen Individuums, das
seine eigene Vernichtung in masochistischer Weise inszeniert. In dem Roman
Der Prozeß (geschr. 1914, veröffentlicht 1925) und in dem Romanfragment
Das Schloß (geschr. 1922, veröffentlicht 1926) treten an die Stelle der Familie,
die das Individuum deformiert und zerstört – vgl. *Die Verwandlung*, wo der
Sohn zum Ungeziefer wird – unbekannte Gesetze bzw. Mächte, die den
Einzelnen zum bloßen Objekt machen und ihn schließlich psychisch und
physisch vernichten. Hier hat Kafka über die eigene Erfahrung in der Familie
hinaus angsterzeugende gesellschaftliche Entwicklungen wie die zunehmende Bürokratisierung seiner Zeit verarbeitet. Im *Prozeß* sieht sich Josef K.

*Zeichnung Kafkas
zum »Prozeß«*

plötzlich unter Anklage gestellt und in einen Prozeß verwickelt, ohne daß er
die Anklage oder die Ankläger kennt. Der Prozeß findet geheim statt, das
Gericht, das über ihn entscheidet, bleibt im geheimnisvollen Dunkel. Nach
anfänglichen untauglichen Versuchen, in das Geschehen einzugreifen, resigniert Josef K. schließlich und setzt seiner Hinrichtung keinen Widerstand
mehr entgegen. In der Türhüterlegende, die ein Priester Josef K. erzählt,
ohne daß dieser die Lehre versteht, ist die Aussage des Romans verschlüsselt:
Der Prozeß, der gegen Josef K. geführt wird, ist ein Prozeß, der im Innern
des Individuums stattfindet und in den nur eingreifen kann, wer dies erkannt
hat und sich aus der autoritären Fixierung auf äußere Mächte lösen lernt.
Auch der Landvermesser K. im *Schloß* sieht sich geheimnisvollen Gesetzen
gegenüber, die er nicht kennt, deren Verletzung aber von der Schloßbürokra-
tie mit äußerster Strenge geahndet wird. Der Versuch, ein selbstbestimmtes
Leben zu führen und sich ein bescheidenes privates Glück zu schaffen, scheitert. K. bleibt ein Fremdkörper im Dorf und reibt sich im langen und zähen
Kampf gegen die unsichtbare, anonyme Bürokratie auf. Der Fragment gebliebene Roman sollte mit dem Tod des völlig entkräfteten K. enden. Die
Hoffnungslosigkeit und die Aussichtslosigkeit, die in allen Texten Kafkas so
bedrückende Gestalt angenommen haben – nirgends kann das Individuum
den autoritären und hierarchischen Strukturen in Familie und Gesellschaft
entrinnen und seine dadurch verursachte Entfremdung von sich selbst und
den anderen überwinden –, sind insbesondere von marxistischen Kritikern
als »Irrationalismus« und »Dekadenz« verurteilt worden und haben dazu
geführt, daß Kafka lange Zeit im sozialistischen Lager kaum gedruckt, geschweige denn diskutiert wurde. Erst nach der Kafka-Konferenz in Liblice
(1963) hat sich eine Änderung angebahnt, die die Texte nicht länger als
»irrationale Weltbilder« deutet und abwertet, sondern in ihnen eine gesellschaftlich vermittelte psychische Realität entdeckt.

Auch für Hermann Hesse war die Entfremdungsproblematik ein zentrales
Anliegen seiner schriftstellerischen Arbeit. Anders als der erst spät berühmt
gewordene Kafka ist Hesse bereits früh ein Bestsellerautor gewesen und mit
einigen Unterbrechungen bis heute geblieben. Besonders groß ist seine Beliebtheit im heutigen Japan und in den Vereinigten Staaten, wo seine Bücher
über elf bzw. acht Millionen Auflage erreicht haben und vor allem der
Siddharta und der *Steppenwolf* unter den Hippies der 70er Jahre gleichsam
zu prophetischen Büchern geworden sind. Tatsächlich ist das erzählerische
Werk Hesses sehr viel leichter zugänglich als die »hermetischen Protokolle«
Kafkas und bietet gerade jungen Lesern eher Identifikationsmöglichkeiten

Hermann Hesse

Hermann Hesse

Alfred Döblin

als dessen Texte. Im *Steppenwolf* (1927) hat Hesse die Entfremdungsproblematik, die von Kafka in der Verwandlung des Gregor Samsa in einen Käfer in ein schlüssiges Bild gebracht worden ist *(Die Verwandlung)*, als Persönlichkeitsspaltung zwischen menschlicher und tierischer Natur in dem sich als Steppenwolf fühlenden Harry Haller gestaltet und dabei in einer Weise psychisch verengt und zu einem metaphysischen Dualismus zwischen Geistigkeit und Triebhaftigkeit stilisiert, daß die gesellschaftlichen Ursachen und Strukturen kaum noch in den Blick kommen. Der Steppenwolf Harry Haller ist in seiner Identität schwer gestört. Die Ursachen seiner Zerrissenheit und Melancholie liegen, wie Hesse den fiktiven Herausgeber vermuten läßt, darin, »daß er von liebevollen, aber strengen und sehr frommen Eltern und Lehrern in jenem Sinne erzogen wurde, der das ›Brechen des Willens‹ zur Grundlage der Erziehung macht. [...] Statt seine Persönlichkeit zu vernichten, war es nur gelungen, ihn sich selbst hassen zu lehren [...], und so war sein ganzes Leben ein Beispiel dafür, daß ohne Liebe zu sich selbst auch die Nächstenliebe unmöglich ist«. Harry Hallers Ausbruchsversuche aus der bürgerlichen Welt, das Ausleben seiner »wölfischen Natur« sind nur eine scheinbare, vom Autor kritisierte Alternative zur verhaßten bürgerlichen Welt. Auch in der Negation bleibt er ihr verhaftet und wird durch sie geprägt. Anders als im *Steppenwolf*, wo Hesse die Verkrüppelung und Deformation des Individuums und den Kulturverfall direkt zum Thema machte, wich er im *Siddharta* (1922) in den fernen Osten aus und suchte seinen Lesern in buddhistischen Vorstellungen eine Hilfe zur geistigen Lebensbewältigung anzubieten.

Die Lösungsangebote, die Hesse in seinen Romanen macht: romantischer Antikapitalismus, Wiederbelebung der klassisch-bürgerlichen Kultur gegen die Moderne, Wiedergewinnung der verlorenen Identität durch Verinnerlichung, Kontemplation, Bewußtseinsveränderung und -erweiterung, Aufhebung der Persönlichkeitsspaltung durch Ausgleich zwischen Sinnlichkeit und Geistigkeit im Menschen usw. erweisen sich als untaugliche Mittel, die eingetretene Entfremdung wirksam aufzuheben, da die wirklichen Ursachen davon gänzlich unberührt bleiben. Die Entfremdungsproblematik erscheint bei Hesse in erster Linie als ein geistiges Problem und ist zudem auf Intellektuelle und Künstler beschränkt. Tatsächlich handelt es sich hierbei jedoch um eine Epochenproblematik, der in abgewandelter Form alle Bevölkerungsschichten mehr oder minder stark ausgesetzt waren. So hat Alfred Döblin in seinem Roman *Berlin Alexanderplatz* (1929) gezeigt, daß Entfremdung auch eine Erfahrung der Unterschicht ist und sozioökonomische Ursachen hat.

Der Held des Romans *Berlin Alexanderplatz*, Franz Biberkopf, ist ein aus der Bahn geworfener, ehemaliger Zement- und Transportarbeiter, der sich nach der Entlassung aus dem Gefängnis vorgenommen hat, »anständig« zu werden und »vom Leben mehr zu verlangen als das Butterbrot«, dabei aber immer wieder von seiner Umwelt daran gehindert wird, sich in neue Verbrechen verstrickt, vorübergehend in eine Irrenanstalt gesteckt, schließlich entlassen und vom Gericht freigesprochen wird und »verändert, ramponiert, aber doch zurechtgebogen« durch seine Erfahrungen einen neuen Anfang versucht. Döblins Roman fasziniert nicht so sehr durch die Fabel, sondern durch die neuartige Erzählweise, die Montagetechnik, mit der Döblin, dem Beispiel des Films folgend, die Totalität der modernen Großstadt einzufangen versuchte. Döblin geht es nicht um die Gestaltung eines persönlichen Schicksals (»Ich bin der Feind des Persönlichen. Es ist nichts als Schwindel und Lyrik damit. Zum Epischen taugen Einzelpersonen und ihre sogenannten Schicksale nicht. Hier werden sie Stimme der Massen, die die eigentliche

Schutzumschlag –
Döblins »Berlin
Alexanderplatz«
von Moholy-Nagy

wie natürliche so epische Person ist«), sondern um die Präsentation von Totalität, wie sie bislang im bürgerlichen Roman noch nicht versucht worden war. Durch Assoziation und Montage, durch Einfügung von Dokumenten wie Liedern, Wahlreden, Gefängnisordnungen, Wettervorhersagen, Reklametexten, Bevölkerungsstatistiken, Auszügen aus Büchern usw., wird eine Simultaneität und eine Komplexität erreicht, die vom Leser ein Höchstmaß an Konzentration und Zusammenschau verlang. Von Zeitgenossen wurde die neue Romantechnik Döblins sehr unterschiedlich aufgenommen. Kommunistische Autoren der »Gruppe 25«, der auch Döblin angehörte, warfen ihm eine »Atomisierung« der Handlung vor; in Franz Biberkopf habe er lediglich »das ramponierte Ich eines komplizierten Kleinbürgers aufs Proletarische verkleidet«. Andere Kritiker warfen ihm »Stoffhuberei« vor und bezichtigten ihn gar des Plagiats. Tatsächlich konnte Döblin im *Ulysses* (1922) von Joyce und in *Manhattan Transfer* (1925) von Dos Passos die Montage- und Assoziationstechnik vorgeprägt finden. Sein *Berlin Alexanderplatz* ist trotzdem eine eigenständige Leistung, sie ist sowohl eine schöpferische Aneignung der Erzählweisen ausländischer Autoren wie eine selbständige Übertragung psychoanalytischer Verfahrensweisen und filmischer Mittel auf das Gebiet der Literatur. Walter Benjamin ist einer der wenigen, der die Leistung Döblins, das »Radikal-Epische«, gewürdigt hat und den Roman als schöpferische Weiterentwicklung des bürgerlichen Romans verstanden hat. Nichtsdestoweniger hat Benjamin an der Fabel Kritik geübt: »F.B.'s Weg vom Zuhälter bis zum Kleinbürger beschreibt nur eine heroische Metamorphose des bürgerlichen Bewußtseins«.

neue Romantechnik

Mit den Mitteln der Montage, der Verwendung von Dokumenten und der Übernahme von Reportageformen experimentierten auch andere Autoren der Weimarer Republik. Die traditionelle Romanform wurde von vielen Autoren als nicht mehr angemessen empfunden, um die neue Wirklichkeit episch zu erfassen und die Konkurrenz zu den neuen Medien zu bestehen. Die Form der Reportage, wie sie z.B. Egon Erwin Kisch, der »rasende Reporter«, als Kunstform entwickelt hatte, übte in dieser Situation auf viele

Dokumentar- und
Reportageroman

Der rasende Reporter

»Neue Sachlichkeit«

Dada-Text

Schriftsteller eine große Faszination aus, weil sie hier eine Unmittelbarkeit und Authentizität des Erlebens und der Beobachtung zu finden glaubten, wie sie von den traditionellen Erzählformen nicht geleistet werden konnten. Aus dem Bedürfnis, »dicht an die Realität zu dringen« (Döblin), entwickelte sich in kurzer Zeit eine regelrechte Mode der Reportage und des Dokumentarismus. Der Reportageroman bzw. der Dokumentarroman erschien vielen Autoren als die einzig mögliche Form, die drängenden Probleme der Zeit – Krieg, Revolution, Technik, gesellschaftliche Mißstände, Militarisierung, Faschisierung usw. – zu thematisieren. Dahinter stand die Vorstellung, daß die Präsentation von Wirklichkeit die stärkste Wirkung auf den von vielfältigen Reizen überfluteten Leser haben würde. Dokumentar- und Reportageformen entsprachen den Bedürfnissen nach Objektivität und Realismus, die sich als Reaktion sowohl auf die übersteigerte Subjektivität des Expressionismus und die verschiedenen Spielarten der »Innerlichkeit« als auch auf die Politisierung der Literatur durch die proletarisch-revolutionären Autoren herausgebildet hatten und unter dem Schlagwort »Neue Sachlichkeit« firmierten.

Die »Neue Sachlichkeit«, die zwischen 1924 und 1933 zu einer regelrechten intellektuellen Mode wurde, bot den durch Krieg und Nachkrieg verunsicherten Autoren eine neue ideologische Basis, die gekennzeichnet war durch Fetischisierung der Technik (»Technik ist schön, weil sie wahrhaft ist. [...] In ihr verkörpert sich in ganz hohem Maße der Stil unserer Zeit, der unser Lebensstil ist«) und Amerikanismus. Die Begeisterung für Amerika als dem »Land der unbegrenzten Möglichkeiten«, in dem die soziale Frage gelöst und die Klassengegensätze versöhnt zu sein schienen, war eine explizite Gegenposition zu der Rußlandbegeisterung, wie sie unter zahlreichen linken Intellektuellen herrschte. Ausdruck der Neuen Sachlichkeit sind die Industriereportagen von Heinrich Hauser (*Friede mit Maschinen*, 1928) und Erik Reger (*Union der festen Hand*, 1930), wo statt der versprochenen Aufklärung über die Produktionssphäre eine Mythisierung der Technik zu beobachten ist, die zum »sachlichen« Anspruch der Autoren in auffälligem Gegensatz steht. Die Position der Objektivität und der Überparteilichkeit (»Nichts ist geschrieben worden, was nicht gesehen oder erlebt ist. Diese Aufzeichnungen sind unpolitisch«, Hauser) erwies sich ebenso als bloße Behauptung wie die Auffassung, daß die Reportage wie ein »Röntgen-Film« die Wirklichkeit durchdringe und analysiere. Gerade die Kraft der Analyse wurde von Kritikern an den Reportage- und Dokumentarromanen der Neuen Sachlichkeit vermißt. So bezweifelte Siegfried Kracauer, der sich mit den ideologischen Voraussetzungen der Reportage auseinandergesetzt hat, die analytische Leistungsfähigkeit der neuen Gattung ganz entschieden: »Hundert Berichte aus einer Fabrik lassen sich nicht zur Wirklichkeit der Fabrik addieren, sondern bleiben bis in alle Ewigkeit hundert Fabrikansichten. Die Wirklichkeit ist eine Konstruktion«. Auch Béla Balázs wandte sich gegen die oberflächliche Wirklichkeitsauffassung der Autoren der Neuen Sachlichkeit: »Die Tatsachen an sich ergeben nämlich gar keine Wirklichkeit. Die Wirklichkeit liegt erst in dem Sinn der Tatsachen, die gedeutet werden müssen. Als eine »Umgehungsstrategie politischer Tatbestände« (Benjamin) entzog sich der Reportageroman der Neuen Sachlichkeit einer Parteinahme, wie sie etwa die proletarisch-revolutionären Autoren in ihren Reportageromanen eingenommen hatten, und wich in die Unverbindlichkeit aus. Der Kampf gegen das Elend wurde, wie Benjamin konstatierte, zum Gegenstand des Konsums degradiert und diente objektiv nur noch der Zerstreuung und Ablenkung der Leser. Mit der Leugnung gesellschaftlicher Widersprüche und Weigerung, Partei zu ergreifen, schuf die Neue Sachlichkeit ein Vakuum, in das der Faschismus mit der

Wiederbelebung angeblich verlorengegangener »Werte« wie Heimat, Volk, Nation usw. vorstoßen konnte.

Stärker von den ideologischen Positionen als von den formalen Konzepten der Neuen Sachlichkeit geprägt sind die Romane von Kästner und Fallada, die zu Bestsellern am Ende der Republik wurden. *Fabian* (1931) von Erich Kästner ist ein Roman über die Unmöglichkeit moralischen Existierens in der spätbürgerlichen, industriellen Gesellschaft. Fabian ist ein Intellektueller, der sich politisch nicht organisiert und engagiert, alle politischen Gruppen gleichermaßen kritisiert und als ideologieverdächtig ablehnt und somit eine Verkörperung des neusachlichen Typs des freischwebenden Intellektuellen ist. Fabian hält sich von jeglicher gesellschaftlicher Praxis fern, um seine »Reinheit« zu bewahren. In dem Augenblick, als er durch einen Sprung ins Wasser ein Kind vorm Ertrinken retten will und zum ersten Mal etwas Nützliches unternimmt, geht er unter: »Der kleine Junge schwamm heulend ans Ufer. Fabian ertrank. Er konnte leider nicht schwimmen«. Die Grundstimmung des Romans ist eine »linke Melancholie« (Benjamin), die häufig in Sentimentalität umschlägt und der jegliche kritische Potenz fehlt. Diese fehlt auch Hans Falladas Roman *Kleiner Mann, was nun?* (1932), in dem die Proletarisierung eines Angestellten in der Weltwirtschaftskrise beschrieben wird. Auf seine Deklassierung reagiert der Angestellte Johannes Pinneberg mit Angst und Verstörung. Eine Solidarität zu seinen Leidensgenossen kann er nicht herstellen. Allein in der Liebe seiner Frau und im Familienleben findet er eine gewisse Entschädigung. Die sozialen Probleme werden auf diese Weise privatisiert. Die Aktualität und der Zeitbezug sind ein Kennzeichen aller Romane der Neuen Sachlichkeit, freilich können sie für den Leser kaum produktiv werden, da sie sich im Falle von Kästner und Fallada mit Desengagement, Melancholie und Reprivatisierung verbinden, im Falle von Hauser und Reger aber zu einer Fetischisierung der Technik und des Managements führen, die ebenfalls keine Perspektive der Veränderung zuläßt.

Der Kriegsroman war die massenwirksamste und verbreitetste Form des Zeitromans in der Weimarer Republik – Remarques *Im Westen nichts Neues* (1929) erreichte eine Auflage von acht Millionen Exemplaren und wurde in dreißig Sprachen übersetzt – demgegenüber sich andere Formen des Zeitromans wie der Provinzroman nur schwer durchsetzen konnten. Zu den bekanntesten Vertretern der Provinzliteratur gehörte Oskar Maria Graf, der die Bezeichnung Provinzschriftsteller als Ehrentitel für sich reklamierte und Visitenkarten mit der Aufschrift »Oskar Maria Graf, Provinzschriftsteller. Spezialität – Ländliche Sachen« drucken ließ. Die kritische Auseinandersetzung mit der Provinz ist ein Pendant zu der literarischen Verarbeitung der Großstadt, wie sie etwa bei Döblin in *Berlin Alexanderplatz* zu beobachten ist. Die Provinzliteratur von Graf, Feuchtwanger oder Fleißer unterscheidet sich grundsätzlich von der Heimatliteratur eines Rosegger, Ganghofer oder Löns und von der Glorifizierung des ländlichen Idylls in der Blut-und-Boden-Literatur konservativer und präfaschistischer Autoren.

So schilderte Feuchtwanger in seinem Roman *Erfolg* (1930), der mit den späteren, im Exil entstandenen Romanen *Die Geschwister Oppenheim* (1933) und *Exil* (1940) zur *Wartesaal*-Trilogie zusammengefaßt wurde, »drei Jahre Geschichte einer Provinz«, wie es im Untertitel bezeichnenderweise hieß, und entwarf ein höchst kritisches Bild von den »Sitten und Gebräuchen der altbayerischen Menschen« während der Krisenjahre 1921 bis 1924 in München. Thema des Romans ist der politische »Erfolg« der Nationalsozialisten, der durch die heimliche Förderung einiger Großindustrieller und die massenhafte Unterstützung durch das Kleinbürgertum ermöglicht wird. An

Erich Kästner –
Hans Fallada

Schutzumschlag
von 1929

Lion Feuchtwanger

einem politischen Rechtsfall enthüllt sich die Korruptheit von Justiz, Politik und Wirtschaft, die von Feuchtwanger auf die spezifisch bayerischen Verhältnisse zurückgeführt wird, die aber verallgemeinerbar waren, wie der Gang der Geschichte zeigte. Die Faschisierungstendenzen in der Provinz thematisieren auch die Werke von Marieluise Fleißer, deren Roman *Mehlreisende Frieda Geyer* (1931) und Erzählungen, *Echt Ingolstädter Originalnovellen* (1929), neben ihren Dramen relativ unbekannt geblieben sind. Marieluise Fleißer gestaltete die Muffigkeit, die Enge und die Zwänge der Provinz am Beispiel ihrer Heimatstadt Ingolstadt in großer Eindringlichkeit und zeigte die Deformationen auf, die das repressive Provinzleben bei den Einwohnern hervorrief. Fleißers Werke zeigen, wie Benjamin lobend hervorgehoben hat, »daß man in der Provinz Erfahrungen macht, die es mit dem großen Leben der Metropolen aufnehmen können«.

Oskar Maria Graf

Oskar Maria Grafs Romane und Erzählungen unterscheiden sich von den satirischen Romanen Feuchtwangers und Fleißers durch ihre lebhafte, volkstümlich-realistische Erzählweise. Dabei nähert er sich in seiner erzählerischen Praxis der Brechtschen Auffassung von Volkstümlichkeit und Realismus an, ohne daß seine Werke den kämpferischen Charakter annehmen, den Brecht gefordert hatte. Graf war ein Volksschriftsteller, der sich selbst als ein engagierter, gesellschaftskritischer Schriftsteller verstand: »Mir galt und gilt der Bauer schriftstellerisch immer nur als Mensch wie jeder andere Mensch, der nur zufällig ins ländliche Leben hineingeboren ist. Abgesehen von der Daseinsart, die ihm von seiner Umgebung aufgezwungen wird, ist er das gleiche fragwürdige nutzungs- und triebgefangene arme Luder wie wir alle«. Der Realismus Grafs, wie er etwa in der *Chronik von Flechting* (1925), den *Kalendergeschichten* (1929) und dem *Bolwieser* (1931) zum Ausdruck kommt, speist sich aus Erfahrungen, die Graf als sozialer Aufsteiger selbst gemacht und von denen er in seiner Autobiographie *Wir sind Gefangene* (1927) Zeugnis abgelegt hat. Nach einer Zeit des politischen Bohèmetums in den Anfangsjahren der Republik, in der Graf zwischen Aktionisten, Anarchisten, Sozialisten, Spartakisten hin- und herpendelte und mit der Münchener Räterepublik sympathisierte, fand er im Verlaufe der Weimarer Republik zu einem konsequenten sozialistischen Standpunkt, der die Basis für seine eigene, volksverbundene Schreibweise bildete. Im Exil entwickelte er sich zu einem bedeutenden antifaschistischen Schriftsteller, dessen Romane *Der Abgrund* (1936) und *Anton Sittinger* (1937) zu den scharfsinnigsten literarischen Analysen des Verhältnisses von Kleinbürgertum und Faschismus zählen.

Zeitstück, Volksstück und Lehrstück – das Drama

Wie im Roman, so ist auch im Bereich des Dramas eine Verstärkung des zeitkritischen Elements zu beobachten. In den ersten Jahren der Weimarer Republik waren Krieg und vor allem Revolution die beherrschenden Themen im Drama. Insbesondere vom Expressionismus beeinflußte Autoren wie Toller, Mühsam, Kaiser, Hasenclever, Wolf, Rubiner und Feuchtwanger verarbeiteten in ihren Dramen die Erfahrungen der Novemberrevolution, setzten sich mit Fragen der revolutionären Gewalt, mit dem Verhältnis von Führer und Volk und mit der Positionsbestimmung des Dichters in revolutionärer Zeit intensiv auseinander. Bereits während des Kriegs war es zu ersten organisatorischen Kontakten zwischen Schriftstellern gekommen, die entsprechend den Vorstellungen, die Heinrich Mann in seinem bahnbrechenden Essay *Geist und Tat* (1916) entwickelt hatte, eine Verbindung zwischen politischer und literarischer Praxis anstrebten. Die Gründung des »Rates geistiger Arbeiter« (1918), der von so renommierten Autoren wie Heinrich Mann, Rainer Maria Rilke und Robert Musil unterstützt wurde, war ein allerdings sehr kurzlebiger Versuch, eine Verbindung zwischen Dichter und revolutionärem Proletariat herzustellen. Die Vorstellung vom Dichter als Führer des revolutionären Proletariats findet sich am klarsten ausgedrückt bei Gustav Landauer in seiner *Ansprache an die Dichter* (1918): »Der Dichter ist der Führer im Chor, er ist aber auch – wie der Solotenor, der in der Neunten über die einheitlich rufenden Chormassen hinweg unerbittlichen Schwunges seine eigene Weise singt – der herrlich Isolierte, der sich gegen die Menge behauptet. Er ist der ewige Empörer. In der Revolutionszeit kann er der Vorderste sein, so sehr der Vorderste, daß er der erste ist, der wieder auf die Erhaltung, des neu Errungenen wie des ewig Bleibenden, drängt. [...] Philister und strohtrockene Systematiker träumen den unsäglich öden Traum von der Einführung des Patentsozialismus, der in festgesetzten Einrichtungen und Methoden alle Ungerechtigkeiten und Widrigkeiten ein für allemal abzuschaffen und – man erlaube hier das demokratische Bürokratenwort – verunmöglichen soll. Wir aber brauchen in Wahrheit die immerwiederkehrende Erneuerung, wir brauchen die Bereitschaft zur Erschütterung, [...] wir brauchen den Frühling, den Wahn und den Rausch und die Tollheit, wir brauchen – wieder und wieder und wieder – die Revolution, wir brauchen den Dichter.« Landauer vertrat diese Position nicht nur theoretisch, er verkörperte sie auch in seiner Person und bezahlte dafür mit seinem Leben. Im Mai 1919 wurde er wegen seiner Tätigkeit im Rahmen der Münchener Räterepublik ohne Prozeß hingerichtet. Die enge Verbindung zwischen Politik und Literatur findet sich auch bei Toller und Mühsam, die wie Landauer ebenfalls aktiv in der Münchener Räterepublik tätig waren. Toller war 2. Vorsitzender des bayerischen Arbeiter- und Soldatenrates und Vorsitzender der USPD in München, als Mitglied der Räteregierung und als einer der militärischen Führer wurde er wie Erich Mühsam zu fünf Jahren Festungshaft verurteilt. Während dieser Zeit entstanden die in der Weimarer Republik sehr erfolgreichen Dramen *Masse Mensch, Die Maschinenstürmer* und *Hinkemann*.

In *Masse Mensch* (1919), das den Proletariern gewidmet war, gestaltete Toller das Verhältnis zwischen Dichter und Proletariat als Konflikt zwischen dem intellektuellen Revolutionär, der sich zur Gewaltlosigkeit bekennt, und der Masse, die auf revolutionäre Gewalt drängt. Mit einer solchen Auffassung berührte er sich mit Friedrich Wolf (*Der Unbedingte*, 1919), Ludwig Rubiner (*Die Gewaltlosen*, 1919), Erich Mühsam (*Judas*, 1920), Walter Hasenclever (*Die Entscheidung*, 1919) und Lion Feuchtwanger (*Thomas Wendt*, 1919), die in ihren Dramen ebenfalls die Schwierigkeiten des revolutionären Intellektuellen thematisierten. Im Zentrum des Dramas von Wolf steht ein »unbedingter« junger Dichter, der die Massen zu seinem Ideal des einfachen, antikapitalistischen Lebens bekehren will. Die Massen folgen ihm zunächst, lehnen sich aber, irregeleitet durch gegnerische Beeinflussung, gegen den »Unbedingten« auf. Dieser kann die Masse erst durch seinen Opfertod von der Reinheit seiner Absichten überzeugen. Auch bei Rubiner kann das Volk erst durch den Opfertod der *Gewaltlosen* für das Ideal der Gewaltlosigkeit gewonnen werden. Mühsam verarbeitete im *Judas* seine Erfahrungen in der

Rat geistiger Arbeiter

Politik und Literatur

*Puppen mit sozialem
Anliegen – Radierung
von Otto Dix (1920)*

Dichter und Massen

Novemberrevolution und insbesondere die Kämpfe um die Münchener Räterepublik, an denen er maßgeblich beteiligt war. In Hasenclevers Drama *Die Entscheidung* kann der Dichter seinen Platz in der Republik nicht finden. Von der alten, gestürzten Regierung wegen seiner Antikriegsdichtung zum Tode verurteilt, wird er von der Revolution befreit, kann sich ihr jedoch nicht anschließen, weil er die Revolution und die Republik ablehnt. Da er keine gesellschaftliche Aufgabe für sich sieht, will er Selbstmord begehen, wird jedoch von einer verirrten Kugel getroffen. Bei Feuchtwanger wird der Dichter, der in der Revolution zum Volkstribun wird – ursprünglich trug das Drama den Titel *1918* –, in den antagonistischen Gegensatz zwischen Proletariat und Bourgeoisie gestellt und scheitert mit seinem abstrakten Humanismus an den objektiven Gegebenheiten. Das Resümee Feuchtwangers am Dramenende, daß die Intellektuellen die »Revolution vermasselt« hätten, signalisiert neben der Kritik an der Rolle der Intelligenz in der Revolution die Enttäuschung über das Scheitern der Verbindung zwischen Politik und Literatur, wie sie linksexpressionistische Autoren zu realisieren versucht hatten. Bei Georg Kaiser, der durch sein Drama *Von morgens bis mitternachts* (1916) schon während des Krieges berühmt wurde, verbinden sich die Revolutions- und Intellektuellenproblematik mit dem typisch expressionistischen Vater-Sohn-Konflikt, mit Technikfeindschaft und Kapitalismuskritik. In *Gas* (1917/18 entst.), der Fortsetzung des Dramas *Koralle* (1917), lehnt sich ein Milliardärssohn gegen seinen Vater auf. Er bricht mit seiner eigenen Klasse, ergreift Partei für die Arbeiter und versucht, sie nach seinem Bilde zu »neuen Menschen« zu machen. Er beteiligt die Arbeiter am Gewinn, verbessert die Arbeitsbedingungen und vermittelt ihnen das Gefühl, daß sie für sich selbst produzieren. Das sozialistische Experiment scheitert jedoch, als die Fabrik durch eine riesige Gasexplosion – Ursache ist die fieberhaft gesteigerte Produktion – zerstört wird. Tausende von Arbeitern finden den Tod. Der Milliardärssohn will das Werk angesichts der Katastrophe, die sich jederzeit wiederholen kann, nicht wieder aufbauen, er beabsichtigt, seine Arbeiter in Landkommunen anzusiedeln. Die Arbeiter versagen sich jedoch seinen Plänen. Sie sind der Technik verfallen. Zusammen mit Regierungsvertretern

setzen sie den Milliardärssohn ab, bauen die Fabrik wieder auf und kurbeln
die gefährliche Gasproduktion erneut an. Die Einführung des Sozialismus
durch einen einsichtigen Kapitalisten ist an der Uneinsichtigkeit der Arbeiter
und am Interesse der Herrschenden gescheitert. In der Fortsetzung *Gas II*
(1919) schließlich wird die Herrschaft einer entfesselten, unmenschlichen
Technologie gezeigt. Die Arbeiter sind inzwischen zu völlig entpersonalisier-
ten und fremdbestimmten Wesen geworden. Als »Blaufiguren« und »Gelbfi-
guren« gehen sie wie Roboter ihrer Arbeit nach. Mit seinen humanistischen
Idealen steht der Milliardärssohn auf verlorenem Posten.

In Kaisers Dramen zeigen sich die Grenzen und die Problematik des Nach-
kriegsexpressionismus sehr deutlich. Der abstrakte Humanismus, das pathetische Ideal vom »neuen Menschen« und vom »neuen Leben«, die Dämoni-
sierung und Ablehnung des technischen Fortschritts, die rigide Trennung
zwischen dem »Einzelnen« und der »Masse«, das tiefe Mißtrauen, das sich
gegen Bourgeoisie und Proletariat gleichermaßen richtete, wirkten sich hem-
mend auf die künstlerische und politische Entwicklung der Autoren aus und
verhinderten eine analytische Aufarbeitung der Zeitprobleme: »Der Expressionismus, der die Ausdrucksmittel des Theaters sehr bereicherte und eine
bisher unausgenutzte ästhetische Ausbeute brachte, zeigte sich ganz außerstande, die Welt als Objekt menschlicher Praxis zu erklären« (B. Brecht). Die
Abkehr vom expressionistischen Menschheitsdrama war deshalb eine historische Notwendigkeit für Autoren, wenn sie mit ihrem sozialkritischen Anspruch und ihrer Hoffnung auf politische Wirksamkeit nicht Schiffbruch
erleiden wollten. An die Stelle des pathetischen expressionistischen Dramas
der revolutionären Umbruchphase der Republik trat in der relativen Stabilisierungsphase der Weimarer Republik die neue Form des Zeitstücks, die,
Entwicklungen in der Romanpraxis aufnehmend, Mittel der Reportage und
des Dokumentarberichts verwendete.

Einen Vorläufer des Dokumentarstücks stellt in gewisser Weise das satirische Antikriegsdrama *Die letzten Tage der Menschheit* (erste Fassung 1918/
19 i.d. *Fackel* als Sonderhefte; Buchausgabe 1922) von Karl Kraus dar. In
220 Szenen hatte Kraus in Vorwegnahme späterer Formen des Dokumen-
tartheaters aufgezeigt, wie im Krieg Dummheit, Bosheit, Rohheit, Gewissen-
losigkeit und Karrierismus über die Menschlichkeit den Sieg davontragen.
Unter den mehr als tausend Akteuren des Dramas finden sich zahlreiche
Personen der Zeitgeschichte, aber auch viele typisierte und erfundene Figuren. Gegen die übermächtige Dummheit und Gemeinheit der Zeit ist der
Schriftsteller – in der Person des »Nörglers« hat sich Kraus selbst porträtiert
– ohnmächtig. Zentrales Thema dieses monumentalen Dramas, das ein reines Lesedrama ist, ist die Pressekritik, die auch die von Kraus herausgegebene Zeitschrift *Die Fackel* (1899–1936) prägte. In dieser von ihm fast allein
bestrittenen Zeitschrift hat Kraus Gesellschaftskritik in erster Linie als Pressekritik geführt. Als eine Zeitschrift gegen die Zeitung sollte die *Fackel* die
Verlogenheit, die Phrasenhaftigkeit und die Korruptheit der bürgerlichen
Presse aufdecken. Kraus' satirische Verfahrensweise besteht in der *Fackel*
ebenso wie in seinem Drama darin, die Phrase beim Wort zu nehmen und
durch einen kurzen Kommentar, durch Überschriften, durch Ausrufe- oder
Fragezeichen, geschickte Montage oder einfaches Zitat zu verfremden und
zu entlarven. Die Phrase war für Kraus nicht Symbol, sondern Ursache für
die Vergiftung des politischen und kulturellen Lebens seiner Zeit.

Problematischer noch als die zahlreichen Justizdramen waren die Stücke,
die sich mit der Technik und dem technologischen Fortschritt beschäftigten.
Im Gegensatz zu der Technikfeindschaft in den expressionistischen Dramen,

*expressionistisches
Menschheitsdrama*

*Schutzumschlag
von 1922*

*Technikkritik und
Technikkult*

wo Technik vor allem als »Moloch« erschienen war (vgl. z.B. Kaisers *Gas*), wurde die Technik in den Zeitstücken ähnlich wie in den Romanen der Neuen Sachlichkeit (Hauser, Reger) zum Fetisch verklärt. So ist in dem Stück *Maschinist Hopkins* (1929) von Max Brand die Produktivität, objektiviert in den Maschinen, Ausdruck des Fortschritts, die Technik erscheint als eine Schicksalsmacht. Hopkins vertritt nicht die Interessen der Arbeiter, sondern den »Geist« der Arbeit, wenn er Lohnforderungen und Streikparolen gegenüber dem Unternehmer rechtfertigt: »Nur der Maschine diene ich. In ihr wirkt der Geist, dem ich folgen muß«. Bei Brand verbindet sich ähnlich wie im Industrieroman der Neuen Sachlichkeit Technik-Kult und Amerikanismus zu einer Ideologie des Fortschritts, in der traditionelle bürgerliche Werte liquidiert und reale gesellschaftliche Widersprüche verschleiert wurden. Die Technik-Stücke suggerierten ein Bild einer »neuen Gesellschaft«, in der, unter Beibehaltung der alten Gesellschaftsstrukturen und gleichzeitiger Ausnutzung der neuen Produktionsmethoden (Fließband/Akkord), Technik als Befreiungsinstrument erschien und Amerika als Vorbild eines neuen, besseren Lebens beschworen wurde. Die Illusion von der »sachlichen« Lösung aller Widersprüche in der rationalisierten und industrialisierten Gesellschaft der Zukunft ist ein Teilaspekt der übergreifenden Ideologie vom »sachlichen Staat«, nach der alle Probleme von kompetenten Fachleuten technokratisch und rational bewältigt werden können und die als Gegenbild zu dem von Klassenauseinandersetzungen zerrissenen realen Staat der Weimarer Republik funktionierte.

Von der Fetischisierung der Technik in den von der Ideologie der Neuen Sachlichkeit beeinflußten Zeitdramen ist es nur ein kleiner Schritt zu der Mystifizierung der Technik bei präfaschistischen Autoren. Der inhumane Charakter des Technik-Kultes wird überall dort unübersehbar, wo er sich mit der Verherrlichung des Krieges verbindet: »Wir schreiben heute Gedichte aus Stahl, und wir kämpfen um die Macht in Schlachten, bei denen das Geschehen mit der Präzision von Maschinen ineinandergreift. Es steckt eine Schönheit darin, die wir schon zu ahnen imstande sind, in diesen Schlachten zu Lande, auf dem Wasser und in der Luft, in denen der heiße Wille des Blutes sich bändigt und ausdrückt durch die Beherrschung von technischen Wunderwerken der Macht« (Ernst Jünger). In dem Drama *Flieger* (1932) von Hermann Reissmann wird die neue Waffentechnik des Ersten Weltkriegs zur Grundlage eines neuen Heldentums und zum Ausgangspunkt einer neuen Zwischenmenschlichkeit. Die Flieger bilden eine durch die Kriegsmaschinerie geeinte internationale Gemeinschaft. Die Technik ermöglicht einen neuen Heroismus, wie er dann bei Erwin Guido Kolbenheyer in den Dramen *Die Brücke* (1929) und *Jagt ihn, ein Mensch* (1932) als nationaler Mythos entfaltet wird. Hier ist jene »stählerne Romantik« (Joseph Goebbels) und jene »heroische Sachlichkeit« (Alfred Rosenberg) vorweggenommen, die nach 1933 offizielles Programm wurde.

Einen Gegentypus zum neusachlichen Zeitstück stellt das Volksstück in der Weimarer Republik dar. Als dramatisches Gegenstück zum Provinzroman entstand es in bewußter Abkehr von den zeitgenössischen literarischen Moden, griff auf die Tradition des Volksstücks im 19. Jahrhundert zurück und versuchte, in Auseinandersetzung damit eine neue gesellschaftskritische Form zu entwickeln. So knüpfte Ödön von Horváth mit seinen in der Weimarer Republik geschriebenen Stücken *Italienische Nacht* (1931), *Geschichten aus dem Wiener Wald* (1931) und *Kasimir und Karoline* (1932) an die Tradition des Volksstücks an, um es für die Bedürfnisse seiner Zeit abzuändern: »Will man also das Volksstück heute fortsetzen, so wird man natürlich

Otto Dix:
»Apotheose« (1919)

Ödön von Horváth

heutige Menschen aus dem Volk – und zwar aus den maßgebenden, für unsere Zeit bezeichnenden Schichten des Volks auf die Bühne bringen«. An die Stelle der Darstellung bäuerlicher Menschen und eines ländlichen Milieus, wie sie sich im Volksstück des 19. Jahrhunderts findet und mit geringen Abweichungen auch in dem Volksstück *Der fröhliche Weinberg* (1925) von Carl Zuckmayer vorhanden ist, tritt bei Horváth, der als Dramatiker eine regelrechte Renaissance in den 60er Jahren erlebte und zum Antipoden Bertolt Brechts stilisiert wurde, die Darstellung des Kleinbürgertums: »Nun besteht aber Deutschland, wie alle übrigen europäischen Staaten, zu neunzig Prozent aus vollendeten und verhinderten Kleinbürgern, auf alle Fälle aus Kleinbürgern. Will ich also das Volk schildern, darf ich natürlich nicht nur die zehn Prozent schildern, sondern als treuer Chronist meiner Zeit die große Masse«. Getreu dieser selbst formulierten Einsicht macht Horváth in seinen Stücken die »Masse des Volkes«, das Kleinbürgertum, zum Gegenstand seiner Darstellung. Eine solche Verlagerung hatte weitreichende Konsequenzen vor allem für die sprachliche Gestaltung der Stücke. Bei Horváth sprechen die Personen keinen Dialekt wie im alten Volksstück, sondern den neuen »Bildungsjargon«: »Es hat sich nun durch das Kleinbürgertum eine Zersetzung der eigentlichen Dialekte gebildet, nämlich durch den Bildungsjargon. Um einen heutigen Menschen realistisch schildern zu können, muß ich also den Bildungsjargon sprechen lassen.« Der Bildungsjargon ist eine Sprechweise, mit der sich die Kleinbürger über ihre eigene soziale Situation hinweglügen, mit der sie am Mittelstand zu partizipieren versuchen, dem sie faktisch schon lange nicht mehr angehören. Er ist Ausdruck ihres falschen Bewußtseins und verhindert, daß Sprache zum Kommunikationsmittel wird. Horváth verwendet diesen Bildungsjargon mit dem ausdrücklichen Ziel, die Mittelstandsmentalität und -attitüde des deklassierten Kleinbürgertums in ihrer Scheinhaftigkeit zu entlarven. In allen Volksstücken geht es um die szenische Umsetzung des Auseinanderklaffens von sozioökonomischer Lage und falschem Bewußtsein, das im Bildungsjargon sich selbst demaskiert. In *Geschichten aus dem Wiener Wald* wird eine von sozialer Deklassierung bedrohte mittelständische Kleinfamilie gezeigt. Die patriarchalisch-repressiven Strukturen, die vor allem zu Lasten der Frauen gehen, werden durch sentimentale und moralische Phrasen überdeckt, durch die das brutale Interesse gegen den Willen der Sprecher immer wieder durchbricht. Wenn der Vater in dem Stück die Verlobung der Tochter mit den Worten betreibt: »Diese Verlobung darf nicht platzen, auch aus moralischen Gründen nicht«, so verrät er durch das »auch« unfreiwillig die primären wirtschaftlichen Interessen, die ihn bewegen. In der *Italienischen Nacht* hat Horváth die politische Problematik kleinbürgerlicher Mentalität dargestellt. Während die Kleinbürger, größtenteils verspießerte Sozialdemokraten, ihr Vereinsfest des republikanischen Schutzverbandes vorbereiten, veranstalten die Faschisten ihren »deutschen Tag« und demonstrieren einen militanten Nationalismus, der von den Kleinbürgern in seiner Gefährlichkeit nicht wahrgenommen wird. Provinzielle Borniertheit und politische Sorglosigkeit verstecken sich hinter dem längst zur Phrase gewordenen Gerede von Freiheit und Demokratie. Gerade in der *Italienischen Nacht* ist es Horváth gelungen, die Bedrohung deutlich zu machen und die Anknüpfungspunkte aufzuzeigen, welche die Faschisten im Kleinbürgertum vorfanden. Da sich Horváths Kritik und Ironie jedoch gegen alle politischen Gruppierungen von rechts bis links richtet, fehlt eine politische Gegenkraft, die den Faschisten Einhalt gebieten könnte. Horváths Stück war eine Warnung, die von niemand aufgenommen werden konnte.

Chronist
des Kleinbürgertums

Kritik an der
mythischen
Kategorie »Volk«

Marieluise Fleißer

Schärfer noch als bei Horváth ist die Kritik am Kleinbürgertum in den Volksstücken von Marieluise Fleißer formuliert. In ihren Dramen *Fegefeuer in Ingolstadt* (1924) und *Pioniere in Ingolstadt* (1928) stellt sie die Zwänge und die Repression, die in der Provinz herrschen und zu einer dumpfen Muffigkeit führen, in ihrer ganzen Brutalität dar. An die Stelle des Bildungsjargons bei Horváth tritt eine Sprache, die unverhüllter Ausdruck der Deformation der Personen ist. Dabei werden die sozialen Bedingungen für die psychische Deformation deutlich, das Verhalten der Personen wird aus ihrer konkreten sozialen Lage hergeleitet. Die Entpersönlichung der Figuren ist die dramaturgische Konsequenz aus einer Entwicklung, die durch Ausbeutung, Proletarisierung, Abhängigkeit und Unterordnung den Einzelnen in seiner Individualität zerstört. Sexualität erscheint folgerichtig bei Marieluise Fleißer nicht als eine Form menschlicher Kommunikation, sondern als Unterdrückungsinstrument, in dem sich die Entfremdung des Menschen von sich selbst und den anderen ausdrückt. Die Hochschätzung, die Brecht und Benjamin den Stücken der Fleißer entgegenbrachten – die *Pioniere* entstanden auf Anregung Brechts und wurden von ihm 1929 in Berlin uraufgeführt –, hängt mit ihrem Realismus zusammen, in dem sich Wirklichkeitsdarstellung und Gesellschaftskritik in einer für das traditionelle Volksstück neuartigen und richtunggebenden Weise verbanden.

Brecht

Trotz des Lobs, mit dem Brecht die Stücke von Marieluise Fleißer bedachte, knüpfte er mit seiner eigenen Dramenpraxis in der Weimarer Republik nicht am Volksstück an – erst während des Exils entstand das Volksstück *Herr Puntila und sein Knecht Matti* (1940). Zugleich lehnte Brecht auch das Zeitstück als dramatische Form ab. Beide Dramenformen erschienen ihm nur als unterschiedliche Formen eines Schautheaters, das eine mobilisierende Wirkung auf den Zuschauer nicht haben konnte. Aber auch das politische Theater, wie es Piscator entwickelt hatte, konnte für Brecht ungeachtet aller Hochschätzung im einzelnen kein Vorbild sein. An Piscators Theater kritisierte er vor allem den technizistischen Einsatz der neuen Medien und Apparate, der Piscator in Abhängigkeit vom bürgerlichen Theaterbetrieb brachte: »Denn in der Meinung, sie seien im Besitz eines Apparates, der in Wirklichkeit sie besitzt, verteidigen sie einen Apparat, über den sie keine Kontrolle mehr haben, der nicht mehr, wie sie noch glauben, Mittel für die Produzenten ist, sondern Mittel gegen die Produzenten wurde, also gegen ihre eigene Produktion (wo nämlich dieselbe eigene, neue, dem Apparat nicht gemäße oder ihm entgegengesetzte Tendenzen verfolgt)«. Gelernt hat Brecht in erster Linie vom proletarisch-revolutionären Agit-Prop-Theater. Hier fand er eine Form des Lehrtheaters vorgebildet, in der mit dem traditionellen Kunstcharakter bürgerlichen Theaters gebrochen war, an die Stelle des berufsmäßigen Schauspielers Amateure traten und die Grenze zwischen Darsteller und Zuschauer tendenziell aufgehoben war.

Lehrstück

Brechts Hinwendung zum Lehrstück fällt zusammen mit seiner Annäherung an die Arbeiterklasse und mit der Aneignung des Marxismus als einer Grundlage, die sein weiteres künstlerisches Schaffen prägen sollte. Hatte er in den frühen, noch vom Expressionismus beeinflußten Stücken (*Baal*, 1918; *Trommeln in der Nacht*, 1920; *Im Dickicht der Städte*, 1921; *Aufstieg und Fall der Stadt Mahagonny*, 1928/29) nach eigenem Eingeständnis vor allem eine »nihilistische Kritik der bürgerlichen Gesellschaft« geübt, so versuchte er nun, seine gesellschaftspolitischen Einsichten produktiv umzusetzen. Ausgangspunkt seiner Theorie des Lehrstücks, die er in den Stücken *Ozeanflug* (1929), *Badener Lehrstück vom Einverständnis* (1929), *Der Jasager* und *Der Neinsager* (1929/30), *Die Maßnahme* (1930) und *Die Ausnahme und die*

Regel (1930) umgesetzt hat, ist die Annahme, »daß der Spielende durch die Durchführung bestimmter Handlungsweisen, Einnahme bestimmter Haltungen, Wiedergabe bestimmter Reden und so weiter gesellschaftlich beeinflußt werden kann«. »Das Lehrstück lehrt dadurch, daß es gespielt, nicht dadurch, daß es gesehen wird. Prinzipiell ist für das Lehrstück kein Zuschauer nötig, jedoch kann es natürlich verwertet werden.« Das Theaterspielen wird zu einem Lernprozeß, der durch »Nachahmung« und »Kritik« gekennzeichnet ist. Die Spieler sollen vorgegebene Muster nicht nur einfach im Spiel nachvollziehen, sondern sie sollen diese kritisieren, was bis zur vollständigen Negation vorgegebener Muster und zur Konzeption neuer Vorlagen führen kann. Bei der Realisation der Lehrstücke erhält die Verwendung der Apparate (Rundfunk, Film usw.) eine Funktion, die sich grundlegend von der Verwendung der neuen Medien sowohl beim traditionellen Theater wie auch auf der Piscator-Bühne unterscheidet. Der Einsatz der Apparate dient nicht der Erzeugung eines kulinarischen Illusionstheaters oder der Perfektionierung eines politischen Lehrtheaters, sondern ist Teil eines »soziologischen Experiments«, das sich in der Realisation des Lehrstücks vollzieht. Rundfunk und Film ermöglichen eine Objektivierung des Spiels. Je nach Bedarf können die Spieler ihr Spiel technisch reproduzieren und so sich selbst und ihr Spiel kontrollieren. Sie gewinnen eine Distanz zu sich selbst und zu dem von ihnen Dargestellten und werden zur Reflexion über die neuen Medien und zum schöpferischen Umgang mit ihnen angeregt. Zugleich machen sie die Erfahrung, daß sie, wenn sie Apparate für die Zwecke ihrer Lehrspielarbeit zu organisieren versuchen, mit gesellschaftlichen und ökonomischen Verwertungsinteressen in Konflikt geraten. Die Lehrstückübung vermittelt dem Spielenden gesellschaftliche Einsichten also direkt und nicht nur über das gemeinsame Spiel.

Bertolt Brecht

Neben den Lehrstücken – *Die Rundköpfe und die Spitzköpfe, Die Horatier und die Kuratier* sowie Entwürfe zu weiteren Lehrstücken entstanden oder wurden erst während des Exils fertiggestellt – schrieb Brecht weitere Stücke: *Dreigroschenoper* (1928), *Die heilige Johanna der Schlachthöfe* (1929/30) und *Die Mutter* (1930), die nach Brechts eigenen Worten zum Teil »im Stil der Lehrstücke [...] aber Schauspieler erfordernd« verfaßt waren. Lehrstück wie Schaustück sind zwei unterschiedliche Formen des epischen Theaters, die Brecht im Exil in der Form des politischen Lehrtheaters zusammengefaßt hat.

Zwischen Artistik und Engagement – die Lyrik

Im Bereich der Lyrik brach der alte Gegensatz zwischen der sogenannten »reinen« und der sogenannten »politischen« Dichtung angesichts der durch Krieg, Revolution und verschärfte Klassenauseinandersetzung geprägten Epochenkonstellation in neuer Schärfe auf. Es zeigte sich alsbald, daß der Expressionismus mit seinem leidenschaftlichen Sprachgestus und mit seinem »Mensch, Welt, Bruder, Gott«-Pathos keine Basis der weiteren literarischen Arbeit bilden konnte. Dokumente der Auflösungskrise des Expressionismus sind die beiden 1919 erschienenen Gedichtsammlungen *Menschheitsdämmerung* von Kurt Pinthus und *Kameraden der Menschheit* von Ludwig Rubiner. Pinthus lieferte mit seiner berühmt gewordenen Anthologie ein reprä-

»Menschheits-dämmerung«

*Else Lasker-Schüler
in der Maske
des Prinzen Jussuf*

*Benn und Becher als
Antipoden*

sentatives Bild der expressionistischen Lyrik. Die eigentliche, »überpolitische Bedeutung« der expressionistischen Dichtung sah Pinthus darin, »daß sie mit glühendem Finger, mit weckender Stimme immer wieder auf den Menschen selbst wies, daß sie die verlorengegangene Bindung der Menschen untereinander, miteinander, das Verknüpftsein des einzelnen mit dem Unendlichen – zur Verwirklichung anfeuernd – in der Sphäre des Geistes wiederschuf«. Unter den Rubriken »Sturz und Schrei«, »Erweckung des Herzens«, »Aufruhr und Empörung«, »Liebe den Menschen« waren die Gedichte von dreiundzwanzig Autoren gruppiert, darunter Becher, Benn, Hasenclever, Heym, Lasker-Schüler, Lichtenstein, Stadler, Stramm, Trakl, Werfel und Zech. Die Tatsache, daß viele der in der *Menschheitsdämmerung* vertretenen Autoren zum Zeitpunkt des Erscheinens bereits nicht mehr unter den Lebenden weilten – Heym, Stadler, Trakl, Stramm und Lichtenstein starben bereits vor bzw. während des Krieges – macht deutlich, daß Pinthus' Anthologie kein Dokument einer lebendigen Bewegung war, sondern eher einen Nachruf darstellte. Im Gegensatz zu Pinthus stellte Rubiner den Expressionismus als kämpferisch dar und präsentierte vor allem die Anhänger des linken aktivistischen Flügels der Expressionisten mit Gedichten, die »ein Bekenntnis seines Dichters zum Kampf gegen eine alte Welt, zum Marsch in das neue Menschenland der sozialen Revolution« ablegten. Im Zentrum des Bandes standen die Themen Krieg und Revolution: »Und hier tritt der Dichter endlich an die Seite der Proletarier: Der Proletarier befreit die Welt von der wirtschaftlichen Vergangenheit des Kapitalismus; der Dichter befreit sie von der Gefühlsvergangenheit des Kapitalismus. Kameraden der Menschheit rufen zur Weltrevolution«. In solchen Sätzen äußerte sich eher das Wunschdenken des Herausgebers denn die Realität. Bis auf wenige Ausnahmen (z.B. Hasenclevers *Die Mörder sitzen in der Oper*) blieben die Gedichte im Menschheitspathos und in Verbrüderungshoffnung befangen und setzten in illusionistischer Weise die »Macht des Geistes« gegen die »Wut des Henkers« (Becher). Der Aufruf zur Revolution war als Aufstand der Seele gemeint (vgl. Werfels *Revolutionsaufruf*). An Rubiners Sammlung und an der Anthologie von Pinthus zeigt sich, daß der Expressionismus als literarische Bewegung nicht in der Lage war, die neue Epochenerfahrung angemessen zu verarbeiten.

Zwei der bedeutendsten expressionistischen Autoren, Gottfried Benn und Johannes R. Becher, die in Pinthus' Anthologie noch einträchtig nebeneinander vertreten waren – in Rubiners Sammlung freilich fehlte Benn –, lösten sich ziemlich rasch von ihren expressionistischen Anfängen und wurden zu erbitterten literarischen und politischen Antipoden. Die Entwicklung, die beide Autoren im Verlauf der Weimarer Republik nahmen – Becher schloß sich der Kommunistischen Partei an, Benn sympathisierte vorübergehend mit den Faschisten –, war so konträr, daß sie später im Exil zum Anlaß einer weitreichenden Debatte über die Einschätzung des Expressionismus wurde. In einem Rundfunkdialog über das Verhältnis zwischen Dichtung und Politik haben beide Autoren 1931 ihre unterschiedlichen Standpunkte klargelegt. Gegenüber Becher beharrte Benn darauf, daß die politische Tendenz keine Tendenz der Dichtung, sondern eine Tendenz des Klassenkampfes sei: »Wenn sie sich in poetischer Form äußern will, ist das Zufall oder private Liebhaberei«. Benn lehnte es kategorisch ab, mit seiner Dichtung eingreifen zu wollen. In der Geschichte konnte er, wie er in dem Aufsatz *Können Dichter die Welt verändern?* (1931) schrieb, keine Entwicklung und keinen Sinn sehen: »Soziale Bewegungen gab es doch von jeher. Die Armen wollten immer hoch und die Reichen nicht herunter. Schaurige Welt, kapitalistische

Welt, seit Ägypten den Weihrauchhandel monopolisierte und babylonische Bankiers die Geldgeschäfte begannen [...], schaurige Welt, kapitalistische Welt, und immer die Gegenbewegungen: mal die Helotenhorden in den kyrenischen Gerbereien, mal die Sklavenkriege in der römischen Zeit, die Armen wollen hoch und die Reichen nicht herunter, schaurige Welt, aber nach drei Jahrtausenden Vorgang darf man sich wohl dem Gedanken nähern, dies alles sei weder gut noch böse, sondern rein phänomenal«. Allein die dichterische Form war nach Benns Auffassung in der Lage, das Chaos zu bändigen und dem Sinnlosen einen Sinn zu geben. In dem Gedicht *Leben – niederer Wahn* findet sich Benns Bekenntnis zur Form programmatisch ausgedrückt: »Form nur ist Glaube und Tat,/ die erst von Händen berührten,/ doch dann den Händen entführten/ Statuen bergen die Saat«. Durchgängiges Formprinzip der Bennschen Lyrik ist die Montage. Unterschiedliche Elemente der Wirklichkeit, häufig nur Schlüssel- und Reizwörter, werden additiv oder kontrastierend nebeneinandergesetzt. Realität erscheint auf diese Weise »rein phänomenal«. Das so durchgehaltene Montageprinzip erweist sich letztlich als konsequenter Ausdruck einer unbegriffenen Wirklichkeit.

J. R. Becher

Von dem Formalismus Benns, der sich mit Aristokratismus und selbstgewählter Abgeschiedenheit des Künstlers von den politischen Tageskämpfen und der gesellschaftlichen Realität ingesamt verband (»Wer allein ist, ist auch im Geheimnis«), grenzte sich Becher durch sein klares Bekenntnis zu einer politischen Dichtung im Sinne der revolutionären Arbeiterbewegung ab: »Ich verfolge mit meiner Dichtung die Tendenz, die heute meiner Ansicht nach jede Dichtung aufweisen muß, die Anspruch darauf macht, eine lebendige Dichtung zu sein, das heißt eine Dichtung, die in den entscheidenden Kräften dieser Zeit wurzelnd, ein wahres und geschlossenes Weltbild zu gestalten vermag. Ich diene mit meinen Dichtungen einzig und ausschließlich der geschichtlichen Bewegung, von deren Durchbruch in die Zukunft das Schicksal der gesamten Menschheit abhängt. Ich diene auch als Dichter dem Befreiungskampf des Proletariats«. In seiner poetischen Praxis hat Becher versucht, dieses ehrgeizige Programm umzusetzen. In den Gedichtsammlungen *Die hungrige Stadt* (1927/28), *Im Schatten der Berge* (1928), *Graue Kolonnen* (1930) und *Der Mann, der in der Reihe geht* (1932) wandte er sich der aktuellen Gegenwart zu. Weltkrieg, Revolution, Straßen- und Barrikadenkämpfe, Arbeitslosigkeit, Rationalisierung, Proletarierelend, Arbeiterorganisation usw. sind die Themen seiner Gedichte. In dem umfangreichen Versepos *Der große Plan* (1931) lobte er den ersten Fünfjahresplan der Sowjetunion als »Beginn eines neuen Zeitalters« in der Tradition der berühmten klassischen Epen. Im Mittelpunkt seiner Arbeit standen jedoch die kleinen lyrischen Formen wie die Ballade und die Chronik, die seiner Vorstellung von Volkstümlichkeit am besten entsprachen.

Erich Weinert

Tatsächlich waren die Gedichte Bechers jedoch sehr viel weniger volkstümlich als etwa die Gedichte Erich Weinerts. Weinert machte, wie Becher neidlos anerkannte, politische Lyrik «versammlungsfähig und damit in einer neuen Art gesellschaftsfähig«: »Seine Gedichte, in Versammlungen gesprochen, traten zusammen auf mit der politischen Rede, wetteiferten mit ihr und ergänzten sie aufs wirkungsvollste von der Seite des Poetischen her. Auf diese Weise wurden nicht nur die Dichtungen Erich Weinerts von Hunderttausenden von Menschen angenommen, sondern die Dichtung selber wurde wieder zu einer Sache des Volkes«. Weinert, der vom politischen Kabarett kam, war der eigentliche Vertreter einer volkstümlichen politischen Lyrik in der Weimarer Republik. Als Kabarettist, als Rezitator auf Parteiveranstaltungen, als Mitwirkender an der *Revue Roter Rummel*, als Sprecher seiner eigenen

Gedichte auf den legendären Weinert-Abenden, die 1931 verboten wurden, erreichte er eine Volkstümlichkeit, die Becher versagt blieb. Weinert knüpfte mit seine Lyrik an die Dichtung der Vormärz-Zeit an (Heine, Herwegh, Weerth) und verband in schöpferischer Weise verschiedene Traditionen wie Kabarettlyrik, Bänkelsang, Volkslied, Arbeiterkampflied, Ballade usw. zu einer Form von satirischer Dichtung, die, wie er selbst sagte, »ihrem Ursprung nach Volksdichtung« war (*Politische Satire*, 1926). In seiner Volkstümlichkeit lag der Grund für die große Faszination, die Weinert auf Zeitgenossen ausübte. Seine Gedichte, wie z.B. *Sozialdemokratisches Mailiedchen; Denke daran, Prolet; Der rote Feuerwehrmann; Wie hetze ich erfolgreich*, sind Dokumente einer kämpferischen Gebrauchslyrik, die Position für die politisch unterdrückten und sozial benachteiligten Massen bezog. Weinert, der sich später im Exil als Lyriker im Spanischen Bürgerkrieg engagierte und mit Flugblattgedichten die Rote Armee im Kampf gegen das nationalsozialistische Deutschland unterstützte, beanspruchte nicht, »Kunst« im traditionellen Sinne zu machen. Ihm genügte es, wenn seine Gedichte »aufklärten, überzeugten und den Schwankenden Richtung gaben. Wenn sie beim Vortrag die stürmische Zustimmung: So ist es! Sehr richtig! fanden, so hatten sie ihre politische Mission erfüllt. Nicht selten trug ich ein Gedicht nur ein- bis zweimal vor, dann war sein Anlaß bereits von neuen Geschehnissen überschattet. Hätte ich alles, was ich geschrieben und vorgetragen habe, in der nötigen Muße ausreifen lassen können, damit es als Kunstkristall vor den ›Akademikern‹ bestehen könne, so würde ich mich um tausend aktuelle, unmittelbare Wirkungen gebracht haben. Und auf diese kam es ja an, weit mehr als darauf, den Hörern Kunstwerke zu präsentieren«.

Beeinflußt vom politischen Kabarett, das in der Weimarer Republik einen großen Aufschwung erlebte, waren auch Autoren wie Kästner und Tucholsky. Im Gegensatz zur Tribünenlyrik Weinerts, die vor allem durch den Vortrag lebte – viele Gedichte Weinerts wurden von Eisler vertont und von Ernst Busch gesungen – und ihre Funktion im politischen Kontext der jeweiligen Veranstaltung erhielt, entwickelten Kästner und Tucholsky eine Form der Gesellschaftssatire, die in erster Linie auf den Leser zielte. In Kästners Gedichtbänden *Herz auf Taille* (1928) und *Gesang zwischen den Stühlen* (1932) ist die gesellschaftskritische Tendenz sehr viel ausgeprägter als etwa in seinem Roman *Fabian*. Das berühmt gewordene Gedicht *Stimmen aus dem Massengrab* ist ein zorniger Angriff auf den Militarismus der Zeit, zugleich aber auch ein Dokument der Resignation des Autors, der die Lernfähigkeit der Lebenden bezweifelte und der aufrüttelnden Kraft seiner Verse mißtraute: »Doch wir starben ohne Zweck/ Ihr laßt euch morgen, wie wir gestern, schlachten«. Sehr viel entschiedener als Kästner, der sich zu Recht als zwischen den Klassen Stehender empfand, hat Tucholsky Position bezogen, ohne daß er sich jemals parteipolitisch festgelegt hätte. Tucholsky entwickelte in seiner Postille *Deutschland, Deutschland über alles* (1929) eine Form des politischen Zeitgedichts, die es ihm erlaubte, vehement gegen die Weimarer Justiz, gegen soziale Unterdrückung und Ausbeutung und gegen die aufkommende faschistische Gefahr zu kämpfen. In dem Gedicht *Monolog mit Chören* (1925) hat er den Zwiespalt zwischen »reiner« und »politischer« Dichtung, der für ihn durchaus eine Realität war, selbstironisch karikiert. Auf den Monolog des Dichters: »Ich dichte leis und sachte vor mich hin./ Wie fein analysier ich Seelenfäden,/ zart psychologisch schildere ich jeden/ und leg in die Nuance letzten Sinn«, antworten die Chöre der Arbeitslosen, der Proletariermütter und der Tuberkulösen: »Wir haben keine Zeit, Nuancen zu betrachten!/ Wir müssen in muffigen Löchern und Gasröhren

Titelblatt

»Wir haben keine Zeit«

übernachten!/ Wir haben keine Lust, zu warten und immer zu warten!/ Unsre Not schafft erst deine Einsamkeit, deine Stille und deinen Garten!«. Gegen die weltabgewandte Dichtung setzen die Chöre ihr eigenes Lied, »Die Internationale«. Tatsächlich hat Tucholsky nie dem Typ des leise und sacht vor sich hinschreibenden Dichters entsprochen; er wandte sich vielmehr in seiner Dichtung den Problemen der Zeit zu (z.B. *Prolet vor Gericht; Ruhe und Ordnung; Die Leibesfrucht; Fragen an eine Arbeiterfrau; Bürgerliche Wohltätigkeit*), konnte aber dabei nicht zu der revolutionären Zuversicht finden, wie etwa parteipolitisch gebundene Dichter. Resignation und Melancholie, die sich mit der zunehmenden Faschisierung verstärkten, waren ein durchgehender Zug der Tucholskyschen Lyrik. Vor dem offenen Faschismus schließlich kapitulierte er als Satiriker: »Satire hat auch eine Grenze nach unten. In Deutschland etwa die herrschenden faschistischen Mächte. Es lohnt nicht – so tief kann man nicht schießen«.

Vielschichtiger und vielseitiger als die Lyrik der bisher genannten Autoren ist das lyrische Werk von Bertolt Brecht. Ähnlich wie Becher und Benn hat auch Brecht als Expressionist angefangen, hatte sich jedoch ebenfalls rasch von den expressionistischen Mustern gelöst und begonnen, mit unterschiedlichen lyrischen Formen zu experimentieren. Die *Hauspostille* (1927) zeigt seinen schwierigen und nicht immer widerspruchsfreien Ablösungsprozeß vom Expressionismus. Mit dem Titel der Binnengliederung der Sammlung knüpfte Brecht an die Tradition der biblischen Kirchen- und Hauspostille an, wie sie durch Luther und die an ihn anschließenden religiösen Erbauungsbücher repräsentiert wurde. Brecht wollte jedoch nicht im Sinne dieser Tradition den Glauben an Gott befestigen, sondern ihn im Gegenteil desillusionieren und zerstören. Der satirische Rückgriff auf christliche Vorbilder geschah überdies mit der Absicht, ein modernes Erbauungsbuch zu schaffen, das einen ähnlichen Gebrauchswert haben sollte wie die alten christlichen Postillen: »Diese Hauspostille ist für den Gebrauch des Lesers bestimmt«. Zugleich wandte sich Brecht mit seiner Postille gegen die unter den Lyrikern seiner Zeit weit verbreitete, an Rilkes *Stundenbuch* (1905) anschließende Mode, Gedichte in Form von Gebetbüchern herauszugeben. Die *Hauspostille* enthält eine Vielzahl von lyrischen Formen (Balladen, Songs, Chroniken usw.) und eine Fülle von poetischen Bildern, in welche die persönlichen und politischen Erfahrungen des Autors in sehr verschlüsselter Weise eingegangen sind. Die Ohnmacht, die Unterdrückung und das Leiden des Einzelnen angesichts der Kälte der Welt (*Von der Kindsmörderin Maria Farrar*), die Unfähigkeit zu einem freundlichen und solidarischen Umgehen miteinander, die aggressive und zum Teil zynische Sexualität (*Ballade vom Liebestod*) und der anarchistische Protest gegen familiäre Zwänge (*Apfelböck*) erscheinen als Ausdruck gesellschaftlicher Gewaltverhältnisse, wobei aber bis auf wenige Ausnahmen die Klassenauseinandersetzungen der Zeit an keiner Stelle unmittelbar thematistiert werden. Brecht hat im Gegenteil die aktuellen Bezüge weitgehend vermieden.

So tilgte er in dem Gedicht *Vom ertrunkenen Mädchen* die ursprüngliche Überschrift »Vom erschlagenen Mädchen«, mit der er auf die ermordete Rosa Luxemburg angespielt hatte. In dem Gedicht vom Elternmörder Apfelböck, das auf einen realen Fall zurückging, sparte Brecht alle direkten, erklärenden Hinweise auf die familiäre und soziale Situation des Täters aus und stellte sich damit in Gegensatz zu der grellen Psychologisierung des Elternmordes, wie sie bei expressionistischen Autoren die Regel war. Die Selbstverständlichkeit, mit der Brecht die Unschuld des Elternmörders voraussetzt (*Apfelböck oder die Lilie auf dem Felde*), mußte vom Leser als eine

Bertolt Brecht

Ballade:
Trauerndes Gedenken
an Geschichte

Elegische Alterstöne?

Provokation empfunden werden. Die Ursachen für die Tat erschließen sich erst dem, der sich auf die Logik des Textes einläßt und seine Bildlichkeit ernst nimmt. Gerade die Bildlichkeit der Texte aber stellt hohe Anforderungen an den Leser. So sind die Gedichte *Vom Schwimmen in den Seen und Flüssen* und *Vom Klettern in Bäumen* private Texte, in denen sich frühkindliche Erfahrungen und sexuelle Phantasien in verwirrender und komplizierter Weise verbinden. In den Gedichten *Liturgie vom Hauch, Das Schiff, Ballade auf vielen Schiffen, Lied am schwarzen Samstag* setzt sich Brecht selbstkritisch mit seiner dichterischen Arbeit und den Möglichkeiten von Dichtung überhaupt auseinander. Durch ihren eindeutigen, agitatorischen und sozialkritischen Charakter unterscheidet sich die *Legende vom toten Soldaten* von den übrigen Gedichten der Sammlung, die den Leser durch ihre »subversive Niedrigkeit« provozieren und »antiautoritäre Lektionen in Sprechweisen und Lesarten« (H. Lethen) darstellen. *Die Legende vom toten Soldaten*, in der ein längst beerdigter Soldat exhumiert, von Militärärzten für kriegsdiensttauglich erklärt und erneut an die Front geschickt wird, veranlaßte Brechts Verleger 1922 zur Ablehnung der Sammlung und führte dazu, daß die *Hauspostille* erst 1927 in veränderter und ergänzter Form bei einem anderen Verleger erscheinen konnte. Der »Nützlichkeitsstandpunkt«, den Brecht bereits im Vorwort der *Hauspostille* eingenommen hatte, der dort aber noch sehr ironisch gebrochen wirkte, war ein Ergebnis seiner veränderten politischen Position. Durch die Aneignung des Marxismus in den Jahren 1926/27 sagte sich Brecht von »anarchischen Nihilismus« (C. Pietzcker) seiner Jugendzeit los.

LITERATUR
IM DRITTEN REICH

Die nationalsozialistische Machtergreifung

Die latente Radikalisierung des gesellschaftlichen und politischen Lebens in der Weimarer Republik, die von liberalen und linken Intellektuellen und Schriftstellern als zunehmende Einschränkung ihrer politischen und literarischen Handlungs- und Freiheitsspielräume erlebt wurde, ging mit der Machtübernahme der Nationalsozialisten am 30. Januar 1933 in den offenen Faschismus über und überraschte viele, die zu seinen späteren Opfern zählen sollten. Was diese Entwicklung für Intellektuelle, Schriftsteller und Künstler bedeutete, hätten aufmerksame Zeitgenossen spätestens 1929 bemerken müssen, als der Nationalsozialist Frick das Innen- und Volksbildungsministerium in Thüringen übernahm und die nationalsozialistische Kulturpolitik en miniature vorwegnahm. Die Unterschätzung der Nationalsozialisten ist um so erstaunlicher, als diese ihren Herrschaftsanspruch mit dem Hitler-Ludendorff-Putsch in München (1923), mit der Gründung der Kampfverbände SA und SS, mit Hitlers Bekenntnisbuch *Mein Kampf* (1924) frühzeitig deutlich gemacht hatten; die Wahlergebnisse gegen Ende der Weimarer Republik zeigten, daß die Nationalsozialisten auf dem Weg zu einer Massenpartei waren. Bei den Reichstagswahlen 1930 konnten sie ihren Anteil an den Reichstagsmandaten von 12 auf 107 steigern.

Es gehörte also schon einiges an unpolitischem Denken und mangelnder Einsicht in den Charakter und die Struktur des Nationalsozialismus dazu, um ihn in seiner Gefährlichkeit zu unterschätzen. Und dennoch ist es so gekommen: Die Machtübernahme Hitlers traf die deutschen Schriftsteller fast völlig unvorbereitet. Aber Zeitgenossenschaft bedeutet naturgemäß eine gewisse Blindheit, aus der historischen Distanz ist man stets klüger. Nur wenige Autoren wie Brecht, Feuchtwanger und Heinrich Mann erkannten die drohende Gefahr und schätzten die weitere Entwicklung richtig ein, den meisten fehlte die »Phantasie für das Noch-Nicht-Dagewesene« (L. Marcuse). Sie glaubten wie Klaus Mann, daß »sowas [wie Hitler] nie zur Macht kommt«, oder aber, daß die Nationalsozialisten, einmal an die Macht gelangt, rasch abwirtschaften würden. Gerade sozialdemokratische, »linke« und kommunistische Autoren gaben sich der Illusion hin, daß die Revolution kurz bevorstehe und der Nationalsozialismus nur ein kurzes Zwischenspiel auf dem Weg zum Sozialismus sei.

Die radikale Veränderung des politischen Bezugsfeldes konnte nicht ohne Konsequenzen auf die Arbeitsbedingungen und die politische Haltung der Autoren bleiben. Für diejenigen, die sich den neuen Bedingungen für die Literatur nicht unterwerfen wollten, gab es, wie die Prager Exilzeitschrift *Neue Deutsche Blätter* bereits im September 1933 feststellte, »drei Möglichkeiten«: »Man kann in Deutschland bleiben und getarnt, aus sprachlichem Hinterhalt und künstlerischer Maskierung den Faschismus angreifen, gewärtig, daß einem früher oder später der Mund gestopft und die Feder aus der Hand geschlagen wird. Man kann, anonym, für die illegale Literatur im

Unterschätzung der Gefahr

Ausweichmöglichkeiten für Autoren

*Berufsverbot für den
Maler Emil Nolde*

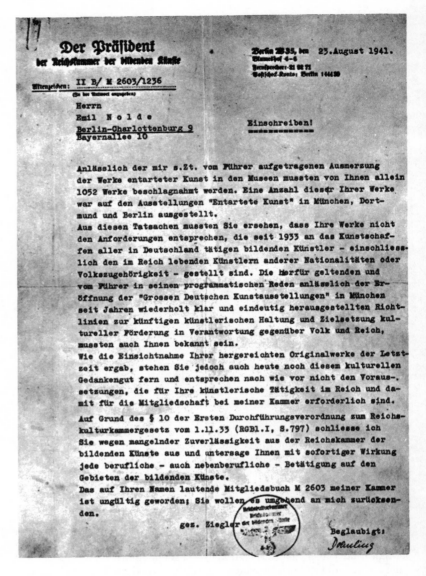

Lande und für die antifaschistische Presse im Ausland arbeiten. Man kann schließlich über die Grenze gehen und vom Ausland her zu den Deutschen sprechen«.

Flucht über Nacht

Viele Autoren waren – oft über Nacht – gezwungen, aus Deutschland zu flüchten. Da es sich durchweg um die prominenten, noch heute anerkannten Schriftsteller handelte, ist man leicht geneigt anzunehmen, die gesamte literarische Intelligenz habe damals das Land verlassen. Tatsächlich blieb der größte Teil in Deutschland, sympathisierte oder arrangierte sich mit dem Faschismus oder versuchte das physische und moralische Überleben in der »Inneren Emigration«. Wenige gingen in die Illegalität und unterstützten mit literarischen Arbeiten den politischen Widerstand gegen die Nationalsozialisten.

386

Die Literatur, die in Deutschland während des Faschismus geschrieben wurde, weist einen großen Spielraum auf. Sie reicht von politischer Bekenntnisliteratur über die verschiedenen Modi profaschistischer, indirekt nichtfaschistischer Literatur und literarischen Formen verdeckter Opposition bis hin zu kämpferischer Untergrundliteratur. Sie hat damit ein ebenso breites Spektrum wie die Literatur im Exil, die ja keineswegs mit antifaschistischer Literatur gleichgesetzt werden kann. Auch in der Exilliteratur gab es eine Vielzahl von politisch-literarischen Haltungen. Trotz partieller formaler Übereinstimmungen zwischen der Literatur des Exils und der des Reiches, die sich z.B. in der gemeinsamen Bevorzugung bestimmter literarischer Gattungen (wie dem historischen Roman und dem Sonett) zeigen lassen, ist es sinnvoll, zwischen Exilliteratur und der Literatur des Reiches, insbesondere der Literatur der »Inneren Emigration« zu trennen, da die Arbeitsbedingungen für die »Daheimgebliebenen« sich grundlegend von denen der »Emigranten« unterschieden.

Nationalsozialistische Kulturpolitik

Bereits wenige Tage nach dem Machtantritt der Nationalsozialisten wurden Notverordnungen erlassen, durch die Presse-, Versammlungs- und Demonstrationsfreiheit entscheidend eingeschränkt wurden. Alle Druckschriften, »deren Inhalt geeignet ist, die öffentliche Sicherheit oder Ordnung zu gefährden«, konnten beschlagnahmt werden. Im Februar 1933 wurden Heinrich Mann und Käthe Kollwitz zum Austritt aus der Preußischen Akademie der Künste gezwungen, weil sie in einem von ihnen unterzeichneten Wahlaufruf eine Koalition von SPD und KPD für die bevorstehenden Reichstagswahlen gefordert hatten. Nach dem Reichstagsbrand am 27. Februar 1933, der den Nationalsozialisten zumindest sehr gelegen kam, wenn er nicht von ihnen inszeniert war, trat der faschistische Charakter der neuen Machthaber vollends zutage. Durch die »Verordnung des Reichspräsidenten zum Schutz von Volk und Staat« vom 28. Februar wurden wesentliche Paragraphen der Verfassung außer Kraft gesetzt, war »die unwiderrufliche Ablösung des Rechtsstaates durch den Polizeistaat« (Bracher) Tatsache geworden.

Die Dichter-Klasse der Preußischen Akademie der Künste (W. v. Molo als Lehrer und die Schüler G. Hauptmann, Th. Däubler, W. v. Scholz, H. Mann, F. v. Unruh, Th. Mann und A. Döblin)

Opfer der neuen Terror-Gesetze wurden vor allem Kommunisten. Mehr als 10000 von ihnen sollen in der Nacht des Reichstagsbrands – eine gesetzliche Grundlage dafür bestand noch gar nicht – festgenommen worden sein. Die Beteiligung der KPD, die als Partei offiziell nicht verboten war, an den Reichstagswahlen vom 5. März war unter diesen Umständen nur eine Farce. Noch in der Nacht des 28. Februar wurden zahlreiche Schriftsteller verhaftet, keineswegs nur KPD-Mitglieder. Carl von Ossietzky, Erich Mühsam und Ludwig Renn gehörten zu den ersten. Wenige Tage später folgten Willi Bredel, Anna Seghers und Klaus Neukrantz, andere entgingen nur durch Zufall der Verhaftung; sie konnten rechtzeitig in der Illegalität untertauchen oder ins Ausland fliehen.

Nach der Reichstagswahl vom 5. März, in der die Nationalsozialisten ihre Mandate auf 44% erhöhen konnten, fühlten sie sich stark genug, den kulturellen Bereich nach ihren Vorstellungen zu organisieren. In seiner Regierungserklärung vom 23. März 1933 faßte Hitler die kulturellen Ziele seiner Regierung wie folgt zusammen: »Gleichlaufend mit der politischen Entgif-

Reichstagsbrand

tung unseres öffentlichen Lebens wird die Reichsregierung eine durchgreifende moralische Sanierung des Volkskörpers vornehmen. Das gesamte Erziehungswesen, Theater, Film, Literatur, Presse, Rundfunk, sie werden alle Mittel zu diesem Zweck sein«. In der Praxis bedeutete dies, daß nach dem Verbot der kommunistischen und sozialdemokratischen nun auch die bürgerliche Presse in die Schußlinie der neuen Machthaber geriet. Zeitungen und Zeitschriften, die sich dem neuen Kurs nicht einfügten, wurden kurzerhand verboten; die übrigen wurden durch Drohungen, Entlassungen, Verhaftungen und wirtschaftliche Sanktionen zur Anpassung gezwungen.

Gleichschaltung
Neben die Gleichschaltung der Presse traten schon sehr bald Maßnahmen gegen Schriftstellerorganisationen. Der »Schutzverband deutscher Schriftsteller« (SDS) wurde als erster »gesäubert«. Dabei konnten sich die Nationalsozialisten auf Gefolgsleute innerhalb des Verbandes stützen, die schon in der Weimarer Republik eine interne Opposition gebildet hatten. Mitglieder der »Arbeitsgemeinschaft nationaler Schriftsteller«, die seit 1931 existierte, übernahmen die Führungsrolle im SDS und begannen umgehend mit der von Hitler geforderten »Entgiftung«. Alle Mitglieder wurden auf ihre politische

Zuverlässigkeit im Sinne der neuen Machthaber überprüft, liberale und linke Mitglieder kurzerhand ausgeschlossen; im Mai wurde der leitende Redakteur des *Völkischen Beobachters* neuer Vorsitzender des SDS, seine Mitglieder mußten sich durch Unterschrift zum nationalsozialistischen Staat bekennen. Im Juli 1933 wurde der SDS in den im Juni gegründeten »Reichsverband Deutscher Schriftsteller« (RDS) überführt.

Zur gleichen Zeit wurde die Preußische Akademie der Künste, Sektion Literatur, deren Vorsitzender Heinrich Mann im Februar unter fadenscheinigen Gründen zum Rücktritt gezwungen worden war, gleichgeschaltet; Mitglieder der Sektion konnten nur diejenigen bleiben, die eine von Gottfried Benn konzipierte Loyalitätserklärung dem faschistischen Staat gegenüber abzugeben bereit waren. Thomas Mann und Ricarda Huch erklärten daraufhin ihren Austritt, andere wurden zwangsweise ausgeschlossen, weil sie die geforderte Erklärung entweder nicht unterschreiben wollten oder aber als Juden unerwünscht waren. An die Stelle der Ausgetretenen und Ausgeschlossenen rückten überzeugte Nationalsozialisten wie Grimm, Blunck, Johst, Kolbenheyer und Vesper. Umbesetzt wurde auch die deutsche Sektion des Internationalen PEN-Clubs. Der alte Vorstand wurde zum Rücktritt gezwungen und durch einen neuen, »zuverlässigen« Vorstand ersetzt; politisch unliebsame Mitglieder wurden ausgeschlossen. Auf die Gründung einer zweiten deutschen Sektion von ausgeschlossenen, im Exil lebenden Autoren reagierte die innerdeutsche Sektion mit ihrem Austritt aus dem Internationalen PEN-Club. Die programmatische Gegengründung einer »Union nationaler Schriftsteller«, die von Johst und Benn geführt wurde, war jedoch wenig erfolgreich.

Verherrlichung des Bäuerlichen: Der »Völkische Beobachter« mit dem Leitartikel »Adolf Hitler zur Lage« (Gemälde von O. Kirchner)

Eine neue Stufe erreichte der Terror gegen oppositionelle Schriftsteller mit der Bücherverbrennung. Am 26. April 1933 erschien in der Berliner *Nachtausgabe*, einer Zeitung, die dem für Hitlers Machtergreifung maßgeblichen Hugenberg-Konzern gehörte, eine Liste »verbrennungswürdiger« Bücher. Diese Veröffentlichung war Auftakt für eine Fülle von sogenannten schwarzen und weißen Listen, auf denen die mißliebigen bzw. genehmen Autoren aufgeführt waren. Am 10. Mai kam es in ganz Deutschland zu einer beispiellosen Bücherverbrennung, die entgegen weitverbreiteter Meinung keine planlose oder spontane Aktion der Bevölkerung darstellte, sondern eine »zeitlich gesteuerte, organisatorisch exakt geplante Kampagne« (H.A. Walter) gewesen ist. In feierlichen, ritualisierten Veranstaltungen wurden die Werke vieler bedeutender und prominenter Autoren »den Flammen übergeben«. Führende Nationalsozialisten wie Goebbels und prominente Literaturprofessoren hielten die Reden. Das Heine-Wort: »Wo man Bücher verbrennt, verbrennt man am Ende gar auch Menschen«, sollte schon bald schreckliche Realität werden. Wenige Tage später veröffentlichte das *Börsenblatt für den deutschen Buchhandel* eine erste amtliche Liste von Büchern, die aus öffentlichen Bibliotheken entfernt werden sollten. Diese Liste umfaßte 131 Autoren und wurde regelmäßig auf den neuesten Stand gebracht.

Bücherverbrennung

Durch das Reichskulturkammergesetz vom 22. September 1933 schließlich fand die Reglementierung des kulturellen Lebens ihre gesetzliche Basis. Unter der Aufsicht von Goebbels traf die am 15. November 1933 eingerichtete Reichskulturkammer im Reichsministerium für Volksaufklärung und Propaganda in Zukunft die Entscheidung darüber, wer sich kulturell betätigen durfte und wer nicht. Unterstützt wurde sie dabei von der Reichsschrifttumskammer unter dem Vorsitz von Blunck, später von Johst, die ihren Mitgliedern den Nachweis »arischer« Abstammung und ein Treuegelöbnis gegenüber dem nationalsozialistischen Staat abverlangte. In der Praxis be-

Treuegelöbnis

Bücherverbrennung

deutete dies für jüdische und politisch andersdenkende Autoren Berufsverbot. Ergänzt wurde die staatliche Beaufsichtigung durch drei verschiedene Zensurbehörden, durch die Schrifttumsabteilung im Propagandaministerium, die Reichsstelle zur Förderung des deutschen Schrifttums, die von Rosenberg persönlich geleitet wurde, und die Parteiamtliche Prüfungskommission zum Schutz des NS-Schrifttums. Durch das formelle Kritikverbot vom 27. November 1936 und die administrative Ersetzung der »zersetzenden Kritik« durch die »fördernde Betrachtung« wurden schließlich die letzten Reste eines literarischen Lebens beseitigt.

Die »Ästhetisierung der Politik« oder faschistische Politik als Gesamtkunstwerk

eigenständige NS-literatur?

Die Meinung, daß der deutsche Faschismus keine eigenständige Kunst und Literatur hervorgebracht habe, vielmehr nur »eine eklektische Synthese aller reaktionären Tendenzen« (Lukács) gewesen sei, ist nur bedingt richtig. Sie trifft zu für den Bereich der traditionellen literarischen Gattungen, die sich der Nationalsozialismus in der Tat sehr eklektisch und epigonal und ohne eigentliche Emphase angeeignet hat. Die Nationalsozialisten griffen auf den vorliegenden literarischen Bestand zurück. Sie schlachteten die bürgerliche Kunst und Literatur für ihre eigenen Zwecke aus. Die Vereinnahmung der Klassiker und die gewaltsame Umwertung politisch profilierter Autoren wie Hölderlin, Kleist und Büchner zu präfaschistischen Repräsentanten des »heldischen Pessimismus« gehört zu den traurigsten Kapiteln der deutschen Literaturgeschichte. Der Vorwurf der Epigonalität trifft jedoch nicht zu für den Bereich der Propagandakunst, in dem der Nationalsozialismus durchaus

originell und schöpferisch war. Die neuen Medien – Film, Rundfunk und
Hörspiel – erhielten dabei einen besonderen kulturpolitisch-propagandisti-
schen Rang, wogegen der Literatur eine eindeutig untergeordnete Rolle zugemessen wurde.

Im Thingspiel – einer genuin faschistischen Theaterform – hat die nationalsozialistische Weltanschauung ihren künstlerisch adäquaten Ausdruck gefunden. Das Thingspiel, konzipiert als neue Form des deutschen Nationaltheaters, war als Weihe- und Kultspiel gedacht, in dem die traditionelle
Trennung zwischen Schauspielern und Zuschauern aufgehoben war, in dem
»Leib, Geist und Seele des deutschen Volksgenossen« angesprochen und alle
am Spiel Beteiligten zu einer einzigen mythischen Gemeinde verschmolzen
werden sollten. Erklärtes Ziel des Thingspiels war die Herstellung eines
Gemeinschaftserlebnisses, in dem der einzelne »Volksgenosse seine durch
das immer wiederkehrende Gemeinschaftsbekenntnis gefestigte Glaubens-
stärke ausströmen lassen kann in die Gemeinschaft des Volkes, und so die
Lauheit in seiner Umgebung überwindet und die Energie der Nation stärker
und stärker werden läßt« (nach einer parteiamtlichen Verlautbarung in der
Zeitschrift *Neue Gemeinschaft*).

*Lichtbringender
Kämpfer für die natio-
nale Erhebung –
Propagandamachwerk
von R. Klein*

Thema des Thingspiels war in erster Linie die deutsche Geschichte von
1918 bis 1933 als Vorgeschichte der »nationalsozialistischen Revolution«.
Hauptperson war das Volk, das sich in der Art von griechischen Chören
selbst darstellte. Einzelspieler traten als Chorführer oder Repräsentanten
rivalisierender Gruppen aus den Chören heraus. Die Zahl der Spieler ging in
die Tausende, die der Zuschauer in die Zehntausende. Im Oktober 1933 fand
im Berliner Grunewald eine Aufführung mit 60000 Zuschauern statt, Mit-
wirkende waren etwa 17000 SA-Leute. Ein solches Massentheater war im
traditionellen Theaterbetrieb der Zeit nicht zu organisieren. Erforderlich
waren neue Theaterstätten, neue Stücke und eine neue Dramaturgie. In
kurzer Zeit wurden riesige Thingspielplätze gebaut, die eine Synthese von
Naturbühne und griechischem Amphitheater bilden sollten. Von den geplanten 400 Thingspielstätten wurde allerdings nur ein sehr kleiner Teil fertiggestellt. Trotz offizieller Förderung – Goebbels hatte ca. 40 Thingspielautoren
in einem Arbeitskreis zusammengefaßt – blieb das Repertoire relativ schmal.
Bei einem Preisausschreiben der Reichsarbeitsfront sollen zwar zehntausend
Thingspiele eingereicht worden sein, aber nur wenige Stücke wie Eggers' *Job
der Deutsche* (1933), Euringers *Deutsche Passion* (1933) und Heynickes *Der
Weg ins Reich* (1935) entsprachen den hochgesteckten Erwartungen, fanden
offizielle Anerkennung und Förderung. Möllers *Frankenburger Würfelspiel*
(1936) wurde auf der Olympiade 1936 gespielt und gehörte zu den am
häufigsten aufgeführten Thingspielen. Allen diesen Stücken gemeinsam ist
die dramatische Form, in die verschiedene literarische Traditionen eingegangen sind. Im Thingspiel verschmelzen Elemente der griechischen Tragödie,
der mittelalterlichen Mysterienspiele, der barocken und klassizistischen
Festspiele mit den modernen Formen des expressionistischen und des proletarischen Theaters der Weimarer Republik zu einer Form faschistischer
Selbstdarstellung und Feier, in der die aufklärerische Nationaltheateridee
Lessings und Schillers mit größtem Zynismus pervertiert wurde. Die Aufnahme von Elementen des revolutionären proletarischen Theaters der Weimarer Republik (Piscator) war ein Versuch, einen scheinsozialistischen und
scheinrevolutionären Gehalt nationalsozialistischer Politik auch auf der
Ebene der literarischen Formen vorzutäuschen.

Hitler als Orpheus

Die Tendenz der faschistischen Kunst zum Monumentalen, Ornamentalen
und Kultischen wird an den Reichsparteitagen noch deutlicher, die mit größ-

ter Präzision als Massentheater inszeniert wurden und dem Thingspiel schließlich den Rang abliefen, weil sie die Formierung von Menschenmassen und deren Verflechtung mit der nationalsozialistischen Ideologie vollendet erreichten. In der Inszenierung der Reichsparteitage liegt die eigentlich »künstlerische« Leistung der Nationalsozialisten. Noch heute geht z.B. von dem Film Leni Riefenstahls über den Nürnberger Parteitag von 1934 *(Triumph des Willens)* eine große ästhetische Faszination aus.

Politik und Kunst

Bereits 1936 hat Walter Benjamin darauf aufmerksam gemacht, daß die wirklichen ästhetischen und künstlerischen Leistungen des deutschen Faschismus in seiner Politik zu suchen seien, und hat damit das verkehrte Verhältnis von Politik und Kunst im Faschismus aufgedeckt. Diese Perversion von Kunst und Politik und den dahinterstehenden menschenverachtenden Charakter des Faschismus hat Goebbels unmißverständlich ausgedrückt: »Auch die Politik ist eine Kunst, vielleicht die höchste und umfassendste, die es gibt, und wir, die wir die moderne deutsche Politik gestalten, fühlen uns dabei als künstlerische Menschen, denen die verantwortungsvolle Aufgabe anvertraut ist, aus dem rohen Stoff der Masse das feste und gestalthafte Gebilde des Volkes zu formen«. Das Selbstverständnis der faschistischen Politiker als Künstler hat Brecht in mehreren Gedichten des Exils satirisch zum Thema gemacht, z.B. in den Gedichten *Die Regierung als Künstler*, *Verbot der Theaterkritik* und in den zahlreichen Hitlergedichten, in denen der nationalsozialistische Reichskanzler als Pseudokünstler, als »Anstreicher«, der »bis auf Farbe nichts studiert« und »ganz Deutschland [...] angeschmiert« hat, auftaucht. Auch Walter Benjamins Äußerungen über die Propagandakunst der Nationalsozialisten lesen sich wie ein Kommentar zu den Masseninszenierungen der Thingspiele bzw. der Reichsparteitage: »Die faschistische Kunst ist eine Propagandakunst. Sie wird also für Massen exekutiert«. Eine solche Kunst versetzt »die Exekutierenden ebenso wie die Rezipierenden in einen Bann, unter dem sie sich selber monumental, das heißt unfähig zu wohlüberlegten und selbständigen Aktionen erscheinen müssen. Die Kunst verstärkt so die suggestiven Energien ihrer Wirkung auf Kosten der intellektuellen und aufklärenden. Die Verewigung der bestehenden Verhältnisse vollzieht sich in der faschistischen Kunst durch die Lähmung der (exekutierenden oder rezipierenden Menschen), welche diese Verhältnisse ändern könnten«. Die Massen sind unfähig, über sich selbst und ihre Bedürfnisse nachzudenken, sie werden als Individuen ausgelöscht und sind damit gegen Manipulation und Mißbrauch nicht mehr gefeit. Die Formierung der Massen nach den Gesetzen der Schönheit verhilft ihnen zwar kurzfristig zu ihrem »Ausdruck«, nicht aber zu ihrem »Recht« (Benjamin). An die Stelle der notwendigen Gestaltung der Gesellschaft nach den Prinzipien von Freiheit, Gleichheit und Gerechtigkeit tritt der ästhetische Schein der Volksgemeinschaft, indem den Massen die Aufhebung der politischen und sozialen Probleme vorgegaukelt wird. Auch das Ziel der faschistischen »Ästhetisierung der Politik« wird von Benjamin benannt: »Alle Bemühungen um die Ästhetisierung der Politik gipfeln in einem Punkt. Dieser eine Punkt ist der Krieg. Der Krieg, und nur der Krieg, macht es möglich, Massenbewegungen größten Maßstabs unter Wahrung der überkommen Eigentumsverhältnisse ein Ziel zu geben«.

Zu Schillers 175. Geburtstag – Photomontage von John Heartfield: Reichsinnenminister Dr. Frick: »Was hat der Kerl geschrieben? Eine Grenze hat Tyrannenmacht! Den hätte ich glatt ausgebürgert.«

Völkisch-nationale Literatur

Gegenüber der Ästhetisierung der Politik und der ästhetischen Formierung der Massen im »Gesamtkunstwerk« der Reichsparteitage nimmt sich die völkisch-nationale Literatur, die lange Zeit als die eigentlich nationalsozialistische Literatur galt, fast bieder und harmlos aus. Tatsächlich ist die völkisch-nationale Literatur kein Produkt des Nationalsozialismus, so sehr sie auch gefördert und hofiert wurde. Von wenigen Ausnahmen abgesehen, ist die »Literatur des Dritten Reiches«, d.h. die Literatur, die als vorbildliche nationalsozialistische Dichtung galt, bereits in der Weimarer Republik geschrieben worden, z.T. sogar schon in der Zeit vor 1918. Bartels' *Volk wider Volk* und Burtes *Wiltfeber der Deutsche* erschienen bereits 1912, Grimms Bestseller *Volk ohne Raum* 1926, die drei Romane *Hein Hoyer, Berend Fock* und *Stelling Rotkinnsohn* von Blunck wurden 1922, 1923 und 1924 veröffentlicht und erst 1934 unter dem Titel *Urvätersaga* zusammengefaßt; Kolbenheyers Trilogie *Paracelsus* erschien zwischen 1917 und 1926, Vespers *Das harte Geschlecht* schließlich 1931.

Die Bezeichnung »völkisch-nationale Literatur« ist eine Sammelbezeichnung, unter der verschiedene literarische Strömungen zusammengefaßt werden. Neben der »Blut- und Boden-Literatur«, die lange Zeit als Inbegriff der völkisch-nationalen Literatur galt, gehören die Literatur der Heimat- und Provinzkunst im Gefolge von Ludwig Ganghofer, Hermann Stehr und Hermann Löns, der historische Roman in der Tradition von Freytag und Dahn, der Kolonialroman, der in Grimms *Volk ohne Raum* seine erfolgreichste Ausprägung fand, und die Romane des sog. »Soldatischen Nationalismus«, d.h. die Kriegs- und Freikorpsromane und die Bürgerkriegsliteratur der Weimarer Republik hierher. Gemeinsam ist allen diesen Werken ihr Antidemokratismus und Antimodernismus, ihr Antisemitismus und ihre Verherrlichung der »germanischen Rasse«, Eigenschaften, die sie für die Nationalsozialisten höchst brauchbar machten. So ist es nicht überraschend, daß die völkisch-nationale Literatur in ihren unterschiedlichen Spielarten, die vor 1933 nur ein literarischer Strang unter vielen gewesen war, nach dem Machtantritt der Nationalsozialisten in den Rang einer Staatsliteratur erhoben wurde.

Buchumschläge – »Das deutsche Schicksal ist Wort geworden« (»Völkischer Beobachter«)

Die Literatur der »Inneren Emigration«

»Innere Emigration« als Gegensatz zum Exil ist ein Begriff, der sich bereits in den 30er Jahren herausgebildet hat, aber erst nach 1945 in der Auseinandersetzung zwischen den »Daheimgebliebenen« und den »Emigranten« eine polemische Färbung erhalten hat. In der berühmt-berüchtigten Kontroverse über die äußere und die innere Emigration zwischen Thomas Mann einerseits und Walter von Molo und Frank Thieß andererseits (1945/46) wurde der Begriff »Innere Emigration« von den beiden letzteren gegen die Exilautoren ausgespielt. Die Behauptung, daß die Autoren, die in Deutschland »ausgeharrt« hätten, durch ihr Leben in der faschistischen Diktatur einen »Schatz an Einsicht und Erfahrung« gewonnen hätten, der sie gegenüber jenen, die Deutschland verlassen haben, »reicher an Wissen und Erleben« gemacht

Wer war wirklich Emigrant?

habe, und daß es »schwerer« gewesen sei, »sich hier seine Persönlichkeit zu bewahren als von drüben Botschaften an das deutsche Volk zu senden«, war ein plumper Versuch, die eigene Verwicklung in den Faschismus unter den Tisch zu kehren und durch die indirekte Diffamierung der Emigranten als Vaterlandsverräter in die Vorwärtsverteidigung überzugehen. Der Zynismus, der aus Sätzen Frank Thieß' wie: »Wir erwarten dafür keine Belohnung, daß wir Deutschland nicht verließen«, und: »Ich will niemanden tadeln, der hinausging«, im Jahr 1946 sprach, war es wohl, der Thomas Mann zu einer ungewohnt heftigen Reaktion veranlaßte. Kurzerhand sprach er der Literatur der »Inneren Emigration« das moralische Recht ab, sich als Widerstandsliteratur zu begreifen: »Es mag Aberglaube sein, aber in meinen Augen sind Bücher, die von 1933 bis 1945 in Deutschland überhaupt gedruckt werden konnten, weniger als wertlos und nicht gut in die Hand zu nehmen. Ein Geruch von Blut und Schande haftet ihnen an. Sie sollten alle eingestampft werden«.

Aufgrund seiner mißbräuchlichen Reklamation durch solche Autoren, die besser hätten schweigen sollen, ist der Begriff in Verruf geraten, ja die Existenz einer »Inneren Emigration« als solche wurde als haltloser »Mythos« (Schonauer) abgetan. Inzwischen haben neuere Forschungen jedoch ergeben, daß es eine »Innere Emigration«, d.h. eine Oppositionsliteratur, die sich nicht gleichschalten ließ und regimekritisch gemeint war, in Deutschland tatsächlich gegeben hat. Es ist aber umstritten, was darunter zu verstehen ist und welche Autoren dazu gerechnet werden können. Relativ einfach zu sagen ist, wer nicht dazugezählt werden kann. In erster Linie sind hier Gottfried Benn und Ernst Jünger zu nennen, die immer wieder zu Repräsentanten der »Inneren Emigration« erklärt worden sind und sich nach 1945 auch selbst gern so gesehen haben. Benn gehörte zeitweilig zu den Mitläufern des Nationalsozialismus. Nach der Machtergreifung hat er ihn offen unterstützt und zur Verfolgung jüdischer und politisch mißliebiger Autoren tatkräftig beigetragen. Seiner späteren Abwendung von den Nationalsozialisten, seinem Verstummen als Dichter und seinem Eintritt in die Wehrmacht als Stabsarzt, von ihm als »aristokratische Form der Emigration« ausgegeben, fehlt jegliche antifaschistische Qualität. Auch Ernst Jünger wandte sich eher aus aristokratischem Snobismus denn aus politischer Überzeugung von den Nationalsozialisten ab. Seine Werke (z.B. *Auf den Marmorklippen*, 1939) weisen so viele Gemeinsamkeiten mit der faschistischen Ideologie auf, daß es falsch wäre, die Tatsache, daß Jünger seine Berufung in die Preußische Akademie der Künste ablehnte und einen deutlichen Brief an den *Völkischen Beobachter* schrieb, als Akt des Widerstandes gegen den deutschen Faschismus zu werten. Von einem »erhöhten Standpunkt« aus betrachtete Jünger nach eigenem Eingeständnis, »wie sich die Wanzen gegenseitig auffressen«.

Die Bezeichnung »Innere Emigration« zu Recht für sich in Anspruch nehmen können jedoch Autoren wie Ricarda Huch und Ernst Barlach. Ricarda Huch hatte sich 1933 in einem mutigen Brief geweigert, den Treuerevers zu unterschreiben, den die faschistischen Machthaber den Mitgliedern der Preußischen Akademie der Künste abverlangten, und hatte eindeutig gegen die Nationalsozialisten Stellung bezogen: »Was die jetzige Regierung als nationale Gesinnung vorschreibt, ist nicht mein Deutschtum. Die Zentralisierung, den Zwang, die brutalen Methoden, die Diffamierung Andersdenkender, das prahlerische Selbstlob halte ich für undeutsch und unheilvoll«. Wegen ihres Eintretens für Juden und andere Verfolgte des Regimes gehörte Ricarda Huch zu den unerwünschten Autoren. Nur wenige Werke von ihr

*Propagandakitsch –
Diskuswerfer
von L. Bechstein*

*Ricarda Huch
und Ernst Barlach*

durften erscheinen. Der Künstler und Schriftsteller Ernst Barlach, der von den Faschisten als »entartet« und »unheroisch« diffamiert wurde, machte ebenfalls aus seiner Gegnerschaft zu den Nationalsozialisten keinen Hehl. Barlach erhielt zwar nie ein offizielles Berufsverbot, aber nach 1933 wurde keine seiner Arbeiten mehr ausgestellt noch veröffentlicht. Er sei »im Vaterlande zu einer Art Emigrantendasein genötigt«, schreibt Barlach 1937 kurz vor seinem Tode: »Ich erfahre somit eine Ausgestoßenheit, die der Preisgabe an Vernichtung gleichkommt. [...] Mein Zustand ist noch übler als der eines echten Emigranten«. Die Bücher, die er während des Faschismus schrieb, vergrub Barlach in seinem Garten.

Anwendbar ist der Begriff der »Inneren Emigration« als Bezeichnung für regimekritische Literatur auch auf solche Autoren, die sich aus religiösen und humanitären Gründen im Gegensatz zu den Nationalsozialisten befanden. Hierzu gehören vor allem Jochen Klepper, Ernst Wiechert und Werner Bergengruen, die nicht zufällig in Konflikt mit den Machthabern gerieten. Klepper schied mit seiner Familie 1942 freiwillig aus dem Leben, um seiner jüdischen Frau und den Töchtern den Weg in die Gaskammer zu ersparen. Seine Abrechnung mit den Nationalsozialisten konnte er nur seinen Tagebüchern anvertrauen, die er aus Angst vor der Gestapo im Garten vergraben hatte. Wiechert wurde als »unbequemer« Autor für mehrere Monate ins Konzentrationslager eingeliefert, seine mutige Rede gegen die Nationalsozialisten von 1935 wurde als Dokument der »Inneren Emigration« 1937 in der von Brecht, Bredel und Feuchtwanger redigierten Exilzeitschrift *Das Wort* als »bedeutsames Dokument im Kulturkampf unserer Zeit« veröffentlicht. Die literarische Verarbeitung seines KZ-Aufenthaltes, *Der Totenwald* (geschrieben 1939), konnte erst nach 1945 veröffentlicht werden. Werner Bergengruen schließlich wurde 1937 aus der Reichsschrifttumskammer ausgeschlossen, beteiligte sich nach eigenen Angaben an der Widerstandsarbeit der »Weißen Rose« und publizierte zum Teil anonym im Ausland.

Alle diese Autoren versuchten mit ihren Werken eine »geistige Opposition« gegen den »herrschenden Ungeist« zu errichten. Besonders im Medium des historischen Romans, der auch bei den Exilautoren eine bevorzugte Form war, versuchten sie eine Abrechnung mit dem Nationalsozialismus *(Der Großtyrann und das Gericht; Der Vater; Las Casas vor Karl V.).* Dabei sahen sie sich vor jene »fünf Schwierigkeiten beim Schreiben der Wahrheit« gestellt, von denen Brecht 1934 gesprochen hat. Regimekritische Literatur ungetarnt zu veröffentlichen, war ein selbstmörderisches Unterfangen, zudem aussichtslos, weil kaum ein Verleger oder Drucker sich zur Veröffentlichung bereit gefunden hätten. Literatur mußte also entweder »Schubladenliteratur« bleiben oder notgedrungen in einer »Sklavensprache« abgefaßt sein, um die Machthaber zu täuschen und die Leser zu erreichen, in der Hoffnung, daß diese die Kritik richtig entschlüsseln würden. Tatsächlich hat sich diese Hoffnung wohl nur in den wenigsten Fällen erfüllt. Bergengruens Roman *Der Großtyrann und das Gericht* (1935) z.B. wurde vom *Völkischen Beobachter* als »der Führerroman der Renaissancezeit« gefeiert, und auch *Der Vater* (1937) von Jochen Klepper, gemeint als »Kritik, nicht Verherrlichung des Heutigen«, wurde von den Nationalsozialisten vereinnahmt. Es gelang diesen Autoren nicht, ihre Werke »handhabbar zu machen als eine Waffe« (Brecht). Ihre Werke waren vielmehr Ausdruck eines »hilflosen Antifaschismus« (W.F. Haug), der aus der Übermächtigkeit des politischen Gegners, aber auch aus der Unfähigkeit der Autoren, aus ihrer konservativen Haltung heraus eine politische Perspektive gegen den Faschismus zu entwickeln, resultierte. Die Lektüre der regimekritisch gemeinten Literatur zeigt, daß

»Die gemarterte Menschheit« – Holzrelief von Ernst Barlach

den Autoren durchweg die Einsicht in den Charakter des Nationalsozialismus fehlte; sie waren nicht in der Lage, ihn im Zusammenhang der deutschen Geschichte und des europäischen Faschismus zu begreifen. »Der altpreußische Pietismus Wiecherts etwa konnte Hitler nur einen dumpfen Widerstand entgegensetzen. Er war als Kampfgenossenschaft gegen die Hitlersche Barbarei nicht ohne Wert, konnte jedoch von sich aus zu keiner Erneuerung Deutschlands führen« (Lukács). Die weit verbreitete Auffassung, daß es sich beim Nationalsozialismus um ein »Verhängnis«, um eine »deutsche Tragödie«, um eine Herrschaft von »Verbrechern« und »Dämonen« gehandelt habe, zeigt das mangelnde Faschismusverständnis sehr deutlich und macht begreiflich, weshalb der Widerstand dieser Autoren nicht mehr als eine hilflose Gebärde sein konnte.

Generation der Nachfolgenden

Bedingt zur »Inneren Emigration« hinzurechnen kann man jene Gruppe von Autoren, die während des Faschismus, zum Teil auch schon während der Weimarer Republik, ihr schriftstellerisches Debüt gaben, aber erst nach 1945 zu beachteten Vertretern der Nachkriegsliteratur wurden und das literarische Leben der Bundesrepublik bis in die 60er Jahre hinein bestimmten (Günter Eich, Peter Huchel, Wolfgang Koeppen, Marie Luise Kaschnitz, Max Frisch, Rudolf Hagelstange, Gerd Gaiser, Karl Krolow, Paul Celan, Oskar Loerke und Wilhelm Lehmann). Eich und Huchel waren während des Faschismus als Hörspielautoren erfolgreich. Eich schrieb in dieser Zeit fünfzehn Hörspiele und belieferte den Deutschlandsender regelmäßig mit Hörfolgen über das Leben in der Provinz. Der Schwerpunkt der literarischen Arbeiten dieser Gruppe lag jedoch im Bereich des Tagebuchs, der Kurzprosa und der Lyrik. Dies waren Formen, die der Subjektivität der Autoren einen breiten Spielraum ließen und von den faschistischen Machthabern noch am ehesten geduldet wurden, weil von ihnen keine Gefährdung des Systems ausging. Auffällig ist die Wiederbelebung traditioneller lyrischer Formen wie des Sonetts, der Ode, der Hymne, der Elegie. Der Rückgriff auf die strenge Form hat programmatischen Charakter, er ist aber weniger ein bewußter politischer Protest, sondern entspringt eher einem antimodernistischen Affekt aus konservativer Grundeinstellung. Die neoklassizistische Orientierung der Autoren, die sich nach 1945 fortsetzte, hatte nichts »Widerständliches, nichts Gewaltsames, nichts Revolutionäres« an sich, aber sie war angesichts der unterschiedlichen Spielarten der völkisch-nationalen Literatur und der faschistischen Parteilyrik doch eine Form, »die sozusagen von selbst anders war« (Heißenbüttel). Der Rückzug der Autoren auf sich selbst und die Natur war dennoch, auch wenn er als Form des Protestes gemeint war und von einigen Lesern auch so begriffen wurde, keine Widerstandshandlung, sondern eine individualistische Form des Rückzugs aus der Gegenwart in das Reich der Poesie. Brechts berühmte Klage über die »Zeiten, wo ein Gespräch über Bäume fast ein Verbrechen ist, weil es ein Schweigen über so viele Untaten einschließt« (*An die Nachgeborenen*, 1938), trifft das Dilemma der nichtfaschistischen Autoren im Kern.

Naturlyrik

Während der Zeit des Nationalsozialismus wurden unzählige, z. T. beeindruckende Naturgedichte geschrieben (Loerke, *Silberdistelwald*, 1934; Lehmann, *Antwort des Schweigens*, 1935). In seinen *Theorien des deutschen Faschismus* (1930) hat Benjamin den Zusammenhang von aggressiv fortschreitendem Faschismus und regressiv vor dem Faschismus ins Naturgefühl sich rettender literarischer Subjektivität und Innerlichkeit aufgedeckt: »Man sollte es mit aller Bitterkeit aussprechen. Im Angesichte der total mobilgemachten Landschaft hat das deutsche Naturgefühl einen ungeahnten Aufschwung bekommen«. Die Naturgedichte Huchels, Loerkes und Lehmanns wirken auch da, wo der »Schrecken der Zeit« in den Naturbereich eingegangen ist oder assoziiert werden kann, auf den heutigen Leser wohl deshalb so irritierend, weil sie – wie wir jetzt wissen und die Autoren damals zumindest geahnt haben – ein »Tändeln mit Blumen und Blümchen über dem scheußlichen, weit geöffneten, aber mit diesen Blümchen überdeckten Abgrund der Massengräber« waren, wie Elisabeth Langgässer später selbstkritisch anmerkte.

Gerade die Naturlyrik zeigt, daß es sich bei der »Inneren Emigration« zum größten Teil um eine »Emigration nach Innen« gehandelt hat. Die demonstrative Abwendung der Schriftsteller von der politischen Wirklichkeit, der Rückzug aus der Gesellschaft und die Flucht in die Innerlichkeit ist eine Reaktionsweise, die nicht auf die Zeit zwischen 1933 und 1945 beschränkt ist. Sie reicht zurück bis ins 18. Jahrhundert, als Teile der literarischen Intelligenz auf die Entwicklung bürgerlich-kapitalistischer Herrschaftsformen bereits mit Melancholie, Eskapismus und einem ausgeprägten Individualismus reagierten. Schon die romantische Poesie trägt zu einem großen Teil eskapistische Züge, die sich bei den Autoren der Biedermeierzeit noch verstärkten. Nicht zufällig knüpften die Autoren der Innerlichkeit an diese Positionen an. Sie stellten sich damit bewußt in eine Traditionslinie und erneuerten das Konzept der Poesie als überhistorischer, außergesellschaftlicher Macht. Das kritische Potential, das in einer solchen Auffassung ursprünglich angelegt und zum Teil auch zum Ausdruck gekommen war, hatte sich jedoch immer wieder als stumpfe Waffe erwiesen. Dem totalitären Zugriff konnte sich die Literatur der Innerlichkeit nur scheinbar entziehen. Auch da, wo sie nach ihrem eigenen Verständnis den Machtanspruch des Regimes unterlief oder umging, indem sie in ein Reich der »inneren Freiheit« auswich, trug sie letztlich zur Herrschaftsabsicherung bei; sie ermöglichte den Nationalsozialisten, den Schein einer dichterischen Vielfalt und einer lebendigen literarischen Öffentlichkeit aufrechtzuerhalten.

»Blut und Boden« – »Monatsschrift für wurzelhaftes Bauerntum, deutsche Wesensart und nationale Freiheit«

Antifaschistische Untergrundliteratur

Neben den verdeckten Formen der literarisch-politischen Opposition konservativer, christlicher und bürgerlicher Autoren gab es eine kämpferische Literaturproduktion, die von linksbürgerlichen, sozialistischen und kommunistischen Autoren getragen wurde. Daß eine solche Literatur nur in der Illegalität hervorgebracht und verbreitet werden konnte, versteht sich von selbst. Eine breitere Öffentlichkeit erfuhr erstmals 1935 auf dem Internationalen Schriftstellerkongreß in Paris von der Existenz einer Untergrundliteratur durch einen mit einer schwarzen Maske getarnten Mann: »Trotz alledem! Es gibt eine illegale Literatur in Deutschland. Denn diese Wochen, in denen der deutsche Faschismus die Kämpfer und Ankläger der Feder vernichtet zu haben glaubte, wurden die Geburtsstunde eines neuen Typus in der antifaschistischen Literatur! Sie wurden die Geburtsstunde des unbekannten antifaschistischen Schriftstellers! Der junge, im Land zurückgebliebene Nachwuchs sah sich plötzlich vor eine ungeheure Aufgabe gestellt, er wurde sich der großen Verantwortung, die auf ihm lastete, bewußt, der Verantwortung, der Welt mit schriftstellerischen Mitteln das wahre Gesicht des Dritten Reiches zu zeigen. Und er begann diese Aufgabe zu erfüllen, er wuchs über sich

Kämpfer im Untergrund

selbst hinaus, er schuf: Die Stimme aus Deutschland! Es ist schwer, mit nüchternen Worten zu erklären, welch ungeheuren Gefahren sich jeder Einzelne dabei aussetzt. Jede Zeile wird buchstäblich unter Lebensgefahr geschrieben. Es gibt in diesem Lande der Spitzel und Gestapoarmeen keinen sicheren Arbeitsort. Keinen Ort, an dem eine Schreibmaschine klappern kann, ohne daß man damit rechnen muß, daß die Tür aufgerissen wird und ein Gestapobeamter fragt: ›Was schreiben Sie?!‹«.

Jan Petersen

Der Mann mit der Maske, der Zeugnis von der illegalen Literatur in Deutschland ablegte, die »der Welt mit schriftstellerischen Mitteln das wahre Gesicht des Dritten Reiches zeigen« wollte, war Jan Petersen, seit 1923 Mitglied der KPD, seit 1931 Mitglied des »Bundes proletarisch-revolutionärer Schriftsteller« (BPRS), seit 1933 Organisator der illegalen Arbeit der Berliner Ortsgruppe des BPRS. Petersen spielte mit seinen berühmt gewordenen Sätzen auf jene Literatur an, die er selbst und seine Mitkämpfer im BPRS unter Lebensgefahr schrieben und verbreiteten. Nach der Machtergreifung waren die Mitglieder der Berliner Ortsgruppe geschlossen in die Illegalität gegangen und hatten sofort damit begonnen, den politischen Widerstand zu organisieren und dafür zu werben. Ihre Aufgabe sahen sie einmal darin, ein Widerstandsnetz im Reich selbst aufzubauen und die Bevökerung über den wahren Charakter der neuen Regierung zu informieren; zum zweiten wollten sie das Ausland über den staatlichen Terror wie über den Widerstand aufklären; drittens wollten sie durch dessen Dokumentation eine Brücke zwischen der politischen Opposition im Reich und der des Exils schlagen. Der BPRS gab von 1933 bis zu seiner Aushebung durch die Gestapo 1934 eine eigene Untergrundzeitung *Hieb und Stich* heraus, arbeitete an illegalen Betriebszeitungen mit, beteiligte sich an der Herstellung und an dem Vertrieb von Flugblättern, Flugblattgedichten und Klebezettelgedichten und berichtete unter den Rubriken »Die Stimme aus Deutschland« bzw. »Stimme der Illegalen« regelmäßig über die Zustände in Deutschland in den Exilzeitschriften *Neue Deutsche Blätter* (Prag) und *Internationale Blätter* (Moskau). Ein zusammenfassender Bericht über das Schicksal verfolgter und verhafteter Schriftsteller wurde unter Lebensgefahr ins Ausland geschmuggelt und unter dem Titel *Hirne hinter Stacheldraht* (1934) in der Schweiz gedruckt. In dem Buch wurde auch vom antifaschistischen Kampf der Schriftsteller berichtet und der »neue Typ des Schriftstellers« beschrieben, der sich unter den Bedingungen der Illegalität herausgebildet hatte: »Er ist hart und diszipliniert geworden, heute redigiert er in einem Keller eine illegale Zeitung – ein Toter auf Urlaub – morgen dichtet er Knüttel-Verse, übermorgen zieht er sie selbst ab oder klebt sie an die Mauer der Straßen und zwischendurch sichtet er Material, das die Grundlage eines größern Romans oder einer größern Reportage bilden soll. Keine Theaterpremiere umrauscht ihn mit Applaus, keine Preise werden ihm erteilt, keine Honorare warten seiner, keine Presse verkündet seinen Namen«.

Last der Illegalität

Diesen neuen Schriftstellertypus verkörperte Jan Petersen. Mit seinem Roman *Unsere Straße*, »geschrieben im Herzen des faschistischen Deutschland 1933/34«, wie es im Untertitel heißt, lieferte er den ersten authentischen Bericht über die Schwierigkeiten des Untergrundkampfes und legte Rechenschaft über das neue Selbstverständnis des Autors ab. Petersen gilt zu Recht als »erster bedeutender literarischer Chronist der Widerstandsbewegung«. Als Augenzeuge schildert Petersen in der Form der Ich-Erzählung den zunehmenden Terror der Faschisten gegen ein Arbeiterviertel in Berlin-Charlottenburg und den Widerstand, den die Bewohner leisten. Die Ängste, die er bei der Niederschrift seiner Aufzeichnungen hatte, bilden einen konstitutiven

Teil des Buches, die literarische Form selbst ist deren Ausdruck. Die Arbeit an dem Buch mußte, wie Petersen berichtet, häufig unterbrochen werden: »Ich weiß, was mir geschieht, wenn ich mit diesen Aufzeichnungen in die Hände der Nazis falle. Die ganze vorige Woche schrieb ich nicht. Ich war nahe daran, alles zu verbrennen. Die Schwierigkeiten schienen mir zu groß. Ich habe versucht, mir zum Schreiben eine andere Wohnung zu besorgen. Doch es könnte nur bei Genossen sein. Sie stehen aber wie ich in der illegalen Arbeit. Auch bei ihnen kann eine plötzliche Hausdurchsuchung gemacht werden. Mein Platz, an dem ich die geschriebenen Seiten aufbewahre, ist auch nicht unbedingt sicher. – Aber in dieser Woche, in der ich nicht schrieb, kam ich innerlich auch nicht zur Ruhe. Ein seelischer Druck lastete auf mir, zwang mich, jetzt weiterzuschreiben. – Ich muß das alles aufschreiben! Es muß uns gelingen, dieses Manuskript ins Ausland zu bringen. Es muß helfen, das Gewissen der Menschen wachzurütteln«. Das Manuskript schmuggelte Petersen, »in zwei Kuchen eingebacken«, in seinem Rucksack aus Deutschland heraus. Es erschien zuerst in einem Auszug 1935 in Paris, 1936 in Bern und Moskau und 1938 in London und erregte als Dokument des Widerstandes aus Deutschland beträchtliches internationales Aufsehen.

Neben Petersens Chronik gab es eine Anzahl weiterer authentischer Berichte aus Deutschland wie z.B. Heinz Liepmanns ›Tatsachenromane‹ (*Das Vaterland*, 1933; »*... wird mit dem Tode bestraft*«, 1935). Wichtig waren auch die Aufzeichnungen von KZ-Häftlingen, die zum Teil schon während der Haftzeit niedergeschrieben wurden, zum überwiegenden Teil jedoch erst, nachdem die Autoren den KZs entkommen waren und sich ins Exil gerettet hatten. Willi Bredel verarbeitete seine KZ-Erlebnisse in dem Roman *Die Prüfung* (1934), und Wolfgang Langhoff, Verfasser des berühmten *Moorsoldaten-Liedes*, das als heimliche Lagerhymne in dem Straflager kursierte, in dem Langhoff interniert war, berichtete über seine Lagererfahrungen in seinem Roman *Die Moorsoldaten* (1935). In der Moskauer Exilzeitschrift *Das Wort* wurde 1937 auf die Wichtigkeit dieser Erfahrungsberichte aus KZs und anderen Haftanstalten hingewiesen: »Diese Literatur half unerhört, sie lehrte den Faschismus anschauen, wenn nicht begreifen. [...] Diese Literatur mobilisierte für den Frieden, gegen die faschistische Unkultur und Kriegsanstiftung«. Aufklärende Wirkung konnte diese Literatur fast ausschließlich im Ausland entfalten, nur in Ausnahmefällen gelangte sie auszugsweise als Tarnschrift nach Deutschland zurück.

Berichte aus Deutschland

Ein großer Teil der antifaschistischen Literatur blieb ohne jede Öffentlichkeit und damit letztlich wirkungslos. Georg Kaiser, ehemals berühmter expressionistischer Autor, rechnete in seinen Gedichten von der »Gasgesellschaft«, womit er die nationalsozialistische Vernichtungsmaschinerie meinte, mit kompromißloser Härte mit den Machthabern ab; an eine Veröffentlichung war nicht zu denken, die Gedichte konnten nur im Bekanntenkreis des Autors kursieren. Auch die Texte, die Haushofer (*Moabiter Sonette*), Apitz (*Esther*, 1944), Krauss (*PLN*, 1943/44) während ihrer KZ-Haft schrieben, erreichten die Öffentlichkeit erst nach dem Zusammenbruch des Dritten Reichs. Haushofer, der Kontakt zu den Verschwörern des 20. Juli hatte, wurde kurz vor Kriegsende von einem SS-Rollkommando erschossen, sein ebenfalls inhaftierter Bruder fand das Manuskript der *Moabiter Sonette* in den Händen des Erschossenen. Krauss, der zur Widerstandsgruppe Schulze-Boysen-Harnack gehörte, schrieb sein Buch, eine verschlüsselte Auseinandersetzung mit dem Faschismus, in ständiger Erwartung der bereits verhängten Todesstrafe, z.T. mit gefesselten Händen.

Literatur für den Frieden

DIE DEUTSCHE
LITERATUR DES EXILS

Der Exodus

Die Tatsache, daß Schriftsteller ihr Land aus politischen Gründen verlassen und im Exil leben und schreiben müssen, ist keine spezifische Erscheinungsform des Nationalsozialismus. Der Jakobiner Georg Forster, der als Politiker und Schriftsteller maßgeblichen Anteil an der Gründung der Mainzer Republik (1792/93) hatte, mußte nach dem Scheitern dieses Versuchs, demokratische Verhältnisse in Deutschland zu errichten, nach Frankreich fliehen und starb 1794 im Pariser Exil. Wie Forster begaben sich in den 90er Jahren des 18. Jahrhunderts zahlreiche Schriftsteller und kritische Intellektuelle nach Paris. Sie bildeten dort eine regelrechte Emigrantenkolonie und versuchten, den Widerstand gegen den Feudalabsolutismus in ihrer Heimat literarisch und politisch zu organisieren. Zeitweilig sollen sich bis zu 10000 Deutsche in Paris aufgehalten haben. Zu einer zweiten großen Emigrationswelle kam es nach den Karlsbader Beschlüssen von 1819, durch die ein ausgeklügeltes System der Presse-, Verlags- und Universitätsüberwachung im Deutschen Reich etabliert wurde. Nach der Juli-Revolution 1830 in Paris und den an sie anschließenden Revolutionsversuchen in Deutschland kam es zu einer dritten Auswanderungswelle, die nicht nur Intellektuelle und Schriftsteller erfaßte, sondern sich zu einer regelrechten Massenflucht demokratischer Kräfte ausweitete. In den 40er Jahren des 19. Jahrhunderts sollen zwischen 50000 bis 80000 Deutsche als Exilierte allein in Paris gelebt haben, unter ihnen so bekannte Autoren wie Marx, Heine, Börne, Ruge und Weitling. Ein anderer bedeutender Autor dieser Zeit, Georg Büchner, wurde gar steckbrieflich gesucht und konnte der Verhaftung nur durch seine Flucht nach Straßburg entgehen. Seine politischen Freunde wurden zu langjährigen Kerkerstrafen verurteilt, sein engster Freund Weidig starb in der Haft an den Folgen der erlittenen Folterungen. Daß die Emigranten gute Gründe hatten, Deutschland zu verlassen, zeigen nicht nur die Schicksale der Büchnerschen Freunde, sondern auch die weniger dramatischen Lebensläufe von Laube und Gutzkow, die wegen harmloser Verstöße gegen das Pressegesetz kurzerhand ins Gefängnis geworfen wurden. Lebensgefährlich wurde es für demokratisch gesonnene Intellektuelle und Schriftsteller nach der gescheiterten Revolution von 1848. Auch hier fand ein Massenexodus statt. Autoren wie Freiligrath, Herwegh und Weerth hatten keine andere Wahl als Deutschland zu verlassen, wenn sie ihre Freiheit nicht aufs Spiel setzen wollten. Eine neuerliche, kleinere Emigrationswelle gab es nach 1878 zur Zeit des Sozialistengesetzes, eine größere während des Ersten Weltkrieges, als überzeugte pazifistische Autoren wie Stefan Zweig, Ernst Bloch, Walter Benjamin und René Schickele in die Schweiz emigrierten. Das politische Exil und das Emigrantendasein haben also in Deutschland eine lange Tradition. Anders als in den übrigen europäischen Ländern, wo sehr häufig konservative und reaktionäre Kräfte auswandern mußten (z.B. die Adligen während der Französischen Revolution), traf es in Deutschland fast ausschließlich die demokratisch gesonnene

*Englisches Flugblatt
(Dez. 1940)*

Oppositionsbewegung. Die Exilierung von Autoren durch den Nationalsozialismus ist keine grundlegend neue Erscheinung; neu an ihr ist nur, daß es sich hier um eine Massenausweisung bzw. -flucht handelt, deren Ausmaß und deren zeitlicher Umfang in der deutschen Geschichte ohne Beispiel ist.

Dabei ist es sinnvoll, zwischen Emigranten, zu denen die große Zahl der vertriebenen Juden gehörte (ca. 142000 bis 1938), und den Exilierten zu unterscheiden, bei denen es sich vor allem um Politiker, Künstler, Schriftsteller und Publizisten handelte. Der Unterschied zwischen Emigranten (Auswanderern) und Exilierten (Ausgestoßenen), den auch Brecht in seinem berühmten Gedicht *Über die Bezeichnung ›Emigranten‹* macht, wird an dem unterschiedlichen Fluchtverhalten beider Gruppen deutlich. Während der Großteil der Schriftsteller, Künstler und Publizisten bereits 1933 unmittelbar nach dem Reichstagsbrand ins Ausland floh, erreichte die jüdische Massenflucht erst 1938/39 ihren Höhepunkt, als die Pogrome vom 9. November 1938 auch dem letzten jüdischen Bürger deutlich machten, daß es die Nationalsozialisten mit der Ausrottung der Juden ernst meinten. Exilierte sind »alle diejenigen deutschsprachigen Personen [...], die, gleichgültig welcher Nationalität und Rasse, Deutschland und die später von diesem annektierten Staaten (Österreich, CSSR) wegen dem drohenden oder an die Macht gelangten Faschismus verließen oder deshalb nicht mehr dahin kehren konnten oder wollten, und die im Ausland in irgendeiner politischen, publizistischen oder künstlerischen Form, direkt oder indirekt, gegen den deutschen Faschismus Stellung genommen haben. In diese Kategorie fallen auch Schriftsteller und Künstler, die sich zwar weder vor noch nach 1933 politisch betätigt haben, die aber mit dem Verlassen Deutschlands und dem Abbruch der Beziehungen zu Verlagen und anderen binnendeutschen Institutionen deutlich machten, daß sie mit dem faschistischen Kulturleben nichts gemein hatten« (H. A. Walter). Eine solche Definition suggeriert eine Identität von Exilliteratur und antifaschistischer Literatur, die von politisch profilierten Autoren zwar angestrebt, in Wirklichkeit aber nicht vorhanden gewesen ist. Schon Döblin hatte die im Exil versammelten Schriftsteller in »konservative«, »humanistisch-bürgerliche« und »geistrevolutionäre« Autoren unterschieden und damit auf die ideologischen Positionen hingewiesen, die sich z. T. unversöhnlich gegenüberstanden. Das politische Spektrum der Weimarer Republik fand sich im großen und ganzen auch im Exil wieder. Stefan George etwa, der Hitler einst als »neuen Führer« besungen hatte (»er heftet/ Das wahre Sinnbild auf das völkische Banner«), sah sein elitäres Führungsdenken durch die Nationalsozialisten entweiht, zog sich angewidert in die Schweiz zurück, schlug den ihm von Goebbels persönlich angetragenen Staatspreis aus und lehnte es ab, »in deutscher Erde begraben zu werden«. Trotz solcher eindeutigen Haltung wird man George, der so viele ideologische Berührungspunkte mit den Faschisten hatte, kaum dem antifaschistischen Lager zurechnen können. Er isolierte sich selbst, wie Brecht bereits 1918 feststellte, durch seine »Eitelkeit« und Herrschsucht. Auch die verschiedenen konservativen Autoren, die im Faschismus in erster Linie den kulturellen Verrat am bürgerlichen Humanismus und nicht die politische Perversion der bürgerlichen Gesellschaft sahen, wird man – wenn überhaupt – nur bedingt zum antifaschistischen Lager zählen können. Mit ihrer Meinung, daß man dem Nationalsozialismus am besten begegnen könne, wenn man gegen den herrschenden »Ungeist« ein Reich des »reinen Geistes« errichtete, berührten sie sich stark mit den Autoren der »Inneren Emigration«, die den Widerstand ebenfalls durch Beharren auf dem »reinen Geist«, auf der »reinen Poesie« versucht haben.

*Emigranten
und Exilierte*

*Nazi-Karikatur von
Thomas Manns Rede:
»Erbauung für das
gesamte Judentum«*

DEUTSCHE ANSPRACHE
von
THOMAS MANN

EIN APPELL
AN DIE VERNUNFT

Rede, gehalten am 17. Oktober 1930
im Beethovensaal zu Berlin

1930
S. FISCHER VERLAG BERLIN

Titelblatt von 1930

Die Vertreter von regressiv-eskapistischen Standpunkten, zu denen sich noch eine kleine Zahl von Autoren gesellte, die resignierten und als Schriftsteller verstummten oder sich von nun an apolitisch begriffen, waren im breiten Spektrum des Exils jedoch in der Minderheit. Die Mehrzahl war aus einer bewußten Entscheidung gegen den Faschismus ins Exil gegangen, oder sie fand später zu einer mehr oder minder konsequenten antifaschistischen Haltung. Dabei spielten die Informationen über Deutschland ebenso eine Rolle wie die Exilsituation selber, die vielen Schriftstellern die Augen öffnete und ihr gesellschaftliches Engagement stärkte. Das Exil wurde zu einem entscheidenden Lernvorgang gerade für bürgerliche Intellektuelle, die in der Weimarer Republik versucht hatten, sich als über den Parteikämpfen schwebende kritische Intelligenz zu definieren. Ein Beispiel für diesen Typus des bürgerlichen Schriftstellers ist Thomas Mann, der mit seinen *Betrachtungen eines Unpolitischen* (1918) ein konservativ-reaktionäres Weltbild entfaltet hatte, aber bereits in der Weimarer Republik begann, sich von den eigenen konservativen Positionen zu lösen (*Kultur und Sozialismus*, 1928; *Ein Appell an die Vernunft*, 1930) und der sich im Exil zu einer antifaschistischen Position durchrang (*Fünfundfünfzig Radiosendungen nach Deutschland*, 1940–45), die zwar nicht frei von Widersprüchen war, jedoch bemerkenswert für einen Schriftsteller mit einer zunächst entschieden konservativen Grundhaltung ist.

Die Lebensbedingungen im Exil

Zunächst bedeutete das Exil einen Schock, der sich verstärkte, als sich die Hoffnung auf einen baldigen Zusammenbruch des Nationalsozialismus und eine rasche Rückkehr nach Deutschland als Illusion erwies. Herausgerissen aus ihren alten Lebenszusammenhängen, isoliert von ihrer vertrauten Sprache, in der sie gedacht und geschrieben hatten, abgeschnitten von ihrem Publikum, auf das sie angewiesen waren, und ihrer Einkünfte ledig, fanden sich die Exilierten in Ländern wieder, deren Sprache sie häufig nicht beherrschten, deren Lebensgewohnheiten ihnen fremd waren, die ihnen zudem oft mißtrauisch begegneten und das Leben als politische Flüchtlinge durch behördliche Schikanen erschwerten. Der höhnische Satz, den Goebbels den ins Ausland fliehenden Autoren nachrief: »Mögen sie noch eine Weile weiter geifern, die Herrschaften in den Pariser und Prager Emigrantencafés, ihr Lebensfaden ist abgeschnitten, sie sind Kadaver auf Urlaub«, sollte für einen Teil der Exilierten bedrückende Wirklichkeit werden. Die Selbstmorde unter den Exilierten waren erschreckend häufig. Die ungesicherte rechtliche Situation in den meisten Asylländern (»Ohne Paß kann der Mensch nicht leben«, Klaus Mann), die prekäre finanzielle Lage – nur wenige prominente Autoren wie Thomas Mann und Lion Feuchtwanger konnten mit kontinuierlichen Einkünften rechnen und ihren ehemaligen Lebensstandard in etwa halten – stellten die Exilierten vor eine Situation, auf die die einzelnen Autoren sehr verschieden reagierten und mit der diejenigen am besten fertig wurden, die ihre schriftstellerische Tätigkeit als Teil des antifaschistischen Kampfes verstanden. In seinem Schlüsselroman *Exil* (1940) hat Feuchtwanger die Situation in Frankreich, wo sich die meisten geflohenen Schriftsteller bis Kriegsausbruch aufhielten, eindringlich beschrieben. Die Verdienstmöglichkeiten

Bertolt Brecht
und Oskar Maria Graf
in New York

waren beschränkt. Ein Teil der exilierten Autoren hatte noch eine Zeitlang Einkünfte aus Veröffentlichungen in Deutschland oder konnte sich durch Veröffentlichungen in Exilverlagen und in der Exilpresse, durch Übersetzungen, Lesungen, Vorträge oder Vortragsreisen neue Geldquellen erschließen. Ein Großteil der Autoren jedoch war mangels Arbeitserlaubnis auf Unterstützung von außen angewiesen, auf finanzielle Zuwendungen von wohlhabenderen Schriftstellerkollegen oder auf gezielte Maßnahmen von Hilfsorganisationen, die sich in den Asylländern gebildet hatten. Die wichtigste internationale Hilfsorganisation, die sich um Schriftsteller und Journalisten bemühte, war die »American Guild for German Cultural Freedom« (ab 1935).

Neben den behördlichen und materiellen Problemen waren die Autoren vor allem dadurch verunsichert, daß sie in den meisten der gewählten Asylländer nur vorübergehend eine Aufenthaltsgenehmigung erhielten. Diejenigen, die nach Österreich und in die Tschechoslowakei geflohen waren, mußten nach dem Anschluß (1938) bzw. nach dem Einmarsch (1939) erneut die Flucht ergreifen, nach Kriegsausbruch 1939 mußten sie vor den faschistischen Truppen aus Belgien, Dänemark, Frankreich und den Niederlanden fliehen. Nicht allen gelang die Flucht. Wie schwer es war, ein Ausreisevisum und ein Schiff nach Übersee zu bekommen, geht aus Anna Seghers' Roman *Transit* (1944) hervor. Die Zeit des zweiten Exils in Übersee – vor allem in Nord- und Südamerika – begann. Es war noch härter als das erste, weil es mit dem Verlust des europäischen Kulturzusammenhangs verbunden war. Es gelang nur ganz wenigen Autoren, in Amerika Fuß zu fassen. Am einschneidendsten wirkte sich der neue – oft als künstlich empfundene – Sprachzusammenhang aus, der bis zur »Verweigerung« (Oskar Maria Graf) reichte. »Wir sprechen nun einmal deutsch. Diese Sprache haben wir mitgenommen, mit ihr arbeiten wir. Sogleich aber erhebt sich die Frage: wie können wir als deutsche Schriftsteller in einem anderssprachigen Land das Unsere tun, uns

»Wir sprechen nun
einmal deutsch«

lebendig erhalten? Wie können wir wirtschaftlich unseren Ort finden, wie können wir politisch-kulturell unsere Aufgabe erfüllen? Man kann Sprache nicht zerstören, ohne in sich selber Kultur zu zerstören. Und umgekehrt, man kann eine Kultur nicht erhalten und fortentwickeln, ohne in der Sprache zu sprechen, worin diese Kultur gebildet worden ist und lebt« (Bloch).

Die Lebens- und Arbeitsbedingungen des Exils waren hart, härter, als man es sich vorgestellt hatte, als Deutschland Hals über Kopf, zumeist nur mit Handgepäck verlassen worden war. Die emphatische Stimmung, die in den ersten beiden Jahren noch geherrscht hatte, wich alsbald einer tiefen Ernüchterung, als deutlich wurde, daß die nationalsozialistische Herrschaft keineswegs nach kurzer Zeit zusammenbrach, sondern sich als stabil erwies und aggressivere Züge anzunehmen begann. Eine theoretische Auseinandersetzung über die Ursachen und den Charakter des Nationalsozialismus war deshalb unabdingbar. Ebenso mußte diskutiert werden, wie der antifaschistische Kampf organisiert werden sollte und welche Funktion darin die Schriftsteller und die Literatur einnehmen konnten.

Kampf um die Einheitsfront der Exilautoren

*Heraus aus
der Isolation*

Die Notwendigkeit, die in den Asylländern rund um das Deutsche Reich verstreut lebenden Autoren aus ihrer Isolierung herauszuführen, sie zu dem gemeinsamen Kampf gegen den Faschismus zu gewinnen, wurde insbesondere von kommunistischen und sozialistischen Autoren deutlich gesehen. Die bereits im September 1933 gegründeten *Neuen Deutschen Blätter*, die in Prag bis August 1935 erschienen und von Oskar Maria Graf, Anna Seghers, Wieland Herzfelde und Jan Petersen als dem Vertreter der illegalen Literatur im Dritten Reich herausgegeben wurden, waren ein erster Versuch, die Exilautoren auf einen gemeinsamen Kurs zu einigen. Die *Neuen Deutschen Blätter* wollten nach ihrem eigenen Selbstverständnis »ihre Mitarbeiter zu gemeinsamen Handlungen zusammenfassen und die Leser in gleichem Maße aktivieren«; sie wollten »mit den Mitteln des dichterischen und kritischen Wortes den Faschismus bekämpfen«. Von Anfang an ging es den Herausgebern darum, das angestrebte Bündnis möglichst breit anzulegen und auch solchen Schriftstellern die Mitarbeit zu ermöglichen, die den Nationalsozialismus aus mehr oder minder diffusen humanitären oder kulturellen Erwägungen heraus ablehnten und sozialistischen und kommunistischen Positionen eher mißtrauisch oder reserviert gegenüberstanden: »Viele sehen im Faschismus einen Anachronismus, ein Intermezzo, eine Rückkehr zu mittelalterlicher Barbarei, andere sprechen von einer Geisteskrankheit der Deutschen, oder von einer Anomalie, die dem ›richtigen‹ Ablauf des historischen Geschehens widerspreche, sie verwünschen die Nationalsozialisten als eine Horde verkrachter Existenzen, die urplötzlich das Land überlistet haben. Wir dagegen sehen im Faschismus keine zufällige Form, sondern das organische Produkt des todkranken Kapitalismus. Ist da nicht jeder Versuch, liberalistisch-demokratische Verhältnisse wiederherzustellen, ein Verzicht darauf, das Übel mit der Wurzel auszurotten? Ist nicht jeder Kampf, der nur der Form gilt, im Grunde ein Scheinkampf? Gibt es eine andere reale Kraft, die den endgültigen Sieg über Not und Tyrannei zu erringen vermag, als das Proletariat? Wir sind überzeugt, daß die richtige Beantwortung dieser Fragen gerade auch für den Schriftsteller bedeutungsvoll ist, denn die Wahrhaftigkeit der Darstellung und sogar die formale Qualität der Literatur hängen ab von der Tiefe des Wissens um das gesamte Geschehen und seine Ursachen. Das ist unsere Meinung. Aber nichts liegt uns ferner, als unsere Mitarbeiter ›gleichschalten‹ zu wollen. [...] Wir werden alle – auch wenn ihre sonstigen Überzeugungen nicht die unseren sind – zu Wort kommen lassen, wenn sie nur gewillt sind, mit uns zu kämpfen«.

Auch in der von Klaus Mann herausgegebenen Exilzeitschrift *Die Sammlung*, die wie die *Neuen Deutschen Blätter* von September 1933 bis August 1935 erschien, ging es darum, die oppositionell gesonnenen Schriftsteller zu »sammeln« und auf den gemeinsamen Kampf gegen den Faschismus hin zu orientieren: »Sammeln wollen wir, was den Willen zur menschenwürdigen Zukunft hat, statt den Willen zur Barbarei [...]; den Willen zur Vernunft statt den zur hysterischen Brutalität und zu einem schamlos programmatischen ›Anti-Humanismus‹«. Die im Vergleich zu den *Neuen Deutschen Blättern* sehr viel schwächer profilierte Stellung der Zeitschrift konnte zum Kristallisationspunkt vielfältiger Anschauungen werden. Neben überzeugten Marxisten und Sozialisten arbeiteten an der *Sammlung* radikaldemokratische, zionistische, liberale, konservative und sich als apolitisch verstehende Autoren mit. In den beiden Exilzeitschriften *Neue Deutsche Blätter* und *Die Sammlung* wurde im Kleinen jenes antifaschistische Bündnis vorweggenommen, das in der Folgezeit eine so große Rolle für das Selbstverständnis der Exilautoren und ihre literarische Praxis spielen sollte. Die Exilzeitschriften waren ein erster Schritt auf dem Weg zu einer Einheitsfront, die den Nationalsozialisten zunehmend unbehaglich wurde. Hatte Goebbels 1933 die Exilautoren noch zynisch als »Kadaver auf Urlaub« verhöhnt, so sah er 1935 »die literarische Giftmischerei des entwurzelten Emigrantenklüngels« bereits als »europäische Gefahr« an. 1934 begann die Einheitsfront konkretere Formen anzunehmen, als Johannes R. Becher in einer programmatischen Rede auf dem Allunionskongreß der Sowjetschriftsteller in Moskau die im Exil lebenden Autoren aufforderte, ein breites antifaschistisches Bündnis zu bilden. Das auf dem Schriftstellerkongreß 1935 in Paris vorgelegte *Programm zur Verteidigung der Kultur* war so offen formuliert, daß unterschiedlichste Strömungen sich damit identifizieren konnten. Zu Recht hatte Brecht bereits 1933 davor gewarnt, das angestrebte Bündnis damit zu erkaufen, daß die Gegensätze in der Faschismusanalyse zwischen bürgerlichen und marxistischen Autoren verwischt würden und nicht mehr Gegenstand der Debatte sein dürften: »Die These, daß man sie [die bürgerlichen Autoren] im Grunde in Ruhe lassen muß, um ihre Sympathie nicht zu verscherzen, war nie falscher als jetzt. Wenn überhaupt jemals, dann würden sie jetzt für eine wirkliche politische Schulung zu haben sein.« Brecht bestand darauf, daß das vorgelegte Programm Ausgangspunkt auf dem Weg zu einer politisch-sozialen Faschismusanalyse sein müsse, in der die Kritik an inhumanen Einzelerscheinungen des Faschismus in eine Analyse des Zusammenhangs zwischen Kapitalismus, bürgerlicher Gesellschaft und Faschismus (»Kameraden, sprechen wir von den Eigentumsverhältnissen«) überführt werden könne.

Klaus Mann

Nicht nur der Kommunistischen Partei angehörende oder nahestehende Autoren wie Becher und Brecht, sondern auch sozialistische und radikaldemokratische Schriftsteller konzentrierten ihre Kräfte auf das Zustandekommen eines internationalen Bündnisses aller antifaschistischen Schriftsteller, das nach 1935, als auf dem VII. Weltkongreß der Komintern der Volksfrontgedanke als Losung ausgegeben wurde, eine neue politische Stoßrichtung erhielt. Insbesondere Heinrich Mann wurde zur Zentralfigur der sich ab

Bündnispolitik

1935 entwickelnden Volksfrontbewegung; der Volksfrontgedanke bestimmte seine gesamte literarische Tätigkeit während des Exils. Im Dienste der Volksfrontpolitik schrieb er eine Vielzahl von Aufsätzen, Reden und Appellen, von denen ein kleiner Teil sogar illegal nach Deutschland gelangte und dort kursierte. Heinrich Mann war überzeugt davon, daß »nur die deutsche Volksfront [...] das Werk der Einigung des Volkes gegen Hitler vollbring[t]«, daß »nur die deutsche Volksfront [...] die Gestalterin einer freien, glücklicheren Zukunft Deutschlands sein« könne. Als Vorsitzender des vorbereitenden Ausschusses zur Bildung einer deutschen Volksfront bemühte sich Heinrich Mann darum, das Spektrum des Bündnisses möglichst breit zu halten und vor allem Sozialdemokraten zur Teilnahme zu bewegen. Tatsächlich war der erste Aufruf zur Schaffung einer deutschen Volksfront *Bildet die deutsche Volksfront für Frieden, Freiheit und Brot* (1936), der das Programm einer demokratischen Erneuerung Deutschlands auf der Grundlage der Vergesellschaftung der Großindustrie, der Großbanken und des Großgrundbesitzes, der Demokratisierung der Verwaltung und des öffentlichen Lebens enthielt, nicht nur von Kommunisten, sondern auch von Sozialdemokraten sowie einer Reihe namhafter bürgerlicher Autoren unterzeichnet (Feuchtwanger, A. Zweig, Klaus Mann). Trotz der unermüdlichen Aktivitäten von Heinrich Mann und anderen Autoren war die Arbeit im Volksfrontausschuß bereits im Sommer 1937 praktisch gescheitert. Die fehlende Aktionseinheit zwischen den beiden Arbeiterparteien KPD und SPD, die schon 1933 die Machtergreifung Hitlers ermöglicht hatte, lähmte die Arbeit im Ausschuß und machte es den Mitgliedern zunehmend schwer, solidarisch miteinander umzugehen. Führende Sozialdemokraten sahen in der Volksfront »keine Schwächung, sondern eine Stärkung des Faschismus«. Ziel des Kampfes könne »nicht die Einheitsfront mit Kommunisten sein, sondern die Liquidierung der kommunistischen Parteien in West- und Zentraleuropa« (R. Hilferding). Der offizielle Rückzug der Sozialdemokraten aus dem Volksfrontausschuß war das traurige Ende der Volksfrontpolitik, die mit so großen Hoffnungen begonnen worden war.

Volksfront?   Wenn auch die Volksfrontbewegung nicht die politischen Ziele erreichen konnte, die sie sich vorgenommen hatte, für die an ihr beteiligten Schriftsteller bedeutete sie eine wichtige Phase ihrer politisch-literarischen Entwicklung. Heinrich Mann z. B. gewann im Kontext der Volksfrontbewegung eine erstaunlich klare Erkenntnis des Zusammenhangs zwischen Faschismus und Kapitalismus einerseits und zwischen Faschismus und Zweitem Weltkrieg andererseits. Seiner Faschismusanalyse entsprach die neue Auffassung vom Schriftsteller als Bündnispartner der Arbeiterklasse und das Bekenntnis zur Parteilichkeit des Schriftstellers: »Damit ein Talent sich entfalten kann, muß es Partei ergriffen haben – die richtige Partei, die des menschlichen Glückes«.

Spanischer Bürgerkrieg   Eine ähnlich wichtige Bedeutung für das Selbstverständnis der exilierten Schriftsteller hatte die Beteiligung am Spanischen Bürgerkrieg (1936–39). Die spanische Volksfrontregierung war durch einen Putsch der Armee unter der Führung von General Franco bedroht, zumal Franco durch die deutschen und italienischen Faschisten massive Militärhilfe erhielt (Legion Condor). Die Volksfrontregierung wurde von der Sowjetunion und Frankreich und von Internationalen Brigaden unterstützt, in denen sich auch viele deutsche Intellektuelle als Freiwillige befanden (vgl. Gustav Reglers *Das große Beispiel*, 1940). Siebenundzwanzig deutsche Schriftsteller kämpften in den Reihen der Internationalen Brigaden. Sie kämpften nicht nur mit der Waffe, sondern auch mit dem Wort. So wandte sich Erich Weinert mit zahlreichen Gedichten und Liedern, gesammelt unter dem Titel *Camaradas* (1947), an

*Internationaler
Schriftstellerkongreß
Paris 1935 –
Brecht, Becher,
Ehrenburg, Regler*

seine kämpfenden Genossen. Alfred Kantorowicz hat in einem *Spanischen
Tagebuch* (1948) vom Kampf der sozialistischen und kommunistischen Intellektuellen Zeugnis abgelegt. Andere Autoren unterstützten den Kampf indirekt durch ihre literarische Arbeit. Brecht beschäftigte sich mit dem Spanischen Bürgerkrieg in dem Einakter *Die Gewehre der Frau Carrar* (1937).
Frau Carrar, eine spanische Fischersfrau, möchte ihren Sohn vom Kampf
gegen die Faschisten abhalten und schickt ihn zum Fischen aufs Meer. Dort
wird der Wehrlose jedoch von den Faschisten erschossen, es tritt also genau
das ein, was die Mutter verhindern wollte. Frau Carrar gibt nun die im Haus
verborgenen Gewehre an die Genossen heraus und zieht selbst in den Kampf.
Brecht wollte mit diesem Stück zeigen, daß der Kampf gegen den Faschismus
unvermeidlich ist und solidarisch geführt werden muß.

Kontroversen um ein neues Selbst- und Literaturverständnis der Exilautoren: Expressionismus- und Realismusdebatte

Hinter der selbstgewissen Auffassung vieler Exilautoren, daß »Literatur von
Rang [...] nur antifaschistisch« sein könne, verbargen sich einige Probleme
grundsätzlicher Art; so die Frage, in welchem Verhältnis Literatur und Wirklichkeit zueinander stehen, welche Funktion Literatur in den Klassenverhältnissen hat bzw. einnehmen soll, was es bedeutet, ein politischer Schriftsteller
zu sein, was eine »Literatur von Rang« ist und woran man sie erkennt; nicht
zuletzt, was antifaschistische Literatur eigentlich ist und wie sie sich inhaltlich und formal von anderer Literatur unterscheidet. In drei großen Kontroversen – der sog. Expressionismus-Debatte, der Diskussion um den Realismusbegriff und der Auseinandersetzung um den historischen Roman –
wurde versucht, eine Antwort auf diese grundsätzlichen Fragen zu geben.
  Die Expressionismus-Debatte ging aus von der Frage, ob der Expressionismus ein Vorläufer des Faschismus war oder ob er nicht vielmehr Aus-

»Literatur von Rang«

gangspunkt für eine antifaschistische Entwicklung gewesen sei. Gottfried Benns Kooperation mit den Faschisten schien der ersten Auffassung recht zu geben, Johannes R. Bechers Entwicklung zum Marxisten und antifaschistischen Autor der zweiten. Ausgetragen wurde die Debatte im *Wort*, einer Literaturzeitschrift, die im Kontext der Volksfrontbewegung entstanden war (»Kind der Volksfront«) und die die *Neuen Deutschen Blätter* und *Die Sammlung*, die ihr Erscheinen im August 1935 hatten einstellen müssen, ersetzen sollte. Die Volksfrontorientierung dieser in Moskau erscheinenden Zeitschrift wurde schon an der Zusammensetzung des Herausgebergremiums deutlich. Neben dem parteilosen Marxisten Bertolt Brecht standen das KPD-Mitglied Willi Bredel und der bürgerliche Lion Feuchtwanger. Das *Wort*, das von 1936 bis 1939 erschien, gehört zu den interessantesten Exilzeitschriften; es gibt kaum einen prominenten Exilautor, der sich nicht mit Beiträgen an dieser Zeitschrift beteiligte.

Eröffnet wurde die Debatte durch den Aufsatz *Gottfried Benn, die Geschichte einer Verirrung* im September 1937 von Klaus Mann, in dem dieser Benns Annäherung an den Faschismus als »Selbstverrat« bezeichnete und einen Zusammenhang zwischen Expressionismus und Faschismus abstritt. Demgegenüber behauptete Alfred Kurella im gleichen Heft einen Zusammenhang zwischen Expressionismus und Faschismus und erklärte: »Erstens läßt heute sich klar erkennen, wes Geistes Kind der Expressionismus war, und wohin dieser Geist, ganz befolgt, führt: in den Faschismus. Zweitens müssen wir ehrlicherweise zugeben, daß in jedem von uns aus jener Zeit etwas in den Knochen steckengeblieben ist«. Damit waren Stichworte gefallen, die die ursprüngliche Auseinandersetzung um die persönliche Problematik Benns auf eine allgemeinere Ebene überführten. Es ging nicht länger um Benns Verhältnis zum Faschismus, sondern um das Verhältnis der Exilautoren zum literarischen Erbe des Expressionismus und damit indirekt um ihre eigene literarisch-politische Herkunft und Vergangenheit, d.h. um die politische Frage, inwieweit sich die Exilautoren als literarische Intelligenz an der Entwicklung von 1933 mitschuldig fühlten, und um die literarische Frage, an welche Traditionen sie anknüpfen sollten. Es galt, den Widerspruch aufzuklären, wieso »Benn, Bronnen, Heynicke, Johst nicht trotz, sondern dank dem Expressionismus zu Mystizisten und Faschisten geworden« waren und warum sich »Becher, Brecht, Wolf und Zech trotz dem Expressionismus zu Realisten und Antifaschisten« (Leschnitzer) entwickelt hatten. Anknüpfen konnte die Auseinandersetzung an der Expressionismuskritik, die Georg Lukács bereits 1934 in seinem Aufsatz ›Größe‹ und ›Verfall‹ des Expressionismus in der in Moskau erscheinenden Exilzeitschrift *Internationale Literatur* geübt hatte. Lukács hatte darin vor allem die allzu abstrakte Opposition gegen das Bürgertum, das überspannte subjektive Pathos, die gedankliche Flucht vor der Wirklichkeit, die Sehnsucht nach dem Krieg als Erneuerung, die Bohèmehaftigkeit, die Ablehnung des klassischen Erbes durch die Expressionisten angegriffen und die avantgardistischen künstlerischen Methoden der Expressionisten als sterile innerliterarische Formen eines dekadenten Subjektivismus abgetan und die Exilautoren aufgefordert, mit ihrer literarischen Praxis an die deutsche Klassik und die großen bürgerlichen Realisten des 19. Jahrhunderts anzuschließen.

An der Debatte beteiligte sich eine große Anzahl von Autoren mit Beiträgen, z.T. ehemalige Expressionisten, die den Nachweis zu führen suchten, daß der Expressionismus durchaus »erbfähige Elemente« enthalte und nicht in Bausch und Bogen verdammt werden dürfe: »Es wäre ein Fatalismus, zu behaupten, aus Dichtern, die sich zum Expressionismus bekannt hatten,

Gottfried Benn

»erbfähige Elemente« des Expressionismus?

hätten unbedingt faschistische Dichter hervorgehen müssen, für den Expressionisten gäbe es keine andere Lösung, als faschistisch zu werden; man könnte ebenso behaupten, aus der Republik von Weimar mußte und konnte sich nur der Faschismus entwickeln« (Kersten). Die polemische Frage von Ernst Bloch: »Gibt es zwischen Aufgang und Niedergang keine dialektischen Beziehungen? Gehört selbst das Verworfene, Unreife und Unverständliche ohne weiteres, in allen Fällen, zur bürgerlichen Dekadenz?«, versuchte den dialektischen Zusammenhang zwischen dem bürgerlichen Erbe, zu dem der Expressionismus ja gehörte, und einer sich als sozialistisch verstehenden Literatur deutlich zu machen: »Trägt das untergehende Bürgertum, eben als untergehendes, Elemente zum Aufbau der neuen Welt bei, und welches sind, gegebenenfalls, diese Elemente? Es ist eine rein mittelbare Frage, eine des diabolischen Gebrauchs; als solche ist sie bisher, wie es scheint, vernachlässigt worden, obwohl sie durchaus dialektisch ist. Denn nicht nur im revolutionären Aufstieg oder in der tüchtigen Blüte einer Klasse, auch in ihrem Niedergang und den mannigfachen Inhalten, die gerade die Zersetzung freimacht, kann ein dialektisch brauchbares ›Erbe‹ enthalten sein«. Bloch sah sehr deutlich, daß hinter der Expressionismusdebatte die Frage nach den künstlerischen Methoden der antifaschistischen Literatur stand, d.h. die Frage, ob sich die Exilautoren von den experimentellen Strömungen der Moderne abwenden sollten zugunsten des Rückgriffs auf die künstlerischen Methoden der bürgerlichen Autoren des 18. und 19. Jahrhunderts.

Ernst Bloch

Hinter der Frage nach der »richtigen« Methode stand jedoch mehr oder minder unausgesprochen die politische Frage nach der »Weite und Vielfalt« der Volksfrontbewegung. Bloch wandte sich gegen die »Schwarz-Weiß-Technik« der »Neu-Klassizisten«, womit er Lukács und Kurella meinte, »fast alle Oppositionen gegen die herrschende Klasse, die nicht von vornherein kommunistisch sind, der herrschenden Klasse zuzurechnen« und damit das Volksfrontbündnis in unverantwortlicher Weise zu verengen. Bloch und andere vermuteten hinter der kompromißlosen Härte, mit der die Auseinandersetzung von Lukács und Kurella in Sachen Expressionismus geführt wurde, den Versuch, die Exilautoren auf bestimmte Theorien und Schreibweisen festzulegen und den Führungsanspruch der KPD in dieser wichtigen Frage durchzusetzen. Tatsächlich hat zumindest die Art und Weise, wie die Diskussion um das literarische Erbe des Expressionismus geführt wurde, Autoren, die sich den künstlerischen Methoden und Techniken des Expressionismus verbunden fühlten und die aufgeschlossen für das Experimentieren mit avantgardistischen formalen Mitteln waren, abgestoßen und dem Volksfrontbündnis entfremdet. Der formelle Abschluß der Debatte, in dem Kurella seine Gleichsetzung von Expressionismus als Vorstufe des Faschismus zurücknahm (»So geht es natürlich nicht! der berüchtigte Satz ist falsch«) und sein Versuch, zwischen den konträren Positionen zu vermitteln, indem er für die meisten Expessionisten ein »objektiv-reaktionäres Schaffen bei subjektiv revolutionären Absichten« für gegeben annahm, konnte den aufgerissenen Graben nur notdürftig zuschütten. Tatsächlich ging es ja nur am Rande um den Expressionismus, in Wahrheit aber um den Realismus, wie Lukács in seinem grundlegenden Aufsatz *Es geht um den Realismus*, dem letzten inhaltlichen Beitrag der Debatte, deutlich gemacht hat.

Die Expressionismusdebatte war Teil der übergreifenden Realismusdebatte, die, angeregt durch die Formalismus- bzw. Realismusdiskussion in der Sowjetunion in den 30er Jahren (Erster Allunionskongreß der Sowjetschriftsteller in Moskau 1934), während des Exils geführt wurde. Maßgeblichen Anteil an dieser Debatte hatte neben Lukács, als Vertreter einer am klassi-

Lukács – Brecht-Debatte

Georg Lukács

Volk versus Barbarei

schen Erbe ausgerichteten Realismuskonzeption, Bertolt Brecht, der einen neuen, an den praktischen Erfordernissen des Exils ausgerichteten Realismusbegriff zu entwickeln suchte. In mehreren großen Aufsätzen *(Die Expressionismusdebatte; Praktisches zur Expressionismusdebatte; Weite und Vielfalt der realistischen Schreibweise; Volkstümlichkeit und Realismus)* ging Brecht kompromißlos mit der Realismuskonzeption von Lukács ins Gericht und legte ihren formalistischen Charakter frei. Brecht hat allerdings diese ursprünglich für das *Wort* geschriebenen Aufsätze mit Rücksicht auf die äußerliche Geschlossenheit der Volksfront nicht veröffentlicht – einzig *Weite und Vielfalt der realistischen Schreibweise* erschien noch zu Lebzeiten Brechts im Jahr 1955 –, teils waren sie am Nein der Herausgeber des *Wort* gescheitert. Generell hatte Brecht behauptet, daß es nicht darum gehen könne, den »Realismus« »von bestimmten vorhandenen Werken«, wie z.B. von Goethes, Balzacs oder Tolstois Romanen, einfach »abzuziehen« und als Muster für die Gegenwart aufzustellen. Die realistische Schreibweise, »für die die Literatur viele voneinander sehr verschiedene Beispiele« biete, sei keine überhistorische Schreibform, an die sich Autoren »klammern« dürften, sondern eine Schreibform, die geprägt sei von der Art, »wie, wann und für welche Klasse sie eingesetzt« worden sei. Mit seiner Realismusdefinition versuchte er, den von Lukács gesetzten formalistischen Rahmen zu sprengen: »Realistisch heißt: den gesellschaftlichen Kausalkomplex aufdeckend / die herrschenden Gesichtspunkte als die Gesichtspunkte der Herrschenden entlarvend / vom Standpunkt der Klasse aus schreibend, welche für die dringendsten Schwierigkeiten, in denen die menschliche Gesellschaft steckt, die breitesten Lösungen bereit hält / das Moment der Entwicklung betonend / konkret und das Abstrahieren ermöglichend«. Zugleich verband Brecht mit der Forderung nach Realismus die Forderung nach Volkstümlichkeit und griff damit eine Kategorie auf, die bei den sozialkritischen Autoren des Sturm und Drang und den jakobinischen Autoren des 18. Jahrhunderts eine große Rolle gespielt hatte: »Gegen die zunehmende Barbarei gibt es nur einen Bundesgenossen: das Volk, das so sehr darunter leidet. Nur von ihm kann etwas erwartet werden. Also ist es naheliegend, sich an das Volk zu wenden, und nötiger denn je, seine Sprache zu sprechen.« So verbanden sich die Parolen Volkstümlichkeit und Realismus in natürlicher Weise; »volkstümlich« hieß für Brecht »den breiten Massen verständlich, ihre Ausdrucksform aufnehmend und bereichernd / ihren Standpunkt einnehmend, befestigend und korrigierend / den fortschrittlichsten Teil des Volkes so vertretend, daß er die Führung übernehmen kann, also auch den andern Teilen des Volkes verständlich / anknüpfend an die Traditionen, sie weiterführend / dem zur Führung strebenden Teil des Volkes Errungenschaften des jetzt führenden Teiles übermittelnd«. Volkstümlich ist der Schriftsteller nicht, wenn er Schreibweisen übernimmt, die ursprünglich einmal volkstümlich waren, »was gestern volkstümlich war, ist es nicht heute, denn wie das Volk gestern war, so ist es nicht heute«, sondern nur das, was den Erfordernissen der jeweiligen Klassenauseinandersetzung Rechnung trägt. Für seine Zeit empfahl Brecht den Autoren, ihre Phantasie, ihre Originalität, ihren Humor und ihre Einbildungskraft unbeeindruckt von den literarischen Konventionen und aufgeschlossen für neue literarische Techniken im Kampf gegen den Faschismus einzusetzen. In seiner eigenen literarischen Praxis hat Brecht versucht, diese »riesigen Anweisungen« umzusetzen.

Die besondere Rolle des historischen Romans

Neben der Realismusdebatte scheint die Auseinandersetzung um den historischen Roman auf den ersten Blick vergleichsweise unbedeutend zu sein.
Tatsächlich handelt es sich hierbei jedoch um eine Diskussion, die mit der
Realismusdebatte eng zusammenhängt und in der die relativ abstrakt geführte Diskussion um das Realismusverständnis an einer bestimmten literarischen Form konkretisiert wurde. Beim historischen Roman handelt es sich
um eine Gattung, die sich bereits in der Weimarer Republik weitgehender
Hochachtung erfreute und insbesondere von bürgerlichen, aber auch von
konservativen und faschistischen Schriftstellern geschätzt wurde. Erwähnt
seien hier nur die *Paracelsus*-Trilogie von Kolbenheyer (1917–1926) und die
zahlreichen verherrlichenden Darstellungen Friedrichs II. Neben dem Wust
von historischen Romanen, die vor allem dazu dienten, tatsächliche Geschichte zu vernebeln oder gar zu verfälschen, gab es einige wenige historische Romane wie Döblins *Wallenstein* (1920), Feuchtwangers *Jud Süß* (1925)
und Neumanns *Der Teufel* (1926), in denen Geschichte ungeschminkt erschien.

Das Jahr 1933 bedeutete auf den ersten Blick für den historischen Roman   *»Instinktlosigkeit«?*
keinen Einschnitt. Thomas Mann brachte den Plan für seinen *Josephs*-
Roman bereits ins Exil mit. Sein Bruder Heinrich hatte den Plan für den
Henri Quatre ebenfalls schon vor 1933 ausgearbeitet. Von Joseph Roths
Trilogie über den Niedergang der österreichischen Monarchie war der erste
Band bereits in den 20er Jahren erschienen, Alfred Neumann hatte seine
Trilogie über die französische Geschichte des 19. Jahrhunderts ebenfalls bereits in der Weimarer Republik konzipiert. Das scheinbar bruchlose Anknüpfen der Exilautoren an dem historischen Roman der Weimarer Republik hat
schon auf die Zeitgenossen befremdlich gewirkt und ihren Widerspruch
herausgefordert. So erschien manchen Kritikern die Aufnahme des historischen Romans durch die Autoren des Exils geradezu als eine politische
Instinktlosigkeit: »Die Wahl eines historischen Stoffes bedeutet für einen
emigrierten deutschen Schriftsteller in der Regel Ausweichen oder Flucht vor
den Problemen der Gegenwart. Flucht und Ausweichen sind kein Zeichen
von Stärke. Das muß sich auch in den Werken der ausweichenden oder
flüchtigen Autoren zeigen und es zeigt sich auch« (Weiskopf). Mit einem
solchen Verdikt stellte Weiskopf die Exilautoren auf eine Stufe mit den
Autoren der »Inneren Emigration«, die dem historischen Roman ebenfalls
eine besondere Hochschätzung entgegenbrachten. Noch schärfer als Weiskopf urteilte Kurt Hiller, der die »Biographitis« als »Symptom elender Drük-
kebergerei« abkanzelte und als einen »zum Himmel stinkenden Skandal«
bezeichnete: »Aber wenn das Belletristengezücht mit Büchern über Katharina von Rußland, Christine von Schweden, Josephina von Frankreich, über
Ferdinand den Ersten, Philipp den Zweiten, Napoleon den Dritten, den
falschen Nero und den echten Peter, mit dieser ganzen Wissenschaft des
Nichtwissenswerten dem Publikum Kleister ins Gehirn schmiert [...], so
treffe dieses Pack von Gestrigen der saftigste Fluch«.

Demgegenüber bemühten sich insbesondere die betroffenen Autoren um   *Geschichte*
eine Verteidigung des historischen Romans und versuchten zu bestimmen,   *als Zuflucht*
welche Funktion die Gattung im Kampf gegen den Faschismus haben könne
und wie sie sich sowohl vom historischen Roman der Weimarer Republik
wie von dem der »Inneren Emigration« unterscheide. Döblin wandte sich in
seinem Aufsatz *Historie und kein Ende* (1936) vehement gegen den Flucht-

vorwurf und bezeichnete im Gegenteil die Geschichte als eine »Zuflucht«, als »etwas Unverlierbares, eine Kostbarkeit«, an die man sich angesichts der faschistischen Geschichtsverfälschungen halten könne und müsse. Die Vorliebe gerade der Exilautoren für den historischen Roman erklärte er mit dem »Wunsch, historische Parallelen zu finden, sich historisch zu lokalisieren, zu rechtfertigen«, aus der Notwendigkeit heraus, »sich zu besinnen«, und mit der »Neigung, sich zu trösten und wenigstens imaginär zu rächen«. Er betonte den »Gegenwartsgehalt« des historischen Romans dabei ebenso wie Ludwig Marcuse, der kategorisch erkärte, »daß über den Gegenwartsgehalt eines Buches nicht entscheidet, welchem Jahrhundert oder Jahrzehnt die Fabel angehört«. Auch Feuchtwanger sah im historischen Roman in erster Linie ein Gestaltungsmittel im antifaschistischen Kampf (*Vom Sinn und Unsinn des historischen Romans*, 1935). Seine beiden provokatorischen Fragen: »Wenn Sie zeitgenössische Inhalte geben wollen, warum erzählen Sie nicht zeitgenössische Stoffe statt der Vergangenheit?«, und: »Wenn ein Leser sich für die Vergangenheit interessiert, tut er dann nicht besser, eine exakte wissenschaftliche Darstellung zur Hand zu nehmen statt des fiktiven Gebildes eines Romanschriftstellers?«, warfen grundsätzliche Probleme des dichterischen Verfahrens auf und hoben die Diskussion auf eine neue Ebene.

Die Argumente, die die Autoren gegen den Fluchtvorwurf ins Feld führten, hatten sich 1938 bereits so stark durchgesetzt, daß eine Arbeitskonferenz des SDS zu dem Thema *Der historische Stoff als Waffe im Kampf um die Freiheit* stattfinden konnte. Als stärkstes Argument erwies sich die literarische Praxis der Autoren. Die Romane *Henri Quatre* (1935/38) von Heinrich Mann, *Der falsche Nero* (1936) von Feuchtwanger und *Die Saat* (1936) von Regler galten als positive Beispiele und wurden von der Kritik in ihrer Gestaltung als »eine aktuelle Kampfansage, ja teilweise als eine direkte Anleitung zum Kampf gegen die faschistische Tyrannei« gefeiert (Abusch). Eine offizielle Rehabilitierung erfuhr der historische Roman durch die Arbeiten von Georg Lukács (*Der historische Roman*, 1938), der im *Henri Quartre* Heinrich Manns, unbeschadet aller Kritik im einzelnen, ein gelungenes Beispiel der Gattung sah. Lukács bemühte sich herauszuarbeiten, worin der spezifisch antifaschistische Gehalt des historischen Romans im Exil – im Vergleich zu dem der Weimarer Republik oder dem der »Inneren Emigration« – eigentlich bestand. Die Bedeutsamkeit schien Lukács nicht so sehr darin zu sehen, daß im Medium des historischen Romans durch Parallelisierung und Kontrastierung Kritik am Faschismus geübt wurde, sondern im Kunstcharakter der Gattung: »Die Bedeutung des historischen Romans der deutschen Antifaschisten liegt aber gerade im ›Dichterischen‹: sie gestalten und verlebendigen in konkreten dichterischen Bildern jenen humanistischen Typus des Menschen, dessen gesellschaftlicher Sieg zugleich den gesellschaftlichen und politischen Sieg über den Faschismus bezeichnet. Jenen Typus des Menschen, dessen Allgemeinheit, dessen Vorherrschaft die kulturelle Rettung der Menschheit mit sich bringt; jenen Typus, um dessentwillen der Kampf gegen den Faschismus zu einer kulturellen Pflicht für jeden wird; jenen Menschentypus, in dessen Zeichen der Kampf gegen den Faschismus, der Kampf der Volksfront vor sich gehen soll«. Für Lukács war der historische Roman der deutschen Antifaschisten ein »Spiegelbild der radikalen ideologischen Umwendung der Intelligenz« angesichts der Vertreibung durch die Faschisten. Mit dem historischen Roman der Weimarer Republik oder mit dem der »Inneren Emigration« hatte er nur die äußeren Gattungsmerkmale gemeinsam. Der historische Roman der Exilierten war das Medium, in dem sich die politische Orientierung der Intelligenz als »Kampf zwischen der

Heinrich Mann

liberalen und der demokratischen Weltanschauung in der Seele des Volks-
frontschriftstellers« vollzog und künstlerisch objektiviert wurde. Politisch
und künstlerisch am weitesten fortgeschritten war für ihn der *Henri Quartre.*
Hier sah Lukács »den Beginn der Rückkehr zu den Traditionen des klassischen historischen Romans«: »Die Helden des neuen historischen Romans
sind welthistorische Individuen, politische Führer, literarische Genies etc.,
die als Repräsentanten historischer Massenbewegungen, historischer Volksbewegungen gestaltet werden«. In der neuen Heldenkonzeption sah Lukács
den Unterschied zum historischen Roman des 19. Jahrhunderts und zu dem
der Weimarer Republik: »Der neue historische Roman greift über die Abge-
rissenheit jener einsamen Helden von den großen historischen Bewegungen
hinaus und stellt einen lange vergessenen historischen Zusammenhang
wieder her«. Trotzdem vermißte Lukács auch am historischen Roman der
Exilautoren noch die letzte künstlerische Vollendung, die für ihn zugleich
eine politische Schwäche des Autors war: »Aber die künstlerische Komposition dieser Romane ist zumeist noch modern, ist durchsetzt von den falschen,
volksfremden, liberalen Traditionen der vergangenen Periode; sie ist noch
nicht volkstümlich, noch nicht demokratisch«.

Lukács' Plädoyer für den historischen Roman ist Ausdruck seiner Realismuskonzeption, die er bereits in der Expressionismusdebatte entfaltet hatte
und die auf scharfen Widerspruch von Brecht gestoßen war. Die Kontroverse
zwischen Lukács und Brecht mußte notgedrungen auch am historischen
Roman aufbrechen. In seinem historischen Roman *Die Geschäfte des Herrn
Julius Cäsar,* an dem Brecht ab 1938, also in Kenntnis der Debatte um den
historischen Roman, zu arbeiten begann, entwarf er ein Gegenbild sowohl
zum historischen Roman seiner Schriftstellerkollegen (Persiflage des *Neuen
Cäsar* von Neumann) wie auch zu der Kanonisierung des Typus durch Lu-
kács. Brecht wollte in seinem *Cäsar,* der Fragment geblieben ist, »nicht
Heldentaten im alten Stil« schildern, sondern »Hinweise darauf geben, wie
Diktaturen errichtet und Imperien gegründet werden«. Im Aufstieg Caesars
zum Herrscher wollte er die letzten Jahre Hitlers vor der Machtergreifung
schildern, in den Kampfrotten Catilinas die SA, in den alten Straßenclubs die
Freikorps, in den Fachvereinen die Gewerkschaften. Mit dem drohenden
Sklavenaufstand wollte er auf die revolutionäre Lage Deutschlands in den
letzten Jahren der Weimarer Republik hinweisen. Es ging Brecht also nicht
um den »positiven Helden«, den Lukács gefordert hatte, sondern um dessen
satirische Demontage. Seinen historisierenden Schriftstellerkollegen hat
Brecht sehr ironisch in dem Biographen Caesars ein Denkmal gesetzt, der
emsig darum bemüht ist, Einzelheiten über Caesars Privatleben zu recher-
chieren und die »unzähligen rührenden Züge« von Caesar zu sammeln, um
sie der Nachwelt zu präsentieren. Brechts Roman enthält die »doppelte
Lehre«. »Der ›wirkliche‹ Cäsar ist, was er in seinen ›Geschäften‹ ist, und: der
Darsteller der Geschichte leistet nur dann seine Arbeit, wenn er lernt, diese
darzustellen« (Schröter).

*Lukács' Plädoyer
für den historischen
Roman*

Antifaschistische Literaturpraxis

*Titelblatt der
Londoner Ausgabe –
Hitler als diabolischer
King Kong auf der
Weltkugel thronend*

Heinrich Mann

Die Auffassung Heinrich Manns, daß die »antifaschistische Literatur [...] in Wirklichkeit die einzige deutsche Literatur« sei, gibt das Selbstverständnis vieler exilierter Autoren wieder. Mit einer solchen Gleichsetzung, die natürlich nicht mehr als Wunsch bzw. Programm sein konnte, erhielt die Literatur im Selbstverständnis ihrer Autoren die Aufgabe, den Kampf gegen den Faschismus mit den ihr eigenen Mitteln zu führen: »Die Emigration allein darf Tatsachen und Zusammenhänge aussprechen. Sie ist die Stimme ihres stumm gewordenen Volkes, sie sollte es sein vor aller Welt [...] Die Emigration wird darauf bestehen, daß mit ihr die größten Deutschen waren und sind und das heißt zugleich: das beste Deutschland« (*Aufgaben der Emigration*, 1934).

Aus einer solchen anspruchsvollen Auffassung resultierte eine doppelte Zielbestimmung der antifaschistischen Literaturpraxis: »Einerseits ging es darum, die Welt vor dem Dritten Reich zu warnen und über den wahren Charakter des Regimes aufzuklären, gleichzeitig aber mit dem ›andern‹, ›besseren‹ Deutschland, dem illegalen, heimlich opponierenden also, in Kontakt zu bleiben und die Widerstandsbewegung in der Heimat mit literarischem Material zu versorgen; andererseits galt es, die große Tradition des deutschen Geistes und der deutschen Sprache, eine Tradition, für die es im Lande ihrer Herkunft keinen Platz mehr gab, in der Fremde lebendig zu halten und durch den eigenen schöpferischen Beitrag zu entwickeln« (Klaus Mann). Diesen beiden unterschiedlichen Funktionen entsprachen verschiedene literarische Verfahrensweisen. Mit dem Anknüpfen an überlieferte bürgerliche Formen wie dem historischen Roman oder dem Gesellschaftsroman versuchten die Autoren, sich in einen Traditionszusammenhang einzuordnen, den sie durch den Faschismus unterbrochen glaubten. Mit operationalen Genres wie Tarnschriften, Radioreden, Flugblättern, Manifesten usw. versuchten sie, den Kampf gegen den Faschismus direkt zu führen. Die unterschiedlichen Aufgaben waren dabei nicht im Sinne der Arbeitsteilung auf verschiedene Autoren verteilt, sondern sie waren zumeist in der antifaschistischen Literaturpraxis der einzelnen Autoren miteinander verbunden. Der antifaschistische Schriftsteller ist gerade dadurch definiert, daß er die sonst häufig auseinanderfallenden Seiten literarischer Praxis – nichtoperationale und operationale Kunstproduktion – in seiner Person vereinigte und zu einer dialektischen Einheit verband.

So ist die literarische Praxis von Heinrich Mann zum einen dadurch gekennzeichnet, daß er den bedeutendsten historischen Roman des Exils schrieb, den *Henri Quatre*, in dem er seine Ansichten vom Zustand der Welt und dem Verhalten der Menschen an einem geschichtlichen Beispiel dichterisch zu verdeutlichen und den antifaschistischen Kampf durch ein »wahres Gleichnis« mittelbar zu unterstützen suchte, zum anderen dadurch, daß er sich im Kampf gegen den Faschismus mit einer Fülle von politisch-publizistischen Arbeiten direkt engagierte. Zwischen 1933 und 1945 schrieb Heinrich Mann über 330 Aufsätze, die im Zusammenhang mit seinen rastlosen Bemühungen um ein deutsches Volksfrontbündnis entstanden und z. T. auf illegalem Wege nach Deutschland zur Unterstützung des dortigen Widerstandskampfes eingeschleust werden konnten. Auch sein Bruder Thomas Mann betätigte sich auf der einen Seite im traditionellen Sinne als Schriftsteller – im Exil entstanden die biblische Tetralogie *Joseph und seine Brüder* (1933–1943), der historische Roman *Lotte in Weimar* (1938) und der bedeutende Zeitroman *Doktor Faustus* (1947) –, zum anderen beteiligte er sich ebenfalls unmittelbar am antifaschistischen Kampf durch zahlreiche Aufsätze und insbesondere durch seine berühmt gewordenen Rundfunkreden.

Die antifaschistischen Autoren repräsentieren einen Typus des politischen Schriftstellers, den es in Deutschland vorher nur in Ausnahmefällen und in gesellschaftlichen Umbruchzeiten wie z.B. während des Vormärz gegeben hatte. Die Verbindung von Politik und Literatur ist eine doppelte: Sie zeigt sich zum einen in der Kombination von publizistischem und literarischem Schaffen, zum anderen in dem angestrebten politischen Charakter der literarischen Produktion und der literarischen Qualität der politisch-publizistischen Arbeiten. Die Exilautoren knüpften nicht nur an den historischen Roman der Weimarer Republik an, sondern sie entwickelten auch den traditionellen Gesellschafts- und Zeitroman im Sinne der antifaschistischen Zielsetzung schöpferisch weiter. Zu nennen sind hier vor allem die Romane *Abschied* (1940) von Becher, *Die Väter* (1943) von Bredel, *Adel im Untergang* (1944) von Renn, *Pardon wird nicht gegeben* (1935) und die *November 1918*-Trilogie (entst. 1937–43, ersch. 1948/50) von Döblin, in denen die Auseinandersetzung mit dem Faschismus in authentischer, die persönlichen und historischen Erfahrungen scharfsinnig reflektierender Weise geführt wurde. Insbesondere Döblins Roman *Pardon wird nicht gegeben* entwarf ein Spiegelbild der Epoche von 1890 bis 1930, die als Vorbereitungsphase für die faschistische Machtübernahme erscheint. Döblin erzählt unter Benutzung zahlreicher autobiographischer Elemente in stark stilisierter und typisierter Form, die in manchem an seinen Roman *Berlin Alexanderplatz* (1929) erinnert, die Geschichte einer ganzen Generation am Beispiel des Bauernjungen Karl, der aus Grauen vor der Armut seiner Klasse entflieht, in der Stadt und im bürgerlichen Leben Fuß faßt, Fabrikant wird und sich durch das kapitalistische System moralisch und politisch korrumpieren läßt. Eine große Wirtschaftskrise vernichtet die mit viel Mühe errichtete und mit Unmenschlichkeit er-

Literatur und Politik

Moskau 1934 – in der Mitte O. M. Graf, rechts W. Bredel, davor E. Toller

kaufte familiäre und ökonomische Existenz. Am Schluß des Romans trifft Karl seinen ehemaligen Jugendfreund Paul, der auf der Seite des Proletariats kämpft und der den Rechtfertigungsbemühungen seines Freundes mit dem lakonischen »Pardon wird nicht gegeben« begegnet: Karl selbst will sich auf die Seite seines Freundes stellen, wird aber bei den Straßenkämpfen, in denen Döblins Erinnerung an die Novemberrevolution von 1918 deutlich nachklingt, erschossen.

Anna Seghers

Bekannter als Döblins Roman ist Anna Seghers' *Das siebte Kreuz* geworden. Mit diesem Roman, der englisch 1942 und erst 1947 in deutscher Sprache erschien und den »toten und lebenden Antifaschisten Deutschlands« gewidmet war, wurde die Autorin weltberühmt. Im *Siebten Kreuz*, einem Gegenstück zu dem im Untergrund geschriebenen Roman *Unsere Straße* von Jan Petersen, zeichnet die Autorin ein sehr differenziertes und eindrucksvolles Bild von der deutschen Wirklichkeit des Dritten Reiches und berichtet vom antifaschistischen Widerstandskampf. Die Vertrautheit mit den deutschen Verhältnissen und die differenzierte Bewertung ist angesichts der Tatsache, daß Anna Seghers seit 1933 im Exil lebte und von direkten Erfahrungen mit dem faschistischen Alltag abgeschnitten war, besonders erstaunlich. Die dem Buch zugrundeliegenden Informationen über den täglichen Faschismus besorgte sich die Autorin aus Zeitungen, Dokumenten, Archivmaterial und aus zahlreichen Gesprächen und Interviews mit aus deutschen Konzentrationslagern geflüchteten Häftlingen. Auch von den sieben Kreuzen, die in einem Konzentrationslager für sieben geflohene Häftlinge aufgestellt worden waren und die im Roman zum Symbol des antifaschistischen Widerstandskampfes erhoben sind, erfuhr Anna Seghers durch Berichte. Im Roman wird die Flucht von sieben Häftlingen – nur der Kommunist Georg Heisler kann den Verfolgern entkommen – zu einem Prüfstein, an dem sich die persönliche und politische Moral derjenigen erweist, die mit Georg Heisler in Kontakt kommen. Einige bestehen die Prüfung nicht, andere wiederum entwickeln durch die Begegnung mit dem Flüchtigen eine Form von Solidarität, die über persönliche Interessiertheit hinaus eine politische Qualität annimmt. Die Volksfrontorientierung der Autorin ist der archimedische Punkt, von dem aus das literarische Material organisiert und die Handlungen und Haltungen der Personen beurteilt werden. Nicht so berühmt wie *Das siebte Kreuz*, das auch verfilmt wurde, ist Anna Seghers' Roman *Transit* (1944). Zusammen mit Feuchtwangers *Exil* (1940) gehört *Transit* nichtsdestoweniger zu den bedeutendsten Dokumenten der Exilliteratur. Nicht die Verarbeitung der Vorgeschichte des Faschismus und die Bestimmung des persönlichen Anteils daran, sondern die Erfahrungen der Exilsituation bilden das Thema dieser beiden Romane, die noch heute lesenswerte Dokumente sind.

Buchumschlag

Zeitschriften des Exils

Neben den bürgerlichen Genres des historischen Romans und des Gesellschafts- und Zeitromans der Exilierten steht eine Fülle von operativen publizistischen Formen, die als Ausdruck und Überwindungsversuch des Exils zu werten sind. Die Publizistik erlebte in den zwölf Jahren des Exils einen erstaunlichen Aufschwung. Zwischen 1933 und 1945 erschienen weit über vierhundert Exilzeitschriften von mehr oder minder langer Lebensdauer. Sie waren Ausdruck der materiellen und ideellen Bedürfnisse der Exilierten, spiegeln zugleich aber auch die Zersplitterung der Linken, die im Exil sogar noch zunahm. Tucholsky klagte bereits im Sommer 1933 über die Unübersichtlichkeit und Heterogenität der Exilpresse: »Anstatt ein gutes Journal zu gründen, gründet sich jeder seins, und natürlich werden sie alle miteinander eingehen. Es ist sehr schade«. Trotz dieser Zersplitterung waren die Zeitschriften das »beinahe einzige geeignete Mittel, dem Auseinanderbrechen von politischen Gruppen wie der Isolation von einzelnen entgegenzuwirken. Zeitschriften konnten die von den politischen und materiellen Verhältnissen erzwungene räumliche Trennung überwinden. Ihnen gelang es – wenn auch kaum nach außen, so doch mit beachtlichem Erfolg innerhalb der Emigration –, Öffentlichkeit zu bewahren oder wiederherzustellen. Sie waren nicht nur Ausdruck des Wollens der Herausgeber, sondern in weit stärkerem Maße als in ›normalen‹ Zeiten Instrumente der Selbstverständigung und der Willensbildung unter ihren Lesern. Zeitschriften haben bei der Vorbereitung und Durchsetzung politisch wie kulturell bedeutsamer Bewegungen organisierende Funktionen übernommen, die ihnen unter anderen Bedingungen als denen des Exils kaum zugefallen wären. Sie wirkten als stabilisierendes Element, als geistige Klammer, und sind z. T. selbst zu ›imaginären‹ Zentren geworden« (H. A. Walter). Zu den bedeutendsten Exilzeitschriften gehörten die mit der Volksfrontbewegung verbundenen Zeitschriften *Die Neue Weltbühne*, die die von Tucholsky und Ossietzky in der Weimarer Republik herausgegebene *Weltbühne* fortführte, die von Klaus Mann herausgegebene *Sammlung*, die von Anna Seghers, Oskar Maria Graf, Wieland Herzfelde und Jan Petersen herausgegebenen *Neuen Deutschen Blätter* und das von Brecht, Feuchtwanger und Bredel herausgegebene und in Moskau erschienene *Wort*. Diese Zeitschriften waren parteilich im Sinne des Antifaschismus; Herausgeber und Mitarbeiter verstanden ihre publizistische Arbeit als Form des politischen Kampfes: »Wer schreibt, handelt!« Der alte Gegensatz zwischen Wort und Tat, zwischen Dichter und Politiker war im Selbstverständnis des antifaschistischen Schriftstellers aufgehoben: »In Deutschland wüten die Nationalsozialisten. Wir befinden uns im Kriegszustand. Es gibt keine Neutralität. Für niemand. Am wenigsten für den Schriftsteller. Auch wer schweigt, nimmt teil am Kampf. Wer, erschreckt und betäubt von den Ereignissen, in ein nur-privates Dasein flieht, wer die Waffe des Wortes als Spielzeug oder Schmuck verwendet, wer abgeklärt resigniert – der verdammt sich selbst zu sozialer und künstlerischer Unfruchtbarkeit und räumt dem Gegner das Feld«. Von vornherein war der Literaturbegriff so weit gefaßt, daß nicht nur »Pamphlet, Anklage, Aufschrei« in den Zeitschriften Aufnahme fanden, sondern »Literatur jeglicher Art«, d. h. auch Literatur, die die Epochenerfahrung in traditionellen Formen literarisch zu objektivieren versuchte. »Gerade dadurch wollen wir vor der Weltöffentlichkeit beweisen, daß nicht zufällig fast alle Vertreter des literarischen Deutschland entschiedene Gegner des ›Dritten Reiches‹ sind« *(Das Wort)*.

Wieland Herzfelde

Die antifaschistische Exilpresse hat eine nicht zu unterschätzende Funktion im Selbstverständigungsprozeß der Exilierten gehabt, die erhoffte Aufklärung der Weltöffentlichkeit über den Faschismus in Deutschland und die angestrebte Unterstützung des Widerstandskampfes im Dritten Reich wurden jedoch nur in Ansätzen erreicht. »Einen sichtbaren politischen Erfolg hatten die Exilzeitschriften [...] nicht. Sie sind zu wichtigen und bleibenden Dokumenten einer ohnmächtigen Opposition geworden« (H. A. Walter). Unmittelbar zur Unterstützung der Widerstandsbewegung in Deutschland gedacht waren die oft auf abenteuerliche Weise eingeschleusten Tarnschriften, von denen bislang weit über fünfhundert bekanntgeworden sind. Unter Tarnschriften versteht man solche Druckerzeugnisse, »die unter einem harmlosen, unverfänglichen Umschlagtitel, zum Teil mit fingiertem Impressum (Verlag, Drucker, Druckort und -jahr) als Absicherung gegen polizeilichen Zugriff und zum Schutze der Verbreiter und Leser antifaschistische Schriften enthielten« (Gittig). Diese Tarnschriften wurden, nach der Aushebung der in den Anfangsjahren nationalsozialistischer Herrschaft noch bestehenden ille-

Aufklärung der Weltöffentlichkeit

Laufen und Gehen

In Gemeinschaft mit dem Reichssportführer herausgegeben vom
Propaganda-Ausschuß für die Olympischen Spiele Berlin 1936
Amt für Sportwerbung

*Umschlag
einer Tarnschrift*

Freiheitssender

*»Was der Führer
nicht weiß«*

galen Druckereien durch die Gestapo, im Ausland hergestellt und zumeist in einer relativ hohen Auflage von bis zu zehntausend Exemplaren ins Reich geschmuggelt und dort von Widerstandsgruppen weiterverteilt. So wurde Brechts Aufsatz *Fünf Schwierigkeiten beim Schreiben der Wahrheit* unter dem ironisch-beziehungsreichen Titel *Praktischer Wegweiser für Erste Hilfe* bzw. als *Satzungen des Reichsverbandes Deutscher Schriftsteller* nach Deutschland eingeschleust. Thomas Manns Briefwechsel mit der Universität Bonn aus dem Jahre 1937 war als *Briefe deutscher Klassiker* getarnt, ein Auszug von Renns antifaschistischem Roman *Krieg* wurde gar unter dem Namen des faschistischen Autors Werner Beumelberg nach Deutschland geschmuggelt. Von Heinrich Mann gelangten weit über dreißig Aufsätze und eine große Anzahl von Aufrufen und Flugblättern nach Deutschland. Wie diese Tarnschriften im Reich wirkten, ist zum Teil belegt; so kursierten beispielsweise Abschriften von Heinrich Manns Reden in verschiedenen Konzentrationslagern. Sogar eine umfangreiche Anthologie der Exilliteratur, unter dem Titel *Deutsch für Deutsche*, erschien 1935 in Leipzig. Sie war herausgegeben von der Pariser Sektion des SDS und enthielt u.a. Gedichte von Brecht, Becher, Weinert; Kurzprosa von Seghers, Feuchtwanger, Graf, Bredel, Scharrer; Essays von Klaus und Heinrich Mann, Toller u.a.

Eine andere Form, direkt auf die deutsche Bevölkerung einzuwirken, stellen die über den Rundfunk verbreiteten Reden von antifaschistischen Schriftstellern dar. Über den berühmten Freiheitssender 29.8. verbreitete Heinrich Mann flammende Aufrufe an das deutsche Volk: »Versäumt die Stunde nicht! Noch könnt ihr aufstehen gegen diese verworfenen Peiniger aller Völker! (!!!) Sabotiert seinen Krieg! Werft Hitler nieder!« Auch Thomas Mann versuchte, die deutsche Bevölkerung in seinen *Fünfundfünfzig Radiosendungen nach Deutschland*, die von Oktober 1940 bis zur Kapitulation im Mai 1945 jeden Monat von dem englischen Sender BBC nach Deutschland ausgestrahlt wurden, zum Widerstand gegen den Faschismus aufzurufen. In seinen *Ansprachen an deutsche Hörer*, wie der offizielle Titel der Sendereihe hieß, gab Thomas Mann politische Kommentare zum Zeit- und Kriegsgeschehen, in denen er den verbrecherischen Charakter des Faschismus aufdeckte, seine notwendige Niederlage begründete und an die humanistischen Gegenkräfte seiner Hörer appellierte. Die Indienstnahme von Massenkommunikationsmitteln wie dem Radio war ein von den Verhältnissen erzwungener Ausbruch des Schriftstellers aus der Esoterik der traditionellen Buchproduktion, die, verglichen mit dem Rundfunk, nur eine verschwindend kleine literarische Elite des Volkes erreichte und den Faschismus massenwirksam nicht bekämpfen konnte.

Bertolt Brecht verfaßte satirische Gedichte für den deutschen Freiheitssender (*Was der Führer nicht weiß*; *Wörter, die der Führer nicht hören kann*; *Die Sorgen des Kanzlers*; *Dauer des Dritten Reiches* usw.). Überhaupt spielte die Lyrik als eine operational eingesetzte Literaturform eine große Rolle für die Schriftsteller des Exils. Das politische Gedicht, d.h. das Gedicht, das ursprünglich politisch gemeint war und dem antifaschistischen Kampf dienen sollte, stellt einen Gegentypus zum Naturgedicht der »Inneren Emigration« dar, das nur mittelbar eine politische Funktion erfüllen konnte. Brecht hatte die sich als reine, unpolitisch ausgebende Lyrik bürgerlicher Autoren, die die Tradition von Rilke, George und Hofmannsthal aufnahmen, bereits in der Weimarer Republik scharf attackiert und als verwerflich abgetan, insofern sie seiner Meinung nach politische Verbrechen verklärte bzw. rechtfertigte (»Ach, vor eure in Dreck und Blut versunkene Karren / Haben wir noch immer unsere großen Wörter gespannt!«) oder aber sie als desorientie-

rend und schädlich bezeichnet, insofern sie dem Leser ein bloß kulinarisches
Vergnügen bereitete, ihn von den Problemen der Gegenwart ablenkte und
politisch wehrlos machte (»Wir haben die Wörter studiert und gemischt wie
Drogen / Und haben nur die besten und allerstärksten verwandt / Die sie von
uns bezogen, haben sie eingesogen / Und waren wie Lämmer in eurer
Hand«). In seinem Gedicht *Schlechte Zeit für Lyrik* hat Brecht das Dilemma
des lyrischen Dichters angesichts der politischen Konstellation seiner Zeit
benannt: »In mir streiten sich / Die Begeisterung über den blühenden Apfelbaum / Und das Entsetzen über die Reden des Anstreichers / Aber nur das
zweite / Drängt mich zum Schreibtisch«. Der Anstoß, Gedichte zu schreiben,
lag für Brecht und andere Lyriker des Exils, wie Weinert und Becher, in dem
»Entsetzen« über den Faschismus und in dem Wunsch, diesem Entsetzen
Ausdruck zu verleihen, die Leser aufzurütteln und zu aktivieren. Dies konnte
jedoch nur durch Gedichte geschehen, in denen aktuelle Probleme direkt
zum Thema gemacht wurden und die so strukturiert waren, daß sie auf die
Leser aufklärend wirken konnten. In argumentierenden und beschreibenden
Lehrgedichten (z.B. *Was nützt uns die Güte?; Fragen eines lesenden Arbeiters; An die Nachgeborenen*) und vor allem in satirischen Gedichten hat
Brecht versucht, eine Form von politischer Lyrik zu entwickeln, die eine
qualitativ neue Stufe in ihrer Geschichte darstellt. Die *Svendborger Gedichte*
(1939) aus dem dänischen Exil enthalten eine Fülle von Themen, Motiven
und lyrischen Formen. Neben politisch-operativen Satiren, Balladen und
weltanschaulich-politischen Lehrgedichten stehen lyrische Selbstdarstellun-
gen, in denen der gesellschaftliche Zusammenhang jedoch immer präsent ist.
Auch die Liebesgedichte Brechts sind Beiträge zu einer Form des freundlichen
und menschlichen Umgangs miteinander, der in den »finstren Zeiten« des
Faschismus zwangsläufig verschüttet wurde.

    Mehr dem traditionellen Typus von politischer Lyrik entsprachen die Ge-
dichte von Erich Weinert, die dieser vor allem im Zusammenhang mit dem
Spanischen Bürgerkrieg schrieb (*Camaradas*, 1947), und von Johannes
R. Becher, in denen die klassischen Traditionen des politischen Gedichts
wieder aufgenommen wurden. Mit seinen *Tränen des Vaterlands, Anno 1937*
knüpfte Becher bewußt an das Gryphius-Sonett *Tränen des Vaterlands* an.
Becher schrieb auch Naturgedichte, die sich jedoch fundamental von der
Naturlyrik der »Inneren Emigration« unterschieden. Bechers Naturgedichte
sind, wie Bertolt Brechts Naturgedichte (*Frühling; Vom Sprengen des Gar-
tens; Der Pflaumenbaum*), nicht Ausdruck einer Flucht vor der politischen
Wirklichkeit, sondern Artikulationen des Heimwehs nach Deutschland, dessen Landschaft das Deutschland verkörperte, dem er sich weiterhin verbunden fühlte.

*»Schlechte Zeiten für
Lyrik«*

*Heimweh nach dem
besseren Deutschland*

Die Rolle Bertolt Brechts

Einen Höhepunkt der antifaschistischen Literatur im Exil stellt das literarische Werk von Bertolt Brecht dar. Brecht war als Literaturtheoretiker, Lyriker und Dramatiker gleichermaßen bedeutsam. Er ist eine Verkörperung des
von Benjamin beschriebenen Typus des »operierenden Schriftstellers«, bei
dem die »fortschrittliche literarische Technik« und »die richtige politische
Tendenz« in funktionaler Abhängigkeit voneinander standen, bei dem der

*Lion Feuchtwanger
und Bert Brecht –
Paris 1935*

Gegensatz zwischen Politik und Literatur aufgehoben war. In der Analyse und Einschätzung des Faschismus zeigte er sich den meisten anderen Exilautoren ebenso überlegen wie in der Entwicklung neuer literarischer Formen, die er »von den Bedürfnissen des antifaschistischen Kampfes« ableitete und nicht von einem abstrakten Realismusbegriff, wie dies Lukács getan hatte: »Über literarische Formen muß man die Realität befragen, nicht die Ästhetik, auch nicht den Realismus. Die Wahrheit kann auf viele Arten verschwiegen werden und auf viele Arten gesagt werden. Wir leiten unsere Ästhetik wie unsere Sittlichkeit von den Bedürfnissen unseres Kampfes ab.«

*»Die Roheit kommt
nicht von der Roheit«*

Die Faschismusanalyse, niedergelegt in den *Aufsätzen über den Faschismus* (1933–39), ist Ausgangspunkt für die literarische Theorie und Praxis. Brecht begriff den Nationalsozialismus nicht als Verirrung, Naturkatastrophe, unglückliche Verkettung, Verhängnis oder als Einbruch des Bösen, wie dies bürgerliche Autoren immer wieder getan haben. Gegen die Sicht bürgerlicher Intellektueller, die im Faschismus nur die allgemeine Verwilderung und Verrohung der Menschen in der modernen Zivilisation sahen, setzte Brecht eine materialistische Erklärung: »Die Roheit kommt nicht von der Roheit, sondern von den Geschäften, die ohne sie nicht mehr gemacht werden können. [...] Viele von uns Schriftstellern, welche die Greuel des Faschismus erfahren und darüber entsetzt sind, haben diese Lehre noch nicht verstanden, haben die Wurzel der Roheit, die sie entsetzt, noch nicht entdeckt. Es besteht immerfort bei ihnen die Gefahr, daß sie die Grausamkeiten des Faschismus als unnötige Grausamkeiten betrachten.« Brecht verstand den Nationalsozialismus als deutsche Spielart des Faschismus, wobei er die marxistische Einschätzung des Faschismus als historischer Etappe des Kapitalismus teilte: »Der Faschismus ist eine historische Phase, in die der Kapitalismus eingetreten ist, insofern etwas Neues und zugleich Altes. Der Kapitalismus existiert in faschistischen Ländern nur noch als Faschismus und der Faschismus kann nur bekämpft werden als nacktester, frechster, erdrückendster und betrügerischster Kapitalismus.« Die Autoren, die gegen den Faschismus waren, ohne gegen den Kapitalismus zu sein, verglich Brecht mit Leuten, »die ihren Anteil vom Kalb essen wollen, aber das Kalb soll nicht geschlachtet werden. Sie wollen das Kalb essen, aber das Blut nicht sehen. Sie sind zufriedenzustellen, wenn der Metzger die Hände wäscht, bevor er das Fleisch aufträgt. Sie sind nicht gegen die Besitzverhältnisse, welche die Barbarei erzeugen, nur gegen die Barbarei. Sie erheben ihre Stimme gegen die Barbarei, und sie tun das in Ländern, in denen die gleichen Besitzverhältnisse herrschen, wo aber die Metzger noch die Hände waschen, bevor sie das Fleisch auftragen«.

Als Schriftsteller sah Brecht seine Aufgabe darin, im Medium der Kunst den Zusammenhang zwischen Nationalsozialismus, Faschismus und Kapitalismus deutlich zu machen und zugleich Perspektiven für den antifaschistischen Kampf aufzuzeigen. Mit seinen Werken wollte er die Gleichgültigkeit und die Lethargie, die viele Menschen angesichts der faschistischen Greuel befallen hatte, aufbrechen. »Als wir zum ersten Male berichteten, daß unsere Freunde geschlachtet wurden, gab es einen Schrei des Entsetzens und viele Hilfe. Da waren hundert geschlachtet. Als aber tausend geschlachtet waren und dem Schlachten kein Ende war, breitete sich Schweigen aus, und es gab nur mehr wenig Hilfe. [...] So also ist es. Wie ist dem zu steuern? Gibt es keine Mittel, den Menschen zu hindern, sich abzuwenden von Greueln? Warum wendet er sich ab? Er wendet sich ab, weil er keine Möglichkeit des Eingreifens sieht. Der Mensch verweilt nicht bei dem Schmerz eines andern, wenn er ihm nicht helfen kann«. Angesichts einer solchen Situation erhielt die Literatur die Aufgabe, dem Leser Möglichkeiten des Eingreifens aufzuzeigen, ihn aus der passiven Rolle des Mitleidenden herauszuführen und ihn zum verändernden Handeln zu aktivieren. Um die Ursachen der Greuel aufzudecken und Perspektiven zur Überwindung zu vermitteln, brauchte der Schriftsteller nach Brechts Meinung vor allem Kenntnisse: »Außer der Gesinnung sind erwerbbare Kenntnisse nötig und erlernbare Methoden. Nötig ist für alle Schreibenden in dieser Zeit der Verwicklungen und der großen Veränderungen eine Kenntnis der materialistischen Dialektik, der Ökonomie und der Geschichte. Sie ist aus Büchern und durch praktische Anleitung erwerbbar, wenn der nötige Fleiß vorhanden ist.« Brecht selbst hatte sich bereits während der Weimarer Republik intensiv mit dem Marxismus beschäftigt. Seine *Heilige Johanna der Schlachthöfe* (1927) und vor allem seine während des Exils geschriebenen Stücke legen Zeugnis davon ab, wie produktiv sich die kritische Aneignung des Marxismus und der dialektischen Methode auf Brechts künstlerisches Schaffen ausgewirkt hat.

Faschismus und Kapitalismus in der Analyse Brechts

In dem Lehrstück *Die Rundköpfe und die Spitzköpfe*, das er bereits Anfang der 30er Jahre als Bearbeitung von Shakespeares *Maß für Maß* begonnen hatte, aber unter dem Eindruck der faschistischen Machtübernahme und des Exils neu bearbeitete und 1934 abschloß, versuchte Brecht, die Funktion der Rassenpolitik für den Nationalsozialismus aufzudecken. Brecht verstand die Rassenverfolgung der Nationalsozialisten, die sich ja bereits lange vor 1933 programmatisch angekündigt hatte, als politisches Täuschungsmanöver, mit dem von den bestehenden Klassengegensätzen und der schweren ökonomischen Krise abgelenkt werden sollte. Brecht unterschied sich damit deutlich von bürgerlichen Autoren wie Ferdinand Bruckner, in dessen Stück *Die Rassen* (1933) die Ursachen für die nazistische Rassenpolitik als »Gespensterkampf« im mystischen Dunkel verblieben, oder Walter Hasenclever, in dessen Lustspiel *Konflikt in Assyrien* (1938) der Antisemitismus ironisch attackiert wurde. Übereinstimmungen zeigen sich jedoch mit einem Autor

Lehrstück über Rassismus

wie Friedrich Wolf, der mit seinem *Professor Mamlock* (1934) ebenfalls den faschistischen Rassenwahn zum Thema machte und den Faschismus dabei als Ganzes angriff.

Lehrstück über den Faschismus

Mit einer solchen Auffassung hatte Brecht die Gefährlichkeit der national-sozialistischen »Rassentheorie«, die zur Ausrottung von sechs Millionen Juden führte, aber in fast fahrlässig zu nennender Weise unterschätzt. Brecht hat dies auch später angesichts der Massenmorde an den Juden selbst erkannt und sich von dem Stück distanziert. In dem Lehrstück *Der aufhaltsame Aufstieg des Arturo Ui* (1941) hat er den Zusammenhang zwischen Faschismus und Kapitalismus noch einmal in Form einer Polit-Parabel zum Thema gemacht. Der Aufstieg der Nationalsozialisten ist in das Al-Capone-Milieu Chicagos verlegt. Schon in der *Heiligen Johanna der Schlachthöfe* hatte Brecht kapitalistisches Geschäftsgebaren in Chicago angesiedelt. Mit dieser Verlagerung wollte Brecht, wie er in seinen Anmerkungen zum *Arturo Ui* schreibt, »der kapitalistischen Welt den Aufstieg Hitlers dadurch erklären, daß er in ein ihr vertrautes Milieu versetzt wurde«, zugleich aber auch auf die strukturelle Analogie zwischen Faschismus und organisiertem Gangstertum aufmerksam machen, auf die auch Theoretiker wie Max Horkheimer hingewiesen haben. Stärker noch als *Die Rundköpfe und die Spitzköpfe* ist der *Arturo Ui* ein politisches Schlüsselstück, in dem die Hauptakteure der deutschen Politik von 1929 bis 1938 und die Hauptstationen der faschistischen Machtergreifung und -sicherung »verfremdet« in einer »großen historischen Gangsterschau« (Prolog) vorgeführt werden. In der Zusammenarbeit der Führer des Karfiol-Trusts mit dem Gangsterchef Arturo Ui wird die Verbindung zwischen deutschen Wirtschaftskreisen und den Nationalsozialisten sinnfällig gemacht. Nicht nur die »Gangstermethoden« der Nationalsozialisten, sondern auch die Interessen von Wirtschaft und Industrie an der faschistischen Machtergreifung werden aufgedeckt. Der gegen Brecht oft erhobene Vorwurf, daß er durch die Verlagerung des Geschehens ins Gangstermilieu die Geschichte unzulässig vereinfacht und insbesondere den terroristischen Charakter des faschistischen Regimes bagatellisiert habe, trifft eine tatsächliche Schwäche des Stücks, die mit dem Typus des Lehrstücks zusammenhängt. In den Lehrstücken konnte Brecht immer nur einen Teil der Wirklichkeit erfassen und durch Verfremdung sinnfällig machen. Der Parabelcharakter des Lehrstücks zwang zu Vereinfachungen. Komplizierte Gesellschaftszusammenhänge wie die zwischen Faschismus und Rassismus in den *Rundköpfen und Spitzköpfen* und zwischen Faschismus und Kapitalismus im *Arturo Ui* waren mit der Form des Lehrstücks nicht in allen Feinheiten zu erfassen. Sie hätten sich mit dem agitatorischen Charakter des Lehrstücks auch nicht vertragen.

Grenzen des Lehrstücks

Brecht hat die Grenzen des Lehrstücks sehr deutlich gesehen und während des Exils auch mit anderen dramatischen Formen experimentiert, ohne dabei jemals auf den Lehrcharakter seiner Stücke zu verzichten. In der Szenenfolge *Furcht und Elend des Dritten Reiches* (1935–38) hat er vierundzwanzig Szenen (in der endgültigen Fassung) aus dem faschistischen Alltag zu einer »Gestentafel«, wie er das Stück selbst nannte, montiert. Darin geht es nicht in erster Linie um die Aufdeckung politökonomischer und historischer Zusammenhänge wie in den Lehrstücken, sondern um eine Sozialpsychologie des Faschismus. Brecht zeigt, wie der Faschismus in alle Bereiche des Lebens eindringt und die zwischenmenschlichen Beziehungen vergiftet und zerstört. Anläßlich der Uraufführung in Paris hat Walter Benjamin gerade auf diese sozialpsychologische Seite von Brechts Faschismuskritik hingewiesen: »Jeder dieser kurzen Akte weist eines auf: wie unabwendbar die Schreckensherr-

Mutter Courage

schaft, die sich als Drittes Reich vor den Völkern brüstet, alle Verhältnisse zwischen Menschen unter die Botmäßigkeit der Lüge zwingt. Lüge ist die eidliche Aussage vor Gericht (›Rechtsfindung‹); Lüge ist die Wissenschaft, welche Sätze lehrt, deren Anwendung nicht gestattet ist (›die Berufskrankheit‹); Lüge ist, was der Öffentlichkeit zugeschrieben wird (›Volksbefragung‹); und Lüge ist, was dem Sterbenden in die Ohren geflüstert wird (›Die Bergpredigt‹). Lüge ist es, die mit hydraulischem Druck in das gepreßt wird, was sich in der letzten Minute ihres Zusammenlebens Gatten zu sagen haben (›Die jüdische Frau‹); Lüge ist die Maske, die selbst das Mitleid anlegt, wenn es noch ein Lebenszeichen zu geben wagt (›Dienst am Volke‹).« In den einzelnen Szenen, die Brecht nach eigener Aussage aus »Augenzeugenberichten und Zeitungsnotizen« konzipiert hatte und unter denen die vier Einakter *Das Kreidekreuz, Rechtsfindung, Die jüdische Frau* und *Der Spitzel* besondere Berühmtheit erlangt haben, entlarvt Brecht vor allem das Versagen der bürgerlichen Intelligenz angesichts des Faschismus, aber auch die Schwäche des Kleinbürgertums und der Arbeiterschaft. Das in den einzelnen Szenen dargestellte, oft nur schlaglichtartig angedeutete Einzelschicksal erscheint in der montierten Szenenfolge als Massenschicksal, der gesellschaftliche Gesamtzusammenhang stellt sich in der Rezeption des Zuschauers her.

Formen des Lehrtheaters sind auch die Exildramen *Der gute Mensch von Sezuan* (1938–42), *Mutter Courage und ihre Kinder* (1939), *Herr Puntila und sein Knecht Matti* (1940) und *Das Leben des Galilei* (1938/44–45/53), die den Weltruhm von Brecht begründeten und ihn zum »modernen Klassiker« machten. Mit diesen Stücken schuf Brecht eine Form des politischen Theaters, in dem Nutzen und Vergnügen eine dialektische Einheit bilden: »Das Theater bleibt Theater, auch wenn es Lehrtheater ist, und soweit es gutes Theater ist, ist es auch amüsant.« Brechts Theorie des epischen Theaters, die er vor allem während der Exilzeit entwickelte und nach dem Krieg im *Kleinen Organon für das Theater* (1949) noch einmal übersichtlich zusammenfaßte, geht aus von dem Gegensatz zwischen »Vergnügungstheater« und »Lehrtheater«. Diesen Gegensatz versuchte Brecht mit den Formeln »dramatisch« und »episch« zu fassen. Das moderne epische Lehrtheater, das

Brecht auf dem Weg zum epischen Theater

Brecht forderte und in seiner Theaterarbeit zu verwirklichen suchte, unterscheidet sich vom dramatischen Theater vor allem dadurch, daß sich die Zuschauer nicht länger in die dramatischen Personen kritiklos und praktisch folgenlos einfühlen, sondern sich kritisch gegenüber dem Dargestellten auf der Bühne verhalten sollen. Diese kritische Haltung, die Brecht für die Voraussetzung dafür hielt, daß der Zuschauer die Lehre des Theaters in gesellschaftliche Handlung und Veränderung umsetzte, sollte durch Verfremdung des Dargestellten erreicht werden. »Eine verfremdende Abbildung ist eine

Verfremdungseffekt

solche, die den Gegenstand zwar erkennen, ihn aber doch zugleich fremd erscheinen läßt.« Bei diesem »Verfremdungseffekt« handelt es sich um ein dramaturgisches Mittel, das schon im mittelalterlichen und im asiatischen Theater angewendet wurde, dort aber mit dem Ziel, »das Abgebildete dem Eingriff des Zuschauers zu entziehen«, während es Brecht gerade darauf ankam, den dargestellten Vorgängen auf der Bühne »den Stempel des Vertrauten« zu nehmen, »der sie vor dem Eingriff bewahrt«, dem Zuschauer durch die Verfremdung also zum Eingriff und zur Veränderung Mut zu machen. Mit dem Mittel der Verfremdung hatte Brecht bereits in seinen frühen Stücken, so in der *Dreigroschenoper* (1927/28) und in den Lehrstücken der 20er Jahre experimentiert; in den Exildramen gewinnt dieses Mittel jedoch eine neue Qualität. Die Frage, worin eigentlich die Lehre eines Stückes bestehen kann oder soll, stellt sich für Brecht angesichts der faschistischen Bedrohung neu.

Die gegenüber den Lehrstücken modifizierte Lehrkonzeption der Exilstücke wird besonders deutlich in *Mutter Courage und ihre Kinder* (1941). Mutter Courage bleibt auch angesichts der Greuel des Krieges, durch die sie ihre Existenz und ihre Kinder verliert, unbelehrbar. Gerade aus ihrer Unbelehrbarkeit soll der Zuschauer lernen. Auch dem Stück *Der gute Mensch von Sezuan* liegt ein sehr differenziertes Verständnis von Lehrtheater zugrunde. Thema des Stücks sind, wie auch in *Herr Puntila und sein Knecht Matti* (1940), die antagonistischen Lebensverhältnisse innerhalb der kapitalistischen Gesellschaft, die den Menschen, entgegen seinem Wunsch, nicht gut sein lassen. In der Gestalt der guten Shen Te, die, um zu überleben, sich in den skrupellosen Shui Ta verwandeln muß, hat Brecht die widersprüchliche, persönlichkeitszerstörende und -spaltende Lebenssituation in der kapitalistischen Gesellschaft eindrucksvoll verdichtet. Der Antagonismus der warenproduzierenden Gesellschaft spaltet den Menschen in eine menschliche und in eine unmenschliche Seite. Dabei ist der Konflikt von Shen Te/Shui Ta nicht eine zufällige persönliche Konstellation, sondern er ist von allgemeiner Bedeutung und Aussagekraft. Brecht dringt mit diesem Stück in das »soziale Getriebe der Welt« ein, indem er, wie er selbst gefordert hat, »Charaktere und Vorgänge als historische und veränderliche« und »widersprüchliche« darstellt, damit dem Zuschauer Möglichkeiten zur Veränderung der Wirklichkeit aufzeigt. Das Schicksal erscheint nicht als etwas Unabwendbares, dem menschlichen Eingriff Entzogenes; Brecht macht vielmehr deutlich, »daß dem Menschen sein Schicksal vom Menschen bereitet wird.«

*Galilei
als Wissenschaftler
in der Entscheidung*

Höhepunkt des neuen politischen Lehrtheaters ist der *Galilei*. In einer ersten Textfassung von 1938 hatte Brecht den Galilei als listigen Kämpfer gegen die Inquisition konzipiert, der sich mit seinem Widerruf den Machthabern nur scheinbar beugt, in Wirklichkeit aber mit seinem trotzigen »Und sie bewegt sich doch« seine Arbeit unbeirrbar fortsetzt und insofern als Symbolfigur für die Intellektuellen unter dem Faschismus gelten konnte. Ziel Brechts war es zu zeigen, wie die Wahrheit auch unter den Bedingungen einer Diktatur verbreitet werden konnte. Brecht selbst erschien diese Konzeption –

Die Probe
mit dem Kreidekreis
(Berliner Ensemble
1954)

ähnlich rechtfertigten die Autoren ihr Verhalten in der »Inneren Emigration« – schon während der Arbeit am Stück problematisch, die Moral hielt er für »zu flach und zu billig«. Bereits in der fertiggestellten ersten Textfassung erschien Galilei nicht mehr, wie ursprünglich geplant, als exemplarische Widerstandsfigur, aber immer noch als Kämpfer für die wissenschaftliche Erkenntnis und deren Verbreitung. Unterschieden wurde zwischen dem subjektiven Versagen Galileis und dem objektiven Nutzen seiner wissenschaftlichen Forschung. Die positiven Seiten Galileis wurden durch die Darstellung seines »Verrats« eingeschränkt; Galilei erscheint als faszinierende, widersprüchliche Gestalt. Als mit dem Abwurf der ersten Atombombe über Hiroshima 1945 die Menschheit in das Atomzeitalter eintrat, überdachte Brecht die ursprüngliche Galilei-Konzeption neu: »Das ›atomarische Zeitalter‹ machte sein Debüt in Hiroshima in der Mitte unserer Arbeit. Von heute auf morgen las ich die Biographie des Begründers der neuen Physik anders. Der infernalische Effekt der Großen Bombe stellte den Konflikt des Galilei mit der Obrigkeit seiner Zeit in ein neues, schärferes Licht.« Galileis Widerruf wird in der überarbeiteten Fassung von 1944/45 zum Verrat an der Wissenschaft und der Menschheit. Aus dem listigen Kämpfer für die Wahrheit wird der verbrecherische Wissenschaftler, der seine Erkenntnisse den Herrschenden ausliefert. Die Verantwortlichkeit des Wissenschaftlers für die Ergebnisse seiner Forschungen wird zum Kernproblem des Stücks. In der zweiten Version wird das menschliche und gesellschaftliche Versagen Galileis mit aller Schärfe herausgearbeitet. Galilei selbst erkennt in einem Gespräch mit seinem Schüler Andrea seine Schuld sehr deutlich: »Ich hatte als Wissenschaftler eine einzigartige Möglichkeit. In meiner Zeit erreichte die Astronomie die Marktplätze. Unter diesen ganz besonderen Umständen hätte die Standhaftigkeit eines Mannes große Erschütterungen hervorrufen können. Hätte ich widerstanden, hätten die Naturwissenschaften etwas wie den hippokratischen Eid der Ärzte entwickeln können, das Gelöbnis, ihr Wissen

»Große Bombe«

Physiker – Todesengel des 20. Jahrhunderts?

einzig zum Wohle der Menschheit anzuwenden! Wie es nun steht, ist das höchste, was man erhoffen kann, ein Geschlecht erfinderischer Zwerge, die für alles gemietet werden können«. Gegen seinen Schüler Andrea, der seinen Lehrer entlasten möchte, hält Galilei an der gesellschaftlichen Verantwortung des Wissenschaftlers, die er selbst durch seinen Widerruf und sein Verhalten verraten hatte, fest: »Wenn Wissenschaftler, eingeschüchtert durch selbstsüchtige Machthaber, sich damit begnügen, Wissen um des Wissens willen aufzuhäufen, kann die Wissenschaft zum Krüppel gemacht werden, und eure neuen Maschinen mögen nur neue Drangsale bedeuten. Ihr mögt mit der Zeit alles entdecken, was es zu entdecken gibt, und euer Fortschritt wird doch nur ein Fortschreiten von der Menschheit weg sein. Die Kluft zwischen euch und ihr kann eines Tages so groß sein, daß euer Jubelschrei über irgendeine neue Errungenschaft von einem universalen Entsetzensschrei beantwortet werden könnte.« In dem Stück bekämpft Brecht die Auffassung bürgerlicher Wissenschaftler, die sich und ihre angeblich »reine« Wissenschaft von der politischen Verantwortung entbunden glaubten: »Die Bourgeoisie isoliert im Bewußtsein des Wissenschaftlers die Wissenschaft, stellt sie als autarke Inseln hin, um sie praktisch mit ihrer Politik, mit ihrer Wirtschaft, ihrer Ideologie verflechten zu können. Das Ziel des Forschers ist ›reine‹ Forschung, das Produkt der Forschung ist weniger rein. Die Formel $E = mc^2$ ist ewig gedacht, an nichts gebunden. So können andere die Bindung vornehmen: die Stadt Hiroshima ist plötzlich sehr kurzlebig geworden. Die Wissenschaftler nehmen für sich in Anspruch die Unverantwortlichkeit der Maschinen« (Anmerkungen zum *Galilei*). Wie kaum ein anderer Autor seiner Zeit stellte sich Brecht mit seiner literarischen Produktion auf die Bedürfnisse des Kampfes ein, lernte aus der Entwicklung der Gesellschaft und zog Konsequenzen für Inhalt und Form seiner dramatischen Produktion. Hatte in der ersten Fassung des *Galilei* der Schwerpunkt noch auf dem Widerstandscharakter der Figur gelegen, um dem Kampf gegen die Hitlerdiktatur eine historische Parallele zu geben, so lag der Schwerpunkt der zweiten Fassung auf der Problematik von Wissenschaft in der bürgerlichen Gesellschaft, die sich Brecht durch Hiroshima in aller Schärfe stellte. Die Wissenschaftsproblematik war dabei nicht als metaphysisches Problem gefaßt, sondern sie erscheint bei Brecht eingebettet in die imperialistische Politik der kapitalistischen Gesellschaft. Insofern setzte Brecht mit seinem *Galilei* seine kritische Haltung gegenüber dem Kapitalismus, die er in seinen anderen Exildramen vor allem als Faschismuskritik formuliert und thematisch gestaltet hatte, auf einer neuen Ebene fort.

DIE LITERATUR
DER DDR

Administration statt Revolution: Grundzüge der Gesellschafts- und Kulturpolitik

Am 8. Mai 1945, dem Tag der bedingungslosen Kapitulation des Deutschen Reiches vor den Siegermächten, war Deutschland »ein völlig zu Boden geworfener kapitalistischer Staat«, wie Bertolt Brecht in seinem *Arbeitsjournal* notierte. Dabei liegt der Akzent nicht nur auf »völlig zu Boden geworfen«, sondern ebenso auf »kapitalistisch«: Das Kriegsende und damit das Ende des Dritten, faschistischen Reiches bedeutete keineswegs eine automatische Aufhebung des Privatbesitzes an Produktionsmitteln und der Verfügungsgewalt darüber, also der objektiven, wirtschaftlichen Grundlage des faschistischen Systems. Aber ebensowenig war der Faschismus in den Menschen – eine gläubige oder opportunistische Gesinnung – mit dem Datum der Niederlage ausgelöscht. Die Mehrheit der deutschen Bevölkerung, soweit sie Krieg und NS-Terror überlebt hatte, Zivilisten und Soldaten, war zwar ernüchtert und schockiert von den Folgen des Tausendjährigen Reichs, aber keineswegs imstande, eine neue, antifaschistische Gesellschaftsordnung in souveräner Regie zu etablieren. Die Arbeiterbewegung war organisatorisch zerschlagen und zu großen Teilen physisch liquidiert worden. Die Revolution fand – wieder einmal – nicht statt. Statt dessen wurde das als politisches Subjekt handlungsunfähige deutsche Volk zum Objekt einer Kontroverse

Deutschland 1945 – Ein Imperator ohne Kopf und Hände

427

zwischen dem kapitalistisch-westlichen und dem sozialistisch-östlichen Lager, deren vorläufiger Schlußpunkt die Gründung zweier Staaten im Jahre 1949 war: die beiden Rumpfdeutschland wurden in die festgefügten, im Kalten Krieg befindlichen Machtblöcke integriert.

Sozialismus von oben

Was in Ostdeutschland, der sowjetisch besetzten Zone (SBZ), gesellschaftspolitisch stattfand, läßt sich am besten mit der Formel ›Sozialismus von oben‹ – Administration statt Revolution – umschreiben. Träger der Macht waren in den ersten Jahren zweifelsfrei die sowjetische Rote Armee, die Sowjetische Militär-Administration in Deutschland (SMAD) und die in der KPD, ab 1946 in der SED organisierten Kommunisten, die größtenteils aus dem sowjetischen Exil in die SBZ zurückgekehrt waren. Auf Geheiß der SMAD wurden auf dem Territorium der SBZ, deren Industriepotential und wirtschaftliche Infrastruktur (Verkehrswege, -mittel usw.) durch den Krieg zur Hälfte zerstört waren, die folgenden Maßnahmen durchgeführt: Enteignung der Betriebe von Kriegsverbrechern. Dadurch gingen 8% der Industriebetriebe, die knapp 40% der Produktion erzeugten, in Staatseigentum über; Verteilung von zwei Dritteln des Landes an ca. 550000 landlose Bauern (Bodenreform); Entfernung von Nazi-Personal und entsprechendem ›Kulturgut‹ aus dem Kultur- und Erziehungsbereich (z.B. von nazistischen Büchern aus öffentlichen Bibliotheken).

»Volksdemokratie«

Diese zweifellos wichtigen Maßnahmen, die unter der Losung ›Errichtung der antifaschistisch-demokratischen Ordnung im Wege der volksdemokratischen Revolution‹ durchgeführt wurden, waren freilich von Anfang an durch die Art und Weise der Durchführung in ihrem Wert gemindert, ja teilweise grundsätzlich in Frage gestellt. Die Erkenntnis, daß der ökonomischen Umwälzung in Richtung Sozialismus eine demokratische Qualifizierung der Träger dieser Umwälzung vorausgehen müsse, wurde nicht ernst genug genommen. Das erwies sich in mehrfacher Hinsicht. Wie z.B. die Volksabstimmung in Sachsen vom Juni 1946 über die Enteignung der Betriebe von Kriegs- und Naziverbrechern zeigte, war eine große Mehrheit der Bevölkerung – in diesem Fall 77% – für eine antifaschistisch-sozialistische Lösung des Eigentumproblems. Ebenso gab es eine beträchtliche Anzahl ›von unten‹ gebildeter »Volkskomitees« oder »Antifa-Ausschüsse«, die an vielen Orten die Wiederaufnahme der Produktion ohne die alten Unternehmensleitungen in die Hand nahmen und eine Keimform von Räten, also eine Form unmittelbarer Basisdemokratie, darstellten. Jedoch: Die KPD- und später die SED-Führung machten von solchen Initiativen wenig Gebrauch, lösten sie vielmehr bald auf und griffen auf die traditionellen, hierarchisch geordneten Selbstverwaltungsorgane der Stadt- und Kreisebene zurück. Nationalsozialistische Strukturen wurden nicht zerschlagen, sondern beibehalten, auch wenn der Austausch der Personen oft den gegenteiligen Eindruck erweckte. Auf höherer staatlicher Ebene wurde dementsprechend als Struktur die parlamentarische Republik (unter kommunistischer Domäne) restauriert, nicht aber eine sozialistische Demokratie geschaffen.

Hindernisse

Bei all dem darf nicht vergessen werden, daß die Hindernisse, die einem sozialistischen Aufbau in einer anderen als der beschriebenen Richtung entgegenstanden, fast unüberwindlich waren: eine Bevölkerung, deren antifaschistisches Potential begrenzt war; eine wirtschaftlich verzweifelte Lage, die durch die – gerechtfertigten – Reparationen an die Sowjetunion sich nur quälend langsam besserte. Konfrontation mit einem zunehmend ›goldenen‹ Westen, dessen Pro-Kopf-Belastung durch Reparationen vergleichsweise gering war und in dem auf der Grundlage von Marshallplan und anderen Kapitalimporten schon bald das Wirtschaftswunder zu blühen begann.

Gleichwohl ist den Trägern der Staatsmacht in den ersten Jahren anzulasten, daß sie den Kompromiß der ersten Stunde aus tradierten bürgerlich-parlamentarischen und staats-sozialistischen Elementen als (sozialistische) Lösung für die Dauer – letztlich: bis heute – ausgaben. Sozialistische Theorie und Programmatik verlor in diesem Zusammenhang zunehmend ihre eigentliche Funktion, Impulse für eine schöpferische, gesellschaftsverändernde Praxis zu geben. Sie geriet zur Rechtfertigungsideologie der bestehenden Zustände im sog. »realen Sozialismus«. Die Erkenntnis von Marx, daß die »kommunistische Gesellschaft [...] in jeder Beziehung, ökonomisch, sittlich, geistig, noch behaftet ist mit den Muttermalen der alten Gesellschaft, aus deren Schoß sie herkommt«, wurde – trotz des doch offensichtlichen Weiterlebens der »Muttermale« Warenform, Leistungsentlohnung, Staatsapparat, Militärausgaben, ›altes‹ Bewußtsein usw. – weitgehend verdrängt. Das wird besonders deutlich in der offiziösen Auffassung, daß die sozialistische DDR-Gesellschaft keine »antagonistischen« Widersprüche mehr in sich berge, sondern nur noch »nichtantagonistische«, also solche, die keinen grundsätzlichen, im Rahmen des Gegebenen unauflösbaren Charakter haben. Entsprechend können oppositionelle Stimmen auch nicht ernstgenommen werden als solche, die möglicherweise tiefgreifende reale Mißstände wahrheitsgemäß kritisieren. Vielmehr müssen sie nach dieser Weltsicht von außen gelenkt, d.h. konkret von westlich-imperialistischen Medien und Nachrichtendiensten manipuliert sein.

Literatur und Staat

Man wird fragen, was alles das mit der Geschichte der deutschen Literatur auf dem Gebiet der DDR zu tun habe. Die Antwort ist: Die literarische Entwicklung der DDR kann gar nicht eng genug auf die gesellschaftlich-politische Entwicklung des Landes bezogen werden, insofern die Funktion der schönen Literatur von der SED als der entscheidenden politischen Kaft, aber auch von allen literaturpolitischen Einrichtungen (Verlagen, Zeitschriften, Bibliotheken, Theatern, Schulen usw.) und der überwältigenden Mehrzahl der Schriftsteller selbst als eine sozialaktivierende, sozialpädagogische gesehen und praktiziert wird. Kunst und Literatur existieren nicht – wie überwiegend hierzulande – abgeschnitten von der alltäglichen Lebenspraxis. Und so teilen sie, wenn auch mit charakteristischen zeitlichen Verschiebungen, Variationen und Verkehrungen, die Probleme, Widersprüche und Tendenzen der gesellschaftlich-politischen Entwicklung. Zwar ist es unsinnig zu glauben oder zu unterstellen, aus Parteitagsbeschlüssen entstünden Bücher und die Dichter seien durchweg ›Rädchen und Schräubchen‹ in der Maschinerie einer parteibefohlenen Literatur. Gleichwohl wiederholen sich auf der Ebene der Künste die Widersprüche der allgemeinen Gesellschaftsverfassung: Was ›von unten‹, freiwillig entstehen müßte – eine Unterstützung des gesellschaftsverändernden, sozialistischen Auftrags der Literatur durch das lesende Publikum und eine aktive schöpferische Beteiligung am Literaturprozeß (lesend, diskutierend, Theater spielend, schreibend usw.) –, ist bei näherem Hinsehen allzu oft ›von oben‹ vorgegeben, strikt geplant oder findet in der Wirklichkeit gar nicht statt. Der im ökonomisch-politischen Bereich begründete Gegensatz zwischen Staat bzw. Partei einerseits und Bevölkerung andererseits wiederholt sich im kulturellen Sektor. Doch von Beginn an – und in den letzten Jahren zunehmend und in die Breite wirkend – ist die Literatur der DDR auch noch ewas anderes: Sie ist, wie strikt die Vorschriften und wie massiv die Zensur auch immer sein mögen, Organ der Kritik, das die bestehenden Verhältnisse offenlegt, gegen das grassierende Verdrängen und Verschweigen erinnernd anschreibt, Tabus bricht, neue Bedürfnisse weckt und auf Veränderung drängt. In diesem Sinne ist sie nicht nur Spiegelbild und passiver Zeuge des gesellschaftlich-geschichtlichen Prozesses, sondern auch wirkender Faktor in ihm: arbeitend im Bewußtsein ihrer Leser, arbeitend auch an den ihr durch die Kulturpolitik vorgesetzten Bedingungen ihrer Existenz.

Organ der Kritik

Modell »Literaturgesellschaft«

Die Rolle der Literatur im gesellschaftlichen Leben der Deutschen ist in vergangenen Epochen ausgesprochen fragwürdig gewesen. Der französische Literarhistoriker Robert Minder hat festgestellt, die deutsche Literatur habe sich – bis auf wenige Ausnahmen – in ein ghettoartiges inneres Reich der Gemütspflege und des schönen Scheins zurückgezogen, zu dem nur die Dichter und Denker selbst Zugang hätten. Sinnfälliges Beispiel dafür ist die deutsche Romantik, die bemerkenswert viel vom »Volk« und seinen »Tümlichkeiten« gesprochen hat, aber vom realen Volk und einer realisierbaren besseren Gesellschaft denkbar weit entfernt war. Demgegenüber sieht Minder den Schriftsteller in der französischen Nation als eingebürgert an: Er ist selbst Bürger – in der Bedeutung von »citoyen«, nicht von »bourgeois«. »Homme de lettres« (Mann des Wortes, der Literatur) ist ein Ehrentitel in Frankreich, keineswegs aber abschätzig-spöttische Kennzeichnung, wie sie in Deutschland die Wörter Literat, Dichter, Intellektueller doch überwiegend signalisieren. Die DDR hat von Beginn an versucht, die Literaten und ihre Werke aus dem Ghetto des »inneren Reiches« zu befreien und Literatur zu einer öffentlichen Angelegenheit zu machen, die die Bevölkerung als ganze bewegt. Freilich geschah und geschieht das innerhalb eines staatlich-ideologisch vorgegebenen Rahmens, welcher der Literatur oft enge Grenzen setzt.

Literat, Dichter, Intellektueller

430

*Gerhart Hauptmann
und
Johannes R. Becher
(1946)*

Das zentrale Ziel der Ver-Gesellschaftung und Demokratisierung der Literatur, das die DDR-Kulturpolitik sich – innerhalb dieses Rahmens – seit je gesetzt hat, wird am ehesten durch den weiten und zugleich prägnanten Begriff »Literaturgesellschaft« ausgedrückt. Er geht auf Johannes R. Becher zurück, der ihn vom Wesen der Literatur selbst her konzipiert hat. Er meint in diesem Sinne das Gesamt der literarischen Produktion, das in sich assoziativen (verbindenden) oder »Ensemblecharakter« habe: die einzelnen Autoren, Gattungen, Werke, Motive, ästhetischen Mittel, haben über die Zeiten und Grenzen hinweg schon je in einem ›gesellschaftlichen‹, kommunikativen, einander befruchtenden Austausch gestanden; sie funktionieren, bildlich gesprochen, wie eine Gesellschaft. Da Literatur von sich aus diesen gesellschaftlichen Charakter habe, so treibt Becher den Gedanken weiter, sei sie auch besonders geeignet, das Gesellschaftlich-Werden, Sich-Assoziieren in der sozialistischen Übergangsgesellschaft zu befördern. Diese Aufgabe gelte verstärkt und ausschließlich für das sozialistische Staatswesen DDR angesichts der immer heftigeren »Poesiefeindlichkeit« des Kapitalismus (Marx), in dem die Literatur ihres assoziativ-gesellschaftlichen Charakters beraubt sei. Dieser an sich idealistische, aufklärerisch-utopische Gedanke, daß die Literatur dazu prädestiniert sei, die Vervollkommnung des Gattungswesens Mensch (hier: in der sozialistischen Gesellschaft) herbeiführen zu helfen, wird nun in der DDR in umfassender Weise zu verwirklichen versucht: als Planziel der »gebildeten Nation«, als Modell »Literaturgesellschaft«. Zur Literaturgesellschaft gehören konkret die materielle Herstellung der Literatur, ihr Vertrieb, die Organisierung des Leserverhaltens (z.B. durch Literaturkritik), die Ausbildung und Förderung von Schriftstellern, die Herstellung von Kontakten zwischen Autoren und Lesepublikum, die Theater, die Umsetzung von Literatur in den audiovisuellen Medien und vieles andere mehr. Alles das gehorcht in der DDR nicht dem chaotisch-liberalen Prinzip der freien Marktwirtschaft wie der Literaturbetrieb hierzulande, sondern unterliegt bewußter Planung, Lenkung und Kontrolle. Freilich: Im Sinne des Sozialismus von oben ist eine Organisierung und Institutionalisierung des Lite-

*sozialistische
Übergangsgesellschaft*

raturprozesses von den jeweiligen Spitzen der Partei- und Kultusbürokratie
her zu beobachten, die den sozialistischen Charakter der Literaturgesellschaft im Sinne einer gleichberechtigten, freien und aktiven Bedürfnisentfal-
tung und -befriedigung aller Mitglieder der Gesellschaft meistens wieder
außer Kraft setzt.

*Ministerium für
Kultur*

An der Spitze des staatlichen Apparates der Kulturpolitik steht das »Ministerium für Kultur«; ebenso bestehen bei den Bezirken, Kreisen, Städten usw.
kulturpolitische Leitungsgremien. Im Kulturministerium ist neben den Ab-
teilungen Theater, Musik, Veranstaltungswesen vor allem die »Hauptverwaltung Verlage und Buchhandel« (früher: »Amt für Literatur und Verlagswesen« 1951–1956 sowie »Staatliche Kommission für Kunstangelegenhei-
ten« 1951–1954) von Interesse, welche die Aufgabe hat, »die Verlage zu
lizenzieren, die unterstellten Verlage anzuleiten und für eine zweckentspre-
chende Arbeitsteilung zwischen den Verlagen Sorge zu tragen; die thematische Jahres- und Perspektivplanung der Verlage anzuleiten, zu koordinieren
und ihre Erfüllung zu kontrollieren; die Manuskripte der Buchverlage und
die Erzeugnisse der nichtlizenzierten Verlage zu begutachten und Druckge-
nehmigungen zu erteilen.« Außerdem leitet die Hauptverwaltung den Buchhandel und das allgemeine Bibliothekswesen fachlich und ideologisch an,
genehmigt die von den Verlagen vorgeschlagenen, auflagenstarken Schwer-
punkttitel, verteilt die Druck- und Papierkapazitäten und organisiert Verle-
gerkonferenzen. Insgesamt gibt es mehr als zwanzig ständige Arbeitsgemein-
schaften von Verlagsvertretern, Autoren, Angehörigen der Parteien und
Massenorganisationen, die auf diese Weise auf die Literaturpolitik Einfluß
nehmen. Neben diesen staatlichen Leitungsorganen stehen solche der SED
(vor allem die »Abteilung Kultur des Zentralkomitees der SED«), die mit
ersteren eng zusammenarbeiten. Der Schriftstellerverband hat die wichtige
Rolle, Anregungen zu geben, Verbindungen herzustellen und neue Konzepte
und Richtlinien in der Autorenschaft zu verbreiten, wozu wesentlich seine
Kongresse dienen. Die Bedeutung des »Demokratischen Kulturbundes«, der
noch 1966 immerhin 185000 Mitglieder hatte, ist in den letzten drei Jahrzehnten im Gegensatz zur Zeit von 1945 bis 1958 stark zurückgegangen.

Verlagswesen

Von den 78 Buchverlagen der DDR sind alle größeren (d.h. ca. 60) »volks-
eigen« (also Staatsverlage) oder »organisationseigen« (d.h. im Besitz von
Parteien und Massenorganisationen). Früher waren sie in einer Vereinigung
Volkseigener Betriebe (VVB) zusammengeschlossen, heute sind sie in die
Hauptverwaltung Verlage und Buchhandel integriert und werden in wesent-
lichen Fragen von dort aus gesteuert. Dabei haben die großen belletristischen
Verlage wie Hinstorff in Rostock, Reclam in Leipzig oder der Mitteldeutsche
Verlag in Halle/Leipzig jeweils ein Profil, d.h. in ihnen erscheinen Titel eines
bestimmten Schwerpunkts. Eine Ausnahme macht der Aufbau-Verlag in Ber-
lin, der größte deutschsprachige belletristische Verlag überhaupt, der aus
allen Sprachen publiziert und ein weitgespanntes Programm hat. Die DDR-
Verlage bringen im Jahr regelmäßig über 6000 Titel in einer Gesamtauflage
von ca. 150 Millionen Büchern heraus. Damit steht die DDR in der Pro-
Kopf-Produktion von Büchern neben der Sowjetunion und Japan an der
Spitze in der ganzen Welt: Auf jeden DDR-Bürger kommen pro Jahr, stati-
stisch gesehen, 8 bis 9 neu produzierte Bücher.

Buchvertrieb

Der Mischung aus Sozialismus und Hierarchie in den Produktionsverhältnissen der Literatur entspricht der Vertrieb. Ein zentrales Auslieferungslager
in Leipzig, der traditionellen Buchstadt, beliefert das Einzelsortiment direkt;
d.h., es sind keine freien Handelsvertreter dazwischengeschaltet wie in der
Bundesrepublik, die das Buch als Ware unter Marktgesichtspunkten anbie-

ten und damit das Kaufangebot massiv steuern. Noch gibt es zwar den
privaten Buchhandel bzw. private Händler mit staatlicher Beteiligung. Aber
der staatseigene Volksbuchhandel hat eindeutig die führende Stellung inne.
Er verkauft in ca. 700 Buchhandlungen ca. 85 % aller Bücher; Buchausstel-
lungen, -basare, »Wochen des Buches«, Literaturfestivals und Kulturwettbe-
werbe von Produktionsbrigaden dienen der Werbung für das Buch und
tragen zu vermehrter Lektüre in allen Bevölkerungsgruppen bei. – Aber
natürlich werden Bücher nicht nur verkauft, sondern auch verliehen. In der
DDR gibt es 32 000 staatliche und Gewerkschafts- bzw. Betriebsbibliotheken
mit insgesamt ca. 110 Millionen Bänden, wobei die Bestände der wissenschaftlichen Bibliotheken mitgezählt sind. Mehr als zwei Drittel der lesefähigen Kinder leihen sich Bücher aus; von der erwachsenen Bevölkerung sind
ein Viertel Bibliotheksbenutzer.

　　Alle diese Angaben deuten bereits darauf hin, daß DDR-Bürger eifrige *Leseland DDR*
Leser sind. Und in der Tat belegen empirische Untersuchungen diese Vermutung. Lesen ist, trotz des Vormarschs des Fernsehens auch in der DDR, eine
beliebte Freizeitbeschäftigung nicht nur einer kleinen Elite. Die DDR kann
für sich in Anspruch nehmen, Literatur in einem Maße in der gesamten
Bevölkerung eingebürgert zu haben wie kein anderer deutscher Staat je
zuvor. Zwar ist die Arbeiterschaft – dem Parteianspruch nach die herrschende Klasse in der DDR – an Buchbesitz und Lektüre nicht ihrer wirklichen Zahl entsprechend beteiligt, aber immerhin besitzen mehr als 95 % der
Arbeiterhaushalte Bücher, und zwar zumeist 10 oder bedeutend mehr. Immerhin besuchen auch ca. 10 % der Arbeiter öffentliche Buchhandlungen,
wobei zu bedenken ist, daß sie ihren Buchbedarf überwiegend über die oben
erwähnten betrieblichen Literaturverkaufsstellen befriedigen. Die Statistiken
weisen überdies aus, daß das Fernsehen zwar den Kinobesuch stark zurückgedrängt hat, nicht aber die Lesefreudigkeit hat mindern können. Produk-
tions- und Verkaufsziffern von Büchern steigen immer noch an (wobei freilich noch keine Statistik ermittelt hat, wieviele der gekauften Bücher auch
gelesen wurden!). Dabei erreichen in der DDR manche Bücher hohe Auflagen, die hierzulande als literarisch zu anspruchsvoll oder ›zu politisch‹ und
damit tendenziell unverkäuflich gelten: an der Spitze liegen Heinrich Heines
Deutschland – ein Wintermärchen, Bruno Apitz' Buchenwaldroman *Nackt
unter Wölfen* und Anna Seghers' *Das siebte Kreuz* mit Gesamtauflagen, die
sich mittlerweile zwischen 1,5 und 2 Millionen Exemplaren bewegen. Erfolg-
reichster DDR-Roman ist Hermann Kants *Die Aula* mit inzwischen bald
1 Million verkauften Exemplaren. Solche bei uns kaum vorstellbaren Auflagen in einem Land mit knapp 17 Millionen Einwohnern belegen, daß in der
DDR die Distanz zwischen Publikum und sog. Hochliteratur zumindest
entschieden geringer ist als in unserem Land, in dem die Hochliteratur nach
statistischen Angaben von 1961 nur mit einem Leseranteil von 1 bis 2 %
rechnen konnte.

　　Doch neuere Umfragen zeigen auch, daß Arbeiter und Angestellte in der *Was wird gelesen?*
DDR nach wie vor spannende Abenteuer- und Kriminalromane, Reisebeschreibungen, historische Romane und Biographien bevorzugen – und erst
danach, mit weitem Abstand, Interesse an Belletristik im engeren Sinn
haben. Auch in der DDR spielt also die Unterhaltungsliteratur, dargeboten
in Heftreihen und der *Romanzeitung* für 80 Pfennige und vertrieben an
Straßen- und Bahnhofskiosken, eine große Rolle. Auch wenn man sich der
Überwindung der ›Schund-und-Schmutz-Literatur‹ rühmt und behauptet,
die »Kitschfabrik« sei »stillgelegt worden«, weil ihr die »soziale Basis« fehle:
Massenhaft verbreitete Literatur von trivialem Gehalt und ohne ästhetischen

Anspruch – der ›sozialistische Krimi‹, Science Fiction, einfältige Romane über Alltagsprobleme usw. – spielt in der Gesamtproduktion von DDR-Literatur eine enorme und immer noch wachsende Rolle. Selbst DDR-Kritiker wie Hermann Kähler bemängeln an ihr, daß sie »mit oberflächlichem Optimismus, mit erhobenem Zeigefinger, mit Scheinfiguren, Scheinkonflikten, Scheingefühlen« arbeite und somit eigentlich nicht zur allseitigen Ausbildung der sozialistischen Persönlichkeit beitrage. Immerhin: diese Literatur ist frei von Gewaltverherrlichung, Rassenhetze, Völkerhaß und faschistischen Relikten, frei auch von sadistischer Pornographie – und damit der vergleichbaren Literatur hierzulande um einiges voraus (auch wenn nicht alle Bücher und Heftchen aus dem Deutschen Militärverlag, der der Nationalen Volksarmee gehört, das Prädikat ›friedliebend‹ für sich in Anspruch nehmen können). Vergleichbares gilt für die Kinder- und Jugendliteratur. Auch in der DDR gibt es z.B. Heftserien in Auflagen von 100000 oder mehr. Teilweise strotzt gerade die politisch engagierte Jugendliteratur von Klischees und grobschlächtigen Feindbildern; aber auch sie ist weitgehend frei von inhumanen Tendenzen. Vielmehr ist umgekehrt zu beobachten, daß einige der besten »Erwachsenen-Autoren« Kinder- und Jugendbücher geschrieben haben, weil sie die große sozialpädagogische Aufgabe erkannt haben, Kinder vom lesefähigen Alter an mit guter Literatur bekannt zu machen (z.B. Ludwig Renn, *Trini*; Erwin Strittmatter, *Tinko*; A. Wedding, *Die Fahne des Pfeiferhänsleins* und *Das eiserne Büffelchen*; verschiedene Kinderbücher von Peter Hacks, Rainer Kirsch, Reiner Kunze, Christoph Hein; Stephan Hermlins und Franz Fühmanns Neuerzählungen alter Mythen und Sagen). – So ergibt sich ein zwiespältiges Bild. Gewiß, noch in keinem deutschen Staat wurde so viel gelesen wie in der DDR. Doch ein demokratisches Volk kompetenter Leser ist sie deshalb noch lange nicht. Auch in der DDR behindern die ungleiche Bildung und der nachfolgende ungleiche Standort im System der vertikalen und horizontalen Arbeitsteilung die kulturelle Chancengleichheit. Der monotone Arbeitsalltag, frustrierende Mängel im Warenangebot, versagte (West-) Reisemöglichkeiten sind Schlüsselerfahrungen von DDR-Bürgern, die viele von ihnen in die schönen, heilen, aktionsgeladenen und vor allem: fernen Welten der Unterhaltungsliteratur flüchten lassen. – Hinzu kommt die Veränderung der sinnlichen Wahrnehmung und ihrer intellektuellen Verarbeitung im Zeitalter der audiovisuellen Medien. Auch in der DDR wachsen, wie hierzulande, junge Generationen heran, denen die konzentrierte, von eigener Initiative geprägte, reflexive Auseinandersetzung mit kulturellen Produkten (wie sie die Lektüre sog. anspruchsvoller Literatur erfordert) immer schwieriger und fremder wird, weil die gängigen Rezeptionsweisen des Fernsehens und Tonkonserven-Hörens sie nicht üben, sondern abgewöhnen.

Immerhin versucht der Deutschunterricht, solchen Tendenzen entgegenzuwirken und die Lesefreudigkeit zu befördern. Er spielt in der schulischen Erziehung eine zentrale Rolle und disponiert das Leseverhalten der künftigen Erwachsenen schon frühzeitig. Auf der Grundlage eines umfassenden Lehrplanwerks wird dem literarischen Aspekt des Deutschunterrichts, der proportional umfangreicher ist als hierzulande, eine doppelte Aufgabe zugewiesen: zum einen über die Auseinandersetzung mit sozialistischer bzw. humanistischer Literatur ein neues – sozialistisches – Menschenbild zu vermitteln und (in der Regel im Wege der Identifikation mit dem vorbildhaften literarischen Helden) ein parteiliches Denken, Fühlen und Handeln einzuüben; zum zweiten über die Aneignung von Sprachkunstwerken die individuelle ästhetische Genußfähigkeit zu erweitern. Der dafür ausgewählte Lektürekanon hat ein recht anderes Gesicht als der bundesdeutscher Lehrpläne. Er favorisiert

Plakat

einerseits die neuere sozialistische Literatur (Gorki, N. Ostrowski, Seghers, Bredel usw.), zum andern die bürgerlich-humanistische Literatur (Lessing, Goethe, Schiller, Heine, H. Mann usw.). Insgesamt muß daraus für die Schüler der Eindruck entstehen, als ob Literatur sich fast auschließlich bejahend-optimistisch zur gegebenen Wirklichkeit verhalte. Einen Text von Kafka wird man z.B. im DDR-Deutschunterricht suchen müssen. Ebenso bedauerlich ist, daß in der Praxis des Unterrichts (vom starren Formaltraining des Sprachunterrichts einmal abgesehen) eine klischeehafte, Widersprüche zudeckende, wenig zum selbständigen Denken anleitende Art der Interpretation zu Hause ist, die an der Wirkabsicht vieler Texte vorbeigeht.

Herstellung und Vertrieb der Literatur, Leseverhalten und schulischer Deutschunterricht sind wichtige Aspekte der Literaturgesellschaft. Doch die Kernfrage ist zweifellos, welche Aufgaben dem Autor in der DDR zugemessen sind, wie seine konkreten Lebens- und Arbeitsbedingungen aussehen. Der Unterschied zum Status des Schriftstellers in kapitalistischen Ländern ist beträchtlich. Hierzulande ist er in der Regel ein im doppelten Sinne »freier« Lohnarbeiter. Er hat die Freiheit, sich Themen, literarische Formen, Verleger usw. auszusuchen – aber er ist auch vogelfrei in dem Sinn, daß ihm im ungünstigen Fall keiner seine Ware abnimmt, weil ihr Tauschwert auf dem Markt für gering eingeschätzt wird. Dann ist er materiell unversorgt. Die DDR hat den Schriftsteller, im Guten wie im Schlechten, in diametral entgegengesetzter Weise in die Gesellschaft eingebunden. In der Regel Mitglied des Schriftstellerverbandes, ist er durch dessen Statut verpflichtet, mittels seiner »schöpferischen Arbeit aktive(r) Mitgestalter der entwickelten sozialistischen Gesellschaft« zu sein. Weiter heißt es in der Fassung des Status vom November 1973: »Die Mitglieder des Schriftstellerverbandes der DDR anerkennen die führende Rolle der Arbeiterklasse und ihrer Partei in der Kulturpolitik. Sie bekennen sich zur Schaffensmethode des sozialistischen Realismus. Sie treten entschieden gegen alle Formen der ideologischen Koexistenz und das Eindringen reaktionärer und revisionistischer Auffassungen in die Bereiche der Literatur auf.« Damit haben alle im Schriftstellerverband organisierten Autoren einen gesellschaftlichen Auftrag, eine soziale Verpflichtung: auf ihre Weise – als Künstler – den Aufbau des Sozialismus (und zwar: des »realen«) vorantreiben zu helfen. Der biedermeierliche Dachstubenpoet ist endgültig überlebt, gefordert statt seiner der »Sozialliterat« (M. Jäger).

So wird auch die Berufsausbildung des Schriftstellers nicht dem Zufall überlassen. Seit 1955 gibt es in Leipzig das Institut für Literatur »Johannes R. Becher«, das nach dem Vorbild des Gorki-Instituts in Moskau geplant und nacheinander von Alfred Kurella, Max Zimmering und M. W. Schulz geleitet wurde. Dorthin kann der Anfänger-Schriftsteller im Wege der »künstlerischen Aspirantur« für ein zweijähriges Studium abgeordnet werden, um Literaturgeschichte und -theorie, Marxismus-Leninismus und nicht zuletzt: Schreiben zu lernen. Bis 1969 hatten bereits 113 angehende Schriftsteller das Institut absolviert und ein Diplom erworben, unter ihnen Ralph Giordano, Erich Loest, Adolf Endler, Karl-Heinz Jakobs, Kurt Bartsch, Rainer und Sarah Kirsch. Seine Blüte unter kulturpolitischem Aspekt hatte das Institut um 1960, als es als Pflanzstätte eines neuen Typus von Arbeiterschriftsteller im Sinne des Bitterfelder Weges fungierte. Heute führen in der DDR viele individuelle Wege zum Schriftstellerberuf, auch wenn das Becher-Institut noch existiert und namhafte jüngere Autoren an ihm ein Diplom erworben haben.

Die den Schriftstellerstatus begründende und allein sichernde Mitgliedschaft im Schriftstellerverband bindet die Autoren auf viele Arten und Wei-

gesellschaftlicher Auftrag des Autors

sen in die Gesellschaft ein. Vor allem bietet sie ihnen vielfältige Möglichkeiten der finanziellen Absicherung ihrer Arbeitsvorhaben, so durch die Vermittlung von Stipendien oder zeitlich limitierten Tätigkeiten als Dramaturgen, Verlagslektoren oder wissenschaftliche Mitarbeiter. Lyriker, die auch in der DDR zu den Schlechterverdienenden gehören, werden zudem teilweise aus dem Kulturfonds der DDR gefördert; sie leben von Übersetzungen (Nachdichtungen) von Lyrik aus fremden Sprachen, die sie nach von Fachübersetzern angefertigten Interlinearversionen herstellen. Renommierte Schriftsteller sind zudem dadurch abgesichert, daß sie als Mitglieder der Akademie der Künste ein Honorar erhalten. Erwähnenswert ist auch, daß die DDR-Verlage für belletristische Manuskripte Autorenhonorare in Höhe von 10–15 % des Ladenpreises zahlen, somit also mehr, als der westdeutsche Autor in der Regel von seinem Verleger bezieht. Schließlich sorgt die DDR mit einem ausgedehnten System von Literaturpreisen für das finanzielle Auskommen der Autoren. Die begehrtesten der insgesamt 12 staatlichen und 38 nichtstaatlichen Preise (von Parteien, Massenorganisationen, Akademien, Städten usw. verliehen) sind der Nationalpreis, der Heinrich-Mann-Preis, der Heinrich-Heine-Preis und der Lessing-Preis.

*Lenkung
und Kontrolle*

Nach dem Bisherigen könnte der Eindruck entstehen, als ob die DDR das gelobte Land der Literatur und der Schriftsteller sei. Dies ist sie nicht, weil die Schicksale ihrer Bücher (und damit der Autoren) einer oftmals rigiden, hierarchischen Lenkung und Kontrolle unterworfen sind. Mit der schon erwähnten Hauptverwaltung Verlage und Buchhandel gibt es in der DDR eine Institution, ohne deren Zustimmung (Lizenz) keine Druckschrift hergestellt und verteilt werden darf (eine Regelung übrigens, die der Verfassung der DDR widerspricht, die in Artikel 27, Abs. 1, das Recht auf freie und öffentliche Meinungsäußerung garantiert). Doch damit nicht genug. Einem »Büro für Urheberrechte« steht es gemäß der 1965 eingeführten Vorlagepflicht zu, die Vergabe von Urheberrechten durch Autoren bzw. Verlage der DDR ins Ausland zu prüfen und gegebenenfalls abzulehnen. Jedes Manuskript, das ein Autor im Ausland (also z.B. der Bundesrepublik) veröffentlichen will, muß zunächst einem DDR-Verlag angeboten und dessen Entscheidung dem Büro für Urheberrechte mitgeteilt werden. Diese grundsätzlichen Regelungen, denen die Bezeichnung Zensur nicht versagt werden kann, werden durch gesetzliche Sanktionsmöglichkeiten abgesichert, die in letzter Zeit erheblich verschärft worden sind. Ein Autor kann seit 1973 mit einer Geldstrafe von bis zu 10000 MDN belegt werden (vorher waren es nur 300 MDN), wenn er von ausländischen Verlagen Honorare annimmt, ohne sie über das Büro für Urheberrechte transferieren zu lassen – wozu er immer dann gezwungen sein wird, wenn er vorher keine Druckgenehmigung erhielt. Hinzu kommen Neuregelungen des politischen Strafrechts im 3. Strafrechtsänderungsgesetz vom 1. August 1979, das es möglich macht, die freie Meinungsäußerung auch in dichterischer Form als »staatsfeindliche Hetze« , »ungesetzliche Verbindungsaufnahme« oder »öffentliche Herabwürdigung« mit hohen Gefängnisstrafen zu belegen, wobei sowohl das »Herstellen« als auch das »Übergeben« und »Verbreiten« entsprechender Schriften als strafwürdig gilt.

Grundwiderspruch

Der Grundwiderspruch der DDR-Literaturgesellschaft wird hier noch einmal in aller Schärfe faßbar: Sie fördert den Gebrauchswert des Produkts Literatur – und unterdrückt, ja vernichtet ihn dort, wo er von der kulturpolitischen Linie abweicht. Sie fordert die demokratische, kollektive Kommunikation mittels und über Literatur – und schränkt sie gleichzeitig empfindlich ein, durch Druckverbote, limitierte Druckkapazitäten, Aufführungsverbote

von Theaterstücken, Ausschlüsse der Autoren aus Partei und Schriftstellerverband, publizistische Kampagnen, und schließlich in letzter Zeit: straf-
rechtliche Sanktionen sowie direkt oder indirekt erzwungene Ausbürgerun-
gen. Es liegt nahe, daß sich vielen DDR-Autoren theoretisch und endlich
auch lebenspraktisch die Frage aufgedrängt hat, in welchem deutschen Staat
denn der Schriftsteller eher existieren, wirken, seine Identität wahren könne.
Jurek Becker hat die Antwort 1978 noch offengelassen: »Wie bei uns in der
DDR die wenigen Werke der Dichter so traurig oft auf der Strecke bleiben,
weil der Staat so ängstlich ist und im Zweifelsfall immer den Notgroschen
Verbot aus der Tasche zieht, so zerschellen sie anderswo an den vielen
tauben Ohren. Dabei muß bedacht werden, daß fast ein jeder mit intakten
Ohren zur Welt kommt. – Die fraglose westliche Annehmlichkeit, bei Ablehnung eines Manuskripts zu einem anderen Verlag gehen zu können und nicht
gleich den Staat wechseln zu müssen, ist nicht eben billig erkauft. Sie hat zur
Bedingung, daß Geschriebenes nichts ausrichtet oder fast nichts, jedenfalls
viel zu wenig. Und wenn Literatur nicht ausschließlich als ein Akt der Selbstbefreiung des jeweiligen Autors verstanden wird, und nicht nur als ein Ding,
das hin und wieder einen Fachmann mit der Zunge schnalzen läßt, dann ist
die Frage nach ihrem günstigsten Standort nicht so leicht beantwortet, wie
mancher meint. – Nur an die nackte Existenz sollte es den Dichtern nicht
gehen.«

Stefan Heym

Inzwischen ist es vielen Schriftstellern an die nackte Existenz gegangen,
von jenen neun, die im Frühsommer 1979 aus dem Schriftstellerverband
ausgeschlossen wurden, über Stefan Heym und Robert Havemann, die zu
hohen Geldstrafen verurteilt wurden, bis hin zu Jürgen Fuchs und Rudolf
Bahro, Ulrich Schacht und Lutz Rathenow, Frank-Wolf Matthies und Stephan Krawczyk, die ins Gefängnis kamen. Vor allem aber hat die Kulturbürokratie der DDR wieder und wieder das Instrument der Zensur eingesetzt.
Die Liste wichtiger literarischer Werke, die der Zensur für Jahre oder (bis
heute) endgültig zum Opfer fielen, ist lang. An ihrem Anfang standen Hanns
Eislers *Johann Faustus* und Bertolt Brechts *Das Verhör des Lukullus*; später
folgten Stefan Heyms *5 Tage im Juni*, Gedichte von Christa Reinig und
Helga M. Novak, Theaterstücke von Heiner Müller und Volker Braun, Fritz
Rudolf Fries' Roman *Der Weg nach Oobliadooh* und Christa Wolfs *Nach-
denken über Christa T.* Besonders schwerwiegend waren die Druckverbote
für Uwe Johnsons frühe Romane (vor allem *Mutmaßungen über Jakob*) und
Wolf Biermanns freche Lieder. Nach dessen Ausbürgerung 1976 ist nochmals
eine Welle von Druckverboten zu verzeichnen, die u.a. Reiner Kunze, Stefan
Heym *(Collin)*, Thomas Brasch, Hans Joachim Schädlich, Jurek Becker,
Ulrich Plenzdorf, Klaus Schlesinger, Erich Loest, Rolf Schneider und Klaus
Poche betraf. Volker Braun *(Hinze-Kunze-Roman)*, Christa Wolf *(Kassandra*-Vorlesungen) und Günter de Bruyn *(Neue Herrlichkeit)* mußten Druck-
verzögerungen oder Änderungen ihrer Texte hinnehmen. Am schwersten
traf und trifft das restriktive »Druckgenehmigungsverfahren« jüngere, noch
nicht etablierte Autoren. Mancher kann einmal einen Text in einer Zeitschrift oder einer Anthologie unterbringen, andere hochbegabte Autoren
wurden bislang überhaupt nur im Westen gedruckt, wie z.B. Monika Maron
(Flugasche), Wolfgang Hegewald oder Katja Lange-Müller (alle drei leben
inzwischen in der Bundesrepublik).

Schutzumschlag

Das Jahr 1987 hat nun, im Zeichen frischer Winde aus östlicher Richtung,
ein neues Selbstbewußtsein der DDR-Autoren im Umgang mit dem Phänomen Zensur hervorgebracht. Es wurde, ungeplant, zum Hauptthema des
letzten (10.) Schriftstellerkongresses. Neben Günter de Bruyn war es vor

Zensur

allem Christoph Hein, der in einer brillanten Rede jegliche Zensur in seinem
Land »überlebt, nutzlos, paradox, menschenfeindlich, ungesetzlich und
strafbar« nannte. Heins Rede schloß mit den für DDR-Ohren unerhörten
Sätzen: »Die Zensur ist volksfeindlich. Sie ist ein Vergehen an der so oft
genannten und gerühmten Weisheit des Volkes. Die Leser unserer Bücher
sind souverän genug, selbst urteilen zu können. Die Vorstellung, ein Beamter
könne darüber entscheiden, was einem Volk zumutbar und was ihm unbe-
kömmlich sei, verrät nur die Anmaßung, den Übermut der Ämter. Die
Zensur ist ungesetzlich, denn sie ist verfassungswidrig. Sie ist mit der gültigen Verfassung der DDR nicht vereinbar, steht im Gegensatz zu mehreren
ihrer Artikel. Und die Zensur ist strafbar, denn sie schädigt im hohen Grad
das Ansehen der DDR und kommt einer ›öffentlichen Herabwürdigung‹
gleich. Das Genehmigungsverfahren, die Zensur muß schnellstens und er-
satzlos verschwinden, um weiteren Schaden von unserer Kultur abzuwenden, um nicht unsere Öffentlichkeit und unsere Würde, unsere Gesellschaft
und unseren Staat weiter zu schädigen.« – In den Jahren 1987/88 hat sich in
der literarischen Öffentlichkeit der DDR einiges zum Besseren entwickelt.
Schriften von Sigmund Freud, Gedichte von Gottfried Benn, Günter Grass'
Blechtrommel wurden inzwischen gedruckt, Becketts *Warten auf Godot* aufgeführt; über Nietzsches offiziell für gefährlich gehaltene Philosophie konnte
immerhin offen diskutiert werden. Auf einer Vorstandssitzung des Schriftstellerverbandes im Oktober 1988 hat der »Bücherminister« Klaus Höpcke
sogar die Annullierung des Druckgenehmigungsverfahrens für 1989 angekündigt. Ob dies das tatsächliche Ende der Zensur bedeutet, sprich: ob die
jetzt souveränen Verlagsleiter in jedem Fall darauf verzichten, die Rolle des
Zensors zu übernehmen, bleibt abzuwarten. Kurz: Die DDR hat den Schritt
zur völlig ungehinderten, freien Vergesellschaftung von Literatur noch
immer vor sich.

Kein »Nullpunkt«: Das Programm der antifaschistisch-demokratischen Erneuerung (1945–49)

Die Situation der Deutschen nach dem 8. Mai 1945 – der Gesellschaft wie der einzelnen – ist von Intellektuellen und Literaten aus den drei Westzonen häufig als »Nullpunkt« oder »Kahlschlag« bezeichnet worden. Im Gegensatz zu den Wörtern »Zusammenbruch« oder »Niederlage«, die von weiten Teilen der Bevölkerung auf die nun eingetretene Situation des Kriegsendes angewendet wurden, enthalten diese Metaphern immerhin den emphatischen Aufruf zur Ablösung vom Nationalsozialismus, zur existenziellen Umkehr. Freilich: die Situation politisch als »Befreiung« vom Faschismus und damit als Chance zu einer durchgreifenden gesellschaftlichen Umwälzung zu begreifen, vermochten diese Intellektuellen nicht. Sie begnügten sich – entsprechend der amerikanischen Strategie der Umerziehung (»reeducation«) – mit der Wiedereinführung der Moral in die Politik und der Installierung der formalen Demokratie, was eine Ausblendung der tieferen Ursachen des Faschismus und eine kaum modifizierte Fortsetzung der ökonomischen Ungleichheit einschloß. Die Proklamation des »Nullpunkts« bedeutete, genau genommen, den Rückfall auf Positionen eines hilflosen Antifaschismus der Intellektuellen aus den Jahren vor 1933, der sich den entscheidenden historischen Erfahrungen verweigert hatte und weiterhin verweigerte. Das Gesellschaftsmodell, dem sich die westdeutsche Literatur zunehmend konfrontiert sah, hieß: politische und wirtschaftliche Restauration von oben, plus »American way of life«. Dieses Modell wirksam infrage zu stellen, war solche »Kahlschlagliteratur« freilich wenig geeignet.

Befreiung vom Faschismus

Die Konstellation in der sowjetisch besetzten Zone (damals in der Regel kurz Ostzone genannt) war entscheidend anders – aber auch hier gab es keinen Nullpunkt. Die bestimmenden Kräfte in der SBZ, die SMAD und die Führungsgruppe der KPD (bereits am 29. 4. 45 war die Gruppe Ulbricht nach Berlin zurückgekehrt), knüpften an die Traditionen des antifaschistischen Kampfes seit dem Jahr 1935 an, das heißt konkret: an die Politik der Volksfront. Eine zentrale Rolle war dabei von Beginn an und generell in den ersten drei, vier Jahren der Nachkriegszeit dem interzonalen und überparteilichen »Kulturbund zur demokratischen Erneuerung Deutschlands« zugedacht, der bereits im Exil geplant worden war. Am 4. Juli 1945 trat der »Kulturbund« in Berlin mit seinem Gründungsmanifest an die Öffentlichkeit. Das Manifest enthielt in komprimierter Form alle jene Komponenten einer Kulturpolitik der Volksfront, wie sie bereits Jahre zuvor entwickelt worden waren. Seine Kernsätze lauteten: »Die besten Deutschen aller Berufe und Schichten gilt es in dieser schweren Notzeit deutscher Geschichte zu sammeln, um eine deutsche Erneuerungsbewegung zu schaffen, die auf allen Lebens- und Wissensgebieten die Überreste des Faschismus und der Reaktion zu vernichten gewillt ist und dadurch auch auf geistig kulturellem Gebiet ein neues, sauberes, anständiges Leben aufbaut.«

Rolle des Kulturbundes

Der Text des Manifests belegt und veranschaulicht die Vagheiten und Widersprüche einer antifaschistischen Kulturpolitik aus dem Geiste des kleinsten gemeinsamen Nenners. Unter dem weiten Mantel des Antifaschismus und Antimilitarismus konnten sich stark divergierende weltanschauliche Kräfte sammeln, und sie taten es denn auch: vaterländisch und christ-

Plakat von 1946

lich konservative Männer wie der Pädagoge Eduard Spranger oder der CDU-Politiker Ernst Lemmer, eine Altliberale wie Ricarda Huch oder ein unpolitischer ›Dichterfürst‹ wie Gerhart Hauptmann (Ehrenpräsident in Berlin) waren führende Mitglieder des Kulturbundes ebenso wie sozialistische und kommunistische Intellektuelle und Schriftsteller. Präsident wurde Johannes R. Becher.

Im Sinne eines Gründungsaufrufs zielten sämtliche Initiativen des Kulturbundes auf eine Auseinandersetzung mit der faschistischen Vergangenheit und eine Umerziehung der ehedem Überzeugten, der Mitläufer und Gleichgültigen zu antifaschistisch-demokratischer (beileibe nicht kommunistischer!) Gesinnung. In Versammlungen, in Feiern und im Rundfunk versuchte man, der antifaschistischen Literatur neue Wirkungsmöglichkeiten zu erschließen. Im August 1945 wurde der dem Kulturbund gehörende Aufbau-Verlag gegründet, der die Programme und Lizenzen wichtiger Exilverlage übernahm. Binnen zwei Jahren lagen fast einhundert Veröffentlichungen in einer Gesamtauflage von mehr als zweieinhalb Millionen Exemplaren vor (erfolgreichstes Buch war Theodor Pliviers *Stalingrad* mit 154000 Exemplaren). Einen Monat später erschien als Organ des Bundes die kulturpolitische Zeitschrift *Aufbau* (bis 1959), in der u.a. Th. Mann, Rudolf Hagelstange und Georg Lukács schrieben. Ein Jahr später besaß der Kulturbund schließlich auch seine Wochenzeitung, den *Sonntag*, in dem damals u.a. Texte von Hemingway, Jean Cocteau, Erich Kästner und Ernst Wiechert abgedruckt wurden. Hatte der Kulturbund Ende 1945 22000 Mitglieder, so waren es Ende 1947 bereits 120000. Es ist freilich unverkennbar, daß die zahlenmäßig dominierende Gruppe der kommunistischen Intellektuellen und Schriftsteller ihren Einfluß im Lauf der ersten zwei bis drei Jahre entsprechend den Vorstellungen ihrer Partei immer weiter ausdehnte, womit den Westmächten Vorwände gegeben waren, den Kulturbund in ihren Besatzungszonen als »kommunistisch« zu verbieten. Das geschah zu einem Zeitpunkt (November 1947), als z.B. E. Spranger, R. Huch und E. Lemmer, aber auch der ehedem sozialistische Autor Plivier schon in den Westen abgewandert waren und auch der 1. Deutsche Schriftstellerkongreß vom Oktober 1947 gezeigt hatte, wie weit Westzonen und SBZ sich bereits auseinanderentwickelt hatten.

Schutzumschlag

Einbürgerung der Exilliteratur und Wendung zum Erbe

Die Gewaltherrschaft des Faschismus hatte viele Kontinuitäten zerbrochen – auch die der Literatur. Einige der besten Schriftsteller wurden von den Nazis ermordet (Mühsam, v. Ossietzky), viele in Konzentrationslager und Zuchthäuser gebracht, viele begingen aus Gründen, die mehr oder weniger eng mit der Naziherrschaft zusammenhingen, Selbstmord (Tucholsky, Hasenclever, Toller, Benjamin, S. Zweig). Die überwiegende Zahl der demokratischen und sozialistischen Autoren ging, sofern sie sich nicht am innerdeutschen Widerstand beteiligten, freiwillig oder unfreiwillig ins Exil. Von ihnen kehrte wiederum die weitaus größere Anzahl direkt 1945 oder einige Zeit später in die SBZ zurück. Daß die ehedem proletarisch-revolutionären Schriftsteller – Willi Bredel, Eduard Claudius, Otto Gotsche, Karl Grünberg, Hans Lorbeer u.a. – nach Exil und Widerstand in den Teil Deutschlands gehen würden, der eine sozialistische Zukunft versprach, war naheliegend. Aber auch die meisten anderen antifaschistischen Schriftsteller wählten ihren Wohnsitz auf dem Territorium der DDR. Aus dem sowjetischen Exil kamen neben Bredel Johannes R. Becher, Erich Weinert, Friedrich Wolf, Adam Scharrer und Theodor Plivier; aus Mexiko – dem zweiten wichtigen Exilzentrum – Anna

Heimkehrer

*Anna Seghers
und Thomas Mann
in Weimar (1955)*

Seghers, Ludwig Renn, Bodo Uhse und Alexander Abusch (später Kulturminister). Aus den USA kehrten – in der Regel erst um die Jahre 1947/49 – Marchwitza, Bertolt Brecht, Ernst Bloch, Franz-Carl Weiskopf, Wieland Herzfelde u.a.m. zurück. 1952 ging auch der US-Bürger gewordene Stefan Heym, der sich eigentlich in Prag niederlassen wollte, in die DDR. Aus noch anderen Ländern kamen Arnold Zweig (Palästina, 1948), der ehemalige Expressionist Rudolf Leonhard (Frankreich, 1950), Jan Petersen (England, 1946), Erich Arendt (Kolumbien, 1950), Stephan Hermlin (Schweiz bzw. Westdeutschland, 1947). Damit sind auch die wesentlichen Repräsentanten der ostdeutschen Literatur der späten 40er und frühen 50er Jahre genannt. Nur zögernd gesellten sich ihnen Vertreter jüngerer Generationen hinzu (Erwin Strittmatter, Franz Fühmann, Günter Kunert). Und weil sich so viele Schriftsteller auf dem Territorium der SBZ versammelten, die gemeinsame antifaschistische Erfahrungen hatten, die eines Sinnes waren, ist auch die Literatur der Jahre 1945–1949 durch eine seltene politische und auch ästhetische Homogenität gekennzeichnet. Was Anna Seghers als Begründung ihrer Entscheidung für die SBZ/DDR angab, hätten alle anderen Genannten so sagen können: »Weil ich hier ausdrücken kann, wozu ich gelebt habe.« Gerade weil die Exilierten sich nicht in einen Elfenbeinturm zurückzogen, erfuhren sie auch kaum getrübte ideelle und materielle Unterstützung durch die sowjetischen und deutschen Behörden der SBZ. Im Verlag der Sowjetischen Militär-Administration (SMAD), dann im Aufbau-Verlag erschienen ihre Bücher. Die Zeitschriften *Aufbau, Ost und West, Heute und Morgen* u.a.m. standen ihnen offen, man unterstützte sie bei Wohnungsbeschaffung und Lebensmittelversorgung.

Motive der Rückkehr

Einbürgerung der antifaschistischen Exilliteratur bedeutet aber noch mehr. Die maßgeblichen Literaturpolitiker der SBZ förderten das Werk einiger Exilierter, die nicht ihren Wohnsitz in Ostdeutschland nahmen, mit der gleichen Intensität wie das der Rückkehrer. Das gilt insbesondere für das Werk Heinrich Manns (der freilich beabsichtigte, sich in der DDR niederzulassen, aber kurz vor seiner Abreise aus den USA im März 1950 starb), Lion Feuchtwangers (der 1953 mit einem Nationalpreis ausgezeichnet wurde; er starb 1958 in den USA), Leonhard Franks (er kehrte 1950 aus den USA in die Bundesrepublik zurück) und Thomas Manns (der im Goethejahr 1949 in beiden Teilen Deutschlands Festreden hielt, je einen Goethepreis empfing

*Förderung
der »kritischen
Realisten«*

441

und 1952 schließlich aus den USA in die Schweiz übersiedelte), in geringerem Maße auch für das noch zu entdeckende Werk Oskar Maria Grafs. Keiner dieser Autoren war Marxist und Anhänger des sozialistischen Realismus, vielmehr wurden alle Genannten als bürgerliche Humanisten und sog. kritische Realisten entsprechend dem Volksfrontgedanken gewürdigt und, gerade in den ersten Jahren nach 1945, über eine Vielzahl konsequent sozialistischer Autoren gestellt. Diese Rangzuweisung und beträchtliche Förderung der kritischen Realisten ging einher mit scharfer Kritik an Autoren, die inzwischen hierzulande als Klassiker der Moderne gelten: Joyce, Proust, Kafka, Faulkner, Beckett, Gide. Sie und einige andere mehr wurden sehr bald als Vertreter spätbürgerlicher Dekadenz kritisiert, die in der antifaschistisch-demokratischen Neuordnung, noch weniger dann beim Aufbau des Sozialismus einen Platz haben konnten.

Erbe der Volksfront

Es gehört zum Konzept einer Literaturpolitik aus dem Geist der Volksfront, daß die maßgeblichen Behörden und Persönlichkeiten auch einen Teil der sog. inneren Emigranten zu gewinnen suchten, ja sogar Autoren, die sich dem NS-Regime nicht gänzlich verweigert hatten, wie Gerhart Hauptmann und Hans Fallada. Zur ersten Gruppe gehörten der Lyriker Peter Huchel, der Erzähler Ehm Welk und der später führende Literarturkritiker Paul Rilla, die freilich alle drei schon in der Weimarer Republik eine Neigung zur literarischen Linken gehabt hatten. So läßt sich sagen, daß es auf dem Territorium der SBZ beileibe keinen literarischen Nullpunkt, wohl aber einen Neubeginn im Sinne der antifaschistisch-demokratischen Erneuerung gegeben hat, der sich auf das ganze Spektrum der antifaschistischen Literaturtraditionen stützte. So fand eine Traditions- und Kanonbildung statt, die die SBZ literarisch schon lange von Westdeutschland unterschied, noch ehe die beiden deutschen Staaten gegründet wurden.

Epochenbilanz im Roman

Im Jahre 1947 kehrte Anna Seghers aus dem mexikanischen Exil nach Deutschland zurück. Ihr Weg führte über Frankreich und ihre zerstörte Vaterstadt Mainz quer durch die Westzonen in die sowjetische Besatzungszone. Ihre Empfindungen dabei hat sie wie folgt beschrieben: »Als ich aus der Emigration zurückkam, fuhr ich vom Westen her quer durch Deutschland. Die Städte waren zertrümmert und die Menschen waren im Innern genau so zertrümmert. Damals bot Deutschland eine ›Einheit‹ von Ruinen, Verzweiflung und Hunger. Aber es gab auch Menschen, die nicht vom Elend betäubt waren und zum erstenmal Fragen aussprachen, die auch alle drückten: Was ist geschehen? Wodurch geschah es? – Daraus ergab sich die nächste Frage: Was muß geschehen, damit das Grauen nie mehr wiederkommt?« Für sich selbst und für viele ihrer exilierten Kollegen beantwortete sie diese Frage klar und deutlich: »Das war der Augenblick, in dem die deutschen Schriftsteller auf den Plan treten mußten, um so klar und vernehmlich wie möglich Rede und Antwort zu stehen. Durch die Mittel ihres Berufes mußten sie helfen, ihr Volk zum Begreifen seiner selbstverschuldeten Lage zu bringen und in ihm die Kraft zu einem anderen, einem neuen friedvollen Leben zu erwecken.« Vor allem ging es um die »Entfaschisierung« (Brecht, Seghers) der Köpfe und Herzen jener, die den Nazis blind geglaubt hatten und begeistert gefolgt waren. Hier galt es – so z. B. Anna Seghers' Programm – »Hohlräume der Gefühle« positiv, mit humanen Werten zu besetzen, eine neue Konzeption von Volk und Vaterland inbegriffen. Mit ihrem teilweise noch im mexikanischen Exil entstandenen Roman *Die Toten bleiben jung* hatte

Entfaschisierung

die Seghers versucht, einen Epochenroman zu schaffen, der auch den ehemaligen Nazis unter ihren Lesern Identifikationsmöglichkeiten bot. Es handelt sich um eine umfassende historische Chronik, die vom einen Kriegsende 1918/19 (und der Novemberrevolution) bis zum andern Kriegsende 1945 reicht. In ihr verfolgt die Autorin die Geschichte junger Arbeiter und Soldaten (und ihrer tapferen Frauen und Kinder) – und die ihrer Verfolger und Mörder, die aus der alten Militaristenkaste und aus der neuen SS-Garde stammen. Die aufrechten Kämpfer verlieren ihr Leben, doch in ihren Kindern leben sie weiter – so das fragwürdige symbolische Versprechen des in der DDR hochgeschätzten Romans.

Die zwischen 1945 und 1949 erstmals veröffentlichte erzählende Prosa knüpft stark an Themen und Tendenzen der Exilliteratur an und ist fast durchweg der faschistischen Vergangenheit gewidmet. Da gibt es zunächst eine stattliche Anzahl von Büchern aufklärerisch-dokumentarischen Charakters, die zeigen wollen, wie es eigentlich gewesen ist, und in Kriegsberichten und Widerstandschroniken das »Kräutlein Faktum« (Ernst Bloch) verbreiten. Aus ihnen heben sich Theodor Pliviers bereits 1945 erschienener Roman *Stalingrad* (der in der Tradition von Remarques *Im Westen nichts Neues*, 1927, steht) und Günther Weisenborns Haftbericht *Memorial* (1947) literarisch heraus. Auch Hans Falladas nachgelassener Roman *Jeder stirbt für sich allein* (1947), der im Widerspruch zu seinem sonstigen Werk steht, gehört hierher. In einer ganzen Reihe von Romanen, die erkennbar Fiktion und Nichtfiktion mischen, stehen Figuren im Mittelpunkt, die den Status quo des Mitläufertums oder des passiven Widerstandes überwinden und für den Leser einsichtige Lernprozesse durchlaufen, die sie schließlich zu bewußten, tätigen Antifaschisten machen. Damit waren Gestalten geschaffen, die ideologischen Vorbildcharakter für alle jene Unentschiedenen hatten, die für die antifaschistisch-demokratische Neuordnung gewonnen werden sollten. Bodo Uhses *Leutnant Bertram* (bereits 1944), Harald Hausers *Wo Deutschland lag* (1947), Elfriede Brünings *Damit du weiterlebst* (1949), Wolfgang Johos *Die Hirtenflöte* (1948), worin das Motiv der Desertion vom deutschen Heer gestaltet wird, gehören hierher. Gerade die älteren und bedeutenderen Prosaautoren erkannten jedoch, daß eine Beschränkung auf den Faschismus als literarisches Sujet zu kurz griff. Die ganze deutsche Nationalgeschichte, insbesondere die historische Epoche des Imperialismus und beider Weltkriege mußte zur Debatte gestellt werden, wenn der »tiefe Sinn« der Niederlage von 1945, von dem Becher gesprochen hatte, begreifbar werden sollte. Im weiteren Sinne sind hier vier Autoren zu nennen, die zwischen 1945 und 1949 Epochenbilanzen in Romanform vorgelegt hatten bzw. schon Jahre oder Jahrzehnte daran arbeiteten. Arnold Zweig war der erste Autor, der seit den frühen 20er Jahren den Plan verfolgte, die Anatomie der imperialistischen Gesellschaft in epischer Breite bloßzulegen und den Raubkrieg als dieser Gesellschaft ›gemäße‹ Einrichtung erkennbar zu machen. Von seinem monumentalen, vielbändigen Zyklus *Der große Krieg der weißen Männer*, der die Zeit von 1913/14–18 in ihren wichtigsten historischen Etappen aufrollt, erschienen nach 1945 noch die Romane *Die Feuerpause* (1954) und *Traum ist teuer* (1962). Auch auf Zweigs psychologisch stimmige Analyse des Verhaltens von Kleinbürgern und Intellektuellen unterm Faschismus in *Das Beil von Wandsbek* (Iwrith 1943, deutsch 1947) ist hier hinzuweisen.

Drei Autoren aus der proletarisch-revolutionären Literaturbewegung – Adam Scharrer, Hans Marchwitza und Willi Bredel – hatten in der Exilzeit zu weiträumigen Epochenromanen angesetzt, die sie nun in den Jahren nach 1945 weiter- und zu Ende führten. Vor allem Marchwitzas episodenreiche

Blick auf die Vergangenheit

Arnold Zweig

Kumiak-Trilogie (1959) und Bredels Romantrilogie *Verwandte und Bekannte* (1953), die proletarische Variante zum bürgerlichen Familienroman, fanden in der jungen DDR viele Leser. Bedrängender ist weniger das, was in diesen Jahren erschien, als vielmehr das, was nicht erschien. Publiziert wurde fast durchweg Literatur über den Faschismus aus der Feder der Älteren, der Exilierten, die ohnehin kaum Verdrängtes und Verschwiegenes offenzulegen hatten. Die Angehörigen der mittleren und jüngeren Generation arbeiteten sich im Gegensatz dazu so wenig literarisch an der nationalsozialistischen Vergangenheit ab, wie es auch allgemein unterblieb. Eine tiefergehende psychologische und moralische Analyse und Abrechnung – wirkliche Trauerarbeit – wurde abgeschnitten zugunsten einer aktivistischen, blind nach vorn blickenden Aufbauhaltung. Sie war gewiß diktiert von den Notwendigkeiten des bedürftigen Alltags in einem ausgepowerten deutschen Landesteil, aber doch auch von oben verordnet: Man erklärte sich, angesichts der neugeschaffenen antifaschistisch-demokratischen Ordnung, zum »Sieger der Geschichte« und den Faschismus im eignen Land, das bald DDR heißen sollte, für endgültig überwunden. So erklärt es sich, daß die rückhaltlose Auseinandersetzung mit dem Faschismus aus der Sicht der Beteiligten erst sehr verspätet – in den 60er, ja teilweise erst in den 70er Jahren – in Gang kam.

Trauerarbeit

Theater zwischen Großer und Kleiner Pädagogik

Franz C. Weiskopf hat die in der Zeit der Naziherrschaft exilierten Theaterschaffenden einmal die »Sorgenkinder« der Emigration genannt. Damit meinte er, daß ein Schriftsteller wohl für ein Volk schreiben könne, ohne mit ihm zusammenzuleben; aber lebendiges Theater konnte in solcher Isolierung vom Publikum nicht entstehen. Zudem waren die Theaterleute im Exil ihrer Produktionsmittel (Bühne, Bühnenbilder, -technik usw.) in einem viel krasseren Maße beraubt als die Schriftsteller, die eben ›nur‹ Bücher schrieben. So war es unausweichlich, daß gerade die Theatermacher, deren Stücke kaum Chancen hatten, in absehbarer Zeit aufgeführt zu werden, das Exil als eine tätigkeitshemmende »inzwischenzeit« (Brecht) erlebten und den Blick nach vorn richteten auf die nachfaschistische und, wie viele von ihnen hofften: sozialistische Zeit. Man machte sich darüber Gedanken, mit welchem ›Gepäck‹ man in das zerstörte Deutschland zurückkäme, was von den Manuskripten aus der Schublade brauchbar wäre für das Theater der Nachkriegszeit. So kommt es, daß – mehr noch als bei der Prosa – ein guter Teil der im Exil entstandenen Theaterstücke jetzt Gegenwartsdramatik wurde.

»inzwischenzeit«

Die sowjetische Besatzungsmacht half nach der Niederschlagung des faschistischen Regimes dabei, ein Theaterleben mit vielfältigem Repertoire in Gang zu setzen. Bereits 1946 waren wieder 75 Bühnen ständig bespielt. Brecht hat rückblickend, 1948, ein entsprechend achtungsvolles Fazit gezogen: »Der mit solcher Mühe niedergerungene Feind wurde in die Theater eingeladen. Die ersten Maßnahmen des Siegers sind Brotversorgung, Wasserinstallation und Öffnung der Theater! [...] Es ist sicher: Mit der großen Umwälzung beginnt eine große Zeit für die Künste. Wie groß werden sie sein?« Mit dem skeptischen Schlußsatz ist angedeutet, daß eine freigiebige materielle Ausstattung der Theater allein noch keine Größe der Theaterkunst garantieren konnte. Entscheidend war, wieviel politischer und ästhetischer Fortschritt möglich, d.h. durchsetzbar war. Die ersten drei bis vier Jahre des Nachkriegstheaters in der SBZ (als Brecht noch im Exil lebte) waren eindeutig geprägt von einer Stückauswahl und Dramaturgie/Regie, die von Brechts Konzept des episch-dialektischen Theaters, aber auch von

Vorhang des Theaters am Schiffbauerdamm mit der von Pablo Picasso entworfenen Friedenstaube

der proletarisch-revolutionären Tradition des Theaters weit entfernt waren. In der Stückauswahl dominierten die Klassiker bzw. das bürgerliche Repertoire (bis hin zu existenzialistischen Stücken). In der Regie- und Schauspielkunst folgten die führenden Leute der ersten Jahre, Maxim Vallentin, Gustav von Wangenheim – ehedem Vorreiter eines operativen, agitatorischen Theaters –, Methoden des sowjetischen Theatermachers Konstantin S. Stanislawski, dessen höchstes Ziel auf dem Theater die »Wahrheit der Empfindung«, die Präsentation einer »neuen Wahrhaftigkeit« in der Schauspielkunst war. Diese psycho-physische Technik der Darstellung von Emotionen, Leidenschaften, Konflikten und Taten auf der Bühne sollte, angewendet auf die besten Stücke der Klassiker, nicht nur individuelle, sondern auch gesellschaftliche Wahrheit offenbar machen und damit erzieherisch wirken.

Wahrheit der Empfindung

Aber die Theater widmeten sich nicht nur dem kulturellen Erbe im Geiste der psychologisierenden Stanislawski-Schule. Antifaschistische Zeitstücke und Geschichtsdramen wurden gefordert und, sofern sie entstanden, auch gespielt. Besonderen Erfolg hatte Günther Weisenborns Stück *Die Illegalen* (1938–1945/46). Der Autor, der selbst aktiv am antinazistischen Widerstandskampf teilgenommen hatte (Schulze-Boysen-Harnack-Gruppe) und von 1942 bis 1945 inhaftiert war, stellt darin die Tätigkeit einer Widerstandsgruppe dar. Es ist auffällig, daß in den ersten fünf, sechs Jahren nach Kriegsende kein einziger Theaterautor der jüngeren Generation ein Stück vorgelegt hat, das das Theaterleben entscheidend beeinfußt hätte. Das Theater mußte, im zweifachen Sinn, aus der Vergangenheit leben; das Neue schien noch nicht theatralisch darstellbar. Lehrer, bei denen jüngere Autoren hätten lernen können, wurden nur eingeschränkt akzeptiert oder konnten (noch) nicht wirken, weil sie sich (noch) nicht in der SBZ/DDR niedergelassen hatten. So ist die merkwürdige Situation zu verzeichnen, daß sich das Theater in der Phase der antifaschistisch-demokratischen Umwälzung überwiegend ohne oder sogar gegen seine beiden wichtigsten sozialistischen Lehrmeister, die die Szene der 20er und frühen 30er Jahre geprägt hatten, Friedrich Wolf und Bertolt Brecht, entwickelte und die sozialistische Traditionslinie eine unter-

Theater und neue Wirklichkeit

Friedrich Wolf

geordnete Rolle spielte. Wolf war bereits im Herbst 1945 aus dem sowjetischen Exil von Ost-Berlin zurückgekehrt. Er war der hervorragende Repräsentant des Agitproptheaters aus der Weimarer Republik, der bereits damals mit *Cyankali* und *Die Matrosen von Cattaro* gut spielbare, politisch effektive Stücke geschrieben hatte. Aus seiner reichen Exilproduktion ragten *Professor Mamlock* und *Beaumarchais*, ein Stück über die Französische Revolution von 1789, hervor. Allein, Wolf mußte in den Jahren von 1945 bis zu seinem Tod die bittere Erfahrung machen, daß beim demokratischen Aufbau im Geist der Volksfront die proletarisch-revolutionäre Tradition des politischen Kampftheaters kaum gefragt war. Es gab einige Aufführungsserien des *Professor Mamlock* (der Geschichte eines konservativen jüdischen Chirurgen, der nach der Machtübernahme durch die Nazis die Haltlosigkeit seiner Position erkennen muß); ansonsten konnte Wolf nicht an die Aufführungserfolge der 20er und 30er Jahre anknüpfen. Dabei stand Wolf der vorherrschenden Theorie der dichterischen Unmittelbarkeit, die mit psychologischen Mitteln herbeizuführen sei, durchaus nahe, wie noch ein Streitgespräch zwischen ihm und Brecht aus dem Jahre 1949 belegt. Wolf war ein entschiedener Vertreter jenes aristotelischen Theaters, das die geschlossene, werkhafte Form des Dramas anstrebte und in der Katharsis ein unveräußerliches Element sah. Katharsis, die Reinigung der Affekte, sollte »eines der wichtigen Formelemente im großen Prozeß Schuld und Sühne« sein, wie ihn der sozialistische Moralist Wolf auch in den jüngsten gesellschaftlichen Vorgängen walten sah.

Aus dem historischen Abstand erscheint Bertolt Brecht eindeutig als die überragende Figur des ostdeutschen Theaterlebens schon in seinen Anfängen, auch wenn er erst seit dem Herbst 1948 in Ost-Berlin lebte und wirkte – und auch dann nicht nur Förderung erfuhr. Seine Stücke wurden nach 1945 wenig oder gar nicht gespielt, mit Ausnahme der Szenenfolge *Furcht und Elend des Dritten Reiches*. Es mußte in jeder Hinsicht ein neuer Anfang gemacht werden, denn auch einen Rückgriff auf seine eigene Schreib- und Spielweise der Jahre vor 1933 erkannte Brecht als utopisch. Damals gab es – zumindest in den großen Städten – ein breites, klassenbewußtes Arbeiterpublikum, eine proletarische Gegenöffentlichkeit, mit der Brecht und andere bereits die Aufhebung des Gegeneinanders von Theaterproduzenten und -konsumenten, die »Verschüttung der Orchestra« (Benjamin) geprobt hatte: in den Lehrstücken, die der Autor später »die Große Pädagogik« nannte, insofern sie das System Spieler versus Zuschauer aufhoben und es nur mehr Spieler gab, die zugleich Studierende waren. Brecht war bereits im Exil klar geworden, daß aufgrund der Entwicklung seit 1933 auf »die Kleine Pädagogik« des Schaustücks zurückgegangen werden mußte, daß die überlieferte Kommunikationsstruktur des Theaters nicht von heute auf morgen zu brechen war. Im Sinne dieses theoretischen Programms ging Brecht nun auch an die praktische Theaterarbeit in Berlin heran. Die Behörden hatten ihm am von Wolfgang Langhoff geleiteten Deutschen Theater Gastrecht eingeräumt, da ›sein‹ altes Theater am Schiffbauerdamm, das einst die Uraufführung der *Dreigroschenoper* erlebt hatte, noch durch die Volksbühne besetzt war. Im Juli 1949 konnten Brecht und seine Frau, die Schauspielerin Helene Weigel, endlich in dieses Theater einziehen, konnte das heute noch bestehende »Berliner Ensemble« seine Arbeit aufnehmen. Die zwiespältige Aufnahme der *Mutter Courage* (Uraufführung in Zürich 1941, Aufführung in Berlin im Januar 1949) zeigte Brecht deutlich genug die Grenzen progressiver Theaterarbeit – Grenzen beim Publikum, Grenzen aber auch, die von den kulturpolitischen Instanzen gezogen wurden. Sie hatten ihn vorher schon

Brecht in der
Deutschen Staatsoper
Berlin (1951)

einmal böse vom »stinkenden atem der provinz« mitten in Berlin sprechen lassen. Neben einer Serie von modellhaften Inszenierungen seiner Exilstücke – sie wurde im Herbst 1949 mit *Herr Puntila und sein Knecht Matti* als Eröffnungsstück des »Berliner Ensembles« fortgesetzt – ging es ihm vor allem um die Produktion von Stücken, die unmittelbar mit der Lage Deutschlands nach der Befreiung vom Faschismus und der Chance sozialistisch-revolutionärer Umgestaltung zu tun hatten. So schrieb er im Frühjahr 1949 das Stück *Die Tage der Commune*, das freilich nicht in die postfaschistische Situation paßte und erst nach Brechts Tod aufgeführt wurde. Die »mühen der ebenen« – so bezeichnete Brecht einmal metaphorisch den Gesellschaftsprozeß der nachfaschistischen Ära – erwiesen sich als kaum weniger anstrengend als die vorherigen Mühen der Gebirge.

Schutzumschlag

Lyrik nach finsteren Zeiten

Auch die Lyrik mußte erst einmal jene Hinterlassenschaft bewältigen, die 12 Jahre nationalsozialistischer Herrschaft auf ihrem Terrain angehäuft hatten. Da gab es die dem Regime Beifall spendenden Lieder und Balladen der völkisch-faschistischen Barden. Es gab den sterilen Klassizismus der Joseph Weinheber und Rudolf Alexander Schröder, schließlich die Naturlyrik derer, die sich als ›innere Emigration‹ begriffen. Sie versprachlichte Natur als magischen Raum eigener Gesetzlichkeit, zu dem – darin lag der vermeintliche Triumph – die Barbarei der menschlich-geschichtlichen Seinsweise keinen Zugang habe. Das Naturgedicht sollte Protest sein – und war doch Flucht; sollte Opposition sein – und drückte doch elementare Hilflosigkeit aus. Gemeint als Geste moralischer Verweigerung, war es ein unverbindliches »Spiel mit sechserlei Bällen«, »anakreontisches Tändeln mit Blumen und Blümchen über dem scheußlichen, weit geöffneten, aber eben mit diesen Blümchen überdeckten Abgrund der Massengräber« (E. Langgässer). Hier gab es für eine Literatur der antifaschistisch-demokratischen Neuordnung kaum etwas zu erben. Doch auch den großen Autoren des Exils fiel die Umstellung auf die neuen Aufgaben manchmal schwer. Die Jahre der Verbannung waren »finstere Zeiten«, und zudem noch »schlechte Zeit für Lyrik« gewesen, wie Brecht mehrfach notiert hatte. Angesichts der Schwere der Kämpfe und der »Differenziertheit der Probleme« waren die Kargheit der Empfindungen und die Preisgabe der »Differenziertheit des Ausdrucks« am Platz gewesen. Gar über die Schönheiten der Natur – einen blühenden Apfelbaum, den vor der Tür liegenden Sund in Dänemark – zu schreiben, war Brecht und vielen anderen als »fast ein Verbrechen« erschienen, »weil es ein Schweigen über so viele Untaten einschließt«. Wie sollte jetzt, nach so langer erzwungener Askese, der Reichtum der Empfindungen und des Ausdrucks wiedergewonnen werden? – Vor ganz anderen Schwierigkeiten stand ein Autor wie Erich Weinert, einst führender Vertreter einer kämpferischen, agitatorischen, operativen Poesie im Rahmen der proletarisch-revolutionären Literaturbewegung, dessen scharfe Satiren und militante Aktionslyrik nicht so recht zum Konzept der eher defensiven antifaschistisch-demokratischen Neuordnung passen wollten. Das politische Kommunikationssystem der klassenbewußten Arbeiterbewegung, in das Weinerts Texte wie die Hans Lorbeers, Wilhelm Tkaczyks u.a. hineingehört hatten, bestand nicht mehr.

Kargheit der Empfindungen

    In dieser Situation war es nicht leicht, das Schreiben und Lesen von Gedichten wieder zu einer produktiven Kunst zu machen. »Nachgeborene«, die einen eigenen Weg einschlugen, gab es noch kaum. Die Innerlichkeitszugewandtheit versperrte den Weg zu der neuen gesellschaftlichen Wirklichkeit. Die »Verweigerung des allzu bequemen Gegenstandes«, die Stephan Hermlin programmatisch forderte, gelang nur zögernd.

Johannes R. Becher

Der dominante Lyriker dieser Jahre war Johannes R. Becher. Gegenüber einer ›modernen‹ Lyrik, wie sie sein alter, jetzt in West-Berlin lebender Antipode Gottfried Benn in seinem Bekenntnis zu »Ästhetizismus, Isolationismus und Esoterismus« umrissen hatte *(Berliner Brief, Juli 1948)*, vertrat Becher eine Position der Wirklichkeits- und zugleich Traditionszugewandtheit. Sein großes Thema der 40er Jahre war die Lage Deutschlands und des deutschen Volkes in der »Zeitenwende«, die Notwendigkeit des »Anderswerdens« am Ende der faschistischen Terrorherrschaft. Dabei hat kein anderer Autor so stark wie Becher gehofft, den Fortschritt, ›das Andere‹ aus einem unmittelbaren Anknüpfen am humanistischen Kulturerbe zu gewinnen. Nicht das kritische Aufarbeiten der Widersprüche in der eigenen Nationalhistorie war seine Sache, sondern die Erinnerung an ein Deutschland und seine Kultur, deren barbarische Grundelemente systematisch ausgespart wurden. Das ästhetische Gebilde Gedicht schien Becher der geeignetste Weg, zum »Traumbesitz« des verschütteten Erbes zu gelangen, wobei er sich gleicherweise um ›klassische‹ Stilgebung (zumal in der »bändigenden«, durch seine Strenge schützenden Form des Sonetts) und volkstümliche Schlichtheit (vierzeilige Liedstrophe) bemühte. Topoi wie Volk, Heimat, Befreiung verwendet Becher nahezu naiv, ungebrochen; ja, er benützt sogar christlich-religiöse Motive und Vokabeln (Gebet, Kreuz, Gericht, Erlösung, heilig, ewig), weil sie ihm – wohl mit Recht – als geeignet erscheinen, unter nichtproletarischen Lesern Interesse, Hoffnung, Mut zu wecken. Bechers inflationäre, zuweilen undialektische, die Widersprüche fälschlich versöhnende Poetisierung des »versäumten Vaterländischen« (eine Wendung von Hölderlin, die Becher häufig sich rechtfertigend zitierte) macht die Deutschland-Lyrik dieser Jahre fragwürdig.

Bertolt Brecht

In den letzten Jahren hat die Erkenntnis eingesetzt, daß dem Lyriker Brecht ähnliches Gewicht zukommt wie dem Stückeschreiber. Das Jahr 1945 bedeutete in seiner Gedichtsproduktion keine Zäsur, hielt doch die Exilsituation auch noch bis 1947/48 an. Brecht schrieb weiterhin vornehmlich Satiren und Warngedichte gegen den Faschismus. Im Sinne des Epilogs zu *Furcht und Elend des Dritten Reiches* mahnte er unablässig: »Der Schoß ist fruchtbar noch, aus dem das kroch.« Schrittweise wandte sich Brecht vom Nazismus als dem bisherigen politischen Hauptgegner ab und richtete seine bis ins Groteske gesteigerten Satiren jetzt auch gegen den liberal-demokratischen Kapitalismus – als das System, das den Faschismus überlebt hatte und nun auch in (West-)Deutschland an dessen Stelle trat. Schonungslos und in großen allegorischen Bildern hat er das in dem nach P.B. Shelleys Ballade *Der Maskenzug der Anarchie* geformte Gedicht *Der anachronistische Zug oder Freiheit und Democracy* getan: in seiner Schilderung der sechs Plagen Unterdrückung, Aussatz, Betrug, Dummheit, Mord und Raub, die in geschickter Maskerade eine zwölfjährige Vergangenheit bemänteln und ganz ›up to date‹ sind.

Aber einige der neuen Gedichte weisen auch nach vorn: Sie richten den Blick auf die Zeitenwende als eine gewaltige Chance und proklamieren Selbstbestimmung und Selbsttätigkeit als Maßgaben der neuen Gesellschaftsordnung, so etwa im *Aufbaulied* von 1948. Von der mittleren Generation, die auf die Älteren (Becher, Brecht, Weinert u.a.) folgte, haben nur wenige die Lyrik des ersten Jahrfünfts ostdeutscher Literatur zu prägen vermocht. Es sind vor allem Peter Huchel, Stephan Hermlin und Kurt Barthel (KuBa), während die zur gleichen Generation gehörigen Erich Arendt

und Georg Maurer aus unterschiedlichen Gründen erst in den 50er Jahren
hervortraten.

Peter Huchel hatte bereits in den 20er Jahren Gedichte geschrieben, vor
allem Naturlyrik in diesseitig-nüchterner Sprache. Seine Erfahrungen als
Soldat setzten einen neuen, emphatischen Gebrauch von Naturbildern in
Gang. Sie fungieren bei dem Huchel der Nachkriegszeit (1948 erschien sein
Band *Gedichte*) als Chiffren für das alte System von Erstarrung und Tod
einerseits, für die neue lebenbringende Gesellschaftsordnung andrerseits.
Landschaft und Natur sind nicht Reservat, sondern wirkliche Umwelt, in die
der Krieg (also: der gewalttätige Mensch und die ihm dienstbare Technik)
seine Spuren eingegraben hat. Huchels Erweiterung des Naturgedichts »mit
Stalingrad und dem Schweigen der Toten«, wie Wilhelm Lehmann abfällig
feststellte, markiert eine der wesentlichen Differenzen zwischen der ostdeutschen und der westdeutschen Literatur der ersten Jahre nach dem Zusammenbruch des nationalsozialistischen Regimes. Für die DDR-Lyrik hatte
sie kaum zu überschätzende Folgen: Zumal Johannes Bobrowski, aber auch
die jüngeren »Landschafter« wie Wulf Kirsten oder Heinz Czechowski im
Banne Huchels zu schreiben begannen.

Peter Huchel

Die Auseinandersetzung
mit der »neuen Produktion« (1949–1961) *— begin cold war.*

Der Kampf um die antifaschistisch-demokratische Neuordnung in den Jahren 1945 bis 1949 war gleichzeitig ein ökonomischer Kampf, darauf gerichtet, eine massiv kriegsgeschädigte Industrie und Landwirtschaft wieder in
Gang zu setzen. Auf dem Lande hatte man den Schritt zur ausschließlichen
Privatisierung durch Verteilung des Großgrundbesitzes an Neubauern getan,
während die industriellen Produktionsmittel bis 1950 zu 60% verstaatlicht

Hochmechanisierter
Ernteeinsatz

wurden. Es liegt auf der Hand, daß eine Nachkriegswirtschaft, die fast nur Mängel zu verwalten hatte, der Bevölkerung Konsumverzicht abverlangen und zu einer hochgradigen Steigerung der Arbeitsproduktivität aufrufen mußte. Das geschah auch bereits 1947, als vom II. Parteitag der SED die Parole ausgegeben wurde: »Mehr produzieren, gerechter verteilen, besser leben!« Eine ausgedehnte Aktivisten- und Wettbewerbsbewegung wurde stimuliert, für die im Herbst 1948 der Bergwerkshauer Adolf Hennecke das Signal gegeben hatte, als er seine Schichtnorm um 387% übererfüllte. Die fortschreitende Verstaatlichung von Betrieben und deren Konzentration in Großbetrieben bzw. Kombinaten erleichterte eine zentralisierte Wirtschaftsplanung nach sowjetischem Modell. Für 1949/50 wurde ein Zweijahresplan, für 1951–55 ein Fünfjahresplan vorgegeben, womit umfassende und strikte Leitlinien für die landwirtschaftliche und industrielle Produktion gezogen waren.

Proklamation der DDR

Die Proklamation des Separatstaates DDR am 7. Oktober 1949 – Antwort auf die Gründung der Bundesrepublik wenig vorher – befestigte die Notwendigkeit, den einmal eingeschlagenen politisch-ökonomischen Weg in Abgrenzung vom kapitalistischen Westen und Anlehnung an die Volksdemokratien des Ostens in einem (knappen) halben Land weiterzugehen, auch wenn die nationale Agitation und Rhetorik kaum eingeschränkt fortgesetzt wurde und das Ziel, zumindest verbal, ein »einheitliches, friedliebendes, demokratisches Deutschland« blieb. Auf der 2. Parteikonferenz 1952 wurde dann der »Aufbau des Sozialismus« als »grundlegende Aufgabe« beschlossen. Freilich war es ein ganz bestimmter Typus von Sozialismus, der hier aufgebaut wurde.

Kaderpartei SED

Seine Realisierung wurde angeleitet von einer Partei, der SED, die inzwischen zu einer Kaderpartei des Stalinschen Typs umgebaut worden war. Der Grundsatz der paritätischen Führungsbeteiligung von ehemaligen Kommunisten und Sozialdemokraten war abgeschafft, das Organisationsprinzip des sog. demokratischen Zentralismus voll durchgesetzt, Fraktionsbildung als schlimmstes Sakrileg verboten. Das Prinzip der zentralisierten Planung und Leitung wurde, nach sowjetischem Modell, auch immer straffer im Produktionsbereich angewendet – mit der Folge, daß die proletarische Basis Zug um Zug weniger das Was, Wenn und Wie der Produktion bestimmte und in ihrer Mitsprache auf Betriebsprobleme im engeren Sinne eingeschränkt war. Die Arbeiterklasse war in der Tat die entscheidende Größe jener Jahre und jener Politik: aber als ökonomischer Planfaktor im Systemvergleich, und nicht als sich selbst bestimmendes Subjekt der Geschichte. Brecht hat einmal den Sozialismus als »die große Produktion« definiert. Damit meinte er nicht nur, daß im Sozialismus mehr und Besseres produziert würde als im Kapitalismus. Vielmehr geht es um die Aneignung nicht nur fremder Natur durch den Menschen, sondern auch um die produktive, selbstbestimmte Aneignung der eigenen Natur. Die politische und kulturell-literarische Entwicklung der DDR-Gesellschaft seit 1949 ist daraufhin zu befragen, ob sich in ihr jene qualitativ neue menschliche Produktivität offenbart, die Brecht und andere gemeint haben. Die Literatur erweist sich dabei als ein wesentliches Medium, in dem solche Fragen gestellt und ausgetragen werden.

Kultur und Literatur als Planfaktor

Schon früh wurden Kultur und Literatur sehr wichtige Aufgaben im Rahmen einer sozialistischen Gesellschaftsplanung zugeteilt. Bereits 1948 hielt Alexander Abusch eine Rede mit dem Titel *Der Schriftsteller und der Plan*, und ein Jahr später heißt es in einer Entschließung der 1. Parteikonferenz der

17. Juni 1953 – Leipzig

Mehr consumption look decadent.

SED: »Kulturarbeit im Dienste des Zweijahresplans leisten, das bedeutet in erster Linie die Entfaltung des Arbeitsenthusiasmus aller [...] Schichten des Volkes.« Die Tendenz war deutlich: Literatur und andere kulturelle Aktivitäten sollten nicht die menschliche Produktivität im allgemeinen befördern und das Bewußtsein erweitern, sondern sehr konkret die Bereitschaft zur materiellen Arbeit stimulieren, um dem Sozialismus im Systemvergleich zum Sieg zu verhelfen.

Funktionalisierung der Literatur

Nun waren es gerade die Marxisten unter den Schriftstellern, die schon immer auf der gesellschaftlichen Funktion der Literatur, auf der – unmittelbaren oder mittelbaren – Operativität von Texten bestanden hatten. Allein, die hier in Gang gesetzte Funktionalisierung wirkte einengend, lähmend, war letztlich der Produktivität feindlich. So stellte der gleiche Becher, der alle Schriftsteller zu Aktivisten hatte machen wollen, wenig später sarkastisch fest: »Ich versuche mich in Agitationsreimereien – ein bekannter Agitationsreimer erwies sich aber mir in dem Genre bei weitem überlegen.« Und an anderer Stelle: »Der Dichter ist kein Schaufensterdekorateur. Aber das Kunstgewerbe blüht.« Das Engstirnige eines ›sozialistischen‹ Funktionalismus, dem eine stürmische Produktivkraftentwicklung alles bedeutete, zeigte sich auch und vor allem dort, wo dieses Konzept als kulturpolitisches unmittelbar auf den Produktionsbereich angewendet wurde. Es wurde angeregt (und dies war doch erst einmal ein Experiment, das aller Förderung wert war), daß die Schriftsteller sich unmittelbar an der gesellschaftlichen Basis umtun, Erfahrungen sammeln und diese literarisch umsetzen sollten. Ziel war die Gestaltung des »neuen Menschen, des Aktivisten, des Helden des sozialistischen Aufbaus«. Doch was bei Besuchen von Schriftstellern »an der Basis«, in Industriebetrieben, auf Großbaustellen und in der jetzt kollektivierten Landwirtschaft herauskam, war zumeist nur Parolenliteratur – langweilige, hölzerne Reportagen, Traktorenlyrik und Bejahungsstücke. Brecht hat 1953 diese Vorgänge lapidar kommentiert: »Die Kunst ist nicht dazu befähigt, die Kunstvorstellungen von Büros in Kunstwerke umzusetzen. Nur Stiefel kann man nach Maß anfertigen.« So ist eine beklemmende Parallelität zu konstatieren: nämlich der Gebrauch der Produktivkraft »Arbeiter« wie der Produktivkraft »Kunst« als Mittel zum Zweck gesteigerter Arbeitsproduktivität. Am 17. Juni 1953 zeigten die Arbeiter der DDR, was sie von dieser Funktionalisierung hielten. Wenn auch nach den Juni-Ereignissen von

1953 die restriktive (Kultur-) Politik gelockert wurde, so gilt doch, daß das einmal in den Jahren zuvor installierte Instrumentarium einer zentralistisch geplanten, hierarchischen, funktionalistischen Kulturpraxis seither nie wieder ganz außer Kraft gesetzt wurde.

Sozialistischer Realismus versus Formalismus

Im März 1951 sah sich das Zentralkomitee der SED auf seiner 5. Tagung veranlaßt, die kulturelle Entwicklung der jungen DDR zum Hauptthema zu machen und deutliche Warnungen und Gebote auszusprechen. Die Partei startete jetzt explizit den Kampf gegen den sog. Formalismus in Kunst und Literatur. Formalismus wurde definiert als »Zersetzung und Zerstörung der Kunst selbst. Die Formalisten leugnen, daß die entscheidende Bedeutung im Inhalt, in der Idee, im Gedanken des Werkes liegt. Nach ihrer Auffassung besteht die Bedeutung eines Kunstwerks nicht in seinem Inhalt, sondern in seiner Form. Überall, wo die Frage der Form selbständige Bedeutung gewinnt, verliert die Kunst ihren humanistischen und demokratischen Charakter.« Die Ursachen solcher Tendenzen wurden in der Gesellschaftsformation geortet, der der Kampf der neuen sozialistischen Ordnung galt: im Kapitalismus und Imperialismus; oder in der Veranschaulichung von Stephan Hermlin: »Der Formalismus ist also der malerische, musikalische, literarische Ausdruck des imperialistischen Kannibalismus, er ist die ästhetische Begleitung der amerikanischen Götterdämmerung.« Angegriffen wurden unter den wechselnden Etiketten »Dekadenz«, »Kosmopolitismus«, »Naturalismus«,

Weltliteratur der Moderne

»Modernismus« und eben immer wieder »Formalismus« bedeutende Autoren der modernen Weltliteratur (Kafka, Joyce, Proust u.a.) und vor allem Künstler im eigenen Land, denen neben dem ökonomischen Fortschreiten auch der ästhetische Fortschritt noch wichtig war. Seit 1951 war eine ganze Kette von Veröffentlichungsverboten zu registrieren. Bücher wurden eingestampft, Theateraufführungen abgesetzt und Wandbilder übermalt. Eines der prominentesten Opfer war Hanns Eislers Opernlibretto *Johann Faustus* von 1952. Eisler faßte die Faustfigur als einen schwankenden Intellektuellen (und nicht vom nimmermüden »faustischen Streben« geleitet), die deutsche Geschichte als Kette von gescheiterten Revolutionen und Niederlagen – als die »deutsche Misere«, was den sieghaft-optimistischen Vorstellungen der SED diametral entgegengesetzt war. Also wurde Eislers Werk verboten.

Parallel zum Programm des sozialistischen Aufbaus in Ökonomie und Politik und als Gegengewicht zum gefährlichen Formalismus wurde der sog. sozialistische Realismus zur verbindlichen Kunststrategie erklärt. Der sozialistische Realismus als maßgebliche künstlerische Leitlinie wurde erstmals 1932 in der Sowjetunion (u.a. von Stalin), verbindlich dann 1934 von Andrej Ždanov formuliert. Nach dieser Doktrin muß der Künstler »das Leben kennen, es nicht scholastisch, nicht tot, nicht als ›objektive Wirklichkeit‹, sondern als die objektive Wirklichkeit in ihrer revolutionären Entwicklung darstellen. Dabei muß die wahrheitsgetreue und historisch konkrete künstlerische Darstellung mit der Aufgabe verbunden werden, die werktätigen Menschen im Geiste des Sozialismus ideologisch umzuformen und zu erziehen.« Bevorzugtes Sujet sollte die sozialistische Produktion sein. Im Zentrum des literarischen Werks hatte ein positiver, vorbildhafter Held zu stehen, der als Identifikationsangebot an den Leser gemeint war.

Kunststrategie der SED

Seine volle Wirkung entfaltete dieses Programm des sozialistischen Realismus in der DDR jedoch erst in seiner unmittelbaren Kombination mit der Literaturtheorie von Georg Lukács, der – wie später kritisch einbekannt wurde – bis 1956 eine »Monopolstellung« (Abusch) auf diesem Sektor ein-nahm. Lukács' bereits in den 30er Jahren vollständig ausgearbeitete Realismusauffassung knüpfte theoretisch an Hegel, ästhetisch an den Normen der Klassik und des kritischen Realismus an. Maßstäbe bürgerlicher Kunstproduktion aus dem 18. und 19. Jahrhundert wurden so als quasi überzeitlich gültige gesetzt: Das Kunstwerk sollte »alle wesentlichen objektiven Bestimmungen, die das gestaltete Stück Leben objektiv determinieren, in richtigem, proportioniertem Zusammenhang widerspiegeln«, so daß es selbst »als eine Totalität des Lebens« erscheint. Auf dem Wege der Typisierung der Erscheinungen sollte das »Allgemeine«, das Wesen, die »Gesetzlichkeit« der Wirklichkeit unter der Form der »Besonderheit« widergespiegelt werden. Formalästhetisch hatte das Kunstwerk, da es ja selbst »eine Totalität des Lebens« in sich sein sollte, organisch und geschlossen zu sein. Ein Abgehen von diesen Prinzipien galt mit und seit Lukács als Sakrileg, eben als Formalismus. Damit waren vorzüglich alle jene ästhetischen Techniken gemeint, die solchen Totalitäts-, Typus-, Organismus- und Geschlossenheitspostulaten zuwiderliefen: Formen der Montage, der Verfremdung, der Fabelunterbrechung, der parabolischen Gestaltung usw. Zugespitzt läßt sich also sagen, daß die DDR-Version des sozialistischen Realismus als Doktrin eine merkwürdige Mixtur darstellte: Ihrem ideologischen Gehalt nach folgte sie der (schematisierten) materialistischen Geschichtsauffassung; ästhetisch sanktionierte sie den Formenkanon einer bestimmten Entwicklungsetappe bürgerlicher Kunst als überhistorisch gültig. Künstler und Theoretiker, die diese Kombination ablehnten, gerieten in die Defensive und mußten sich ständig legitimieren (Brecht, Eisler, Dessau, später H. Müller, Kunert u.a.). So dominiert in der DDR der frühen und mittleren 50er Jahre thematisch die Aufbauliteratur und ästhetisch eine Orientierung an überlebten Traditionen des 19. Jahrhunderts. Erst der 4. Schriftstellerkongreß 1956 machte offenbar, daß die administrative Bevormundung und Doktrinarisierung der Literatur nicht mehr hingenommen wurden. Nicht nur Intellektuelle wie Hans Mayer wandten sich gegen die »Panpolitisierung« und beklagten die mangelnde »Opulenz« der landeseigenen Literatur. Auch fraglos sozialistische Schriftsteller wie die Seghers, Claudius und Heym, ja selbst Bredel kritisierten heftig das »öde, kleinbürgerliche Niveau« (Claudius), die »hölzerne Primitivität« (Heym) der Gegenwartsliteratur. Der wenig später stattfindende XX. Parteitag der KPdSU, auf dem der Stalinsche Personenkult attackiert wurde, verstärkte solche Tendenzen freimütiger Kritik noch und schien eine regelrechte Periode des »Tauwetters« einzuleiten. Doch die meist als »Liberalisierungsphase« bezeichnete Etappe 1953 bis 1956 wurde abrupt beendet. Nach den Aufständen in Ungarn und Polen (Oktober 1956) wurden die vorherigen Zugeständnisse an die Autonomiebedürfnisse der Intellektuellen weitgehend zurückgenommen und sogar wesentliche Auffassungen, die die SED vorher selbst propagiert hatte, als revisionistisch gebrandmarkt. Das galt insbesondere für die jetzt obligate Kritik an Georg Lukács, der durch sein Ministeramt in der »Regierung der Konterrevolution« endgültig desavouiert war.

Georg Lukács

(Lukatch)

peint a pos. vrc

Aufbauliteratur

Der Bitterfelder Weg – written about workers.

Initiativen und Versuche, die geschichtlich verfestigte Trennung von Kunst und Leben aufzuheben und die Arbeitsteilung zwischen Produktionsarbeitern und Kulturschaffenden zu überwinden, hat es bereits im Lauf der 50er Jahre gegeben. Doch sie blieben vereinzelt und wurden niemals maßgeblich. So hatten z.B. 1955 Kumpel des Braunkohlenwerkes Nachterstedt auf hö-

Willi Sitte; »Arbeiter-
triptychon« (1960)

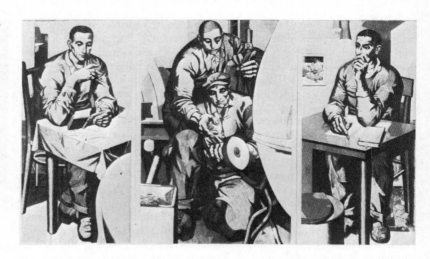

keine Isolation
vom Alltag

here Weisung einen Offenen Brief an die Schriftsteller ihres Landes geschrieben (er ging als *Nachterstedter Brief* in die Literaturgeschichte ein), in dem sie mehr Volksverbundenheit der Kunst und Literatur forderten. Der Brief war einmal ein schon fast unzeitgemäßes Plädoyer für die im Rückgang befindliche sog. Aufbauliteratur, andererseits eine dringliche Aufforderung an die Berufsschriftsteller, ihre verbreitete Isolation vom Alltag der Produktionsarbeiter aufzugeben, kurz: die Kunst dem Leben anzunähern. 1957 forderte Walter Ulbricht dann auf einem ZK-Plenum, die Künstler sollten nicht mehr »seltene Ausflügler« in den Produktionsbetrieben in Stadt und Land sein, sondern »sich dort wie zu Hause fühlen, daß sie ihr Leben und ihre Interessen mit denen des Volkes verbinden«. Schließlich stellte der V. Parteitag der SED im Juli 1958 programmatisch das Ziel auf, »die Trennung zwischen Kunst und Leben, die Entfremdung zwischen Künstler und Volk zu überwinden«. Denn, so Ulbricht, »in Staat und Wirtschaft ist die Arbeiterklasse der DDR bereits Herr. Jetzt muß sie auch die Höhen der Kultur stürmen und von ihnen Besitz ergreifen.«

Kopfarbeiter
in die Betriebe?

Für die Literatur war entscheidend die im April 1959 durchgeführte Bitterfelder Konferenz, an der neben ca. 150 Berufsschriftstellern fast 300 schreibende Arbeiter und Volkskorrespondenten teilnahmen. Von zwei Seiten her sollte die sozialistische Kulturrevolution im literarischen Bereich angegangen werden: zum einen sollten die Schriftsteller, die Kopfarbeiter, in die Betriebe gehen, mit Brigaden zusammenarbeiten und die Arbeitsbedingungen an Ort und Stelle studieren. Und zum anderen sollten die »Kumpel«, die Handarbeiter, »zur Feder greifen«, um dadurch einerseits die alltäglichen Kämpfe und Fortschritte im Produktionsbereich zu dokumentieren und sich andererseits durch die eigene Schreibtätigkeit, die literarische Produktivität zu den »Höhen der Kultur« emporzuarbeiten.

Die Realisierung dieses Programms erwies sich von Anfang an als schwierig, was insbesondere für den ersten Aspekt galt. Denn es fanden sich nur wenige professionelle Schriftsteller, die bereit waren, für längere Zeit die Kopfarbeit mit der Handarbeit zu vertauschen bzw. zu verknüpfen. Es gab zahlreiche »Blitzbesuche« von Autoren und »Patenschaften« zwischen Schriftstellern und Betrieben (der Ausdruck bestätigt das weiterhin hierarchische Verhältnis), ansonsten viele naserümpfende Urteile. Von einer allgemeinen Bewegung in den Bereich der materiellen Produktion hinein, die alle

454

Schriftsteller erfaßt hätte, kann nicht die Rede sein. Die Erfolge der »Greif zur Feder, Kumpel!«-Bewegung waren in den ersten Monaten und Jahren recht eindrucksvoll. In der Tradition der Arbeiterkorrespondenten aus der Weimarer Republik und in Parallele zu den sog. Volkskorrespondenten bei den Zeitungen, von denen es 1959 schon rund 9500 gab, entstanden Hunderte von Zirkeln schreibender Arbeiter auf Betriebs-, später auch Stadtteilebene, in denen hauptsächlich Arbeiter, später auch mehr und mehr Angestellte, Lehrer, Schüler usw. mitarbeiteten. Sie überschritten die passive Konsumhaltung gegenüber der Kultur, indem sie selbst – und zwar kollektiv, nicht als Schriftstellerindividuen – Texte produzierten, die aus ihren Interessen entstanden und für ihre Interessen wirken sollten. Das gilt insbesondere für das neue Genre Brigadetagebuch, das über alltägliche Vorkommnisse im Produktionsprozeß geführt wurde, aber thematisch oft weit darüber hinausgriff, indem es die Beziehungen der Menschen untereinander, von einer Brigade zur anderen usw. darstellte und sich dazu vielfältiger Formen wie Bericht, Notiz, Stellungnahme, Glosse, Satire, Gedicht, Porträt usw. bediente. Sehr bald jedoch wurden dem Brigadetagebuch Aufgaben aufgebürdet, die es eindeutig überforderten: nämlich zur »Persönlichkeitsentwicklung« beizutragen, »Keimzelle der deutschen Nationalliteratur« zu werden und sich immer enger an die »künstlerische Meisterschaft« heranzuarbeiten; letzteres eine Forderung, die im ganzen immer stärker an die literarische Produktion der Zirkel schreibender Arbeiter gerichtet wurde.

In den Jahren 1960 bis 1963/64 vollzog sich dann ein Prozeß zunächst kaum merklicher kulturpolitischer Revision, der die beiden Hauptziele des V. Parteitags und der Bewegung von Bitterfeld – Aufhebung der Trennung von Kunst und Leben und prinzipielle Annäherung der Hand- und Kopfarbeiter – wieder zurücknahm. Das »Laienschaffen«, die Literatur aus den Arbeiter-Schreibzirkeln (von denen nach wie vor Hunderte bestanden) wurde jetzt als »große Schule für die Herausbildung der künstlerischen Fähigkeiten und Talente der Arbeiter, Bauern und Intelligenz« betrachtet, schreibende Arbeiter als Nachwuchsreservoir quasi für die literarischen Profis, die sich nach Bedarf und unter Berücksichtigung bereitstehender Geschmackskriterien (der »künstlerischen Meisterschaft«, was immer das sei) aus diesem Reservoir im Wege der Zuwahl regenerierten. Eine interessante Initiative versandete, weil sich inzwischen fest installierte Grundelemente des »realen Sozialismus«, vor allem der Primat der Produktivkraftentwicklung und die Orientierung am bürgerlichen Erbe, als zu mächtig erwiesen.

Kunst und Leben

Fortsetzung der antifaschistischen Literaturtradition

Mit der Gründung der DDR und der bald folgenden Proklamation des sozialistischen Aufbaus war das Thema Faschismus nicht erledigt; die Vergangenheit blieb anwesend, und nicht durchweg als durchschaute und überwundene. Einige Bücher von Autoren der älteren und mittleren Generation, z.B. von Bodo Uhse, Ludwig Renn und Stephan Hermlin, waren dem heroischen Widerstandskampf der Antifaschisten gewidmet. Aber konnten solche Bücher, erzählt aus der Perspektive der bereits überzeugten Antifaschisten und Widerstandskämpfer, die Gleichgültigen und Schwankenden, die ehemals Naiven und Mitläufer gewinnen? Lag in ihren fast durchweg positiven Helden ein Identifikationsangebot, das für die Angehörigen dieser so wichtigen Zielgruppe glaubwürdig, realistisch war, da sie doch zwölf Jahre als Realität nur den schönen Schein ästhetisierter Politik und dann die scheinbar ursachelosen Schrecken des Krieges wahrgenommen hatten? An dem Erfolg

*Zeugen
der Vergangenheit*

Franz Fühmann

Reportage

der gewollten pädagogischen Wirkung muß man zweifeln. Die junge Christa Wolf war es, die schon damals, 1957, auf die bedenkliche Scheu ihrer älteren Kollegen hinwies, »den tieferen Konflikt eines von der faschistischen Ideologie betörten jungen Menschen« zum zentralen literarischen Thema zu machen. Eine Ausnahme macht Franz Fühmanns vielgelesene Novelle *Drei Kameraden* (1955), die glaubwürdig und psychologisch nachvollziehbar die schrittweise Abwendung eines jungen Soldaten vom faschistischen Krieg beschreibt.

Eine Reihe anderer Autoren, die auch Soldaten der Wehrmacht gewesen waren, hat in der zweiten Hälfte der 50er Jahre Prosatexte über den Zweiten Weltkrieg veröffentlicht. Ähnlich wie nach dem Ersten Weltkrieg hatte es offenbar des Abstands von ca. einem Jahrzehnt bedurft, bis die eigenen Kriegserfahrungen der literarischen Verarbeitung zugänglich wurden. Hierher gehören u. a. Karl Mundstocks Erzählung *Bis zum letzten Mann* (1956) und Harry Thürks Roman *Die Stunde der toten Augen* (1957). Dominantes Motiv ihrer Texte ist, wie bei Fühmann, der Frontwechsel, das Überlaufen auf die ›andere Seite‹, woraus folgt, daß im Zentrum der meisten Erzählfabeln eben diese Entscheidungssituation steht. Doch die maßgeblichen, parteioffiziösen Literaturkritiker fanden wenig Gefallen an dieser Literatur, schalten sie veristisch, objektivistisch und mißbilligten, daß sie über »naturalistische Reproduktionen« des Krieges nicht hinauskomme. Der »harten Schreibweise« dieser Autoren fehle die epische Distanz zum schwierigen Thema; kurz: sie seien eben ›nur‹ »kritische Realisten« (keine sozialistischen) oder »Kriegsnaturalisten«, wie sie von nun an hießen.

Erst mit 13jährigem Abstand zum Kriegsende, 1958, erschien der nach Anna Seghers' *Das siebte Kreuz* (1939/42) populärste KZ-Roman, *Nackt unter Wölfen*. Wie Ernst Wiechert, dessen autobiographischer Bericht *Der Totenwald* 1947 herausgekommen war, hatte Bruno Apitz lange Häftlingsjahre im thüringischen KZ Buchenwald verbracht. *Nackt unter Wölfen* erzählt, novellistisch angelegt und auf der Grundlage einer authentischen Fabel, die Geschichte eines dreijährigen jüdischen Kindes, das von einem Polen in einem alten Koffer nach der Evakuierung des Vernichtungslagers Auschwitz in Buchenwald eingeschmuggelt wurde. Mehrere Häftlinge nehmen sich des Kindes an. Das Kind wird nicht ausgeliefert, sondern überlebt. Und dennoch gelingt der Aufstand der Häftlinge, kurz bevor und während die amerikanische Armee das Lager befreit. Die Symbolik des Titels wird (ähnlich wie in Anna Seghers' *Das siebte Kreuz*) perspektivisch positiv aufgelöst: Der Mensch ist stärker als der (faschistische) Wolf. – Das Buch wurde auch international ein Riesenerfolg. Schon vor 20 Jahren war es in ca. 2 Millionen Exemplaren in 28 Ländern verbreitet und in 25 Sprachen übersetzt.

Vom Aufbauroman zur Ankunftsliteratur

Die literarische Auseinandersetzung mit dem Thema ›neue sozialistische Produktion‹ kam nur schwerfällig in Gang und wurde über Jahre hin auch kaum von den Arbeitern selbst geführt. Erst 1951/52 wurden Reportagen und Erzählungen aus den Betrieben zu einem bestimmenden Element der Literaturentwicklung. Doch sie kamen nicht von den Baustellen und Fabriken selbst, sondern waren erlebt und niedergeschrieben aus der Sicht von Schriftstellern und Journalisten, also Intellektuellen, die sich dort umgetan hatten und denen die ›proletarische Perspektive‹ häufig durchaus nicht (mehr) selbstverständlich war, auch wenn sie aus einer Arbeiterfamilie stammten. Den Auftakt zu einer ganzen Serie von Aufbauromanen zwischen

1952 und 1956 bildete Eduard Claudius' auch heute noch lesenswertes Buch *Menschen an unserer Seite* (1951), die nach dem Leben geschriebene Geschichte des Ringofenmaurers Hans Garbe, der sich als Aktivist nur mit größter Mühe unter seinen Kollegen durchsetzen kann. Das Beispiel Garbe regte auch Brecht zu einem Fragment gebliebenen Stück *(Büsching)* und später Heiner Müller zu seinem Stück *Der Lohndrücker* an. Viele Autoren widmeten sich den neuen Verhältnissen auf dem Lande, mehr Aufsehen erregten jedoch die sog. Betriebs- oder Produktionsromane (Maria Langner, *Stahl*, 1952; Karl Mundstock, *Helle Nächte*, 1952; August Hild, *Die aus dem Schatten treten*, 1952; Hans Lorbeer, *Die Sieben ist eine gute Zahl*, 1953; Wolfgang Neuhaus, *Wetterleuchten um Wadrina*, 1954; Hans Marchwitza, *Roheisen*, 1955; Rudolf Fischer, *Martin Hoop IV*, 1955; Harry Thürk, *Die Herren des Salzes*, 1956). Marchwitza und Lorbeer hatten einst zu den Begründern der proletarisch-revolutionären Literatur gehört, die anderen Autoren zählten in der Regel zur Generation der um 1910 bis 1920 Geborenen. Der literarhistorische Stellenwert dieser Romane ist problematisch. Sie waren belastet von dem, was Claudius einmal die leidige »Anwendung des Verpflichtungswesens auf die Literatur« nannte. Immer wieder finden sich in diesen Romanen Ansätze zu einer proletarischen Perspektive und zu einer Kritik ›von unten‹. Aber letztlich setzte sich jene sozialintegrative Tendenz durch, die Konflikte zudeckte und zum Vertrauen in Partei und Staat aufrief. Der sog. »Neue Kurs« und der 17. Juni 1953 brachten auch in dieser Hinsicht keine grundsätzliche Änderung. Die wohl doch noch antagonistischen Widersprüche, die in jenen Junitagen unter Anwendung von Gewalt ausgetragen wurden, sind in keinem veröffentlichten Werk der Literatur unverblümt behandelt. Stefan Heyms Roman *5 Tage im Juni*, durchaus eine Art Betriebsroman, konnte damals (noch unter dem Titel *Tag X*) und bis heute nicht in der DDR erscheinen. Und Marchwitzas *Roheisen*, großenteils schon 1953 entstanden, aber erst 1955 erschienen, zeichnete sich gerade dadurch aus, daß es die Ereignisse von 1953 ignorierte. So scheiterte der erste Anlauf einer sozialistischen Produktionsliteratur. Zwischen 1956 und 1959 erschienen kaum noch Prosatexte, die hierher zu zählen sind.

Der 1959 proklamierte Bitterfelder Weg, gerichtet auf eine Verschmelzung des bislang Getrennten: von Kunst und Leben, Kopfarbeit und Handarbeit, materiellen Bedürfnissen und moralischen Maximen – brachte der Produktionsliteratur einen neuen Aufschwung. Doch der Impuls dieser Literatur versandete, noch ehe sie eine massenhafte Qualität erreicht hatte. Eine »Nivellierung von Berufs- und Laienkunst« wollte die Partei jedenfalls vermeiden. Der Weg vom anderen Ende hin zur Aufhebung der Trennung von Kunst und Leben, der Weg des Dichters in die Produktion, wurde auch nur zögernd beschritten. Autoren der mittleren und jüngeren Generation wie Regina Hastedt, Franz Fühmann, Christa Wolf, Herbert Nachbar, Brigitte Reimann gingen ihn, nicht jedoch das Gros der Schriftsteller.

Dominant wurde in jenen Jahren die sog. Ankunftsliteratur, in der Züge des bürgerlichen Bildungs- und Entwicklungsromans wieder auferstanden. In ihr ging es um junge Menschen, die untereinander und auch mit den Anforderungen des »realen Sozialismus« an sie in (begrenzte) Konflikte geraten, die sich aber am Ende eines stereotypen sozialistischen Lernprozesses in Wohlgefallen auflösen und ein ›happy end‹ möglich machen. Kurz, die Helden der Ankunftsliteratur kommen regelmäßig im Sozialismus an und wenden sich der besseren Zukunft zu. Das belegen, neben dem titelgebenden Werk *Ankunft im Alltag* von Brigitte Reimann, die einschlägigen Romane der Autoren Joachim Wohlgemuth, Herbert Nachbar, Werner Bräunig, Joa-

Aufbauroman

der »Neue Kurs«

»Bitterfelder Weg«

Ankunftsliteratur

Bertolt Brecht, Johannes R. Becher und Dr. Wallner in einem letzten Gespräch über gesamtdeutsche Kulturfragen

chim Knappe, Karl-Heinz Jakobs. Dem Prosatypus der Ankunftsliteratur verwandt, aber doch weiter von der Produktionsliteratur im engeren Sinn entfernt ist jene Gruppe von zumeist umfangreichen Werken, die heute in der DDR als Entwicklungsromane bezeichnet werden. Dabei ist es der DDR-Literaturwissenschaft offensichtlich nicht problematisch, daß es sich hier um eine genuin bürgerliche Kunstform handelt, deren wesentliches Interesse dem »Mittelpunktsindividuum« (Brecht) gilt. Freilich stellen alle Autoren – die älteren Anna Seghers (in ihrem wiederum vielsträngigen Geschichts- und Gegenwartsroman *Die Entscheidung*, 1959), Wolfgang Joho, Erwin Strittmatter mit seiner Trilogie *Der Wundertäter* (erschienen 1957, 1973, 1980), Herbert Jobst, Jurij Brězan und die jüngeren Max Walter Schulz, Günter de Bruyn, Dieter Noll und die Träger der »Ankunftsliteratur« – den Prozeß der Individuierung als durch und durch von den alten und neuen gesellschaftlichen Verhältnissen geprägten dar, nicht als organische Ausfaltung einer vorgegebenen Entelechie. Ziel ist durchweg die Eroberung und Sicherung eines der werdenden sozialistischen Gesellschaft nützlichen Standorts. Den suchenden Subjekten wird dabei mehr Entfaltungsraum zugestanden, als das in den Betriebsromanen der Fall war. Dennoch sind den Versuchen der Subjekte, mündig zu werden, relativ enge Grenzen gezogen – Grenzen, die eine verinnerlichte Version genormten, stereotypen, Teile der Wirklichkeit ausblendenden Wahrnehmens und Denkens zieht. Das zentrale DDR-Thema

Stalinismus der 50er Jahre, die stalinistisch-autoritäre Formierung des Sozialismus, die in der sog. Entstalinisierung seit 1956 nur halbherzig kritisiert und nicht ernstlich revidiert wurde, regiert dabei nicht nur die Inhalte der Prosaliteratur, sondern obendrein auch die Form. Die erzählende Literatur der DDR ist bis weit in die 60er Jahre hinein von einem krassen Schematismus der Fabelkonstruktion, der Heldenwahl und der Personendarstellung geprägt, der in seiner Konventionalität dem geschlossenen, naiven Weltbild der Autoren entspricht: Schulbeispiel außengelenkter Ästhetik.

In einer Literaturlandschaft, in der die »berühmt-berüchtigte Theorie (und Praxis) der Konfliktlosigkeit« regierte und sich die »große heroische Illusion« einer »sozialistischen Nationalliteratur« festsetzte, muß das nun wirklich bedeutende frühe erzählerische Werk von Uwe Johnson wie ein Fremdkörper wirken. Es markiert, wenn auch für die Leser seines Landes damals nicht nachvollziehbar, einsam und unüberhörbar den Beginn der Moderne in der Erzählliteratur der DDR. Dieses Erstgeburtsrecht muß Johnson nachdrücklich zugesprochen werden, ohne damit die Verdienste von Christa Wolf, Fritz Rudolf Fries oder Ulrich Plenzdorf schmälern zu wollen. Umgekehrt wird man heute, aus dem Abstand von dreißig Jahren, aus westlicher Perspektive auch die überraschend engen Zusammenhänge zwischen Johnsons zuerst veröffentlichtem Roman *Mutmaßungen über Jakob* von 1959 und der Aufbau- und Ankunftsliteratur leichter erkennen können. Denn Johnsons *Mutmaßungen* sind auch eine Auseinandersetzung mit dem Thema der »neuen Produktion« im Marxschen Sinne (die Produktion des »neuen Menschen« inbegriffen), und sie sind auch ein Beitrag zum Problem des »Ankommens im Sozialismus« – nur daß dieser Beitrag, noch bevor das affirmative Genre eigentlich geboren war, dasselbe nicht bestätigte, sondern in Frage stellte. – Noch mehr muß Johnsons eigentlicher Erstling *Ingrid Babendererde. Reifeprüfung 1953*, entstanden in seiner Rostocker Studienzeit 1953 bis 1956, als DDR-Literatur begriffen werden. Er hatte das Buch vergeblich mehreren DDR-Verlagen angeboten – erschienen ist es erst nach Johnsons Tod als Nachlaßveröffentlichung (und nicht in der DDR). In ihm geht es um den (historischen) Konflikt zwischen der christlichen Jungen Gemeinde und der Partei bzw. der FDJ im Vorfeld des 17. Juni 1953. Die scheinbar heile Welt der Schule und der ersten Liebe zerbricht, die beiden Hauptfiguren entscheiden sich für die Flucht in den Westen. Erzählt ist der erste Roman Johnsons in einem hochkomplexen Verfahren der Brechung und Schichtung, das damals in der DDR schon in den Lektoraten – nur wenige Jahre nach der Formalismuskampagne – auf völliges Unverständis stieß. Die Prosaliteratur der DDR in den 50ern sollte eine Welt der Klischees, der Scheinlösungen und des öden Traditionalismus bleiben.

Die »neue Produktion« auf dem Theater

Die Theaterliteratur des Zeitraums 1949 bis 1961 ist fast durchweg von zwei Merkmalen geprägt. In der Dramaturgie und Schreibweise folgt sie, bis auf die Stücke des affirmativen Gebrauchstheaters, Brecht oder ist doch zumindest von ihm inspiriert. Ihren Stoff entnimmt sie zumeist unmittelbar den neuen Produktionsverhältnissen in Stadt und Land, wobei das Thema »sozialistisches Landleben« eindeutig favorisiert ist: fast jeder wichtigere Theaterautor hat in dieser Zeit sein »Agrodrama« geschrieben.

Brecht, inzwischen fest und endgültig in Ost-Berlin niedergelassen, beschäftigte sich in dreierlei Richtung mit dem Theater: Er realisierte mit dem Berliner Ensemble verschiedene eigene ältere Stücke, er bearbeitete Vorlagen anderer, insbesondere klassischer Autoren und führte sie mit seinem Ensemble auf, und schließlich brachte er einige wenige Stücke zeitgenössischer Autoren heraus. Ein eigenes neues Stück führte er nur in einem einzigen Fall zu Ende. Es ist das Lustspiel *Turandot oder Der Kongreß der Weißwäscher* (geschrieben im Sommer 1953), eine satirische Abrechnung mit den ›Kollegen‹ Intellektuellen und ihrer Anpassung an die jeweils Herrschenden. Es fällt auf, daß Brecht, der kaum je Zeitstücke im engeren Sinne geschrieben hatte, sondern statt dessen seine ästhetische Provinz in der Geschichte und parabolischen Räumen errichtete, sich zwischen 1945 und 1956 noch mehr in dieser Provinz ansiedelte. Mit seiner unmittelbaren DDR-Gegenwart hat er sich nur in drei Texten beschäftigt, die freilich nicht auf ausgearbeitete Theaterstücke hinzielten (*Herrnburger Bericht, Katzengraben*-Notate) oder, nicht grundlos, Fragment blieben wie der *Büsching*-Entwurf. Der Schwerpunkt von Brechts Produktivität lag eindeutig in der Bearbeitung älterer Vorlagen – Shakespeares *Coriolan* (1951), Goethes *Urfaust* (1952), Molières

Uwe Johnson

Bertolt Brecht

Hinwendung
zur Geschichte

Don Juan (1954) u.a.m. Was es mit Brechts Hinwendung zur Geschichte auf sich hat, zeigt am deutlichsten seine Bearbeitung von J.M.R. Lenz' *Hofmeister* (1950). Lenz' Hofmeister Läuffer, die Hauptfigur, entmannt sich in einer ihm ausweglos scheinenden Situation selbst und steht damit gleichnishaft für die Selbstentmannung der Intellektuellen im feudalabsolutistischen Deutschland des 18. Jahrhunderts, die eher noch Hand an sich selbst legten als an ihre Unterdrücker. Brecht fand in dieser Fabel »die früheste – und sehr scharfe – zeichnung der deutschen misere«. Aber er brachte sie nicht neu aufs Theater, um wiederum, wie Läuffer, der »flennt und murrt und lästert«, resignativ in der Misere zu versinken, sondern um gerade die Botschaft des alten Stücks zu verkehren. Brechts Sprachrohr ist nicht mehr der aufgeklärte Geheime Rat von Berg, vielmehr wird dieser der Lächerlichkeit preisgegeben. Und Läuffer »erntet unser Mitgefühl, da er sehr unterdrückt wird«, aber auch »unsere Verachtung, da er sich so sehr unterdrücken läßt«. Er gehört in die lange Reihe Brechtscher Helden, die nichts lernen, aber den Zuschauer eben daraus lernen lassen (die Courage, Don Juan, Lukullus, Coriolan u.a.). Charakteristischerweise fand er sein Modell eines Lehr-Stücks von deutscher Geschichte nicht im sanktionierten Kulturerbe der deutschen Klassik, sondern im randständigen Sturm und Drang. Angesichts einer solchen pointierten Deutung der Historie erweist sich Brechts *Hofmeister*-Bearbeitung – gleiches gilt für die anderen Adaptionen – als gar nicht so gegenwartsfremd, wie es zunächst den Anschein hat. Der Autor bringt in ihr seine Skepsis gegenüber der offiziösen harmonisierenden Geschichtsauffassung zum Ausdruck und rät indirekt zu einer Wiederentdeckung und -aneignung gerade der unklassischen, unbürgerlichen, plebejischen Elemente der deutschen Geschichte. Sein Rückgang auf die Historie ist Rückzug vor den ideologischen Gegebenheiten des »realen Sozialismus«, aber doch auch ein Versuch, die eigene kontroverse Position, historisch argumentierend, zu behaupten.

Auch Peter Hacks (der 1955 aus München in die DDR übersiedelte) hat zunächst Dramen im Geiste Brechts geschrieben. Seine früheren Stücke waren allesamt historischen Stoffen gewidmet (*Die Schlacht bei Lobositz*, 1956, worin eine Episode des Ulrich-Bräker-Stoffes behandelt wurde; das gegen die Fridericus-Rex-Legende gerichtete Lustspiel *Der Müller von Sanssouci*, 1957, u.a.m.), wobei sich der Autor hier noch ganz einig wußte mit der Tendenz von Brechts Bearbeitungen: die bisher nur ›von oben‹ geschriebene Geschichte ideologiekritisch umzudeuten. Gegen Ende der 50er Jahre wandte er sich dann zeitweise aktuelleren Stoffen zu, darunter auch dem Thema Bodenreform in der Komödie *Moritz Tassow* (1961).

Peter Hacks

Mit noch größerem Recht als Hacks oder auch Helmut Baierl sah Heiner Müller in Brecht seinen Lehrer. Und wie er das beste Agrodrama (*Die Umsiedlerin oder Das Leben auf dem Lande*, 1956-61) geschrieben hat, so auch die besten Theatergeschichten aus der Industrieproduktion. Es gab in den 50er Jahren eine ganze Serie von Produktionsstücken, wie z.B. Harald Hausers *Am Ende der Nacht* (1955). Das Stück war dramatisch spannend, voller Klischees, mit einem positiven Schluß versehen – und erfolgreich: Bis 1972 erlebte es in 39 Inszenierungen fast 1000 Aufführungen. Solche Erfolge waren den alle falsche Harmonisierung verweigernden Stücken Heiner Müllers nie beschieden. Seinem ersten bedeutenden Produktionsstück *Der Lohndrücker* (1956) lag ein authentischer historischer Vorgang aus der Zeit 1948/ 49 zugrunde, der bereits Eduard Claudius und Brecht *(Büsching*-Entwurf) zu literarischen Umsetzungen animiert hatte. Müller fragt danach, wie sich die Normen des neuen Systems (›Normen‹ im wörtlichen und im übertragenen Sinn!) auf die Menschen auswirken – und deckt auf, daß zwischen indivi-

Heiner Müller

duellen Ansprüchen und dem gesellschaftlich Notwendigen ein Widerspruch besteht. So ist die Reparatur des nicht stillgelegten Ringofens, die Balke und seine Brigade erzwingen, keine Heldentat eines harmonischen Kollektivs klassenbewußter Sozialisten, sondern – sehr nüchtern – eine Kooperation von weiter einander Widerstreitenden unter dem Zwang der ökonomischen Notwendigkeit. Müller weiß, daß er als »Stückeschreiber [...] den Kampf zwischen Altem und Neuem [...] nicht entscheiden kann«; folglich weigert er sich auch, diesen Kampf »als mit dem Sieg des Neuen vor dem letzten Vorhang abgeschlossenen darzustellen«. Vielmehr versucht er, »ihn in das neue Publikum zu tragen, das ihn entscheidet« (Prolog). Ein Stück der offenen Form, mit epischer Grundstruktur also, wie auch alle Formelemente belegen: Die 19 zum Teil sehr kurzen Szenenbilder zerreißen bewußt die Kontinuität des Handlungsablaufs. Eine Hierarchisierung der Rollen ist vermieden; Balke, von Müller mit einer halbfaschistischen Vergangenheit ausgestattet, ist durchaus kein positiver Held. Vielmehr wird der individuelle Held in Gestalt des vorbildlichen Einzelkämpfers als Typus demontiert. Die Sprache ist präzis gestisch, d.h. die Sprechweise des jeweils Agierenden zeigt, führt vor das für ihn Charakteristische. Müllers Stück *Der Lohndrücker* ist das beste und realistischste Stück über die ersten Aufbaujahre des Sozialismus. Es hält unbestechlich fest, daß der Weg zum Sozialismus unter den damaligen historischen Bedingungen ein eminent schwieriger, schmerzlicher, die Individuen kaum je beglückender Prozeß war, in den die Menschen zunächst nichts von sich außer ihrer Arbeitskraft einbringen konnten, also gerade das ihnen am meisten Äußerliche, Abstrakte. Mit Hegel und Marx ortete Müller in der Negation das geschichtsbildende und bewegende Moment.

Das »Erstürmen der ›Höhen der Kultur‹ ist ein Teil der Bewußtwerdung des Menschen als Schöpfer ihrer selbst« (B.K. Tragelehn)

Es sind nicht viel mehr Theaterstücke der Zeit bis 1961, von denen zu berichten sich lohnte, weil sie Geschichte oder doch wenigstens Literaturgeschichte gemacht hätten. Aufsehen erregte noch Peter Hacks' freches Produktionsstück *Die Sorgen und die Macht*, dessen dritte Fassung schließlich 1962 aufgeführt werden konnte. Ansonsten regierte das Mittelmaß. Eine vielgespielte witzige Komödie von Heinar Kipphardt (bis 1959 in der DDR, danach in der Bundesrepublik wohnhaft) traf bereits mit ihrem Titel die Situation aufs Beste: *Shakespeare dringend gesucht* (1952/53). Wohl nur in Heiner Müller hatte das Theater der DDR einen Nachfolger Brechts gefunden, der von ihm lernte, ohne ihn je zu kopieren.

Die Lyrik der 50er Jahre

Die Lyrik der Jahre 1949 bis 1961 bietet kein einheitliches Bild. Es wäre verfehlt, etwa von Produktionslyrik als Dominante des lyrischen Schaffens zu sprechen, wie es für Prosa und Theater durchaus vertretbar ist. Ein Grund für die komplexe Vielfalt im Gedicht liegt darin, daß während der 50er Jahre zwei bis drei Generationen von Lyrikern mit sehr unterschiedlichen Lebenserfahrungen nebeneinander schreiben und veröffentlichen: die vor der oder um die Jahrhundertwende Geborenen (Becher, Brecht, Fürnberg, Arendt, Huchel, Maurer u.a.), die wenigen Angehörigen einer Zwischengeneration (KuBa, Hermlin, Bobrowski u.a.) und die in den 20er Jahren Geborenen, eine in sich durchaus inhomogene Gruppe (Cibulka, Fühmann, Wiens, Deicke, Kunert u.v.a.). Doch das Generationsargument sticht nicht so ganz, ist doch in anderen Genres der gleiche Sachverhalt gegeben. Entscheidend ist wohl, daß die Lyrik, bislang beispielhaft Medium bürgerlich-individualistischer Selbstaussprache, auch jetzt keineswegs strikt mit dieser Tradition

Vielfalt statt Einheitlichkeit

brach, sondern weiterhin bevorzugte Literaturform subjektiv geprägter Wirklichkeitsbearbeitung blieb; weshalb denn auch politisch-ideologische Ungleichzeitigkeiten der Autoren direkter in sie eingingen als z.B. in die Prosa. Daß Gesellschaftlichkeit in der Literatur stets individuell erfahrene und ausgedrückte ist, war in der Lyrik schon viel früher unbestritten als in der Prosa. Das heißt freilich nicht, daß es in der DDR-Lyrik in ihrer ganzen Breite von Beginn an gelungen wäre, das neue Verhältnis von Individuum und Gesellschaft authentisch und wirklichkeitsmächtig, d.h. vor allem kritisch, zu gestalten. Die erste Hälfte der 50er Jahre ist, das ist nicht zu vergessen, die Zeit der Kulthymnik auf Stalin und Ulbricht, an der sich auch Becher, Brecht und Hermlin beteiligten. Man versuchte, wie Günther Deicke jüngst mit treffender Selbstkritik festgestellt hat, den »großdeutschen Volksliedton« der Nazi-Verführer von ehedem durch ›sozialistische Lieder im Volksliedton‹ zu ersetzen, was zumeist schiefging. Die Tendenz zum Idyllischen, Konfliktlosen, gepaart mit ästhetischem Dilettantismus und einer Übernahme der »neuen Mundart«, dem »Kaderwelsch« (so Brechts böses Wort), obsiegte.

Kulthymnik

Für die älteren Lyriker haben diese Worte freilich kaum Geltung. Bechers Spätwerk (*Neue deutsche Volkslieder*, 1950; *Deutsche Sonette*, 1952; *Schritt der Jahrhundertmitte*, 1958) erreicht zwar keine qualitativ neue und künstlerisch andersartige Stufe, enthält aber noch lesenswerte Gedichte in den bereits bekannten Formen. Die späte Lyrik Brechts unterscheidet sich dagegen beträchtlich von der des Exils und der Nachkriegszeit, die fast durchweg direkt politisch nützlich sein wollte und in – wohl begründeter – asketischer und skrupulöser Zurückhaltung gegenüber dem ganzen Reichtum menschlicher und natürlicher Wirklichkeit verharrte.

Brechts Spätlyrik

In den Gedichten der letzten Lebensjahre Brechts tritt das Nützlichkeitskalkül immer weiter zurück, die Kategorie der Schönheit dagegen, die den Dichter 1938 noch »verlegen« gemacht hatte, spielt eine immer größere Rolle. Jetzt schreibt er kein Warngedicht mehr über Deutschland, die »bleiche Mutter« (1933), sondern wirbt für ein »gutes Deutschland«, das er in der DDR, trotz aller Vorbehalte, wachsen sieht. Ist der Zyklus *Neue Kinderlieder* (1950) noch ein Werk des Übergangs, so sind endgültig die *Buckower Elegien* – 24 im Sommer des Jahres 1953, nach dem 17. Juni, entstandene Gedichte – ein Beispiel der neuen Schreibart. Dabei handelt es sich weder, wie von dem den Entstehungsort nennenden Attribut her zu vermuten, um reine Naturgedichte aus der märkischen Landschaft (Brechts Familie bewohnte zu Zeiten ein Landhaus in Buckow), noch um Elegien im traditionellen Sinne von ›Klagegedichten‹. Vielmehr reflektiert Brecht, von seinem subjektiven Standort, seinen Bedürfnissen her, die erreichten wie auch die noch nicht erreichten, also noch zu erkämpfenden Veränderungen in seinem Land, besonders aktuell nach dem 17. Juni 1953 (hier findet sich auch das berühmte Gedicht *Die Lösung*).

Neben Becher, Brecht, Weinert, der schon 1953 starb, und Louis Fürnberg sowie den auch bereits genannten Huchel, Hermlin und KuBa schoben sich im Lauf der 50er Jahre vor allem zwei ältere Lyriker in den Vordergrund, die aus ganz verschiedenen Gründen erst so spät zur Geltung kamen: der zunächst stark von Rilke beeinflußte Rumäniendeutsche Georg Maurer und Erich Arendt. Arendt hatte zuerst 1926 in Herwarth Waldens Zeitschrift *Der Sturm* veröffentlicht. 1933 emigriert, nahm er 1936–39 am Spanischen Bürgerkrieg teil und wanderte schließlich nach Kolumbien aus. Erst 1950 kehrte er in die DDR zurück. – Seine vor 1933 entstandenen Gedichte erinnern stark an die aufs Wesentliche verknappten, gestischen, kurzzeiligen Gedichte des Expressionisten August Stramm. Die 1951–56 vorgelegten Lyriksammlungen Arendts enthalten entweder noch im Exil entstandene Gedichte oder spiegeln doch zumindest noch die Erfahrungen aus Kolumbien, keine DDR-Wirklichkeit. Traditionslinien von Klopstock, Hölderlin, dem Expressionismus her, aber auch aus der französischen (Rimbaud), spanischen (Aleixandre) und südamerikanischen Dichtung (Neruda u. a.) laufen bei ihm zusammen. Am ehesten Paul Celan vergleichbar, erlebt Arendt, mit Bitterkeit und Trauer, offenbar zunehmend das Zerstörerische und Selbstzerstörerische an der von Menschen gemachten Geschichte und drückt diese Erfahrung in einer bis aufs Äußerste verknappten, oft bis auf Einzelworte oder isolierte Metaphern reduzierten Sprache aus, die dem ungeübten Leser hermetisch erscheinen mag. – Arendts wichtigster Gedichtband *Ägäis* (1967) entstand während einer Griechenlandreise.

Erich Arendt

Ebenfalls in die 50er Jahre gehört die Lyrik Johannes Bobrowskis, wenngleich sie erst ab 1960 in Buchveröffentlichungen zugänglich wurde. Auf den ersten Blick mag sie, ähnlich den Gedichten E. Arendts, als Fremdkörper innerhalb der ostdeutschen Literaturentwicklung erscheinen. Bobrowski stammte aus Tilsit in Ostpreußen und wuchs im nahen Königsberg, der Stadt Immanuel Kants, auf. Nach einigen Semestern Kunstgeschichtsstudium in Berlin wurde er für lange Jahre Soldat. 1945 kam er in sowjetische Gefangenschaft, war als Bergarbeiter im Donezbecken und kehrte erst 1949 nach Berlin zurück. 1952 schrieb er seine große *Pruzzische Elegie* (1955 gedruckt); 1960 erschien der Gedichtband *Sarmatische Zeit* (zuerst in der Bundesrepublik, wenig später in der DDR), 1962 *Schattenland Ströme*, 1966 der Nachlaßband *Wetterzeichen*. Bobrowskis Thema stand in Lyrik wie Prosa von Anfang an unverrückbar fest: »die Deutschen und der europäische Osten«. Nach der Erfahrung von Faschismus, Juden- und Minderheitenverfolgung und Krieg will der Autor die Sprache seines Gedichts gegen das Vergessen und Verschweigen richten: »Ich will etwas tun mit meinen Versen, mühevoll und entsagungsvoll, [...] wozu ich durch Abstammung und Herkunft, durch Erziehung und Erfahrung fähig geworden zu sein glaube. [...] Dazu muß alles herhalten: Landschaft, Lebensart, Vorstellungsweise, Lieder, Märchen, Sagen, Mythologisches, Geschichte, die großen Repräsentanten in Kunst und Dichtung und Historie. Es muß aber sichtbar werden am meisten: die Rolle, die mein Volk dort bei den Völkern gespielt hat.« Bobrowski verwendet für sein Thema wieder und wieder eine geographische Chiffre: Sarmatien, sarmatische Zeit – Welt. So bezeichneten die römischen Geschichtsschreiber den Siedlungsraum der Slawen, und damit steht Sarmatien als Chiffre für das historisch wechselnde, jedoch fast stets aggressive Verhältnis der Deutschen zu ihren östlichen Nachbarvölkern (Polen, Litauen, Russen – und immer wieder den Juden). – Bobrowskis Gedichtsprache ist unverwechselbar. Er verwendet schwierige Bilder und komplexe Wort- und Satzinversionen, folgt teilweise schwer nachvollziehbaren Assoziationen und läßt verschiedene Zeit-, Bedeutungs- und Motivebenen einander durchdringen. Sein Verfahren spiegelt die verworfenen Sedimentierungen der Geschichte in unserer Erinnerung, die mühselig forschend abgetragen werden müssen, um sie – jenseits der üblichen Routine – bewältigen zu können. Noch mehr als für Arendt oder Maurer gilt für Bobrowski, daß er bei Klopstock und Hölderlin gelernt hat. Jedoch hat er die antiken Versmaße und Strophenformen als normative hinter sich gelassen und fast durchweg in freien Rhythmen, meist ohne vorgegebene Strophenformen, geschrieben.

Bobrowskis Thema

Die Lyriker der nach etwa 1925 geborenen Generation hatten enorme Schwierigkeiten, aus Eklektizismus und dem bloßen enthusiastischen Jasa-

Günter Kunert

gen herauszukommen, wie vor allem die zahllosen Fest- und Feiergedichte zeigen, die Tag für Tag in den Zeitungen der DDR abgedruckt wurden. Die demgegenüber notwendige Distanz und Nüchternheit gelang nur einem Autor überzeugend: Günter Kunert, der freilich, an Brecht, Heine, Tucholsky und Ringelnatz sowie der amerikanischen Gegenwartslyrik (Edgar Lee Masters, Carl Sandburg) geschult, selbst nie schulebildend wie z.B. Bobrowski oder Maurer wirkte. Sein Ton war, von dem ersten Bändchen 1950 *(Wegschilder und Mauerinschriften)* an, gänzlich unpontifikal und profan und doch nicht wie gewünscht, insofern er seine Gegenstände zugespitzt ironisch, satirisch und aggressiv behandelte und Widersprüche nicht versöhnte, sondern ausstellte. Schon früh deutete sich freilich die Tendenz zum »schwarzen Lehrgedicht« an (Kunert forderte es 1965), mit dem der Autor dem gängigen blauäugigen Lehrgedicht widersprach und das ihm im Lauf der Jahrzehnte immer noch schwärzer geriet.

Im Zeichen nationalstaatlicher Konsolidierung und neuer Widersprüche (1961–71)

Nach dem 13. August 1961: auf dem Weg zur »sozialistischen Nation«

Mauerbau

Am 13. August 1961 ließ die Regierung der DDR eine Sperrmauer zwischen Berlin/Ost und Berlin/West errichten, die mit einem Schlag die bislang halbwegs offene Grenze zwischen den beiden Teilen der Stadt beseitigte und im Lauf der Jahre den zweifelhaften Nimbus erworben hat, eine der bestgesicherten Grenzen der Welt zu sein. Sprachen Westler in der Regel einfach und ablehnend von »der Mauer«, so rechtfertigte die DDR den Bau dieser Mauer, indem sie ihr die wohltönende Bezeichnung »antifaschistischer Schutzwall« zulegte. Sicherlich, die Berliner Mauer sollte (ergänzt um die weiter befestigte ehemalige Zonengrenze, jetzt Staatsgrenze zur Bundesrepublik) westlich-kapitalistische Einflüsse von der Bevölkerung der DDR fernhalten – und darauf spielte der genannte Terminus an –, entscheidend für ihren Bau war jedoch das Bestreben, dem Massenexodus aus der DDR (von 1949 bis 1961 mehr als 2,5 Millionen Menschen!), der die DDR-Wirtschaft in größte Schwierigkeiten stürzte, Einhalt zu gebieten. Daß die Schließung der Grenze aus DDR-Sicht erfolgreich war, zeigt der Rückgang der sog. »Republikflüchtigen« auf insgesamt 156000 im Zeitraum 1961 bis 1974.

Reaktion der Literatur

Kultur und Literatur der 60er Jahre haben mehr mit dem Faktum der Grenzschließung zu tun, als es auf den ersten Blick scheint. Durch die vollzogene ›Einmauerung‹ wurde das Augenmerk aller DDR-Bürger – einschließlich der Intellektuellen und Schriftsteller – notgedrungen stärker auf ihre eigenen, örtlichen, konkreten Lebensumstände und -verhältnisse gelenkt. Ein Abschweifen des Denkens und Vorstellens nach draußen wurde zwecklos, jedermann war gezwungen, sich mit den Alltagsproblemen und Widersprüchen an Ort und Stelle auseinanderzusetzen. Das konnte gerade in der Literatur nicht zu einem weniger kritischen Verhältnis des DDR-Bewohners zu seinem Land beitragen, im Gegenteil. Wo die offiziöse Politik verkündete, es gäbe nur noch »Auseinandersetzungen zwischen gut und besser«, fanden sensible Autoren heraus, daß es Epochenwidersprüche von »zäherem, mächtigerem Gang« gebe, »als daß sie sich mit einem Schritt überholen ließen« (V. Braun). So ist die DDR-Literatur der 60er Jahre geprägt von einem Anwachsen kritischer Tendenzen, oder genauer: Der Fundus aller geschriebenen Texte ist davon geprägt. Denn immer häufiger wurden Manuskripte nicht gedruckt, Theaterstücke nicht aufgeführt. Und je mehr die DDR-Literatur im Gefolge des 13. August 1961 ihr eigenes Land als Ort der Literatur annahm und die Bundesrepublik seltener Schauplatz literarischer Vorgänge wurde, desto häufiger wurden DDR-Texte nicht in der DDR, sondern nur in der Bundesrepublik gedruckt (z. B. Bieler, Biermann, Kunze, Heym, Müller). Jenes bis heute geltende gespaltene Literatendasein begann, daß ein Autor über das eine Land schrieb – aber nur in dem anderen Land (der Bundesrepublik) veröffentlichen durfte und folglich (fast) nur dort gelesen wurde.

Mit dem 13. August 1961 ist auch das endgültige Signal für die Absage an eine einheitliche deutsche Kultur gegeben. So stellte Alexander Abusch, mittlerweile drei Jahre Kulturminister, im Dezember 1961 apodiktisch fest: »Gehen wir davon aus, daß unser Arbeiter- und Bauernstaat der einzige rechtmäßige und humanistische deutsche Staat, die deutsche Republik des Friedens und des Sozialismus ist, dann darf man auch nicht mehr verschwommen und verwaschen von der deutschen Kultur im allgemeinen sprechen; eine solche deutsche einheitliche Kultur kann in beiden deutschen Staaten mit entgegengesetzter Entwicklung gegenwärtig nicht existieren.« Sprach Abusch noch allgemein von der DDR-Kultur als »humanistischer Kultur«, so hieß es in den nächsten Jahren deutlicher und nunmehr regelmäßig: »sozialistische deutsche Nationalkultur«. Damit war erstmals auch der Nationbegriff in einer Weise mit Beschlag belegt, die der Tendenz nach alles, was sich kulturell auf dem Territorium der Bundesrepublik tat, ausschloß.

Das Jahr 1965 brachte einen Höhepunkt der Kampagne gegen literarische und intellektuelle Tendenzen, die das System des realen Sozialismus grundsätzlich in Zweifel zogen. Auf dem 11. Plenum des ZK der SED im Dezember 1965 wurde ein Scherbengericht über alle »modernistischen«, »skeptizistischen«, »anarchistischen«, »nihilistischen«, »liberalistischen« und »pornographischen« Strömungen in der DDR-Gegenwartsliteratur wie übrigens auch im Film abgehalten, womit insbesondere die Autoren Wolf Biermann, Manfred Bieler, Werner Bräunig, Peter Hacks, Günter Kunert, Heiner Müller und Stefan Heym, sowie der Naturwissenschaftler und Philosoph Robert Havemann, der bereits 1964 als Professor entpflichtet und aus der SED ausgeschlossen worden war, gemeint waren. Ihnen wurde von dem Berichterstatter Honecker entgegengehalten: »Unsere DDR ist ein sauberer Staat. In ihr gibt es unverrückbare Maßstäbe der Ethik und Moral, für Anstand und gute Sitte.« Und im weiteren wurden »spießbürgerlicher Skeptizismus ohne Ufer«, »Verabsolutierung der Widersprüche, der Mißachtung der Dialektik der Entwicklung, konstruierte Konfliktsituationen, die in einen ausgedachten Rahmen gepreßt sind«, schließlich der »schlecht getarnte spießbürgerlich-anarchistische Sozialismus [...] mit stark pornographischen Zügen« eines Wolf Biermann moniert. Das Pochen auf »Sauberkeit« und »gute Sitte«, der Horror vor Pornographie und Anarchie ist besonders auffällig – Zeichen einer durchaus noch unbefreiten, viktorianischen Moral, die sich lieber am Althergebrachten, dem Kulturerbe, als an widerspruchsvollen zeitgenössischen Erscheinungen orientierte.

Die Jahre 1965 bis 1971 sind insgesamt von einer Verhärtung des gekennzeichneten Kurses geprägt. Nachdem *Sinn und Form* schon seit 1962 keine Westautoren mehr druckte, erschienen seit 1966 auch in der *Neuen Deutschen Literatur*, die bis dahin u.a. Walser, Weiss und Böll vorgestellt hatte,

Wem gehört der Mensch? – Dramatische Flucht einer alten Frau Ende September 1961

Schutzumschlag

keine westlichen Texte mehr; Zeichen der verstärkten Abgrenzung und Abschließung einer DDR-Kultur, die sich selbst genug sein sollte, ohne es doch wirklich zu sein. Nach einer im Sommer 1966 in der FDJ-Zeitschrift *Forum* geführten spannenden Debatte um Sinn und Funktion der Lyrik »in diesem besseren Land« (dies der Titel einer anstößigen Lyrikanthologie, herausgegeben von A. Endler und K. Mickel) brachten vor allem die Vorgänge in der ČSSR im August 1968 neuen Zündstoff. Das 9. Plenum des ZK der SED warnte nachdrücklich vor dortigen künstlerischen Tendenzen des »Modernismus«, die als Wegbereiter der »konterrevolutionären Entwicklung« gebrandmarkt wurden. In den gleichen Kontext gehört auch die Berührungsangst gegenüber der Neuen Linken in den westlichen Ländern, insbesondere in der Bundesrepublik, der man – da nicht auf das Konzept des realen Sozialismus eingeschworen – nicht über den Weg traute. Offiziöse Verlautbarungen der Partei erweckten den Eindruck, als ob trotz der geschlossenen Grenze Tendenzen der Ab- und Aufweichung von außen aus den kulturell amerikanisierten, imperialistischen Ländern in die DDR getragen würden. Damit wurde ignoriert, daß die DDR ihre massiven Widersprüche und Konflikte selbst produzierte und reproduzierte. Das gilt vor allem von jenem 1963 installierten »Neuen Ökonomischen System«, das dem Sozialismus zur Wirklichkeit verhelfen sollte und doch eher zu seiner weiteren Verhinderung beitrug.

Das Neue Ökonomische System von 1963 und die Literatur

Rationalisierung und Steigerung der Effektivität

Auf dem VI. Parteitag der SED 1963 wurde eine weitreichende Kursänderung der Wirtschaftspolitik beschlossen, die den Namen »Neues Ökonomisches System (der Planung und Leitung)«, kurz NÖS oder NÖSPL, erhielt. Vom NÖS, das ursprünglich nur ein dem fortgeschrittenen technisch-industriellen Niveau angepaßtes Planungs- und Leitungssystem der Ökonomie bewerkstelligen sollte, gingen im Lauf der folgenden Jahre wesentliche Impulse auf alle anderen gesellschaftlichen Bereiche einschließlich der Wissenschaften und Künste aus. Hauptziel des NÖS war eine Modernisierung und Rationalisierung des Wirtschaftssystems zum Zweck einer Effektivierung der Volkswirtschaft. Auf der Grundlage eines wissenschaftlich fundierten Systems der Steuerung und Leitung (Operationsforschung, Netzwerkplanung u.a.m.) sollte eine qualitativ neue Stufe technisch-ökonomischer Effizienz und Produktivitätssteigerung erreicht werden. Die an der Leitung des Wirtschaftsprozesses Beteiligten (Techniker, Wissenschaftler, Ökonomen) wurden unter das Gebot permanenter Weiterqualifizierung gestellt, weil davon ausgegangen wurde, daß der Beitrag der Planer und Leiter absolut entscheidend für das Fortschreiten der Arbeitsproduktivität sei.

Vom Jahr 1967 an sprach die SED statt vom NÖS nunmehr vom »Ökonomischen System des Sozialismus« (ÖSS), oder allgemeiner: vom »Entwickelten gesellschaftlichen System des Sozialismus« (ESS). Damit wurde behauptet, daß die DDR-Gesellschaft nicht mehr nur versuche, den Sozialismus aufzubauen, sondern daß sie ihn bereits verwirklicht habe. Walter Ulbricht prägte den Euphemismus von der »sozialistischen Menschengemeinschaft« (der 1968 in der Verfassung festgeschrieben wurde), Erich Honecker sprach später nüchterner vom »real existierenden Sozialismus«. Er wurde nun nicht mehr als rasch zu durchschreitende Übergangsphase in der Entwicklung der menschlichen Geschichte dargestellt, sondern als »relativ eigenständige sozioökonomische Formation in der historischen Epoche des Übergangs vom Kapitalismus zum Kommunismus im Weltmaßstab«. Die seit 1963 im Rah-

»sozialistische Menschengemeinschaft«

men des NÖS getroffenen Maßnahmen demonstrieren die starke Faszination
führender Staats-, Wirtschafts- und Wissenschaftskreise durch die neuen
(zuerst in westlich-kapitalistischen Ländern entwickelten) Möglichkeiten der
wissenschaftlich-technischen Revolution (abgekürzt WTR) und das daraus
erwachsende Bestreben, den real existierenden Sozialismus systematisch zu
verwissenschaftlichen, ja gleichsam zu technologisieren. Die von der Linken
in westlichen Ländern bereits früh in Rechnung gestellte Möglichkeit einer
Dialektik der Aufklärung, eines Umschlagens von menschenfreundlicher Rationalität in einen den Menschen instrumentalisierenden Absolutismus der
Ratio wurde nicht als Gefahr erkannt. Zeit (als ökonomische Funktion der
Effizienz), Leistung, Plan, Leitung wurden zu fetischisierten Leitbegriffen
eines rechenhaften Sozialismus, der den schon vorher geltenden Primat der
Produktivkraftentwicklung verfestigte und auf eine neue Stufe hob.

Der kulturelle Bereich im besonderen erfährt gegenüber den vorhergehen-
den Jahren eine noch stärkere Instrumentalisierung, ja regelrechte Ökonomisierung. Ziel ist das ›ökonomische‹ Kunstwerk, d.h. ein solches, dessen
bewußtseinsbildende Leitung in einem adäquaten Verhältnis zu den aufge-
wandten Mitteln steht. Der Schriftsteller soll nicht schlechthin »sozialistische
Persönlichkeiten« im Kontext der »sozialistischen Menschengemeinschaft«
darstellen, sondern – selbst eine Funktion der ökonomischen Hebeltheorie –
vorzüglich Planer und Leiter, die den generellen Prozeß der Produktivitätssteigerung beispielhaft voranbringen. Dabei soll er sich wissenschaftlich aus-
gewiesener, »prognostischer« Methoden bedienen, oder andersherum: aller
Poesie, die auf dem Privileg »vernunftlosen Träumens« (Hermlin) besteht,
entsagen. Daß im NÖS eine gefährliche Fetischisierung von Rationalismus
und Technik angelegt sein könnte, erkannten zunächst nur wenige Schriftsteller. So stand Günter Kunert 1966 noch ziemlich allein, als er vor der
»Versachlichung« des Menschen im Sozialismus warnte und auf die Gefahren forcierter Wissenschafts- und Technikgläubigkeit hinwies: »Am Anfang
des technischen Zeitalters steht Auschwitz, steht Hiroshima, die ich nur in
bezug auf gesellschaftlich organisiert verwendete Technik hier in einem
Atemzug nenne. Ich glaube, nur noch große Naivität setzt Technik mit
gesellschaftlich-humanitärem Fortschreiten gleich.« Wenige Jahre später trat
diese Skepsis bereits aus einer ganzen Reihe von Texten hervor, wofür vor
allem Christa Wolfs Roman *Nachdenken über Christa T.* und Kunerts Gedichtbände einstehen.

Günter Kunert

Selbstbewußte DDR-Bilanz
und Rehabilitierung des Ich in der Prosa

Auch in der Prosa der 60er Jahre spielt der Vergangenheitsstoff – Deutsch-
land unterm Faschismus – noch eine wichtige Rolle, bis hin zu drei Autoren
der jungen Generation vom Jahrgang 1937 (Jurek Becker, Klaus Schlesinger,
Helga Schütz). Ein Spektrum von Erzählsammlungen (Franz Fühmann, *Das
Judenauto*, 1962; A. Seghers, *Die Kraft der Schwachen*, 1965; Fred Wander,
Der siebente Brunnen, 1971) und Romanen (Noll, Bobrowski, Becker und
wiederum Fühmann, *König Ödipus*, 1966) ist hier zu verzeichnen. Lebhafte
Diskussionen löste das Erscheinen des zweibändigen Romans (ursprünglich
als Trilogie geplant) *Die Abenteuer des Werner Holt* (1960/63) von Dieter
Noll aus. Das Werk stellt den Versuch dar, das alte Gefäß des autobiographisch geprägten bürgerlichen Entwicklungsromans gesellschaftlich verbindlich, antifaschistisch zu füllen. Der Autor läßt seinen Helden alle Schrecken
des Krieges und des faschistischen Terrors mit eigenen Augen erleben, bei

Kriegsende zum orientierungslosen Heimkehrer werden und von da an – wie es sich für diese Romanform gehört – nach Lebenssinn und Selbstverwirklichung suchen. Doch Noll, der vor allem auf kraß naturalistische Darstellungsmittel zurückgreift, bleibt in der literarischen Konvention stecken.

Die bedeutendste Prosa der 60er Jahre zum Vergangenheitsstoff stammt von Johannes Bobrowski. Wie in der Lyrik hat der Autor auch als Prosaist hartnäckig nur sein eines Thema, »die Deutschen und der europäische Osten«, umkreist. Auf den ersten Blick mag Bobrowskis Prosa altmodisch, umständlich, naiv erscheinen. Doch dieser erste Blick trügt. Bobrowski hat eine so souveräne, Trauer, Vergnügen und Erkenntnis zugleich stiftende Schreibweise gefunden, daß seine Texte trotz ihrer thematischen Beschränktheit alles andere als provinziell sind. Davon zeugen die Erzählungsbände *Boehlendorff und Mäusefest* (1965) und *Der Mahner* (postum 1967) ebenso wie die Romane en miniature *Levins Mühle* (1964) und *Litauische Claviere* (postum 1966). Bobrowskis meistgerühmter Prosatext ist der Roman *Levins Mühle. 34 Sätze über meinen Großvater.* Wie in seinen anderen Prosaarbeiten mutet das Sujet zunächst antiquarisch, geographisch beengt und nicht gerade ›weltbewegend‹ an. Der Roman spielt in einem Weichseldorf im ehemaligen Westpreußen in den frühen 1870er Jahren und handelt von einem Rechtsfall, ist eine Kriminalgeschichte und damit in bewährter literarischer Tradition (man denke an Kleists *Kohlhaas* und *Der zerbrochene Krug*, an A. Zweigs *Grischa*-Roman oder an Peter Weiss' *Die Ermittlung*). Des Erzählers deutscher Großvater, ein Mühlenbesitzer, vernichtet – so die Fabel – einem zugewanderten armen Juden durch kriminelle Machenschaften die Existenzgrundlage, und obwohl die ›kleinen Leute‹ die Wahrheit ans Licht bringen, wird dem Juden kein Recht zuteil, der Übeltäter bleibt unbelehrbar. Bobrowskis große Kunst ist es, durch die Miniatur, die Darstellung der Verhältnisse im Kleinen und Alltäglichen, auch die Verfehltheit der gesellschaftlichen Struktur im Großen, eben einer Gesellschaft von Herren und Knechten, sichtbar zu machen. Dabei will er nicht verurteilen, Schuld zusprechen; nicht »deutsch reden«, sondern »lieber schon friedlich«. Dies geschieht nicht in wenigen markigen Hauptsätzen, sondern in einer Fülle von verzögernden, bedenklichen, nachfragenden Nebensätzen. Der Erzähler mischt sich immer wieder in die Fabel ein, unterbricht sie und sich, redet mit dem Leser und den Figuren seiner Geschichte und bewältigt auf diese Weise souverän die Schwierigkeit, seinen umstrittenen, durchaus ›politischen‹ Stoff gerecht zu erzählen, ohne der Fiktion der Überparteilichkeit zu verfallen.

Erst dem gegenüber Bobrowski zwanzig Jahre jüngeren Jurek Becker gelang mit *Jakob der Lügner* (1968) ein Prosawerk über den Vergangenheitsstoff von vergleichbarer Eindringlichkeit und künstlerischer Souveränität, diesmal über die faschistische Schreckenszeit selbst. Becker war im Ghetto aufgewachsen und hatte einen Teil seiner Kindheit in den KZs Ravensbrück und Sachsenhausen verbracht. Sein erster Roman *Jakob der Lügner* ist stark von eigenen Erlebnissen geprägt. Im Zentrum steht die Gestalt des jüdischen Eismanns und Kartoffelpufferbäckers Jakob Heym, der aus Menschlichkeit lügt. Nachdem Jakob im von den deutschen Faschisten besetzten Ghetto einmal die Nachricht verbreitet hat, die Rote Armee sei im Vormarsch begriffen und werde die Stadt bald befreien, muß er immer neue positive Nachrichten erfinden, als deren Quelle er ein Radio angibt, das gar nicht existiert. Jakob weckt Mut, Lebenswillen, Hoffnung – ohne sie jedoch letztlich einlösen zu können. Am Ende steht die Fahrt ins Todeslager, von der der Erzähler als ein Überlebender berichtet: heiter, ironisch, witzig, Distanz schaffend und Pathos unterdrückend, psychologisch genau und ohne falsche Heroisie-

Johannes Bobrowski

Jurek Becker

rung; eine Erzählweise, die vielleicht am besten faschistische Barbarei aufzudecken geeignet ist.

Wesentliches Kennzeichen der Prosa der 60er Jahre ist jedoch nicht mehr der Vergangenheitsstoff, vielmehr dominiert jetzt ›DDR-Literatur‹ im ganz wörtlichen Sinn. Vorbei war die »Abschieds-« und bald auch die »Ankunftsliteratur«, an ihre Stelle trat eine Literatur des Anwesendseins, deren Kern die jeweilige Autorerfahrung des Hier und Jetzt der unmittelbaren DDR-Gegenwart war. Das bedeutete keine Verarmung der Literatur, vielmehr entstand gerade gegen Ende der 60er Jahre hin eine große Vielfalt der Sujets und Schreibweisen, analog zu dem Ernst und der Hartnäckigkeit, mit der sich relativ viele Autoren auf die erlebten prozessierenden Widersprüche ihres Landes einließen. Dieses Sich-Einlassen führte zunehmend dazu, daß die idealistische Programmatik der Ankunftsliteratur – die Vorstellung von der immer gelingenden Ankunft im realen Sozialismus – durchbrochen wurde und die literarischen Beispiele des Nicht-Ankommens der Helden sich häuften – oder unter ›Ankunft‹ etwas ganz anderes verstanden wurde: nämlich das Zu-sich-selbst-kommen, die Selbstverwirklichung eines Individuums über eine Integration in die Gesellschaft hinaus. Kehrseite einer Literatur, der die Belange des Individuums immer wichtiger wurden, war eine kaum verhüllte Absage an die Konzeption des Bitterfelder Wegs von 1959. Die einstige Forderung nach Aufhebung der Trennung von Hand- und Kopfarbeit schien jetzt eher peinlich. Von ihr blieb übrig die vage Zielsetzung, »Schriftstellern den Zugang zum Leben der Arbeiter zu sichern«.

Literatur des Anwesendseins

Generell standen die Prosaautoren der 60er Jahre vor dem Problem, daß sie die Produktionsliteratur der 50er Jahre weder fortsetzen konnten noch wollten. Zum einen hatte sich die Produktionswirklichkeit entscheidend verändert, zum zweiten waren die Direktiven von oben andere geworden, und zum dritten bot diese ältere Literatur selbst zu wenig Nachahmenswertes. Sie wirkte gestellt, stilisiert, scheinhaft, und die immer gleiche – positive – Entscheidung für den Sozialismus mutete häufig langweilig oder gewaltsam an. Sicherlich gab es eine große Anzahl von Büchern, in deren Zentrum die ›sozialistische‹ Arbeit stand (so Romane älterer Autoren wie Seghers und Selbmann und jüngerer wie Joachim Knappe, Martin Viertel oder Herbert Otto). Aber wenn einmal ein Autor, wie Werner Bräunig, einen Prosatext veröffentlichte, der jenseits der optimistischen Klischees und Heldenstilisierung die rohe Arbeits- und Alltagswirklichkeit auch noch im Sozialismus schilderte (so in seinem 1965 in der *Neuen Deutschen Literatur* vorabgedruckten Romankapitel *Rummelplatz*, das im Uranbergbaugebiet des Westerzgebirges, dem ›Wilden Westen‹ der DDR, angesiedelt war), folgten Disziplinierung und Verbot. Das kulturpolitische Klima der 60er Jahre war nicht dazu angetan, Autoren schwächerer Begabung und geringerer Durchsetzungskraft zu ermutigen und die Gestaltung literarischer Figuren zu befördern, die gerade keine »generationslosen Einheitsmenschen« (C. Wolf) waren.

keine Fortsetzung der Produktionsliteratur

So sind es Autoren, die entweder aufgrund ihrer Begabung oder ihrer Durchsetzungskraft und auch geschickt gewählter Sujets der Prosaentwicklung der 60er Jahre Kontur, Farbe und vor allem Wirklichkeitsmächtigkeit, Realismus auch im Gegenwartsstoff zurückgegeben haben: Hermann Kant, Christa Wolf, Günter de Bruyn, Fritz Rudolf Fries (der freilich nicht gedruckt wurde) sowie, mit Abstrichen, Erik Neutsch und Erwin Strittmatter. In den zwischen 1963 und 1968 erschienenen Romanen dieser Autoren ist grundierendes Thema das Verhältnis des Einzelnen zu seiner (sozialistischen) Gesellschaft, der Konflikt zwischen individuellen und gesellschaftlichen Ansprü-

Widersprüche, Konflikte

Erwin Strittmatter

Schutzumschlag

Gegenwartsroman

chen und Erwartungen und deren Lösungsmöglichkeiten. Die Glücksansprüche und Selbstverwirklichungsbedürfnisse des Individuums werden entschieden ernster genommen als in der Literatur der 50er Jahre, die literarischen Helden weit mehr psychologisch differenziert und individualisiert. Diese Literatur macht deutlich, daß im Sozialismus nicht nur die Gesellschaft etwas vom Einzelnen verlangen darf, sondern umgekehrt auch der Einzelne von der Gesellschaft. Widersprüche, die auftreten, werden nicht durchweg in Harmonie aufgelöst: Am Ende kann auch die bleibende Dissonanz, ein Scheitern oder eben Nicht-Ankommen im Sozialismus stehen.

Erwin Strittmatter gilt in der DDR als Meister einer neuartigen Dorf- und Bauernprosa, deren zentrales Thema die Umwälzung der Produktionsverhältnisse auf dem Lande ist. Schon seine früheren Werke – der Roman *Ochsenkutscher* (1950), das Theaterstück *Katzgraben* (1953), die Kindergeschichte *Tinko* (1954) und der sozialistische Schelmenroman *Der Wundertäter* (Bd. 1, 1957) – gehörten zu den bemerkenswerten Neuerscheinungen. Doch sein wichtigstes Buch ist der 1963 erschienene Roman *Ole Bienkopp*. In ihm geht es, angesiedelt in der Umbruchsphase der bäuerlichen Kollektivierung 1952 bis 1959, um den Gegensatz zwischen dem vorwärtsdrängenden »Wegsucher« und »Spurmacher« Ole Bienkopp, der eine »Neue Bauerngemeinschaft« (die LPG) gründen will, und den Menschen auf dem Dorf, die ›noch nicht so weit sind‹. Am Ende stirbt Bienkopp, der »Beackerer der Zukunft«, der »zähe Träumer«, der sich im Versuch, die Utopie ins Werk zu setzen, verbraucht hat. Kein Wunder, daß sich die Zeitungen der DDR über Monate hin mit dem Roman beschäftigten und es Mühe kostete, das gewaltsame Ende des Helden plausibel zu machen.

Ist Strittmatters *Bienkopp* der Bauernroman der DDR-Literatur überhaupt, so läßt sich Erik Neutschs Roman *Spur der Steine* (1964) als der entscheidende DDR-Roman über die neue Produktion im industriellen Bereich bezeichnen. Neutsch hatte zunächst als Journalist gearbeitet und war dann mit kleinerer Prosa hervorgetreten, die sich vor allem mit Entstehung und Alltag sozialistischer Brigaden beschäftigte (*Regengeschichte*, 1960; *Bitterfelder Geschichten*, 1961). *Spur der Steine* ist ein Roman, der in epischer Breite von Leben und Arbeit auf einer der Großbaustellen der DDR erzählt und gleichzeitig das NÖS-Literaturprogramm in die Tat umsetzt, indem in seinem Zentrum Planer- und Leiterfiguren stehen. Eigentlicher Held ist freilich der Zimmermannsbrigadier Hannes Balla – »König der Baustelle«, Einzelkämpfer, Glückssucher auf eigene Faust, der zwar nicht gegen den Sozialismus ist, aber durchaus nicht gerade selbstlos seine hohen Arbeitsleistungen erbringt. *Spur der Steine* wurde zur Vorlage für Heiner Müllers Stück *Der Bau* (1965).

In den Romanen von Strittmatter und Neutsch ist die erzählte Zeit nahezu identisch mit der Zeit des Erzählers, d.h. es handelt sich um Gegenwartsromane im engen Sinne. Anders Hermann Kants vielgelesener und -diskutierter Roman *Die Aula* (Vorabdruck 1964 in der Zeitschrift *Forum*, 1965 als Buch), für den die DDR bereits ein auch geschichtliches Thema ist, das es zu bilanzieren gilt. Kant hatte 1962 seine erste Arbeit, den Prosaband *Ein bißchen Südsee*, veröffentlicht, der bereits durch erzählerische Raffinesse aufgefallen war. *Die Aula* nun ist ein Roman, der eigentlich keine individuellen Helden mehr hat, sondern ein Kollektiv oder eine gesellschaftliche Institution an dessen Stelle setzt. Es geht um die in der Aufbauphase der DDR eingerichteten Arbeiter- und Bauernfakultäten (ABF), an denen junge Arbeiter zur Universitätsreife geführt wurden, um später einmal die neuen Führungskräfte ihres Landes zu stellen. Erzählanlaß ist die Aufforderung an den

470

ehemaligen ABF-Studenten und jetzigen (d.h. 1962) Journalisten Robert Iswall, anläßlich der Schließung seiner alten ABF eine feierliche Rede zu halten. Die Rede wird nie gehalten, statt ihrer kommt der Roman zustande, der unter dem Heineschen Motto steht: »Der heutige Tag ist ein Resultat des gestrigen. Was dieser gewollt hat, müssen wir erforschen, wenn wir zu wissen wünschen, was jener will.« Der Autor setzt die in dem Motto liegende Aufforderung literarisch ins Werk, indem er ein üppiges und zugleich subtiles Geflecht aus Episoden, Anekdoten, Assoziationen und Reflexionen aus dem und über das Heldenzeitalter der DDR ausbreitet, womit er »Geschichtsbewußtsein [...] wecken und wachhalten will.« Wird DDR-Wirklichkeit auch teilweise entmythologisiert und hinterfragt, so dominiert doch klar das Lob, die selbstbewußte Haltung des »Es ist erreicht!« Anhand der Lebensläufe des ABF-Kollektivs »Roter Oktober« läßt sich zeigen, wie die Arbeiterklasse zur gebildeten wie zur herrschenden Klasse geworden ist. Und insofern steht *Die Aula* (wie schon ihr Titel, der ja die proletarische Enteignung des bürgerlichen Bildungssymbols signalisiert) in der Tat für die politische Grundsatzentscheidung und Entwicklung des Landes DDR, ist – vom Sujet her – *der* DDR-Roman schlechthin. – Kants Roman zeichnet sich durch den routinierten Gebrauch moderner Erzählmittel aus. Zeitenschichtung, Rückblenden, Perspektivenwechsel, innerer Monolog, ironische Brechung – dies und anderes mehr steht dem Erzähler mühelos zu Gebote und gibt dem Roman – in starkem Kontrast zu seinem Inhalt – formal einen geradezu westlichen Anstrich. Doch Kant, der kluge Arrangeur, schreibt zwar gescheit – aber glatt, souverän – aber routiniert: realsozialistischer Realismus, der letztlich keine Tabus aufbricht. Dies gilt auch für seinen zweiten Roman *Das Impressum* (1972), die Geschichte einer DDR-Karriere bis hin zum Ministersessel. Ein weiteres Mal rauht Kant die Widersprüche schick auf, um sie anschließend wieder um so zuverlässiger zu glätten. Wiederum pflegt er einen cleveren, intellektuell durchaus anspruchsvollen und dennoch leicht konsumierbaren Erzählstil.

Hermann Kant

Schutzumschlag

Christa Wolf

Auch das Debüt von Christa Wolf fällt in die frühen 60er Jahre. Kein anderer DDR-Schriftsteller hat so stark aus der individuellen Erfahrung, »subjektiv authentisch« geschrieben und einbekannt, daß ihm die Realität nicht mehr etwas Selbstverständliches, Fertiges, ohne Umschweife Darstellbares ist – und dennoch gleichzeitig ein so hohes Maß an Prägnanz in seinen Aussagen über die DDR-Gesellschaft erreicht wie Christa Wolf. Ihre Prosawerke entziehen sich auch bisher verwendeten vergröbernden Etiketten wie ›Agroroman‹, ›Produktionsroman‹ oder ›ABF-Roman‹, weil sie vom eigenen Anspruch her wie in dessen Realisierung entschieden komplexer sind. Vor allem in den seit 1967 veröffentlichten Texten von Christa Wolf gelangt das große Thema des Verhältnisses von Individuum und Gesellschaft auf ein neues Niveau. Die 1929 in Landsberg/Warthe geborene Autorin gehört zu jener Generation, die Faschismus und Krieg nur halbbewußt miterlebt hat und – so schien es zumindest – ungebrochen den Aufbau des Sozialismus in Angriff nehmen konnte. Nach dem Germanistik-Studium war sie zunächst Verlagslektorin und Redakteurin der *Neuen Deutschen Literatur*. 1961 veröffentlichte sie ihr erstes Buch *Moskauer Novelle*, das sie später selbst als doktrinär verwarf. Ihr zweites Prosawerk *Der geteilte Himmel*, 1963 als Buch erschienen, erregte sofort enormes Aufsehen. Binnen einem Jahr war das Buch in 160000 Exemplaren gedruckt; es wurde in mehrere Sprachen übersetzt und 1964 von Christa Wolfs Namensvetter, dem Friedrich Wolf-Sohn Konrad Wolf, erfolgreich verfilmt. Mit einem Schlag war die Autorin berühmt. In dem kleinen Roman geht es um die Liebesgeschichte zwischen einem 19jährigen Mädchen vom Lande, Rita Seidel, und einem Chemiker namens Manfred Herrfurth. Rita folgt dem Freund in die Großstadt Halle/ Saale, wo sie Pädagogik studiert, absolviert ein Praktikum in der Brigade eines Waggonwerks und verliert Manfred schließlich, der nach dem 13. August 1961 (die Handlung ist in den beiden Jahren davor angesiedelt) in West-Berlin bleibt. Sie besucht Manfred noch einmal, entscheidet sich jedoch gegen das westliche Gesellschaftssystem und damit auch gegen Manfred. Erzählt wird diese Geschichte aus der Perspektive Ritas, die im Herbst 1961 nach einem Selbstmordversuch ihr Leben neu zu ordnen versucht. – Vordergründig, und dies scheint ja auch der Titel zu signalisieren, geht es um eine Geschichte über Mauerbau und geteiltes Deutschland. Aber ihr »Grundthema« sei eigentlich, so die Autorin, »nicht die Teilung Deutschlands« gewesen, »sondern die Frage: Wie kommt es, daß Menschen auseinandergehen müssen?« Christa Wolfs Interesse gilt den Möglichkeiten des Einzelnen, sich in der DDR-Gesellschaft selbst zu finden und zu verwirklichen – und den Hindernissen, die in der Gesellschaft dagegen aufgerichtet sind. Interessanterweise geriet das Buch in der DDR nicht als Kunstwerk, sondern als Politikum ins Kreuzfeuer. Zwar war das Thema Republikflucht schon von Anna Seghers *(Die Entscheidung)* und Brigitte Reimann *(Die Geschwister)* behandelt worden, nicht jedoch in jener unorthodoxen Weise wie bei Christa Wolf, die es zu allem Überfluß noch mit einem (in der DDR) Un-Thema wie dem Selbstmordversuch der positiven Heldin kombinierte. Es zeugt vom relativ gewachsenen Selbstbewußtsein des Staates DDR, daß sich das Buch schließlich doch durchsetzen konnte und sogar mit renommierten DDR-Preisen ausgezeichnet wurde.

Christa Wolf

Was ist der Mensch?

Christa Wolfs Werk ist, über sich selbst hinaus, von besonderer literaturgeschichtlicher Relevanz, insofern es Zeichen gesetzt, Bewegung ermutigt hat und gleichzeitig selbst neue Tendenzen am deutlichsten markiert. Dies gilt auch thematisch, aber ebenso für die Erzählweise und die poetologische Reflexion darüber. Ihre 1967 erschienene Erzählung *Juninachmittag* und *Nachdenken über Christa T.* sind erste Beispiele einer Abkehr vom Konzept des auktorialen, olympischen, allwissenden Erzählers – ohne daß Christa Wolf das Recht des Erzählers auf Einmischung, Kommentar, Reflexion je preisgegeben hätte. Der *Tod der Literatur* und die *Exekution des Erzählers* (Kurt Batt über die Literatur der Bundesrepublik) ist ihre Sache nicht. Ihr geht es umgekehrt gerade um die Verwirklichung der »subjektiven Authentizität« als der vierten, eigentlich realen Dimension des Kunstwerks. Vor allem der Essay *Lesen und Schreiben* (1968) demonstriert ihre hartnäckig bohrende, produktive literaturtheoretische Arbeit.

1968 erschien Christa Wolfs Roman *Nachdenken über Christa T.*, und damit wiederum ein Buch, das Aufsehen erregte. *Nachdenken über Christa T.* stellt die Frage nach der spezifischen historischen Form von Individualität, die die neue Produktions- und Lebensweise in der DDR hat entstehen lassen. Erzählanlaß war der frühe Tod eines Menschen, der Freundin Christa T., die der Autorerzählerin nahestand und über die sie nun, nach deren Tod, nachdenkt. Trauer-Arbeit also ist der Inhalt des Buches, weniger aber im Sinne einer Elegie, eines hilflosen Klagegesangs, sondern vielmehr Lernen, In-Gang-Setzen von Erkenntnis über einen sehr bewußt und im besten Sinne anspruchsvoll lebenden Menschen und die Gesellschaft, in der sich dieses individuelle Leben vollzog. Christa T., Schulkameradin und Mitstudentin der Erzählerin, später Frau eines Tierarztes auf dem Lande und Mutter zweier Kinder, die schließlich mit 36 Jahren an Leukämie stirbt: das ist die eher banale Biographie, die sich freilich gerade darin nicht erschöpft, sondern wesentlich der Lebenslauf einer Frau ist, die, in der Absicht der Übereinstimmung mit der sie umgebenden Gesellschaft, voller Ungeduld, Wahrheitshunger und Vollkommenheitsanspruch eine neue Identität entwickeln will – und Schritt für Schritt entdecken muß, daß die existierende Gesellschaft auf ein solches Individuum keinen Wert legt, sondern wohlangepaßte, ›lebenstüchtige‹, schräubchengleich funktionierende und phantasielose »Tatsachenmenschen«, »Hopp-Hopp-Menschen« benötigt. So macht Christa Wolf unter der Hand mit ihrer Trauerarbeit einer Gesellschaftsordnung den Prozeß, die sich die Entfaltung des Menschen zum Menschen auf die Fahnen geschrieben hat, in der die Menschen jedoch täglich-alltäglich zu Vehikeln einer abstrakten Produktivkraftsteigerung und ›Systementfaltung‹ im Sinne des NÖS bzw. des ESS gemacht werden, in der die wissenschaftlich-technische Revolution zum Fetisch geworden und das sich selbst bestimmende Individuum auf der Strecke geblieben ist. – Erzählt ist dies alles in einer komplizierten, jedoch nie modisch anmutenden Darstellungsweise, die Rückblenden, Vorgriffe, Träume, Reflexionen u.a.m. dem Erzählinteresse des mehrdeutigen Nach-Denkens entsprechend auf- und ineinanderschichtet.

Wie soll man leben?

Ähnlich Christa Wolf, wenn auch zumeist mit geringerer Radikalität, stellte seit Mitte der 60er Jahre eine Reihe neuer, jüngerer Autoren die Frage: »Wie soll man leben?«, »Unter welchen Bedingungen entwickelt sich der Mensch als moralisches Wesen?« Damit war eine ethische, auf der subjektiven bzw. intersubjektiven Ebene angesiedelte Problematik zum Zentrum der Literatur geworden, die den mittlerweile weiten Abstand von der Programmatik des Bitterfelder Wegs und der proletarisch-revolutionären Literaturtradition deutlich hervortreten ließ. Hierher gehören von der Thematik, ästhetischen Qualität und ideologischen Stringenz her so unterschiedliche Autoren wie Karl-Heinz Jakobs (*Beschreibung eines Sommers*, 1961; *Eine Pyramide für mich*, 1971), Alfred Wellm (*Pause für Wanzka*, 1968), Werner Heiduczek (*Abschied von den Engeln*, 1968; *Marc Aurel oder ein Semester Zärtlichkeit*, 1971) und Irmtraud Morgner (*Hochzeit in Konstantinopel*, 1968). Sie behandeln Liebesbeziehungen und andere intersubjektive Verhältnisse, Fragen der Erziehung, der Identitätsfindung, der Hemmnisse oder Triebkräfte menschlicher Selbstverwirklichung, des angepaßten oder unangepaßten Lebens in der gegebenen Gesellschaft.

Die wichtigsten Beiträge zu dieser neuen literarischen Tendenz stammen von Günter de Bruyn. Sein 1961 erschienener Roman *Hohlweg*, der die unterschiedliche Entwicklung zweier Freunde von den letzten Kriegstagen in die ersten Nachkriegsjahre hinein schilderte, hatte noch all die Kinderkrankheiten eines Erstlings unter dem Primat des sozialistischen Realismus. 1968 erschien dann der »Liebes-, Frauen-, Ehe-, Moral-, Bibliothekars-, Sitten-, Gegenwarts-, Gesellschafts- und Berlinroman« *Buridans Esel*, der unter Verwendung der gängigen Dreiecksgeschichte eine brillante Demaskierung all der Anpassungsmechanismen, Lügen und Inkonsequenzen vornahm, die sich in der DDR-Gesellschaft breitgemacht hatten. Der arrivierte, angepaßte Bibliotheksdirektor Karl Erp, »Meister der Selbstrechtfertigung«, und sein männliches Selbstbewußtsein sind den Umwälzungen nicht gewachsen, die erforderlich wären, um seine Liebe zur emanzipierten, klugen Kollegin »Fräulein Broder« auf Dauer zu realisieren. Feige kehrt er in die scheinbare Familienidylle zurück; eine ›Entscheidung‹, die von de Bruyn gerade nicht als Triumph sozialistischer Moral ausgegeben wird, sondern als das ganze Gegenteil davon. Das wird in einer an Jean Paul und Fontane geschulten, psychologisch genauen, detailfreudigen und höchst amüsanten Erzählweise

Günter de Bruyn

geschildert, die in de Bruyns drittem Roman *Preisverleihung* (1972) wiederkehrt.

In dem Maß, wie die kritischen Prosaautoren der 60er Jahre sich nicht mehr krampfhaft am ideologischen Geländer festhalten, in dem Maß befreien sie sich auch von den Dogmen einer im Jahrzehnt zuvor sakrosankten außengelenkten Ästhetik. So, wie es Bobrowski virtuos vorgemacht und Christa Wolf auf ihre ganz eigene Weise fortgesetzt hatte, bedienen sich jetzt immer mehr Autoren moderner Erzähltechniken: Rückblende, Zeitenschichtung, innerer Monolog und Bewußtseinsstrom, Einführung einer Erzählerfigur, ironische Brechung und Wechsel der Erzählperspektive – all diese Mittel der Subjektivierung, Differenzierung und Perspektivierung des bislang statisch als ›objektiv‹ gesetzten Erzählinhalts werden so geläufig, daß Max Walter Schulz 1964 davor warnen zu müssen glaubte, »die Totalitätsforderung an den Roman« preiszugeben und zu suggerieren, daß die Welt »nur auf verschiedene Weise poetisch interpretiert« werden könne. Bei einem Autor ging die »verhohlene Aneignung« (H. Küntzel) der modernen Erzählmittel so weit, daß sein erster Roman bis heute nicht in der DDR erscheinen konnte: bei Fritz Rudolf Fries.

Fritz Rudolf Fries

Fries' Roman *Der Weg nach Oobliadooh* erschien 1966 im Suhrkamp-Verlag, nachdem sich in der DDR kein Verleger fand. Aus der spanischen Literatur konnte Fries das Modell entleihen, das ihm als das geeignete für seine Art der Wirklichkeitsbewältigung erschien: den Schelmenroman. Eigentlich hätte der Schelm, der Pikaro in der DDR-Literatur gar nicht auftauchen dürfen, ist er doch ein »abnormer« Held, ein unernster Verneiner und Zerstörer, dem nichts heilig ist. Und doch vertraute Fries seine Interpretation der DDR und ihrer Gesellschaftsordnung einem Schelmen an, dem in Leipzig ansässigen Übersetzer, Romancier und Bohemien Arlecq, einer in vieler Hinsicht autobiographischen Figur. Sein Freund Paasch, Zahnarzt und werdender Familienvater wider Willen, ist zwar kein anarchistischer Pikaro, vielmehr ein versponnener Pedant, aber auch er taugt nicht als Vorbild. So stolpern denn die beiden durch die DDR der Jahre 1957/58 und auch einmal kurz, zur Flucht entschlossen, durch West-Berlin, um sich am Ende doch wieder in der DDR einzufinden – als Insassen einer psychiatrischen Klinik einigermaßen handlungsunfähig und perspektivlos. Ausgeträumt ist der Traum von einer »entfernten Sonnenstadt«, zu der »die eigene Stadt«, die DDR, nur »als das Filial und das Wirtschaftsgebäude« vorgestellt werden kann, wie es im vorangestellten Jean-Paul-Motto heißt, West-Berlin war diese Sonnenstadt nicht, geblieben ist allein das Land of Oobliadooh, die Welt des Jazz, Metapher einer poetischen Traumwelt jenseits der DDR-Realität. Doch Fries' Roman ist nicht nur vom Gehalt her ein Text gegen die Norm und gegen das Normale. Auch seine Erzählweise stellt sich gegen die geltenden Regeln und befördert die Anarchie. Fries, erkennbar geschult an den Klassikern der Moderne, vor allem Marcel Proust, der an mehreren Stellen verschämt beschworen wird, setzt seine Leser einem assoziationsreichen, Vergangenheit, Gegenwart und Zukunft, Traum und Realität, Erlebtes und Vorgestelltes, Nahes und Fernes, Privates und Öffentliches mischenden Bewußtseinsstrom aus.

Theater ohne Brecht: Geschichten aus der Produktion und Parabelstücke

Die Theaterliteratur tritt in den 60er Jahren deutlich hinter der Prosa zurück, womit nichts über ihre Qualität, einiges aber über ihre gesellschaftliche Wirksamkeit und ihre Rolle im öffentlichen Bewußtsein gesagt ist. Entscheidend – und kennzeichnend für die Kulturpolitik der SED – war, daß die wichtigsten, erregendsten Stücke dieser Jahre – Hacks' *Die Sorgen und die Macht* und *Moritz Tassow*, Müllers *Bau* und *Philoktet* und Brauns *Kipper Paul Bauch* – entweder gar nicht oder unter weitgehendem Ausschluß der Öffentlichkeit aufgeführt wurden und damit ihre breite Rezeption notwendig ausblieb. Zwar ist festzuhalten, daß sich Gegenwartsstücke auf den Theatern der DDR mehr und mehr durchsetzen (1956 waren DDR-Autoren zu 20%, zeitgenössische Themen zu noch nicht 40% vertreten; 1960 waren es schon mehr als ein Drittel DDR-Autoren und fast zwei Drittel zeitgenössischer Themen); aber diejenigen Stücke, die tatsächlich gespielt wurden, zeichneten nicht unbedingt ein illusionslos-realistisches Bild von den gegebenen Verhältnissen. Die folgenden Tendenzen sind kennzeichnend für die Entwicklung der Theaterliteratur in den 60er Jahren: Anders als in der Bundesrepublik, konzentriert sich das interessante Theater der DDR auf *eine* Stadt, die Hauptstadt Berlin mit ihren drei führenden Spielstätten: das Deutsche Theater (1883 begründet und vor 1933 Jahrzehnte von Max Reinhardt geleitet), die Volksbühne und das Berliner Ensemble Brechts, das nach seinem Tod von Erich Engel und später Helene Weigel geleitet wurde. Andere wichtige Regisseure dieser Jahre waren Wolfgang Langhoff, Benno Besson, Manfred Wekwerth und Peter Palitzsch. Die bis dahin unangefochtene Autorität Brechts lockert sich, gerade bei seinen interessantesten Schülern (ein Prozeß, der sich in den 70er Jahren forciert fortsetzt). Die Produktionsthematik spielt weiterhin eine beträchtliche Rolle, freilich verändert durch die Strukturen, die vom Neuen Ökonomischen System gesetzt sind. Bei einigen Autoren ist eine starke Tendenz zum Parabelstück bzw. zur mythologischen Vorlage zu verzeichnen – wobei die gewählten Parabeln und Mythen durchaus die bedrängende Gegenwart meinen können. In einer nach wie vor sehr eingeschränkten, reglementierten Öffentlichkeit, in der die publizistischen und audiovisuellen Medien häufiger der Verhinderung als der Verbreitung von Nachrichten dienen, nimmt das Theater nicht selten die Funktion einer Ersatzöffentlichkeit wahr. Ein sehr waches, im Verstehen von Anspielungen zunehmend geübtes Publikum entsteht. Eine größere Zahl anspruchsvoller Stücke, ob direkt auf Zeitstoffe bezogen oder im historischen bzw. mythologischen Gewand, erreicht das Publikum nicht oder nur um Jahre verzögert. Sie bleiben »Schubladenstücke« (O.F. Riewoldt). Das gilt vor allem für mehrere Texte Heiner Müllers und (später) Volker Brauns. – In der Breite entsteht eine umfangreiche Gebrauchsdramatik, was inhaltlich heißt: eine Vielzahl von in der Regel leicht konsumierbaren sozialistischen Bejahungsstücken. Mit der Einführung des Fernsehens (Januar 1956), verstärkt seit ca. 1965, tritt das Fernsehspiel in den Vordergrund und verdrängt teilweise das Theater. 1966 besitzen bereits 54 von 100 Familien einen Fernsehapparat. Die Zuschauerzahlen der Theater gehen zurück bzw. stagnieren zumindest, viele Theaterautoren laufen gleichsam zum Fernsehen über oder werden zu Doppelverwertern, indem sie zwei Versionen der gleichen Vorlage erstellen.

Damit ist ein Typus von Stücken angesprochen, der hierzulande weitestgehend unbekannt ist. Gemeint sind die ›Zeitstücke‹ der Helmut Sakowski, Claus Hammel, Armin Stolper, Rainer Kerndl, Horst Kleineidam, Horst Salomon (*Katzengold*) und ab Ende des Jahrzehnts Rudi Strahl, des inzwischen erfolgreichsten Bühnenautors, sowie die Fernsehspiele der gleichen Autoren, zu denen u.a. noch Bernhard Seeger, Benito Wogatzki, Karl Georg Egel (*Dr. Schlüter*), Rolf Schneider und Gerhard Bengsch (*Krupp und Krause*) hinzukommen. Mag das eine oder andere Stück im Detail zu Wahr-

Tendenzen

Zeitstücke

haftigkeit und Authetizität vorstoßen und auch ästhetisch interessant sein: insgesamt sind sie unkritisch, affirmativ. Die meisten Produktionsstücke, die im Zeichen des NÖS entstanden sind, teilen diese harmonisierende Tendenz. Sie dringen, trotz Kritik im einzelnen, nicht bis zur grundsätzlichen Fragwürdigkeit des Neuen Systems der wirtschaftlichen Planung und Leitung (der Ignoranz der Potenzen, Interessen und Bedürfnisse des Produktivarbeiters) und der durch dieses betriebenen Technologisierung des Sozialismus vor. Das zeigen z.B. Helmut Baierls *Johanna von Döbeln* (1969) und Erik Neutschs *Haut oder Hemd* (1966–1971).

Peter Hacks

Über die Jahre hin hat das Werk von drei Autoren – Peter Hacks, Heiner Müller, Volker Braun – literaturhistorisches Interesse hinzugewonnen. Die Entwicklung von Peter Hacks, der einst auch bei Brecht begonnen hatte, verläuft in den 60er Jahren auf einem Weg, der immer deutlicher vom Realismus weg – und zum unverbindlichen Klassizismus hin führt (von Hacks selbst als ›Klassik‹ verstanden). Die Stücke *Die Sorgen und die Macht* und *Moritz Tassow* hatten durchscheinen lassen, daß die DDR noch ein Ort der Notwendigkeit ist, die das Glück des einzelnen und seine freie Entfaltung hemmt, wo nicht verhindert. Diese Sichtweise ist Hacks im Lauf der Jahre abhandengekommen, so daß er schließlich 1972 Grundsätze einer »postrevolutionären Dramaturgie« veröffentlichen kann. In ihnen heißt es: »Der Mensch ist, bereits im gegenwärtigen Zustand des Sozialismus, in so hinlänglichem Maße Herr der Geschichte, daß der dramatische Urheber anfangen kann, seinem Stoff als Herr gegenüberzutreten; er vermag ihn den Gesetzen der Gattung entsprechend zu gestalten und zur Gänze, wie Poesie muß, in Form zu verwandeln.« Das »Neue Drama« habe vom »rein auf den Menschen bezogenen Wesen der Kunst« auszugehen und sich von »überflüssiger Stoff-Fülle und unverdaut Zufälligem« zu befreien; von Erscheinungen also, die für die »schlechteste Dramenform«, die »episch-soziologische«, kennzeichnend seien. Das ehemalige Vorbild Brecht ist verworfen, was seinen praktischen Niederschlag bereits in den Stücken der 60er Jahre gefunden hat. Stofflich ist Hacks immer mehr in Historie und Mythologie ausgewichen (*Der Frieden* nach Aristophanes, 1962; *Die Schöne Helena*, 1964; *Amphitryon*, 1968; *Margarethe von Aix*, 1969; *Omphale*, 1970; *Adam und Eva*, 1972) – ohne daß seinen Historien und Parabeln ein sozialistischer Gehalt immanent wäre, wie es für Heiner Müller zu belegen ist. Hacks ist zum Theaterdichter des Allgemeinmenschlichen, des bereits versöhnten Gattungswesens im »postrevolutionären« Zeitalter geworden.

Dialektik auf dem Theater = Heiner Müller

Während für Peter Hacks die Diskrepanz zwischen den Glücksansprüchen der Individuen und den realen Arbeits- und Lebensbedingungen in der DDR nur mehr unbeträchtlich, ja vernachlässigenswert ist, gibt es für Müller kein irgend Positives, das schon im Hintergrund wartet. Für ihn ist das Wesen der Dialektik Negation der Negation. Das heißt konkret: Die kapitalistische Entfremdung ist in den ersten Phasen des Sozialismus zunächst nur ersetzt durch andere Formen der Entfremdung; ein plötzlicher ›Ausbruch‹ von Produktivität, Glück und humanem Verhalten ist keineswegs gegeben. Diese Auffassung von realer Dialektik demonstriert am deutlichsten Müllers drittes Produktionsstück *Der Bau* (geschrieben nach Motiven aus Erik Neutschs Roman *Spur der Steine*, 1963/64, Aufführung in der DDR 1979). *Der Bau* blieb lange Müllers letztes Stück, das sich direkt und ohne Schwierigkeiten erkennbar mit der DDR-Realität auseinandersetzte. In der zweiten Hälfte der 60er Jahre trat neben den Autor von Produktionsstücken der von Stücken über antike mythologische Stoffe. Damit stand Müller nicht allein. Viele Stücke von Peter Hacks, aber auch z.B. Karl Mickels *Nausikaa* (1968), nahmen Themen aus dem griechischen Mythos auf. Doch bei keinem Autor ist die Reihe der Adaptationen so umfangreich und gewichtig, beginnend mit dem *Philoktet*, dem *Herakles 5* (1966; gemeint ist die 5. Episode, die Reinigung des Augiasstalles), *Ödipus Tyrann* (1967; nach Sophokles/Hölderlin) und eine Übersetzung des *Prometheus* von Aischylos (1967/68) nachfolgten. Auch das Lehrstück *Der Horatier* (1968/69), das ein Thema der römischen Geschichte verwendet, ist hier zu nennen. Hat sich Müller damit vom Marxismus abgekehrt? Ist es jetzt – endlich, wie manche meinen – möglich, diesen Autor existentialistisch (und nicht mehr materialistisch) zu deuten, als ›Beckett der DDR‹ sozusagen?

Vor allem Müllers *Philoktet* (geschrieben 1958–64, erst 1977 in der DDR aufgeführt) beweist, daß dies nicht so ist. Seine Version des antiken Stoffes wandelt die Fabel des Sophokles in entscheidenden Punkten ab. Die Griechen Odysseus und Neoptolemos, der Sohn des Achill, fahren zur Insel Lemnos, um den dort vor Jahren wegen seines verletzten, faulenden Fußes ausgesetzten Philoktet zurückzuholen. Philoktet und sein Bogen werden gebraucht, denn ohne sie bzw. die Philoktet gehorchende Mannschaft kann Troja nicht erobert werden. Anders als bei Sophoklet stirbt hier Philoktet von der Hand des Neoptolemos. Odysseus, dessen Hauptwaffe die Lüge ist, erweist sich als souveräner Beherrscher der unerwarteten Situation, indem er statt des lebendigen den toten Heros Philoktet mit nach Troja nimmt, um mit Hilfe des Leichnams dessen Mannschaft zum Weiterkämpfen zu animieren. – Müllers in einer kompakten, von verknappten Metaphern geprägten Verssprache geschriebenes Stück ist im Kern eine Parabel über den dialektischen Widerspruch zwischen Allgemeinem, Notwendigem, der Staatsraison (in Gestalt des machiavellistischen Realpolitikers Odysseus) und Besonderem, Individuellem, das Notwendige Verweigerndem (in Gestalt des außerhalb der Gesellschaft angesiedelten Philoktet), der über Neoptolemos als Medium ausgetragen wird. Und Odysseus, vom rationalen Kalkül (in seiner pointierten Gestalt: der List, der Lüge) beherrscht, vom absoluten Verzicht auf individuelle Moral und Mitleidensfähigkeit geprägt, ist gleichzeitig eine Chiffre für den Untergang des Individuums, des Humanismus und der Subjekt-Moral in Taktik und Terror der kommunistischen Realgeschichte seit mehr als einem halben Jahrhundert, kulminierend im Stalinismus (einer Problematik, die Müller in dem Stück *Mauser* von 1970 historisch konkret weitergeführt hat).

Heiner Müller

Neben Hacks und Müller tritt gegen Ende der 60er Jahre Volker Braun als Dramatiker, nachdem er zuerst als Lyriker an die Öffentlichkeit getreten war. Auch Braun hat wesentlich von Brecht gelernt – und gehört doch schon einer Generation an, die Brecht als Person nicht mehr kannte. Laut Braun habe es Brechts Dramaturgie zum letzten Mal mit den Klassenkämpfen zu tun gehabt; etwas Neues in dieser Richtung sei nicht zu leisten. Jetzt gehe es um neue, nicht mehr antagonistische Widersprüche. Die neue Dramaturgie stelle demnach nicht mehr dar »aus der Sicht einer Klasse. Die Helden sind Freunde. Sie haben, entsprechend ihrer politischen und sozialen Stellung, unterschiedliche Interessen. Der Kampf muß nicht tödlich sein. Alle sollen menschlicher leben. Es gibt keine ›Lösung‹. Sie muß dem Publikum mit überlassen werden. Es bedarf umfassenden Wissens über den Bau der Gesellschaft.« Damit nimmt Braun bereits in seiner Theatertheorie erkennbar eine Mittelstellung zwischen Hacks und Müller ein, wie er es selbst formuliert hat. Der »glänzende Hacks« greife so weit vor, daß ihm »die Realität nicht mehr dazwischen kommt«, hebe sich »aus der prosaischen Wirklichkeit hinaus [...] in die poetische Zukunft«. Der »großartige Müller« hingegen greife zurück »in die schneidenden Fesseln der Vorgeschichte«, in der er überwiegend die Realität sehe. Braun will keinem von beiden in seiner Ausschließlichkeit folgen. Ihn reizt – und damit steht er denn doch Müller nahe – der »große Widerspruch [...] zwischen den neuen Produktionsverhältnissen, die die Entfaltung aller Kräfte und Organe fordern – und der Fesselung der Arbeiter an die überkommene kapitalistische Produktion, die sie gar nicht als ganze Menschen braucht«. In Brauns erstem Stück *Die Kipper* (uraufgeführt 1972), an dem er seit 1962 schrieb und das im Erstdruck 1967 *Kipper Paul Bauch* hieß, geht es um eben diesen Widerspruch. Wie Hacks mit Moritz Tassow und Herakles (in *Omphale*), wie Müller mit Bremer *(Korrektur)*, Balke *(Lohndrücker)*, Barka *(Bau)* und ebenfalls Herakles *(Herakles 5)*, hat Braun einen gigantischen Helden gewählt, der ein Arbeiter, ein Schöpfer, freilich auch ein ›Baal‹ uner sozialistischen Verhältnissen ist; durch dessen menschliche Produktivkraft der Sozialismus als »die Große Produktion« wächst, indem er gegen das Nur-Pragmatische, Nur-Realistische vorgeht; der andererseits »die Große Produktion« als ein kollektives Unternehmen behindert, weil er noch kaum anders denn als Individuum denken und handeln kann. Ebenso ist aber Brauns *Kipper*-Stück (wie z.B. Christa Wolfs Prosa) auch Beleg dafür, daß auch eine sozialistische Literatur nicht darum herumkommt, sich aufs Individuum einzulassen. Auch Brauns zweites Stück – in der ersten Fassung *Hans Faust* (1968), in der zweiten *Hinze und Kunze* (1973) betitelt – ist ein Produktionsstück. Wie in seinem ersten Stück ist Brauns Ziel keineswegs vordergründiger Realismus. Auch seine Texte haben wie die Müllers die Tendenz zur Parabel. Das zeigt die Handlungsstruktur so gut wie die stark stilisierte, antinaturalistische, metaphern- und sentenzenreiche Sprache, die es besonders liebt, Redensarten ›sozialistisch umzukehren‹, Wortspiele nicht formalistisch, sondern materialistisch zu wenden.

Volker Braun

›Sensible Wege‹ in der Lyrik

In den 60er Jahren wurde die Lyrik zum Gegenstand erregter Debatten wie nie zuvor. Dabei ging es nicht um die bereits berühmten Altmeister (nach Brechts und Bechers Tod waren das jetzt Arendt, Huchel, Hermlin, Maurer und Bobrowski). Stein des Anstoßes war eine Anzahl von Lyrikern der jüngeren Generation, fast durchweg in den 30er Jahren geboren. Erstes wichtiges Datum war jene Lyriklesung junger Autoren in der Akademie der Künste im Dezember 1962, die ihrem Mentor, Stephan Hermlin, ernsthafte Maßregelungen eintrug – und einen neuen, von Anfang an angefeindeten Autor bekannt machte: Wolf Biermann. Auch Günter Kunert war inzwischen ‹erkannt› als Kafka-Adept und unzuverlässiges Subjekt. Auf dem 11. Plenum des ZK der SED im Dezember 1965 waren es denn auch von den Lyrikern vor allem Biermann und Kunert, die scharf angegriffen wurden. Biermann, der 1964 eine Tournee in die Bundesrepublik unternommen hatte, erhielt striktes Auftrittsverbot für die DDR. Im Sommer 1966 fand dann jene Lyrik-Debatte in der FDJ-Zeitschrift *Forum* statt, die durch das Erscheinen der Anthologie *In diesem besseren Land* ausgelöst wurde. Die Position der Orthodoxie vertrat damals übrigens kein anderer als der stellvertretende Chefredakteur Rudolf Bahro. Insbesondere vorher ungedruckte Gedichte von Volker Braun, Heinz Czechowski, Karl Mickel, Sarah und Rainer Kirsch erregten offiziellen Ärger. In ähnlicher Weise stießen zwei andere Anthologien aus den Jahren der ›Lyrikwelle‹ die öffentliche Diskussion an: *Sonnenpferde und Astronauten* (1964) und *Saison für Lyrik* (1967). Das Erscheinen von Reiner Kunzes Gedichtband *Sensible Wege* (1969) – aber nur

Maßregelungen

in der Bundesrepublik! – reizte schließlich zu neuen, jetzt freilich massiven Verdikten. Max Walter Schulz warf dem Autor auf dem 6. Schriftstellerkongreß (1969) vor, daß aus seiner »zwischen Innenweltschau und Antikommunismus« angesiedelten Lyrik »der nackte, vergnatzte, bei aller Sensibilität aktionslüsterne Individualismus« herausschaue und »schon mit dem Antikommunismus, mit der böswilligen Verzerrung des DDR-Bildes« kollaboriere. Die Folge war ein (Übersetzertätigkeit zunächst ausschließendes) Veröffentlichungsverbot für Kunze.

Was war geschehen? Mit den von Schulz herabsetzend gemeinten Wörtern *Rolle des Ich* Innenweltschau, Sensibilität, Individualismus sind wichtige Stichworte gegeben. Zwang das Gedichtemachen schon seit eh und je zum Sichausdrücken auf engem Raum (was Pointierung notwendig nach sich zieht), so ist Lyrik außerdem auch diejenige Sprechweise, in der die Subjektivität sich rückhaltlos artikuliert; beides Vorgegebenheiten, die zum objektivierenden Widerspiegelungsverfahren als offiziösem ›Mittel der Wahl‹ in der DDR zumindest quer liegen können. Und um die Rolle des Ichs, der Subjektivität ging es vor allem in Lyrik und Lyrikdebatten jener Jahre. Georg Maurer, bei dem viele der Jüngeren gelernt hatten, hatte in mehreren Essays das in der modernen westlichen Lyrik abhandengekommene Ich gerade für den Sozialismus reklamiert; den einzelnen Menschen, »der als einziges Wesen sich selbst zum Gegenstand machen, sich also frei gegenüber sich selbst verhalten kann, der weiß, was er tut«. Doch ein als befremdend erlebtes Problem lag offenbar darin, daß – so Elke Erb – die bisherige Lyrik überwiegend ichlos-affirmativ war, »eine lehrhaft arrangierte Identität von (nicht gegenständlich und konkret faßbarem) Individuum und historischem oder gesellschaftlichem Subjekt« hinstellte und folglich das »individuelle Subjekt [...] strukturlos und poetisch inaktiv« machte. Kurz: für ernst gemeinte Ansprüche einzelner Subjekte zeigte die bisherige Lyrik keinen Platz. Jetzt begann eine Generation zu schreiben, die diesen Platz einforderte für das »gescholtene, geschmähte, denunzierte Ich« (so Günter Wünsche in dem Gedicht *Rehabilitierung des Ich*) und im Einzelnen einen »kleinen Kosmos« voller Schöpferkraft, gewissermaßen die legitime Fortsetzung des außer Kraft gesetzten »lieben Gottes« sah (Uwe Greßmann).

Folgerichtig wandeln sich auch die ›Haltungen‹ der Lyrik: personales *Autonomie der Kunst* Sprechen – eines Ich, eines Wir, der Ansprache eines Du – wird häufig. Ein fortschreitender Verzicht auf belehrende Wirkung stellt sich ein; am deutlichsten bei dem ehemaligen ›Didaktiker‹ Günter Kunert, der 1970 programmatisch formulierte: »Daß Lyriker die Frage nach ihrer Wirksamkeit stellen, rührt daher, daß sie sich dem unbezweifelten Kodex der Kausalität unterwerfen, demzufolge jedes Unternehmen, und sei es das des Gedichteschreibens, ein konkretes, mögliches, meßbares Ergebnis zeitigen müsse.« Damit hat Kunert sich auf eine altbekannte Position begeben: die der Kunstautonomie, eines »Bewußtseins des Gedichts«, »das mit vielen anderen Bewußtseinsweisen zwar in unterirdischer Verbindung steht, doch nie in völliger Koinzidenz zu ihnen sich befindet«. Andere hielten am ›operativen‹ Charakter des Gedichtes fest, so Volker Braun, der dem Gedicht abforderte, »Erkenntnis, Bereitschaft, Lust« zu wecken. Jedoch gemeinsam ist diesen und vielen vergleichbaren Positionen, daß sie sich sperrten gegen eine unmittelbare gesellschaftliche Nützlichkeit, wie sie von der Kulturpolitik des NÖS gefordert wurde.

Als wichtigste Lyriker der jüngeren Generation können Adolf Endler, Karl Mickel, Richard Leising, Rainer und Sarah Kirsch, Heinz Czechowski, Reiner Kunze, Wolf Biermann, Volker Braun, Kurt Bartsch, Bernd Jentzsch,

Uwe Greßmann und Wulf Kirsten gelten. Übrigens kamen die meisten von ihnen aus der Provinz Sachsen, was Endler dazu bewogen hat, von der »Sächsischen Dichterschule« zu sprechen. Kunze, Biermann, Sarah Kirsch und Braun sind diejenigen unter ihnen, die damals und auch späterhin am meisten Aufmerksamkeit auf sich zogen.

Reiner Kunze

Reiner Kunze schien zunächst der Idealfall des proletarischen Dichters zu sein, der mit seiner Klasse aufsteigt und dichtend ihren Standpunkt vertritt. Der Bergarbeitersohn hatte Publizistik studiert, kurz vor der Promotion freiwillig die Universität verlassen und war 1959 freier Schriftsteller geworden. Zunächst schrieb er akklamatorische Verse und Reimsprüche (z.B. darüber, wie schön das Soldatsein im Sozialismus ist), die sich in nichts von der verbreiteten Bejahungslyrik unterschieden. 1963 erschien der Gedichtband *Widmungen* (in einem westdeutschen Verlag), der in der DDR noch als lyrisches Ereignis von Rang vermerkt wurde. Doch als dann 1969 *Sensible Wege* (wiederum nur in der Bundesrepublik) erschien und einige Gedichte enthielt, für die seitens der DDR-Behörden keine Lizenz erteilt worden war, war das Band zwischen dem Autor und seinem Staat zerschnitten. *Sensible Wege* vereinigt Gedichte, die bis 1960 zurückreichen und zeigen, daß Kunze damals schon sein blindes Vertrauen in den Staat DDR verloren hatte *(das ende der fabeln, das ende der kunst)*. Zunehmend spricht aus seinen Versen (viele sind während des sog. Prager Frühlings 1967/68 in oder über die ČSSR geschrieben, zu der Kunze eine besonders enge biographische Beziehung hatte) Einsamkeit, Skepsis, Verzweiflung. Sein Ton wird bitter, ja scharf. Immer dünner wird die Kommunikation, immer seltener kommen die ausgesandten Rufe an. Im Prozeß dieser Desillusionierung neigt Kunzes Gedichtsprache immer deutlicher zu Metaphernlosigkeit und epigrammatischer Kürze.

Wolf Biermann

Auch Wolf Biermann, Sohn eines Hamburger Arbeiters, den die Nazis im KZ Auschwitz ermordet hatten, schien anfangs nicht dafür prädestiniert, einst zum vielleicht wirksamsten (sozialistischen) Kritiker der DDR zu werden. 1953 war er aus Hamburg in die DDR übergesiedelt, hatte Philosophie studiert, war Regieassistent gewesen und begann nun, gegen Ende der 50er Jahre, eigene Lieder zur Gitarre zu singen. Jener erwähnte Abend in der Akademie der Künste im Dezember 1962 machte dann seinen Konflikt mit Partei- und Staatsführung offenbar. Und von 1965 an wurde nur noch stereotyp das Verdikt des 11. Plenums wiederholt: »prinzipielle Gegnerschaft zum realen Sozialismus«, »Sensualismus«, »Genußstreben«, »anarchistischer Individualismus«. In der Tat: Hier stießen nicht nur abweichende Meinungen und Gesinnungen aufeinander, sondern unterschiedliche Haltungen, Verkehrsformen und Ziele. Der Autor kehrte sich von all jenen Dogmen, Ritualen, Autoritäten ab, die er nicht nur als Beiwerk eines an sich im Lot befindlichen sozialistischen Staates begriff, sondern als Strukturmerkmal. Und da er diese Kritik laut und öffentlich und mit enormem Kunstverstand vortrug, wurde er zu einem Ärgernis für die Parteiführung. Von Biermann erschienen zunächst vier Bändchen mit Balladen, Gedichten und Liedern – *Die Drahtharfe* (1965), *Deutschland – Ein Wintermärchen* (1965), *Mit Marx- und Engelszungen* (1968), *Für meine Genossen* (1972) –, und zwar alle vier nur in der Bundesrepublik. In der DDR ist nie ein Buch des Autors gedruckt worden. Diese seine »Hetzlieder gegen den Krieg«, Liebeslieder, »Beschwichtigungen und Revisionen«, Balladen über Alltagskonflikte in der DDR und sozialistische »Ermutigungen« verleugnen ihre Meister nicht: François Villon, Heinrich Heine und Bertolt Brecht. Sie stiften zum Lernen der Dialektik an – aber vergnüglich; sie vermitteln Erkenntnisse – aber ungetrennt von

Emotionen. Grobe Effekte und überraschende Zartheiten, gebrüllte Vulgarismen und leise Zärtlichkeiten, schöne Metaphern und ungeschminkte Direktheit, Wut und Trauer, Furcht und Hoffnung, Verzweiflung und Begeisterung stoßen in ein und demselben Lied hart aneinander (und das verbindet diese Gedichte mit der Wirklichkeit). Hier mischt sich einer ein, hier will einer sich und seine Zuhörer/Leser aktivieren, verändern – und verzichtet doch gerade nicht auf jene Sinnlichkeit, jenes Genießen, das der, der (sich) verändern will, beim Lesen und zum Leben braucht. In Biermann erreicht das operative Gedicht und Lied eine neue Qualität.

Sarah Kirsch gehörte, wie Reiner Kunze und mancher andere, über Jahre hin zu den wohlwollend geförderten Nachwuchsschriftstellern. 1967 erschien ihr erster bedeutender Gedichtband *Landaufenthalt*, 1973 der zweite unter dem Titel *Zaubersprüche*. Sarah Kirschs Gedichte haben oft den Anschein des Spontanen, Naiven oder auch Idyllischen. Erst mehrfaches Lesen läßt entdecken, welch mühsamer Arbeitsprozeß und welche Konfliktdimension in jedem einzelnen Gedicht (deren viele mit »Ich ...« beginnen) stecken. Sarah Kirsch wünscht sich, daß »Hexen, gäbe es sie, diese Gedichte als Fachliteratur nutzen könnten«. Damit schreibt die Autorin der Lyrik zauberische, magische Möglichkeiten zu: sich selbst, den Geliebten, andere Menschen, Naturdinge zu verwandeln, sich anzuverwandeln; über das Gedicht unentfremdete Kommunikation herzustellen, an der es im Alltag und seiner entzauberten Sprache mangelt.

Sarah Kirsch

Volker Braun gilt mit Recht geradezu als Inbegriff des neuen lyrischen Sprechens einer Generation, deren bewußtes Leben durchweg in der DDR sich vollzog. Für ihn hat sich die Frage, ob eine spezifisch politische Poesie notwendig sei, gar nicht mehr gestellt. Ob agonal oder kontemplativ: das war keine Ermessensfrage des Autors mehr. Die Wirklichkeit wird nicht mehr »dargestellt«, sondern »aufgebrochen«, womit sich Braun erklärtermaßen von der »bürgerlichen [!] Ästhetik einer Abbildfunktion von Kunst« abwendet. Brauns antithetisch-dialektische Sprechweise, seine »Veränderungsbesessenheit«, seine Absicht, »die Widersprüche aus- und nicht abzutragen«, sind Brechtsches Erbe. Von Brecht unterscheidet ihn hingegen die (eher an Majakowski erinnernde) stürmische Tonlage der Gedichte, die verrät, daß hier einer die »finsteren Zeiten«, Faschismus und Krieg, hinter sich sieht. Braun hat seinen ersten Gedichtband *Provokation für mich* (1965) selbst als »ein sehr persönliches Mich-Aussprechen zu Vorgängen, in denen ich mich als Jugendlicher sah«, bezeichnet. Sie sind in der Tat provokativ, drastisch, salopp, hemdsärmlig, polemisch (am deutlichsten in dem bekannten Gedicht *Kommt uns nicht mit Fertigem*). Strenger Bau der Gedichte ist dem Autor noch nicht wichtig. – *Wir und nicht sie* (1970) markiert eine neue Position, läßt bewußt für das Persönliche und Intime keinen Platz und wendet sich thematisch den gesellschaftlichen Alternativen in den beiden deutschen Staaten auf der Folie der fatalen Vorgeschichte bis 1945 zu.

Schutzumschlag

Keiner der wichtigen Lyriker dieser Generation – am wenigsten Braun – begann vollkommen oder durchweg originell. Am Anfang standen noch oft forsche, überzogene Sprachgesten und pathetisch-deklamatorische Tendenzen. Und doch: Aus westlicher Sicht ist lange Zeit die neue Qualität dieser Lyrik der Rainer und Sarah Kirsch, der Braun und Mickel, Czechowski und Kirsten, Bartsch und Biermann nicht erkannt worden, weil man auf die sog. ›Struktur der modernen Lyrik‹ (wie sie Benn in seinem Gedicht verkörperte und Hugo Friedrich beschrieben hatte) fixiert war und sich nichthermetische Lyrik nur noch als epigonal vorstellen konnte. Rainer Kirsch hat (unmittelbar auf die Gedichte Mickels zielend) umrissen, was die Lyrik der besten

Qualitätsfragen

Skeptiker

Autoren seiner Generation kennzeichnet – und damit von gleichzeitigen westdeutschen Tendenzen stark unterscheidet: »Genauigkeit in der Behandlung des Gegenstands – das Charakteristische regiert das Ästhetische –, scharfes, am Marxismus geschultes Reflektieren der Epoche und das bewußte Weiterarbeiten klassischer ästhetischer Techniken.«

Neben den ersten Lyrikveröffentlichungen der 25- bis 30jährigen erscheinen in den 60er Jahren natürlich auch Gedichtbände älterer, zumeist entschieden skeptischer Autoren, so von Erich Arendt, Georg Maurer, Franz Fühmann, Johannes Bobrowski (der ja jetzt erst wirkt) und Günter Kunert. Peter Huchels bedeutende späte Lyrik kann dagegen nur in der Bundesrepublik erscheinen (*Chausseen, Chausseen*, 1963; *Gezählte Tage*, 1972). Nachdem Huchel 1962 unter massivem Druck als Chefredakteur von *Sinn und Form* demissioniert hatte, war er für neun Jahre zur unfreiwilligen inneren Emigration verdammt. Erst 1971 ließ man ihn in die Bundesrepublik übersiedeln. Huchels von radikal skeptischer Geschichtsphilosophie geprägte Gedichte einer *nature morte,* in denen Chiffren der Erstarrung, der Vereisung, der Versteinerung dominieren, waren der gerade in den 60er Jahren einem blinden Fortschrittswahn ergebenen DDR unerträglich. – Schließlich ist auf drei Lyrikerinnen von Rang hinzuweisen, die aus unterschiedlichen Gründen in den 60er Jahren nicht in der DDR wirken konnten. Es sind dies Inge Müller, die Frau Heiner Müllers, die sich 1966 das Leben nahm (1985 wurde aus dem Nachlaß der Band *Wenn ich schon sterben muß* veröffentlicht), sowie Christa Reinig und Helga M. Novak, die beide Mitte der 60er Jahre die DDR verließen, weil man sie nicht veröffentlichen ließ. Schon in diesem Jahrzehnt ›verzichtete‹ die DDR also auf einige ihrer bedeutendsten Autoren, allen voran Peter Huchel und Uwe Johnson.

Wider die instrumentelle Vernunft. Die Literatur der 70er und 80er Jahre

Die DDR im Prozeß der Modernisierung

Die unaufhörlichen Schlagzeilen unserer Presse über Zensur und Druckverbote, Verhaftung, Ausbürgerung oder »freiwillige« Auswanderung von DDR-Schriftstellern könnten dazu führen, sehr viel tiefergreifendere strukturelle Veränderungen dieser Gesellschaft zu übersehen oder geringzuschätzen, die mittlerweile zur entscheidenden Herausforderung und zum dominanten Thema der DDR-Literatur geworden sind. In den 60er Jahren hatte die DDR ihren wirtschaftlichen Aufbau erfolgreich abgeschlossen und war zu einem der wichtigsten Industrieländer der Welt geworden. Man kann pointiert vom (verspäteten) Ende der Rekonstruktionsperiode sprechen. Es bedeutete gleichzeitig das Ende alter Orientierungen und Haltungen auf geistig-kulturellem Gebiet. Längst historisch war die Phase der antifaschistisch-demokratischen Umwälzung, vorbei auch die Zeit der vorbehaltlosen Identifikation der Kulturschaffenden mit dem neuen Staat und der neuen Produktion, die vom Mauerbau 1961 noch nicht wirklich unterbrochen, sondern eher noch verstärkt wurde. Die Jahre des Bitterfelder Wegs und der ›Ankunftsliteratur‹ (1959–1963) markieren die Phase der vielleicht stärksten Nähe der Intelligenz zu ihrem Land, einzelner Kritik zum Trotz. Seit der Installierung des NÖS 1963, das den Primat der Produktivkraftentwicklung aufrechterhielt,

Wolfgang Mattheuer:
»Die Ausgezeichnete«
(1973/74)

ihn aber mit aus dem Kapitalismus entliehenen Maximen ökonomisch-technischer Effizienz verband, bröckelte diese großenteils naive Identifikation und Loyalität schrittweise ab und machte auch die bisher so solide scheinende Identität der Schriftsteller zweifelhaft. Der Umbau der DDR zu einer sozialistischen Industriegesellschaft im Zuge der wissenschaftlich-technischen Revolution (WTR) ließ negative Folgen erkennen, die man bislang nur der kapitalistisch-westlichen Zivilisation in ihrer dekadenten Phase zugeschrieben hatte.

Herausgefordert vom »Genossen Sachzwang«, nämlich dem Druck, sich am Weltmarkt als Industrienation durchsetzen zu müssen, kam es zu einer umfassenden und forcierten Modernisierung des Landes. Weil man keine Alternativen zur Zielvorstellung des immer fortschreitenden ökonomischen Wachstums und der Steigerung des individuellen Konsums ausmachen konnte, wurde eine »unreflektierte Modernität« zum »Fluchtpunkt der Entwicklung« (Volker Gransow). Robert Havemann hat diese Entwicklung so charakterisiert: »Die ›Lebensqualitäten‹, die der DDR-Sozialismus anstrebt, sind die, die der Kapitalismus bereits bietet. Aber während der Kapitalismus bereits beginnt, unter den Auswirkungen seiner Konsumexplosion Erstickungsanfälle zu erleiden, quält sich die sozialistische Wirtschaft mit gehörig rückständiger Technologie immer wieder vergebens damit ab, der kapitalistischen Wirtschaft auf immer sinnloser werdenden Wegen zu folgen und sie, wenn irgendmöglich, einzuholen.« Die Modernisierung wirkt sich mittlerweile bis in die vormodernen Nischen der DDR-Gesellschaft hinein aus. Die jetzt geforderte Disponibilität, Flexibilität und Mobilität der Arbeitskräfte, westlichen Industriegesellschaften längst vertraut, wird zu einem in der DDR bisher fast unbekannten, alarmierenden Störfaktor der zwischenmenschlichen Verhältnisse. Die »Herrschaft der Versachlichung« (Winfried Thaa) erreicht ein neues Niveau. Die Automatisierung der Maschinensysteme und Datenverarbeitung baut die Arbeitsteilung, die man überwinden wollte, nicht ab, sondern verschärft sie. Der industrielle Massenwohnungsbau mit

»Genosse Sachzwang«

Modernisierung

483

einer Eintönigkeit des standardisierten Wohnraums läßt es immer schwieriger erscheinen, Alltag und Freizeit nach den sozialistischen Prinzipien eines »erfüllten, glücklichen, menschenwürdigen Lebens« zu gestalten. Wachsende Bürokratie, hektische Lebensweise, »kleinbürgerliches Besitz- und Konsumdenken«, Karrieregesinnung, »Brutalisierung und Kaltschnäuzigkeit« im Umgang miteinander sind Symptome, die die Bürger der DDR an ihrer eigenen Gesellschaft entdecken mußten. So konnte der bekannte Wirtschaftshistoriker Jürgen Kuczynski 1979 sogar von »neuen antagonistischen [!] Gegensätzen« im Lande sprechen.

fünf Kulturen

Im Zuge dieser Entwicklungen hat sich das Kulturengefüge der DDR im Laufe der letzten 15 Jahre einschneidend verändert. In der Hegemonie der Kulturen gibt es nun nicht mehr nur zwei, sondern drei dominante Kulturen. Zu der »kommunistischen Zielkultur« und der »traditionellen deutschen Kultur« (zu der auch autoritäre Altlasten von Preußen bis zum NS-Regime gehören) ist, nach Volker Gransow, eine »industrialistische Kultur mit ihren Fetischen Wachstum, Sicherheit und Effektivität, aber auch mit Konsumismus und Entfremdung« hinzugekommen. Auf der Basis einer ähnlichen Produktionsweise, der gleichen bevorzugten Technologien und einer verwandten industriegesellschaftlichen Lebensweise haben sich symmetrische Strukturen und Prozesse in West und Ost herausgebildet, die manchmal schon die Konvergenzen der Systeme bedeutsamer erscheinen lassen als ihre Divergenzen. Dazu gehört nun vor allem, daß die DDR-Führung sich nicht mehr nur mit einer nichtdominanten marxistischen Oppositionskultur der »wahren Sozialisten« (von einst Havemann, Biermann und Bahro bis zu Volker Braun) auseinandersetzen muß, sondern mehr und mehr auch mit einer alternativen Subkultur, die an sozialistischen Modellen kaum interessiert ist. Sie sucht nach anderen Lebensformen in einer denaturalisierten Umwelt. Gemeint sind die neuen sozialen Bewegungen (einander oft überlappend): die nicht institutionalisierten Friedensgruppen, die ökologische Bewegung, die Anti-Atomkraft-Bewegung, die Frauenbewegung und die Minderheitengruppen wie die der Homosexuellen oder Lesben. Ihre postmaterialistischen Bewußtseinslagen widerstreiten sowohl dem Marxismus als auch der dem Westen abgeschauten Konsumorientierung zutiefst. Der Anspruch, die eigene Lebenswelt zu bewahren oder aus ihren industriegesellschaftlichen Beschädigungen heraus neu zu gewinnen, ist mit den nun auch in der DDR sanktionierten ›modernen‹ Prinzipien der »formalen Rationalität« (Max Weber) bzw. der »instrumentellen Vernunft« (Horkheimer/Adorno) nicht in Einklang zu bringen.

Verunsicherung

Verunsicherung stellte sich nun auch bei den Autoren der mittleren und älteren Generation ein: War das der Sozialismus als das ganz Andere, auf den man hingearbeitet hatte? Wo blieb die stete Aufwärtsbewegung in Richtung Emanzipation aller, über die unstreitige wirtschaftliche Lageverbesserung hinaus? Was unterschied den neuen Staat vom alten (und vom anderen, westlich benachbarten), wenn die alten ›Muttermale‹ nicht schwanden und die neuen Wertorientierungen Wirtschaftswachstum und Zweckrationalität hießen? Ein Prozeß des Umdenkens, eine Abwendung vom Glauben zugunsten der Reflexion setzte ein, in dessen Verlauf die Vorstellung des (quasi automatischen) Geschichtsfortschritts und am Ende sogar die Aufklärung (als historischer Ursprungsort des modernen Rationalismus), ja, die marxistische Zukunftskonzeption selbst fragwürdig wurden. Gewiß haben einzelne Ereignisse wie der Einmarsch von Truppen des Warschauer Pakts (einschließlich solchen der DDR) in die Tschechoslowakei im August 1968, wie die Biermann-Ausbürgerung oder die sowjetische Okkupation Afghani-

Wolfgang Mattheuer:
»Hinter den Sieben
Bergen« (1970)

stans diese Entwicklung beschleunigt und vor allem jüngere Menschen sehr
erregt. Aber der Prozeß ist allgemeiner, umfassender, als daß er sich von
einzelnen Punkten her fassen ließe. Die Intelligenz und die Literatur der 70er
und 80er Jahre holen, im Prozeß ihrer Recherche übrigens ganz selbständig,
eine Einsicht nach, die drei, vier Jahrzehnte vorher bereits die Kritische
Theorie Horkheimers, Adornos und Marcuses vollzogen hatte: die Einsicht
in die »Dialektik der Aufklärung«, in die instrumentelle Vernunft als den
schwankenden Boden nicht nur der westlich-kapitalistischen, sondern auch
der östlich-realsozialistischen Zivilisation.

Dialektik der
Aufklärung

VIII. Parteitag, Biermann-Ausbürgerung und die Folgen

Lange schien es so, als habe der VIII. Pateitag der SED vom Juni 1971 eine
Wende der DDR-Politik, vielleicht sogar eine Wende in der Geschichte des
Landes herbeigeführt. Für die Literatur gilt in der Tat, daß dieser Parteitag
den Künstlern eine Art Generallizenz (mit ständigem Vorbehalt) erteilt hat
und daraufhin ein lebendiges, inspiriertes, kontroverses literarisches Leben in
Gang kam. Wohlgemerkt: Der VIII. Parteitag hat diese neue Literatur nicht

Wende 1971?

485

selbst hervorgebracht, er hat sie nur lizensiert. Geschaffen haben sie Autoren bzw. bestimmte Lebensverhältnisse, und dies schon seit etwa Mitte der 60er Jahre. Nur: Plenzdorf hatte seinen neuen Werther ›in der Schublade‹ lassen müssen. Brauns *Kipper* durfte kein Theater spielen, Christa Wolfs *Nachdenken über Christa T.* kein großes Publikum lesen. Insofern ist das Jahr 1971 eine bedeutende Zäsur, als es der kritischen DDR-Literatur zu mehr Öffentlichkeit verhalf.

»keine Tabus«

Der neue Erste Sekretär des ZK der SED, Erich Honecker, hatte mit einer Parteirede vor dem 4. ZK-Plenum vom Dezember 1971 das Signalwort gegeben, das seither unaufhörlich wiederholt, beschworen und interpretiert wurde: »Wenn man von der festen Position des Sozialismus ausgeht, kann es meines Erachtens auf dem Gebiet von Kunst und Literatur keine Tabus geben. Das betrifft sowohl die Fragen der inhaltlichen Gestaltung als auch des Stils – kurz gesagt: die Fragen dessen, was man die künstlerische Meisterschaft nennt.« Das schien zu bedeuten, daß überzeugte Sozialisten über alles und mit allen künstlerischen Mitteln schreiben durften, die sie vor sich selbst verantworteten – und nicht vor irgendeiner anderen, z.B. parteiamtlichen Instanz. Doch was war mit der »festen Position des Sozialismus« gemeint? Biermann (der »mit Marx- und Engelszungen« sprach und weiterhin in der DDR zum Schweigen verurteilt war) hatte sie offenbar nicht, ebensowenig Reiner Kunze. Auch Volker Braun, Stefan Heym, Rainer Kirsch, Günter Kunert und Heiner Müller mußten sich – lange vor der Biermann-Ausbürgerung – Druck- und Aufführungsverboten beugen in jenen ›liberalen‹ Jahren, von jüngeren Autoren wie Thomas Brasch oder Stefan Schütz ganz zu schweigen.

Nachdem im Lauf des Jahres 1972 in *Sinn und Form* eine relativ scharfe Debatte zwischen Lyrikern und ihren akademischen und parteioffiziösen Kritikern stattgefunden hatte, in deren Brennpunkt unorthodoxe Ansichten Adolf Endlers standen, wurde Ulrich Plenzdorfs *Die neuen Leiden des jungen W.* dann zur eigentlichen Nagelprobe der Enttabuisierung. Im März 1972 erschien in *Sinn und Form* die Erzählung, aus der ursprünglich ein Film hatte werden sollen. Seit Sommer 1972 wurde das Stück gleichen Titels an 14 (!) Bühnen der DDR mit überwältigendem Erfolg gespielt. Daß viele offiziöse DDR-Kritiker brüsk und zurechtweisend auf Plenzdorfs Buch reagierten, ist verständlich; ging es doch aus Parteisicht um keine geringen Gefahren: Subjektivismus, Normenfeindlichkeit, Kritik an der Vorbildkultur und nicht zuletzt auch an einer geschönten Rezeption des bürgerlich-klassischen Erbes. Wenn bei einer Umfrage der FDJ-Zeitschrift *Forum* 40% der befragten Jugendlichen erkärten, sie teilten Edgars Kritik, und sogar über 60% sich gut vorstellen konnten, mit Edgar befreundet zu sein, dann bestand in der Tat Anlaß zu der Sorge, daß hier eine ›falsche‹ Identifikationsfigur für die Jugend populär geworden war. Immerhin: Prosatext und Bühnenadaption wurden nicht verboten; die Grenzen dessen, was das Modell ›Literaturgesellschaft‹ verkraften konnte, schienen noch nicht überschritten zu sein.

Ulrich Plenzdorf

Grenzen auch für die Literatur

Die um Plenzdorfs *Neue Leiden* geführten Debatten deuteten die Grenzen an, die konfliktbereiter Literatur nach wie vor gesetzt waren. Sie wurden auch Stefan Heym deutlich, als er jetzt erneut versuchte, den Roman *5 Tage im Juni* zum Druck zu bringen. Der Autor hatte seit 1959 versucht, die erste Fassung des Romans unter dem Titel *Der Tag X* zu veröffentlichen. Das Manuskript wanderte erfolglos von Verlag zu Verlag und beschäftigte auch höhere Parteistellen. Jetzt also lag eine völlig neue, zweite Fassung vor (1974 in der Bundesrepublik gedruckt), die man als Auseinandersetzung mit dem 17. Juni 1953 von einer durchaus »festen Position des Sozialismus« aus verstehen kann – eine Mischung aus historisch-dokumentarischer Reportage und Politthriller, versetzt mit Kolportageelementen, womit eine in Deutschland seit Ende der Weimarer Republik eingeschlafene Tradition Fortsetzung fand: die des journalistisch gemachten zeitgeschichtlichen Reißers. Allein, Honecker hatte schon 1965 eine »völlig falsche Darstellung der Ereignisse« in dem Roman gesehen, und dabei blieb die Partei auch jetzt. Das Thema 17. Juni war nach wie vor ein Tabu.

Immerhin konnte der im November 1973 abgehaltene 7. Schriftstellerkongreß den vom VIII. Parteitag eingeleiteten kulturpolitischen Kurs bestätigen. Jetzt wurde der noch auf dem 6. Kongreß 1969 hochgehaltene Bitterfelder Weg endgültig verworfen, die Doktrin, nach der Planer und Leiter die bevorzugten literarischen Helden zu sein hätten, offiziell verabschiedet, die Vorstellung einer homogenen »sozialistischen Menschengemeinschaft« aufgegeben, die Vielfalt der ästhetischen Positionen und Schreibweisen begrüßt. Die Dialektik von Individuum und Gesellschaft wurde als zentrales Problem benannt, eine Kollision der beiden Faktoren für durchaus möglich erklärt. Freilich: Auch die Jahre 1973 bis 1976 sind Jahre des Verbots oder doch zumindest der ängstlichen Einschränkung der literarischen Öffentlichkeit. Das demonstriert am deutlichsten der Umgang der Kulturbürokratie mit Volker Brauns *Unvollendeter Geschichte*. Sie durfte 1975 in *Sinn und Form* erscheinen, nicht aber als Buch. Als allzu wahr wurde offenbar die nach dem Leben geschriebene, dokumentarische Erzählung taxiert. 13 Jahre – bis 1988 – dauerte es, bis dem Text endlich eine Buchausgabe in der DDR zugebilligt wurde.

Plädoyer für literarische Vielfalt

Bereits wenig mehr als ein Jahr nach der Veröffentlichung von Brauns brisanter Erzählung brach das mühsam austarierte Gleichgewicht zwischen Tabulockerung und Aufrechterhaltung der staatlichen Ordnung auf literarischem Gebiet in sich zusammen wie ein Kartenhaus. Die DDR bürgerte Wolf Biermann aus und setzte damit eine Kette von Reaktionen der ungeliebten Literaten und staatlichen Sanktionen gegen sie in Gang, die bis heute nicht abgerissen sind. Freilich: der Eklat um Biermann war nur der Zündpunkt – auch ohne ihn hätte es über kurz oder lang zur offenen Konfrontation der kritischen Autoren mit ihrem Staat kommen müssen.

Ausbürgerung Biermanns

Biermann, dem schon 1974 eine Auswanderung aus der DDR nahegelegt worden war, hatte im November 1976 die Genehmigung zu einer Reise in die Bundesrepublik bekommen, um dort auf Einladung der IG Metall einige Konzerte zu geben. Nachdem sein Kölner Konzert vom bundesdeutschen Fernsehen übernommen und ausgestrahlt wurde (was ja auch auf fast allen DDR-Mattscheiben zu sehen war), vollzog das Politbüro der SED prompt eine Maßnahme, die es gewiß schon vorher beschlossen hatte: Am 17. November 1976 wurde Biermann die Staatsbürgerschaft der DDR entzogen. Damit war ihm eine Rückreise in das Land seiner Wahl unmöglich gemacht. Die Tage nach der Biermann-Ausbürgerung zeigten – nicht überraschend, aber doch in diesem Umfang unerwartet – wie viele bedeutende Künstler der DDR über Zivilcourage und Kollegensolidarität verfügten, vor allem aber: wie viele sich einen souveräneren, toleranteren demokratischeren Sozialismus im Sinne Rosa Luxemburgs wünschten. Noch am 17. November verfaßten und unterzeichneten zwölf DDR-Autoren den folgenden Offenen Brief: »Wolf Biermann war und ist ein unbequemer Dichter – das hat er mit vielen Dichtern der Vergangenheit gemein. – Unser sozialistischer Staat, eingedenk des Wortes aus Marxens ›18. Brumaire‹, dem zufolge die proletarische Revolution sich unablässig selber kritisiert, müßte im Gegensatz zu anachronistischen Gesellschaftsformen eine solche Unbequemlichkeit gelassen nachden-

Schallplattenhülle –
Biermann
in seiner Wohnung
Chausseestr. 131

kend ertragen können. – Wir identifizieren uns nicht mit jedem Wort und
jeder Handlung Biermanns und distanzieren uns von Versuchen, die Vorgänge um Biermann gegen die DDR zu mißbrauchen. Biermann selbst hat
nie, auch nicht in Köln, Zweifel daran gelassen, für welchen der beiden
deutschen Staaten er bei aller Kritik eintritt. – Wir protestieren gegen seine
Ausbürgerung und bitten darum, die beschlossene Maßnahme zu überden-
ken.« Die Erstunterzeichner waren Sarah Kirsch, Christa Wolf, Volker
Braun, Franz Fühmann, Stephan Hermlin, Stefan Heym, Günter Kunert,
Heiner Müller, Rolf Schneider, Gerhard Wolf, Jurek Becker, Erich Arendt.
Ihnen schlossen sich im Laufe weniger Tage über 70 weitere Kulturschaf-
fende an. Andere, wie Reiner Kunze oder der gerade in der Schweiz befindliche Bernd Jentzsch, protestierten mit eigenen Verlautbarungen. – Die Biermann-Ausbürgerung war eine einschneidende Maßnahme und hat sich bereits wenige Jahre später als historische Zäsur in der kulturpolitischen
Entwicklung erwiesen. Doch gravierender war, was auf sie folgte. Jetzt
wendeten die zuständigen Parteigremien und Staatsorgane ein gestaffeltes,
genau kalkuliertes Instrumentarium von Sanktionen an, das von Verhaftung
und Hausarrest über Organisationsausschluß, Parteistrafen und Publikationsverbot bis zur bemerkenswert raschen Bewilligung von Ausreiseanträ-
gen (aber nur für unbequeme Intellektuelle!) reichte.

Sanktionen

Eine wesentliche Veränderung erfuhr die DDR-Literaturgesellschaft dadurch, daß ihr nun eine Reihe von Künstlern nicht mehr angehört, die sie,
laut und leise, mitgeprägt haben. Und konnte man anfangs noch hoffen, daß
die Phase der Abwanderung nur von kurzer Dauer sei und nur wenige fähige

Schriftsteller erfassen würde, so ist heute, ca. zwölf Jahre später, zu konstatieren, daß der durch den Exodus entstandene Substanzverlust für die DDR-Literatur beträchtlich ist, auch wenn nicht alle der ca. einhundert exilierten Schriftsteller, die man mittlerweile gezählt hat, ohne weiteres diesen Namen verdienen.

Mittel der Einschüchterung und Sanktionierung von Schriftstellern, die nach Belieben eingesetzt oder auch – als wirksame Drohung – zurückgehalten werden können, sind die neuen bzw. verschärften Strafgesetze. Seit 1979 wird in einzelnen Fällen vom Gesetz gegen Devisenvergehen auch im Umgang mit Schriftstellern Gebrauch gemacht, und zwar gegebenenfalls dann, wenn sie Werke in einem westlichen Verlag erscheinen lassen, ohne daß ihnen das Büro für Urheberrechte dazu die Erlaubnis gegeben hat. In den Jahren zuvor hatten DDR-Autoren bereits mehrfach von ihrem in der Verfassung verbrieften Recht auf freie Meinungsäußerung Gebrauch gemacht und Bücher in der Bundesrepublik drucken lassen, wenn sie schon nicht in der DDR erscheinen durften, z.B. Biermann, Heym, Kunert und Heiner Müller. Bis ins Jahr 1979 hatten die DDR-Behörden meistens über diese Gesetzwidrigkeiten hinweggesehen. Jetzt wendeten sie in den Fällen von Robert Havemann und Stefan Heym das Devisengesetz in aller Schärfe an.

Inmitten dieser nicht mehr nur ideologischen Auseinandersetzungen, sondern direkter staatlicher Eingriffe und Übergriffe auf die Literatur hat die Interessenvereinigung der Autoren, der Schriftstellerverband, eine wenig rühmliche, schließlich der Staatsmacht sekundierende Rolle gespielt. Auf seinem 7. Kongreß im Mai 1978 löste Hermann Kant die 78jährige Anna Seghers als Verbandspräsidentin ab. Von den zwölf Erstunterzeichnern der Biermann-Erklärung nahmen nur Hermlin und Braun am Kongreß teil. Die anderen zehn waren entweder nicht als Delegierte nominiert worden, wollten nicht teilnehmen, oder sie waren, wie Becker und Müller, schon länger keine Verbandsmitglieder mehr. – Zum neuerlichen Eklat kam es ein Jahr später nach den Verfahren wegen Devisenvergehen gegen Havemann und Heym. Acht Schriftsteller schrieben einen Brief an Honecker, indem es u.a. hieß: »Immer häufiger wird versucht, engagierte kritische Schriftsteller zu diffamieren, mundtot zu machen oder [...] strafrechtlich zu verfolgen [...] Durch die Koppelung von Zensur und Strafgesetzen soll das Erscheinen kritischer Werke verhindert werden.« Daraufhin wurden im Juni 1979 die Briefautoren Bartsch, Endler, Poche, Schlesinger und D. Schubert sowie Heym, Jacobs, R. Schneider und Seyppel aus dem Verband ausgeschlossen; Erich Loest kam in Leipzig seinem Ausschluß zuvor, indem er den Verband ›freiwillig‹ verließ. Wieder hatte die Partei mit wichtigen Autoren gebrochen. Insgesamt hat der Schriftstellerverband seit 1976 über 30 Autoren durch Ausschluß oder Austritt verloren.

Schriftstellerverband und Staatsmacht

»Glasnost« in der DDR? Kulturpolitik der 80er Jahre

Im März 1985 übernahm Michail Gorbatschow das höchste politische Amt der Sowjetunion. Inzwischen wissen wir, daß damit für dieses Land wie für die ganze Welt Bewegungen großen Ausmaßes in Gang kamen. Es fragt sich, ob sie auch das öffentliche Leben in der DDR, und die Künste in ihm, erreicht haben. – Die ersten 80er Jahre waren für die Literatur zunächst wenig ermutigend, wie schon Hinweise auf die kaum gebrochene Abwanderung von Autoren gezeigt haben. Die Kulturfunktionäre übten sich weiter vorzugsweise in Aggressivität und der Vorspiegelung eines in sich gesunden Selbstbewußtseins. So meinte der Generalintendant des Rostocker Volkstheaters Hans-Anselm Perthen Anfang 1981, die DDR brauche sich durch den Weggang »einzelne[r] Schrifsteller und Künstler« nicht irritieren zu lassen: »Ein Volk, das gute Politiker hat, braucht keine schlechten Dichter.« Zwar war der IX. Schriftstellerkongreß von 1983 auf Ausgleich bedacht – Hermann Kant sprach von »schmerzlichen Verlusten«, die den Verband betroffen hätten –, doch ein Neuanfang war er beileibe nicht. Freilich wurde in den Jahren 1980 bis 1983 das Thema der Selbstverstümmelung der DDR-Literatur auch von anderen, wichtigeren Themen verdrängt. Der Nachrüstungsbeschluß des Westens, speziell des Bundestages, aus dem Jahre 1979 ließ den Dritten Weltkrieg endgültig zu einer sehr realen, wie viele meinten: geradezu wahrscheinlichen, fast unausweichlichen Bedrohung werden. Beide Systeme, so zeigte sich, waren unfähig, der immer weiter eskalierenden Rüstung Einhalt zu gebieten. So wurde die mögliche Selbstvernichtung der menschlichen Gattung nicht nur zu einem zentralen Thema der Literatur selbst, sondern auch zu einem solchen der Literaturpolitik. Am 13./14. Dezember 1981 kam es in Ost-Berlin zur (1.) »Berliner Begegnung zur Friedensförderung«, an der knapp 90 Künstler und Wissenschaftler aus Ost und West teilnahmen. Autoren aus beiden Systemen trafen sich dabei immer wieder in dem Befund, daß nicht ein System allein für den bedrohlichen Zustand verantwortlich sei, sondern beide – als Produkte ein und derselben »todkranken Zivlisation« (Christa Wolf) – ihn hergestellt hätten. Ein zweites Treffen von Schriftstellern aus Ost und West fand dann im Mai 1982 in Den Haag statt. Jetzt zeigte sich freilich deutlich, daß die Konsensfähigkeit beider Seiten selbst im Angesicht der zugespitzten nuklearen Bedrohung begrenzt war. Viele der bedeutenden Autoren kamen diesmal gar nicht erst. Immerhin sind die beiden Kongresse als Versuche zu würdigen, die Kluft zwischen Geist und Macht im Augenblick realer Weltkriegsgefahr ins Bewußtsein zu rücken.

Als 1985/86 in der Sowjetunion der Reformkurs Gorbatschows in Gang kam und das Konzept »Glasnost«, verstanden als Transparenz aller gesellschaftlichen Vorgänge, verbunden mit einer rückhaltlosen Aufklärung der eignen Geschichte, sichtbar wurde, reagierte die Kulturpolitik der DDR mit ausgesprochener Zurückhaltung und Vorsicht, wo nicht Ablehnung. Man verkleinerte Gorbatschows »neues Denken« zu einer innersowjetischen Angelegenheit oder gar zu einem bloßen »Tapetenwechsel« (Kurt Hager), den man nicht nachmachen müsse. Kritische Romane (von Tschingis Aitmatow, Valentin Rasputin oder Juri Trifonow) oder Filme (von Elen Klimow oder Abuladse) konnten sich nur schwer durchsetzen oder wurden gar verboten, während Michail Schatrows Stück *Diktatur des Gewissens* immerhin gespielt wurde.

In den letzten zwei, drei Jahren haben sich deutlich die Stimmen vermehrt, die eine Übertragung des Konzepts Glasnost auf das Kulturleben der DDR fordern oder doch wenigstens gutheißen. Zwar gab es auch in den letzten Jahren noch Verbotsfälle von Büchern und Theaterstücken, aber 1985 konnten doch drei der wichtigsten Bücher des »neuen Denkens« in der DDR erscheinen: Günter de Bruyns Roman *Neue Herrlichkeit*, Volker Brauns *Hinze-Kunze-Roman* und Chistoph Heins *Horns Ende*, das offen von den Folgen des Stalinismus in der DDR der 50er Jahre handelte. 1986 war dann das Jahr, in dem das deutsch-deutsche Kulturabkommen abgeschlossen wurde, das bis heute keine großartigen, aber doch kleine positive Folgen gezeigt hat: wechselseitige Theatergastspiele, mehr Autorenlesungen, Tage des DDR-Buchs und des DDR-Films in Städten der Bundesrepublik, freundlichere und intensivere Wissenschaftlerkontakte und eine Kooperation der beiden Nationalbibliotheken Leipzig und Frankfurt/Main. Christa Wolf,

*Menschheits-
bedrohung
und Friedenspolitik*

das »neue Denken«

Reaktionen

Heiner Müller und Volker Braun erhielten die höchste literarische Auszeichnung der DDR, den Nationalpreis. 1987 endlich konnte Günter Grass gedruckt, Samuel Beckett gespielt und über Nietzsche wenigstens ungeschminkt diskutiert werden. Auf dem 10. Schriftstellerkongreß im November 1987 nahmen Christoph Hein und Günter de Bruyn die Zensur unter Beschuß. Eine Initiative, die 1979 aus dem Verband ausgeschlossenen Schriftsteller wieder aufzunehmen, blieb allerdings erfolglos. Der Verband tat sich schwer mit dem u. a. von Volker Braun geforderten »Umbau«. Die von ihm apostrophierte Alternative »Glaube oder Glasnost, Geducktheit oder neues Denken« wurde so nicht angenommen.

Wendet man den Blick von den etablierten Autoren und literarischen Institutionen hin auf den staatlichen Umgang mit der neuen pazifistischen und ökologischen Alternativbewegung in der DDR, dann fällt das Urteil noch viel nüchterner aus, wie weit hier das »neue Denken« wirklich Fuß gefaßt habe. Und das betrifft dann auch die Literatur, soweit sie eine Literatur der jungen Subkultur ist. Hier ist die offizielle Politik noch weit entfernt, öffentliche Kritik und Protest zuzulassen – zumal wenn er massenhaft wird. Vorläufiger Höhepunkt dieser Konflikte waren die Verhaftungen nach der Luxemburg-Liebknecht-Demonstration am 17. 1. 1988, die auch den 25jährigen Liedermacher Stephan Krawczyk und seine Frau, die Regisseurin Freya Klier, einbezogen. Krawczyk, einst offiziell belobigter Barde, aber seit November 1987 schon mit Auftrittsverbot auch für kirchliche Räume belegt, und Klier willigten Anfang 1988, gewiß unter Druck, in eine Ausreise in die Bundesrepublik ein, womit die kritische Jugend zum zweiten Mal (nach Biermanns Ausbürgerung 1976) eine Symbolfigur verloren hatte. Doch die rasch angestellten Vergleiche zwischen 1976 und 1988 führten eher in die Irre. Interessanterweise gab es diesmal keine auffälligen Solidaritätsbekundungen namhafter Künstler mit den Inhaftierten wie 1976 oder 1978. Der Vorgang war und blieb Angelegenheit der jungen Alternativen und Bürgerrechtler.

Alternativbewegung

Fakten oder Fiktionen?
Aspekte zivilisationskritischen Erzählens

Um das Jahr 1970 hatte der sensible Rostocker Literaturkritiker und Lektor Kurt Batt der westdeutschen Prosaliteratur wiederholt vorgeworfen, sie habe die Tradition schrumpfen lassen, die (politische) Revolte verinnerlicht und den Erzähler als verantwortliches Subjekt des Erzählten exekutiert. Im Gegensatz dazu attestierte er der Prosa seines Landes im Ton der Genugtuung: »Hier [in der DDR] erscheint Erzählen nicht als stummes Vorsichhinsprechen, sondern als Aussprache, die des Gegenübers bedarf, als eine Gattungseigenschaft des Menschen; die sich freilich nur in einer Gesellschaft entfalten kann, wo die Menschen miteinander und nicht gegeneinander leben, wo sie kommunizieren.« Die DDR als eine Gesellschaft des Miteinander, nahezu frei von den ›Muttermalen‹ der alten Ordnung – und eine dementsprechend mit dem Gegenüber frei kommunizierende Erzählliteratur? Ein solches Fazit läßt sich heute schlechterdings nicht mehr aussprechen. Vielmehr hat die DDR-Prosa der 70er und 80er Jahre modifizierend einen Prozeß wiederholt, der die (west-)europäische Erzählentwicklung zwischen ca. 1910 und 1930 kennzeichnet. Die DDR-Prosa wird jetzt mit einer Geschwindigkeit und in einem Ausmaß ›modern‹, ›gleichzeitig‹ mit der westlichen Welt, das das vermutliche Scheitern eines gesellschaftlichen Aufbruchs, nämlich das Einmünden der demokratisch-sozialistischen Umwälzung in die politisch bewegungslose realsozialistische Industriegesellschaft, signalisiert.

Exekution des Erzählers?

*Modernisierung des
Erzählens*

So lange der Glaube an die Durchsetzbarkeit einer humanen sozialistischen Ordnung, der Glaube an die Unaufhaltsamkeit des Fortschritts und also auch der Glaube an den Marxismus (verstanden als geschlossenes Lehrgebäude) ungebrochen war – so lange konnte auch das literarische Erzählen totalitätsgläubig, antimodernistisch, orthodox realistisch bleiben. Wie die Weltanschauung, so das Erzählen: geschlossen, fortschrittsgläubig, rundum positiv. So sind nicht nur die Aufbauromane der 50er Jahre, sondern auch noch die Ankunftsliteratur um 1960 (mitgetragen von wichtigen, bald sich wandelnden Autoren wie Christa Wolf, Brigitte Reimann, de Bruyn und Jakobs) und die Entwicklungsromane der Strittmatter, Březan, Noll und M. W. Schulz von einem an traditionellen Mustern haftenden Schematismus der Fabelkonstruktion, der Heldenwahl und der Personendarstellung geprägt, der die Unmöglichkeit einer außengelenkten Ästhetik signalisierte, offene Formen der Moderne in sich aufzunehmen. Ausnahmen bilden Uwe Johnson (der jedoch schon seit 1959 in der Bundesrepublik lebte), Johannes Bobrowski, Christa Wolf sowie – damals noch ohne jede öffentliche Wirkung – Fritz Rudolf Fries und Erich Köhler, mit Abstrichen auch Hermann Kant und Erwin Strittmatter. Ihre Prosa zeigt zuerst das Eindringen reflexiver Momente (vor allem in die Wiederentdeckung der Erzählerfigur), von Subjektivierung, Differenzierung und Perspektivierung. Sie geht erste Schritte aus der Eindimensionalität in die »unendlich verwobene Fläche« des Lebens (R. Musil), in die wirkliche Textur der Gesellschaft. Sie mißtraut der ›objektiven‹ Chronologie und Kausalität. Sie setzt aufs individuelle Beispiel und geht Verallgemeinerungen – als einer Ausgeburt der sich absolut setzenden Vernunft – aus dem Weg.

*»Die Phantasie an die
Macht«*

Ein Spezifikum der neueren DDR-Erzählliteratur, das sie auch von der Prosa der klassischen Moderne deutlich abhebt, liegt nun darin, daß sie gegen dieses Diktat der instrumentellen Vernunft, die behauptet, die einzig wirklichkeitstüchtige, realistische Weltanschauung zu sein, Widerstand leistet und sich der »Mimesis ans Verhärtete und Entfremdete« (Adorno) verweigert. Sie entzieht sich dem »Bann der auswendigen Realität« (noch einmal Adorno) nicht auf dem Fluchtweg, sondern indem sie Einbildungen, Phantasmen, Fiktionen als eine zweite, andere Realität gegen die erste, verordnete setzt. Wo, wie schon Ernst Bloch viel früher schrieb, »Phantasie fast Strafsache« ist, lautet jetzt die Parole der Literatur: »Die Phantasie an die Macht.« Gegen eine Koalition des Schreckens aus Männerherrschaft, Gewalt, Krieg und purer technischer Rationalität wird ein Neugewinn der lebendigen Imagination, des »bildlichen Denkens« gesetzt. So läßt Irmtraud Morgner die Sirene Arke in ihrem Hexenroman *Amanda* sagen: »Nicht die Entwicklung des abstrakten Denkens, sondern dessen Ausschließlichkeitsanspruch, der eine Weiterentwicklung des bildhaften Denkens nicht nur verhinderte, sondern zerstörte, machte mir das Leben schwer. Mich deprimierte, daß die Historie des Denkens nach wie vor ebenso ihren Fortgang nimmt wie die andere: kriegerisch. [...] So ein Rest, der zerstört wurde, ist die bildliche Aneignung der Welt.« Morgner gehört zu den Autor(inn)en, die das Ergebnis dieses Verdrängungsprozesses rückgängig zu machen und das »bildhafte Denken«, die Kraft der Imagination geradezu methodisch wiederzugewinnen versuchen. Dabei greift sie auf alte Mythen, Märchen, Sagen und Legenden zurück, die sie nie nur nacherzählt, sondern umbildet, ausspinnt und neu pointiert, ihren eigenen Sehnsüchten und Träumen folgend. Mit ihrer Hilfe verfremdet, verzaubert, ja: behext sie das Alltäglich-Gewöhnliche und läßt den Leser ahnen, daß es – noch unwahrscheinliche, wunderbare – Alternativen zum Leben, wie es nun einmal ist, geben könnte.

Irmtraud Morgner

Ihre phantastischen Texte üben ein ins Überschreiten von Grenzen der empirischen Wirklichkeit, einer durchkalkulierten, erstarrten, gewalttätigen Wirklichkeit, die dem Lösungsmittel des Ver-rückten, Ver-worfenen, Phantastischen ausgesetzt wird. Denn in einer historischen und gesellschaftlichen Lage, die durch ein Zuviel an System, an Funktionalität, an Ordnung charakterisiert ist, muß die Kunst Ordnung zerstören, entordnen, im Wortsinn an-archisch sein. So sieht es auch Heiner Müller: »Auch die DDR ist ein Industriestaat und hat die Tendenz [...], Phantasie zu unterdrücken, zu instrumentalisieren, auf jeden Fall zu drosseln. Und ich glaube schon, die politische Hauptfunktion ist jetzt, Phantasie zu mobilisieren.«

Grenzüberschreitungen der Phantasie

Neben Irmtraud Morgner waren es vor allem Fritz Rudolf Fries (*Alexanders neue Welten*, 1983; *Verlegung eines mittleren Reiches*, 1985 – geschrieben schon 1967) und Christa Wolf, die die Erfindung, die literarische Fiktion wieder ins Recht setzten. 1973 erschien Wolfs Erzählungsband *Unter den Linden* mit drei »unwahrscheinlichen Geschichten«, die u. a. die grassierende Wissenschafts- und Technikgläubigkeit aufs Korn nahmen. Ähnliche Wege beschritten die Autoren der Anthologien *Blitz aus heiterm Himmel* (1975) und *Die Rettung des Saragossameeres* (1976), Franz Fühmann mit seinem Prosaband *Saiäns Fiktschen* (1981) und Rainer Kirsch mit den vier Erzählungen des Bandes *Sauna oder Die fernherwirkende Trübung* (1985). Immer häufiger geht es jetzt, wie in den genannten Büchern, um den Widerspruch einer scheinbar perfekt funktionierenden Welt der technischen und politischen Apparate und der unberechenbaren menschlichen Subjektivität, die als ›Fehler im System‹ alles zum Einsturz bringt oder wenigstens zu bringen droht. Die Utopie des besseren Lebens schlägt um in ihr Negativ. Sie wird zur Warnutopie.

Schutzumschlag

Es ist nun unübersehbar, daß es zur skizzierten Tendenz auf erweiterte Fiktionalität in der DDR-Prosa seit ca. 1975 eine starke Gegenbewegung gibt: die faktographisch-dokumentarische Literatur. Beim näheren Hinsehen wird man jedoch gewahr, daß dies nicht nur eine Gegenbewegung ist. Denn auch hier, bei dem Hunger nach echten, wahren, glaubwürdigen Geschichten, geht es um ein Bedürfnis, das weder von der Routine des gelebten Lebens, noch von der offiziellen Berichterstattung in der Zeitung oder im Fernsehen befriedigt wird. Erlebnisberichte, Reisebücher, Tagebücher, Memoiren, Reportagen, Protokolle, unfrisierte Interviews enthalten das Versprechen auf Authentizität in einem Umfang, der der fiktionalen Literatur gemeinhin nicht zugebilligt wird. Um wieviel höher muß die Erwartung gegenüber der dokumentarischen Literatur in einem Land sein, in dem die Literatur generell, mangels einer funktionierenden Öffentlichkeit, eine außerliterarische »Ersatzfunktion für Journalismus« (Thomas Brasch) hat.

Der Anfang der dokumentarischen Literatur in der DDR war beispielhaft. 1973 hatte Sarah Kirsch 5 Erzählungen aus dem Kassetten-Recorder unter dem Titel *Die Pantherfrau* herausgegeben, in denen fünf DDR-Frauen von unterschiedlichem sozialem Status aus ihrem Leben berichteten. 1975 erschien dann der von der Österreicherin Maxie Wander edierte Band *Guten Morgen, du Schöne – Frauen in der DDR. Protokolle*, der die literarische Landschaft des Landes mit einem Schlag veränderte. So ungeschminkt und lebendig hatte man Frauen bisher nicht sprechen hören. Souverän und sprachmächtig äußern sie sich in den Gesprächen mit der Herausgeberin über ihre Lebensgeschichte, familiale Sozialisation (zumeist schon in der DDR-Ära), neue Familie, Arbeit, Sexualität – aber auch über unerfüllte Sehnsüchte und Hoffnungen. Sprechend erforschen sie unerforschtes Gebiet, entwerfen, indem sie das vergangene, gelebte Leben bewußt machen, neue

Dokumentarismus

Maxie Wander

Möglichkeiten des Zusammen- und Alleinlebens. Kaum ein anderes Buch sagt soviel aus über die DDR wie Maxie Wanders Protokollband, kaum ein anderes macht auch soviel Mut wie dieses, weil in ihm Frauen, Menschen zu Wort kommen, die Anpassung verweigern und mit dem Anspruch auf Selbstbestimmung im Alltag Ernst machen.

Mit Maxie Wanders Protokollband schien ein Bann gebrochen zu sein. Die in der Bundesrepublik schon im Zuge einer Politisierung der Literatur seit 1967/68 favorisierte dokumentarische Literatur spielte nun auch in der DDR eine immer größere Rolle. Anfangs waren es vor allem weitere ›Frauenbücher‹ in emanzipatorischer Absicht und in der Form von Erlebnisberichten, Reportagen und Protokollen. Später kamen dann auch ›Männerbücher‹ hinzu, wie Christine Lambrechts *Männerbekanntschaften. Freimütige Protokolle* (1986) und Christine Müllers *Männerprotokolle* (1986). Mittlerweile hat sich das Spektrum der faktographischen Literatur aber enorm erweitert. Nach allen Richtungen hin wird die gegenwärtige DDR-Gesellschaft auf authentische Nachrichten hin ausgeforscht.

Themenbereiche

Blickt man nicht, wie es hier bislang geschah, auf die Schreibweisen, sondern auf die Sujets der DDR-Prosa in den 70er und 80er Jahren, so fallen drei große Themenbereiche ins Auge. Zum einen beschäftigen sich die Erzähler nachdrücklicher und freimütiger als je zuvor mit dem DDR-Alltag der unmittelbaren Gegenwart. Zum zweiten wenden sie sich zur näheren geschichtlichen Vergangenheit zurück, und das heißt vor allem: zu Faschismus und, neuerdings, Stalinismus. Und drittens schließlich setzen sie sich mit Konstellationen und Gestalten der älteren Geschichte und des Mythos auseinander, die sie als Modelle gelebten Lebens prüfen, umschreiben und gleichnishaft auf die aktuelle Wirklichkeit beziehen. Doch welches Sujet auch immer im Mittelpunkt steht: Die jüngere DDR-Prosa kommt darin überein, daß ihre Autoren die Grundlagen der sog. abendländischen Zivilisation – und in ihr das Modell DDR – in Frage stellen.

Schon am Anfang der 70er Jahre wendet sich die DDR-Prosa in der Breite vom Postulat der harmonischen »sozialistischen Menschengemeinschaft« ab und stellt zunehmend problematische, ja: scheiternde, katastrophische Verhältnisse zwischen Individuum und Gemeinschaft dar. Die erzählende Literatur konzentriert sich nun immer häufiger auf Erfahrungen und Lebensläufe von Individuen, denen durch einzelne und Institutionen der Gesellschaft, durch ein autoritäres und zweckgerichtetes Regelwerk, übel mit-

Scheitern im Sozialismus?

gespielt wurde. Die Konfliktbereitschaft der Autoren, das Konfliktbewußtsein ihrer Werke ist gewachsen. Fehler, Versagen, Schuld werden immer häufiger nicht nur beim einzelnen, sondern auch beim Kollektiv, beim Staat, bei der Partei gesucht und gefunden. Die literarischen Helden entwickeln sich jetzt noch weniger regelhaft auf ein fest umrissenes »sozialistisches Menschenbild« hin (diese Kategorie ist obsolet geworden), sind – wie zuerst Christa T. so deutlich – weder ›typisch‹ noch vorbildhaft. Dafür sind sie um so lebendiger, sinnlicher, wirklicher. Das Glücksbedürfnis des einzelnen, seine Trauer, sein Scheitern, Sterben und Tod sind fast geläufige Themen geworden; ein bruchloses ›Ankommen‹ im »realen Sozialismus« ist schon eher die Ausnahme.

»beschädigtes Leben«

Die neue Erzählliteratur stellt das »bedrängte Individuum« und sein »beschädigtes Leben« (Heinrich Mohr) nicht nur vage anklagend dar, sondern recherchiert sehr genau die Umstände seiner Entstehung und Reproduktion und macht sie literarisch sinnfällig. Das zeigt sich vielleicht am deutlichsten darin, in welcher Breite und mit welcher Akribie vor allem die jüngere Prosa die Situation von Kindern und Jugendlichen in der DDR-Gesellschaft thematisiert. Plenzdorf hatte mit seinem Prosatext/Stück *Die neuen Leiden des jungen W.* (1972) ein Beispiel gegeben, das nicht nur inhaltliche Tabus, sondern (mit seiner »Jeanssprache«) auch sprachliche Normen verletzte. Wie »Old Werther« leidet sein Edgar Wibeau an den rigiden Anforderungen und Anpassungszwängen einer Gesellschaft, in der (wie in der Goethes um 1770) die Menschen offenbar nur leben, um zu arbeiten, und im Grunde Angst vor ihrer Freiheit haben. Plenzdorfs literarischem Wurf folgten rasch mehrere Texte, die ähnlich problematische, auf ihre Selbstverwirklichung pochende Jugendliche darstellen, so Rolf Schneiders *Reise nach Jaroslaw* (1974) und vor allem Volker Brauns *Unvollendete Geschichte* (1975). Sie durfte, offenbar als allzu wahr taxiert, 13 Jahre lang nicht als Buch erscheinen. Am Ende der Erzählung werden sich zwei junge Menschen, die sich lieben, ihrer gegängelten, subalternen Lage bewußt und brechen aus ihr aus. Sie sind beschädigt, aber nicht zerstört. »Hier begannen«, so heißt der letzte Satz, »während die eine nicht zu Ende war, andere Geschichten.« – Es macht stutzig, daß es in der DDR seit einiger Zeit ein Genre gibt, das man eigentlich mit dem wilhelminischen Untertanenstaat um 1900 verbindet: die Schulgeschichte. Sie zeigt, wie die Schule mit ihrem Drill Anpassung, Konkurrenzverhalten und Strebertum fördert, so in Romanen von Alfred Wellm, Günter Görlich und Jurek Becker (*Schlaflose Tage*, 1978 – nur in der Bundesrepublik), so in Erzählungen von Erich Loest, Reiner Kunze (*Die wunderbaren Jahre*, 1976 – nur in der Bundesrepublik) oder Plenzdorf (*kein runter kein fern*, 1978 – nur in der Bundesrepublik). Ein noch größeres Tabu als die Institution Schule ist zweifellos das Militär, das bislang fast nur in den Prosatexten von Jürgen Fuchs, der 1977 nach Haft in die Bundesrepublik übersiedeln mußte, thematisiert ist (*Fassonschnitt*, 1984; *Das Ende einer Feigheit*, 1988).

Schutzumschlag

Neben den Kindern und Jugendlichen haben nun endlich auch Frauen Einzug gehalten in die DDR-Literatur – und zwar mit Macht. Jetzt schreiben Frauen über Frauen, die Ansprüche an die (Männer-) Gesellschaft stellen, die sich ihre Natur nach ihren eigenen Vorstellungen erobern wollen und ihre Lebensgeschichte wie die des ganzen Geschlechts als unabgeschlossene, noch einzulösende verstehen. Von Maxie Wanders und Sarah Kirschs beispielgebenden Interviewbänden war bereits die Rede. Andere Vorreiter einer DDR-Frauenliteratur mit ganz eigenen Zügen waren die Romane *Franzika Linkerhand* von Brigitte Reimann, *Karen W.* von Gerti Tetzner und *Leben und Abenteuer der Trobadora Beatriz* von Irmtraud Morgner, die alle drei 1974 erschienen. Prosabände von Helga Schubert, Helga Königsdorf, Christine Wolter, Charlotte Worgitzky, Brigitte Martin, Angela Stachowa, Rosemarie Zeplin, Helga Schütz, Christine Lambrecht, Gabriele Eckart sowie von Monika Maron, Christa Moog, Katja Lange-Müller und Barbara Honigmann (die nur in der Bundesrepublik veröffentlichen konnten) folgten im Lauf der letzten zwölf Jahre.

Frauenliteratur

Das interessanteste und merkwürdigste Buch der neuen Frauenliteratur ist Irmtraud Morgners Montageroman *Trobadora Beatriz*. Die Autorin mutet ihren Leser(inne)n viel zu, zaubert und träumt, phantasiert und springt durch die Weltgeschichte, die Gesetze von Zeit, Raum und Wahrscheinlichkeit mißachtend. Die Minnesängerin Beatriz de Diaz wird im Jahre 1968 aus 800jährigem Schlaf geweckt wie einst Dornröschen, und sie prüft und besieht die Welt darauf hin, ob sie für Frauen bewohnbar geworden oder immer noch eine »Frauenhaltergesellschaft« ist. Der fremde, historische Blick der Trobadora macht es dem (DDR-)Leser leichter, die vertraute, gegenwärtige Alltäglichkeit gleichfalls mit fremden Augen zu sehen und sich als veränderungswürdige bewußt zu machen. Dieses Bauprinzip der Verfremdung mit-

Irmtraud Morgner

tels Historisierung, Montage, Konfrontation, Vergleich des scheinbar nicht
Vergleichbaren findet sich überall in dem Roman wieder: Erzählungen, Lieder und Gedichte, Legenden, Träume, Zeitungsmeldungen, Forschungsbe-
richte, Passagen aus einem Aufklärungsbuch, Realien aus Ernährungswissen-
schaft, Verhaltensforschung und Zeitgeschichte (Vietnamkrieg), Interviews
u.a.m. sind – teils dokumentarisch, teils fiktiv – in die Erzählhandlung
einmontiert. In der ebenso inspirierten Fortsetzung *Amanda. Ein Hexenroman* (1983) erlebt man die Wiederauferstehung der Trobadora als Sirene,
ausgestattet mit einem Vogelkörper und menschlichem Kopf. Sie schreibt mit
Hilfe geheimen Blocksbergmaterials die nun vollständige, wahre Geschichte
der bereits bekannten Laura Amanda als eines Doppelwesens, das, wie alle
Frauen, in eine ›brauchbare‹ (irdisch funktionierende) und eine ›unbrauch-
bare‹ (hexenhafte) Hälfte aufgespalten ist. Der noch ausstehende dritte Teil
der Roman-Trilogie soll von der Wiedervereinigung der getrennten Hälften
handeln.

»Prinzip Hoffnung«
fragwürdig

Bücher vom Anfang und aus der Mitte der 70er Jahre, zumal die von
Frauen, sind in der Regel inspiriert vom Prinzip Hoffnung, konkret: vom
Glauben an die Utopie einer besseren, im emphatischen Sinn sozialistischen
Gesellschaft. Seither ist das utopische Denken in eine tiefe Krise geraten, und
ebendas spiegelt die kritische Erzählliteratur der DDR aus den letzten zehn,
zwölf Jahren seismographisch genau ab. Was sich jetzt vollzieht, ist ein
geschichtsphilosophischer Paradigmawechsel von enormem Ausmaß. Das
vom Marxismus in seiner orthodoxen Version vermittelte Fortschrittsdenken
wird von den Künstlern verworfen, der Glaube an ein gesetzmäßig gesicher-
tes Ankommen im Sozialismus und endlich Kommunismus geht verloren.
Die Gründe sind naheliegend: In den Horizont der Künstler und Intellektuellen in der DDR ist unabweisbar jene Kette traumatischer Erfahrungen getreten, die lange Zeit dem Bewußtsein der westlichen Intelligenz vorbehalten
gewesen zu sein schienen, weil der unbeirrbare Glaube an den Sozialismus
sie verdrängen half. Nicht mehr ignorierbar ist nun der Selbstzerstö-
rungsprozeß der Aufklärung, die Aufgipfelung der rationalistischen Modernisierung in der »industrialistischen Kultur« als ein Prozeß, dessen Grenzen
nicht nur erreicht, sondern längst überschritten, dessen Kosten nicht mehr
bezahlbar sind (am deutlichsten in den Phänomenen Hochrüstung und Umweltzerstörung). »Der Alptraum«, formulierte Heiner Müller auf der ersten
Berliner Begegnung zur Friedensförderung im Dezember 1981, ist, »daß die
Alternative Sozialismus oder Barbarei abgelöst wird durch die Alternative
Untergang oder Barbarei. Das Ende der Menschheit als Preis für das Überleben des Planeten.« Und hatte man lange mit Volker Braun die Geschichte für
»unvollendet«, gleichzeitig aber vollendbar gehalten, allen schlechten Erfahrungen mit der DDR-Gesellschaft zum Trotz, so sah man sich jetzt der
unaufhaltsamen Durchsetzung einer Zweckrationalität spezifisch preußisch-
realsozialistischer Prägung in allen Lebensbereichen konfrontiert.

Alltag als Thema

Gerade die vielstimmige Prosa über den DDR-Alltag demonstriert diesen
Perspektivenwechsel. Dabei erweist sich der neue Trend zum Alltag als Ge-
winn und Verlust zugleich. Nie zuvor hat man der DDR-Prosa soviel ›echtes‹
Milieu, authentische Redeweisen, anschauliche Details über gewöhnliche
Lebensvorgänge unter den Bedingungen des »realen Sozialismus« entneh-
men können wie jetzt den Texten Klaus Schlesingers, Erich Loests, Ulrich
Plenzdorfs, Kurt Bartschs, Günter de Bruyns, Christoph Heins oder Uwe
Saegers. Statt der Planer und Leiter sind nun überwiegend die kleinen Leute
ins Visier genommen. Viele dieser literarischen Figuren aus der ›herrschen-
den Klasse‹ fliehen aus dem Verschleiß durch die Produktionsarbeit, in der

weiter über sie verfügt wird, in die Privatheit, in die Intimität der Kleinfami-
lie – um die Erfahrung zu machen, daß sie auch hier verschlissen werden.
Denn entweder erfahren sie die Privatsphäre als eintönige Tretmühle, wo es
allenfalls um Schrankwand oder Farbfernseher geht (wie in Schlesingers *Alte
Filme* oder Jurek Beckers *Schlaflose Tage*), oder das einstige Familienglück,
die Partnerbeziehung wird zum Kampfplatz, ja Schlachtfeld (wie bei Kurt
Bartsch oder in Christoph Heins glänzender Novelle *Der fremde Freund*
(Titel hier: *Drachenblut*) von 1983). Im aktuellen, sinnlichen Aufweis solcher
sozialer und seelischer Provinzen der DDR – gerade in der Vergegenwärtigung eines neuen, durchaus spießigen Kleinbürgertums in diesem Land –
leistet die Alltagsprosa Vorzügliches. Andrerseits zeugen die Kleinheit der
Gegenstände und die Detailflut dieser Prosa der Alltäglichkeit doch häufig
davon, daß den Autoren mit dem Verlust der eigenen Lebensperspektive und
des Glaubens an die Gesellschaftsordnung der DDR auch eine überzeugende,
ursächliche Zusammenhänge aufdeckende Erzählperspektive abhanden gekommen ist. Mit dem Schrumpfen der Totalität zum Alltag ist eine Prosa der
›neuesten Sachlichkeit‹ à la Hans Fallada entstanden, deren Stärke in der
Beobachtung des Augenblicks, nicht aber in der Aufhellung des gesellschaft-
lich-historischen Zusammenhangs liegt.

Schutzumschlag

Erich Loests *Es geht seinen Gang oder Mühen in unserer Ebene* (1978) ist
vielleicht das wichtigste Beispiel dieser Tendenz. Der Autor hatte 1950 mit
dem Kriegsroman *Jungen, die übrig blieben* debütiert und später – nach
sieben Jahren Haft in Bautzen 1957 bis 1964 – hauptsächlich Kriminalromane geschrieben. Die Hauptfigur des Romans ist der nicht-diplomierte
Ingenieur Wolfgang Wülff – kein sozialistisches Vorbild, sondern durch und
durch ›mittlerer Held‹: freundlich, intelligent und fleißig, aber ohne jeden
Ehrgeiz und nicht der arrivierte ›Planer und Leiter‹, den seine karrieresüch-
tige Ehefrau gern aus ihm machen möchte. Indem Loest ein Stück aus dem
Leben dieses Mannes nachzeichnet – sein vermeintliches berufliches und
politisches ›Versagen‹, das die Auflösung seiner Ehe nach sich zieht –, kann
er die DDR-Gesellschaft zeigen, wie sie heute weitreichend ist: spießig und
muffig, leistungsorientiert und unsolidarisch, autoritär und selbstgerecht.
Dagegen rebelliert Wülff, der selbst ein kleiner (aber sympathischer) Spießer
ist: nicht als heroischer Kämpfer, sondern indem er sich der totalen Vereinnahmung in dieses System, der Anpassung und Selbstaufgabe einfach entzieht und nicht ›erfolgreich‹ und ›vernünftig‹ ist, wo er es sein soll. – Das
alles ist von Loest so simpel und unprätentiös erzählt, wie die Geschichte
und ihr Held selber sind. Nirgends kann man Genaueres, und zwar auf
unterhaltsame Weise, über die wirkliche DDR und ihre zentrale Provinz
Sachsen lesen als bei Loest.

Erich Loest

Thema Ökologie

Ein neues, stetig anwachsendes Segment zivilisationskritischen Erzählens
in der DDR ist das, was man als ökologisch-kritische Literatur bezeichnen
könnte. Die reale Entwicklung der DDR-Wirtschaft und -Gesellschaft hat
der Literatur wider Willen ein neues Sujet beschert: die kaputte Natur. Über
lange Zeit hatten die Autoren ein eher unproblematisches Verhältnis zur
Natur bzw. zum Umgang mit ihr. Die immer umfassendere Ausschöpfung
der natürlichen Ressourcen schien Anlaß zum Triumph, nicht zur Trauer.
Nach Ansätzen eines sensibleren ökologischen Bewußtseins zu Beginn der
70er Jahre, z.B. bei Erwin Strittmatter, Jurij Brězan und vor allem in der
Kinder- und Jugendliteratur, entsteht seit Anfang der 80er Jahre eine Fülle
von Prosatexten, die über die zweifelhaften Erfolge des ›homo faber‹, des
›homo oeconomicus‹ Gericht halten, von Hanns Cibulkas Tagebucherzäh-
lung *Swantow. Die Aufzeichnungen des Andreas Flemming* (1981) bis zu

*Sarah Kirsch
und Christa Wolf*

Christa Wolfs literarisch eher anspruchslosem Tschernobyl-Tagebuch *Stör-
fall. Nachrichten eines Tages* (1987). Vor allem aber ist Monika Marons
Roman *Flugasche* (1981) zu nennen, den bisher noch kein DDR-Verlag herausbringen durfte.

Bewältigungsliteratur   Ein wichtiger Teil der neueren DDR-Prosa ist dem Versuch gewidmet, die
Oberfläche des gegenwärtigen Alltags zu durchstoßen und die Wurzeln der
Misere von heute in der Geschichte freizulegen, die sedimentierte Geschichte
gleichsam aufzulösen. Eine dritte Phase der ›Bewältigungsliteratur‹ setzte so
zur Mitte der 70er Jahre ein, die nun nicht mehr nur auf den Faschismus,
sondern teilweise auch auf den Stalinismus auf deutschem Boden gerichtet
war. Kein Buch stellt so genau die entscheidende Frage »Wie sind wir so
geworden, wie wir heute sind?« wie Christa Wolfs Roman *Kindheitsmuster*
von 1976. Die Autorin will wissen, wie eigentlich der ganz ›normale‹, alltägliche, gewöhnliche Faschismus beschaffen war, der von Massen von Menschen mitexekutiert oder ertragen – nicht aber bekämpft – wurde? Es geht
also nicht um die Heroen des Widerstandes, auch nicht um die sadistischen
Naziverbrecher, sondern um die Millionen von Mitläufern. Die Autorin
findet sie, ehrlicherweise, in ihrer eigenen Familie, der des Lebensmittelhänd-
lers Bruno Jordan. Der Titel *Kindheitsmuster* meint die in der Kindheit, in
Familie, Schule und »Bund deutscher Mädchen« erworbenen und geprägten
Muster des Verhaltens im Sinn des englischen ›pattern‹: Angst, Haß, Härte,
Verstellung, Scheinheiligkeit, Verleugnung authentischer Empfindungen,
Hörigkeit und Treue und Pflicht ohne Ansehen der Person – ›Eigenschaften‹,
die ein Individuum windschief machen und einem Regime wie dem faschistischen anheimgeben. Davon wird hier erinnernd erzählt, wort- und bildkräf-
tig, von wirklichen Menschen, die das Buch wieder sehr lebendig macht,
allen voran das Kind Nelly Jordan. Doch damit ist nur eine Erzählebene von
vieren gekennzeichnet. Eine kurze Reise an den Ort der Kindheit ist für die
Autorin der Hebel, die vergessenen, verdrängten Bilder der Vergangenheit
wieder freizusetzen. In einer Art Gerichtsverfahren mit sich selbst, einem
Selbstverhör konfrontiert die Erzählerin ihre eigene kleinbürgerlich be-

schädigte Kindheit mit ihrer Gegenwart im Jahr der Reise, 1971; schließlich noch einmal – das ist die dritte Erzählebene – mit den alltäglichen Erfahrungen während der Zeit der Niederschrift 1972–75. Auf einer vierten Ebene endlich reflektiert sie die »Schwierigkeiten beim Schreiben der Wahrheit«, die aus der Abwehr des tabuierten Themas erwachsen. Das Buch, ein »Kampf um die Erinnerung« (A. Mitscherlich), dokumentiert den Lernprozeß der Erzählerin, die Zensur über das eigene Ich aufzuheben und trauern zu lernen. – Nur Hermann Kants *Der Aufenthalt* (1977) läßt sich Wolfs Roman als ähnlich bedeutsam an die Seite stellen.

Eine neue Dimension ist der Erzählliteratur dadurch zugewachsen, daß das Thema Stalinzeit nun kein uneingeschränktes Tabuthema mehr ist. Der literarisch gelungenste Versuch, die verdrängten 50er Jahre in der DDR wiederanzueignen, ist Christoph Heins Roman *Horns Ende* (1985). Mit ihm hat Hein sich endgültig als einer der besten Erzähler und Stilisten seines Landes erwiesen. Es ist die Geschichte eines Mannes in den Vierzigern, der eine leitende Parteifunktion innehatte, 1953 aus der Partei ausgeschlossen wurde und als Kustos an ein Kleinstadtmuseum versetzt wird. Hier wird er 1957 – das ist die erinnerte Handlungszeit – nach grundlosen Denunziationen von der Staatssicherheit verhört und der Subversion für schuldig befunden. Wenig später wird er im Wald erhängt aufgefunden. Horns Tod wirkt als Verstörung, die das Verdrängen des eignen gleichgültigen oder feigen Handelns nicht mehr zuläßt. Fünf Einwohner einer deutschen Kleinstadt legen sich Rechenschaft ab über ihre Rolle in den damaligen Vorgängen. Es zeigt sich, daß es nicht eine Wahrheit über die Vergangenheit gibt, sondern eine Vielzahl von Erlebnisperspektiven. Verstörend ist der für fast alle Figuren zutreffende Befund, daß sie sich in den 50er Jahren kaum anders verhalten als sie es einst in der Nazizeit taten.

Kritik am Stalinismus

Einen wichtigen Beitrag zur Aufarbeitung der traumatischen Vergangenheit, sei es die der 30er und 40er, sei es die der 50er und 60er Jahre, hat jene Vielzahl von Autobiographien und Memoiren geleistet, die seit Ende der 70er Jahre erschienen sind. Aus ihnen ragen die Bücher zweier Autoren heraus, die als junge Menschen gläubige Nazis gewesen, nach 1945 rasch Sozialisten geworden waren – und denen dann in fortgeschrittenem Alter die ›zweite Erkenntnis‹ nicht erspart blieb, daß auch der «real existierende Sozialismus» ein doktrinäres, wenig menschenfreundliches System ist. Es sind dies Erich Loests *Durch die Erde ein Riß. Ein Lebenslauf* (1981 – nur in der Bundesrepublik) und Franz Fühmanns *Der Sturz des Engels. Erfahrungen mit Dichtung* (1982). Leichter hatten es Altsozialisten wie Stephan Hermlin, von dem 1979 die kleine poetische Autobiographie *Abendlicht* erschien, oder Stefan Heym, dessen voluminöser Memoirenband *Nachruf* 1988 nur hierzulande erscheinen konnte. Soviele Konflikte die beiden letzteren Autoren, zumal Heym, immer wieder mit den DDR-Oberen hatten: am Ende ihres Lebens steht doch eine fraglose Identität im Politischen und Ästhetischen, die den Autoren jüngerer Generationen nicht mehr gegeben ist.

Ein gewandeltes Verhältnis zur Geschichte zeigt sich deutlich im radikal veränderten Blick auf die deutsche Kunstepoche, also auf Klassik und Romantik. Eine Vielzahl von Essays und erzählenden Texten stellt sich jetzt gegen das harmonisierende Bild der Klassik, vor allem Goethes, und wendet sich den sog. Außenseitern, den Abweichlern von der klassischen Norm zu, d.h. vor allem: den Romantikern. Hölderlin (der wahnsinnig wurde), Kleist und die Günderode (die Selbstmord begingen), Jean Paul und E.T.A. Hoffmann, die einzelgängerisch-kauzig lebten und schrieben, ziehen das Interesse auf sich, so in Texten von de Bruyn (zu Jean Paul und anderen), Fühmann

Blick auf Klassik und Romantik

(zu Hoffmann und anderen), Gerhard Wolf (zu Hölderlin), Kunert (*Pamphlet für K.* – d.i. Kleist – , 1975), Sigrid Damm (zu Lenz und Goethes Schwester Cornelia), Brigitte Struzyk (zu Caroline Schlegel-Schelling) und vor allem Christa Wolf. Ihre Essays zu Kleist, Bettina von Arnim und Karoline von Günderode, vor allem aber ihre Novelle *Kein Ort. Nirgends* (1979), geschrieben in der großen Depression der DDR-Intellektuellen nach der Biermann-Ausbürgerung, prüfen die alternativen Lebensentwürfe und Literaturkonzepte der Romantiker daraufhin, was sich aus ihnen für die Bewältigung aktueller Krisen lernen läßt. Quasi autobiographische Paralleltexte zu dieser Krisenerfahrung sind Christa Wolfs *Sommerstück* (1989 erschienen, aber schon vor über zehn Jahren geschrieben) und Sarah Kirschs *Allerleih-Rauh* (1988).

alte Mythen

Die Erzähler der DDR wenden sich in denn späten 70er und 80er Jahren nicht nur der Geschichte, sondern auch Märchen, Legenden und vor allem: den alten Mythen zu. Die Autoren entziffern die Mythen, in erster Linie die altgriechischen, Fühmann auch biblische, geschichtsphilosophisch: als Urbilder einer höchst widersprüchlichen abendländischen Zivilisationsgeschichte, einer fragwürdigen Modellierung der menschlichen Vernunft und »ihres Anderen« (Hartmut Böhme), nämlich der Körper, der Sinne, der Affekte des Menschen. An den Mythen fasziniert sie, in den Worten Heiner Müllers, »die Wiederkehr des Gleichen [...] unter ganz anderen Umständen [...] und dadurch auch die Wiederkehr des Gleichen als eines Anderen.« In der »Arbeit am Mythos«, mit Hans Blumenberg zu sprechen, manifestiert sich die Wiederkehr verdrängter, unbewältigter, nur ›verschobener‹ Traumata. Das hatten schon die zahlreichen Nacherzählungen der alten Mythen durch Hermlin, Fühmann oder Rolf Schneider gezeigt, das zeigten jetzt Fühmanns mythologische Erzählungen (*Der Geliebte der Morgenröte*, 1978; *Das Ohr des Dionysios*, 1985), Morgners bizarre Romane und vor allem Christa

Christa Wolfs Kassandra-Projekt

Wolfs ehrgeiziges Kassandra-Projekt, bestehend aus der Erzählung *Kassandra* und den dazugehörigen Frankfurter Vorlesungen *Kassandra: Voraussetzungen einer Erzählung* (1983).

Kassandra war die Tochter des Trojerkönigs Priamos, die von Apollon mit der Sehergabe ausgestattet wurde, gleichzeitig aber mit dem Fluch, daß niemand ihre Wahrsprüche glauben solle. Nach dem Fall Trojas wurde sie, als Beute Agamemnons, nach Mykene verschleppt und dort ein unschuldiges Opfer der Rache Klytämnestras an ihrem Gatten. – Christa Wolf sah in Kassandra »eine der ersten Frauengestalten [...], deren Schicksal vorformt, was dann, dreitausend Jahre lang, den Frauen geschehen soll: daß sie zum Objekt gemacht werden [...] Ihre innere Geschichte: das Ringen um Autonomie.« In den Vorgängen um Kassandra offenbaren sich für die Autorin die Ursprünge unserer Welt von heute als einer »Megamaschine« von »zerstörerischer Irrationalität«: die Herausbildung jenes spezifisch männlich-kriegerischen, zweckrationalen Zivilisationstypus von Frühgriechenland-Mykene, der sich sowohl gegen die (als mehr mutterrechtlich geprägt vorgestellte) kretisch-minoische Kultur als auch gegen Troja durchsetzte. Die Erzählung versucht, indem sie den imaginierten inneren Monolog der mythischen Kassandra nachbildet, ein poetisches ›Lösungsmittel‹ gegen die Versteinerungen unseres Denkens und unserer Zivilisation ins Spiel zu bringen.

Am Ende der 80er Jahre bietet die Prosa der DDR ein uneinheitliches, d.h. vor allem: ungleichzeitiges Bild. Zu ihm gehört nicht nur, daß einige der besten Autoren im Westen leben und arbeiten und ihr ursprüngliches Publikum nicht mehr erreichen. Zu ihm gehört vor allem, daß sich eine Kluft aufgetan hat zwischen den in der DDR immer noch populären Vertretern eines vormodernen Erzählens, die hierzulande kaum einer kennt, und einer immer größer werdenden Phalanx moderner Erzähler. Auch die intellektuelle und literarische Szene der DDR ist eine solche der »neuen Übersichtlichkeit« (Habermas) geworden, und westliche Leser tun gut daran, die Prosa aus der DDR nicht nur mit Christa Wolf gleichzusetzen.

Theater gegen das Verdrängen und Vergessen

Seit dem Ende der 50er Jahre war das Theater der DDR von dem Widerspruch geprägt, daß seine wichtigsten Gegenwartsstücke gar nicht oder erst mit beträchtlicher Verspätung auf die Bühne kamen. Allzu groß war die Sorge der kulturpolitischen Orthodoxie, die sinnliche Manifestation fragwürdiger Zustände im eigenen Land auf der Bühne könne das Publikum verstören oder Protest stimulieren. Dieses Mißverhältnis hat sich bis in die 80er Jahre hinein nicht grundsätzlich geändert. Insgesamt ist das Theater der DDR seit den 70er Jahren in eine Krise geraten, die westliche Industrieländer schon länger kennen. Zählte man an den 68 Theatern (mit ca. 200 Spielstätten) 1955 noch 17,4 Millionen Theaterbesucher, so ging diese Zahl seither drastisch zurück. 1979 war mit 10,4 Millionen ein Tiefpunkt erreicht. 1980 konnten wieder mehr Besucher registriert werden, danach sank die Zuschauerzahl schrittweise auf unter 10 Millionen. Das sind proportional immer noch bedeutend höhere Zahlen als in der Bundesrepublik, aber auch das Theater in der DDR bekommt offenbar zunehmend die Konkurrenz der audiovisuellen Medien in einem Ausmaß zu spüren, das seinen Lebensnerv trifft. Gerade das Fernsehen, das eine nur private und passive Rezeption des Gesehenen begünstigt, arbeitet einer Entfaltung des kollektiven und aktiven Umgangs mit Kunst, wie ihn sich die Theaterleute wünschen, massiv entgegen. Anstelle des sinnlichen (Vor-) Spiels tritt die nur visuelle Simulation von Wirklichkeit.

Versucht man sich ein Bild von der Konstellation der maßgeblichen Theaterautoren, ihrer Stoffe und ästhetischen Konzepte in den 70er und in den 80er Jahren zu machen, so muß man feststellen, daß ein gravierender Wandel eingetreten und die Übersichtlichkeit von damals nicht mehr gegeben ist. Längst ist die unmittelbare Brecht-Nachfolge Geschichte und das Produktionsstück nicht mehr das wichtigste Genre. Die inzwischen ältere (Flakhelfer- und HJ-) Generation ist die eine Dominante des DDR-Theaters, einerseits durch Heiner Müller, andererseits durch Hacks, Strahl und Helmut Baierl vertreten. Die als Lyriker so deutlich eine Generation der unbefangenen, anspruchsvollen Stürmer und Dränger bildeten, sind dagegen auf dem Theater nie als auch nur halbwegs homogene Gruppe erschienen: der Lustspielautor Armin Stolper (geb. 1934), der Auch-Dramatiker Ulrich Plenzdorf, der Arbeiterschriftsteller Paul Gratzik, die Gelegenheitstheaterdichter Rainer Kirsch und Karl Mickel oder der erst spät hervorgetretene Harald Gerlach – sie alle müssen als ganz individuelle Autoren betrachtet werden, die überdies dem DDR-Theater keine dauerhaften Impulse vermitteln konnten. Nachdem Hartmut Lange, Kurt Bartsch und Einar Schleef die DDR früher oder später verlassen haben, ist es aus dieser Generation einzig und allein Volker Braun, ohne den das DDR-Theater nicht vorstellbar wäre. Erst mit Christoph Hein, Stefan Schütz und Thomas Brasch, vielleicht auch Lothar Trolle ist es zu einem bemerkenswerten Generationswechsel unter den Stückeschreibern gekommen. Ihr großenteils auch persönlicher Lehrer heißt nun nicht mehr Bertolt Brecht, sondern Heiner Müller, von dem sie sich im günstigsten Fall (wie Christoph Hein) wieder deutlich entfernt

Zahlen, Fakten

Stefan Schütz

Fesseln und Mundtot-machen – »Und jetzt zur Tat«. Szenen aus »Die Schlacht«

haben. Von ihm haben sie gelernt, daß das Theater den großen stofflichen Vorwurf, eine kühne operative Strategie und vor allem: eine eigne, poetische Theatersprache braucht.

Mit ihnen verglichen wirken die Stücke der sog. Jungen, also Vierzigjährigen, zumeist eher zaghaft und dramaturgisch wie sprachlich unentschieden, obwohl es gerade diese jüngeren Autoren sind, die sich Themen der DDR von heute zugewandt haben. Unter ihnen sind die Begabtesten Jochen Berg, Uwe Saeger, Jürgen Groß, Albert Wendt, Georg Seidel, Heinz Drewniok und Peter Brasch, ein Bruder von Thomas Brasch. Ihre Themen finden diese jüngeren Autoren (außer Berg, der Antikenstücke schreibt) zumeist im Alltag des »real existierenden Sozialismus«, in dem sie hierzulande vertraute Probleme orten: Doppelmoral und Opportunismus, Konsumismus und Kälte im Umgang miteinander. Doch bei aller Kritik im Detail erheben sich die meisten dieser Stücke kaum über einen »affirmativen Alltagsrealismus« (Klaus Siebenhaar). Eine eigne, provozierende Theatersprache ist selten.

Insgesamt liegt das Gewicht der in den 70er Jahren geschriebenen Dramen nicht bei den auf Aktualität versessenen Zeitstücken im engeren Sinn. Christoph Hein, der im Lauf der 70er und 80er Jahre als ernstzunehmender Theaterautor hervortritt, hatte treffend gesagt: »Stücke, die in der Gegenwart geschrieben werden, sind Gegenwartsstücke. Diese Banalität zu behaupten, scheint mir wichtig, da heute ein Gegensatz zwischen sogenannten historischen und gegenwärtigen Stücken konstruiert wird [...] Gegenwart wird ohnehin verhandelt. Für das Nichtstattfinden von Zeitung/Berichterstattung ist Theater kein Ersatz.« So wie Hein haben sich auch Volker Braun, Heiner Müller und die jüngeren Thomas Brasch und Stefan Schütz dagegen gewehrt, die vor allem der Prosa aufgebürdete (bzw. von ihren Autoren angenommene) Aufgabe zu übernehmen, Ersatz für eine verhinderte journalistische Öffentlichkeit zu sein. Statt dessen haben sie sich, stärker noch als in den 50er und 60er Jahren, daran gemacht, theatralisch den vertrackten und verdrängten Geschichtsprozeß aufzuarbeiten und wieder sinnlich zugänglich zu machen, der in die »gestockten Widersprüche« (F. Fühmann) einer neuerlich verhärteten, hierarchisch-autoritären, noch durchaus un-menschlichen Gesellschaft im eigenen Land hineingeführt hat. Was an der Prosa beobachtet wurde, findet sich auch hier: die Rekonstruktion der offenbar fehlgegangenen Entwicklungsgeschichte der eigenen Nation wie vielleicht der ganzen Gattung kann sich auf unterschiedliche mittel- oder langfristige Abschnitte erstrecken: auf den Faschismus, auf die preußisch-deutsche Geschichte oder auf die abendländische Zivilisationsgeschichte als Ganze, deren strukturbildende Kräfte und sinnbildhafte Figuren vornehmlich in der frühgriechischen Mythologie und Geschichte aufgesucht werden.

Kein anderer Theaterautor hat sich so hartnäckig und tief in den ›Text der Geschichte‹ eingewühlt wie Heiner Müller. Auch er hat erst schrittweise die Notwendigkeit erkannt, »Geschichtsbewußtsein als Selbstbewußtsein« (V. Braun) zu entwickeln, d.h. was gegenwärtig gelebt und produziert wird, aus den Ablagerungen der Geschichte zu erklären. Aber mit dem ›Erklären‹ ist es nicht getan: Geschichte, und zumal die deutsche, ist weder etwas, das ›hinter uns‹ (als bewältigt, überwunden) liegt, noch etwas, das ›außer uns‹ (als vermeintlich objektiver, automatisch fortschrittlich-fortschreitender Geschichtsprozeß) abläuft. In diesem Bewußtsein werden Geschichte und Aktualität miteinander identisch, weshalb Müller z.B. gegen all jene polemisiert, die in seinem Faschismus-Stück *Die Schlacht* die aktuelle Relevanz vermissen. An einen Kritiker schreibt er 1975: »Daß Sie die Frage für notwendig halten, verweist auf die Antwort: die Aushöhlung von Geschichtsbewußtsein durch einen platten Begriff von Aktualität. Das Thema Faschismus ist aktuell und wird es, fürchte ich, in unserer Lebenszeit bleiben.«

Müller hat sich dem Geschichtsprozeß in Etappen zugewendet. Bereits aus den frühen 50er Jahren stammen Szenen/Fragmente, die die jüngstvergangene deutsche Geschichte – NS-Regime und 2. Weltkrieg – thematisieren und hernach in *Die Schlacht* und *Germania Tod in Berlin* eingegangen sind. Später, in den 60er Jahren, hat er sich in mythischen Modellen wie dem *Herakles, Prometheus* oder *Philoktet* mit der abendländischen Zivilisationsgeschichte als einer Geschichte der repressiven Aneignung der Natur durch den Menschen, einschließlich der eigenen Triebnatur, auseinandergesetzt. Es ist nur folgerichtig, daß Müller dabei Zug um Zug auf die deutsche Geschichte und damit auch Preußen und den Faschismus stoßen mußte – immer aus dem Interesse an der eigenen, gelebten DDR-Gegenwart heraus. Und so läßt denn Müller in den Stücken der 70er Jahre »die Geschichtsuhr rückwärts laufen« (Genia Schulz) – zur gescheiterten Revolution 1918/19, nach Preußen unter Friedrich Wilhelm I. und Friedrich II., schließlich bis zum »germanischen Erbe«: bis zu Arminius und Flavius und den Nibelungen-Helden im *Germania*-Stück. Müller wandelt ein Wort von Edgar Allan Poe: »Der Terror, von dem ich schreibe, [...] ist ein Terror der Seele« ab in : »Der Terror, von dem ich schreibe, kommt aus Deutschland«.

*Heiner Müllers
Entwicklung*

In *Die Schlacht* (1974) begnügt sich der Autor noch damit, in grausigen, verstörenden Bildern vom Krieg als einem lizenzierten Abschlachten die Situation des »Nullpunkts« 1945 ohne seine lange Vorgeschichte nachzuzeichnen. Übriggeblieben sind im wesentlichen Schlächter, Mörder und andere Menschenverächter als die einzigen Überlebenstüchtigen. Die implizit gestellte Frage lautet natürlich: Was ist und was wird das für ein Sozialismus, der aus solchen Anfangsbedingungen und mit solchen Menschen aufgebaut werden mußte? Die Stücke *Germania Tod in Berlin* (abgeschlossen 1976) und vor allem das Preußenstück *Leben Gundlings Friedrich von Preußen Lessings Schlaf Traum Schrei* (1977) entziffern dann schließlich – ein für die DDR sehr neues Vorhaben – die deutsche Geschichte als Triebgeschichte: als Prozeß einer fortschreitenden Deformation der menschlichen Triebstruktur in Richtung auf die Verwandlung von Fremdzwängen in Selbstzwänge (»Jeder ist sein eigner Preuße«, heißt ein Kernsatz des Stücks), auf die Herstellung des autoritären (sadomasochistischen) Charakters, auf die Verkehrung der der Gattung gegebenen Möglichkeit lebendiger Produktivität in (faschistische) Todesproduktion. Folgerichtig verweigert Müller in seinen Stücken einen positiven Zukunftsprospekt und beschränkt sich auf »konstruktiven Defaitismus«. Und während manche der neuen Stücke sich ganz dieser Art Defaitismus zu verschreiben scheinen (wie *Hamletmaschine*, 1978, und *Quartett*, 1981) und deshalb in der DDR schwer spielbar sind, bemüht sich Müller in anderen um eine konstruktive Deutung des Geschichtsprozesses (vor allem in *Der Auftrag. Erinnerung an eine Revolution*, 1980).

Triebgeschichte

Auch Müllers Stücke der 80er Jahre zeigen, daß dieser Dramatiker, der mittlerweile in aller Welt gespielt wird, nicht auf eine Weltanschauung, auf einen Stil festzulegen ist. Müller schreibt weiter »synthetische Fragmente«, Collagen ohne Fabel, weil allein sie dem fragmentarischen Zustand der Geschichte, der Welt von heute und den Subjekten in ihr gerecht werden. Neue Stücke wie *Verkommenes Ufer Medeamaterial Landschaft mit Argonauten* (1983) oder *Bildbeschreibung* (1985), die wiederum die »Maschine Mythos« in Gang setzen und vor allem die extrem entfremdete Mann-Frau-Beziehung in verschiedenen Stadien des Patriarchats thematisieren, scheinen eher aus dem Geist des Neostrukturalismus (Foucault, Deleuze, Baudrillard

Collagen ohne Fabel

Probe von »Ödypus Tyrann« – die Ziegen scheitern am Widerstand der Schauspieler und dürfen nicht auf die Bühne (Wiener Burgtheater 1988)

u. a.) als aus dem des Marxismus geschrieben zu sein. Doch dann überrascht Müller sein Publikum ein weiteres Mal und legt mit *Wolokolamsker Chaussee* (1987) ein Stück vor, das sich mit der Gründungsgeschichte des Sozialismus als einer des Terrors und des Todes beschäftigt und, wenn auch sehr versteckt, das uralte Projekt der kommunistischen Utopie in sich trägt.

Heiner Müller ist inzwischen zu einer Art Lehrerfigur für junge Dramatiker aus der DDR geworden. Thomas Brasch (vor allem mit *Rotter*, 1977), Stefan Schütz (z. B. in *Michael Kohlhaas*, 1978) und selbst Volker Braun beißen sich ähnlich dem älteren Müller in der deutschen Geschichte als Terrorzusammenhang fest, oder sie rekurrieren wie Müller auf die griechische Mythologie (wie Berg und Schütz). Volker Braun hat sich mit *Simplex Deutsch. Ein Spielbaukasten für Theater und Schule* (1980) und *Siegfried Frauenprotokolle Deutscher Furor* (1986) fast ›müllernd‹ auf den deutschen Geschichtstext eingelassen: als eine Abfolge von Revolutionen ohne Revolutionäre, von Kriegen und Bürgerkriegen, deren stereotype Verkehrsform Mord und Totschlag ist. Auch Braun sieht – freilich optimistischer als Müller – allein dann eine Chance für die Überwindung der deutschen Geschichte als Misere, wenn die fast vollständige Nichtigkeit des barbarischen Geschichtserbes endlich akzeptiert wird.

Christoph Hein

Der wichtigste jüngere unter den Geschichtsdramatikern ist gewiß Christoph Hein. Er befragt die Geschichte daraufhin, welche Modelle bzw. Modellfiguren sie bereithält, aus denen heute noch, auch im Sozialismus, zu lernen wäre. Dabei stößt er auf so unterschiedliche Gestalten wie den Führer der Englischen Revolution Oliver Cromwell, dessen »mörderische Tugenden« ihn interessieren (*Cromwell*, 1979), oder Ferdinand Lassalle, den so intelligenten wie spießigen, passionierten wie selbstquälerischen Baumeister der deutschen Arbeiterbewegung (*Lassalle fragt Herrn Herbert nach Sonja. Die Szene ein Salon*, 1979). Um sie gruppiert er Schau- und Denkspiele (solche sind auch seine historischen bzw. parabolischen Erzählungen in dem Band *Einladung zum Lever Bourgeois*, 1980), die über die Einlassung auf die Historie Gegenwärtiges ins Bewußtsein rücken. Heins bisher erfolgreichstes Stück *Die wahre Geschichte des Ah Q* (1983), geschrieben nach einer chinesischen Novelle, verschärft die Analyse des von gesellschaftlicher Praxis ausgeschlossenen bzw. sich ihr selbst verschließenden Intellektuellen, die schon in seinen früheren Stücken eine wichtige Rolle spielte. Seine Chinoiserie, die realistische Partien, Parabel und Clownsspiel mischt, zielt auf jene unproduktive, nur reflexive Lebensweise aus zweiter Hand, die den Intellektuellen im Zweifelsfall zum Opfer oder zum Werkzeug der Mächtigen werden läßt – ein Thema marxistischer Dramatiker von Brechts *Turandot* bis zu Müllers *Hamletmaschine*.

Lyrik gegen die symmetrische Welt

In den 60er Jahren hatte die Lyrik eine wichtige Vorreiter-Funktion für die Literaturentwicklung der DDR. Früher als die anderen Gattungen brach sie aus den Normen der Widerspiegelung, der Repräsentanz und des Sozialaktivismus aus. Nicht nur ältere Autoren wie Arendt, Huchel und Bobrowski sperrten sich gegen die politisch-pädagogische Vereinnahmung der Poesie, sondern auch und gerade die Jüngeren. Ihnen gelang poetisch-praktisch etwas Erstaunliches, das bis dahin kaum möglich schien: Zwischen der Scylla der literaturfremden Instrumentalisierung (der Lyrik-Dominante der 50er Jahre) und der Charybdis der pur ästhetischen Autonomie fanden sie einen dritten Weg, nämlich die Synthese aus Gesellschaftlichkeit und Subjektivität, aus Politik und Poesie, aus Einverständnis und Provokation – eine Vereinigung des Gegensätzlichen, die sich lyrisch als ungemein fruchtbar erwies. Durch ihre Gattungseigentümlichkeiten von vornherein souveräner gegenüber dem Gebot des »sozialistischen Realismus«, vorgegebene Wirklichkeit abzuschildern (mit den ›richtigen‹ politischen Bewertungen versehen, versteht sich, dem sich vor allem die Prosa viel schwerer zu entziehen vermochte, konnte die Lyrik der 60er Jahre zur Triebkraft einer selbstbewußten, ästhetisch anspruchsvollen, modernen DDR-Literatur insgesamt werden.

Lyrik als Ausbruch

Diese Lyrik der »arbeitenden Subjektivität« (D. Schlenstedt/G. Maurer) gerät seit Mitte der 70er Jahre in die Krise. Angesichts der immer krasser hervortretenden Dominanz der wissenschaftlich-technischen Rationalität als Motor auch der sozialistischen Industriegesellschaft, angesichts der Windstille im gesellschaftlich-politischen Leben und der Verhärtung der Kulturpolitik halten Trauer, Angst und Verzweiflung ihren Einzug ins Gedicht, wo früher Hoffnung und das Lob des Tätigseins vorherrschten. Auch die Lyrik aus den 70er und 80er Jahren ist von der Erfahrung geprägt, daß die sozialistisch-humanistischen Träume von ehedem verwelkt sind, weil sich »Praxis [als] Esserin der Utopien« (H. Müller) entpuppt hat. Das gilt nicht nur für die Autoren der älteren und mittleren Generation von Arendt und Huchel bis zu Kunert und Endler, sondern besonders auffällig für die aktivistischen Aufbruchslyriker, die Anfang der 60er Jahre an die Öffentlichkeit getreten waren.

»welke Träume«

Zweifellos erlitt die Lyrik der DDR durch die mehr oder weniger freiwilligen Übersiedlungen von Autoren im Gefolge der Biermann-Ausbürgerung im Vergleich zu den anderen Gattungen die schwersten Verluste. Durch den Weggang Huchels (schon 1971), Biermanns, Kunzes, Sarah Kirschs, Jentzschs, Bartschs, Braschs, Tragelehns verlor die DDR beinahe auf einen Schlag einen unersetzlichen Teil ihrer gewichtigen Poeten. Andere, zumeist Jüngere, wie Frank-Wolf Matthies, Bernd Wagner, Sascha Anderson, nun vielleicht auch Wolfgang Hilbig und Uwe Kolbe, folgten nach. Damit zerbrach auch das für die DDR-Lyrik der 60er Jahre so wichtige Gruppen-Selbstbewußtsein einer ganzen Generation.

Verluste nach der Biermann-Ausbürgerung

*Veränderung der
Schreibweise*

Mit der Ernüchterung der Weltsicht der Autoren einerseits und dem staatlich verordneten Funktionswandel der Poesie andererseits veränderten sich seit Mitte der 70er Jahre nicht nur die Themen, sondern auch die Schreibweisen der DDR-Lyrik gravierend. Eines ist so bemerkenswert wie das andere. Zunächst zum Wandel der Themen: Die Brechtsche Erkenntnis, daß die »Mühen der Gebirge« passé seien und man sich auf die »Mühen der Ebenen« einrichten müsse, erreichte nun auch die Jüngeren. Kunert sprach sarkastisch von der »historischen Niederung«, in der man sich befinde. Doch dabei blieb es nicht. Fortschritts-Ungläubigkeit und Geschichtsskepsis verdüsterten sich im Lauf der 70er Jahre weithin zu einer allgemeinen Zivilisationskritik, ja: zu radikalem Endzeitbewußtsein. Hierin unterscheidet sich die Lyrik in nichts von Prosa oder Dramatik. Nicht nur Günter Kunert vollzog jetzt den »endgültigen Abschied von der Utopie, vom Prinzip Hoffnung«. Beispielhaft zeigt das der Paradigmawechsel in der Auseinandersetzung mit mythologischen Figuren, die nun die Lyrik immer zahlreicher bevölkern: Man kehrt sich nicht nur von erhabenen Licht- und Lustgestalten wie Apollon und Aphrodite ab (wie sie z.B. Georg Maurer liebte), sondern auch von den heroischen Begründern des Zivilisationsprozesses wie Prometheus oder Herakles. An ihrer Statt beherrschen nun die zwiespältigen Problemfiguren der abendländischen Zivilisation die lyrische Szene: Sisyphus, Odysseus und immer wieder: Ikarus und Dädalus. Hinzu kommen weibliche Figuren des Leidens – Niobe und Kassandra – sowie leidende Repräsentanten der Kunst, vor allem Marsyas und Orpheus. Wie in den anderen Gattungen auch, erscheinen die mythologischen Gestalten aus der Frühgeschichte der abendländischen Zivilisation als Sinn-Bilder eines zunehmend perspektivlosen Geschichtsprozesses, der in der Gewaltförmigkeit der Vorgeschichte steckengeblieben ist.

*»Abschied von der
schönen Natur«*

Am deutlichsten zeigt sich der tiefgreifende Wandel der DDR-Lyrik in den 70er und 80er Jahren in der Natur- und Landschaftslyrik, die ja von Beginn an eine wichtige Rolle spielte. In ihr vollzieht sich fast ausnahmslos ein »Abschied von der schönen Natur« (Ursula Heukenkamp). Becher, Fürnberg oder Maurer hatten in den 50er Jahren noch die ›schöne Natur‹ als Vorschein wahrer Menschlichkeit feiern können. Jetzt, im Zeichen einer von Günter Kunert und anderen erkannten »Symmetrie« des zerstörerischen zivilisatorischen Prozesses in West und Ost, wird die Natur als durchweg unwirtliche, gefährdete, ja: bereits dem Untergang geweihte vorgestellt. Angesichts einer nach Maßgabe industrialistischer Rationalisierung »durchgearbeiteten Landschaft« (Braun) bleibt für reine Naturlyrik kein Stoff mehr übrig; sie wird notgedrungen zu einer Landschaftslyrik, deren Sujet jetzt das unauflösliche Ineinander von Natur, Industrie-Kultur und Geschichte ist – mit dem entscheidenden Akzent, daß die zivilisatorische Unterwerfung und Durchdringung der Natur dieselbe endgültig zum Verschwinden zu bringen droht. Schon um 1970 hatte Volker Braun in dem Gedicht *Landwüst* lapidar festgestellt: »Natürlich bleibt nichts./Nichts bleibt natürlich.« Sein Gedicht *Industrie* aus der gleichen Zeit führte aus, was das konkret hieß:

> In der mitteldeutschen Ebene verstreut
> Sitzen wir, hissen Rauchfahnen.
> Verdreckte Gegend. Glückauf
> Und ab in die Wohnhülsen. [...]
> Regen pißt auf Beton. Mensch
> Plus Leuna mal drei durch Arbeit
> Gleich
> Leben.

506

Jürgen Rennerts Satz: »Es stirbt das Land an seinen Zwecken« wird ab Anfang/Mitte der 70er Jahre gleichsam zum Motto einer ökologisch-kritischen Naturlyrik, die Vertreter aller Generationen umgreift. Dabei reicht die Spannweite von den eher konventionellen Beschwörungen der noch vorhandenen Reste heiler Natur z.B. bei Eva Strittmatter über die sympathischen, aber ästhetisch epigonalen Warngedichte Hanns Cibulkas bis zu den bedeutenden historischen Landschaftsgedichten Volker Brauns oder Wulf Kirstens. Zumal Kirstens Gedichte verschiedenen historischen Phasen entstammende, abgelebte, aber doch noch existente Realitätspartikel so mit Wahrnehmungsbruchstücken der gleichmacherischen Industrie-Gegenwart montieren, daß genau ersichtlich wird, was im »mahlgang der geschichte«, im »reißwolf des fortschritts« verlorengeht, bis am Ende »die heimat verödet zum allweltsbezirk/und niemandsland«.

Gedichte wie die von Kirsten sind nicht unter der engen Kategorie ›Ökolyrik‹ abzulegen. Wenn sie, wie Hunderte andere, von Naturverschandelung und Umweltzerstörung handeln, wenn sie sich auf die Beschreibung von »Abfallandschaften« (U. Heukenkamp) und sonstigen Formen der ›nature morte‹ einlassen, dann stehen solche, zugegeben dominanten, Motive in den besseren Gedichten doch immer für einen weiterreichenden Einspruch gegen eine allzu viereckig, allzu symmetrisch gewordene Welt (mit Hölderlin/Braun zu sprechen), die neben der äußeren Natur auch immer die Natur des Menschen selbst, seine subjektive Lebensfähigkeit beschädigt. So kennzeichnet die Lyrik der 70er und 80er Jahre immer stärker eine radikale, ernüchterte Selbstreflexion auf der Basis einer Erfahrung, wie sie z.B. Volker Braun in seinem Rimbaud-Essay (1985) ausgesprochen hat. Dort heißt es: »[...] Ich stecke im sozialistischen Kies. Provinz, das ist der leere Augenblick. Geschichte auf dem Abstellgleis. Status quo. Was uns ersticken machen kann: aus der bewegten Zeit in eine stehende zu fallen.«

Aus dieser Selbst-Erkenntnis folgt – nicht nur bei Braun – ein lyrisches Sprechen, das seine kommunikative Qualität zu verlieren droht. Die Montage disparater Bruchstücke, die Bildsprache des ›absoluten Gedichts‹, die Tendenz zur radikalen sprachlichen Verknappung (gegen die Sinn und Bedeutung prätendierende Geschwätzigkeit der offiziellen Diskurse) sowie das Experimentieren mit dem sprachlichen Material als solchem halten jetzt in der Breite Einzug in die DDR-Lyrik und modernisieren sie endgültig – parallel dem Prozeß, der für die Prosa bereits beschrieben wurde. Was bislang älteren Autoren wie Arendt oder Huchel vorbehalten gewesen schien, gilt jetzt auch für Autoren wie Mickel, Braun und Wolfgang Hilbig, mehr dann noch für die Jüngeren und Jüngsten wie Uwe Kolbe, Bert Papenfuß-Gorek und Stefan Döring. Ausgehend von einer radikalen Skepsis gegenüber der offiziellen Sprache der Parolen und Verordnungen reflektieren gerade die Jüngeren ihr Werkzeug, das Medium Sprache, grundsätzlich. Mißtrauisch gegenüber dem Anspruch traditioneller Dichtung (nicht nur der realsozialistischen), im Gedicht Wirklichkeit abzubilden, zu repräsentieren, machen sie die Sprache selbst zum Gegenstand ihrer poetischen Praxis. Im Rückgriff auf vielfältige Traditionen der Avantgarde-Literatur – unbewußt oder bewußt – wird ein großer Teil der jungen DDR-Lyrik sprachreflexiv und sprachexperimentell. Während ein Volker Braun z.B. die vorgegebene Sprache immer noch mit der Intention fragmentiert, der verstellten Wirklichkeit dadurch näherzukommen, um ein eingreifendes Verhältnis zu ihr wiederzugewinnen, sind die meisten jungen Lyriker von einer solchen operativen Poetik weit entfernt. Ihr Ziel ist allein die Destruktion (man kann auch sagen: die Dekonstruktion) der über die Sprache laufenden Fixierungen – und das Spiel

Bert Papenfuß:
»Harte zarte Herzen«

mit den solcherart freigesetzten Elementen der Sprache. Sascha Andersons
Satz: »ich habe ausser meiner sprache keine / mittel meine sprache zu verlassen«, wiederholt Ludwig Wittgensteins Satz »Die Grenzen meiner Sprache
bedeuten die Grenzen meiner Welt« – doch das erkenntniskritisch-skeptische
Diktum Wittgensteins wird auf eine offene, innovative Ästhetik des Gedichts
hin gewendet: Jenseits der normierenden Diskurse politischer und anderer
Ordnungen läßt sich eine zwanglos handhabbare Sprache der Poesie entdek-
ken, die, unter den gegebenen Umständen, als einziger produktiver Ausweg
erscheint, sich selbst als Subjekt freizusetzen.

Hineingeboren und Aussteigen: die junge Literatur der DDR

Vielfalt und kritischer Konsens

Die DDR-Literatur der 70er und 80er Jahre hat, von den dogmatischen
Vertretern der Vormoderne einmal abgesehen, einen gemeinsamen Nenner,
der sich unter zwei Aspekten fassen läßt. Sie schreibt an gegen das Prinzip
der instrumentellen Vernunft und gegen das, was es an Beschädigungen und
Zerstörungen des Subjekts, der Gesellschaft und der Natur hervorgebracht
hat. Und sie tut dies mit ästhetischen Verfahrensweisen, die längst die Doktrin des »sozialistischen Realismus« hinter sich gelassen haben und souverän
über die Darstellungsmittel der Moderne, der Avantgardebewegungen verfügen. Heute kann sogar ganz offiziell verkündet werden, man wende sich
»gegen die Diktatur *einer* Strömung in der Literatur«. Vielfalt, Mehrstim-
migkeit, Experiment und künstlerische Autonomie sind angesagt, und sie
sind in der Literatur selbst auch wirklich vorhanden. »Das Selbst-Entdecken
steht jetzt gegen das Gezeigt-Bekommen, das Nachdenken vor dem Beweis,
Haltung vor Erkenntnis, Praxis vor Abbild«, so hat Robert Weimann, einer
der führenden Literaturwissenschaftler der DDR, treffend festgestellt.

Aus diesem kritischen Konsens, der mittlerweile Schriftsteller *aller* Generationen vereint, hebt sich seit Ende der 70er Jahre die literarische Praxis der
jungen Generation in einer Weise heraus, die das bisherige, wie immer schon
erweiterte Bild von DDR-Literatur sprengt. Jetzt treten, zunächst zögernd
und von den üblichen Wegen des Öffentlichwerdens noch weitgehend ausgeschlossen, junge Autoren hervor, die allesamt »unvermischte DDR-Pro-
dukte« (so schon Wolf Biermann über Jürgen Fuchs) sind, insofern sie den
Westen nicht mehr aus sinnlicher Anschauung kennen, sondern nur noch
übers Fernsehen. Sie sind in den Sozialismus »hineingeboren« (mit dem Titel
eines Gedichtbandes von Uwe Kolbe zu sprechen) und haben keine Alternativen zu ihm erfahren können. Als sie erwachsen wurden, war dieser Sozialismus nicht mehr als »Hoffnung« erkennbar, sondern nur noch als »deformierte Realität« (H. Müller). Sie fühlen sich nicht mehr als »Nachgeborene«
einer dunklen Zeit von Faschismus und Krieg, denen es vergönnt ist, besseren, freundlicheren Zeiten entgegenzuschreiten (das war Brechts Erwartung).
Die gutgemeinte Idee, nun seien sie an der Reihe, den »Stafettenstab« des
Projekts Sozialismus aufzunehmen und weiterzugeben, ist ihnen fremd.
»Mittlerweile macht sich eher lächerlich, wer die harmonisierende Metapher
weiter gebraucht. Die jungen Leute finden sich entweder nicht auf dem
Übergabeplatz ein, oder sie versäumen es, im rechten Moment die Hand
auszustrecken. Es lohnt sich nicht, das dürr gewordene Stück Holz, das da
feierlich angeboten wird, zu ergreifen und in die angeblich vom Ge-
schichtsprozeß vorgegebene Richtung weiterzulaufen.« (M. Jäger) Nicht zufällig wird Volker Braun, der enthusiastische Barde der 60er Jahre, zur
Kontrastfigur dieses neuen Selbstbewußtseins. Schon 1979 signalisierte Uwe
Kolbe: »Meine Generation hat die Hände im Schoß, was engagiertes Han-

Willi Sitte: »Rufer«

deln betrifft. Kein früher Braun heute. [...] Ich kann noch weitergehen und sagen, daß diese Generation völlig verunsichert ist, weder richtiges Heimischsein hier noch das Vorhandensein von Alternativen anderswo empfindet.« Und bei Fritz-Hendrik Melle heißt es salopp und bündig: »Volker Braun? Da kann ich nur sagen, der Junge quält sich. Dazu habe ich keine Beziehung mehr. – Ich bin schon in einer frustrierten Gesellschaft aufgewachsen. Diese Enttäuschung ist für mich kein Erlebnis mehr, sondern eine Voraussetzung.«

Schutzumschlag

Diese jungen Autoren sind nun nicht mehr auf eine offizielle Karriere erpicht, vielmehr steigen sie aus – und manchmal schon gar nicht erst ein in das Regelsystem des »real existierenden Sozialismus«. Überwiegend gehen sie irgendwelchen Jobs nach, die am Rande der Gesellschaft angesiedelt sind und wohl etwas zur Reproduktion, nicht jedoch zur Produktion der ungeliebten Wachstums- und Konsumgesellschaft beitragen. Sie wohnen in Hinterhöfen und Souterrainwohnungen am Prenzlauer Berg in Ost-Berlin oder in anderen heruntergekommenen Altbauvierteln (mit spottbilligen Mieten) der größeren Städte wie Dresden, Leipzig, Jena, Weimar oder Karl-Marx-Stadt. »Prenzlauer Berg« so schrieben Ingrid und Klaus-Dieter Hähnel schon 1981, »ist [...] längst nicht mehr nur eine Wohngegend, sondern eine ›Haltung‹. Die Risse in den Wänden der Hinterhof-Häuser erscheinen nicht selten als die Korrelate für die ›Risse‹ und ›Nöte‹ des Ichs.« Heute hat sich am Prenzlauer Berg eine Kunst-Szene herausgebildet, die wiederum nur als Bestandteil einer größeren Szene von Nicht-mehr-Einsteigern, die gegen das realsozialistische Spießertum rebellieren, zu begreifen ist. Unter diesem Blickwinkel ist die junge, die ›andere‹ Literatur der DDR nur eine Facette einer neuartigen gegenkulturellen Orientierung unter der DDR-Jugend von heute, die die industrialisierte Umwelt, den neuen Mittelstand und eine staatlich gelenkte Jugendkultur pauschal ablehnt. An ihrem äußersten Rand stehen die Punker – auch die gibt es inzwischen in den Großstädten des Landes. Diese Gegenkultur ist kaum je konfrontativ, aber dennoch, als andere, eindeutig definiert. Ihr »kleinster gemeinsamer Nenner« lautet: »Null Bock auf alles Offizielle.« (D. Dahn).

Der Anspruch auf Selbstbestimmung gilt nicht nur bezüglich der Herstellung und Verbreitung dieser Literatur für eine »andere« Öffentlichkeit, sondern er zielt auch auf das, *was* gesagt wird. Nachdem man ›der Macht‹, ihren Institutionen und ihrer Sprache die Gefolgschaft aufgesagt hat und der Ideologieverdacht ein totaler geworden ist, nimmt man eine grundsätzlich antiideologische Haltung ein, die sich gegen jegliche verfestigte, zu Lehrsätzen geronnene Weltanschauung sperrt. Ein repräsentatives Sprechen ist nicht mehr möglich. Von Fortschritt, von Optimismus, von Hoffnung auf die ganz andere, die wirklich sozialistische Gesellschaft, ist hier nirgends mehr die Rede. Die DDR wird erlebt als Land, in das man eingesperrt ist, aus dem man kaum ausreisen, allenfalls (endgültig) ausreißen kann; ein stehendes Gewässer, ein einziger »gestockter Widerspruch«, mit dem man als Individuum nichts zu tun hat und von dem man auch nichts mehr erwartet.

Uwe Kolbe

Besinnung auf Sprache

Was aber bleibt einer Literatur, die keine Botschaft mehr verkünden will, die, so Uwe Kolbe, »Glauben [...] nicht mit weiterem Glauben« ersetzen will? Nun, sie setzt auf die Sprache, und zwar in einer Radikalität und Ausschließlichkeit, die der DDR-Literatur bislang fremd war. Das geschieht auf dreierlei Weise (wobei diese drei Elemente in der Regel im Zusammenhang auftreten): (1) Die geläufige, die herrschende Sprache wird kritisiert, weitergehend: dekonstruiert. (2) Die Sprache wird als Spiel-Zeug entdeckt, aus dem heraus ein anderes, ein befreites Sprechen ›generiert‹ werden kann.

Experimentelle
Programmatik des
Aufbau-Verlags

Außer der Reihe

Übrigens, was gibt es denn »außer der Reihe«?

Zum Beispiel eine neue Edition bei »Aufbau«, herausgegeben von
Gerhard Wolf

»Außer der Reihe«
- will experimentieren, erkunden und Neues sagen
- ist unkonventionell, zeitgemäß und zeitbedingt
  in Inhalt und Ausstattung
- hält alle Genres für möglich und ist variabel
  im Umfang
- ist ein aktuelles Forum für DDR-Literatur
- bringt viermal im Jahr neue Namen:
  ein Diskussionsangebot junger Autoren

»Außer der Reihe« und doch »in«!

(3) Die poetische Sprache wird, über ihre destruktiven und nur spielerischen Anteile hinaus, zu einer Gegen-Sprache in Opposition zur Herrschaftssprache. Sie will, mit Heiner Müller zu sprechen, einen Diskurs in Gang setzen, der »nichts und niemanden ausschließt«. Gewiß, dies taten auch schon Angehörige der mittleren Generation wie Elke Erb, Wolfgang Hilbig oder Gert Neumann. Doch die jungen Autoren wie Bert Papenfuß-Gorek, Stefan Döring, Sascha Anderson, Rainer Schedlinski, Leonhard Lorek oder Jan Faktor gehen diesen Weg mit einer vorher nicht gekannten Radikalität und, teilweise, Virtuosität.

Mittlerweile leben viele und wichtige Künstler, die seit Ende der 70er Jahre die experimentelle Dichtung initiiert haben, schon nicht mehr in der DDR. Neuerdings können, gegenläufig zu dieser Abwanderung, Bücher der aufmüpfigen Jungen in DDR-Verlagen erscheinen, z.B. in einer Reihe des Aufbau-Verlags, die nicht zufällig »Außer der Reihe« heißt. So stellt sich die Frage, ob sich die für einige Jahre distinkte Gruppenkultur der jungen Kunst mit ihrem Modell einer »anderen« Öffentlichkeit nicht binnen kurzem aufgelöst haben wird zugunsten einzelner Autorindividuen, die sich nicht nur geographisch immer weiter voneinander entfernen; zum einen, weil sich die Szene durch das Fehlen der Abgewanderten und weiter Abwandernden immer mehr ausdünnt, zum andern, weil der Weg ins veröffentlichte Buch einen integrativen Sog zeitigen wird. So läßt sich der DDR-Literatur am Ende der 80er Jahre keine klare Prognose stellen, wie es weitergehen wird. Doch das spricht nicht gegen, sondern für sie.

DIE LITERATUR
DER BUNDESREPUBLIK

»Als der Krieg zu Ende war«

Die bedingungslose Kapitulation am 8. Mai 1945 schien ganz Deutschland in ein politisch-kulturelles Vakuum zu führen. Mit dem Ende der zwölfjährigen Herrschaft der Nationalsozialisten brach zugleich ein riesiges, vielfältig in sich verschlungenes Ideologie- und Propagandagebäude zusammen, der Traum von einem Dritten, einem Tausendjährigen Reich, der Glaube an Allmacht und Allgewalt des »Führers«, das Bewußtsein einer germanisch-deutschen Überlegenheit über andere Völker und Rassen. Wo politische »Gleichschaltung« die Uniformität der Institutionen anbefohlen hatte, herrschte nun das Chaos der Orientierungslosigkeit. Wo die Militarisierung des öffentlichen Lebens vorbehaltlose Begeisterung für den »totalen Krieg« geweckt hatte, erwies nun, nach der vollständigen Zerschlagung national-sozialistischer Unterwerfungsstrategien, der Schock des Zusammenbruchs seine ernüchternde Wirkung. Und die jahrelang geglaubten Heils- und Un-heilslehren faschistischer Demagogie – sie wurden verschüttet unter den Trümmern ganzer Städte, begraben in Millionen von Kriegsgräbern, ver-flüchtigten sich alsbald zu einem Alptraum öffentlichen Bewußtseins, dem zugleich die Hoffnung auf einen Neubeginn entsprang. In einem Brief des Schriftstellers Wolfgang Borchert aus dieser Zeit heißt es: »Wenn ich nun

Endzeitstimmung

A. Paul Weber:
»Die Parade« (1963)

511

schreibe: Alle Ankunft gehört *uns*, so meine ich damit nicht uns Deutsche, sondern sie gehört dieser enttäuschten, verratenen Generation – gleich, ob es sich um Amerikaner, Franzosen oder Deutsche handelt. Dieser Satz entstand aus einer inneren Opposition gegen die Generation unserer Väter, Studienräte, Pastoren und Professoren. Es soll heißen, sie haben uns zwar blind in diesen Krieg gehen lassen, aber nun wissen wir Sehend-gewordenen, daß nur noch eine Ankunft zu neuen Ufern uns retten kann, mutiger gesagt: Diese Hoffnung gehört uns ganz allein!«

»Ankunft«

»Ankunft zu neuen Ufern« – diese Formulierung enthält die Hoffnung einer ganzen Generation auf einen Neuanfang, der hätte brechen können und sollen mit all dem, was den Terror des Faschismus ursächlich mit heraufgeführt hatte. Die überkommenen Besitzverhältnisse, das Privateigentum an Produktionsmitteln, autoritäre und patriarchalische Gesellschafts- und Charakterstrukturen, entfremdete Bewußtseinsformen – all diese historisch überfälligen Phänomene hochindustrialisierter kapitalistischer Gesellschaften standen zur Disposition. Sie umzuwälzen, hätte es der Bereitschaft der Siegermächte bedurft – der Sowjetunion und der Vereinigten Staaten, Großbritanniens und Frankreichs –, eine Veränderung herbeizuführen, die einer Revolutionierung von oben gleichgekommen wäre. Und es hätte der Fähigkeit der deutschen Bevölkerung bedurft, unter dem Schock des Erlebten die Möglichkeiten solcher Revolutionsbedingungen in die Wirklichkeit einer radikal veränderten Gesellschaft, eines neuen öffentlichen Bewußtseins, neuer Lebensweisen zu transformieren. Eine solche Bereitschaft war vorhanden, zumindest unter der jungen Intelligenz, die Krieg und Gefangenschaft durchlitten hatte. Schon in den besonderen Kriegsgefangenenlagern, die noch während des Kriegs beispielsweise von den Amerikanern eingerichtet worden waren, um deutsche Kriegsgefangene für eine spätere Verwaltungstätigkeit im besiegten Deutschland heranzubilden, bestand weitgehend Übereinstimmung darüber, daß man ein Deutschland ohne Faschismus, ohne Militarismus, frei von diktatorischen Einflußmöglichkeiten schaffen wollte. Ein Deutschland, das sich, auf der Grundlage amerikanischer Vorstellungen von einer demokratischen Staatsverfassung, in friedlicher Zusammenarbeit mit den europäischen Staaten entwickeln sollte.

*Titelseite
vom 15.11.1945*

Zu den Intellektuellen, die sich in solchen Lagern befanden, gehören Autoren und Publizisten, welche die ersten Jahre der deutschen Literatur nach 1945 nachhaltig beeinflußt haben: Alfred Andersch und Hans Werner Richter, Walter Kolbenhoff, Walter Mannzen und Gustav René Hocke. In einer Vielzahl von Zeitschriften wurden ihre und die amerikanischen Vorstellungen eines Neubeginns in den Kriegsgefangenenlagern verbreitet, darunter die Lagerzeitschrift *Der Ruf*, die Alfred Andersch und Hans Werner Richter später außerhalb der Kriegsgefangenenlager als eigenständige Publikation herausgaben. Im Juni 1945 formulierte Gustav René Hocke programmatisch die Entschlossenheit der deutschen Kriegsgefangenen, am Neuaufbau eines demokratischen Deutschland maßgebend teilzuhaben: »Diese zwölf Jahre, dieses schreckensvolle Interregnum, werden uns Deutschen als eine Warnung vor maßlosen Zielen und hemmungsloser Gewaltpolitik in Erinnerung bleiben. Sie werden uns endgültig bestimmen, zu unseren echten Überlieferungen zurückzukehren. Sie legen uns die Verpflichtung auf, ein wahrhaft freies Deutschland neu aufzubauen, das vom Willen nach Zusammenarbeit mit allen Völkern beseelt ist.«

Diese Äußerung ist beispielhaft für die Denkweisen und Stimmungslagen unter der jüngeren deutschen Generation in den Jahren 1945 und 1946. Neben einer politisch-moralischen Verurteilung der NS-Herrschaft finden

sich in den Zeitungen Würdigungen des deutschen Widerstandes, neben
Hinweisen auf die freiheitlichen Traditionen deutscher Literatur und Publizistik Überlegungen zu den zukünftigen Möglichkeiten eines demokratischen
Deutschland. Sie sind noch gegenwärtig in einem Artikel Hans Werner Richters vom September 1946, in dem es heißt: »Aus der Verschiebung des
Lebensgefühls, aus der Gewalt der Erlebnisse, die der jungen Generation
zuteil wurden und die sie erschütterten, erscheint ihr heute die einzige Aus-
gangsmöglichkeit einer geistigen Wiedergeburt in dem absoluten und radikalen Beginn von vorn zu liegen.«

Als der Krieg zu Ende war – so lautet der Titel eines 1947/48 entstandenen
Theaterstücks von Max Frisch. Es zeigt, wie tief die Vorurteile nachwirkten,
die der deutsche Faschismus nach außen und innen geweckt hatte, und es
zeigt den schmerzhaften Prozeß, den die Diskussion um Schuld, Verbrechen,
Verletzungen nach sich zog. »Als der Krieg zu Ende war«, trat auch die
deutsche Literatur und Publizistik in eine Diskussionsphase ein, in der sich
der ernsthafte Wille zur Vergangenheitsbewältigung mit dem Pathos des
Neuanfangs verband. Das antifaschistisch-demokratische Engagement der
Autoren und Publizisten einer neuen, »jungen Generation« (Wolfgang Borchert) führt diese mit den wenigen heimkehrenden Schriftstellern des Exils
zusammen, schafft eine Gemeinsamkeit, die sich bis hin zu den beschwörenden Einigkeitsappellen auf dem (gesamt-) deutschen Schriftstellerkongreß
des Jahres 1947 noch verfolgen läßt, als sich die Teilung Deutschlands in eine
kapitalistische und eine staatssozialistische Republik bereits abzeichnet. So
kann die Geschichte der deutschen Literatur nach 1945 in ihren Anfängen als
ein wichtiger Faktor öffentlicher Bewußtseinsbildung und zugleich als Ausdruck allgemein verbreiteter Emotionen und Denkweisen bezeichnet werden, die im Medium der Literatur zur Geltung kommen.

Vergangenheits-
bewältigung

Kapitalismus statt Sozialismus: Determinanten der politisch-kulturellen Restauration

Die literarische Entwicklung in der Bundesrepublik Deutschland ist freilich
kaum zu verstehen, wenn man sich nicht die gesellschaftlichen Faktoren vor
Augen führt, in deren Zusammenhang sie steht und entsteht. Zwar bildet
sich die Literatur der Bundesrepublik – anders als die eng auf Staats- und
Parteibeschlüsse, auf Verbands- und Administrationsimpulse bezogene Literatur der DDR – in relativer Eigenständigkeit, sogar Widersprüchlichkeit
zum politisch-ökonomischen Gesellschaftsprozeß heraus. Doch darf andererseits nicht übersehen werden, daß Literatur – begriffen nicht als bloßer
Spiegel, als Abbild von Realität, sondern als deren potentielle Kritik, als
Medium des Eingreifens, der Veränderung, aber auch der abweichenden
Erfahrung von Realität – selbst dort noch in einem bestimmbaren Verhältnis
zur Wirklichkeit sich befindet, wo sie sich von dieser abzuwenden scheint.
Eben dieses Verhältnis der Gegenwartsliteratur zur Wirklichkeit der Bundesrepublik, ihre Situierung innerhalb dieser Wirklichkeit und ihre Funktion für
die bundesrepublikanische Gesellschaft ist deshalb stets aufs neue zu proble-
matisieren, wenn es um die Bewertung der westdeutschen Literatur geht.

Pathos
des Neuanfangs

*Es fehlt am Nötigsten
– für die Beschaffung
von Brennholz legt
man ganze Tagesmär-
sche zurück, wie hier
in der Trümmerwüste
Berlin*

Rolle der Siegermächte   Dies gilt in besonderem Maße für die Zeit unmittelbar nach dem Zweiten Weltkrieg. Bestimmend für die Literaturentwicklung der Jahre 1945 bis 1948 waren die politischen Vorstellungen der Siegermächte in den jeweiligen Besatzungszonen. Diese wiesen schon wenige Monate nach der militärischen Niederlage Deutschlands grundlegende und unüberbrückbare Unterschiede auf. Denn die Gemeinsamkeit des Kampfes gegen den deutschen Faschismus, in die zunächst auch die Perspektive einer vollständigen Entmilitarisierung und Entindustrialisierung ganz Deutschlands einbezogen war, hatte nur so lange Bestand, wie man sich noch im Krieg gegen den gemeinsamen Gegner befand. Nach dem Sieg der Alliierten jedoch traten die Differenzen der jeweiligen Gesellschaftsordnungen wieder in den Vordergrund. Während die Politik der Sowjetunion auf einschneidende Veränderungen der sozialen und wirtschaftlichen Strukturen zielte, waren die westlichen Besatzungsmächte – unter ihnen vor allem die ökonomisch stärkste, die USA – an einer Restitution von Produktionsverhältnissen und Handelsbeziehungen interessiert, die ihnen gesicherte Absatzmärkte schufen. Der Plan des amerikanischen Finanzministers Henry Morgenthau, ganz Deutschland in ein riesiges Agrarland zu verwandeln, entsprach diesem Ziel ebensowenig wie die staatssozialistischen Vorstellungen der UdSSR. Das Interesse der Westmächte richtete sich, begünstigt durch die Quasi-Kolonialisierung Deutschlands, auf die Wiederherstellung einer kapitalistischen Wirtschafts- und Gesellschaftsordnung und deren institutionelle Absicherung durch einen bürgerlich-parlamentarischen Staatsapparat.

Diesem Interesse dienten in der Folgezeit auch die kulturpolitischen Maßnahmen in den Westzonen, freilich in Verbindung mit dem erklärten Ziel, den deutschen Nationalcharakter, in dem man die Hauptursache für die Heraufkunft des Nationalsozialismus erblickte, durch eine grundlegende Umerziehung, eine »re-education«, verändern zu wollen. Der deutsche »Nationalcharakter«: Herrschsucht, Unterwürfigkeit, Aggressivität wurden als seine bestimmenden Merkmale erkannt, Preußentum und Militarismus als seine geschichtlich-sozialen Wurzeln. Übersehen aber wurde der untrennbare Zusammenhang dieser – keineswegs typisch deutschen – Charakteristika mit den Eigentumsverhältnissen und mit den besonderen gesellschaftlichen Entwicklungsprozessen und Klassenauseinandersetzungen, die in den Faschismus gemündet hatten. »Re-education« – im Unterschied zur »democratization«, die sich auf institutionelle Reformen richtete – bedeutete in diesem Zusammenhang den Versuch, das politisch-kulturelle Wertsystem und -bewußtsein sowie die ideologischen Einstellungen der deutschen Bevölkerung zu verändern, und zwar im Sinne bürgerlich-freiheitlicher, individualistischer Demokratievorstellungen nach vornehmlich amerikanischem Muster. Diese »re-education« wurde ergänzt durch Prozesse gegen die NS-Kriegsverbrecher und eine breit angelegte, in ihren Wirkungen jedoch häufig fehlgehende Kampagne zur Entnazifizierung, die der Schriftsteller Ernst von Salomon in seinem Buch *Der Fragebogen* (1951) auf sarkastische Weise in Frage gestellt hat. Zudem wurden die »re-education«-Bestrebungen der Westalliierten durch eine Reihe literaturpolitischer Maßnahmen unterstützt, die – zumindest bis zur Währungsreform 1948 bzw. bis zur Gründung des westdeutschen Staates – auf dem Recht der Besatzungsmächte beruhten, über die Papierzuteilung politisch regulierend einzugreifen und Publikationslizenzen zu erteilen, zu verweigern und zu widerrufen.

»re-education«

Die amerikanische Literaturpolitik mag hier als Beispiel dienen. Verantwortlich für die Richtlinien dieser Politik war das Auswärtige Amt in Washington, ihre Ausführung oblag den zuständigen Militärdienststellen in der amerikanischen Besatzungszone, dem *Office of Military Government for Germany (US)*, kurz *OMGUS* genannt. Die entscheidende Dienststelle zur Überwachung kultureller Aktivitäten war die *Information Control Division (ICD)*, die den gesamten Kulturbereich abdeckte: Publikationen, Rundfunk, Film, Theater, Musik. Eine Zensurinstanz also. Sie sollte die kulturpolitische »re-education« in zwei Phasen betreiben: zunächst in einer korrektiven Phase, in der man mittels eigens hierfür angefertigter Listen nationalsozialistische und militaristische Schriften verbot und aus Bibliotheken entfernte; sodann in einer konstruktiven Phase, in der man vor allem mit Hilfe des Instruments lizenzierter Übersetzungen dem deutschen Publikum eine Literatur anbot, die den Umerziehungszielen entsprach. Eine statistische Übersicht aus dem Jahr 1948 läßt erkennen, daß von den bis zu diesem Zeitpunkt den deutschen Verlagen angebotenen Übersetzungen (insgesamt 288) nahezu 60% eine erzieherische Absicht verfolgten. Es waren vor allem Biographien, auch Theaterstücke, über die Väter der amerikanischen Demokratie (Franklin, Jefferson), die diese Aufgabe wahrnehmen sollten, von der deutschen Bevölkerung jedoch nur wenig beachtet wurden. Sozialkritische Werke hingegen, literarische Kapitalismuskritik, problemorientierte Romane über die Schattenseiten der USA (Caldwell, Faulkner, Farrell) konnten die Zensurschwelle OMGUS/ICD kaum einmal passieren. Ebensowenig wurde beispielsweise eine Lizenz zur Aufführung des Theaterstücks *Alle meine Söhne*

OMGUS

Zensur

(All my sons, 1947) von Arthur Miller gewährt, da man diesem Stück »anti-business«-Propaganda unterstellte und Miller zudem 1947 vor dem berüchtigten »Komitee für unamerikanische Umtriebe« des Kommunismus verdächtigt worden war. Die letztgenannten Beispiele machen deutlich, daß es nicht mehr nur um eine »konstruktive« Phase im Sinne amerikanischer Demokratieideale ging, sondern daß im Zuge der sich verschärfenden Differenzen zwischen den Vereinigten Staaten und der Sowjetunion seit etwa 1947 die Kulturpolitik nachdrücklich in den Kurs des Antikommunismus einbezogen wurde. Damit aber degenerierte die amerikanische »re-education« zur bloßen Propaganda für die Rekonstruktion kapitalistischer Besitzverhältnisse. Beispielhaft für den Umgang mit Literatur zu Zwecken der Politik ist die Verfügung über George Orwells Satire *Die Farm der Tiere*, die von den Amerikanern aus Furcht vor einer Diskreditierung der sowjetischen Alliierten im Frühjahr 1947 beschlagnahmt worden war, ab 1948 aber nicht nur wieder verkauft, sondern sogar in einer Hörspielfassung mit antikommunistischer Tendenz verbreitet werden konnte. Im Zusammenhang der Berliner Blockade (1948) wurde mit Mitteln des amerikanischen Geheimdienstes CIA die Kulturzeitschrift *Der Monat* gegründet, und für die massenhafte Verbreitung antikommunistischer Propaganda sorgten allein in den Jahren 1948/49 in den vom Faschismus befreiten Ländern Europas zahlreiche Broschüren in über vier Millionen Exemplaren. Mit der Währungsreform und der Gründung der Bundesrepublik Deutschland, endgültig aber mit dem 1949 in Kraft getretenen Besatzungsstatut war auch das Ende dieser Art restaurativer Kulturpolitik gekommen. Die einstige Besatzungsmacht mußte fortan ihre kulturellen Interessen über die von ihr betriebenen Amerikahäuser ohne institutionelle Befugnisse durchzusetzen versuchen.

Kollektivschuld   Mit dem »re-education«-Programm ging der Vorwurf der Kollektivschuld einher, demzufolge das gesamte deutsche Volk den Faschismus heraufgeführt und aktiv unterstützt haben soll. Trotz dieses Vorwurfs, gegen den sich vor allem die jüngere deutsche Intelligenz (Alfred Andersch, Eugen Kogon, Hans Werner Richter) zur Wehr setzte, konnten die westlichen Alliierten doch auf eine große Bereitschaft der wieder zugelassenen Parteien rechnen, sich für einen demokratischen und antifaschistischen Neuaufbau einzusetzen. Als die wirklichen Alternativen zum deutschen Faschismus erschienen nun »Christentum und Demokratie, Sozialismus, Pazifismus und Internationalismus« (Ossip K. Flechtheim). Selbst Teile der CDU bekannten sich in ihren »Frankfurter Leitsätzen« vom September 1945 und noch im »Ahlener Wirtschaftsprogramm« von 1947 zum ökonomischen Sozialismus. Der CDU-Politiker Jakob Kaiser erklärte 1946: »Erkennen wir, was nötig ist: Der Sozialismus hat das Wort.« Es war freilich ein Sozialismus des »Dritten Wegs«, ein Sozialismus, der sich sowohl vom westlichen Kapitalismus als auch vom Staatssozialismus sowjetischer Prägung abheben sollte, ein »demokratischer Sozialismus«, wie ihn die SPD Kurt Schumachers nach 1945 programmatisch formulierte.

Weg zum Sozialismus?   Dieser Gedanke nicht nur eines sozialistischen Deutschland, sondern sogar eines sozialistischen Europa fand bei der deutschen Intelligenz im Umkreis der Zeitschriften *Merkur, Frankfurter Hefte* und *Der Ruf* große Verbreitung. »Die Wandlung des Sozialismus – das ist der Weg zur jungen Generation – die Wandlung der jungen Generation – das ist der Weg zum Sozialismus«, erklärte Hans Werner Richter. Man müsse »gleichsam den Sozialismus demokratisieren und die Demokratie sozialisieren«. Doch das glaubwürdige Pathos, mit dem die »junge Generation« einen sozialistischen Neuanfang diskutierte und forderte, verstellte ihr zugleich den Blick darauf, daß sich die wirtschaftliche Realität in den Westzonen in eine gänzlich andere Richtung entwickelte. Denn die westlichen Besatzungsmächte hatten längst begriffen, daß ihre politischen Ziele nicht mit dieser durchaus diffusen »jungen Generation« durchzusetzen waren, sondern allenfalls mit einer Politik, welche die Wiederherstellung einer kapitalistischen Ökonomie und eines bürgerlich-parlamentarischen Staates materiell vorantrieb. Aus diesem Grunde wurde die Einrichtung von Gewerkschaften als Massenorganisationen bis zum Herbst 1946 zurückgedrängt, während die Unternehmer bereits frühzeitig Organisationsmöglichkeiten erhielten; aus diesem Grunde wurden Enteignungsforderungen und Streiks mit Gefängnisstrafen beantwortet; aus diesem Grunde wurde der Verstaatlichungsparagraph der hessischen Landesverfassung, den 72 % der Bevölkerung bejaht hatten, von den Militärbehörden suspendiert. Der geforderte Sozialismus diente nach Auffassung aller großen Parteien den Interessen eines deutschen Neubeginns – den Interessen des westlichen Kapitals und Handels diente er keinesfalls. Mit dem Marshall-Plan, der einen amerikanischen Kapitalexport begründete, und mit der westdeutschen Währungsreform war ein kapitalistischer Neuanfang gemacht, dem sich bald schon die unternehmerfreundlichen Teile der CDU programmatisch anschlossen.

Plakat der CDU zur Stadtverordnetenwahl von Berlin (1946)

So kann das Jahr 1948 als der eigentliche Anfang der Bundesrepublik Deutschland angesehen werden: Mit diesem Jahr wurden jene politischen und wirtschaftlichen Orientierungspunkte gesetzt, welche unsere Wirklichkeit bis heute bestimmen. Die Literatur hat in der Folgezeit nicht immer in so deutlicher Abhängigkeit von ihren gesellschaftlichen Voraussetzungen gestanden wie in den ersten Nachkriegsjahren, doch sie hat vielfältig auf diese Voraussetzungen reagiert: mit Protest und Kritik, mit Resignation und Melancholie, auf das »Wirtschaftswunder« ebenso wie auf die politische Restauration, auf atomare Aufrüstung und auf die Notstandsgesetzgebung. In diesen Reaktionsformen trat stets ein Spannungsverhältnis zwischen politischer und literarisch-kultureller Repräsentanz hervor, das einen erheblichen Mangel an politischer Kultur in der Bundesrepublik zum Ausdruck bringt. Es ist, allgemein gesprochen, das Spannungsverhältnis zwischen Geist und Macht, zwischen Intelligenz und Politik, welches die Geschichte der deutschen Literatur im 20. Jahrhundert grundlegend charakterisiert. Nach dem Zweiten Weltkrieg prägt sich dieses Spannungsverhältnis in einer besonderen Weise aus: Wo die Kritik der Intelligenz – von literarischen Einzelgängern wie Heinrich Böll, Günter Grass und Martin Walser bis zu philosophischen Denkrichtungen wie der »Frankfurter Schule« um Max Horkheimer und Theodor W. Adorno – die jeweils herrschende Politik öffentlich in Frage stellt, da denunziert umgekehrt diese die Intellektuellen, die Künstler, Literaten und Publizisten, als politisch-moralisch irrelevant oder gar als des Kommunismus oder Terrorismus verdächtig. Als Beispiel hierfür kann das Wort stehen, das der einstige Bundeskanzler Ludwig Erhard für jene oppositionellen Intellektuellen fand, die seine Vorstellung einer »formierten Gesellschaft« kritisierten: Er nannte sie »Pinscher«.

Funktion der Literatur

Anders also als etwa in der politischen Kultur Frankreichs, welche die Radikalität des Fragens und Antwortens von Publizisten und Künstlern als selbstverständlichen Bestandteil des politischen und geistigen Lebens akzeptiert, laufen in der Bundesrepublik Deutschland Äußerungsformen dieser Art noch immer Gefahr, öffentlich diffamiert zu werden. Und doch darf gerade die Tatsache, daß das politische Engagement von Schriftstellern ein Ärgernis geblieben ist, bis heute, als Indiz für die gesellschaftliche Funktion der Literatur gelten. Die Sensibilität ihrer Wahrnehmungsweisen und ihres Ausdrucks-

»Einen Voltaire verbrennt man nicht«

vermögens nämlich verleiht ihr jene ästhetische Besonderheit, die zu Kritik und Widerspruch tendiert und ihr erlaubt, eine vom politischen Alltag der Bundesrepublik abweichende Erfahrung zu formulieren.

Der Literaturbetrieb

Die deutsche Gegenwartsliteratur befindet sich freilich nicht nur in einem bestimmbaren Verhältnis zur politischen Wirklichkeit der Bundesrepublik, sondern sie ist auch, vermittelt über eine Vielzahl von Institutionen und Organisationen, Teil und Faktor des gesellschaftlichen Lebens hierzulande, der öffentlichen Diskussionen, der kulturellen und politischen Auseinandersetzungen. Zugleich aber ist sie abhängig von den ökonomischen Voraussetzungen dieses gesellschaftlichen Lebens, die auch für den Kulturbereich bestimmend sind: von der privatkapitalistischen Organisation des Verlagswesens ebenso wie von der öffentlich-rechtlichen Struktur der Rundfunk- und Fernsehanstalten, von kommerziellen Interessen, die das Buch auf seinen Charakter als Ware reduzieren, wie von Bestsellerlisten, Umsatzbilanzen, Verlagsstrategien und -kalkulationen. Alle diese Faktoren des literarischen Lebens sind zu berücksichtigen, wenn man jenem Produkt gerecht werden will, das aus ihrem Zusammenspiel schließlich hervorgeht: das einzelne literarische Werk.

Man hat sich angewöhnt, die verschiedenartigen Formen, in denen das literarische Leben der Bundesrepublik sich ausprägt, mit einem ebenso kritischen wie treffenden Begriff zu bezeichnen: »Literaturbetrieb«. Es ist ein Begriff, der, neutral gesprochen, den Bereich der Herstellung, der Verbreitung und der Aufnahme von Literatur umfaßt. Doch im Unterschied zum Modell einer »Literaturgesellschaft«, wie sie die DDR zu realisieren versucht hat, ist im Begriff »Literaturbetrieb« die vielfach spontane, ungeordnete, widerspruchsvolle und bisweilen auch hektische literarische Produktionsweise angemessen zum Ausdruck gebracht: die Anspannung, die das Büchermachen erfordert, ebenso wie die Betriebsamkeit von Buchmarkt, Buchmessen und Autorenlesungen, die konkurrierenden Formen verlegerischer Selbstrepräsentation wie die Eitelkeiten der Literaturkritik, der Ausstellungscharakter, der Bücherjournalen in Funk und Fernsehen häufig eigen ist, wie die Starrollen, die prominenten Autoren im Zeitalter der Massenmedien zunehmend übertragen werden. Der Literaturbetrieb, verstanden als die Summe der Erscheinungsformen literarischen Lebens in der Bundesrepublik, ist, mit anderen Worten, der vielfältige und vielschichtige Markt, auf dem sich Autor und Werk zu bewegen und zu bewähren haben.

Autorstatus　　Vor diesem Hintergrund ist die Situation des Autors in unserer Gesellschaft genauer zu bestimmen. Autorentätigkeit wird im allgemeinen als eine freiberufliche aufgefaßt. In dieser Auffassung ist die sehr alte Vorstellung des individuellen Geistesarbeiters wirksam, der fern von beruflichen, institutionellen und organisatorischen Zwängen seiner selbstbestimmten Arbeit am Schreibtisch nachgeht. In Wahrheit aber ist dieses Bild ein Trugbild, seit es den »freien« Autor gibt. Schon Gotthold Ephraim Lessing hat bekannt, daß es einen Markt gebe, auf den er, als »freier« Dichter des 18. Jahrhunderts, sich habe beziehen müssen. Die Existenzmöglichkeiten von Autoren – Dichter nicht weniger als Übersetzer, Sachbuchschriftsteller oder Journalisten –, von »Wortproduzenten« also im weitesten Sinne, sind als »freie« derart eingeschränkt, daß diese ohne zusätzliche Einkünfte durch die Massenmedien, durch Vorträge und Lesungen, durch neben- oder gar hauptberufliche Tätigkeiten unterhalb eines existenznotwendigen Minimums leben müßten.

Daraus ergibt sich eine bedeutsame Veränderung des landläufigen Eindrucks vom Gegenwartsautor: Schriftsteller, die von Einkünften aus ihren literarischen Werken leben können, sind Ausnahmen innerhalb des Literaturbetriebs. Diese zumeist prominenten Autoren sind es freilich auch, die, ohne es zu wollen, den falschen Eindruck erwecken, eine »freie« Schriftstellerexistenz sei heute noch realisierbar. In Wahrheit geht – dies hat die Studie *Autorenreport* (Fohrbeck/Wiesand 1972) gezeigt – die Zahl der freiberuflich tätigen Autoren und Künstler ständig zurück, weil ihre soziale Absicherung bis zum Jahre 1979 eine der schlechtesten aller Berufsgruppen in der Bundesrepublik Deutschland gewesen ist. An zwei Statistiken aus dem *Autorenreport* läßt sich die Wirklichkeit der Autorentätigkeit ablesen. Von 1693 befragten »Wortproduzenten« ordneten sich nur 40% in die Kategorie der freien Autoren ein, hingegen 49% in die Kategorie der nebenberuflichen Autoren und 11% in die Kategorie der teilberuflichen Autoren. Die Produktion literarischer Werke (Belletristik), die gemeinhin als das entscheidende Kennzeichen schriftstellerischer Arbeit angesehen wird, ist nur ein Tätigkeitsbereich neben anderen und keineswegs der quantitativ gewichtigste.

Texterfassung am Bildschirm – Ende der Gutenberg-Ära?

In diesem Zusammenhang wird verständlich, warum sich die Autorentätigkeiten für die Massenmedien und die Tätigkeitsmerkmale selber beständig differenziert und erweitert haben: Die Hörfunk- und Fernsehanstalten sind die Mäzene des modernen Kultur- und Literaturbetriebs. »Die freie Autorentätigkeit ist vor allem in den Massenmedien vielfältiger, als es in tradierten, knappen Tätigkeitsbezeichnungen zum Ausdruck kommt. Sie beschränkt sich dabei keineswegs auf die ›großen‹ Formen wie Roman, Hörspiel und Filmdrehbuch (die schöpferischen Werke im traditionellen Sinn). Sie umfaßt ebenso, sogar in der Mehrzahl (und in einer Demokratie, die auf Öffentlichkeit beruht, mindestens ebenso wichtig) aktuell bezogene ›Gebrauchsarbeiten‹ (z.B. Dokumentation, Reportagen, Kommentare, Gutachten, Interviews u.a.). Außerdem spielt auch die popularisierende oder auch provokative Vermittlertätigkeit (Diskussionsleitung, Beratung, Gesprächspartner u.ä.) eine nicht unerhebliche Rolle. Die Übergänge zu anderen Berufen (Regisseur, Sprecher, Redakteur usw.) sind fließend« (Fohrbeck/Wiesand/Woltereck).

Hörfunk- und Fernsehanstalten als Mäzene

Aus diesen veränderten Tätigkeitsmerkmalen wird zugleich deutlich: Der »freie« Autor unserer Gesellschaft befindet sich in einer eigenartigen Zwitterstellung als wortproduzierender Kleinunternehmer einerseits und als lohnabhängiger Schreiber andererseits. Mit der Forderung nach einem »Ende der Bescheidenheit« (Heinrich Böll) zogen die Autoren schließlich die Konsequenz aus dieser sozioökonomischen Zwitterstellung. In ihrer Aufforderung, der eigenen sozialpolitischen Bescheidenheit ein Ende zu setzen, tritt sowohl ein neues Selbstbewußtsein hervor als auch die konsequente Zielsetzung, eine gesellschaftspolitische Identität zu finden, die nicht länger in der Illusion einer freiberuflichen Existenz gründet.

»Ende der Bescheidenheit«

Schriftsteller und Gewerkschaft

Das »Ende der Bescheidenheit« hatte Heinrich Böll 1969 auf der Gründungsversammlung des Verbandes Deutscher Schriftsteller (VS) angekündigt. Seine Ankündigung galt dem Jahrzehnte andauernden Mißverhältnis von individueller literarischer Produktionsweise und industrieller Verwertung des literarischen Produkts. Die deutschen Schriftsteller hatten erkannt, daß sie ihre Interessen innerhalb der kommerziellen Zwänge der Literaturvermarktung nach gewerkschaftlichem Vorbild wahrzunehmen hatten, wenn nicht die Bedingungen des Marktes gänzlich von den ökonomisch stärkeren Partnern – den Verlegern, Rundfunkanstalten, Redaktionen – diktiert werden sollten. Die Gründung des VS bedeutete den Versuch, über unterschiedliche politische Positionen hinweg, jenseits literarästhetischer Differenzen und ungeachtet der unterschiedlichen gesellschaftlichen Reputation eine entscheidende Gemeinsamkeit in den Vordergrund zu stellen: die soziale Abhängigkeit des Schriftstellers, auf die nur mit Hilfe einer durchsetzungsfähigen Organisation einzuwirken war.

*Organisation
der Einzelgänger?*

Die Organisationsfrage ist für Autoren in Deutschland ein ungelöstes Problem gewesen, seitdem es den Beruf des freien Schriftstellers gibt. Bereits im Jahre 1800 hatte der Dichter und Kritiker Friedrich Schlegel gefordert: »Wie die Kaufleute im Mittelalter, so sollten die Künstler jetzt zusammentreten zu einer Hanse, um sich einigermaßen gegenseitig zu schützen.« Doch erst 1842, mit der Gründung des Leipziger Literatenvereins, wurde ein erster Schritt in diese Richtung unternommen, dem weitere folgten: 1878 der Allgemeine Deutsche Schriftstellerverband, 1885 der Deutsche Schriftstellerverein, 1887 der Zusammenschluß dieser beiden Verbände zum Deutschen Schriftstellerverband. Von gewerkschaftlichen Zielsetzungen waren freilich auch diese Organisationen noch weit entfernt. Sie stellten eher Standesorganisationen dar, die in Urheberrechtsfragen für ihre Mitglieder tätig wurden, ohne diese in ihrem Selbstverständnis als literarische Individualisten zu beeinträchtigen oder ihnen gar ihre Lohnabhängigkeit zu verdeutlichen. Erst 1909, mit der Gründung des Schutzverbandes Deutscher Schriftsteller, der bis 1933 Bestand hatte, wurden gewerkschaftliche Forderungen erhoben, wenngleich organisatorisch von den Verbänden der Arbeiter und Angestellten noch getrennt. Nach 1945 versuchten die Autorenverbände Ost- und Westdeutschlands, die sich noch 1949 zu einem gesamtdeutschen Verband deutscher Autoren zusammengeschlossen hatten, gemeinsam die Interessen ihrer Mitglieder wahrzunehmen, doch zeigten sich hier schon frühzeitig politischsoziale Auffassungsunterschiede: Der gewerkschaftliche Aspekt dominierte bei den Autoren der damaligen SBZ, die Vorstellung einer freiberuflichen Existenz hingegen im Westen Deutschlands. Mit der deutschen Teilung trennte sich dann auch dieser Gesamtverband in einen Deutschen Schriftstellerverband (DDR) und in eine Vereinigung der Deutschen Schriftstellerverbände, die Mitglied im Bundesverband der freien Berufe wurde (Bundesrepublik). Das Selbstverständnis einer freiberuflichen Existenz erwies freilich rasch seine sozialpolitische Problematik: Die Schriftsteller standen fortwährend in der Gefahr, zwischen Gewerkschaften und Unternehmerorganisationen aufgerieben zu werden, weil sie für die Durchsetzung ihrer Interessen keine eigenständige Organisationsform zu entwickeln vermochten. In einer Untersuchung zur ökonomischen Situation der »geistigen Berufe« wurde deshalb Mitte der 50er Jahre festgestellt, daß »überall nur wenigen Spitzenverdienern, Kassenlöwen und Stargagen eine kleine Schicht von mittleren Einkommen zwischen 500 und 1000 Mark im Monat gegenübersteht, die

Blick auf die unübersehbare Fülle der Frankfurter Buchmesse

etwa dem gehobenen Angestellten und Facharbeiter entspricht. Dem folgt die breite Schicht des geistigen Proletariats und des Elends: junge Dozenten und Hilfsärzte ohne Bezahlung, Schriftsteller mit Hungerhonoraren oder arbeitslose Musiker und Schauspieler, die sich mühsam durch die Komparserie quälen«.

Zu den Zielsetzungen, die der erste Vorsitzende des VS, Dieter Lattmann, auf der Gründungsversammlung formulierte, zählten vor allem: die Durchführung einer Sozialenquete zur Situation der Schriftsteller in der Bundesrepublik; eine berufseigene Altersversorgung, entsprechend der gesetzlichen Sozialversicherung; die Aufhebung des »Schulbuchparagraphen«, der den unentgeltlichen Abdruck literarischer Arbeiten in Schulbüchern ausdrücklich gestattete; eine Beteiligung der Autoren an Bücherentleihungen aus Bibliotheken. Um diese Ziele erreichen zu können, war es freilich notwendig, dem Schriftstellerverband einen verbandspolitischen Rückhalt zu geben, der ihm verstärkt Einwirkungsmöglichkeiten auf Organisationen, Institutionen und Gesetzgebungsverfahren verlieh. Einen solchen Organisationsrahmen bildete der Deutsche Gewerkschaftsbund als Dachverband einer Reihe von Einzelgewerkschaften: Mit Ausnahme einiger weniger konservativer Schriftsteller, die den standespolitisch orientierten Freien Deutschen Autorenverband gründeten, trat der VS 1973 in die IG Druck und Papier ein, in der er seither als eigenständige Fachgruppe seine verbandspolitischen Interessen vertrat. Mit Erfolg, wie der Nachfolger Lattmanns als VS-Vorsitzender, Bernt Engelmann, 1979, zehn Jahre nach der Gründung des VS, feststellen zu können glaubte. Nach Engelmanns Ansicht war der VS in der IG Druck und Papier »zu einem festen Begriff geworden, auch zu einem Faktor, an dem im Bereich des Buchverlagswesens sowie der diesen Sektor betreffenden Gesetzgebung niemand mehr vorbeikommt und mit dem eine demokratische Öffentlichkeit in zunehmendem Maße rechnet«.

Diese selbstbewußte Einschätzung übersah freilich angesichts der unbezweifelbaren Erfolge, welche Strukturprobleme der kleinen Fachgruppe in-

Forderungen

Strukturprobleme

521

nerhalb der Großorganisation Industriegewerkschaft noch erwachsen sollten. Nicht nur gab es unterschiedliche politische Auffassungen innerhalb des VS, über den künftigen Weg wie über aktuelle Probleme. Sondern auch das einst so ersehnte Ziel einer neuen Einheitsgewerkschaft – Techniker beim Rundfunk wie Wissenschaftler, Schriftsteller, Bildende Künstler und Musiker wie Redakteure, Lektoren und Schauspieler, also alle im Medienbereich Tätigen zusammengeschlossen –, dieses Ziel nahm für die Autoren offenbar in dem Maße bedrohliche Züge an, wie es Ende der 80er Jahre näherrückte. Für die vergleichsweise kleine Fachgruppe Literatur mit ihren 2400 Mitgliedern (IG Druck und Papier: 150000) blieben, so befürchteten prominente Autoren wie Günter Grass, nur geringe Möglichkeiten, die eigenen, sehr besonderen Probleme der Schriftsteller zu artikulieren und ihre Interessen durchzusetzen. Aus diesem Grunde bemühten sich selbst einstige Förderer des Gewerkschaftsgedankens, den »Automatismus, daß der VS in die IG Medien eintritt, zu stoppen« (F.C. Delius). Ein entsprechender Antrag, mit Blick auf den geplanten Eintrittstermin (April 1989) gestellt, scheiterte auf dem VS-Kongreß 1988. Doch von einer »Einigkeit der Einzelgänger« konnte keine Rede mehr sein: Der VS-Vorstand trat zurück, prominente Schriftsteller (Günter Grass, Anna Jonas, F.C. Delius) erklärten ihren Austritt, zur Vorstandsarbeit fand sich niemand mehr bereit. Zwei Jahrzehnte nach seinem Aufbruch stand der VS vor seinem Ende – zerbrochen an den selbstgesetzten Zielen.

Das Verlagswesen

Sind die Autoren aus materiellen Gründen auch weitgehend auf eine Mitarbeit in den Massenmedien angewiesen, so bleiben doch die Verlage die bestimmenden Instanzen, mit deren Hilfe ein Manuskript schließlich auf dem Buchmarkt erscheint. Lektorat, Satz, Druck, Buchbinderei, Auslieferung, Buchhandel – dies sind die Stationen, die ein den Verlagen eingereichtes und von ihnen angenommenes Manuskript zu durchlaufen hat, bevor es als fertiges Produkt die literarische Öffentlichkeit erreicht. Die Entscheidung aber, ob es die Öffentlichkeit überhaupt erreicht, fällt in einem dem Publikum undurchschaubaren Vorfeld verlagsstrategischer und kalkulatorischer Überlegungen. Diese Überlegungen sind keineswegs der literarischen, sachlichen oder wissenschaftlichen Qualität eines Werks allein verpflichtet, sondern sie stehen in einem ökonomischen Kontext, der die wirtschaftliche Existenz und das Wachstum, die Rentabilität und den Umsatz, den Gewinn und die Investitionen eines Verlages umfaßt. Dies macht deutlich: Ein Verlag, gleich ob er Belletristik oder Sachliteratur herausbringt, ist vor allem ein Wirtschaftsunternehmen, das Gewinne zu erzielen und dementsprechend seine Strategien, seine Konzeptionen, seine Programme an kapitalistischen Grundsätzen zu orientieren hat.

Anzeige eines der seit der Mitte der 70er Jahre zahlreichen Alternativverlage

Einige Zahlen, Daten und statistische Relationen aus dem Jahre 1981 mögen erläutern, in welchen Größenordnungen Verlage als Wirtschaftsunternehmen sich ökonomisch bewegen. In der Bundesrepublik – einschließlich Berlin (West) – existierten 1981 2044 Verlage (Buchhandel: 5100). Diese produzierten insgesamt nahezu 67000 Titel, von denen allein auf die Schöne Literatur 18,5% entfielen. Die Titelproduktion hat sich damit von 1951 (14094 Titel) bis 1981 (67176 Titel) mehr als vervierfacht, wobei der Anteil der Taschenbuchproduktion von 4,6% auf 11,6% gesteigert worden ist. Die Bundesrepublik liegt mit diesen Produktionsziffern hinter den USA und der UdSSR (jeweils über 85000 Titel pro Jahr) an dritter Stelle der internationa-

*Bertelsmann-
Büchersilo*

len Titelproduktion, wobei die Übersetzungen ins Deutsche 1981 rund 10%
ausmachten, davon allein aus dem Englischen nahezu zwei Drittel. Daß diese
imposante Titelproduktion sich freilich nicht gleichmäßig auf alle existierenden Verlage verteilt, wird anhand der Tatsache deutlich, daß lediglich 17%
der Verlage immerhin 80% – also nahezu vier Fünftel – aller Titel produzieren. Insgesamt erzielten die Buchverlage 1978 einen Umsatz in Höhe von
6,6 Milliarden DM, die Verlage von Zeitschriften, Zeitungen usw. einen
Umsatz von 8,7 Milliarden DM. Interessant aber unter dem Aspekt der
Konzentrationsbewegungen im Verlagswesen sind die Größenverhältnisse
innerhalb der Branche: Der Umsatz von 6,6 Milliarden DM nimmt sich
recht bescheiden aus gegenüber der Bilanz des Springer-Verlags, der im Jahre
1978 allein 1,7 Milliarden DM umsetzen konnte. Und wichtig im Hinblick
auf gesamtwirtschaftliche Größenrelationen mag der Hinweis sein, daß
selbst größere Verlagshäuser trotz Mehrfachverwertung oder Vergabe von
Lizenzen an Taschenbuchverlage und Buchgemeinschaften den Umsatz eines
Großmarktes mit ca. 50 Millionen DM kaum übersteigen.

Kaum ein anderer Wirtschaftszweig in der Bundesrepublik Deutschland   *Betriebsgrößen*
ist so buntscheckig, schillernd und vielschichtig wie die Verlagsbranche – ein
Medienriese wie der Bertelsmann-Konzern mit seinen über 28000 Mitarbeitern und ein Manufaktur-Betrieb wie etwa der rührige Münchner Ein-Mann-
Verlag Matthes & Seitz haben so gut wie nichts miteinander gemein außer
der Tatsache, daß beide zufällig mit Büchern handeln. Dem seit Jahren
anhaltenden Drang (und Zwang) zu Verflechtung und Kapitalkonzentration,
dem zielstrebigen Ausbau von Konzernen wie Bertelsmann und Holtzbrinck
(u.a. Europäische Bildungs-Gemeinschaft, Deutscher Bücherbund, S. Fischer, Rowohlt) zu Multimedia-Giganten steht ein noch immer relativ breites Spektrum an Klein- und Kleinstunternehmen gegenüber, die literarisch
und politisch oft mit zu den ambitioniertesten überhaupt gehören (so z.B.
der Wagenbach-Verlag und der Rotbuch-Verlag). Im öffentlichen Bewußtsein
wie in den Schaufenstern und Auslagen der Buchhandlungen spielen neben
den bekannten Taschenbuch-Reihen (Rowohlt, Fischer, dtv, Ullstein, Gold-

mann) die belletristischen Verlage die herausragende Rolle – eine Rolle, die ihnen rein wirtschaftlich gesehen gar nicht zukäme. Sie ›machen‹ Literatur, ›machen‹ Autoren – und zehren selbst oft genug von umsatzintensiven Aktivitäten in anderen Bereichen, die öffentlich nicht oder kaum wahrgenommen werden (so z.B. Hanser und Luchterhand von den ihnen angegliederten technischen Fachverlagen, Suhrkamp/Insel vom Bühnenvertrieb, Rowohlt vom Taschenbuchverlag). Vollends aus dem öffentlichen Interesse und Bewußtsein, wie es sich in der Presse und im Fernsehen ausspricht, heraus fallen die reinen Fachverlage, die freilich den Hauptanteil des gesamten Buchumsatzes erbringen.

Vertrieb

Unter dem Aspekt der Umsatzsteigerung und der Erhöhung von Marktanteilen müssen sich die Verlage notwendigerweise auf den Leser konzentrieren. Dieser aber ist in seinem Verhalten als Käufer der Ware Buch abhängig und beeinflußbar von durchaus außerliterarischen Faktoren: von Bestsellerlisten etwa, von der Buchwerbung und vor allem auch vom Angebot in den Buchhandlungen selber. Die Verlage nehmen deshalb über die Verlagsvertreter Einfluß auf die Großsortimente, die Großhandelsunternehmen der Buchhandelsbranche also, um bei diesen möglichst große Auflagenanteile unterzubringen, und zwar bereits bevor das jeweilige Buch erschienen ist. Die Buchmesse in Frankfurt hingegen, die ursprünglich einmal als Verkaufsmesse gedacht war – an ihr nahmen im Jahr 1981 ingesamt 5450 Aussteller mit 84000 Neuerscheinungen teil, darunter allein aus der Bundesrepublik 1450 Verlage –, nimmt diese Funktion kaum mehr wahr. Zur Messezeit im Herbst sind die Entscheidungen über den Erfolg eines Buches längst im direkten Kontakt von Verlag, Großhandel und Buchhandlung gefallen. Mit Rabatten und Gratisexemplaren von seiten der Verlage, mit Sonderfenstern, Spezialthemen und Autorenlesungen in den Buchhandlungen werden »Trends« lanciert, die sich dann in Bestsellerlisten ablesen lassen und von diesen her wiederum motivierend auf das Käuferinteresse einwirken.

Ware Buch

Der Umgang mit Bestsellern, die Art und Weise, in der diese auf dem Markt durchgesetzt werden, ist es denn auch, der das Geschäft mit dem Buch zunehmend zum reinen Warenhandel verkommen läßt. Von Autoren wie Johannes Mario Simmel, Hildegard Knef oder anderen Vertretern des unterhaltenden Genres werden Massenauflagen von hunderttausend Exemplaren auf den Buchmarkt gebracht, die dort dann auch optisch dominieren und andere Werke aus der Wahrnehmung des Käufers verdrängen. Hinzu kommt der Einfluß von Buchgemeinschaften (Bertelsmann, Lesering, Deutsche Buchgemeinschaft, Europäische Bildungs-Gemeinschaft, Büchergilde Gutenberg), die über Lizenzausgaben weitere Käuferschichten erreichen. Und zwar meist zu günstigeren Preisen als der Buchhandel, da sie in großem Umfang mit garantierten Absatzzahlen (ca. 80000 Exemplare pro Band bei der Europäischen Bildungs-Gemeinschaft) kalkulieren können, wenn sie bestimmte Titel als Vorschlagsbände für ihre Mitglieder herausbringen. Gleichwohl muß gerade den Buchgemeinschaften zugestanden werden, daß sie zur Popularisierung des Lesens beigetragen haben und daß sie in den letzten Jahren zunehmend auch literarisch ernstzunehmende und ansprechend aufgemachte Werke in ihrem Programm präsentieren.

Literatur und Leser

Welche Rolle aber spielt das Lesen innerhalb dieses komplexen Interessenge-
füges, das vornehmlich ökonomischen Zielsetzungen verpflichtet ist? Gibt es
in der Bundesrepublik eine Lesekultur? Welche Bedeutung kommt dem literarischen Werk gegenwärtig noch zu? Betrachtet man allein das Bibliothekswesen, so scheint es um die Lesebereitschaft im allgemeinen nicht schlecht
bestellt. Die öffentlichen Bibliotheken – also ohne wissenschaftliche, kirchliche, Schul- und Fachbibliotheken – weisen einen Bestand von rund 50 Millionen Bänden mit 115 Millionen Ausleihen pro Jahr auf. Die Schöne Literatur und die Kinder- und Jugendliteratur sind an der Ausleihe zu 60% beteiligt. Doch diese Zahlen sagen noch relativ wenig über die tatsächliche
Bedeutung belletristischer Werke für das Leseverhalten aus. Denn dieses muß
in Beziehung gesetzt werden zu anderen Formen des Freizeitverhaltens, insbesondere zum Umgang mit Medien wie dem Fernsehen. Auch hierzu einige
statistische Daten, die sehr aufschlußreich sind: Bei einer Befragung im Jahre
1973 wurde festgestellt, daß die wöchentlich aufgewendete Zeit für die Massenmedien – also neben dem Fernsehen auch Rundfunk, Zeitungen, Zeitschriften – 31 Stunden beträgt, für Bücher – Lektüre zur Unterhaltung wie
zur Fortbildung – hingegen lediglich drei Stunden. In Prozenten ausgedrückt:
Die Massenmedien beanspruchen 86%, die Bücherlektüre lediglich 9%.
Dabei liegt das Fernsehen ganz eindeutig mit 40% in der Gunst des Publikums vorn, das »unterhaltende« Buch ist nur mit 6% an der Freizeitgestal-
tung beteiligt. Daß das Medium Fernsehen einen ganz erheblichen Anteil der
Reproduktionssphäre hierzulande beansprucht, ist mithin ganz unverkennbar. Wichtig in unserem Zusammenhang aber ist, daß es diesen Anteil wesentlich auf Kosten der Literatur beansprucht. Über die Hälfte der Bevölkerung ist sich darüber im klaren, daß sie seit der Einführung des Fernsehens
bzw. seit dem Besitz eines Fernsehapparates in erheblich geringerem Umfang
zum Lesen eines Buches kommt. Aber auch beim Buch, beim »unterhaltenden« Buch ist noch einmal zu differenzieren, denn mit diesem Begriff sind
beispielsweise zunächst auch die Romanheftchen noch erfaßt, die an Kiosken
für eine Mark zu erstehen sind. Diese werden von einem Drittel der Bevölkerung gekauft, was bedeutet, daß im statistischen Durchschnitt jeder Erwachsene zehn Romanheftchen pro Jahr konsumiert, präziser: Jeder Romanheft-
käufer liest etwa 33 Hefte jährlich, von Lore-Romanen bis zu Jerry Cotton,
von Landserheftchen bis zu Science Fiction vom Schlage Perry Rhodan. An
der Bedeutung, die demgegenüber das Buch für die Bevölkerung unseres
Landes besitzt, läßt sich ablesen, daß die als Bildungsunterschiede sich aus-
prägenden Klassenunterschiede von entscheidendem Einfluß auf die Lesegewohnheiten sind. Je höher die Schulbildung nämlich, desto größer das Interesse an der Buchlektüre. Der zunehmende Einfluß des Fernsehens aber macht
sich auch bei denjenigen Gruppen negativ bemerkbar, die durch Sozialisation und Ausbildung traditionell zur lesenden Schicht zu zählen sind: Der
Wert der »Belesenheit« sinkt ständig, gerade auch bei der jüngeren Generation.

Land der Lesekultur?

Zahlen, Fakten

Theaterspielpläne

In diesem Zusammenhang mag es erstaunen, daß trotz des übergroßen Fern-
sehinteresses das Theater weiterhin eine gewichtige Rolle im Literaturbetrieb
zu spielen vermag. In der Spielzeit 1973/74 beispielsweise fanden an den
insgesamt 85 öffentlichen Theatern der Bundesrepublik etwa 36000 Aufführ-

rungen statt, von denen zwei Drittel auf Schauspiele, ein Viertel auf Opern und der Rest auf Operetten und Konzerte entfiel. Dies bedeutet – nimmt man die Privattheater und die Festspiele in diesem Zeitraum hinzu –, daß insgesamt 30 Millionen Theaterbesuche pro Saison zu verzeichnen waren, daß die Platzausnutzung zwischen 70 und 80 % liegt und daß insgesamt eine noch zunehmende Tendenz festzustellen ist. Die Gründe für diese Entwicklung dürften in zwei Richtungen zu suchen sein: Einerseits hat das Theater als kulturelle Institution des Bürgertums eine treue, bildungsbürgerlich orientierte Anhängerschaft, die das Fernsehen schon deswegen nicht vom Theater fernhält, weil die Bühnenwirkung von Theaterstücken, Konzerten, Opern und Operetten in das Medium Fernsehen nicht angemessen übertragbar ist; andererseits ist aber auch die Theaterkultur in Deutschland in den vergangenen Jahren qualitativ anspruchsvoller und zugleich vielfältiger geworden, denkt man etwa an Theaterhäuser wie die Berliner Schaubühne oder an Neuerungen im Bereich des Kinder- und Jugendschauspiels wie das Münchener Theater »Rote Rübe« oder das Berliner »Grips«-Theater. Die Spielpläne sind dennoch eher konventionell gestaltet: Der Anteil von Gegenwartsautoren lag in den letzten Jahren unter zehn Prozent, obwohl gerade von diesen im Bereich des experimentellen, des dokumentarischen und des kritisch-realistischen Theaters wegweisende Impulse ausgegangen sind. Unangefochten an der Spitze aller aufgeführten Autoren liegt Bertolt Brecht, beliebte klassische Autoren sind Lessing, Shakespeare, Molière und Ibsen. Unter den Gegenwartsautoren dominierten in der Spielzeit 1974/75 der DDR-Schriftsteller Ulrich Plenzdorf, der Unterhaltungsschriftsteller Curth Flatow sowie Franz Xaver Kroetz, Autor zahlreicher kritischer Volksstücke.

Literaturkritik

Aus der bisherigen Darstellung wird deutlich geworden sein: Die Bundesrepublik Deutschland ist eine Mediengesellschaft, in welcher das Buch, zumal das belletristische Werk, ein »Medium« unter anderen und – unter quantitativen Gesichtspunkten – keineswegs das bedeutsamste ist. Gleichwohl lassen die Diskussionen, die um Literatur geführt werden, die literarischen Debatten und die Literaturfehden insbesondere in den Feuilletonspalten der Zeitungen und Zeitschriften, aber auch in Kulturperiodika, erkennen, daß die Qualität literarischer Werke durchaus einen Gegenstand öffentlichen Meinungsstreits bildet. In diesem Meinungsstreit spielt die professionelle Literaturkritik eine gewichtige Rolle, wobei freilich zwischen den einzelnen Formen literarischer Kritik wie auch unter den einzelnen Kritikern selber zu entscheiden ist. Weniger Literaturkritik als vielmehr eine Art Annoncierung, eine knappe Würdigung von Literatur, betreiben die Rundfunk- und Fernsehanstalten, zum Teil in regelmäßigen Sendungen, die neue »Trends«, aber auch literarische Besonderheiten vorstellen (*Aspekte, Bücherjournal*), zum Teil in ausführlichen Sondersendungen, wie etwa zur Frankfurter Buchmesse, in denen überblickhafte Statements über Entwicklungen auf dem Buchmarkt mit kurzen Einzeldarstellungen wichtiger Werke verbunden werden. Daneben sind, als Information en passant für den Leser von Tageszeitungen und Wochenzeitschriften gleich wichtig, spezielle Rezensionsspalten in der Presse zu nennen, die ebenfalls in knappen Würdigungen einen – selbstverständlich nur unvollständigen – Überblick über die Entwicklung der in- und ausländischen Gegenwartsliteratur zu geben versuchen. Besondere Bedeutung aber kommt der überregional wirkenden Literaturkritik zu, die von Autoren, von Fachwissenschaftlern oder von professionellen Kritikern

Form, Funktion

für überregional verbreitete Zeitungen und Zeitschriften verfaßt wird. Während Schriftsteller jedoch eher in unregelmäßiger Folge Rezensionen schreiben, weil spezielle Werke von Kollegen sie interessieren oder um – aus den oben genannten Gründen – eine zusätzliche Einkommensquelle zu nutzen, sind die professionellen Rezensenten und insbesondere die namhaften unter ihnen, die »Großkritiker« (Peter Hamm), die entscheidenden Repräsentanten der öffentlichen Institution Literaturkritik. Denn kein Zweifel: Eine ausführliche, wohlbegründete und gut formulierte Kritik eines literarischen Werks in einem wichtigen Periodikum kann entscheidend zu dessen Erfolg oder Mißerfolg auf dem Buchmarkt beitragen, kann also auch mitentscheidend für die literarische Zukunft eines Autors sein. Sie muß es freilich nicht, denn das enthusiastische Lob eines Kritikers allein wird ein Werk noch nicht zum Bestseller machen, sowenig umgekehrt ein literaturkritischer Totalverriß die Verbreitung eines Buches zu verhindern vermag. Der unbestreitbare Einfluß, den der Kritiker besitzt, findet sich auf Autorenseite wieder als ein – in vielfältigen Erfahrungen begründetes – prinzipielles Mißtrauen gegenüber den »Großkritikern«. Martin Walser etwa haben diese Erfahrungen zu einem überaus kritischen Urteil über die »Kritikerpäpste« geführt. Dem Ausspruch des Literaturkritikers Marcel Reich-Ranicki: »Literaturkritik ist immer Polemik. Der Rezensent kämpft für oder gegen ein Buch, eine Richtung, eine Literatur«, hielt Walser entgegen: »Der bürgerliche Kritiker hat eine bewundernswerte Fähigkeit entwickelt, alles in Frage zu stellen, nur nicht die Bedingungen, unter denen er arbeitet. Auch sich selber stellt er andauernd in Frage, ohne von sich noch eine Antwort zu verlangen. Sein In-Frage-Stellen, sein Zweifel ist ein Samstags-Ritual, das es, was das fix und fertige Zelebrieren angeht, mit jeder Sonntagsliturgie aufnehmen kann. Dieser Kritiker weiß genau, daß die Selbstherrlichkeit seiner Position in ihm Eitelkeit und Größenwahn produziert. Das bekennt er nur zu gern. Er hat in persönlicher Haltung und als Schreibender einen Stil entwickelt, der ihm ermöglicht, seine Eitelkeit und seinen Größenwahn selber zu genießen.«

An der Haltung und der Schreibweise solcher »Kritikerpäpste« hat – am Beispiel Marcel Reich-Ranickis, Hans Mayers und Günther Blöckers – auch der Schriftsteller Peter Schneider vor allem die Standpunktlosigkeit, die Eitelkeit der Schreibweisen, die kaum erkennbaren Urteilsprinzipien moniert. Solche Kritik ist zugleich Kritik an Bedingungen und Struktur des Literaturbetriebs selber: Dessen chaotisches Neben- und Miteinander konkurrierender Institutionen und Einflußsphären fördert und erfordert häufig die brillant formulierte Impression mehr denn das ausweisbare und ausgewiesene Urteil einschließlich seiner Voraussetzungen. Insofern kommt den kritischen Anmerkungen Martin Walsers und Peter Schneiders, obwohl diese aus der Sicht von Betroffenen, eben von Autoren, gesprochen sind, eine besondere Bedeutung gerade im Hinblick auf den Leser zu: Literaturkritik als Vermittlungsinstanz zwischen Autor/Buch auf der einen und dem Leser auf der anderen Seite des literarischen Prozesses vermag ihre Aufgabe dann zu erfüllen, wenn die Kritiker bereit sind, ihre Rolle innerhalb dieses Prozesses zu reflektieren und zu definieren. Kritik, mit Ernst Bloch begriffen als »lebendige Auseinandersetzung in Gruppen für und wider, kein unbeteiligtes Vergnügen, auch kein musisches Geschwätz, überhaupt keine Kontemplation« – solche Kritik könnte jener Funktionsbestimmung nahekommen, die Bloch ihr ihren Möglichkeiten nach zugesprochen hat: »Kritik ist Analyse, gegebenenfalls wird sie, vor bedeutsamen Werken, endlich wieder Kommentar, zuletzt, als produktives Gebilde, Essay.«

Kampfansage an die Maßlosigkeit des Großkritikers (1969)

Impression oder fundiertes Urteil?

Literarische Sozialisationsinstanzen

Läßt sich die Literaturkritik als Vermittlungsinstanz zwischen Literatur und Leser bezeichnen, so der Deutschunterricht an unseren Schulen als literarische Sozialisationsinstanz. Das heißt, Kinder, Jugendliche, Heranwachsende werden im Verlauf ihrer schulischen Ausbildung, Erziehung und Bildung, im Prozeß ihrer Sozialisation also, auch mit Literatur vertraut gemacht. Dabei hat sich seit Beginn der 70er Jahre eine sehr widersprüchliche Entwicklung vollzogen. Der Deutschunterricht in den 50er und 60er Jahren war, insbesondere an der Oberschulen, weithin ein Instrument zur Vermittlung traditioneller Erziehungsmuster und einer konservativen Ideologie, die an überlieferten Bildungswerten orientiert war und insofern recht genau zur Restaurationsperiode der Bundesrepublik paßte. Dementsprechend war bis Ende der 60er Jahre der Kanon der Schullektüre in den Lehrplänen relativ traditionell organisiert und mehr an klassischen Autoren denn an der Auseinandersetzung mit Gegenwartsliteratur orientiert. Gegen diese Art des Unterrichts nicht nur im Fach Deutsch, sondern generell in den geisteswissenschaftlichen Fächern wurde programmatisch das Postulat vom »mündigen Bürger« gesetzt. Dieses Postulat fiel mit der Legitimationskrise unserer Gesellschaft zusammen, in der sich die überlieferten Werte und Normen als brüchig erwiesen hatten. Gefordert wurde nun eine stärkere Einbeziehung kommunikations- und sprachwissenschaftlicher Fragestellungen auch in den Deutschunterricht, die Einbeziehung der Literatur in alltägliche Diskussionszusammenhänge, eine Erweiterung des Literaturbegriffs zum Textbegriff, eine Hinwendung auch und vor allem zur literarischen Moderne. Freilich in nicht unproblematischer Weise, die den konservativen Kritikern dieser Entwicklung immer wieder Anlaß zu grundsätzlicher Polemik gegeben hat. Denn die Ausweitung des Literaturbegriffs zum Textbegriff und die Einbeziehung ästhetischer Phänomene in den sehr allgemeinen Begriff der Kommunikation haben vielfach die Eigenart des Ästhetischen bis zur Unkenntlichkeit schwinden lassen. Dies hatte etwa zur Folge, daß in technokratisch begründeten Plänen zur Unterrichtsorganisation – so in den Vereinbarungen der Kultusminister über die Neugestaltung der Sekundarstufe II – der Deutschunterricht seit 1972 »vor allem dem Studium der Muttersprache« dienen sollte, Literatur hingegen ebenso wie Musik und Bildende Kunst der Betreuung durch »Kurse« überantwortet wurde. Diese Auslagerung der Literatur aus dem Deutschunterricht deutete über den gesellschaftlichen Zusammenhang hinaus, vor dem sie zu verstehen ist, auf eine grundsätzliche Schwierigkeit der Schule im Umgang mit der Poesie: Der Zwangscharakter der Sozialisationsinstanz Schule versperrt offenbar den Zugang zu einem Medium, das allen Zwängen prinzipiell opponiert. Dies mag zu einem Teil die Unlust, die fehlende Bereitschaft von Schülern erklären, sich auf literarische Texte in der Schule einzulassen, die sie in ihrer Freizeit möglicherweise freiwillig lesen würden, und dies erklärt sicherlich auch zu einem Teil die Klagen von Lehrern, mit klassischen Werken, aber auch mit Gegenwartsliteratur auf große Vermittlungsschwierigkeiten zu stoßen. Fraglich aber bleibt, ob die seit dem Ende der 70er Jahre zu beobachtenden Versuche, Literatur in der Schule administrativ aufzuwerten, den Umgang mit ihr zu fördern vermögen. Die Entwicklung von Lesefähigkeit und Lesefreude dürfte eher von Formen selbstbestimmten Lernens ausgehen, wie sie etwa der projektorientierte Unterricht konzipiert hat.

Einer der zwölf Bände von »projekt deutschunterricht« – mit 350000 verkauften Exemplaren wichtigste Publikation auf dem Feld des reformierten Fachs Deutsch (1970–1978)

Kulturpolitik

Man kann nach all dem, was bisher über den Literaturbetrieb und über Literaturvermittlung gesagt worden ist, zu Recht fragen, ob es denn eine Einflußnahme des Staates auf das literarische Leben in der Bundesrepublik nicht gebe. Die Antwort ist schwierig: Es gibt solche Einflußnahme, es gibt auch staatliche oder staatlich unterstützte Institutionen, die auf das literarische Leben einwirken, doch ist dies in einer wesentlich eingeschränkteren Form als beispielsweise in der DDR der Fall. Die Kulturhoheit, die in einem föderativen Staatswesen wie der Bundesrepublik bei den Ländern liegt, läßt der Bundesregierung in erster Linie Raum für eine kulturelle Außenpräsentanz (Goethe-Institute, Inter Nationes) und nur in beschränktem Umfang auch für Kulturförderung im Innern (Förderung von Festspielen und Ausstellungen, Stiftungen und Verbänden, Vergabe von Preisen und Auszeichnungen bzw. Zuschüsse hierzu). Gleichwohl kommt dem Bund eine wichtige Kompetenz zum Beispiel in gesetzlich zu regelnden Urheberrechtsfragen und im Wirtschaftsrecht zu, zwei für das Verlagswesen und damit auch für Autoren generell bedeutsame Bereiche. Die Länder hingegen sind zuständig für gesetzliche Regelungen der Kulturpolitik in der Bundesrepublik und für Kulturförderung nach Maßgabe der von ihnen zur Verfügung gestellten Mittel, die wiederum zu Teilen auch von den Gemeinden aufgebracht und verteilt werden. Die Kulturämter der Städte sind deshalb in den vergangenen Jahren zunehmend zur Anlaufstelle für kulturelle Initiativen und vor allem auch für literarische Aktivitäten geworden. Öffentliche Autorenlesungen wurden von ihnen ebenso gefördert wie Straßentheater und Songfestivals, und sie haben teilweise selber Anregungen zu Veranstaltungen dieser Art gegeben. Die Mittel aber, die ihnen hierfür zur Verfügung stehen, sind eher kärglich zu nennen: Der Anteil der Kulturförderung, den Bund, Länder und Gemeinden im Durchschnitt leisten, liegt seit Jahrzehnten konstant bei etwa einem Prozent der Gesamtausgaben. Auch deshalb ist beispielsweise eine Förderung von Autoren durch Literaturpreise – hier sind vor allem der Darmstädter Georg-Büchner-Preis und der Bremer Literaturpreis zu nennen – oder durch Stipendien – Aufenthalt in der Deutschen Akademie Villa Massimo in Rom – allenfalls die vorzeigbare Ausnahme, keineswegs Beleg eines kulturpolitischen Mäzenatentums der öffentlichen Hand. Eher ist das Gegenteil der Fall: Wo immer Einsparungen bei Finanzbudgets beraten werden, so klagen Kulturdezernenten unserer Städte, da steht der Kulturhaushalt häufig als erster zur Disposition. So stellt sich der Beitrag des Staates zum Kultur- und Literaturbetrieb lediglich als ein Faktor neben anderen dar, von unterschiedlicher Bedeutung in den verschiedenartigen kulturellen und institutionellen Bereichen, doch von geringem Einfluß insgesamt.

Drei Faktoren also – so läßt sich ein Resümee aus diesem Kapitel ziehen – bestimmen in ihrem Spannungsverhältnis zueinander die Eigenart des Literaturbetriebes: die privatkapitalistische Verlagsorganisation, die Massenmedien und die ästhetische Qualität des literarischen Werks. Daß sich dieses inmitten der vielfältigen Ansprüche und Ablenkungen einer hochindustrialisierten Konsumgesellschaft bis heute hat behaupten können, sagt freilich kaum etwas über die Literaturfreundlichkeit unserer Gesellschaft, sehr viel aber über die Bedeutung der Literatur. Es sei deshalb eine Prognose gewagt, die gleichsam implizit einen literaturtheoretischen Aspekt mitformuliert: Solange das literarische Werk in Form und Inhalt emotionale und intellektuelle Anstöße zu geben und Anstoß zu erregen vermag, solange es gesellschaftliche Differenzerfahrungen, Problemstellungen, Konflikte und Stimmungen in

Kulturhoheit

Kulturförderung

Gesellschaftliche Bedeutung der Literatur

einer eigenständigen Formensprache mitzuteilen vermag, solange es also eine ästhetische Identität besitzt, die von keinem anderen Medium zum Ausdruck gebracht werden kann, so lange wird es auch in der Bundesrepublik nicht ersetzbar sein und so lange wird es auch hierzulande als unersetzlich empfunden werden.

Die Literatur der frühen Jahre (1945–49): »Nullpunkt«, Umbruch oder Kontinuität?

Die Teilung der deutschen Literatur, verfolgt man sie bis zu ihren geschichtlichen Anfängen zurück, beginnt mit dem Jahr 1933, dem Jahr der faschistischen Machtübernahme in Deutschland. In diesem Jahr setzt die Vertreibung des gewichtigsten Teiles der deutschen Literatur ein, eine Exilierung von Schriftstellern und Intellektuellen, deren Konsequenzen sich bis in unsere Gegenwart hinein verfolgen lassen: bis zur Existenz zweier deutscher Sprachformen, zweier deutscher Literaturen. Während die Exilliteratur, bei aller Vielfalt im einzelnen, durch das verbindende Merkmal der Exilsituation und der Gegnerschaft zum Faschismus sich als literarische Einheit begreifen läßt, hatten sich innerhalb Deutschlands drei Gruppen von Schriftstellern herausgebildet: jene, die dem Faschismus nahestanden; jene, die ihm gegenüber distanziert blieben und für die sich der Begriff »Innere Emigration« als zutreffend erwiesen hat; schließlich jene, die mit den Mitteln der Literatur Widerstand zu leisten versuchten. Nach der Beendigung des Zweiten Weltkriegs kommt es zu einer offenen Kontroverse über die unterschiedlichen Leistungen der Exilliteratur und der literarischen Inneren Emigration, verbunden vor allem mit den Namen Thomas Mann und Frank Thieß. Äußerer Anlaß dieser Kontroverse war die Aufforderung des Schriftstellers Walter von Molo an Thomas Mann, dieser möge nach Deutschland zurückkehren »zu Rat und Tat«. Thomas Mann lehnte diese Aufforderung mit dem Hinweis ab, daß er sich in den zwölf Jahren faschistischer Herrschaft in Deutschland zunehmend von seiner Heimat entfremdet habe, und er fügte ein vernichtendes, später von ihm abgemildertes Urteil über jene Bücher an, die zwischen 1933 und 1945 in Deutschland erschienen sind: Diese seien »weniger als wertlos und nicht gut in die Hand zu nehmen. Ein Geruch von Blut und Schande haftet ihnen an; sie sollten alle eingestampft werden«. Demgegenüber versuchte Frank Thieß in einer rüden Replik, die deutsche Exilliteratur, die er in Thomas Mann repräsentiert sah, politisch und moralisch gegenüber der Inneren Emigration herabzuwürdigen und die eigene Position als die des gewichtigeren und moralisch untadeligen Deutschland aufzuwerten.

Flüchten oder Standhalten?

Traditionsbezüge: Kontinuum der Inneren Emigration

Mit dieser Kontroverse zwischen Exilliteratur und literarischer Innerer Emigration war eine Scheidung der deutschen Literatur in zwei Lager vollzogen, deren politischer Hintergrund schon sehr bald deutlich hervortrat. Während nämlich die Autoren der Exilliteratur – Anna Seghers beispielsweise, Johannes R. Becher, Arnold Zweig – nahezu ausnahmslos in die SBZ bzw. in die DDR zurückkehrten und bis in die 60er Jahre hinein in der Bundesrepublik kaum zur Kenntnis genommen wurden, fand umgekehrt im Bereich der Westzonen und der späteren Bundesrepublik vor allem die Literatur der Inneren Emigration Beachtung. Eine Analyse von Lesebüchern und Anthologien zeigte noch 1965, daß unter sechzehn der Häufigkeit nach geordneten Autoren in Anthologien die Namen Weinheber, Benn, Carossa, Britting, Bergengruen, Schröder und in Lesebüchern die Namen Benn, Carossa, E. Jünger, Bergengruen, Schröder, I. Seidel auftauchten; sie zeigt ferner, daß auffallend wenig Exilliteratur aufgenommen wurde: Ihr Verhältnis zur gleichzeitig innerhalb Deutschlands erschienenen Literatur betrug 1:6.

Die unterschiedliche Beachtung jedoch, die etwa Heinrich Mann und Thomas Mann in der Bundesrepublik fanden, macht deutlich, daß nicht die Unterscheidung zwischen Exil und Innerer Emigration das entscheidende Rezeptionsmerkmal bildete, sondern die politischen Überzeugungen der Autoren und die ihnen entsprechenden literarischen Ausdrucksformen. Vor dem Hintergrund des zunehmend in der Bundesrepublik sich herausbildenden Antikommunismus (KPD-Verbot 1956) wurden solche Autoren verfemt, die »links« zu stehen schienen – ungeachtet ihrer literarischen Bedeutung. Die Spaltung der deutschen Literatur hatte sich verlagert: Nicht mehr nur zwischen Exil und Innerer Emigration verlief die Grenze, sondern sie verlief – entsprechend der Entwicklung der beiden deutschen Teilstaaten – zwischen sozialistisch-kommunistischer und bürgerlich-konservativer Literatur.

Thomas Mann und Johannes R. Becher in Weimar (1955)

So ist es nicht verwunderlich, daß nach 1945 nur zwei bedeutende Werke der bürgerlichen Exilliteratur in Westdeutschland größere Beachtung fanden: Hermann Hesses Roman *Das Glasperlenspiel* (1943), eine aus der Perspektive der Zukunft auf die Gegenwart zielende Kulturkritik an »Unsicherheit und Unechtheit« der Bildungswerte im »feuilletonistischen Zeitalter«, und Thomas Manns Faschismus- und Nietzsche-Kritik *Doktor Faustus* (1947). Beiden Romanen gemeinsam – und dies erklärt ihren gemeinsamen Erfolg im westlichen Nachkriegsdeutschland – ist die Tendenz zur Überhöhung der in ihnen und mit ihnen formulierten Zivilisations- und Gegenwartskritik, eine Tendenz zur Abstraktion von der gesellschaftlichen Wirklichkeit, die für den zeitgenössischen Leser Entlastungsfunktion besaß: Er konnte diese Werke als Romane einer »gesellschaftlichen Endzeit« lesen, in welcher die Epoche des Faschismus überzeitlich aufgehoben war.

Thomas Manns Roman *Doktor Faustus* (1947) ist eine der faszinierendsten literarischen Verarbeitungen des deutschen Faschismus. Sein Inhalt: Der Humanist Dr. Serenus Zeitblom schreibt in den Jahren 1943 bis 1945 die Lebensgeschichte seines 1940 verstorbenen Freundes Adrian Leverkühn nieder, eines Komponisten, der sich nach abgebrochenem Theologiestudium der Musik zugewandt hat. Obwohl Leverkühn weiß, daß sich die musikalischen Formen verbraucht haben und deshalb nurmehr als kompositorisches Spielmaterial zu dienen vermögen, versucht er, der Sterilität eines solchen künstlerischen Verfahrens zu entgehen. Dies gelingt ihm allerdings nur vermittels eines Paktes mit dem Teufel, dessen Preis einerseits in einer vollständigen Weltabgeschiedenheit der musikalischen Produktivität besteht, andererseits, am Ende dieser produktiven Phase, im zerebralen Zerfall infolge einer Syphilis. Der Teufel seinerseits verspricht Leverkühn eine »wahrhaft beglückende, entrückende, zweifellose und gläubige Inspiration«, durch die »die lähmenden Schwierigkeiten der Zeit durchbrechen« werde. Und in der Tat schafft Leverkühn eine Anzahl musikalischer Meisterwerke, deren Höhepunkt die symphonische Kantate »Dr. Fausti Weheklag« bildet. Nach einer Schaffensphase von neunzehn Jahren versammelt Leverkühn seine Freunde um sich, beichtet ihnen den Pakt mit dem Teufel, spielt ihnen aus seinem

Verarbeitung des Faschismus

letzten Werk vor und bricht schließlich in geistiger Umnachtung zusammen. Thomas Mann hat in diesem Werk eine Fülle von Stoffelementen unterschiedlichster philosophischer, geistesgeschichtlicher, musiktheoretischer und sozialgeschichtlicher Bereiche zusammengeführt und zu einer eigenwilligen Geschichtsinterpretation miteinander verbunden: den Faust-Stoff, theologische und mythologische Vorlagen, die Biographie und Philosophie Nietzsches, nicht zuletzt die Musiktheorie Theodor W. Adornos und die Kompositionslehre Arnold Schönbergs. Alle diese Elemente sind integriert zu einer Künstlerbiographie, deren Entwicklung zunehmend Parallelen zur Heraufkunft des Faschismus in Deutschland aufweist. Über ihren Zusammenhang und ihre Verwendung im Roman hat Thomas Mann in *Die Entstehung des Doktor Faustus* (1949) ausführlich, ebenfalls in Romanform, berichtet. Seine innere Spannung aber erhält *Doktor Faustus* durch die Einführung des fiktiven Erzählers Serenus Zeitblom: Dessen Hilflosigkeit angesichts der Entwicklung seines Freundes Adrian Leverkühn, die aus seiner Grundhaltung als Humanist resultiert, bringt zugleich den »hilflosen Antifaschismus« (W.F. Haug) eines Bürgertums zum Ausdruck, das dem Faschismus nur Ablehnung, nicht aber eine qualitativ andere, eigenständige politische Position entgegenzusetzen hat. Zugleich aber bewirkt die Einführung dieser Figur die Einhaltung einer erzählerischen Distanz, die eine »gewisse Durchheiterung des düsteren Stoffes« ermöglicht. So finden sich neben ironischen Elementen durchaus humoristische und parodistische Passagen, die trotz der Komplexität des Stoffes und seiner Fülle und trotz der bedrückenden Problematik die Lektüre dieses Romans zu einem Vergnügen machen. Ein Vergnügen freilich, dessen ernsthaften zeitgeschichtlichen Hintergrund und dessen Aktualität auch für die Nachkriegsjahre der letzte Satz des umfangreichen Werks noch einmal betont: »Ein einsamer alter Mann faltet seine Hände und spricht: Gott sei eurer armen Seele gnädig, mein Freund, mein Vaterland.«

*Friedrich
Georg Jünger*

Ist der zeitgeschichtliche Bezug in diesem Exilroman unübersehbar, so weist die Lyrik der Nachkriegszeit unverkennbar einen Fluchtcharakter, Züge der Innerlichkeit und Naturseligkeit auf. Das Programm dieser Lyrik ist formuliert in den Titeln jener Gedichtbände, mit denen sie präsentiert wird: *Stern über der Lichtung, Der hohe Sommer, Die heile Welt, Die Silberdistelklause, Der Laubmann und die Rose.* Ihre Autoren sind eben die Schriftsteller, die im Dritten Reich in der Inneren Emigration eine literarische Überlebensmöglichkeit suchten und fanden, neben den bereits genannten also auch Friedrich Georg Jünger, Georg von der Vring, Albrecht Goes, Gertrud von Le Fort. In einem Gedicht Friedrich Georg Jüngers beispielsweise heißt es:

> In die Geißblattlauben will ich
> wo die Liebenden sich herzen,
> um beim Licht des Sichelmondes
> mit dem jungen Reh zu scherzen.

Beschaulichkeit, Idylle, eine in sich selber ruhende Heiterkeit und Gelassenheit, welche der Rhythmus der Verse im Gleichmaß, in der Ausgewogenheit aufnimmt – dies sind Kennzeichen einer Dichtung, die sich absetzt von der sie umgebenden Wirklichkeit, sich dieser entzieht, um im Rückgang auf sich selber poetische Schönheit zu repräsentieren.

Resignation?

Worin liegen die Gründe für einen solchen Rückzug? Hätte nicht das Ende der faschistischen Herrschaft in Deutschland die Möglichkeit geboten, drängenden gesellschaftlichen Problemen auch literarisch sich zuzuwenden? Ist die Fortdauer Innerer Emigration nach 1945 ein Zeichen von Resignation, oder ist sie Indiz einer bewußten, neugewonnenen Funktionsbestimmung von Poesie? Antworten auf diese Fragen lassen sich am Selbstverständnis der Autoren ebenso ablesen wie an den charakteristischen Merkmalen ihrer lyrischen Produktion. Diese nämlich erweist sich nicht nur als vollständig enthistorisiert, scheinbar frei von allen gesellschaftlichen Bezügen, sondern sie strebt zugleich – orientiert an traditionellen poetischen Mustern wie Sonett, Ballade, Elegie – nach Überzeitlichkeit der Aussage wie der Form (Rudolf Hagelstange, Hans Egon Holthusen). Diese Bestrebungen, die gerade ihr gesellschaftliches Signum ausmachen, gehen häufig einher mit einer deutlichen Zunahme religiöser Züge und christlicher Motive bis hin zur Versenkung in die vermeintliche Eigengesetzlichkeit, gar Über- und Außerweltlichkeit der Poesie. Das Selbstverständnis der Autoren entspricht dieser literarischen Praxis: Sie sehen sich in der Rolle von Verkündern einer höheren Wahrheit, die nur fern der empirischen Wirklichkeit zu gewinnen ist, zugänglich zudem nur wenigen Berufenen, eben den Dichtern. Die Wirklichkeit aber führt lediglich zu der Erkenntnis, daß solche höhere Wahrheit: die Erfahrung von Glück, Liebe, Naturseligkeit, Freiheit, in ihr nicht zu finden ist. Die Dichterin Ina Seidel bekennt: »Was bleibt uns in den Trümmern unsrer Welt/ Für Zuflucht aus dem Labyrinth der Trauer?/ Was ist noch da, daran der Mensch sich hält,/ Als der Gestirne unberührte Dauer«.

Lyrische Restauration also: Sie bringt eine Dichtung hervor, für welche *Idylle, Beschaulichkeit* das Beharren auf überkommenen Formtraditionen, auf Zeit- und Weltferne, auf Idyllik und Beschaulichkeit ebenso charakteristisch ist wie ihre Unfähigkeit, poetisch erneuernd zu wirken, eine Lyrik zu formen und zu formulieren, die erkennbar in den Prozessen ihrer Gegenwart steht. Dennoch hat die Traditionsbefangenheit dieser frühen Nachkriegslyrik eine gesellschaftliche Funktion gewinnen können, die freilich bezeichnend genug ist für den Geist dieser Zeit: Vielfach geehrt nämlich und in Preisreden belobigt, wurde diese Poesie noch bis weit in die 50er Jahre hinein als Repräsentantin der deutschen Literatur gewürdigt, als Vertreterin der deutschen Lyrik schlechthin offiziell gefeiert. So diente sie der Verklärung und Verschönung ihrer Gegenwart gerade dadurch, daß sie sich scheinbar von ihr fernhielt.

Eine Ausnahmestellung unter jenen Autoren, die in der Tradition der *Naturlyrik* Inneren Emigration stehen, nehmen die ›politischen Naturlyriker‹ ein: Dichter wie Günter Eich, Peter Huchel, Karl Krolow und Wilhelm Lehmann, deren Anfänge teilweise (Eich, Huchel) bis ins Jahr 1930, bis hin zur Literaturzeitschrift *Kolonne* zurückreichen. Diese Lyrik vermochte so lange eine Erneuerung des Naturgedichts zu bewirken, wie sie Wirklichkeit und naturhafte Gegenwelt in einem untrennbaren Zusammenhang, in einem beziehungsreichen Wechselspiel sah und beschrieb. Sie verlor an Substanz und poetischer Glaubwürdigkeit in eben dem Maße, in dem sie sich von der Wirklichkeit ihrerseits abkehrte, um sich dem Naturdetail zu verschreiben. Hatte Krolow zunächst in ihr »seit dem zu Ende gegangenen Expressionismus die einzige Leistung des modernen Gedichts« gesehen, so bescheinigte er ihr 1963, sie sei, wie der Expressionismus, an ihrer eigenen »Begrenztheit« erstickt.

Politisch-kulturelle Publizistik

Besonderes Gewicht kommt in den Nachkriegsjahren den politisch-kulturellen Zeitschriften zu, die in den vier Besatzungszonen erscheinen. Denn angesichts einer nur spärlichen Buchproduktion bieten diese Zeitschriften häufig die einzige Möglichkeit zur Entfaltung einer öffentlichen Diskussion. Freilich keiner uneingeschränkten Diskussion: Wie die Buchproduktion ist auch die Zeitschriftenproduktion abhängig von der alliierten Lizenzvergabe, wie die Bücher unterliegen auch die Zeitschriften bis 1948 der alliierten Kontrolle, und wie die Bücher repräsentieren deshalb auch die Zeitschriften zu Teilen die unterschiedlichen Positionen der Besatzungsmächte in den jeweiligen Zonen. Dies gilt zum Beispiel in gleicher Weise für die Zeitschriften *Die Wandlung* (1945–1949, amerikanische Zone), *Lancelot* (1946–1951, französische Zone) oder *Aufbau* (1945–1958, SBZ/DDR). Doch nicht nur um die Darstellung, Vermittlung und Durchsetzung politischer Positionen geht es der frühen Publizistik in Deutschland, sondern auch um die Deckung eines Nachholbedarfs an literarischen Entwicklungen, wie sie etwa die ›short story‹ der amerikanischen Erzähler, die Diskussionen um den sozialistischen Realismus, die im Dritten Reich unterschlagenen avantgardistischen Strömungen darstellen.

In den Jahren 1945 und 1946 werden nicht weniger als siebzehn Zeitschriften ins Leben gerufen. 1947 sind es weitere vier, darunter neben den schon genannten so wichtige Periodika wie *Der Ruf, Frankfurter Hefte, Ost und West* und *Merkur*. Sie lassen sich mit Blick auf die thematisch-inhaltlichen Schwerpunkte, die sie setzen, unterscheiden nach politisch-ideologischen Argumentationen *(Wandlung, Ruf, Gegenwart)* und nach literarisch-kulturellen Aspekten *(Die Erzählung, Das Karussell, Das Goldene Tor, Story)*. Daneben bestehen einige Zeitschriften, die bereits das Dritte Reich überstanden haben, so die *Deutsche Rundschau* (seit 1874, 1964 eingestellt), *Die neue Rundschau* (seit 1890), *Hochland/Neues Hochland* (seit 1903/04). Daß die neubegründeten Zeitschriften ihre Aufgabe mit der Währungsreform in Westdeutschland (1948) und der Gründung der beiden deutschen Staaten (1949) im wesentlichen erfüllt hatten, läßt sich an ihrer seit 1949 geringer werdenden Verbreitung ablesen. Der Elan ihrer Begründer und deren politisch-kulturelle Zielsetzungen, die zum Brückenschlag, zum Neuanfang, aber auch zur Kritik an den Siegermächten tendierten, werden durch die zunehmende politisch-ökonomische Abgrenzung Ost- und Westdeutschlands überholt und in Frage gestellt. Die Bereitschaft zum Dialog, Kennzeichen der frühen Jahre der Publizistik, weicht der Resignation angesichts der politischen Realität.

»Der Ruf« Exemplarische Bedeutung für die Politik der Siegermächte wie für das Selbstverständnis der politisch-kulturellen Publizistik kommt der Zeitschrift *Der Ruf* zu. Diese Zeitschrift, 1946 gegründet, herausgegeben von Alfred Andersch und Hans Werner Richter, trägt den Untertitel: »Unabhängige Blätter der jungen Generation«. Der Akzent liegt hierbei auf »unabhängig«: Es ist eine kulturpolitische Zeitung, die kritisch Position zur Politik der Siegermächte bezieht, nüchtern Stellung nimmt zur Trümmerwirklichkeit der Nachkriegssituation, freilich geprägt von dem für diese Situation typischen Idealismus des Neuanfangs und -aufbaus. Die Ablehnung eines »deutschen Schuldkontos«, das Insistieren auf der »Fülle des Leidens«, welches auch den Deutschen zugefügt worden sei, führt jedoch zu einem Eingriff der Alliierten: Die amerikanische Militärregierung verbietet im April 1947 (ab Heft 17) die Zeitschrift und läßt ihr Erscheinen erst wieder zu, als die bishe-

*Tagung der Gruppe 47
mit Autoren,
Verlegern, Lektoren
und Kritikern –
Literaturbetrieb auf
einen Blick*

rigen Herausgeber durch Erich Kuby abgelöst sind. Verbot und Ablösung
führen dazu, daß Hans Werner Richter 1947 die wohl wichtigste Schriftstel-
lerorganisation, die »Gruppe 47«, ins Leben ruft – Indiz dafür, daß politische
Aktivitäten problematischer werden und sich zunehmend in literarisch-kulturelle Bereiche hinein verlagern. Die Zeitschrift *Der Ruf* stellt im März 1949
ihr Erscheinen ein.

Keine andere Institution des bundesrepublikanischen Literaturbetriebs   *»Gruppe 47«*
wurde so befehdet und beargwöhnt, aber auch überschätzt und stilisiert wie
die »Gruppe 47«. In ihrer Blütezeit, Ende der 50er, Anfang der 60er Jahre,
repräsentierte die Gruppe, die aus einer Privatinitiative des Schriftstellers
Hans Werner Richter hervorgegangen war und bis zu ihrem Ende (die letzte,
schon von der studentischen Außerparlamentarischen Opposition befehdete
Tagung fand 1967 statt) ein formloser Zusammenschluß blieb, tatsächlich
die moderne, jüngere Literatur, über die ›man‹ sprach und die allein in der
Öffentlichkeit zählte. Artikulierte die Gruppe zu Beginn noch durchaus den
politischen Anspruch von Literatur, so institutionalisierte sie sich im bundesrepublikanischen Establishment der 50er Jahre schnell als ein Umschlagplatz
von Beziehungen, Meinungen und Tendenzen. Zu den insgesamt 29 Tagungen konnte nur kommen, wer von H. W. Richter eingeladen war. Anfangs
blieben die Schriftsteller mehr oder weniger unter sich, die Sitzungen trugen
Werkstattcharakter, die Kritik war kollegiale Arbeitskritik. Später waren die
Literaturvermittler (Verleger, Lektoren, Kritiker) sichtlich in der Überzahl,
die denn auch die Tagungen zu einer Selbstdarstellung des Literaturbetriebs
umfunktionierten, in die sich nahtlos auch das provokante Auftreten Peter
Handkes auf der Princetoner Tagung 1966 einfügt, der nicht zuletzt dadurch
erst das Interesse der Öffentlichkeit auf sich lenkte. Im Mittelpunkt der
Tagungen standen von Anfang an die Lesungen aus noch unveröffentlichten
Manuskripten, die sich (wie auch die Spontankritik) immer mehr zum Ritual
verselbständigten – abzulesen an der Dominanz der Starkritiker. Die
»Gruppe 47« ist schließlich an ihren eigenen Widersprüchen, ihrer inneren
Dissoziation gescheitert: Die Internalisierung des literarischen Diskurses, die
sie betrieb, mußte mit dem Aufkommen einer erneuten Politisierung der
Intellektuellen Mitte der 60er Jahre in die Brüche gehen.

535

Trümmerliteratur

»Trümmerliteratur« und »Kahlschlag« lauten die Schlagworte, unter denen die neu entstehende Literatur der frühen Nachkriegszeit über lange Jahre hinweg begriffen worden ist. »Trümmerliteratur«: In dieser Bezeichnung ist die Wirklichkeit gegenwärtig, durch welche diese Literatur geprägt wurde, die Realität des Schutts und der Ruinen – nicht nur der Städte und Häuser, sondern auch der Ideale und Hoffnungen –, die Realität des Kriegs, des Todes, des Untergangs und des Überlebens inmitten von Trümmern. Es ist jene Literatur, mit welcher die heimkehrenden Autoren, soweit sie sich nicht von ihrer Umwelt abkehrten, die Probleme ihrer Gegenwart literarisch zu verarbeiten suchten, um diese zu bewältigen. »Kahlschlag« aber hieß, einen *Sprache und Hoffnung* Anspruch an Literatur, an Sprache zu formulieren: Die »Männer des Kahlschlags«, die Poeten, sollten als »Förster« Wegweiser »im literarischen Gestrüpp« ihrer Gegenwart, der Nachkriegsliteratur also, aufstellen, um »in Sprache, Substanz und Konzeption [...] von vorn an[zu]fangen, ganz von vorn« – wenn nötig, so der Urheber des »Kahlschlag«-Postulats, Wolfgang Weyrauch, auch »um den Preis der Poesie«.

Ein Neuanfang also war gefordert und damit eine Abkehr von den Traditionsbildungen im Umkreis der Inneren Emigranten, die an den literarischen Formen deutscher Innerlichkeit auch nach 1945 festhielten. Diese Forderung nach einem Neuanfang war zugleich verbunden mit dem Anspruch auf Wahrheit, ein Anspruch, den Wolfgang Weyrauch durch die Schönheit der Poesie nachhaltig bedroht sah: »Die Schönheit ist ein gutes Ding. Aber Schönheit ohne Wahrheit ist böse. Wahrheit ohne Schönheit ist besser.«

Man wird rückblickend diese Entgegensetzung von Schönheit und Wahrheit als falsche Alternative bezeichnen müssen: Nicht die Frage, ob Schönheit oder Wahrheit der Poesie Geltung haben sollen, sondern was denn die Wahrheit der Poesie ist – als literarische Form verstanden –, bedarf stets aufs neue der Klärung. Doch wichtiger ist der Hinweis auf den zeitgenössischen Kontext, in welchem Wolfgang Weyrauchs »Kahlschlag«-Postulat sich entfalten konnte: der Versuch der Heimkehrer, Schluß zu machen mit den lyrischen Tändeleien, die über lange Jahre hinweg herrschaftssichernd im Sinne der deutschen Faschisten wirksam waren, das Bemühen, der kruden Wirklichkeit ins Gesicht zu sehen – insgesamt ein poetisches Unterfangen, das Wolfdietrich Schnurre in die Verse gefaßt hat:

> zerschlagt eure Lieder
> verbrennt eure Verse
> sagt nackt
> was ihr müßt.

Konsequenter Ausdruck dieser Haltung ist Günter Eichs Gedicht *Inventur*, das vermutlich bereits im April/Mai 1945 in einem Kriegsgefangenenlager entstanden ist und zuerst in der von Hans Werner Richter herausgegebenen Kriegsgefangenen-Anthologie *Deine Söhne, Europa* (1947) veröffentlicht wurde. »Inventur«-Machen, also sich selber einer Bestandsaufnahme unterziehen, seine Habseligkeiten zusammenzählen, seine Habe beisammenhalten – dies war eine Schlüsselsituation der Überlebenden, der Kriegsgefangenen, der Heimkehrenden, eine Situation, welche die Beschränkung auf die Gegenständlichkeit und Befindlichkeit der unmittelbaren Umgebung erforderte, die Konzentration auf die konkreten Bedingungen und Voraussetzungen der eigenen Existenz:

Dies ist meine Mütze,
dies ist mein Mantel,
hier mein Rasierzeug
im Beutel aus Leinen.

Konservenbüchse:
Mein Teller, mein Becher,
ich hab in das Weißblech
den Namen geritzt.

[...]

Im Brotbeutel sind
ein Paar wollene Socken
und einiges, was ich
niemand verrate,

so dient es als Kissen
nachts meinem Kopf.
Die Pappe hier liegt
zwischen mir und der Erde.

[...]

Dies ist mein Notizbuch,
dies ist meine Zeltbahn,
dies ist mein Handtuch,
dies ist mein Zwirn.

Günter Eich

Solche Verwirklichung eines Programms der »nackten« Sprache, der bewußt verarmten Poesie, ist zu begreifen als Reaktion auf Sprachzerstörung und Sprachmißbrauch im Dritten Reich. Die äußerste Verknappung der Form, die strenge Konzentration auf Mitteilung von Gegenständlichem ist Ausdruck des Mißtrauens, das sich unter dem Faschismus gegenüber dem verschwenderischen und lügenhaften Umgang mit Sprache herausgebildet hat. Die poetische Mitteilung selber rückt in der frühen Nachkriegsliteratur in den Vordergrund, das Herausschreien dessen, was für wahr erkannt ist, wird zu ihrem bestimmenden Merkmal.

Vor diesem Hintergrund wird verständlich, warum sich bei einem der jüngeren Autoren der Nachkriegszeit, bei dem bereits 1947 verstorbenen Wolfgang Borchert, expressionistische und surrealistische Stil- und Bildelemente neben Erzählformen finden, die sich deutlich an amerikanischen Prosamustern, insbesondere an der ›short story‹ Ernest Hemingways, entwickelt haben. Borchert veröffentlichte 1946 den Gedichtband *Laterne, Nacht und Sterne*, 1947 die Erzählbände *An diesem Dienstag* und *Die Hundeblume*. Es sind Gedichte und Erzählungen, welche die Erfahrungen und Anklagen nicht eines einzelnen, sondern einer ganzen Gruppe formulieren, einer ganzen Generation: der von ihren Vätern betrogenen und verratenen Jugend, die unterm Faschismus zu leiden hatte, im Krieg ihrer besten Jahre beraubt wurde und nun, inmitten von Trümmern, ihr neues Selbstverständnis suchte. Die Nationalsozialisten hatten Borchert verschiedentlich wegen »wehrkraftzersetzender«, also pazifistischer Äußerungen eingesperrt. Eben sein radikaler Pazifismus, untrennbar verbunden mit seinem idealistischen Eintreten für mehr Humanität, mehr Mitmenschlichkeit, mehr Rücksicht auf die kleinen Dinge des alltäglichen Lebens, verlieh ihm jene poetische Glaubwürdigkeit, in der sich seine Generation wiederfinden konnte. In knappen, sehr genauen Situationsschilderungen, in präzisen Stimmungsbildern umkreisen Borcherts

*Borchert
als Repräsentant*

537

*Wolfgang Borchert –
daneben seine letzte
Arbeit, geschrieben im
Hamburger Klara-
Hospital (Oktober
1947)*

Sag NEIN !

Du, Mann an der Maschine und Mann in der Werkstatt. Wenn sie dir morgen befehlen, du sollst keine Wasserrohre und keine Kochtöpfe mehr machen – sondern Stahlhelme und Maschinengewehre, dann gibt es nur eins: Sag NEIN !

Du, Mädchen hinterm Ladentisch und Mädchen im Büro, wenn sie dir morgen befehlen, du sollst Granaten füllen und Zielfernrohre für Scharfschützengewehre montieren, dann gibt es nur eins: Sag NEIN !

Du, Besitzer der Fabrik. Wenn sie dir morgen befehlen, du sollst statt Puder und Kakao Schießpulver verkaufen, dann gibt es nur eins: Sag NEIN !

Du, Forscher im Laboratorium. Wenn sie dir morgen befehlen, du sollst einen neuen Tod erfinden gegen das alte Leben, dann gibt es nur eins: Sag NEIN !

Du, Dichter in deiner Stube. Wenn sie dir morgen befehlen, du sollst keine Liebeslieder, du sollst Haßlieder singen, dann gibt es nur eins: Sag NEIN!

Kurzgeschichten immer wieder die Themen Krieg, Nachkrieg, Grauen, Tod. Es sind die Stilmittel des ›understatement‹, des Aussparens, der scheinbar lakonischen Beschreibung, die es ihm erlauben, der Unmittelbarkeit seiner Erfahrungen jene Distanz abzugewinnen, welche diese Erfahrungen allererst mitteilbar macht. Und doch ist in Borcherts Erzählungen ein Pathos des Leidens gegenwärtig, eine Überempfindsamkeit der Wahrnehmung, die seine Literatur und ihre Gestalten nach 1945 zur gefühlsmäßigen Identifikation anboten.

*»Draußen vor der
Tür«*

Eine Identifikationsfigur schuf Wolfgang Borchert mit dem Anti-Helden seines bekanntesten Werks *Draußen vor der Tür* (1947), einem Drama, das ursprünglich als Hörspiel konzipiert war und dem er den Untertitel beigab: »Ein Stück, das kein Theater spielen und kein Publikum sehen will.« Dieser Untertitel war eine Fehlprognose – Borcherts Drama wurde zum Erfolgsstück der Nachkriegsjahre. Sein Anti-Held Beckmann kehrt als Betrogener, als Opfer, als Tiefverstörter aus dem Grauen des Kriegs heim, müde und zerschlagen, ausgesetzt den Verdrängungsversuchen seiner Mitmenschen, dem Grauen seiner Erfahrungen und Erinnerungen, den Einflüsterungen seiner Umwelt. Beckmann ist ein Anti-Held, in dem sich nicht nur Borchert selber verkörpert hat, sondern der vor allem auch die Mythenskepsis, die Heldenmüdigkeit seiner Generation zum Ausdruck brachte. »Zwar hatte dieser Beckmann Lösungen nicht zur Hand, aber gerade daß der Tiefverstörte auf jede Lösung eine Frage wußte, entsprach aufs Haar der Disposition der deutschen Jugend«, schrieb Peter Rühmkorf. Borchert hat diese Jugend vielfach beschrieben und bezeichnet sie als »Generation ohne Abschied«, »Generation ohne Ziel«, »Generation ohne Bindung«, »Generation ohne Ja« – Benennungen, deren Illusionslosigkeit und Bitterkeit doch nur aus der einen Hoffnung sich herleiteten, daß diese Generation eine grundlegende Veränderung herbeizuführen vermöchte. Die Illusionslosigkeit dieser Generation und ihrer Autoren teilt sich in der Nüchternheit ihrer Sprache mit. Ihre Bitterkeit aber drängt zum expressionistischen Aufschrei, hinter den die kalkulierte Form zurücktritt.

Zuckmayer

Wolfgang Borcherts Drama *Draußen vor der Tür* läßt sich nur ein einziges Theaterstück der frühen Nachkriegszeit vergleichend an die Seite stellen, nämlich Carl Zuckmayers Schauspiel *Des Teufels General* (entstanden 1942 im amerikanischen Exil, Uraufführung in Zürich 1946). Vergleichbar ist es nicht nur hinsichtlich der Thematik – es befaßt sich mit der Problematik der Militärs in faschistischen Diensten –, sondern auch wegen seines Erfolges. Es avancierte zum meistgespielten Theaterstück der deutschsprachigen Bühnen der ersten Nachkriegsjahre (über 3000 Aufführungen bis 1950). Dieser Erfolg hat freilich andere Gründe als der des Borchertschen Dramas. Er beruht vor allem auf einer Dramaturgie, die für die zeitgenössischen Zuschauer entlastende Funktion besaß. Im Mittelpunkt des Stücks steht mit dem General Harras ein heldischer Typus, für dessen Charakterisierung der zeitgeschichtliche Hintergrund lediglich das szenische Arrangement hergibt. Des »Teufels« (also Hitlers) General wird als schneidiger Draufgänger mit jugendlichem Charme nach dem Vorbild des Fliegergenerals Ernst Udet gezeichnet. Seine militärischen Erfolge ermöglichen ihm einen sympathisch anmutenden, saloppen Umgangston mit jeder Art Autorität, individuelle Verhaltensweisen und eigenwillige Widerstandsformen (so rettet Harras einer Freundin zuliebe einen jüdischen Arzt). Doch so wenig sein Verhalten gegenüber den herrschenden Nationalsozialisten ein Rechts- oder Unrechtsbewußtsein zum Ausdruck bringt (»Sie haben mich gebraucht – und sie brauchen mich jetzt erst recht. Außerdem – ist es mir wurscht«), so wenig verhilft ihm der sich zuspitzende dramatische Konflikt zu einer Einstellungsveränderung. Als er auf eine ultimative Forderung der Gestapo hin feststellen muß, daß sein Freund, der ideell motivierte Widerstandskämpfer Oderbruch, Sabotageakte an Flugzeugen begeht, sieht Harras seine einzige Rettungsmöglichkeit im selbstmörderischen Flug mit einer der defekten Maschinen.

problematische
Dramaturgie

Nicht der Realitätsgehalt oder der inhaltliche Konflikt läßt dieses Stück problematisch erscheinen, sondern seine Dramaturgie, die den Erfolg erklärt. Zuckmayer bietet die Identifikationsmöglichkeit mit einem ungebrochenen Helden, der, in eine am klassischen Muster geschulte tragische Situation geraten, notwendig entweder schuldig werden oder untergehen muß. Unangemessen aber ist solche Dramaturgie einer Wirklichkeit, deren Vernichtungsmaschinerien individuelles Heldentum und einzelgängerische Opferbereitschaft entweder ad absurdum geführt oder auch politisch-militärisch mißbraucht hatten. Da Zuckmayer das Verhalten seines Protagonisten nicht mit Mitteln der Verfremdung dem Publikum zu kritischer Beurteilung vorstellt, steht sein Stück ständig in der Gefahr, wirkungsvolle dramatische Elemente lediglich zum Zwecke der Kolportage eines trotz allem bewundernswürdigen militärischen Einzelschicksals einzusetzen.

Carl Zuckmayer konnte mit diesem Erfolg an die Wirkung seiner frühen Volksstücke *Der fröhliche Weinberg* (1925), *Der Schinderhannes* (1927) und *Der Hauptmann von Köpenick* (1931) anknüpfen. Eine Fortsetzung dieses Erfolgs gelang ihm nach *Des Teufels General* mit zwei weiteren politischen Theaterstücken freilich nicht: *Der Gesang im Feuerofen* (1950) und *Das kalte Licht* (1955) präsentieren Stoffe aus dem Widerstand in Frankreich bzw. aus dem Kalten Krieg in aufdringlichen Symbolismen und mit melodramatischen Effekten. Einen großen Widerhall fanden hingegen seine Erinnerungen, die 1966 unter dem Titel *Als wär's ein Stück von mir* erschienen sind. Sie zeugen von einem humanistischen und antifaschistischen Impuls, der die eigene Verantwortung für geschichtlich-gesellschaftliche Entwicklungsprozesse nicht unterschlägt. Zuckmayer hat diese Erkenntnis bereits 1944 in New York mit den Worten zusammengefaßt: »Deutschland ist schuldig geworden vor der

Weisenborn

Welt. Wir aber, die wir es nicht verhindern konnten, gehören in diesem großen Weltprozeß nicht unter seine Richter.«

In einem weiteren Drama wurde die Problematik der jüngsten Vergangenheit aufgearbeitet: in Günther Weisenborns Theaterstück *Die Illegalen* (Uraufführung Berlin 1946). Weisenborn, ein heute zu Unrecht vergessener Autor, hatte sich nach seiner Rückkehr aus dem Exil im Jahre 1937 der Widerstandsgruppe »Rote Kapelle« angeschlossen. Er wurde 1942 verhaftet und zu Zuchthaus verurteilt. Mit *Die Illegalen* hat Weisenborn ein Drama über die Leistungen der deutschen Widerstandsbewegung geschrieben, deren Erfolge und Konflikte, Opfer und Aktivitäten in realistischen Bildern in Szene gesetzt werden: »Wir Illegalen sind eine leise Gemeinde im Land. Wir sind gekleidet wie alle, wir haben die Gebräuche aller, aber wir leben zwischen Verrat und Grab. Die Welt liebt Opfer, aber die Welt vergißt sie. Die Zukunft ist vergeßlich.« An Weisenborn selber hat sich diese Prognose bewahrheitet: Seine Stücke – darunter die seinerzeit sehr erfolgreiche *Ballade vom Eulenspiegel, vom Federle und von der dicken Pompanne* (1949) – sind heute ebensowenig bekannt wie Weisenborns lesenswerte Erinnerungen an seine Haftzeit, die 1948 unter dem Titel *Memorial* erschienen.

Trotz der Bühnenerfolge Zuckmayers, Weisenborns und Borcherts aber war nicht das Drama, sondern wurde vielmehr die Lyrik zu der herausragenden literarischen Repräsentationsform der frühen Nachkriegsjahre. Das Ziel der jüngeren Autoren war, zu »ahnen und [zu] erkennen, was ist; wie das kam, was ist; und wie die Zukunft entwickelt werden kann« (Wolfgang Weyrauch). In der Lyrik erblickten sie eine unmittelbar zugängliche Möglichkeit, ihren Erfahrungen, Empfindungen, Problemen Ausdruck zu verleihen. Eine Dichtung zu entwickeln, in der sich Realitätszuwendung, Problembewußtsein und Zukunftsorientiertheit auf eine Weise miteinander verbanden, die der Lyrik neue Entfaltungsmöglichkeiten gab – dies war die Absicht. So wird die »Trümmerlyrik« der Nachkriegszeit zum Ort einer poetischen Diskussion, in der es um Vergangenheit, Gegenwart und Zukunft geht, die widerspruchsvoll geführt wird und in der sich eine Vielfalt der Formen herausbildet. Es ist eine Lyrik, die – geprägt durch die Erfahrungen der jüngsten Vergangenheit, getragen von der Hoffnung auf eine befreite Zukunft – schwankt zwischen Untergangsstimmungen und der Euphorie des Aufbruchs, zwischen Depression und Zukunftsgewißheit, zwischen Resignation und Optimismus.

Trümmerwirklichkeit
und Aufbaustimmung

Ihre Themen findet diese Dichtung im Umkreis des Krieges und Kriegsendes (Heimkehr, Nachkrieg), im Problem der Schuld und Kollektivschuld, im Spannungsfeld zwischen Trümmerwirklichkeit und Aufbaustimmung. Ihre Formensprache aber bleibt vielfach den traditionellen Mustern noch verhaftet: Unterschiedslos beispielsweise wird das Sonett für Liebes- und Naturgedichte ebenso wie für grelle Kriegsgedichte verwandt, so daß Zeitgenossen geradezu von einer »Sonettenraserei« sprechen. Die Dominanz des Inhaltlichen, das nicht in einer ihm angemessenen literarischen Form organisiert wird, entspringt eben der Tatsache, daß die Lyrik gewissermaßen eine ›demokratische‹ Ausdrucksform dieser Zeit ist: Sie steht allen zur Verfügung, doch diese Verfügungsmöglichkeit geht häufig mit einer Fixierung auf traditionelle Muster einher und damit auf Kosten einer neuen Qualität. Zudem erwies das Propaganda-Erbe des Faschismus seine belastende Wirkung: Die Sprache war zum Teil durch die nationalsozialistische Emphase, durch rhetorisches Pathos und propagandistischen Bombast verbraucht, war unglaubwürdig geworden und ließ sich im Gedicht deshalb kaum mehr ohne Distanz oder Verfremdung verwenden. So stand die Qualität dieser frühen Nach-

kriegslyrik in einem umgekehrten Verhältnis zu ihrer Quantität. Nur wenige
Wochen nach ihrem ersten Erscheinen druckte die Zeitschrift *Ulenspiegel*
einen Aufruf, in dem es hieß: »Wir bitten unsere Mitarbeiter vom Text, uns
möglichst keine Gedichte zu schicken. Oder zu uns zu kommen und uns zu
suchen. Wir sind fast nicht mehr da, die Gedichte haben uns überschwemmt.
Schreibt Prosa statt Gedichte!«

Prosa aber – neue, auf Erneuerung der Sprache bedachte Prosa – wurde in
dieser Zeit kaum geschrieben. Hermann Kasacks vielgelesener Roman *Die
Stadt hinter dem Strom* (1947), Elisabeth Langgässers *Das unauslöschliche
Siegel* (1946), Ernst Wiecherts KZ-Bericht *Der Totenwald* (1945), die Arbeiten von Ernst Kreuder und Emil Barth – sie alle zeugen eher von einer
Fortführung jener literarischen Traditionslinie, die über die Innere Emigration zurück bis in die Zeit vor 1933 reicht, als daß sie Indizien eines »Kahlschlags« erzählender Literatur im Nachkriegsdeutschland wären. Die Erzählungen Wolfgang Borcherts, Hans Erich Nossacks und Wolfdietrich Schnur-
res, die dem »Kahlschlag«-Postulat noch am nächsten kommen, sind – auch
qualitativ – Ausnahmeerscheinungen. Sie arbeiten mit konsequent vereinfachten Satzkonstruktionen, präzisen Detailbeschreibungen, verblosen und
abgebrochenen Sätzen, lautsprachlicher Schreibweise, kurz: mit erzählerischen Mitteln, die auf Konstruktion und Rekonstruktion von Wirklichkeit
angelegt sind. Ausnahmeerscheinungen gleichwohl: »Es war so unglaublich
schwer, kurz nach 1945 auch nur eine halbe Seite Prosa zu schreiben«, so
Heinrich Böll im Rückblick auf diese Zeit. Die Gründe hierfür liegen –
ähnlich wie bei den unvollkommenen lyrischen Produktionen – im problematischen Spracherbe aus der Zeit des deutschen Faschismus: »Die ›junge
Generation‹ verbrauchte den größten Teil ihrer Kraft damit, das durch die
Sprachpolitik des ›Dritten Reichs‹ entstandene Vakuum wieder aufzufüllen«
(Urs Widmer).

Hans Erich Nossack

So bietet die kurze Periode der »Trümmerliteratur« insgesamt ein höchst
widerspruchsvolles Bild: radikal in der programmatischen Poetik des »Kahlschlags«, die dennoch nur ausnahmsweise verwirklicht werden konnte;
Wirklichkeitszukehr, Vergangenheitsbewältigung, Zukunftsorientierung –
und doch vielfache Zurücknahme des Realitätssinns in traditionellen literarischen Formen und Wortbombast; Euphorie und Aufbruchstimmung unmittelbar verschränkt mit Resignation und Hoffnungslosigkeit. Die »Trümmerliteratur« ist der angemessene Ausdruck ihrer Zeit gewesen, die sie zugleich
auch wesentlich mitgeprägt hat. Was sie nicht zu leisten vermochte: eine
Literaturtradition auszubilden, welche den sich anbahnenden gesellschaftlichen Veränderungen, den restaurativen Tendenzen in der Bundesrepublik
poetische Substanz hätte entgegensetzen können.

Literatur versus Politik –
Schreibweisen der fünfziger Jahre

Literatur und Politik – in der Geschichte der Bundesrepublik Deutschland
waren sie niemals weiter voneinander entfernt als in den 50er Jahren. Die
ökonomische Rekonstruktion der tradierten Produktionsverhältnisse und die
politisch-ideologische Restauration markierten auf dem Wege dieser Republik Stationen, zu denen sich die Intellektuellen, die Künstler, die Schriftstel-

*Restauration und
Wirtschaftswunder*

ler ablehnend verhielten: Die Euphorie des »Wirtschaftswunders« und die Verdrängung des Faschismus; die »Demoralisation« der Arbeiterklasse bis hin zum Verbot der Kommunistischen Partei Deutschlands 1956 durch das Bundesverfassungsgericht; die Wiederaufrüstung und der Eintritt in die NATO; nicht zuletzt die drohende atomare Bewaffnung und die Bedrohung durch Industrialisierung und Technologien – alle diese Faktoren einer Stabilisierung des Kapitalismus bei gleichzeitiger Westintegration der Bundesrepublik bildeten zugleich auch Entwicklungsmomente einer wachsenden Distanzierung und Isolierung der Intelligenz. Diese nämlich sah sich mit ihren kritischen Fragen ins gesellschaftliche Abseits gedrängt. In höchstem Maße unzeitgemäß etwa war die Skepsis, mit welcher der Zukunftsforscher Robert Jungk den Fortschrittsoptimismus seiner Zeit mit den Selbstzweifeln der Atomwissenschaftler konfrontierte: »Das ist aber etwas ganz Neues für unser industrielles Zeitalter, ist vielleicht das erste Anzeichen zu einem gewandelten Berufsethos, das nicht mehr nur fragt: ›Was produziere ich?‹ oder ›Wieviel produziere ich?‹, sondern ›Wozu produziere ich?‹ oder ›Für wen produziere ich?‹ Und schließlich: ›Welche Wirkung hat meine Arbeit? Ist sie böse?‹«

Erbe des Faschismus   Die Literatur der 50er Jahre kann – mit unterschiedlichen Akzentsetzungen – als ein poetisches Reservoir solcher kritischen, auch selbstkritischen Fragestellungen apostrophiert werden. Denn nicht nur beunruhigte die skizzierte Entwicklung die Zukunftsforscher, sondern Beunruhigung ist ein entscheidendes Merkmal auch der Literatur dieser Zeit. In der Hinwendung zur jüngsten Vergangenheit erschließt sich ihr eine Möglichkeit, Gegenwartsprobleme mitzudiskutieren, in der Entwicklung neuer Schreibweisen, literarischer Perspektiven entsteht ihr Beitrag zur Veränderung von Wahrnehmungsformen und Anschauungsweisen. Das belastende Erbe des Faschismus erweist sich hierbei als allgegenwärtig: Selbst dort, wo die Literatur der 50er Jahre ihm auszuweichen versucht, bleibt dieses Erbe bestimmend – bis hinein in die Formen des ästhetischen Eskapismus.

Probleme der Lyrik

Die literaturgeschichtliche Kontinuität, welche für die deutsche Lyrik der Nachkriegszeit, insbesondere für die Naturlyrik, kennzeichnend war, bleibt auch in den 50er Jahren bestimmend. Es sind, noch immer, Autoren wie Günter Eich und Elisabeth Langgässer, welche die Lyrik-Diskussion dieser Jahre prägen. Autoren, die schon vor der faschistischen Herrschaft in Deutschland bei aller Individualität in Thematik und poetischer Schreibweise dennoch vielfältige Gemeinsamkeiten aufwiesen, Dichter, die nachhaltig beeinflußt worden sind durch die Naturlyriker Oskar Loerke und Wilhelm Lehmann. Karl Krolow, Essayist und gleichfalls Lyriker in der Tradition Loerkes, hat die Gemeinsamkeit dieser naturlyrischen Poesie mit dem Hinweis auf einen »Entindividualisierungsprozeß« gedeutet, der sich in dieser Lyrik vollziehe, ein Zurücknehmen des lyrischen Ich, mit dem zugleich eine Hinwendung zu mikrokosmischen Erscheinungen, eine Art »Detailversessenheit« einhergehe. Den Naturlyrikern der 50er Jahre ist deshalb der Vorwurf des Wirklichkeitsverlustes gemacht worden, und in der Tat ist die Wirklichkeitsabkehr, die mit dieser Lyrik sich durchsetzt, eine Form des Rückzugs aus einer abgelehnten Realität. Die Problematik dieses Rückzugs auf Naturmagie und Innerlichkeit, Mikrokosmos und Naturdetail besteht eben in der poetischen Neuschaffung einer Gegenwelt, die mit der Realität, aus der sie hervorgeht, nichts mehr zu schaffen haben will. Was noch in den

Karl Krolow

30er Jahren angesichts der faschistischen Herrschaft zugleich Flucht und
Protest sein mochte, das verwandelt sich nun, unter veränderten gesellschaftlichen Bedingungen, zur bloßen Abkehr von der empirischen Realität.

Es war solche Art Poesie, gegen die Theodor W. Adorno sein später *Lyrik nach Auschwitz*
vielfach mißverstandenes Wort gerichtet hatte: »nach Auschwitz ein Gedicht
zu schreiben, ist barbarisch«. Adorno hatte damit eine Lyrik in Frage gestellt, in welche die Todeserfahrung der faschistischen Vernichtungslager
nicht als poetologischer Schock, als Erschütterung eingegangen ist. Solche
Erschütterung fehlt auch bei jenem Autor, der das Erscheinungsbild der
Lyrik in den 50er Jahren in herausragender Weise repräsentiert hat: Gottfried Benn. Bereits lange vor 1933 als expressionistischer Autor hochge-
rühmt, hatte sich Benn nach anfänglichem Eintreten für den Nationalsozialismus schließlich als Stabsarzt in die Wehrmacht zurückgezogen und diesen
Schritt als die »aristokratische Form der Emigration« bezeichnet. Da er keine
Publikationsmöglichkeit besaß, war er nach dem Ende des Zweiten Weltkriegs als Autor nahezu vollständig vergessen. Erst die Veröffentlichung
seiner Gedichtbände *Statische Gedichte* (1948), *Trunkene Flut* (1949), *Fragmente* (1951) und *Destillationen* (1953) bringt ihn in das Bewußtsein der
literarischen Öffentlichkeit zurück. Hinzu kommt die Publikation einer
Reihe von Essays, Prosastücken und autobiographischen Schriften (*Doppelleben*, 1950), in denen Benn die Problematik seiner künstlerischen Existenz
auf stets neue Weise thematisiert. »Dualismus« heißt das Stichwort, unter
dem diese Existenzweise begriffen wird. Es ist der Dualismus zwischen einer
Wirklichkeit, die als empirische belanglos scheint für das künstlerische
Schaffen, und einer Kunst, die ihren eigenen Gesetzen gehorcht, die Schönheit ist, Stil, Form, unabhängig von jeder Gesellschaftlichkeit. In seinem
Gedicht *Einsamer nie*, das bereits in den 30er Jahren entstanden ist, aber erst
mit der Publikation der *Statischen Gedichte* eine größere Öffentlichkeit erreichte, hat Benn diese Selbstdeutung seiner Existenz formuliert:

> Einsamer nie als im August:
> Erfüllungsstunde – im Gelände
> die roten und die goldenen Bründe
> doch wo ist deiner Gärten Lust?
> Die Seen hell, die Himmel weich,
> die Äcker rein und glänzen leise,
> doch wo sind Sieg und Siegsbeweise
> aus dem von dir vertretenen Reich?
> Wo alles sich durch Glück beweist
> und tauscht den Blick und tauscht die Ringe
> im Weingeruch, im Rausch der Dinge –
> dienst du dem Gegenglück, dem Geist.

Der Dualismus von »Erfüllungsstunde« und »Gegenglück«, der hier zum
Thema der Poesie selber wird, die Einsamkeit, die aus diesem Dualismus für
das lyrische Ich, den schöpferischen Menschen folgt: Sie sind Programm des
Künstlers Gottfried Benn, für den Geschichte, Gesellschaft, Entwicklung,
Lebensglück nur statistischen Wert haben, keine Qualität, die mit jener der
Kunst, der Poesie auch nur vergleichbar oder für diese von irgendeinem
Interesse wäre. »Denken und Sein«, so sagt Benn, »Kunst und die Gestalt
dessen, der sie macht, ja sogar das Handeln und das Eigenleben von Privaten
sind völlig getrennte Wesenheiten.«

Die Benn-Rezeption der 50er Jahre macht deutlich: Es geht um Entsprechungen von Bewußtseinslagen. Die Erinnerung jedoch an deren Entstehung und Veränderbarkeit ist ausgelöscht in einer Zeit und einer Gesellschaft, die sich darum bemüht, ihre jüngste Vergangenheit zu vergessen. In den Gedichten des »todessüchtigen Benn« (Bertolt Brecht) wie in seiner Poetik prägt sich der von Adorno geforderte poetologische Schock allenfalls als Sublimierung aus: im Beharren auf dem Dualismus von Kunst und Leben, der die Existenz der Poesie unangetastet läßt.

Adorno hatte mit einem Diktum vom »barbarischen« Charakter der Poesie nach Auschwitz freilich nicht generell der Lyrik ihre Existenzberechtigung absprechen wollen. In einer selbstkritischen Präzisierung sagte er deshalb später: »Das perennierende Leiden hat soviel Recht auf Ausdruck wie der Gemarterte zu brüllen; darum mag es falsch gewesen sein, nach Auschwitz ließe kein Gedicht mehr sich schreiben.« Sein Recht auf Ausdruck hat sich solches Leiden vor allem in der Lyrik Paul Celans gesucht: in einer äußersten Konzentration auf die Aussagekraft poetischer Sprache, die sich im Laufe der Jahre zunehmend gegenüber äußerer Wirklichkeit abschließt. Freilich mit einem anderen Gestus und mit anderem Ziel als die Lyrik Benns. War in Celans wohl bekanntestem Gedicht *Die Todesfuge* (entstanden 1945) die Realität des Faschismus und der KZ-Vernichtungslager, die Celan selber erlebt hatte, in all ihrer Grausamkeit, in ihrer Unerbittlichkeit und Todesgewalt als erinnerte Vergangenheit sprachlich vollkommen gegenwärtig, so tendiert die spätere Lyrik Celans zu einer vollkommenen Vergegenwärtigung immanenter sprachlicher Bezüge und Verweisungszusammenhänge. Dieses poetische Sichabschließen gegenüber andrängenden Wirklichkeitseinflüssen, die der Lyrik äußerlich bleiben, muß als poetologische Konsequenz ebenso wie als Existenzproblem des Lyrikers Paul Celan begriffen werden. Poetologisch konsequent nämlich sind die Gedichte Celans darin, daß sie sich gegenüber allen Formen des Eindeutigen sperren. Die Erfahrung, daß ein Gedicht wie *Die Todesfuge* obligatorischer, also aufgezwungener Gegenstand der Interpretationsrituale im Deutschunterricht werden und zudem zu einer Art Ware im deutsch-jüdischen Aussöhnungsgeschäft der 50er Jahre verkommen konnte, diese Erfahrung hatte Celan mißtrauisch gemacht. Solcher Vereinnahmung verweigert sich die Lyrik der späteren Gedichtbände entschieden (nach *Mohn und Gedächtnis*, 1952, *Von Schwelle zu Schwelle*, 1955, und *Sprachgitter*, 1959, erschienen noch zu Lebzeiten Celans *Die Niemandsrose*, 1963, *Atemwende*, 1967, *Fadensonnen*, 1968, und *Lichtzwang*, 1970). In ihrer sprachlichen Verknappung, in ihrer ausgrenzenden Bilderwelt, in ihrer der Eindeutigkeit sich verweigernden Metaphorik konstituieren diese Gedichte eine hermetisch in sich geschlossene Sphäre der Mehrdeutigkeit, die, wie der Philologe Peter Szondi in seinen *Celan-Studien* (1972) am Beispiel des Gedichts *Engführung* gezeigt hat, präzisierend wirkt: »Die Mehrdeutigkeit, Mittel der Erkenntnis geworden, macht die Einheit dessen sichtbar, was verschieden nur schien. Sie dient der Präzision.« Celan hat bis zu seinem 1971 postum veröffentlichten Gedichtband *Schneepart* dieses Ziel verfolgt. Seine Poesie galt ihm selber als »aktualisierte Sprache, freigesetzt unter dem Zeichen einer zwar radikalen, aber gleichzeitig auch der ihr von der Sprache gezogenen Grenzen, der ihr von der Sprache erschlossenen Möglichkeiten eingedenk bleibenden Individuation«. Paul Celan nahm sich 1970 das Leben.

Lassen sich Gottfried Benn und Paul Celan – bei aller unzweifelhaften Gegensätzlichkeit und Unvergleichbarkeit – als die beiden bedeutenden poetischen Repräsentanten bezeichnen, die das Bild der deutschen Lyrik nach

Paul Celan

dem Zweiten Weltkrieg nachhaltig geprägt haben, so darf dennoch nicht übersehen werden, daß auch in den 50er Jahren schon eine literarische Moderne sich zur Geltung bringt, die eigenen, unverwechselbaren Ausdruck sucht und findet. Die Traditionsüberwindung, die etwa Marie Luise Kaschnitz und Nelly Sachs gerade in Abgrenzung zur Naturlyrik der Nachkriegszeit repräsentieren, die surrealistischen Ansätze bei Ernst Meister, Christoph Meckel und Günter Grass (*Die Vorzüge der Windhühner*, 1956) – sie sind Ausdrucksformen einer neuen Besinnung auf eine eigenständige lyrische Sprache, die mit konventionellen Mustern zu brechen versucht, weil sie neue Erfahrungen mitzuteilen hat. Dies gilt in vergleichbarer Weise für Peter Rühmkorf und Ilse Aichinger, gilt auch für die Lyrikerin und Hörspielautorin Ingeborg Bachmann (*Gestundete Zeit*, 1953; *Anrufung des Großen Bären*, 1956), gilt vor allem aber für Hans Magnus Enzensberger, der mit seinen Gedichtbänden *verteidigung der wölfe* (1957), *landessprache* (1960) und *blindenschrift* (1964) deshalb Aufsehen erregte, weil in seine Lyrik die politische Wirklichkeit – auch die des Faschismus – Eingang gefunden hat, ohne die Identität seiner Poesie zu zerstören. Sie konstituiert diese vielmehr, bildet ihre Voraussetzung, will Provokation sein, Widerspruch herausfordern, verlangt Antworten und nicht teilnehmende Versenkung. Das Gedicht *landessprache*, das dem 1960 erschienenen Band seinen Titel gab, beginnt mit den Versen:

Ilse Aichinger

> was habe ich hier verloren,
> in diesem land,
> dahin mich gebracht meine älteren
> durch arglosigkeit?
> eingeboren, doch ungetrost,
> abwesend bin ich hier,
> ansässig im gemütlichen elend,
> in der netten, zufriedenen grube.
> was habe ich hier? und was habe ich hier zu suchen,
> in dieser schlachtschüssel, diesem schlaraffenland,
> wo es aufwärts geht, aber nicht vorwärts,
> wo der überdruß ins bestickte hungertuch beißt,
> wo in den delikateßgeschäften die armut, kreidebleich,
> mit erstickter stimme aus dem schlagrahm röchelt
> und ruft: es geht aufwärts!

Enzensberger –
Sprachrohr der jungen
Generation

Man sieht: Ende der 50er Jahre ist ein zwar an Brecht geschulter, doch eigenständiger Ton in der Lyrik angeschlagen, ein politischer, gleichwohl nicht unpoetischer Ton. Im Übergang zu den 60er Jahren entsteht als Antwort auf »Wirtschaftswunder« und Überflußgesellschaft eine politische Dichtung, die angemessener Ausdruck der ihr zugrundeliegenden literarischen Theorie ist: daß es nämlich eine politische Identität und Qualität auch des literarischen Kunstwerks gebe, die dessen poetischer Struktur immanent seien. Es ist eine Dichtung, die der Lyrik Paul Celans, der Theorie Theodor W. Adornos näher steht als der Gottfried Benns. Ihre Probleme findet sie in der unbewältigten Vergangenheit nicht weniger als in den gesellschaftlichen Auseinandersetzungen ihrer Gegenwart, und sie präludiert mit diesem Programm jener politischen Lyrik, die – etwa mit Erich Fried – in den 60er und 70er Jahren zunehmend in den Vordergrund tritt.

Vergangenheitsbewältigung und Gegenwartskritik – Themen und Traditionen des Romans

Der Rückzug aus dem gesellschaftspolitischen Engagement der frühen Jahre in die Literatur, der sich mit der Gründung der »Gruppe 47« beobachten läßt, hat vor allem für die Prosa bedeutsame Konsequenzen gehabt. Denn die Konzentration auf die Sache der Literatur erlaubt eine stärkere Bemühung um die Herausbildung neuer Schreibweisen, eine Orientierung an der zeitgenössischen Weltliteratur, eine Besinnung auf Stoffe, Themen und Probleme der jüngsten Vergangenheit wie der Gegenwart. Kann Heinrich Bölls Wort von der Schwierigkeit, »auch nur eine halbe Seite Prosa zu schreiben«, als repräsentativ für die Nachkriegssituation gelten, so Siegfried Lenz' Einbekenntnis einer Vorbildsuche für die frühen 50er Jahre: »Ich wußte durchaus, wovon ich erzählen wollte, doch mir fehlte – neben manchem anderen – die Perspektive, und ich fand sie bei Ernest Hemingway. Ich fand sie vor allem in seinen Geschichten, die für mich, zum Teil auch heute noch, den Ausdruck einer musterhaften Spannung darstellen: es ist der Antagonismus zwischen Traum und Vergeblichkeit, zwischen Sehnsucht und Erfahrung, zwischen Auflehnung und demütigender Niederlage. Das Schweigen und die Auflehnung – sie erschienen mir als reinste Form der Zuflucht in einer Welt, in der der Tod seine sieghafte Erscheinungsform verloren hat.«

Siegfried Lenz ist mit Paul Schallück und Wolfdietrich Schnurre eigentlich ein Autor der 50er Jahre. Einig ist er sich mit einer ganzen Reihe von Autoren, daß sich der Schriftsteller bei der Bewältigung der Vergangenheit moralisch zu engagieren habe, wie dies für die 50er Jahre typisch ist. Lenz debütiert 1951 mit dem Roman *Es waren Habichte in der Luft*, dann folgen *Duell mit dem Schatten* (1953) und *Stadtgespräch* (1963), immer wieder unterbrochen von Erzählungsbänden, deren bekanntester, *So zärtlich war Suleyken*, 1955 erschien. Verspätet und – angesichts der politischen und literarischen Situation in der Bundesrepublik – als Anachronismus wirkend, legte Lenz 1968 seinen umfangreichsten Roman, die *Deutschstunde* vor. Sein Held und Erzähler Siggi Jepsen schreibt aus der Perspektive eines Inhaftierten einer Jugendstrafanstalt. Der jugendliche Siggi – man zählt das Jahr 1954 – soll einen Aufsatz über die Freuden der Pflicht schreiben. Als er leere Blätter abgibt, wird er in Einzelhaft gesperrt – damit setzt der eigentliche Roman ein. Siggi erinnert sich zurück bis ins Jahr 1943, vor allem an seinen Vater, der im schleswig-holsteinischen Dorf Rugbüll seinen Dienst als Polizist tut. Eines Tages muß der Polizist dem dort zurückgezogen lebenden Maler Max Nansen, seinem ehemaligen Jugendfreund, den Berufsverbotsbescheid der nationalsozialistischen Kulturfunktionäre zustellen und für dessen Einhaltung sorgen. Siegfried Lenz hat hier Züge des Lebensschicksals von Emil Nolde eingearbeitet. Während der Vater den Maler mit paranoider Besessenheit zu überwachen beginnt, wird der Sohn zum Warner, Retter und Bewahrer. Aus diesem einmal aufgezwungenen Verhaltensmuster können Vater und Sohn nicht mehr ausbrechen, selbst als die Herrschaft der Nationalsozialisten beendet ist. So erfährt der Leser schließlich den Grund für die Inhaftierung von Siggi. Er hat auf einer Ausstellung ein Gemälde des Malers Nansen entfernt und ist wegen Diebstahls bestraft worden. Begebenheiten und Charaktere malt Lenz mit Detailbesessenheit und großer Sachkenntnis aus, mit ein Grund für die Popularität seines Romans, der hohe Auflagen erreicht hat. Aber schon die Konstruktion der Rahmenhandlung, Siggis Inhaftierung, wirkt brüchig und aufgesetzt; und bei seiner Erinnerungsfahrt in die Vergangenheit hat er Mühe, sich als allgegenwärtiger Erzähler auf dem

Siegfried Lenz

jeweiligen Schauplatz zu legitimieren. Nicht einmal die Erinnerung selber, ihre Schärfen und Unschärfen, werden von Lenz thematisiert. Seine spielerische Form von Vergangenheitsbewältigung muß u. a. scheitern, weil er die Verhältnisse in der Provinz und im nationalsozialistischen »Reich« allzu sehr auseinanderrückt und damit einen menschlichen Entscheidungsraum öffnet, der zwar die Boshaftigkeit des Vaters glaubwürdig macht, zugleich aber den tatsächlichen Verhältnissen nicht gerecht wird. Lenz ist nicht, wie vor ihm Oskar Maria Graf, ein Moralist der Provinz, deren Figuren sich selbst ins Unrecht setzen und somit eine epische Wirkung entfalten; er ist ein Schriftsteller, der mit Mitteln der filmischen Präsenz arbeitet, nicht der realistischen Analyse. Der rollenhafte Determinismus seiner Charaktere blättert sich zu selbstverständlich auf, die Wurzeln des autoritären Charakters, der den Nationalsozialismus mitdes alten Jepsen zu verstehen gibt. Und die Kunst hat nicht in der Provinz, in der Landschaft überlebt, sondern im Exil.

Die Antagonismen, von denen Lenz im Blick auf die 50er Jahre sprach, lassen sich in der Tat als Strukturmerkmal einer »jungen deutschen Literatur der Moderne« (Walter Jens) benennen: Autoren wie Heinrich Böll und Wolfgang Koeppen, Martin Walser, Alfred Andersch und Max Frisch bewegen sich im Spannungsfeld von faschistischer Vergangenheit und kapitalistischer Gegenwart, Zuflucht und Aufbegehren, Subjektivität und Identitätsverlust. Diese Antagonismen implizieren jene poetische Spannung zwischen Traditionalismus und Modernität, innerhalb derer die jüngeren deutschen Schriftsteller neu ansetzten.

Freilich wirken auch in der erzählenden Literatur der 50er Jahre Autoren fort, die schon vor 1945, sogar vor 1933 literarische Bedeutung besaßen. Der bedeutendste unter ihnen und sicherlich der bekannteste ist Ernst Jünger: vor 1933 Verfasser reaktionärer, nationalistischer Werke, im Dritten Reich exemplarische Existenz literarischer Innerer Emigration, nach Kriegsende rasch wieder in aller Munde durch seine Schrift *Der Friede* (1945), in der die Idee einer gemeinsamen Zukunft der europäischen Völker formuliert wird. Doch hinter solchen vordergründigen »Wandlungen« ist ein Grundmuster erkennbar, welches die Anziehungskraft Jüngers bei einem konservativen Publikum über die Jahrzehnte hinweg und bis in unsere Gegenwart hinein erklärt: Zwar bestimmt Jünger in seinen späten Schriften (vor allem *Atlantische Fahrt*, 1947; *Strahlungen*, 1949; *Der Gordische Knoten*, 1953; *Gläserne Bienen*, 1957) die »Freiheit« zum »Hauptfach des freien Menschen« (*Der Waldgang*, 1951), doch bleiben Elitarismus und Heroismus, die Feier des Kriegerischen und des namenlosen Opfers die entscheidenden Faktoren solcher »freien« Existenz. Die in *Der Weltstaat* (1960) entwickelte Vision einer »großen und wachsenden Gleichförmigkeit«, die schließlich sogar »Kriegsheere« überflüssig machen könne, ist erkauft um den Preis von Opfern, Entbehrungen, Leiden, wie sie schon Jüngers Essay *Der Arbeiter* aus dem Jahre 1932 vorsah. Die Feier Jüngers als Repräsentant deutschen Geistes, die bis in die 80er Jahre hinein in vielfältigen Preisreden geübt wurde, galt nur vordergründig dem glanzvollen Stilisten, der Poesie und Essay auf neue Weise zu verbinden wußte. In Wahrheit sind die Ehrungen Jüngers (Goethe-Preis der Stadt Frankfurt, 1983) eine Selbstfeier des deutschen Konservatismus, der sich sein eigenes politisch-kulturelles Versagen vor dem Faschismus nicht einzugestehen vermochte. Noch der Vietnamkrieg und die Studentenbewegung der Jahre 1967 bis 1969 gelten dem alternden Jünger in *Post nach Princeton* (1975) als Belege eines akuten »Mangels an Dezision«, den der politisch-militärisch stärkste Machtfaktor jener Jahre, die USA, verschuldet habe.

Ernst Jünger

Traditionsbildung

Die »junge deutsche Literatur der Moderne« ist hingegen einer sozialkritischen, realistischen Erzähltradition verpflichtet. Ein solches Erzählen setzt die Überzeugung voraus, daß Gegenwartsprozesse und Vergangenheitserfahrungen, daß Beschädigungen und Leiden, Erschütterungen und Entstellungen überhaupt als solche mitteilbar sind, daß sie sich in Form von Handlungen, in Personenentwicklungen, in sukzessiven Erzählverläufen organisieren lassen und daß Mitteilungen dieser Art Konsequenzen haben können für Zeitgenossen, für Leser. Umgekehrt setzt solches Erzählen bei diesen voraus, daß sie ihre Stimmungen, Erfahrungen, Emotionen zu identifizieren und zu distanzieren vermögen im literarischen Medium, daß sie im Fremden Eigenes erkennen und das eigene Erleben durch fremdes zu transzendieren versuchen. Realistisch-sozialkritisches Erzählen erfordert mithin ein ungebrochenes Vertrauen in die Wirksamkeit von Literatur – in beiden Richtungen: hinsichtlich der Erzählbarkeit von Realität in ihrer Konflikthaltigkeit wie hinsichtlich des beschädigten Lebens, das im Erzählten über sich selber Erfahrungen zu machen sucht. Die deutsche Nachkriegsprosa repräsentiert dieses Vertrauen in einer Weise, welche die Überwindung des Faschismus in den Formen einer literarischen Bewältigung mitteilt.

Diese Feststellung gilt auch für den Schweizer Max Frisch. Er kann mit *Stiller* (1954) und *Homo Faber* (1957) als einer der wichtigsten Romanautoren der 50er Jahre gelten. In dieser so harmlos prosperierenden Gesellschaft, bei der alles in Ordnung zu sein scheint, wirken seine Romane, vor allem der *Stiller* als erfolgreichstes Buch dieser Jahre, wie Schlüssel für das Doppelbödige der angeblich so selbstverständlichen Realität. »Ich bin nicht Stiller«, lautet die unerhörte Begebenheit, mit der dieser Roman einsetzt. Der Amerikaner Jim Larkin White wird an der Schweizer Grenze verhaftet, weil er mit dem seit sechs Jahren verschwundenen Bildhauer Anatol Stiller identisch sein soll. White bestreitet dies heftig und kommt daher in Untersuchungshaft. Als seine »bildschöne« Frau Julika lungenkrank in einem Sanatorium lag, sei er plötzlich nach Amerika verschwunden und habe dort einen Selbstmordversuch unternommen, um seine Identität mit Anatol Stiller endgültig zu löschen. Dies alles kommt durch tagebuchartige Aufzeichnungen ans Licht, die White in der Untersuchungshaft kommentierend und distanzierend niederschreibt. Durch einen Gerichtsbeschluß wird schließlich festgestellt, daß White mit Stiller identisch ist. White/Stiller gibt dazu keinen Kommentar. Ein »Nachwort des Staatsanwalts« hält den weiteren Verlauf fest. Stiller/White beginnt ein neues Leben mit seiner Frau Julika; er lebt mit ihr am Genfer See und versucht sich als Töpfer. Als Julika wiederum in eine gesundheitliche Krise gerät und schließlich stirbt, ist Stiller zum zweiten Mal an dem Widerspruch von Ich-Identität und persönlicher Verantwortung, dem Auslöser seiner inneren Verzweiflung, gescheitert. Max Frisch hat mit dem *Stiller* seinen ausgeprägtesten psychologischen Roman vorgelegt; seine Romane kreisen um die Themen von Ichverlust, Selbstwahl, Rollenhaftigkeit des Daseins (*Mein Name sei Gantenbein*, 1964) und Identitätsproblematik. Frischs Feststellung, er habe keine Sprache für die Realität, sondern für das Dahinterliegende, das die Realität Aufbrechende des Vorbewußt-Unbewußten, bestimmt die Eindringlichkeit seiner reflexiven Schreibweise, seiner Form von Bewußtseinsroman. Frisch läßt seinen Roman lapidar enden: »Stiller blieb in Glion und lebte allein«. Mit dieser hermetischen Reduktion der Figur, die schon zu beobachten ist, als das Gericht das Identitätsurteil spricht, war jede Form von Sprache diskreditiert, die auf der Ebene der faktischen Behauptung bereits glaubte, realitätsmächtig und literaturfähig zu sein. Mit allen Anklängen an Sartres Drehbuch *Les jeux sont faits*, 1947 (*Das*

Bert Brecht und Max Frisch in Zürich (1946)

Spiel ist aus, 1952) dürfte durch Frischs *Stiller* deutlich geworden sein, daß
die ›Realität‹ der 50er Jahre in starkem Maße reflexionsbedürftig geworden
war und Frischs Roman einen psychologischen Innenraum eröffnete, in dem
kein Stein auf dem anderen blieb.

Eines der wenigen Werke der 50er Jahre, in denen Vergangenheitsbewältigung und Gegenwartskritik untrennbar miteinander verbunden sind, ist
Heinrich Bölls Roman *Billard um halbzehn* (1959). Die epische Konstruktion
dieses Buches erscheint im Verhältnis zu der programmatischen Einfachheit
der früheren Werke eher kompliziert, weil sich seine Fabel gegen lineare und
sukzessive Erzählweisen sperrt. Ausgehend von einem einzigen Tag, dem
6. September 1958, und wieder in diesen einmündend, wird in Rückblenden
die Entwicklung dreier Generationen der Architektenfamilie Fähmel seit
1907 geschildert. Das durchgängige Symbol für Aufbau und Zerstörung ist
die Abtei Sankt Anton, die zu bauen Heinrich Fähmel 1907 beauftragt worden war, die sein Sohn Robert in den letzten Tagen des Zweiten Weltkriegs
durch eine Sprengung zerstörte, um »ein Denkmal für die Lämmer, die
niemand geweidet hatte«, zu setzen, und die schließlich Roberts Sohn Joseph
während seiner Architektenausbildung wieder aufbauen helfen soll. Auf den
6. September 1958 nun konzentriert sich die Entwicklungsgeschichte dieser
drei Generationen: An diesem Tag entdeckt Joseph Fähmel die Kreidemale,
die sein Vater zur Anbringung der Sprengladung gezeichnet hatte; an diesem
Tag kehrt ein Freund Robert Fähmels aus dem Exil zurück und muß feststellen, daß nach ihm noch immer gefahndet wird, während die alten Nazis als
»demokratische« Repräsentanten des Staates Bundesrepublik etabliert sind;
an diesem Tag verläßt Johanna Fähmel, Roberts Mutter und Ehefrau Heinrich Fähmels, eine Heilanstalt, um am 80. Geburtstag ihres Mannes einen
Altfaschisten zu erschießen – sie erschießt dann nicht ihn, sondern, Symbol
der Verschränkung von Vergangenheit und Gegenwart, einen politischen
Opportunisten, der die alten Faschisten vor seinen politischen Karren span-
nen will. Diese Handlungselemente sind höchst komplex aufeinander bezogen: Die Erinnerungen werden als innere und äußere Monologe und in
erlebter Rede vergegenwärtigt, zeitlich gegeneinander versetzt und ineinander verschränkt, sind verbunden durch vielfältige Symbole und Leitmotive,
Assoziationen und Zitate, montiert zu einem vielfach gebrochenen »Weg aus
den Schichten vergangener Vergänglichkeit in eine vergängliche Gegenwart«
(Böll). Gleichwohl hat diese kunstvolle Konstruktion Kritik hervorgerufen,
weil insbesondere die Symbolik des Romans nicht durchgängig aus dem
Erzählgegenstand hervorgehe, sondern als erkennbar strukturierender Zugriff des Autors Böll seinem Stoff äußerlich bleibe. Dieser Vorwurf erscheint
nicht berechtigt gegenüber dem zentralen Symbol, der Abtei Sankt Anton,
wohl aber gegenüber dem symbolischen Gegensatzpaar, das den Roman
strukturiert: dem mit »Sakrament des Büffels« und »Sakrament der Lämmer« bezeichneten Gegensatz von Verfolgern und Verfolgten, Nationalisten
und Pazifisten, Faschisten und Antifaschisten. Mit diesem symbolischen Gegensatzpaar nämlich verändert sich ein biblisch-theologisches Bild zu einer
Art überhistorischer und übergesellschaftlicher Folie, vor der politisch-ge-
schichtliches Handeln zu werten sei. Damit ist freilich ein grundsätzliches
Problem des vom Katholizismus ausgehenden Erzählers Böll bezeichnet, das
er erst mit dem Versuch einer grundlegenden Kritik an der Institution Kirche
in *Ansichten eines Clowns* (1963) zu überwinden beginnt: Bölls Hörspiele,
Erzählungen und Romane überzeugen literarisch am wenigsten dort, wo in
sie religiöse Elemente, Bilder und Maximen strukturierend eingehen oder wo
diese gar als Motive und Symbole erzähltechnische Funktion bekommen.

Heinrich Böll

*»Verfolger
und Verfolgte«*

Bölls Roman *Billard um halbzehn* erscheint nicht deswegen zu Teilen problematisch, weil er künstlerisch ambitioniert gearbeitet ist oder weil sein Autor unter dem Einfluß des ›nouveau roman‹ einem »Modernitätsdruck« erlegen wäre, sondern weil Symbolstruktur und Motivbildung der Erzählintention nicht durchweg gerecht werden.

Erzählte Zeitgeschichte – so ließe sich diese Literatur knapp benennen. Die Mittel ihres Erzählens sind die der Einfachheit, sogar der Vereinfachung von Sprache und Syntax. »Aber«, so hat Heinrich Böll mit Recht betont, »gerade dieses ›Einfachwerden‹ setzt eine ungeheure Verfeinerung der Mittel voraus, unzählige komplizierte Vorgänge.« Vergangenheitsbewältigung also auch hierin: Der Schwulst der faschistischen Legitimationspoesie war ebenso zu überwinden wie die poetische Unbeholfenheit der Nachkriegszeit und ihr Wortbombast. Sie werden überwunden durch die kunstvoll vereinfachte Darstellung der Alltäglichkeit in Krieg und Nachkrieg wie etwa in Heinrich Bölls frühen Erzählungen und Romanen (*Der Zug war pünktlich*, 1949; *Wanderer, kommst du nach Spa...*, 1950; *Wo warst du, Adam?*, 1951; *Und sagte kein einziges Wort*, 1953; *Haus ohne Hüter*, 1954). Gleiches läßt sich von Hans Werner Richter sagen, der in Romanen wie *Sie fielen aus Gottes Hand* (1951) und *Linus Fleck oder Der Verlust der Würde* (1959) typische Zeitschicksale im Zweiten Weltkrieg und in der Nachkriegszeit zur Darstellung bringt. Kennzeichen dieser Darstellungsweise ist eine deutlich satirische Einfärbung des Erzählten, die ihrerseits Distanz des Erzählers gegenüber dem Erzählgegenstand signalisiert: Es geht nicht um Identifikation des Lesers mit den Vorgängen, sondern um Denkanstöße, um Kritik, um Infragestellung. Die Grenzen solchen Erzählens, das auch in Martin Walsers erstem Roman *Ehen in Philippsburg* (1957), einer Gesellschaftssatire über die Nachkriegszeit, noch zu beobachten ist, lassen sich freilich am besten dort zeigen, wo die realistische Erzählhaltung selber transzendiert wird. In Alfred Anderschs autobiographischem Bericht *Die Kirschen der Freiheit* wird mit realistischen Mitteln die existentielle Situation von Flucht und Freiheit nicht nur geschildert, sondern zugleich, durch die Integration reflektorischer Elemente, objektiviert. Dadurch entsteht eine erzählerische Atmosphäre, wie sie Anderschs spätere Romane mit ähnlichen Motiven und Stoffelementen (*Sansibar oder der letzte Grund*, 1957; *Die Rote*, 1960) kaum wieder erreicht haben.

Heinrich Böll

»Ungleichzeitigkeiten«

Literarhistorische Überblicke stehen stets vor dem Problem, auswählen zu müssen aus der Fülle des Materials, das ihnen zugrunde liegt, und Entwicklungslinien zu ziehen, die manche Besonderheit möglicherweise unberücksichtigt lassen. Dies ist bei der hier vorgelegten Skizze nicht anders. War bislang vornehmlich von den Autoren der jungen deutschen Moderne sowie von einer älteren Autorentradition die Rede, so ist ein dritter literarhistorischer Entwicklungsstrang noch nicht erwähnt worden: jener der Exilschriftsteller, die auch nach der Gründung der Bundesrepublik Deutschland wichtige Prosawerke vorgelegt haben. So publiziert Thomas Mann nach dem *Doktor Faustus* seinen Roman *Der Erwählte* (1951), die Erzählung *Die Betrogene* (1953) und die meisterhafte Parodie auf den deutschen Bildungsroman *Die Bekenntnisse des Hochstaplers Felix Krull* (1954). Alfred Döblin, zu dem sich Günter Grass später emphatisch als seinem Lehrmeister bekannt hat, legt 1956 seinen Roman *Hamlet oder Die lange Nacht nimmt ein Ende* in Ost-Berlin vor, ein wichtiges Spätwerk um psychologische Fragen im Kontext der Kriegsproblematik. Zu nennen ist in diesem Zusammenhang auch der erst 1962 erschienene Roman *Bericht über Bruno* von Joseph Breitbach: Der Autor nimmt die politische Wirklichkeit als Stoff eines spannungsreichen Romans, der mit realistischen Mitteln die materiellen Antriebe politischen Handelns (Besitzgier, Geltungssucht, Angst) darstellt. Insgesamt lassen sich die Werke der Exilautoren als Fortführung der jeweils eingeschlagenen Wege bezeichnen – keine Neuerungen, doch, wie etwa bei Thomas Mann, nochmals erzählerische Höhepunkte mit den bekannten literarischen Mitteln.

Drei Literaturtraditionen also: die der Emigranten, die der im Dritten Reich überlebenden Autoren, die der jungen Moderne. Daneben aber gibt es Autoren, die solcher – immer problematisch bleibenden – Zuordnung sich sperren: Hans-Erich Nossack beispielsweise, auch Gerd Gaiser. Gerd Gaiser erzielte einen großen Erfolg mit seinem Jagdfliegerroman *Die sterbende Jagd* (1953), der Anklänge an das Elitedenken Jüngers aufweist: Es ist der heroische Abgesang auf die heldischen Existenzen des Weltkriegs, der von einem konservativen Publikum begeistert aufgenommen wurde. Konservatismus auch bei Hans-Erich Nossack, doch in einem nonkonformistischen Sinne. In *Spätestens im November* (1955) werden Menschen vorgeführt, die in einer im existentialistischen Sinne absurden Aktivität sich verlieren. Als Ausweg wird die Selbstisolierung der Einzelgänger, die Suche nach dem eigenen Ich (*Spirale*, 1956; *Der jüngere Bruder*, 1958) dargestellt, ein Thema, das Nossack bis in seinen Roman *Der Fall d'Arthez* (1968) immer wieder aufgenommen und variiert hat.

drei Traditionen

Lassen sich in den Themen und Formen des Romans der 50er Jahre einerseits Fortführungen bereits entwickelter Erzähltraditionen feststellen, so andererseits ein unverkennbar neuer Ton in Stoffwahl und erzählerischen Mitteln. Die »junge deutsche Literatur der Moderne« knüpft zwar an ausländische (Hemingway) und deutsche Vorbilder (Arnold Zweig, Lion Feuchtwanger) an, doch entsteht sie aus literarischen Anfängen, in welche die Kriegsthematik, die Problematik des Faschismus, die Konflikte der Nachkriegszeit wie der Gegenwart als stilbildende stoffliche Voraussetzungen eingehen. Das Erzählinstrumentarium weist hierbei ein breites Spektrum literarischer Techniken auf, die von den begrenzten Möglichkeiten sozialkritisch-realistischer Einfachheit bis zum barock-grotesken Erzählmonument (Grass) reichen. In den 50er Jahren bildet sich in der Bundesrepublik eine Tradition erzählender Literatur aus, die in den 60er Jahren und bis in die Gegenwart über die Grenzen unseres Landes hinaus Geltung bekommt. Freilich nicht nur aufgrund ihrer literarischen Qualitäten, sondern auch wegen des unverwechselbaren gesellschaftspolitischen Engagements ihrer führenden Repräsentanten (Grass, Böll, Walser vor allem), das diese wieder und wieder gegenüber restaurativen Entwicklungen und konservativen Tendenzwenden aufgebracht haben. Auch deshalb ist die Spannung zwischen Literatur und Politik bis heute bestehen geblieben.

neue Töne

Theater ohne Drama

Max Frisch berichtet, daß Bertolt Brecht nach einem gemeinsamen Theaterbesuch in der süddeutschen Stadt Konstanz im Jahre 1948 einen Wutausbruch bekommen habe. Brechts Zorn, so Frisch, galt der Naivität, der Gefühl- und Gedankenlosigkeit, mit der die deutschen Bühnen der Nachkriegszeit, nahezu unberührt durch die jüngste Vergangenheit, wieder begonnen hatten, Theater zu spielen: »Das Vokabular dieser Überlebenden, wie unbelastet sie auch sein mochten, ihr Gehaben auf der Bühne, ihre wohlgemute Ahnungslosigkeit, die Unverschämtheit, daß sie einfach weitermachten, als wären bloß ihre Häuser zerstört, ihre Kunstseligkeit, ihr voreiliger Friede mit

schwieriger Neubeginn

dem eigenen Land, alldies war schlimmer als befürchtet«. Und Brecht hatte konsterniert hinzugefügt: »Hier muß man ja ganz von vorn anfangen.« Diese bittere Anekdote gibt Auskunft über zweierlei: über die Erwartung zum einen, mit welcher der Theaterpraktiker und -theoretiker Bertolt Brecht aus den Vereinigten Staaten nach Deutschland zurückgekehrt war: daß nämlich gelernt worden wäre aus den Erfahrungen des Faschismus, auch in der Kunst – die Anekdote erklärt mithin auch, warum Brecht keine Möglichkeit sah, in der Theaterpraxis Westdeutschlands produktiv wirken zu können –; und sie gibt zum anderen Auskunft über den desolaten Zustand, in dem sich das Theater Ende der 40er und in den 50er Jahren in der Bundesrepublik befand, nachdem die Irritationen der frühen Jahre verflogen, die Ansätze zu einem Neubeginn verschüttet, die Verdrängungen in vollem Maße wirksam geworden waren. Autoren wie Wolfgang Borchert, Carl Zuckmayer und Günther Weisenborn waren die Ausnahmen geblieben. Ihre von einem stark zeitkritischen Gestus geprägten Stücke konnten nicht an die Theaterentwicklung Westeuropas und der Vereinigten Staaten anknüpfen und enthielten ihrerseits keine Perspektiven einer dramaturgischen Fortentwicklung. Geprägt wurde deshalb das deutsche Nachkriegstheater von ausländischen Autoren einer metaphysisch-religiösen Dramatik wie Paul Claudel, T.S. Eliot, W.H. Auden, aber auch Christopher Fry und Thornton Wilder. Nach dem Faschismus goutiert die westdeutsche Gesellschaft das Spiel mit Untergangsvisionen und Endzeitstimmungen, die, wie in Wilders *Wir sind noch einmal davongekommen* (1942/44), im Überzeitlich-Unverbindlichen einer historisch indifferenten Menschheitsfabel verharren. Daneben und danach treten, im Zusammenhang des philosophischen Existentialismus, Stücke des absurden Theaters auf den westdeutschen Bühnen in den Vordergrund, Autoren wie Eugene Ionesco, Samuel Beckett, Jean-Paul Sartre, Jean Cocteau und Albert Camus.

Existentialismus   Die Aktualität des französischen Existentialismus lag in den ideologischen Defiziten begründet, die schon während und insbesondere nach dem Ende des Zweiten Weltkriegs als Gefühl der Leere, der Ohnmacht und Verzweiflung, der Angst sichtbar geworden waren. Als eine Philosophie der Freiheit eines jeden Einzelnen bot er seinen deutschen Rezipienten eine Deutung der menschlichen Existenz an, die in mehrfacher Hinsicht interessant war. Einmal stellte er der deklassierten und desorientierten Kriegs- und Nachkriegsgeneration ein anthropologisch-philosophisches Modell vor, den »Menschen ohne Transzendenz«, in das die Erfahrungen der Materialschlachten, der Bombennächte und des nationalsozialistischen Terrors rückhaltlos eingebracht werden konnten. »Es gibt nur ein wirklich ernstes philosophisches Problem: den Selbstmord.« Mit diesen Worten beginnt Albert Camus' Essay *Der Mythos von Sisyphos* (1943; dt. 1956). Der Mensch, konfrontiert mit seiner »vorläufigen« Erfahrung des eigenen Todes und seiner Freiheit der Entscheidung: in diesen beiden Momenten lag das Faszinierende dieser so ungewohnt atheistischen, nichtsystematischen, ausschließlich auf die menschliche Existenz konzentrierten Philosophie. Darüber hinaus wurde durch die Auseinandersetzung, die insbesondere von Jean-Paul Sartre (*Das Sein und das Nichts*, 1943; dt. 1962) mit der deutschen philosophischen Tradition, angefangen bei Kant und Hegel, endend bei Husserl und Heidegger, geführt wurde, ein intellektueller Grund gelegt, der von der verhängnisvollen Entwicklung der deutschen »Philosophie der Existenz« bis zur Freiburger Rektoratsrede Heideggers zur Eröffnung des Sommersemesters 1933 – der Übergabe der gesamten philosophischen Tradition an die neuen Machthaber! – ablenkte. Schließlich bot der französische Existentialismus ein Literaturmodell (Sartre, *Was ist Literatur?*, 1947), das, bereichert und politisch glaubwürdig durch die Erfahrungen der französischen Résistance gegen die nationalsozialistische Besatzermacht, zum ersten Mal den Entscheidungsprozeß des Schriftstellers *vor* dem Schreiben in den Mittelpunkt stellte und mit dem Begriff der »engagierten Literatur« den Schriftsteller ganz entscheidend in diese Philosophie der Freiheit einbezog: »Da die Kritiker mich im Namen der Literatur verdammen, ohne zu verraten, was sie unter Literatur verstehen, antwortet man ihnen am besten damit, daß man vorurteilslos prüft, was es mit der Kunst des Schreibens auf sich hat. Was heißt schreiben? Warum schreibt man? Für wen? Tatsächlich scheint sich nie jemand diese Fragen gestellt zu haben« (Sartre). Albert Camus und mit ihm Jean-Paul Sartre – vergleichbar trotz aller Differenzen und beide in den 50er Jahren nahezu vollständig ins Deutsche übersetzt – sind nicht nur als philosophische Essayisten von Bedeutung, sondern ebenso als Dramatiker und Romanciers; ihre Wirkung ging in der Hauptsache von der Bühne und vom Roman aus. In *Die schmutzigen Hände* (1948) setzt sich Sartre mit der Haltung der bürgerlichen Intelligenz gegenüber dem Totalitarismus auseinander. Der bürgerliche Hugo soll im Auftrag der Kommunistischen Partei den Funktionär Hoederer beseitigen, aber als er ihn schließlich umbringt, tut er es aus Eifersucht, einem privaten Motiv. Als die Partei wieder auf die Linie Hoederers einschwenkt und nun Hugo im Weg steht, will er seinen Mord als politische Tat gewertet wissen. In Albert Camus' erstem Roman *Der Fremde* (1942) – es folgten *Die Pest* (1947) und *Der Fall* (1956) neben zahlreichen Dramen und Essays – gilt der Büroangestellte Meursault als Fremdkörper der Gesellschaft, weil er beim Tod seiner Mutter keine Trauer empfindet. Als er einen Mord begeht und keine Reue zeigt, wird er zum Tode verurteilt. Er resümiert: »Damit sich alles erfüllt, damit ich mich weniger allein fühle, brauche ich nur noch eines zu wünschen: am Tag meiner Hinrichtung viele Zuschauer, die mich mit Schreien des Hasses empfangen.« Auch diese Interpretation der Gesellschaft als einer absurden Wolfswelt paßte in das Stimmungsgefüge der Nachkriegszeit. Insbesondere für die junge universitäre Intelligenz der Bundesrepublik spielte der französische Existentialismus eine Schlüsselrolle in der Auseinandersetzung der Söhne mit den Vätern, die vom Verdacht der Mitschuld an der nationalsozialistischen Entwicklung nicht freigesprochen werden konnten.

»Warum schreibt man?«

Die individuellen Vernichtungs- und Selbstzerstörungsrituale des existentialistischen Dramas, so Sartres *Geschlossene Gesellschaft* (1944/49), treffen auf ein Publikum, das im Banne des »Wirtschaftswunders« und politischer Restauration die eigene geschichtlich-soziale Situation in den Kategorien der Unabänderlichkeit und Geworfenheit zu fassen versucht. Bertolt Brecht aber, der einzige deutsche Autor von Weltgeltung in dieser Zeit – er wird als Kommunist unter dem Einfluß konservativer Kampagnen von den westdeutschen Bühnen boykottiert, bis in die 60er Jahre hinein. So läßt sich sagen: Es gibt in den 50er Jahren kein ernstzunehmendes Gegenwartsdrama in der Bundesrepublik. Wohl aber existiert ein deutschsprachiges Drama, das aus der Schweiz kommt und mit den Namen Max Frisch und Friedrich Dürrenmatt verbunden ist. Zu nennen sind hier vor allem Max Frischs Stücke *Biedermann und die Brandstifter* (1959) und *Andorra* (1961) sowie Dürrenmatts Dramen *Der Besuch der alten Dame* (1956) und *Die Physiker* (1962). Es sind Stücke aus dem Geist eines kritischen Humanismus und eines moralischen Rigorismus, die in zum Teil parabelhafter Form die Problematik individueller und kollektiver Bedrohung, individueller und kollektiver Schuld in der modernen Welt vorführen. Doch diese zeitkritische Gemeinsamkeit im

Gegenwartsdrama?

Stofflichen darf nicht über einen wesentlichen Unterschied in den Theater-
auffassungen der beiden Autoren hinwegtäuschen, die bedeutende Konsequenzen für ihre unterschiedliche Dramaturgie haben. Frisch hatte sein *Biedermann*-Stück als ein »Lehrstück ohne Lehre« bezeichnet, unverkennbar in
Abgrenzung gegen Brechts pädagogisch-didaktischen Impuls, und er betonte
in seiner Rede *Der Autor und das Theater* (1964) ausdrücklich sein Mißtrauen gegenüber jenen Einwirkungsmöglichkeiten, die Brecht der Poesie im
Zusammenhang gesellschaftlicher Prozesse hatte zumessen wollen. Dies mag
erklären, warum Frisch in seinen Stücken vielfach abstrakt moralisiert, ohne
Handlungseinsichten zu vermitteln: Sein impliziter Rückgang auf eine idealistische, im Schillerschen Sinne zwischen Kunst und Leben trennende Ästhetik setzt ihn außerstande, dramaturgisch in zeitgeschichtlich konkreten Zusammenhängen zu argumentieren. Anders Dürrenmatt: Seine *Physiker* repräsentieren den Versuch, die aktuellen Bedrohungen durch technologische
Entwicklungen und zweifelhafte Fortschritte der modernen Naturwissenschaften dadurch bewußt zu machen, daß er ihnen – wie es in seinem 21-
Punkte-Programm zu den *Physikern* heißt – ihre »schlimmst-mögliche Wendung« gibt. Der letzte dieser 21 Punkte lautet: »Die Dramatik kann den
Zuschauer überlisten, sich der Wirklichkeit auszusetzen, aber nicht zwingen,
ihr standzuhalten oder sie gar zu bewältigen.« Das heißt: Dürrenmatt will,
hierin skeptischer als der dialektische Materialist Brecht, wohl die Konfrontation des Zuschauers mit der vorgestellten Problematik, nicht aber deren
Lösungsmöglichkeit durch die List der Dramaturgie evozieren. Die
»schlimmst-mögliche Wendung«, die das Geschehen – in einer Komödie! –
nehmen soll, treibt zwar mit dem Entsetzen Scherz, weil dieses anders nicht
mehr faßbar und darstellbar zu sein scheint. Doch sie beläßt das Entsetzen in
einer Welt, die ihre eigenen Erschütterungen nicht hat bewältigen können.

Friedrich Dürrenmatt

Unter diesem Aspekt mögen Dürrenmatts dramentheoretische Überlegungen die angemessene Antwort auf die bundesrepublikanische Situation im
Übergang zu den 60er Jahren gewesen sein. Daß sich für die Bühnen der
Bundesrepublik kein deutsches Drama in den 50er Jahren gefunden hat, ist
hingegen Indiz nicht nur einer unbewältigten Vergangenheit, sondern auch
einer nicht-bewältigten Gegenwart. Erst die krisenhaften Erschütterungen
der 60er Jahre wecken das Bewußtsein dafür, daß auch das Theater eine
Sprache besitzt, die – Brecht hierin postum gegenüber Dürrenmatt ins Recht
setzend – nicht nur zu überlisten, sondern auch standzuhalten, ja einzugreifen vermag.

Das Hörspiel: Zwischen Traum und Selbstzerstörung

Auch für den Bereich des Rundfunks lassen sich Forderungen Bertolt Brechts
zitieren, die eine Beurteilung der Nachkriegsentwicklung erlauben. In einem
Vortrag aus dem Jahre 1932 nämlich hatte Brecht medienpolitische Thesen
formuliert, die nach 1945, unter dem Anspruch einer Demokratisierung weiter Öffentlichkeitsbereiche, von überraschender Aktualität hätten sein können. Brechts Absicht war es zu Beginn der 30er Jahre, den Rundfunk von
einem »Distributionsapparat« zu einem »Kommunikationsapparat« zu verändern, die Hörer an der Produktion zu beteiligen und die Produktionsfor-
men, entsprechend den sich weiterentwickelnden technischen Standards, zu
verwandeln durch »immer fortgesetzte, nie aufhörende Vorschläge zur besseren Verwendung der Apparate im Interesse der Allgemeinheit«. Freilich nicht
als Selbstzweck: Brecht ging es darum, »die gesellschaftliche Basis dieser
Apparate zu erschüttern, ihre Verwendung im Interesse der wenigen zu

diskutieren«. Solcher Programmatik schien die öffentlich-rechtliche Organisationsform der Rundfunkanstalten in der Bundesrepublik zunächst zu entsprechen. Die Erfahrungen im Dritten Reich hatten gelehrt, daß die »gleichgeschalteten« Massenmedien lediglich propagandistische Aufgaben wahrzunehmen vermochten, jedoch kaum innovative Impulse geben konnten. Die Folge war eine weitgehende Austrocknung ganzer Programmbereiche, so beispielsweise auch der Hörspielproduktion. Die öffentlich-rechtliche Organisationsform des Rundfunks verhieß – bei einer gleichzeitig privatwirtschaftlich organisierten Presse – Programmvielfalt dadurch, daß eine Beteiligung »aller gesellschaftlich relevanten Gruppen« institutionell verankert wurde, eine Einwirkungsmöglichkeit also der Kirchen nicht weniger als der Gewerkschaften, der Unternehmerverbände ebenso wie der Parteien garantiert schien. Die medienpolitische Praxis aber ließ dieses Konzept schon bald fragwürdig werden. Da die »gesellschaftlich relevanten Kräfte« über die in den Landtagen vertretenen Parteien zu bestimmen sind, entspricht ihr Einfluß tatsächlich dem Stärkeverhältnis der jeweiligen Landtagsfraktionen. Die beabsichtigte institutionelle Demokratisierung der Rundfunkanstalten verkümmerte zum »Parteienproporz«.

Eine »Neuerung« im Sinne Brechts bedeutete nach dem Weltkrieg die enge Verbindung, welche die Hörspielproduktion mit der reportagehaften Form des Features einging. Nicht das reine Wortkunstwerk stand im Vordergrund, sondern die Vermittlung sprachlich anspruchsvoller Präsentationsformen mit inhaltlichen Problemen aus aktuellen Gesellschaftsbereichen (Politik, Kultur, Technik, Wissenschaft), wie sie Alfred Andersch, Axel Eggebrecht, Ernst Schnabel und – später – Helmut Heißenbüttel unternahmen. Die Beteiligung von Hörern, die mit solcher »Neuerung« einherging, war zugleich ein formbestimmendes Merkmal der Hörspielproduktion zwischen 1947 und 1950. So hatte Ernst Schnabel 1947 und 1950 die Hörer im Bereich des damaligen Nordwestdeutschen Rundfunks (NWDR) zur Mitarbeit an seinen Features aufgefordert. Der Erfolg verweist auf die Möglichkeiten der Weiterarbeit in diesem Bereich, die seither kaum mehr ausgeschöpft worden sind: 35 000 bzw. 80 000 Hörer beteiligten sich mit Erfahrungen, Notizen, Hinweisen an Schnabels Sendungen, die auf diese Weise zu ihren eigenen wurden. Ein Erfolg, der zur Popularisierung des Hörspiels beigetragen hat wie vergleichsweise nur Wolfgang Borcherts Hörspiel *Draußen vor der Tür* (1947).

Hörspiel und Feature

Die organisatorische Trennung aber von Hörspiel- und Feature-Produktion etwa im Bereich des NWDR (1950) deutet bereits die Verengung des Hörspielbegriffs in den folgenden Jahren an. Das Hörerinteresse verlagerte sich, den gesellschaftlichen Entwicklungstendenzen entsprechend, in den 50er Jahren vom politisch motivierten Feature auf das Wortkunstwerk, die Hörspielform entwickelte sich zum sprachkünstlerischen Spiel, die Rezeptionsweisen veränderten sich von Beteiligung zu Verinnerlichung, von kritischer Aktivität zu entpolitisierter Konsumentenhaltung. So nimmt es nicht wunder, daß das Hörspiel der 50er Jahre geprägt ist vor allem durch die poetische Erschaffung von Traumwelten: Eine regelrechte Traditionsreihe von Hörspielen folgte dem Beispiel Günter Eichs, der mit seinem Hörspiel *Träume* (1951) ein kopierbares Muster formuliert hatte, und ganze Hörspielstudios wurden in Laboratorien zur Produktion akustischer Traumreiche umgewandelt.

Günter Eich

Günter Eich war der herausragende Repräsentant der westdeutschen Hörspielproduktion in den 50er Jahren. Er gehörte zu jenen Lyrikern in der Tradition des »Kolonne«-Kreises von 1930, die – wie etwa auch Peter Huchel – bereits im Dritten Reich Hörspiele geschrieben und produziert hatten

Günter Eich

*weitere Hörspiel-
autoren*

(*Weizenkantate* und *Fährten in die Prärie*, beide 1936 uraufgeführt). Seinen Durchbruch als Hörspielautor erzielte er mit dem 1951 uraufgeführten Hörspiel *Träume*, das die Hörspielproduktion der folgenden Jahre nachhaltig beeinflußte, das als sprachliches Hörkunstwerk freilich einem eher traditionellen dramaturgischen Muster folgte. Über die Identifikation nämlich der Hörer mit träumenden Gestalten aus fünf Kontinenten, die das Stück in existentieller, alptraumhafter Bedrohung vorführt, und über eine Art Katharsis im aristotelischen Sinne sollte die Situation einer grundlegenden, daseinsbestimmenden Gefährdung vermittelt werden. Die emotionale lyrische Ansprache, die sprachliche Konstituierung einer alptraumhaften Sphäre, die Unmittelbarkeit und Suggestivität der poetischen Wortwelt Eichs dürften die Gründe für die erstaunliche Publikumsresonanz sein, die dieses Hörspiel erfuhr. Inmitten der Wirtschaftswunderwelt bewirkte Eich vornehmlich Abwehr und Erschrecken bei seinen Hörern, die er mit seinem Postulat: »Alles was geschieht, geht dich an«, aufwühlte und aufrüttelte. Und doch erschien es ihm notwendig, die zunehmend auf eine existentialistische Erwartung auftreffenden Hörszenen politisch zu präzisieren, ihrem Pathos einer generellen Bedrohtheit und Gefährdung eine gesellschaftlich akzentuierte, oppositionelle Qualität zu verleihen. Eich versuchte dies mit der berühmten Schlußsequenz: »Seid unbequem, seid Sand, nicht Öl im Getriebe der Welt«, die er dem Stück 1953 anfügte. Günter Eich, der produktivste und wirkungsvollste Hörspielautor nach 1945 – mit Wirkung nicht nur auf Hörer, sondern vor allem auch auf andere Autoren –, hat Präzisierungen solcher Art in späteren Überarbeitungen seiner Werke vielfach für nötig gehalten. Mit Recht: Der Anspruch auf eine Vermittlung politisch-gesellschaftlicher Postulate mit den Techniken modernen Hörspiels wird in den frühen Arbeiten bisweilen durchkreuzt durch eine traditionelle Dramaturgie, die zu Überzeitlichkeit und Existentialität tendiert. In seinen späteren Arbeiten wie in seinen theoretischen Äußerungen tritt deshalb ein zunehmendes Mißtrauen gegenüber Konzeptionen hervor, die durch Sinnstiftung einer gesellschaftlichen Einvernahme noch widerstehen zu können glauben.

Neben Eich treten in den 50er Jahren eine Reihe anderer namhafter Schriftsteller als Hörspielautoren hervor, so beispielsweise Wolfgang Hildesheimer und Friedrich Dürrenmatt, Ingeborg Bachmann und Ilse Aichinger, Walter Jens, Heinrich Böll und Dieter Wellershoff. Während jedoch ihre Produktionen noch weitgehend einer literarischen Darstellung von Außenwelterfahrungen und -problemen verpflichtet bleiben, setzt mit Beginn der 60er Jahre eine Hörspielentwicklung ein, die das Unbehagen an der traditionellen Formensprache des Genres umsetzt in eine äußerste Konzentration auf die akustischen Möglichkeiten des Mediums selber, auf die technischen Standards des Rundfunks. Dieses »Neue Hörspiel«, das auch mit Originalton-Elementen arbeitet, kommt Brechts eingangs zitierter Forderung nach einer »Neuerung« sehr viel näher als das Hörspiel der 50er Jahre, wenngleich zu fragen bleibt, in welcher Weise es auch die »gesellschaftliche Basis« der Massenmedien zu ändern vermochte. Es verlangt einen aktiven Zuhörer, einen Mitspieler und Mitdenker, der sich auf Collage, und Montagetechniken, auf produktive Fragestellungen statt auf fertige Antworten, der sich auf das Zerstören vorgestellter Zusammenhänge einlassen will. Als Beispiel kann hier Wolf Wondratscheks Stereo-Hörspiel *Paul oder die Zerstörung eines Hörbeispiels* (uraufgeführt 1970) genannt werden, in dem nicht nur Zitate, Lautfetzen, Geräusche als Sinneseindrücke und Assoziationspartikel des Lastwagenfahrers Paul montiert sind, sondern in dem zugleich diese Montage und die Kunstfigur Paul selber sich fortwährend als Fiktionen zu

erkennen geben. Die Destruktion des Mediums Hörspiel anhand eines Hörbeispiels wird selber noch einmal als lediglich fiktiv enthüllt – dies ist zugleich Kritik am Hörspiel der 50er Jahre wie produktive Demontage des
Mediums mit seinen eigenen Mitteln.

Es versteht sich, daß die Möglichkeiten, die poetischen Denk- und Argu-
mentationsformen einer solchen Konzeption insbesondere jene Autoren zu
nutzen verstanden, die sich ihrerseits poetologisch an der Arbeit mit Sprachmaterial orientieren, Autoren also der Konkreten Poesie wie Franz Mon und
Helmut Heißenbüttel, Sprachartisten wie Ludwig Harig, Poeten der Wiener
Gruppe wie Ernst Jandl und Gerhard Rühm. »Alles ist möglich. Alles ist
erlaubt«, erklärte Helmut Heißenbüttel 1968. Diese Erlaubnis hat bis zu
einer vollständigen Auflösung von Sinnzusammenhängen geführt, für die das
Mißtrauen gegenüber Oberflächenphänomenen der Wirklichkeit grundlegend ist. Die technischen Möglichkeiten der akustischen Wirklichkeitsde-
montage sind freilich nicht Selbstzweck des in den 60er Jahren sich neu
entwickelnden Mediums, sondern bewirken »Neuerungen«, die auf eine
produktive Verunsicherung gegenüber der »gesellschaftlichen Basis« des Mediums selber zielen: durch Veränderung von Wahrnehmungsweisen, Zerstörung von Sinnzusammenhängen in einer sinnlos gewordenen Umwelt, durch
»konstitutive Montage« (Ernst Bloch) des scheinbar Disparaten.

Ernst Jandl

Die Politisierung der Literatur (1961–68)

Die 60er Jahre sind für die Bundesrepublik Deutschland die Zeit einer tiefgreifenden gesellschaftlichen Krise gewesen. Die Beendigung der ökonomischen Rekonstruktionsperiode, der ungehemmt und krisenfrei prosperierenden Wirtschaft, die sich mit dem Ende der 50er Jahre andeutet, bildet für die
Entwicklung in den 60er Jahren eine ebenso wichtige Voraussetzung wie der
Bau der Mauer in Berlin am 13. August 1961. Diese beiden Erscheinungsformen an ihre eigenen Grenzen gelangten Politik erschüttern das Selbstverständnis einer Gesellschaft, deren Glaube an die politische Potenz des
Westens und an das eigene ökonomische Wachstum frei von jedem Selbstzweifel geblieben war. Selbstzweifel aber insbesondere innerhalb der jungen
Generation, unter den Intellektuellen und unter den Arbeitern werden durch
eine Reihe weiterer Faktoren innen- wie außenpolitischer Art geweckt und
genährt: die »deutsche Bildungskatastrophe« (Georg Picht), die das hochent-
wickelte Industrieland Bundesrepublik als bildungspolitischen Zwerg erscheinen läßt; die sozialen Kämpfe in der Dritten Welt und insbesondere der
Vietnamesen gegen die amerikanische Kriegführung in Vietnam, die vor
allem in der jungen Generation Empörung hervorruft; die ökonomischen
Krisen der Jahre 1966/67, die Massenentlassungen und Zechenstillegungen
nach sich ziehen; die Bildung der Großen Koalition aus Sozialdemokraten
und Christdemokraten im Jahre 1966, die gleichermaßen eine politische
Nivellierung wie ein nurmehr formales Demokratieverständnis der etablierten Parteien anzeigte; die Verabschiedung der Notstandsgesetze 1968, durch
die im Krisenfall eine Reihe elementarer Grundrechte außer Kraft gesetzt
werden können; nicht zuletzt die weltweite Studentenrevolte und die Bildung
einer außerparlamentarischen Opposition, die gleichermaßen Faktor und
Ausdruck dieser sozialen und politischen Krise ist.

*Stichwort »Bildungs-
katastrophe«*

*Günter Grass auf einer
der Gründungsver-
sammlungen des
Schriftstellerverbands*

Stichwort »Vietnam«

Für den kulturellen Bereich und insbesondere für die Literatur haben diese Entwicklungsmomente einer sich verändernden Gesellschaft Konsequenzen gehabt, die sich bis heute verfolgen lassen. Konsequenzen vor allem für das Selbstverständnis der Kulturproduzenten: Diese nämlich begriffen zunehmend, daß das Bild vom »freischwebenden Intellektuellen«, der fern den sozialen Auseinandersetzungen seiner Zeit nur den eigenen schöpferischen Impulsen folgt, ein Trugbild war. Schriftsteller wie Günter Grass und Siegfried Lenz engagieren sich für die Sozialdemokratie, Martin Walser und Peter Weiss nähern sich sozialistischen Positionen, Hans Magnus Enzensberger wird einer der Wortführer der Neuen Linken und ihres Engagements für die Dritte Welt. Der Trennung von Kunst und Politik, Kennzeichen der 50er Jahre, folgt in den 60er Jahren die Politisierung der Literatur. Ihren deutlichsten und unmittelbaren Ausdruck findet diese Entwicklung in der politischen Lyrik dieser Zeit. Autoren wie Erich Fried (*und Vietnam und*, 1966), Yaak Karsunke und F. C. Delius, Liedermacher wie Franz Josef Degenhardt und Dieter Sieverkrüpp greifen aktuelle Ereignisse als Themen für ihre poetischen Texte auf, um sie zu einer Lyrik, zu Liedern, zu Agitprop-Poesie zu formen, deren Gemeinsamkeit in einer entschiedenen Parteinahme gegen Herrschaft, Unterdrückung, Ausbeutung besteht. Studentenrevolte, Klassenkampf und immer wieder der Krieg in Vietnam stehen im Mittelpunkt dieser politischen Lyrik, die damit auch poetologisch eine Einstellungsveränderung bedeutet. Denn nicht mehr nur die politische Qualität von Poesie an sich, wie sie noch Enzensberger postuliert hatte, steht zur Diskussion, sondern in den Vordergrund tritt deren bewußte Funktionalisierung für den politischen Kampf.

Politisches Theater: Zeitgeschichte als Bühnengeschehen

Die gesellschaftliche Entwicklung in der Bundesrepublik ist insbesondere für das deutsche Theater nicht ohne Folgen geblieben. Konnte in den 50er Jahren – mit Ausnahme der Schweizer Friedrich Dürrenmatt und Max Frisch – von ernsthaften Bemühungen jüngerer Bühnenautoren um die Herausbildung eines neuen deutschsprachigen Dramas kaum die Rede sein, so gilt für die 60er Jahre das genaue Gegenteil: Es entstehen zahlreiche Bühnenstücke mit zum Teil ausdrücklich politischer Thematik, unverkennbarem gesellschaftlichem Engagement und einer durchaus eigenständigen Formgebung. Die Gründe für solchen Wandel sind vor allem im Selbstverständnis der Autoren zu suchen, die sich mit ihren Mitteln – den Mitteln künstlerischer, dramatischer Verarbeitung von Wirklichkeit – den Entwicklungen ihrer Gegenwart und jüngsten Vergangenheit zu stellen versuchen. Hierbei geht es ihnen freilich nicht um eine bloße Abbildung von Realität, um deren bühnentechnisch wirksam aufbereitete Abschilderung, sondern es geht, wie Rolf Hochhuth sagt, um deren projektive Veränderung: »Politisches Theater kann nicht die Aufgabe haben, die Wirklichkeit – die ja stets politisch ist – zu reproduzieren, sondern hat ihr entgegenzutreten durch Projektion einer neuen.«

Als am 20. März 1963 Erwin Piscator das Trauerspiel *Der Stellvertreter* des bis dahin völlig unbekannten Schriftstellers Rolf Hochhuth zur Uraufführung brachte, löste dieses Stück eine literarische und politische Kontroverse von solcher Intensität aus, wie sie wohl keinem anderen Werk nach 1945 beschieden war. Hochhuth hatte mit seinem Stück ein Thema aufgegriffen, das in der Öffentlichkeit weithin tabu war: die mehr oder weniger billigende Haltung der Katholischen Kirche, insbesondere aber die des damaligen Papstes Pius XII. zu den Judenmorden im Dritten Reich. Die Handlung beruht auf ausführlichen zeitgeschichtlichen Recherchen; dennoch ist Hochhuths christliches Trauerspiel nicht »dokumentarisch« im Sinne der wenig später entwickelten Dokumentarliteratur. Fast alle auftretenden Figuren und ihre Handlungen sind, im Rahmen der historischen Konstellationen, frei erfunden; die vorgefundene Wirklichkeit ist in Fiktion übersetzt und, unterstützt durch die Verwendung freier Rhythmen als Versmaß, ästhetisch verfremdet. Dennoch beruhte die außerordentliche Wirkung des Stückes allein auf seiner politischen und moralischen Herausforderung – die Mächtigen der Geschichte haben sich vor dem Tribunal der Szene zu verantworten. Im Zentrum des Stückes steht der Jesuitenpater Riccardo Fontana, der, als alle seine Versuche, die Haltung der Kirche zu beeinflussen, am machtpolitischen Kalkül des Papstes abprallen, freiwillig mit den Opfern die Gaskammern von Auschwitz betritt. Obwohl Hochhuth die Abhängigkeit der Kirche von Wirtschaft und Politik aufzeigt, läßt er letzten Endes doch nur eine moralische Lösung zu: Der Einzelne kann sich frei zum Guten oder Bösen entscheiden – ein Ausgang, der zwar auf dem Theater den Knoten der Handlung löst, zugleich aber die geschichtliche Wirklichkeit und die Verstrickung der in ihr Handelnden in die Verbrechen auf unzulässige Weise vereinfacht.

Rolf Hochhuth

Wer den Resonanzboden des Theaters in dieser Weise nutzte, stand allerdings in den 60er Jahren im Verdacht, das Theater, die Bühne, die Möglichkeiten des Schauspiels zur Durchsetzung politischer Ideen im Gewande der dramatischen Illusion mißbrauchen zu wollen. Was provozierte, war jenes Element eines jeden politischen Theaters, welches Brecht als Kennzeichen des Realismus bestimmt hatte: »Realismus ist nicht, wie die wirklichen Dinge sind, sondern wie die Dinge wirklich sind.« Diese Bestimmung des

»Realismus«

Realismus verweist auf ein charakteristisches Mittel des politischen Theaters, das gleichwohl nicht das politische Theater schlechthin ausmacht: das Einarbeiten und Verarbeiten dokumentarischer Elemente aus Zeitgeschichte und Gegenwart. Stücke wie Rolf Hochhuths *Soldaten* und *Der Stellvertreter*, Peter Weiss' *Die Ermittlung* und *VietNam Diskurs* sind politische Stücke in jenem umfassenden Sinn des Wortes, der die Aufarbeitung zeitgeschichtlicher Problematik meint. Zugleich aber lassen sie sich als dokumentarisches Theater begreifen, insofern sie, wie Peter Weiss sagte, »mit der Dokumentation eines Stoffes befaßt« sind. Diese Mischform eines explizit politischen Theaters mit dokumentarischen Elementen tritt in den 60er Jahren in den Vordergrund des deutschen Theaters. Es gehört zum Selbstverständnis dieses Theaters, daß es seinen Stoff aktuellen oder zeitgeschichtlichen Themen entnimmt. Diese lassen sich um vier Kernprobleme gruppieren: Friedenspolitik, Gewaltherrschaft, Revolution, Gegenwartsproblematik.

»Frieden«

Friedensproblematik: In diese Thematik gehen die Erfahrungen des Zweiten Weltkriegs ebenso ein wie die Entwicklung neuer Massenvernichtungsmittel im Zeitalter der Kernspaltung. Kriegserlebnis und atomare Bedrohung sind die Stoffe, aus denen Autoren wie Heinar Kipphardt und Rolf Hochhuth, Leopold Ahlsen (*Philemon und Baukis*, 1960) und Hans Günter Michelsen (*Helm*, 1965) ihre Verarbeitungen dieser beiden Aspekte des Friedensproblems entwickeln. Hervorzuheben sind in diesem Zusammenhang insbesondere die Arbeiten Kipphardts und Hochhuths. Mit Mitteln des epischen Theaters (Songs, offener Szenenumbau, Schauspielerporträts, Einblendung von Originaldokumenten) zeigt Kipphardt in *Der Hund des Generals* (Uraufführung 1962) an einem alltäglichen Beispiel Inhumanität und Irrationalität des Krieges. Das Problem des Befehlsnotstandes, aus unterschiedlichen Perspektiven vorgeführt, verdeutlicht die persönliche Verantwortung auch hoher Militärs und zeigt den Krieg als eine besondere Form der Menschenverachtung. Zur Distanzierung der Zuschauer wählt Kipphardt eine Gerichtsverhandlung. Sie ergibt den dramaturgischen Rahmen, von dem aus in Rückblenden das Geschehen während des Kriegs szenisch eingeholt wird. Die Inhumanität des Kriegs steht auch im Vordergrund von Rolf Hochhuths *Soldaten* (1967), doch mit einer entscheidenden Differenz: Hochhuth zielt nicht auf Abschaffung des Kriegs, sondern auf dessen »humanere« Durchführung. So ist der Erfolg dieses Stücks, das mit einer eher konventionellen Spiel-im-Spiel-Dramaturgie arbeitet, vor allem aus dem gewählten Sujet zu erklären: der von Churchill militärisch geplanten, militärisch sinnlosen Vernichtung der Zivilbevölkerung (Bombardierung Dresdens 1943), ferner der im Stück glaubhaft entwickelten Hypothese einer Ermordung von Mitgliedern der polnischen Exilregierung durch Churchill. Bestimmte Voraussetzungen des Kriegs hingegen sind Gegenstand von Heinar Kipphardts *In der Sache J. Robert Oppenheimer* (1964): Am historischen Beispiel des Physikers Oppenheimer, »Vater der amerikanischen Atombombe«, nimmt sich Kipphardt eines Problems an, das vor ihm schon Brecht (*Leben des Galilei*, 1938/39) und Dürrenmatt (*Die Physiker*, 1962) aufgegriffen hatten – die Verantwortung des Naturwissenschaftlers für seine Erkenntnisse. Vor dem Hintergrund der Kommunistenverfolgung während der McCarthy-Ära in den USA bezieht Kipphardt dieses Problem auf die technologischen Entwicklungen im militärischen Bereich. Die Spannung des wiederum mit epischen Mitteln arbeitenden Stücks entspringt dem Zusammenspiel militärischer Pro-und-Contra-Argumentationen mit dem politischen Hintergrund jener Jahre, ein Bauprinzip, dem Kipphardt auch in seinem letzten, 1983 postum uraufgeführten Stück *Bruder Eichmann* treu geblieben ist.

Heiner Kipphardt

Gewaltherrschaft: Was Max Frisch in *Biedermann und die Brandstifter* und *Andorra* bereits thematisiert hatte: das Problem individueller und kollektiver Schuld und Bedrohung, das wird in den 60er Jahren auch in Stücken westdeutscher Autoren Gegenstand dramatischer Bearbeitung, zum Teil freilich in einer zeitgeschichtlich konkreteren Form, in die dokumentarische Elemente integriert sind. Parabelhaft wie Frisch verfährt etwa auch Siegfried Lenz in seinem Diskussionsstück *Zeit der Schuldlosen* (1961 uraufgeführt, als Hörspiel bereits 1960). Das Stück zeigt die Problematik des Schuldigwerdens in zwei genau aufeinander bezogenen Grenzsituationen, in denen scheinbar unbescholtene Durchschnittsmenschen mit einem »Schuldigen« konfrontiert werden. Die »Schuldlosen« werden schuldig, indem sie in einer Situation existentieller Gefährdung dem machtpolitischen Kalkül einer Diktatur erliegen: Um sich selber zu retten, nehmen sie die Vernichtung eines anderen Menschen in Kauf. In vergleichbarer Weise parabolisch moralisiert auch Lenz' zweites Bühnenstück dieser Jahre, das an Erich Kästners *Die Schule der Diktatoren* (1949, uraufgeführt 1957) erinnert: die Komödie *Das Gesicht* (1964). Auch hier die Konstruktion einer extremen Situation, auch hier das Problem der Diktatur, auch hier das Schuldigwerden des einzelnen. Problematisch in beiden Stücken ist die moralisierende Abstraktheit, mit deren Hilfe die Schuldproblematik zeitenthoben als gewissermaßen anthropologisch-existentielle Konstante vorgeführt wird. Zwar erfahren die Grenzsituationen bei Lenz eine politische Begründung, doch ist diese ihrerseits keiner erkennbaren gesellschaftlichen Realität verpflichtet. Es geht um eine politisch-moralische Abstraktion, um Problemdiskussion, um Gedankentheater – nicht um eine bühnengerechte Umsetzung der skizzierten Problematik in Gestalten, dramatische Handlung und Dramaturgie wie wenig später bei Peter Weiss.

»Gewalt«

Von Dezember 1963 bis August 1965 fand in Frankfurt der sog. Auschwitz-Prozeß statt. Angeklagt waren achtzehn Angehörige des ehemaligen Wach- und Aufsichtspersonals des nationalsozialistischen Vernichtungslagers Auschwitz. Zum erstenmal wurde damit einer größeren Öffentlichkeit das ganze Ausmaß der begangenen Verbrechen bekannt; zum erstenmal wurden Schuldige von einem bundesdeutschen Gericht abgeurteilt. Peter Weiss, selbst als Jude ins Exil vertrieben, hat diesen Prozeß und einen Lokaltermin in Auschwitz als Beobachter verfolgt. In seinem Dokumentarstück *Die Ermittlung* (das am 17. Oktober 1965 an 17 Bühnen in West und Ost gleichzeitig uraufgeführt wurde) beschränkt er sich, am Modell und Beispiel dieses Strafprozesses, auf die möglichst unstilisierte Wiedergabe der Fakten. Aufgrund eigener Notizen, der Prozeßberichte in der Tagespresse sowie historischer Dokumente versucht er jenen Tatbestand zu erhellen, der zu diesen Verbrechen geführt hat. Das Stück führt – in Form einer szenischen Montage – lediglich vor, was wirklich geschah, was vor Gericht verhandelt wurde: die Ausrottung der Juden. In seinen elf, jeweils dreifach untergliederten, die Alltagssprache leicht rhythmisierenden Gesängen (der Untertitel lautet denn auch bezeichnenderweise »Oratorium in elf Gesängen«) ersteht – in Rede und Widerrede von Angeklagten und Zeugen, von Anklage und Verteidigung – aber auch die mentalitäre Haltung einer Gesellschaft, die solche Verbrechen überhaupt erst ermöglichte. Anders als frühere oder gleichzeitige Versuche, den Nationalsozialismus zu begreifen und literarisch dingfest zu machen, begnügt Weiss sich nicht mit der moralischen Frage nach Schuld und Sühne. *Die Ermittlung* macht vielmehr deutlich, daß es die Selbstaufgabe des Bürgertums zugunsten eines entfesselten Kapitalismus, die Verfilzung wirtschaftlicher und machtpolitischer Interessen waren, die zu

Peter Weiss

einem System führten, das dann den Einzelnen ganz zwangsläufig auch moralisch korrumpierte und damit Auschwitz möglich machte.

Warum es aber in den 60er Jahren im deutschen Drama überhaupt zu einer Thematisierung des Verhältnisses von Macht und Schuld kommt, bedarf noch einer Erklärung. Sie ist vor allem darin zu suchen, daß nach einer langen Zeit der Vergangenheitsverdrängung Ende der 50er und Anfang der 60er Jahre erstmals wieder eine öffentliche, nicht zuletzt eine wissenschaftliche Diskussion um den Faschismus stattfindet. Deren ideologische Variante bildet die Totalitarismus-These, welche Kommunismus und Faschismus, Rot und Braun prinzipiell nicht unterscheidet, sondern – hierin den Parabel-Stücken vergleichbar – die Problematik von Machtkonstellationen zeitenthoben, übergesellschaftlich, gewissermaßen als im Grundsatz identische Unterdrückungsvarianten auffaßt. Demgegenüber sind die Arbeiten von Hochhuth und Weiss als konkrete Problemstellungen politischen Theaters zu begreifen: In ihnen werden Situationen rekonstruiert, in denen sich das Phänomen Faschismus in geschichtlich-gesellschaftlichen Formen vergegenständlicht hat. Will man Parallelen zwischen künstlerischer und wissenschaftlicher Faschismusverarbeitung dieser Zeit ziehen, so lassen sich die Dramen Hochhuths und Weiss' den fortgeschrittenen Diskussionen der 60er Jahre durchaus an die Seite stellen.

»Revolution«

Revolution: Sie erscheint – Reflex deutscher Geschichte – im deutschen Drama dieser Zeit vornehmlich im Gewand der Historie bzw. als Problem der Dritten Welt. Vor dem Hintergrund des Kalten Krieges über lange Jahre hinweg ein Tabu – Bert Brechts *Tage der Commune*, 1948/49 entstanden, wird beispielsweise erst 1970 in der Bundesrepublik aufgeführt –, gelangt die Revolutionsproblematik erst zu einem Zeitpunkt auf die deutsche Bühne, als das Problem der Revolution selber Gegenstand öffentlicher Diskussion geworden ist. Wiederum sind es vor allem Stücke von Peter Weiss (*Gesang vom Lusitanischen Popanz*, 1967; *VietNam Diskurs*, 1968; *Trotzki im Exil*, 1970; *Hölderlin*, 1972), von Rolf Hochhuth (*Guerillas*, 1970), aber auch von Hans Magnus Enzensberger (*Das Verhör von Habana*, 1970) und Günter Grass (*Die Plebejer proben den Aufstand*, 1966), in denen vor allem die Frage diskutiert wird, ob revolutionäre Gewalt prinzipiell legitimierbar sei oder ob mit der Perversion revolutionärer Mittel auch die Ziele einer Revolution diskreditiert werden. Von besonderer Bedeutung ist in den genannten Stücken die Rolle von Künstlern und Intellektuellen in revolutionären Prozessen – Konsequenz einer Selbstreflexion, welche die Autoren zur Bestimmung ihrer eigenen Rolle in den Auseinandersetzungen ihrer Zeit gezwungen hatte.

Tankred Dorst

Die rätekommunistische Diskussion dieser Zeit etwa kommt in Tankred Dorsts Drama *Toller* (1968) zum Ausdruck. Dorst bringt mit der Entwicklung der Münchner Räterepublik von 1919 einen historischen Vorgang zur szenischen Darstellung, dessen aktuelle Dimensionen er in der Form einer politischen Revue, »in Parenthese, Brechungen und Spiegelungen«, aufblitzen lassen kann. Und Peter Weiss beispielsweise bekannte sich nach seinem erfolgreichen Stück *Die Verfolgung und Ermordung Jean Paul Marats dargestellt durch die Schauspielgruppe des Hospizes zu Charenton unter Anleitung des Herrn de Sade* (1964), das durchaus noch mit den genuinen Mitteln des Illusionstheaters Aspekte der Französischen Revolution vorgeführt hatte, nachdrücklich zum Sozialismus und engagierte sich öffentlich gegen den amerikanischen Krieg in Vietnam. Weiss erkannte zugleich, daß engagiertes politisches Drama den traditionellen Bühnenraum notwendig sprenge, daß es heraus müsse aus der bürgerlichen Bildungsanstalt Theater, daß ein Stück wie *VietNam Diskurs* »auf einen öffentlichen Platz« gehöre. In Stücken und

Äußerungen wie diesen sind Anklänge an die Traditionen des Agitprop-Theaters und der Piscator-Revuen der Weimarer Zeit ebenso gegenwärtig wie die Einflüsse des in den 60er Jahren sich herausbildenden Straßentheaters: Mit der Revolutionsproblematik geht zugleich eine Reflexion über die Revolutionierung der dramatischen Formen, der Inszenierung, des Aufführungsraumes einher. Zwar ist der Einfluß Brechts allenthalben noch spürbar, doch deutet das Nachdenken über die Funktion des Theaters selber auf den Versuch, auch über die Theatertheorie Brechts hinauszugehen.

Gegenwartsproblematik: Die Tendenz zur Abkehr von Brecht läßt sich bei einer Reihe von Stücken erkennen, die sich thematisch auf Randexistenzen, auf Grenzsituationen und -erfahrungen konzentrieren. Eine Abkehr jedoch nicht hinsichtlich des Realismuskonzepts, das ihnen zugrunde liegt: Gezeigt wird auch hier, »wie die Dinge wirklich sind« (Brecht). Doch das Sujet selber und seine szenische Entfaltung verweisen auf einen anderen theatergeschichtlichen Traditionszusammenhang. Autoren wie Martin Sperr (*Jagdszenen aus Niederbayern*, 1966; *Landshuter Erzählungen*, 1968; *Münchner Freiheit*, 1971), Rainer Werner Fassbinder, (*Katzelmacher*, 1969) und Franz Xaver Kroetz (*Wildwechsel*, 1971; *Stallerhof*, 1972) knüpfen an die Tradition des sozialkritisch-realistischen Volksstücks an, wie es Marieluise Fleißer und Ödön von Horváth vor dem Faschismus entworfen und realisiert haben. Das entscheidende gemeinsame Merkmal dieser Stücke besteht – neben dem Aufgreifen von Gegenwartsproblemen – vor allem in der Verwendung des (bayrischen) Dialekts, der zur Kennzeichnung einer spezifischen Identität genutzt wird, nämlich des autoritären Provinzcharakters. In Fassbinders *Katzelmacher* und in Sperrs *Jagdszenen aus Niederbayern* ist der dramatische Konflikt in vergleichbarer Weise angelegt: Ein Außenseiter (Gastarbeiter, Homosexueller) steht in einem kleinen Ort der bayrischen Provinz einer ihm feindlichen Gesellschaft gegenüber. Sexualneid, Ängste, Haß aufs Andersartige treiben diesen in eine vollständige Isolation, die schließlich sogar zum Verbrechen führt. Die bedrückende Enge der Provinz gibt auch in Kroetz' *Wildwechsel* und *Stallerhof* den sozialen Hintergrund: In beiden Stücken zerbricht die Liebesbeziehung zweier unterprivilegierter, abhängiger Menschen an den gewalttätigen Ansprüchen eines gesellschaftlichen Mikrokosmos, dessen latente Brutalität in offene Inhumanität umschlägt. Die Differenz zwischen Kroetz einerseits, Fassbinder und Sperr andererseits beruht in der unterschiedlichen Funktion, die der Dialekt wahrzunehmen hat: Schafft er bei diesen vor allem eine atmosphärische Verdichtung, so dient er bei Kroetz als Mittel zur Versprachlichung der dargestellten provinziellen Enge, der »Fallhöhe zwischen Sprachgewalt und Dumpfheit« (Kroetz). Nach seiner – später widerrufenen – Hinwendung zur DKP verändert sich auch Kroetz' Methode: Seine erklärte Absicht, »weg von den Randerscheinungen, hin zu den Mächtigen auf der einen und zum Durchschnitt auf der anderen Seite«, hat er in *Oberösterreich* (1972) und *Sterntaler* (1974) dramaturgisch verwirklicht.

Gegenwartsproblematik findet sich auch in einer Reihe anderer Stücke, die in den 60er Jahren entstehen. Martin Walser beispielsweise schreibt mit seinem Bühnenstück *Überlebensgroß Herr Krott* (1963) eine Kapitalismus-Parabel; Heinrich Henkel thematisiert in *Eisenwichser* (1970) die Wirklichkeit der Anstreicher-Arbeitswelt; Günter Grass nimmt in *Davor* (1969) eine Dramatisierung zentraler Diskussionen während der Schüler- und Studentenrevolte vor, die er bereits in seinem Roman *örtlich betäubt* (1969) verarbeitet hat; Rolf Hochhuth bringt mit *Die Hebamme* (1972) Obdachlosenprobleme auf die Bühne. Peter Handke bezeichnete sein Stück *Publikumsbe-*

»Gegenwart«

F. X. Kroetz

R. Faßbinder

Peter Handke

schimpfung (entstanden 1965, Uraufführung am 8. Juni 1966 durch Claus Peymann), mit dem er seinen ersten großen Erfolg hatte, im Untertitel als »Sprechstück«. In Form eines Prosa-Gedichts (auf vier Sprecher in der Abfolge und im Umfang beliebig aufzuteilen) führt dieses Stück ohne Handlung, Personen oder Requisiten Haltungen vor: »der Beschimpfung, der Selbstbezichtigung, der Beichte, der Aussage, der Frage, der Rechtfertigung, der Ausrede, der Weissagung, der Hilferufe«. In einem Spiel als Spiel übers Spiel(en) sieht sich das Publikum mit sich selbst konfrontiert. Handke zitiert, rhythmisch durchstrukturiert und montiert, die Worte, Sprachhülsen, Kalauer und Phrasen des (Theater-)Alltags und macht sie, indem er sie auf die Bühne bringt und vorspielen läßt, körperlich erfahrbar. Die Sprechstücke – so der Autor in einer Nachbemerkung zur Erstausgabe – »ahmen die Gestik all der aufgezählten natürlichen Äußerungen ironisch im Theater nach«. Sie haben bei ihrem ersten Erscheinen provokanter gewirkt als sie wohl gemeint waren. Man übersah, daß in ihren auswuchernden Sprachklischees Sprachkritik transparent wird (ein Motiv, das Handke später in seinem Theaterstück *Kaspar* weiterführte). Die Sprechstücke zeigen »auf die Welt nicht in der Form von Bildern, sondern in der Form von Worten, und die Worte der Sprechstücke zeigen nicht auf die Welt als etwas außerhalb Liegendes, sondern auf die Welt in den Worten selber« (Handke). Die vehemente Gewalt, mit der hier Ausdruckselemente der Beat- und Pop-Musik zum erstenmal auf dem bürgerlichen Theater sich geltend machten, können dennoch nicht übersehen lassen, daß Protest in der *Publikumsbeschimpfung* sich allenfalls formal, nicht aber politisch artikuliert: »Sprechstücke sind verselbständigte Vorreden der alten Stücke. Sie wollen nicht revolutionieren, sondern aufmerksam machen.«

Insgesamt also eine zunehmende Tendenz des Theaters, nicht nur allgemein politische und zeitgeschichtliche Fragen aufzugreifen, sondern gerade auch aktuelle Konflikte, Brennpunkte und Diskussionen zum Gegenstand von Bühnenstücken zu machen. Gesellschaftliche Transformationsstrategien werden auf dem politisierten Theater ebenso in Szene gesetzt wie Arbeitswelt und soziale Revolte, Provinzdenken und politische Handlungsweisen. Die Frage nach den Wirkungen eines solchen Theaters ist freilich eher skeptisch zu beantworten. Rolf Hochhuths *Hebamme* etwa avancierte zum erfolgreichsten Bühnenstück der Spielzeit 1972/73 (rund 250000 Besucher). Und doch darf bezweifelt werden, ob damit eine veränderte Einstellung der Zuschauer oder der Öffentlichkeit insgesamt zum Obdachlosenproblem zu erreichen war. Zu vermuten steht vielmehr, daß sich der Erfolg dieses Stücks – eine Komödie – seiner bühnenwirksamen Dramaturgie verdankt, die seine zentrale, bittere Problematik möglicherweise gerade verdeckt hat. Das Sujet bleibt, mit anderen Worten, notwendigerweise dem ästhetisch-sozialen Raum verhaftet, in dem es sich entfalten kann: dem Theater, dem Bühnen- und Zuschauerraum, der Ausnahmesituation des Theaterabends, der kaum über sich hinausweist oder über die bürgerliche Institution, in deren Zusammenhang er geschichtlich-gesellschaftlich steht.

Der Roman »zwischen Realismus und Groteske«

Das Ende der 50er Jahre bedeutet für die westdeutsche Prosa den Abschluß einer literarischen Entwicklung. Denn die Suche nach einer neuen, eigenständigen Sprache, Kennzeichen vor allem der frühen Nachkriegsliteratur, kann nun als ebenso beendet gelten wie das Suchen nach Themen, Gegenständen,

Stoffen, die über die Erfahrung des Faschismus und des Kriegs hinaus in die Gegenwart reichen. Etabliert war zu Beginn der 60er Jahre ein literarischer Standard, der es erlaubte, von einer »Literatur der Bundesrepublik« zu sprechen. Und etabliert hatten sich eine Reihe von Autoren, die das literarische Bild der folgenden Jahre nicht nur nachhaltig geprägt, sondern als Einzelgestalten auch repräsentiert haben. Zu ihnen gehört vor allem Heinrich Böll, gehören auch Günter Grass, Siegfried Lenz, Martin Walser und Uwe Johnson. Für diese Schriftsteller gilt in einem besonderen Maße, daß sie sich neben ihrer literarischen Arbeit stets auch kritisch-publizistisch in der Öffentlichkeit äußern und umgekehrt in ihren Werken sich zunehmend auf Gegenwartsprobleme im engeren Sinne konzentrieren.

An Wolfgang Koeppen läßt sich der Widerspruch zwischen literarischer Bedeutung einerseits, öffentlicher Reputation und Werkverbreitung andererseits verdeutlichen. Koeppen, dessen frühe Werke *Eine unglückliche Liebe* (1934) und *Die Mauer schwankt* (1935, Neuauflage 1982 unter dem Titel *Die Pflicht*) auf den entschiedenen Einspruch der Nationalsozialisten gestoßen waren, publizierte in den 50er Jahren in rascher Folge die Romane *Tauben im Gras* (1951), *Das Treibhaus* (1953) und *Der Tod in Rom* (1954). Es sind Werke, in denen mit avantgardistischen erzählerischen Mitteln, geschult an John Dos Passos und James Joyce, Gegenwartsbewältigung unternommen wird, und zwar so radikal und scharfsichtig, daß Koeppens Romane als Erzählkunstwerke sich deutlich von gleichzeitig erschienenen literarischen Arbeiten abheben. Hatte Koeppen in *Tauben im Gras* bereits die Wiederkehr der Nazis in Westdeutschland angeprangert und Opportunismus, Restauration, die bekannte Entwicklung im Westdeutschland der Nachkriegszeit mit aller Schärfe herausgearbeitet, so wurde *Das Treibhaus* vollends zum Skandalon: »Abtritt-Pornographie« und »literarische Hochstapelei« wurde Koeppen vorgeworfen, von »pseudorevolutionärer Pubertät« und »Ruinen-Existentialismus« war die Rede. Solche Kritik galt dem zeitgeschichtlichen Impuls, aus dem heraus hier geschrieben wird, nicht dem literarischen Verfahren, das kaum einmal angemessen gewürdigt wurde. Zwar arbeitet Koeppen auch in diesem Buch mit Montagen, mit Formen der Bewußtseinsspiegelung, mit Sprachassoziationen, Gedankenfetzen, modernsten literarischen Simultantechniken. Doch anders als in den beiden anderen Werken steht in diesem Roman, eher konventionell, ein Held, genauer: ein Anti-Held, im Mittelpunkt, mit dessen Erfahrungen zugleich ein Stück bundesdeutscher Wirklichkeit mitgeteilt wird. Gerade diese Erfahrung: daß ein Bundestagsabgeordneter der Opposition, ein Linker also, im »Treibhaus« Bonn mit seinen Bemühungen scheitert, eine auf Demokratie abzielende Politik durchzusetzen, daß er scheitert angesichts eines unentwirrbaren Geflechts von Interessen, Beziehungen, Lügen, Intrigen, Heuchelei, das durchaus als systemkohärent entlarvt wird – diese literarisch vermittelte Erfahrung erregte öffentlich Anstoß. Mit Haß und Verachtung, Zynismus und Ekel antwortet dieses Buch auf Adenauer-Staat und Wiederbewaffnung, Kapitalismus, Korruption und Industrielobby, auf alte Nazis und opportunistische Emporkömmlinge. Was dem Anti-Helden, dem Abgeordneten Keetenheuve, bleibt, ist die Freiheit der Desillusionierung: »Ein Sprung von dieser Brücke machte ihn frei«, lautet der letzte Satz des Buches. Ein Roman mithin ohne Heilsperspektiven: kein Ausweg, kein Aufruf zur Veränderung, vielmehr schonungsloser, rücksichtsloser Durchblick auf die Wirklichkeit dieses Staates, radikal, aber eben deshalb literarisch glaubwürdig und wahrhaftig. Koeppen hat sich seine desillusionierende Radikalität bis hin zu seinem Prosatext *Jugend* (1976) bewahrt – seine Kritiker aber versöhnten sich mit

Wolfgang Koeppens Diagnose

»Treibhaus« Bonn

ihm erst angesichts seiner scheinbar unpolitischen Reiseberichte (*Nach Rußland und anderswohin*, 1958; *Amerikafahrt*, 1959; *Reisen nach Frankreich*,
1961). Gegenstand öffentlicher Diskussion blieb Wolfgang Koeppen vor
allem deshalb, weil er sich aus dem Literaturbetrieb ebenso heraushielt, wie
er sich weigerte, sich dem gängigen Bild des mit einiger Regelmäßigkeit
publizierenden Schriftstellers anzupassen. Sein Werk, dies läßt sich progno-
stizieren, wird Bestand haben, und zwar jenseits seiner zeitgeschichtlichen
Aktualität – wegen seiner literarischen Qualität.

Heinrich Böll

In Heinrich Bölls Roman *Ansichten eines Clowns* (1965) reflektiert der
Ich-Erzähler, der Clown Hans Schnier, in einer Mischung aus Aggressivität
und Resignation seine Ablösung von Institutionen sozialer Heuchelei. Ehe,
Familie, Kirche, die bundesrepublikanische Gesellschaft der Adenauer-Zeit
bilden den Gegenstand der Kritik, die sich aus der Perspektive eines Desillu-
sionierten, eines Abtrünnigen herleitet. Solche Abtrünnigkeit ist das Thema
auch von zwei weiteren größeren Prosastücken Bölls. In *Entfernung von der
Truppe* (1964) wird Fahnenflucht als Tapferkeit gewertet: »Es wird dringend
zur Entfernung von der Truppe geraten«, heißt es im »Moral« überschrie-
benen Nachwort. »Zur Fahnenflucht und Desertion wird eher zu- als von ihr
abgeraten.« Und in *Ende einer Dienstfahrt* (1966) erscheint die feierliche
Verbrennung eines Bundeswehr-Jeeps als Akt des Widerstandes gegen die
Staatsmacht. Ein literarischer Widerstandsakt freilich: Die Politisierung der
Literatur zeigt sich in Bölls Prosa vorerst in einer stofflich-thematischen
Akzentverschiebung, mit der an die Stelle der Vergangenheitsbewältigung
der 50er Jahre Konflikte und Problemstellungen aus der Gegenwart treten.

*Schutzumschlag der
Originalausgabe*

Zu einem der größten Erfolge der deutschen Nachkriegsliteratur wurde
Günter Grass' Roman *Die Blechtrommel* (1959). Er erreichte in zwanzig
Jahren eine Gesamtauflage von drei Millionen Exemplaren, wurde in zwanzig Sprachen übersetzt und machte nicht nur seinen bis dahin kaum bekannten Autor mit einem Schlage weltberühmt, sondern verhalf auch der Literatur der Bundesrepublik zu einer Beachtung, die sie bis dahin kaum erfahren
hatte. Der erste Satz: »Zugegeben: ich bin Insasse einer Heil- und Pflegean-
stalt [...]«, benennt bereits die Perspektive des Außenseiters, aus der hier
erzählt wird und die zugleich das Erzählen selber nachdrücklich ins Recht
setzt. Vor allem hierum geht es dem Autor Grass, der seinen Helden Oskar
sagen läßt: »Man kann eine Geschichte in der Mitte beginnen und vorwärts
wie rückwärts kühn ausschreitend Verwirrung anstiften. Man kann sich
modern geben, alle Zeiten, Entfernungen wegstreichen und hinterher verkünden oder verkünden lassen, man habe endlich und in letzter Stunde das
Raum-Zeit-Problem gelöst. Man kann auch ganz zu Anfang behaupten, es
sei heutzutage unmöglich, einen Roman zu schreiben, dann aber, sozusagen
hinter dem eigenen Rücken, einen kräftigen Knüller hinlegen, um schließlich
als letztmöglicher Romanschreiber dazustehn. Auch habe ich mir sagen lassen, daß es sich gut und bescheiden ausnimmt, wenn man anfangs beteuert:
Es gibt keine Romanhelden mehr, weil es keine Individualisten mehr gibt,
weil die Individualität verloren gegangen, weil der Mensch einsam, jeder
Mensch gleich einsam, ohne Recht auf individuelle Einsamkeit ist und eine
namen- und heldenlose einsame Masse bildet. Das mag alles so sein und
seine Richtigkeit haben. Für mich, Oskar, und meinen Pfleger Bruno möchte
ich jedoch feststellen: Wir beide sind Helden, ganz verschiedene Helden,
er hinter dem Guckloch, ich vor dem Guckloch; und wenn er die Tür aufmacht,
sind wir beide, bei aller Freundschaft und Einsamkeit, noch immer keine
namen- und heldenlose Masse.« *Die Blechtrommel* ist ein pikarischer
Roman, der nicht die Entwicklung eines Helden, wohl aber dessen Beobach-

Taschenbuch

tungen, Erlebnisse und Erfahrungen in einem wüsten Episoden-Bilderbogen von barocker Sprachkraft an einem exemplarischen Ort notiert: Danzig ist der Schauplatz der Handlung, das Kleinbürgertum sein Gegenstand und der kleinwüchsige Oskar eben jener aufmerksam sich rückerinnernde Irrenhausinsasse, der Tabus mit der souveränen Behauptung ignoriert, es gebe »Dinge auf dieser Welt, die man – so heilig sie sein mögen – nicht auf sich beruhen lassen darf«. Zu diesen Dingen gehören Sexualität und Tod nicht weniger als die Alltäglichkeit der kleinbürgerlichen Ängste, Schwächen und Sehnsüchte. Zu ihnen gehören die Mythen des Katholizismus wie die Wiedereinsetzung von Geschichte als lebendige Verwirklichung von Individuen. Zu diesen Dingen gehört vor allem aber auch ein erzählerisches Verfahren, das, getragen von der Detailbesessenheit des blechtrommelnden Erzählers Oskar, die traditionellen Erzählmuster benutzt, um – diese unterwandernd und doch zugleich mit ihrer Hilfe – das Erzählen selber, die ausschweifende Phantasie und Sprachgewalt gegen die vielberedete Krise des Romans ins Feld zu führen. Ein realistisches Erzählen zudem: Kritiker haben Günter Grass mit Recht bescheinigt, daß gerade die Absurdität seines erzählerischen Einfalls zu einer sprachlichen Verdichtung der Stimmungen und Handlungen des Kleinbürgertums im Dritten Reich geführt habe, die unerreicht sei. Die Groteske als genuines Mittel des poetischen Realismus – dies sagt mehr über die Realität des Weltzustandes aus, von dem hier die Rede ist, als es eine realistische Poetik vermöchte. Mit der nachfolgenden Novelle *Katz und Maus* (1961) und dem Roman *Hundejahre* (1963) hat Günter Grass noch zweimal Danzig zum Schauplatz seines Erzählens gemacht. Dem gebürtigen Danziger gilt diese Stadt als Mikrokosmos, weil sich »gerade in der Provinz all das spiegelt und bricht, was weltweit – mit den verschiedenen Einfärbungen natürlich – sich auch ereignen könnte oder ereignet hat«.

Groteske als Stilmittel

Auf die »Danziger Trilogie« folgt die Aufarbeitung von Gegenwartsproblemen in *örtlich betäubt* (1969). Der Roman spielt den Zusammenhang von politischem Denken und Handeln am Beispiel der Schüler- und Studentenrevolte des Jahres 1967 durch, deren Revolutionseuphorie Grass einerseits kritisch am historischen Gegenbeispiel individueller Erfahrungen im Dritten Reich reflektiert, andererseits durch das durchgängig entfaltete Motiv »Zahnbehandlung« relativiert. Dieses Motiv nämlich nimmt – hierin Selbstaussage des politischen Reformisten Günter Grass – die Funktion einer symbolischen Korrektur der in der außerparlamentarischen Bewegung vorgetragenen Ideale wahr. Es geht dem Autor Grass um eine »Evolution Schritt für Schritt: die Springprozession«. Dieses Problem: Fortschritt als Evolution, ist das Thema auch eines weiteren Romans, in dem Grass Erfahrungen aus den 60er Jahren aufgearbeitet hat, nämlich im 1972 veröffentlichten autobiographischen Bericht *Aus dem Tagebuch einer Schnecke*. Der Wahlkämpfer Günter Grass, der für die SPD-Wählerinitiative durchs Land gereist ist, schildert, nach Berlin zurückgekehrt, seinen Kindern seine Erlebnisse und Erkenntnisse während dieser Tätigkeit, die in die Einsicht münden, gesellschaftlicher Fortschritt sei, dem Tempo einer Schnecke vergleichbar, nur mit Geduld und Ausdauer zu erreichen. Wie bei Böll, so auch bei Grass also ein Zusammenspiel der öffentlichen politischen Reflexion und der literarischen Verarbeitung politisch-gesellschaftlicher Erfahrung. Es mag an dem didaktischen Impuls liegen, der in solch einer erzählerischen Absicht sich mitteilt, daß Grass' Romane der 60er Jahre literarisch keineswegs an den Ausnahmefall *Blechtrommel* anknüpfen können. Dennoch repräsentieren Grass wie Böll, bei aller Individualität der Person und der politischen Auffassungen und bei allen Unterschieden der Schreibweisen, einen identischen Typus des Schrift-

Fortschritt im Schneckentempo

stellers: den des demokratisch engagierten Intellektuellen, für den Literatur und Politik, gesellschaftliche Erfahrung und ästhetische Verarbeitung untrennbar zusammengehören, ein Schriftstellertypus, wie ihn für die Weimarer Zeit Heinrich Mann beispielhaft darstellt.

Uwe Johnson

Uwe Johnson in New York

Martin Walser

Zu einem der wichtigsten Erzähler der 60er Jahre avancierte in sehr kurzer Zeit auch Uwe Johnson, der, aus der DDR kommend, bereits 1959 seinen Roman *Mutmaßungen über Jakob* veröffentlicht hatte. Johnsons Schreibweise enthält als Form des Erzählens selber die irritierenden Momente der Wirklichkeit, von denen sie handelt. Sie formuliert diese, gleichsam unter der Hand, in brüchigen Satzkonstruktionen, in Verstößen gegen syntaktische Konventionen und Interpunktionsregeln mit, läßt Unsicherheit, Erkenntnisschwierigkeiten, Orientierungsprobleme selber zu Sprache werden. Bereits mit seinem ersten Buch hatte Johnson so seine unverwechselbare, die Literaturkritik aber irritierende Sprache gefunden, die sich in seinen Romanen *Das dritte Buch über Achim* (1961) und *Zwei Ansichten* (1965) zur einkreisenden und akkumulierenden Detailbesessenheit verdichtet. Johnsons Thema ist die Spaltung Deutschlands. In *Das dritte Buch über Achim* etwa will ein westdeutscher Journalist namens Karsch ein Buch über ein Radfahrer-Idol in der DDR schreiben. Er scheitert jedoch an der Unmöglichkeit, zwischen diesen ganz verschiedenen Welten zu vermitteln, sprachlich eine Verständigung herzustellen. Die Darstellungsweise Johnsons weist damit über den vordergründigen thematischen Ansatz hinaus. Die detailbesessene Einkreisung dieser Welt der Radfahrer, die den »Fetischcharakter der dinghaften Welt« (Helmut Heißenbüttel) vor Augen führt, macht deutlich, daß vor allem von der Schwierigkeit des Mitteilens, des Überbrückens getrennter Welten, des Vermittelns disparater Erfahrungshorizonte die Rede ist. Mit der Tetralogie *Jahrestage* (erschienen in den Jahren 1970, 1971, 1973 und 1980) hat Uwe Johnson sein opus magnum geschaffen. Ein zeitgeschichtliches Kompendium, das freilich alle zeitgeschichtliche Gebundenheit hinter sich läßt, indem es drei Zeitebenen miteinander verschmilzt: die Gegenwart der Gesine Cresspahl, aus deren Perspektive Ende der 60er Jahre in New York erzählt wird; die Nachkriegsgeschichte in Ost und West; die Zeit des Dritten Reichs. Johnson gelingt die erinnernde Integration dieser Ebenen zu einem Zeit-Panorama in facettenreichen, vielfältig gebrochenen Wahrnehmungsperspektiven, die um die Themen Faschismus, Sozialismus, Vietnamkrieg kreisen. Sein Werk richtet sich gegen die Diskrepanz von Anspruch und Wirklichkeit – heute wie vor dreißig und fünfzig Jahren, in der kapitalistischen wie in der sozialistischen Realität, im Alltag wie in der Politik. Seine eigenen Schreibvoraussetzungen hat Uwe Johnson in den Poetik-Vorlesungen *Begleitumstände* (1980) beschrieben.

Kontrovers wie bei kaum einem anderen Autor reagierte die Literaturkritik auf die Romane Martin Walsers. Hatte *Ehen in Philippsburg* (1957) noch weitgehend den Beifall der Rezensenten gefunden, so war die Roman-Trilogie um Walsers Helden und Ich-Erzähler Anselm Kristlein (*Halbzeit*, 1960; *Das Einhorn*, 1966; *Der Sturz*, 1973) in allen drei Teilen höchst umstritten. Gegenstand dieses Streits war vor allem die Frage, ob nicht Walser – bei aller zugestandenen sprachlichen Virtuosität – mit seiner kaum einzudämmenden poetischen Suada die Lesbarkeit seiner Werke und deren Identität als Romane selber gefährde. Und in der Tat bildet gerade die Frage nach der Möglichkeit des Erzählens als Erinnern vergangener Wirklichkeit das zentrale Problem dieser Literatur. Denn Walsers Erzähler Anselm Kristlein, nach seinem Roman-Erfolg *Halbzeit* berühmt geworden, schildert in *Das Einhorn* – im Bett liegend, aus der Bett-Perspektive sich erinnernd – seinen erfolglo-

sen Versuch, als Auftragsarbeit für eine Schweizer Verlegerin ein Buch über
die Liebe zu schreiben: »sie meint es aber so: Versöhnung von Leib und
Seele, eine bessere Sinnlichkeit, heraus aus dem christlichen Sündensack, ins
Freiere und so«. Doch Anselm Kristlein scheitert als Autor eines »Sachro-
mans« zum Thema Liebe – und sein Scheitern ist das Thema dieses Romans,
gibt ihm Stoff, Handlung, Vorwände für Exkurse, Assoziationen, erzählerische Ausschweifungen und Eskapaden, die alle dem einen Ziel dienen: die
Unmöglichkeit, im Bombardement der Worte und Wörter, im Übermaß der
Impressionen, Begebenheiten, Erfahrungsbruchstücke, in der Akkumulation
der Reminiszenzen erinnerte Liebe als Wirklichkeit erzählerisch zu vergegenwärtigen. Die doppelte Distanzierung des Erzählers vom Erzählten – der
Autor läßt einen Erzähler erzählen, eben seine Kunstfigur Anselm Kristlein,
und diese wiederum steht in deutlicher Distanz zu ihrem eigenen Erzähl- und
Erinnerungsvermögen –, diese zweifache Brechung erzählerischer Selbstgewißheit, die durch Witz, Ironien, Larmoyanz verstärkt wird, setzt den
Roman in einen genauen Gegensatz zu jener Form künstlerischer Vergegenwärtigung des Vergangenen, wie sie noch für Marcel Proust unzweifelhaft
war. Und so erweist sich die Poetik Prousts als Antipode dieses Buchs. »Ach
du lieber Proust!« lautet denn auch der spöttische Anruf, der den Roman
leitmotivisch durchzieht, Konsequenz jener Erkenntnis, die Walser in seinem
Essay *Freiübungen* (1963) zu seiner produktionstheoretischen Quintessenz
erhoben hatte: »Da irrt Proust. Gerettet wird nichts. Auch nicht durch
Kunst. Das Muster wird gemacht und dann zerstört. Kunst zeigt nur, daß
nichts gerettet wird. [. . .] Was allenfalls bleibt, ist nicht das Muster, sondern
seine Zerstörung.« Diese Zerstörung führt der Roman vor, und zwar gerade
mit dem Mittel wortmächtiger Einkreisung des Themas Liebe, das auf eben
diese Weise – bewußt! – verfehlt wird. So ist Walsers Roman *Das Einhorn* ein
Buch über das Scheitern eines Romans, das eben deshalb gelungen ist, weil es
die Bedingungen dieses Scheiterns in sich selbst literarisch entfaltet. *Das
Einhorn* markiert auf diese Weise einen Entwicklungsschritt des Autors Walser auf dem Wege zu jener Schreibweise, die er als »kapitalistischen Realismus« bezeichnet und in *Der Sturz* vollends ausgeführt hat: das Amorphe,
Unbändige mitzuteilen, das der Widersprüchlichkeit unendlicher Einzelheiten entspringt und ihnen jene Fremdheit verleiht, die einen Grundzug der
entfremdeten kapitalistischen Gesellschaft mitteilt. Den Roman *Das Einhorn*
deshalb als »gallertartiges Gebilde« (Reich-Ranicki) zu verwerfen, deutet auf
ein Mißverstehen der erzählerischen Leistung Walsers ebenso wie auf ein
vorgefaßtes Verständnis dessen, was ein Roman sei und zu leisten habe. Kein
Geringerer als Thomas Mann aber hat die Vielfältigkeit gerade des Genres
Roman nachdrücklich betont: »Die Variabilität dieser literarischen Form
war immer schon sehr groß. Heute aber sieht es beinahe so aus, als ob auf
dem Gebiete des Romans nur noch das in Betracht käme, was kein Roman
mehr ist. Vielleicht war es immer so.«

Martin Walser

Einen Sonderfall innerhalb der Literatur der Bundesrepublik bildet der
Roman *Die Blendung* von Elias Canetti. Denn dieses Buch erschien bereits
im Jahre 1936, erfuhr jedoch erst nach seiner Neuauflage 1963 jene Beachtung, die seiner Bedeutung entspricht. Es ist ein Werk, das Kritiker nicht zu
Unrecht neben die Prosa Robert Musils und Franz Kafkas, James Joyces und
Samuel Becketts gerückt haben. In ihm wird ein Pandämonium der Bezie-
hungslosigkeit, der Bösartigkeit, der Kommunikationslosigkeit entfaltet, in
dem – ohne Moralisieren, aber auch ohne die Perspektive einer möglichen
Wandlung – Verkehrsformen eines Kleinbürgertums zum Ausdruck kommen, das nur wenig später seine Disposition für den Faschismus auslebte.

Elias Canetti

Der Sinologe Peter Kien, der weltabgeschlossen mit seiner umfangreichen Bibliothek lebt, läßt sich durch einen Trick seiner Haushälterin zur Heirat verleiten. Von diesem Zeitpunkt an treibt Kien in einer Art Odyssee von einer Monstrosität der bürgerlichen Welt zur anderen, bis er schließlich mit seinen Büchern sich selber verbrennt. Dem Chaos dieser Welt wird die Kälte der Erzählhaltung auf überraschende Weise gerecht: Canetti erzählt mit äußerster Distanz und klinischer Genauigkeit, er lädt den Leser zur Beobachtung ein, nicht zu innerer Anteilnahme. Auf diese Weise gelingt Canetti erzählerisch die Bändigung des grotesken Panoramas, von dem sein Roman handelt. Zugleich klingt in *Die Blendung* bereits das Thema der »Masse« an, das Canetti in seinem Essay *Masse und Macht* (1960) weiterverfolgt hat. Als Dramatiker (*Hochzeit*, 1932, uraufgef. 1965; *Komödie der Eitelkeit*, 1950 und 1964, uraufgef. 1965; *Die Befristeten*, 1956) konnte sich Canetti bislang kaum durchsetzen. Große Beachtung fanden hingegen seine autobiographischen Werke, in denen Canetti das Erlebnis der Wiener Bürgerwelt aufgearbeitet hat, und zwar als »Geschichte einer Jugend« (*Die gerettete Zunge*, 1977; *Die Fackel im Ohr*, 1980; *Das Augenspiel*, 1985).

Sind Heinrich Böll und Günter Grass, Martin Walser, Uwe Johnson und Siegfried Lenz die herausragenden Einzelfiguren der 60er Jahre gewesen und bis heute geblieben, so findet sich doch neben ihnen eine Reihe bedeutsamer literarischer Strömungen und Entwicklungen, die das Bild dieser Zeit ebenfalls wesentlich geprägt haben. Eines der gängigen Schlagworte, mit denen die Prosa zwischen 1961 und 1969 charakterisiert worden ist, lautet beispielsweise »Beschreibungsliteratur«. Trotz der Abschätzigkeit, die mit der Verwendung dieses Begriffs seinerzeit häufig einherging, taugt er recht gut zur Bestimmung eines breiten Spektrums unterschiedlicher Prosatexte, deren Gemeinsamkeit in der sprachlichen Form ihrer Annäherung an Wirklichkeit, an Bewußtsein, Situationen, Handlungen, besteht. Es sind dies realistische Erzählweisen, die nicht von einer sozialkritischen Perspektive ausgehen, sondern vielmehr soziale Faktizität selber in äußerster Dichte und Konzentration kritisch zum Ausdruck bringen.

Den programmatisch weitestgehenden Versuch, einer realistischen Beschreibungsliteratur zum Druchbruch zu verhelfen, unternahm seit 1964 die sogenannte »Kölner Schule« des Neuen Realismus. Dieter Wellershoff, Initiator, Mentor, Theoretiker und auch literarischer Repräsentant (*Ein schöner Tag*, 1966; *Die Schattengrenze*, 1969) dieser Gruppe, formulierte deren Programm in genauer Abgrenzung gegen die Fiktionalität grotesker und satirischer Prosa: »Die phantastische, groteske, satirische Literatur hat die Gesellschaft kritisiert, indem sie ihr ein übersteigertes, verzerrtes Bild gegenüberstellte, der neue Realismus kritisiert sie immanent durch genaues Hinsehen. Es ist eine Kritik, die nicht von Meinungen ausgeht, sondern im Produzieren der Erfahrung entsteht.« Doch dieser Versuch einer Selbstbestimmung erfaßt nur unzureichend die Formen, in denen der Neue Realismus sich verwirklicht hat. Autoren wie Günter Herburger (*Eine gleichmäßige Landschaft*, 1964; *Die Messe*, 1969; *Jesus in Osaka*, 1970), Günter Seuren (*Das Gatter*, 1964; *Lebeck*, 1968), Rolf Dieter Brinkmann (*Die Umarmung*, 1965; *Raupenbahn*, 1966; *Keiner weiß mehr*, 1968), aber auch Wellershoff selbst repräsentieren im Umkreis dieses Realismus deutlich voneinander sich abhebende Schreibweisen, die Wellershoffs Bestimmung realistischen Schreibens eher in Frage stellen als bestätigen. Dies wird erkennbar vor allem im schriftstellerischen Verfahren Rolf Dieter Brinkmanns, das in der Objektivierung seiner Erzählgegenstände bis an die Grenze einer Selbstaufhebung des Erzählens gelangt. Lebensbereiche und Situationen von existentieller Bedeutung

Eine wichtige Anthologie – die amerikanische Beatnikliteratur wird bekanntgemacht

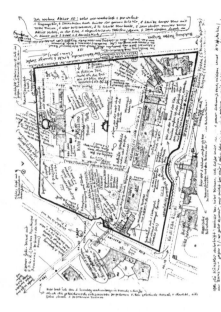

Die Wirklichkeit ist durch Sprache allein nicht mehr auszudrükken – Zeichnung, Photographie, montierte Dokumente des Authentischen treten hinzu: Manuskriptseite aus Brinkmanns »Rom Blicke«

(Geburt, Liebe, Tod, Sexualität) werden vergegenwärtigt, indem sie sich selber vergegenständlichen, sich selber zur Sprache bringen. Rolf Dieter Brinkmanns 1979 postum veröffentlichter Collage-Band *Rom Blicke* macht freilich deutlich, daß Brinkmann der Sprache allein solche Leistung nicht länger anvertrauen mochte. Er erweiterte seine Schreibweise deshalb um andere Ausdrucksmöglichkeiten (Fotos, faksimilierte Wirklichkeitsvorlagen), deren Montage ihm eine offene, radikale Sprechweise erlaubte.

Als Parallel- und Gegenentwicklungen zum Neuen Realismus der »Kölner Schule« lassen sich Arbeiten ansehen, die realistische Erzählweisen mit Mitteln der Groteske verbinden. Renate Rasps Roman *Ein ungeratener Sohn* (1967) zählt hierzu ebenso wie die späteren Romane Günter Seurens (*Das Kannibalenfest*, 1968; *Der Abdecker*, 1970). Es sind Werke, die provokativ mit schockartigen erzählerischen Elementen arbeiten und eine Art Schwarzen Realismus begründen. In Rasps Roman etwa soll ein Junge durch Erziehung in einen Baum verwandelt werden: ein Einfall, vor dessen Hintergrund mit scharfsichtig-präziser Bösartigkeit die besitzgierigen Beziehungen von Menschen zum Ausdruck kommen. Dies gilt in ähnlicher Weise für Gisela Elsners Romane *Die Riesenzwerge* (1964), *Der Nachwuchs* (1968), *Das Berührungsverbot* (1970). Der bürgerliche Alltag erscheint hier als Schreck- und Horrorvision des Banalen – eine Radikalität des Blicks, die Gisela Elsner in späteren Werken (*Der Punktsieg*, 1977; *Abseits*, 1982) nicht wieder erreicht hat.

Neuer Realismus und Schwarzer Realismus sind zwei höchst verschiedenartige Erzählweisen, die gleichwohl von demselben Bemühen zeugen: Wirklichkeit erfahrbar zu machen. Dabei stellen die neorealistischen Erzählformen den Versuch dar, in die Wirklichkeit so hineinzuhören, daß diese selber zur Sprache werden kann, während der mit den Mitteln der Groteske, des Schocks, des grellen Effekts arbeitende Realismus poetologisch ein Mißtrauen gegenüber solcher Wirklichkeitserfahrung repräsentiert. Er benutzt Elemente der Verfremdung, der Wirklichkeitsverzerrung, der surrealistischen Bildersprache, um die Wirklichkeitsoberfläche so zu zerstören, daß aus der

Neuer Realismus – Schwarzer Realismus

Banalität der Erscheinungsformen die bürgerliche Realität des alltäglichen Schreckens und Erschreckens, des Schocks und des Entsetzens hervortritt.

Der Roman also »zwischen Realismus und Groteske« (Heinrich Vormweg) – gerade die Vielfalt der Prosa in den 60er Jahren erlaubt es nicht, mit der vorstehenden Skizze auch nur annähernd Vollständigkeit zu beanspruchen. Zu beachten nämlich sind außer den genannten des weiteren so wichtige Autoren wie Peter Härtling (*Niembsch oder der Stillstand*, 1964) und Hubert Fichte (*Das Waisenhaus*, 1965; *Die Palette*, 1968), Gerhard Zwerenz (*Casanova oder Der kleine Herr in Krieg und Frieden*, 1966) und Ernst Herhaus (*Die homburgische Hochzeit*, 1967), nicht zuletzt Peter Handke, der mit *Die Hornissen* (1966) und *Der Hausierer* (1967) als eher traditioneller Erzähler debütiert. Freilich: Es kann nicht um Vollständigkeit gehen, wo Zusammenhänge aufzuzeigen sind. Den Zusammenhang der Prosa dieser Zeit aber bildet eben die Frage nach den Möglichkeiten und Grenzen realistischen Erzählens.

Prosa der
entfremdeten Welt

Diese Frage liegt auch der Prosa zweier Autoren zugrunde, die die traditionellen Gattungsbestimmungen eher sprengen als bestätigen wollen: Alexander Kluge und Jürgen Becker. Kluge erzählt in *Lebensläufe* (1962) und *Schlachtbeschreibung* (1964, Neuausgabe 1978) distanziert und scheinbar emotionslos. Er berichtet und registriert Mechanismen, in deren Zusammenspiel Individuen nur mehr Abhängigkeit erfahren. Keine »Fabel« steht im Vordergrund, sondern Systeme der Erfassung und Zuordnung – eine Prosa der entfremdeten Welt. Radikalisierung des Blicks, Tiefenschärfe der Beobachtung auch bei Jürgen Becker (*Felder*, 1964; *Ränder*, 1968; *Umgebungen* 1970), doch in seinen Texten ausgehend von einem präzis und nuanciert sich äußernden individuellen Erfahrungsbereich. »Dieser Text«, so Jürgen Becker in einer Selbstinterpretation der *Felder*, »demonstriert nur die Bewegungen eines Bewußtseins durch die Wirklichkeit und deren Verwandlung in Sprache. Bewußtsein: das ist meines in seinen Schichten, Brüchen und Verstörungen; Wirklichkeit: das ist die tägliche, vergangene, imaginierte.« Daß gerade diese Fragestellung thematisch erweitert wird durch eine Literatur, die sich in den 60er Jahren zunehmend und mit einiger Ausschließlichkeit auf den Gegenstandsbereich »Arbeitswelt« konzentriert, diese Tatsache pointiert in besonderer Weise jene Entwicklung, die für die Literatur dieses Zeitraums insgesamt kennzeichnend ist: ihre Politisierung.

Die Eroberung der Arbeitswelt durch die Literatur

Traditionslinien

Wer für die Zeit von 1945 bis 1960 in der Bundesrepublik eine Literatur ausfindig zu machen sucht, die das Problem »Arbeitswelt« thematisiert, wird sich enttäuscht sehen: Es gibt sie zwar, doch nur in einer sehr eingeschränkten, zudem ideologisch bestimmten Form. Ganz vereinzelt sind in diesem Zeitraum Werke älterer »Arbeiterdichter« (Heinrich Lersch, Karl Bröger, Gerrit Engelke) wieder aufgelegt worden, die freilich kaum beachtet wurden noch gar von einer lebendigen Tradition der Arbeiterliteratur zeugen konnten. Diejenige Literatur aber, die sich mit Gegenwartsproblemen der Arbeitswelt befaßt, spricht – hierin der Tradition der »Arbeiterdichter« verpflichtet – in verklärender, den Arbeitsprozeß mythisierender und mystifizierender Weise von ihrem Gegenstand. Vor dem Hintergrund eines unbewältigten Faschismus, im Zusammenhang von Harmoniebestrebungen und Sozialpartnerschaftsformeln konservativer Politiker und Unternehmer erfüllt diese Literatur eine ideologische Funktion: In den Aufbaujahren der Bundesrepublik erscheint jener Arbeiter als vorbildlich, der (wie in Martha Schlinkert-Ga-

*Dichterlesung in einer
Werkhalle (1967)*

linskys Roman *Der Schatten des Schlotes* aus dem Jahr 1947) »weiß, daß
arm und reich immer bleiben werden«, und dem es fernliegt, »diese Weltord-
nung zu verkehren«. Angesichts dieser eher arbeiterfeindlichen und realitäts-
fernen Literatur stellte Walter Jens deshalb 1960 mit Recht die verwunderte
Frage: »Arbeiten wir nicht? Ist unser tägliches Tun so ganz ohne Belang?
Geschieht wirklich gar nichts zwischen Fabriktor und Montagehalle, ist das
Kasino-Gespräch ohne Bedeutung, prüft kein Labor seine lebenslänglichen
Sklaven?«

Bei der Suche nach Ursachen für diese literarische Leerstelle wird man
einmal mehr gesellschaftspolitische Gründe anführen müssen. Schriftstellerverbände wie der »Bund proletarisch-revolutionärer Schriftsteller« (KPD)
und gewerkschaftliche Buchgemeinschaften etwa hatten in der Weimarer
Zeit eine wichtige Aufgabe bei der Entwicklung und Verbreitung einer klassenbewußten Arbeiterliteratur wahrgenommen. Die Zerschlagung der Ar-
beiterorganisationen durch die deutschen Faschisten im Jahr 1933 vernich-
tete nicht nur deren politische Macht, sondern setzte auch ihre Funktion als
kultureller Organisator der Arbeiterklasse außer Kraft. Nach 1945 standen
zunächst weniger kulturelle als vielmehr politische Probleme im Vordergrund der gesellschaftlichen Auseinandersetzungen, bedingt vor allem durch
die restriktive Gewerkschaftspolitik der westlichen Besatzungsmächte. Die
restaurative Entwicklung in der Adenauer-Ära, die schließlich 1956 zum
Verbot der KPD führte, und die Aufbau-Ideologie der »Wirtschaftswunder«-
Jahre trugen schließlich ihren Teil dazu bei, daß sich eine mit sich selbst
identische Arbeiterkultur nicht herausbilden konnte. Eine Voraussetzung
hierfür findet sich erst zu jener Zeit, als sich die ersten Zeichen eines sich
wandelnden Gesellschaftsverständnisses bemerkbar machen: mit dem Ende
der ökonomischen Rekonstruktionsperiode in den Jahren 1960/61.

Ein wichtiges Datum bei der Wiederentdeckung des Themas »Arbeitswelt« für die Literatur bildet die Gründung der »Dortmunder Gruppe 61«
am Karfreitag des Jahres 1961. Der Gruppenname ist nicht absichtslos gewählt: Er deutet eine bewußte Gegengründung zur »Gruppe 47« an. Als ihre
zentrale Aufgabe bestimmte die »Gruppe 61« die »literarisch-künstlerische

literarische Leerstelle

Programmatik

573

Auseinandersetzung mit der industriellen Arbeitswelt und ihren sozialen Problemen«. Erwartet wird von den Formen einer solchen Auseinandersetzung, daß diese eine »individuelle Sprache und Gestaltungskraft aufweisen oder entwicklungsfähige Ansätze zu eigener Form erkennen lassen«. Damit ist ein neorealistisches Programm formuliert, das sich keineswegs der klassenkämpferischen Literatur der Weimarer Zeit verpflichtet fühlt, sondern »Arbeitswelt« vor allem unter technologischen Aspekten auffaßt: Im Mittelpunkt steht die »geistige Auseinandersetzung mit dem technischen Zeitalter«, als Autoren kommen nicht Arbeiter und Angestellte in Betracht, sondern die Rede ist von »Schriftstellern, Journalisten, Lektoren, Kritikern, Wissenschaftlern und anderen Persönlichkeiten, die durch Interesse oder Beruf mit den Aufgaben und der Arbeit der Gruppe 61 verbunden sind«.

Wallraff

Aufsehen erregt und politische Wirkung erzielt hat seit seinen ersten Veröffentlichungen der Schriftsteller Günter Wallraff, ebenfalls Mitglied der »Gruppe 61« (*Wir brauchen dich*, 1966; *13 unerwünschte Reportagen*, 1969; *Von einem, der auszog und das Fürchten lernte*, 1970). In seinen Reportagen konzentriert sich Wallraff auf die Wirklichkeit der Arbeitswelt, deren Unterdrückungsmechanismen, deren systembedingte Brutalität und Destruktivität, deren Ausbeutungs- und Herrschaftsformen er ans Licht der Öffentlichkeit gebracht hat. Immer wieder ist das ungläubige, verblüffte Staunen über das, was Wallraff aufgrund seiner Beobachtungen zu berichten hatte, ist das Kopfschütteln über Korruption, Unterdrückung, Heuchelei in der öffentlichen Diskussion verdrängt worden von der Erregung über das Vorgehen Wallraffs, über seine Methode. Denn er begibt sich, um seine Informationen überhaupt erhalten zu können, meist unter falschem Namen in die Wirklichkeitsbereiche, aus denen er berichten will. In einem Prozeß, der ihm wegen seines Vorgehens gemacht wurde – Amtsanmaßung, arglistige Täuschung, unsauberer Journalismus lauteten die Vorwürfe –, setzte sich Wallraff mit dem Hinweis zur Wehr: »Ich wählte das Amt des Mitwissers, um ein Stück weit hinter die Tarnwand von Verschleierung, Dementis und Lüge Einblick nehmen zu können. Die Methode, die ich wählte, war geringfügig im Verhältnis zu den rechtsbeugenden Maßnahmen und illegalen Erprobungen, die ich damit aufdeckte.« Identitätsverschleierung zur Realitätsentschleierung: Als Beispiel für diese Methode kann Wallraffs Tätigkeit als Bürobote im Kölner Gerling-Konzern dienen (veröffentlicht in *Ihr da oben, wir da unten*, 1973, mit Bernt Engelmann). Der Bürobote im Gartenkasino der Vorstandsdirektoren, im exklusiv-feudalen Speisetrakt mit festlich gedeckten Tischen sich neben den Herren des Hauses niederlassend, erlesene Gerichte und Champagner bestellend; der Bürobote im Bürosaal des Firmenchefs Gerling selber, im Schneidersitz auf dem Schreibtisch, den goldenen Globus mit dem erdumspannenden Firmen-G in Händen haltend – Ironisierungen sozialer und innerbetrieblicher Hierarchien durch stellvertretendes, entlarvendes Handeln. Auf dem Schreibtisch entdeckt er Gerlings Wahlspruch: »Fortes fortuna adjuvat« (Den Starken steht das Glück bei) – er legt einen Zettel daneben mit der Aufschrift »Aber nicht mehr lange!«. Aus einem Strauß von zwei Dutzend roter Nelken bricht sich der Botenjunge eine Blüte und steckt sie sich, Symbol der portugiesischen Revolution, ins Knopfloch. Als zwei Bevollmächtigte der Firma ihn schließlich entfernen wollen, sitzt er im Chefsessel und ißt – einen Apfel. Wallraffs Handeln enthält somit seinen gesellschaftlichen und politischen Anspruch: den Anspruch auf eine Gesellschaft ohne Hierarchien, das Hintertreiben des etablierten Gesellschaftsgefüges als Entwicklungsmoment seiner Verunsicherung. Wallraff ist deshalb als »Untergrundkommunist« denunziert worden – in Wahrheit ist seine Metho-

*Günter Wallraff als
Redakteur Hans Esser
(1977)*

de nichts anderes als ein »soziologisches Experiment« im Sinne Bertolt Brechts: Von einem »durchaus subjektiven, absolut parteiischen Standpunkt« aus zeigt Wallraff »die gesellschaftlichen Antagonismen, ohne sie aufzulösen« (Brecht). Diese Methode hat sich bis hin zu seiner Arbeit als »Türke Ali« (*Ganz unten*, 1985) als wirkungsvoll erwiesen. Und als erfolgreich auch: Von diesem Buch wurden binnen weniger Monate mehr als eine Million Exemplare verkauft.

Die Frage nach der Identität ihrer Autoren hat immer wieder zu Spannungen innerhalb der »Gruppe 61« geführt. Zwar grenzte sich die Gruppe von der pathetischen, den Arbeitsprozeß und die Industrialisierung mystifizierenden und mythisierenden Arbeiterdichtung (Engelke, Lersch, Barthel) nachdrücklich ab, doch blieb für sie die soziale Herkunft ihrer Mitglieder ein ungelöstes Problem. Der Schriftsteller Max von der Grün vertrat hierzu eine Meinung, die keineswegs von allen Gruppenmitgliedern geteilt wurde: »Man kann nicht nur über Arbeitswelt schreiben, wenn man Arbeiter gewesen ist; ich glaube, bei einer intensiven Beschäftigung mit dieser Materie ist es sehr wohl für Außenstehende möglich, zum Thema Arbeitswelt etwas zu sagen.« Zugleich aber grenzte sich Max von der Grün von den programmatischen Zielsetzungen des Bitterfelder Weges in der DDR ab, den er als Oktroi empfand: »Ich kann als Schriftsteller selbstverständlich in einen Betrieb gehen [...]. Ich werde sehr viel erfahren in diesem Betrieb – aber eines werde ich höchstwahrscheinlich niemals erfahren, nämlich das, was ich mit existentieller Grundsituation verstanden wissen will. Es ist eben ein Unterschied, in einem Betrieb zu arbeiten in der Gewißheit: wenn es mir nicht mehr paßt, dann gehe ich; oder aber in der Gewißheit, daß ich mein Leben hier zubringen muß, weil mir keine anderen Möglichkeiten geboten werden.«

»Existentielle Grundsituation« – dieses Postulat Max von der Grüns verweist auf ein entscheidendes Definitionsproblem des Begriffs ›Arbeiterliteratur‹. Traditionell wird eine Bestimmung dieses Begriffs entweder nach der Thematik (Literatur über Arbeiter) oder nach der sozialen Herkunft der Autoren (Literatur von Arbeitern) vorgenommen. Diese Definitionen haben sich jedoch als unzureichend erwiesen, weil in sie eine genauere Bestimmung

*Arbeiterliteratur –
aber wie?*

*Definition
»Arbeiterliteratur«*

575

der Funktion solcher Literatur (Literatur für Arbeiter) nicht eingeht. Gerade Kritiker der »Gruppe 61« haben ihr die prinzipielle Offenheit für alle Formen von Arbeiterliteratur zum Vorwurf gemacht, weil auf diese Weise keine qualitativ hinreichende Abgrenzung vom bürgerlichen Literaturbetrieb möglich geworden sei und der Arbeiter in der Literaturproduktion der Gruppe häufig zum Objekt der Darstellung werde, nicht aber – selber schreibend – als handelndes Subjekt hervortrete. Diese Vorwürfe, die später zur Abspaltung einer Reihe von Gruppenmitgliedern und zur Gründung des »Werkkreises Literatur der Arbeitswelt« führten, treffen freilich nur in einem eingeschränkten Maße zu. Denn der »Gruppe 61« konnte es bei ihrem Versuch, auf das Phänomen Arbeitswelt mit literarisch-künstlerischen Mitteln allererst aufmerksam zu machen, in den ersten Jahren nach ihrer Gründung nicht um die Durchsetzung eines bestimmten politisch-gewerkschaftlichen Programms gehen, sondern allenfalls um die breit angelegte Initiierung eines neuen literarischen Entwicklungsprozesses.

Max von der Grün   Einer der wichtigsten Autoren der Gruppe war seit ihrer Gründung der Schriftsteller Max von der Grün, nahezu der einzige Autor dieser Zeit, der mit seinen Werken öffentliche Resonanz hatte. In Romanen wie *Männer in zweifacher Nacht* (1962), *Zwei Briefe an Pospischiel* (1968) und *Stellenweise Glatteis* (1973) wird mit realistischen, zum Teil auch mit dokumentarischen Mitteln die Problematik einer zunehmend industrialisierten Arbeitswelt vor allem im Bergbau geschildert. In seinem zweiten Roman, *Irrlicht und Feuer* (1963), hat Max von der Grün eigene Erfahrungen aus seiner Arbeit unter Tage (Bauarbeiter, Hauer, Lokführer, zweimal verschüttet) in seine Darstellung einbezogen. An der Entwicklung des Bergmanns Jürgen Fohrmann zeigt der Roman die soziale Problematik von Zechenschließungen, den Klassenkampf von oben, das Weiterwirken des Faschismus in der Gegenwart und nicht zuletzt die problematische Rolle der Gewerkschaften in Klassenauseinandersetzungen. Als ein Lehrstück zur Wirksamkeit sozialkritisch-realistischer Literatur läßt sich das Aufsehen verstehen, das die Veröffentlichung dieses Romans nach sich zog: Die Industrie sah ihre Interessen gefährdet und versuchte, eine einstweilige Verfügung gegen einzelne Passagen des Romans durchzusetzen; die Gewerkschaft Bergbau und Energie fühlte sich brüskiert und lud den Autor erst 1967 wieder zu Veranstaltungen; der Betrieb, dem der Autor als Arbeiter angehörte, drohte mit Repressalien; in einer Illustriertenveröffentlichung wurden alle unternehmerkritischen Passagen aus Angst vor Anzeigenverlusten unterschlagen; eine in der DDR erstellte Fernsehfassung wurde in der Bundesrepublik durch zusätzliche Podiumsdiskussionen, durch die Veröffentlichung von Umfrageergebnissen und durch zwei Dokumentationen zur dargestellten Problematik ergänzt, in ihrer Wirksamkeit und in ihrer Identität als Fernsehfilm mithin eingeschränkt. Ins Recht gesetzt aber konnte sich mit diesen Vorgängen der Autor Max von der Grün selber sehen: Seine Vorstellung von Literatur als einem spezfischen Medium gesellschaftlichen Handelns wurde gerade durch jene Aktivitäten bestätigt, die sich gegen seine Literatur richteten. »Literatur«, so ein Fazit Max von der Grüns, »kann mithelfen, Menschen zu aktivieren, ihnen ein politisches Bewußtsein zu geben, wenn diese Literatur Vorgänge transparent macht«.

Neben Max von der Grün nahmen Schriftsteller wie Bruno Gluchowski, Erwin Sylvanus (*Korczak und die Kinder*, 1957) und Josef Reding, aber auch jüngere Autoren wie Angelika Mechtel, F.C. Delius, Günter Wallraff und Peter-Paul Zahl Einfluß auf die Entwicklung der »Gruppe 61«. Dabei zeigte sich bald, daß die programmatische Offenheit der Gruppe bei gleichzeitiger Fixierung auf den Gegenstandsbereich »Arbeitswelt« zunehmend eine Konfliktkonstellation heraufführte, die ohne eine genauere Bestimmung ihrer literarisch-politischen Funktion nicht lösbar schien. »Das beste wäre Auflösung und neuer Anfang«, schrieb deshalb F. C. Delius im November 1970, und seine Begründung für diesen Vorschlag resultierte eben aus der unzureichenden Selbstbestimmung der Gruppe. Die »Gruppe 61« sei »überhaupt kein Ort, kein Zentrum, keine Produktionsstätte, sondern ein Markenzeichen, unter dem sich einmal im Jahr ein paar Schreiber mit ziemlich unterschiedlichen Interessen und Ideologien zusammenfinden [...] die Mitglieder der Gruppe scheinen nicht einmal einen gemeinsam reflektierten literarischen Anspruch zu haben, sondern eher einen individualistischen literarischen Ehrgeiz«.

Da aber eine gruppeninterne Lösung dieser Probleme nicht möglich war, kam es im Herbst 1969 zur Gründung des »Werkkreises Literatur der Arbeitswelt«. Seither hat der Werkkreis – in höherem Maße, als es die »Gruppe 61« vermocht hat – erhebliche Bedeutung für die Herausbildung einer Arbeiterliteratur bekommen, die zugleich eine Literatur von Arbeitern und für Arbeiter ist, also auch politische Ziele mit literarischen Mitteln verfolgt. In einer ersten Aufbauphase (bis 1970/71) wurden durch Reportagewettbewerbe potentielle Autoren aus der Arbeitswelt gewonnen, die sich danach in etwa 25 örtlichen Arbeitskreisen mit rund 350 Mitgliedern (Gewerkschafter, Sozialdemokraten, Kommunisten, Parteilose) organisierten, um gemeinsam über die Produktion von Texten, über politische Probleme und soziale Fragen zu diskutieren. Die soziologische Zusammensetzung der Werkkreise wies bis 1976 zu je etwa einem Drittel Arbeiter, Angestellte und Studenten unter den Mitgliedern aus. Die Gesamtauflage der vom Werkkreis publizierten Bücher – davon mehr als zwei Dutzend in einer publikumswirksamen Taschenbuchreihe – lag Mitte der 80er Jahre bei rund einer Million Exemplaren.

Trotz seiner eindrucksvollen Entwicklung aber stand der Werkkreis auch zehn Jahre nach seiner Gründung noch immer vor einem entscheidenden Problem, das seinem literaturpolitischen Konzept entspringt. Das erklärte Ziel, die zum Teil kollektiv produzierten literarischen Texte »in den aktuellen Kampf der Arbeiterbewegung« einzubringen und auf diese Weise »eine Literatur der Arbeitswelt als Literatur der Arbeiterklasse« zu entwickeln, stellte die werktätigen Literaturproduzenten häufig vor das Dilemma, einen vorgedachten politischen Gedanken, eine Idee, eine bestimmte Absicht literarisch einkleiden oder in Literatur übersetzen zu müssen. Unter dem Vorzeichen eines sozialkritischen Realismus wurden deshalb in den Projekt- und Schreibschulungen der Werkkreise Schreibweisen vermittelt, die diesem Ziel genügten, oft genug freilich gerade auf Kosten der ästhetischen Besonderheit der Literatur. Vielfach führte die Vermittlung solcher Schreibweisen lediglich zu einer Naivität und Simplizität der Figurenzeichnung wie der Handlungsschemata und insgesamt zu einer Konfektionierung der Werkkreis-Literatur. Die seit dem Ende der 70er Jahre stagnierenden Auflagenzahlen und die sich verlangsamende Titelproduktion deuten denn auch auf die allmähliche Erschöpfung dieses Literaturkonzepts.

Einen Schritt weiter in Richtung auf eine möglichst authentische Erfassung der Wirklichkeit ging Erika Runge, ebenfalls Mitglied der »Gruppe 61« und später des Werkkreises. In den Krisenjahren 1966/67, vor dem Hintergrund von Rezession und Kurzarbeit, Massenentlassungen, Zechenstillegungen und Arbeiterdemonstrationen, erprobte und publizierte sie mit ihren *Bottroper Protokollen* (1968) ein literarisches Verfahren, dessen Vorzüge und Schwächen mittlerweile deutlich geworden sind: die Aufzeichnung von Originalaussagen derjenigen, die von gesellschaftlichen Krisen am nachhaltig-

Werkkreis

Dilemma des Konzepts

Erika Runge

sten betroffen waren und sind. Der Vorzug dieser Arbeitsweise lag vor allem in der Vielfalt medialer Anwendungsbereiche, für die sich das dokumentarische Material anbot. Zu ihrem Arbeitsprozeß notierte die Autorin: »Die auf Tonband festgehaltenen Erzählungen wurden von mir möglichst klanggetreu abgeschrieben und dann gekürzt im Sinne von gerafft und dramaturgisch geordnet. [...] Eigentlich bin ich vorgegangen wie bei der Montage eines Dokumentarfilms, bei der die Roh-Aufnahmen erst nach Komplexen zerlegt und dann in einer Auswahl neu zusammengesetzt werden.« Die *Bottroper Protokolle* ließen sich so als authentische Texte ebenso verwenden, wie sie sich zum Theaterstück, zum Hörspiel und Fernsehspiel verarbeiten ließen, und konnten gleichwohl ihre Identität unabhängig vom jeweiligen Medium bewahren: Sie blieben die Selbstaussagen der gesellschaftlich Deklassierten, die über ihre deprimierende Wirklichkeit ungeschminkt und desillusionierend Auskunft gaben.

»alle Literatur ist bürgerlich«

Martin Walser hat in diesem Verfahren die einzige Möglichkeit gesehen, dem Thema »Arbeitswelt« illusionslos beizukommen: »Es ist lächerlich, von Schriftstellern, die in der bürgerlichen Gesellschaft das Leben ›freier Schriftsteller‹ leben, zu erwarten, sie könnten mit Hilfe einer Talmi-Gnade und der sogenannten schöpferischen Begabung Arbeiter-Dasein im Kunstaggregat imitieren oder gar zur Sprache bringen. Alle Literatur ist bürgerlich bei uns. Auch wenn sie sich noch so antibürgerlich gebärdet.« Doch Walsers Kritik »bürgerlicher Literatur« kann ihrerseits nicht das prinzipielle Dilemma der Protokolle und Dokumente beseitigen: Deren Grenzen nämlich fallen zusammen mit denen der Wirklichkeit, die in ihnen »zur Sprache kommt« (Walser). Die Möglichkeit der Literatur, diese Wirklichkeit durch Utopie und Phantasie ästhetisch zu entgrenzen und zu überschreiten, bleibt ihnen versagt. Erika Runge hat sich 1976 dieses Grundproblem der dokumentarischen Methode unter Hinweis auf ihre eigene »Sprachunfähigkeit«, auf Ausdrucksängste eingestanden: »Warum habe ich denn nicht meine Erlebnisse und Erkenntnisse, meine Phantasie und meine Sprache eingebracht? Ich war dazu nicht imstande, obgleich ich das Bedürfnis hatte. Ich wollte schreiben, aber mir fehlten die Worte. Ich wollte von mir, meinen Wünschen und Schwierigkeiten sprechen, aber ich hatte Angst, mich bloßzustellen«. Und die Hinwendung zur »neuen Subjektivität« der 70er Jahre tritt deutlich hervor, wenn sie im gleichen Zusammenhang erklärt, sie werde »versuchen, Freiheiten, Phantasie, Spielraum – mich selbst und die Beziehung zu anderen – auszuprobieren. Will die Fülle der Möglichkeiten von Literatur nutzen, und das nicht nur aus Gründen politischer Einsicht, sondern um den Anspruch des Menschen auf Selbstverwirklichung, auf Individualität, auch für meine Person zu vertreten«.

Oberflächenzerstörung – Theorie und Praxis Konkreter Poesie

Als ernsthafter, gleichwohl nicht unproblematischer Versuch, über Theorie und Praxis des literarischen Realismus ebenso hinauszukommen wie über die Poetik eines Gottfried Benn, sind jene lyrischen Arbeiten anzusehen, die seit Ende der 50er Jahre unter dem Begriff »Konkrete Poesie« zusammengefaßt werden. In dieser literarischen Strömung sind höchst unterschiedliche Textprodukte und Texttheorien versammelt, deren Gemeinsamkeit vor allem in einer Gegnerschaft besteht: Sie wenden sich gleichermaßen gegen die Inhaltlichkeit der Poesie wie gegen ihre traditionellen (Vers-)Formen. Diese Gemeinsamkeit wiederum ist mit einer bezeichnenden Zeiterscheinung der ausgehenden 50er Jahre und vor allem der 60er Jahre verbunden, nämlich dem sich ausbreitenden Überdruß an – auch literarischen – gesellschaftlichen Konventionen, an Einverständnis und Gleichmaß herkömmlicher Sehweisen, Wahrnehmungsformen und Denkgewohnheiten. Insofern ist die konkrete Poesie, bei aller Eigenständigkeit und Unverwechselbarkeit, durchaus den literarischen Rebellionen dieses Jahrhunderts, dem Dadaismus und dem Futurismus etwa, vergleichbar: Die Revolutionierung der poetischen Formen gilt ihr als revolutionäre Poesie. Den Begriff der Konkreten Poesie hat 1955 der Textproduzent und -theoretiker Eugen Gomringer in Anlehnung an Entwicklungen in der Bildenden Kunst gebildet, die den Begriff einer »Konkreten Kunst« bereits seit 1930 kennt. Gomringer – und mit ihm brasilianische und japanische, französische und amerikanische Autoren – definiert die Konkrete Poesie als eine »ordnungseinheit, deren aufbau sich durch die zahl der worte und buchstaben und durch eine neue strukturelle methode bestimmt«. Ein Inhalt erscheint ihm nur dann von Belang, wenn sich dessen »geistige und materielle« Struktur als interessant erweist und sprachlich bearbeitet werden kann«. »Inhalte« solcher Art findet Gomringer in Wörtern wie »baum, kind, hund, haus«.

Mit der Wendung gegen Inhaltlichkeit und Formtraditionen geht eine Besinnung auf den Materialcharakter der Sprache einher, die poetisch höchst anregend und innovierend gewirkt hat. Die experimentellen Texte Franz Mons etwa, der Wiener Gruppe um Gerhard Rühm, Friederike Mayröcker und Ernst Jandl, H.C. Artmanns Sprachwitz und -artistik, die Arbeiten Eugen Gomringers und Helmut Heißenbüttels destruieren sprachliche Oberflächenphänomene, indem sie Sprache zu ihrem eigenen Gegenstand machen, zerstören mithin den traditionellen Mitteilungscharakter der Sprache und konstituieren diese aufs neue in ungewohnten Verwendungszusammenhängen, die oft überraschende Einsichten ermöglichen. Unterstützt wird diese poetische Absicht durch optische Effekte, durch ein bestimmtes typographisches Arrangement des Textes beispielsweise, und durch akustische Elemente, die im Vortrag der Autoren selber, auf Schallplatten etwa und auf Lesungen, zur Geltung gebracht werden. Verändert wird also nicht nur die poetische Sprache, sondern mit ihr verwandelt – und zugleich audio-visuell erweitert – wird auch das Medium Poesie. Das Ziel dieses literarischen Unterfangens aber ist die Veränderung der Hör-, Seh- und Denkgewohnheiten der Rezipienten. Ein Beispiel von Claus Bremer:

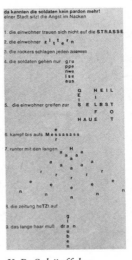

K.B. *Schäuffelen*

> kann ich allseitig zeigen was ich zeige
> kann ich was ich zeige allseitig zeigen
> allseitig zeigen was ich zeige kann ich
> was ich zeige allseitig zeigen kann ich
> allseitig zeigen kann ich was ich zeige
> was ich zeige kann ich allseitig zeigen

In diesem Text werden die drei Syntagmen (kann ich/ allseitig zeigen/ was ich zeige) derart zueinander in Beziehung gesetzt, miteinander durchgespielt, daß die eingangs gestellte inhaltliche Frage, die allerdings abstrakt bleibt, im Prozeß des Gedichts selber, ja gerade durch diesen positiv beantwortet wird. Die Inhaltlichkeit dieses Textes bezieht sich zwar auf die Aussage, die ihm zugrundeliegt. Sein Verfahren jedoch verschränkt den Inhalt so sehr mit der Form, daß beide eines werden, daß die Form des Gedichts seine Aussage nicht lediglich umsetzt oder transportiert, sondern vollkommen organisiert, indem sie diese demonstrativ ins Recht setzt. Bleibt hier aber das Gedicht seiner inhaltlichen Aussage noch verhaftet, so wird im Beispiel von Konrad

Helmut Heißenbüttel

Schwierigkeiten der Definition

Balder Schäuffelen die Inhaltlichkeit ins Typographische entgrenzt, in optisch wahrnehmbare Bildlichkeit übersetzt.

Einer der wichtigsten Vertreter der Konkreten Poesie und zugleich einer ihrer bedeutendsten Theoretiker, Helmut Heißenbüttel (verschiedene *Textbücher* seit 1960), hat die Reduktion solcher Texte, ihr »Zurückgehen auf sprachlich Grundsätzliches«, und die »Überschreitung von medialen Begrenzungen« als deren wichtigste Merkmale beschrieben. »Die syntaktisch und semantisch komplexe Oberflächenstruktur der Sprache, in der wir uns gewöhnlich verständigen (zu verständigen versuchen), wird aufgeschlossen, unterwandert; reduziert und zugleich erweitert auf das hin, was diese Oberflächenstruktur trägt.« Deren Entgrenzungen ins Typographische oder in akustische Artikulation dienen ebenfalls der Oberflächenzerstörung: »sie sollen eine veränderte Erfahrung in einer sich verändernden Umwelt bezeugen und haben zumindest demonstrative Funktion«. Das Ergebnis einer solchen poetischen Operation ist vollständige Destruktion, freilich nicht in einem nihilistischen Sinne: »sie gibt vielmehr erst die Sprache frei in den Elementen, die sich zur überkommenen Oberflächenstruktur zusammensetzen: Mittel, Darstellungsmittel, Ausdrucksmittel, Konstruktionsmittel für eine veränderte Syntax und für eine veränderte Semantik«.

Nach Heißenbüttels Auffassung läßt sich die Leistung der Konkreten Poesie dann angemessen und umfassend bestimmen, wenn man »deren Tendenzen nicht nur als neue Sprechweise erkennt, sondern ebenso als eine neue Weise, sich sprachlich in dieser Welt zu orientieren«. Mit diesem wichtigen Hinweis ist jedoch zugleich auch ein grundsätzliches Problem der Konkreten Poesie benannt, nämlich das des Widerspruchs zwischen theoretischem Anspruch und poetischer Praxis bzw. deren Wirkung. Das Gedicht als »seh- und gebrauchsgegenstand – denkgegenstand – denkspiel«, wie Eugen Gomringer es fordert, erwartet vom Leser Ergänzung, Erweiterung, Lust und Fähigkeit zu spielerischer Fortentwicklung. Es verlangt mithin einen Leser, der den theoretischen Postulaten Konkreter Poesie bereits entspricht, also für seine Textlektüre Voraussetzungen mitbringt, welche diese – dem Anspruch der Autoren nach – selber erst zur Folge haben soll. Auf diesen Widerspruch hat auch Peter Schneider hingewiesen: »Die konkrete Dichtung steckt in einer grundsätzlichen Schwierigkeit. Ihre Offenheit braucht einen offenen Leser. Der theoretisch nicht vorbereitete Leser ist aber nicht in dieser Weise offen. Er gibt sich dem Gedicht nicht einfach hin. Er geht mit einer durch Lese- und Lebensgewohnheit festgesetzten Erwartung an das sprachliche Kunstwerk heran. Er hat sich darauf eingerichtet, das, was er durch Sprache erfährt, in seiner Bedeutung zu verstehen. Er fragt nicht, ob er das tun darf, er tut es. Wenn er nichts versteht, nimmt er diese Tatsache nicht als Erfahrungstatsache, als Intention des Autors hin, sondern sucht nach einem unerkannten Schlüssel zum Verständnis, nach einem heimlichen Gesetz, nach einer verkappten Regel. Da er nichts dergleichen findet, schiebt er das Gedicht beiseite. Er versteht sein Nichtverstehen nicht.«

Konkrete Poesie bedarf der Erläuterung, der theoretischen Explikation gerade deshalb, weil sie aller Inhaltlichkeit in kritischer Absicht entsagt, ohne doch ihrerseits als reines Spiel- und Sprachmaterial in jedem Fall eine neue, evidente Inhaltlichkeit herstellen zu können. Gomringers Glaube an die Herausbildung einer »universal verstandenen Gemeinschaftssprache« aus der Konkreten Poesie ist deshalb nur als Utopiegebilde in eigener Sache zu verstehen. Die genuinen Leistungen der Konkreten Poesie liegen vielmehr darin, daß sie als eine literarische Entwicklung neben anderen im deutschsprachigen Raum der Nachkriegszeit erneuernd und anregend gerade durch

ihre »Destruktionen« gewirkt hat. Freilich – von Ausnahmen wie Ernst Jandl
(*Laut und Luise*, 1966) abgesehen – weniger auf ein breites Lesepublikum als
vielmehr auf Literaturtheoretiker und auf Textproduzenten selber. Dies gilt
vor allem dort, wo es – wie bei Helmut Heißenbüttel – gelang, poetische
Synthesen zu entwickeln, verschiedenartige literarische Verfahrensweisen
produktiv miteinander zu verbinden, also auch Elemente Konkreter Poesie in
neue, wiederum verändernde Verwendungszusammenhänge einzubringen.
In diesem Sinn läßt sich von der Konkreten Poesie sagen, was der revolutionäre sowjetische Dichter Vladimir Majakovskij über seinen futuristischen
Kollegen Velimir Chlebnikov geäußert hat: dieser sei »ein Dichter für Produzenten«.

> ernst jandl · *lichtung*
>
> manche meinen
> lechts und rinks
> kann man nicht
> velwechsern.
> werch ein illtum!

Eine literarische Ausnahmegestalt ist zeit seines Lebens der Schriftsteller   *Arno Schmidt*
Arno Schmidt geblieben – eine Ausnahme hinsichtlich seiner individuellen
Existenzweise nicht weniger als hinsichtlich seines Werks. Arno Schmidt
lebte seit Ende der 50er Jahre bis zu seinem Tod im Jahr 1979 gänzlich
zurückgezogen am Rande der Lüneburger Heide, abseits von jedem Literaturbetrieb. Neben seiner Tätigkeit als Übersetzer, als Essayist, als Interpret
zu Unrecht vergessener oder mißverstandener Autoren (de la Motte-Fouqué,
Karl May) konzentrierte sich Schmidt ausschließlich auf schriftstellerische
Arbeiten, die zunehmend seinen unverwechselbaren literarischen Stil repräsentierten: eine kombinatorisch-assoziative Schreibweise mit Auflösung der
traditionellen Orthographie, reich an Anspielungen und Mehrdeutigkeiten,
voller Belesenheit, einem kritisch-aufklärerischen Denken verpflichtet, das
erzähltechnisch vielfach durchkreuzt wird von Provinzerfahrungen und Elementen des Science-fiction. Zu nennen sind hier vor allem die 1963 unter
dem Titel *Nobodaddy's Kinder* erschienenen frühen Erzählungen, ferner die
Romane *Das steinerne Herz* (1956), *Die Gelehrtenrepublik* (1957) und *Kaff
auch Mare Crisium* (1960), nicht zuletzt die Novellen-Komödie *Die Schule
der Atheisten* (1972). Arno Schmidts Hauptarbeit aber galt in den 60er
Jahren dem monumentalen, keinem literarischen Vergleich zugänglichen
Werk *Zettel's Traum* (1970). Dieses Buch entstand in den Jahren 1963 bis
1969 und wurde in einer originalgetreu faksimilierten, voluminösen Fo-
lioausgabe aufgelegt. Der Titel ist Anspielung auf Gelehrsamkeit und Sinnlichkeit gleichermaßen: auf die Zettelkästen des Autors nämlich und auf
William Shakespeares *Mittsommernachtstraum*. Die »Handlung« repräsentiert eine Konstellation von vier Personen: der Privatgelehrte Daniel Pagenstecher (fraglos eine Projektion des Autor-Subjekts), ein Übersetzer-Ehepaar
namens Paul und Wilma Jacobi, das sich von Pagenstecher Rat für eine
Edgar-Allan-Poe-Übersetzung holen will, und die sechzehnjährige Franziska,
Tochter dieses Ehepaars. In drei parallel verlaufenden Gliederungssträngen –
Kommentar/Handlung und Reflexion/Exkurse – verfolgt das 1330 »Zettel«
umfassende Werk die Beziehungen, die sich zwischen diesen Personen ent-
wickeln: spannungsreiche Gespräche, Reflexionen und Imaginationen über
Literatur, die mit sexuellen Anspielungen und Verweisen aufgeladen sind.
Das Werk Edgar Allan Poes steht – im Zusammenhang von Übersetzungs-

und Theorieproblemen – im Mittelpunkt der literarischen Diskussion. Doch Schmidt bleibt bei der Inhaltlichkeit von Handlung und Thematik nicht stehen, sondern dringt vor zu den Tiefendimensionen von Sprache und Literatur, indem er etymologische Strukturen aufdeckt und in ebenso vielfältiger wie vieldeutiger Weise in Beziehung setzt. Zugleich leistet die Simultaneität der drei Gliederungsstränge eine wechselseitige Entgrenzung von Kommentar, Handlung und Exkursen, so daß Phantasie und Intellekt des Lesers zum Mitarbeiten aufgefordert werden. Auf seine Leser setzte Schmidt freilich keine allzu großen Hoffnungen: *Zettel's Traum* ernsthaft zur Kenntnis zu nehmen, mochte sein Autor nicht einmal dreihundert Lesern zutrauen.

Der »Tod der Literatur«: das Jahr 1968

»*Die Kunst ist tot!*«

Die Politisierung der deutschen Literatur, erkennbar vor allem im Drama und in der Lyrik der 60er Jahre, weist eine entscheidende Gemeinsamkeit mit der Betonung des Dokumentarischen und der Hinwendung zur Faktizität der Alltagswirklichkeit auf. Beide Phänomene enthalten tendenziell eine Absage an die Existenzberechtigung der Literatur selber. Konsequent haben sich die literaturtheoretischen Diskussionen Ende der 60er Jahre vor allem mit der Frage nach dem Sinn von Literatur befaßt. Denn wenn einerseits Erfahrungen, Situationen, Probleme und Stimmungen unmittelbar und authentisch der Realität entnommen werden konnten, dann erschienen die ästhetischen Vermittlungen literarischer Kunstwerke nur mehr als luxurierendes Kulturgut. Und wenn andererseits die Bedeutung von Literatur sich bestimmen ließ nach ihrer Funktion für den politischen Kampf, dann konnte die Frage nach ihrer ästhetischen Qualität allenfalls von sekundärem Interesse sein. Aktualisiert wurden Überlegungen dieser Art durch die weltweit auftretenden Proteste gegen imperialistischen Krieg und bürgerliche Gesellschaftsformen, durch Demonstrationen und Aktionen in Italien, Frankreich, den Vereinigten Staaten. Im Pariser Mai 1968, jener Revolte französischer Schüler und Studenten, die den Staat de Gaulles nachhaltig erschüttert hat, wurden Formen der Auseinandersetzung mit der Staatsmacht und den kulturellen Traditionen erprobt und entwickelt, die, selber als ästhetische begriffen, den traditionellen Begriff des Ästhetischen im Sinne des »Kunstschönen« bewußt außer Kraft setzten. »Die Phantasie an die Macht«, lautete eine der Parolen des Pariser Mai: Happening, lustvolle Provokationen, kulturrevolutionäre Graffiti, der Bau von Barrikaden sind die Kampfformen, in denen sich der Wille zum Umsturz manifestierte. Sie wurden begleitet von der leitmotivisch wiederkehrenden Wandinschrift »L'art est mort!« – Die Kunst ist tot.

Studentenbewegung

In der Bundesrepublik wurden die Entwicklungen im Ausland, die Aktions- und Kampfformen in Kommentar und Analyse aufgegriffen und in die Praxis der Studentenbewegung und der Außerparlamentarischen Opposition einbezogen. Den wichtigsten Ort zur Diskussion revolutionstheoretischer Argumentationen und kulturrevolutionärer Theoriebildungen stellte die von Hans Magnus Enzensberger 1965 gegründete Zeitschrift *Kursbuch* dar. Ihre Themenschwerpunkte bildeten 1968 neben Vietnam, China und der Dritten Welt vor allem Probleme der Arbeiter- und Studentenbewegung und der Kulturentwicklung. Diese wurden zunehmend unter dem Aspekt einer Politisierung des Alltagslebens und einer Revolutionierung des Kulturbetriebes diskutiert.

Eines der wichtigsten Dokumente dieser Diskussion ist das *Kursbuch 15* vom November 1968. In ihm wird die Parole vom »Tod der Literatur« programmatisch formuliert und theoretisch begründet. »Die heute lebenden

Wo die bürgerliche Kritik für die Dauer zu produzieren vorgibt, nicht auf Zeitungspapier also, sondern zwischen Buchdeckeln, schauderts selbst die Bürger.
Wird nach drei Jahren, oder nach fünf Jahren, oder nach zehn Jahren glaubwürdiger, was Glaubwürdigkeit schon im ersten Augenblick nicht besaß? Was sogar innerhalb des Systems, dem es sich geliehen hat, desavouiert ist durch Widerspruch, durch Veränderung, durch den schleichenden Tod?
Die bürgerliche Kritik hält Kultur für Kultur. Sie hält Kunstwerke für Kunstwerke. Sie hält Politik für das eine und die Welt des Geistes für das andere.
Sie ist nicht fähig, zu verstehen, daß es einen politikfreien Raum nicht länger gibt, daß auch Geist politisch ist, wenn er Geist ist, daß auch das vorgeblich Unpolitische politische Folgen hat.
Sie ist nicht fähig, zu begreifen, daß sie selbst dem Geist, den zu verteidigen sie vorgibt, im Wege steht.
Sie ist nicht fähig, einzusehen, daß sie mit toten Begriffen von toten Dingen redet.
Sie glaubt noch immer, daß der Geist das Höchste sei, daß Geist sich ohne Macht verwirklichen könne, daß Geist Macht sei; sie hat ihre eigene Entmachtung dankbar hingenommen. Sie hat sich verbannen lassen auf die letzten Seiten der Zeitungen, der Wochenschriften, der Zeitschriften. Sie nimmt hin, daß die Politik, die auf den ersten Seiten gemacht wird, selbst in ihren eigenen Augen der Kritik widerspricht, die sie auf den letzten Seiten übt.

Walter Boehlichs
»Autodafé« –
Auszug aus dem
Kursbogen zu
Kursbuch 15 (1968)

Schriftsteller«, so heißt es in einem Aufsatz des *Kursbuch*-Redakteurs Karl Markus Michel, »finden ihre Legitimation durch die großen Toten, deren Werk sie fortsetzen, das offenbar unendliche Kunstwerk Literatur, das sich durch Glanz und Elend und Hader seiner zahllosen Moleküle reproduziert.« Vor dem Hintergrund des Pariser Mai prophezeit Michel eine Kulturentwicklung, die nicht bestimmt werde »durch eine neue Literatur, aber durch neue Ausdrucksformen, die den literarischen Avantgardismus senil erscheinen lassen und die progressive westliche Literatur insgesamt an ihre Ohnmacht gemahnen, die aus ihrer Privilegiertheit folgt«. Peter Schneider hat diese Überlegungen in einem Aufsatz mit dem Titel *Die Phantasie im Spätkapitalismus und die Kulturrevolution (Kursbuch 16)* fortgeführt. »Die Kulturrevolution«, so Schneider, »ist die Eroberung der Wirklichkeit durch die Phantasie. Die Kunst im Spätkapitalismus ist die Eroberung der Phantasie durch das Kapital. [...] Heißt das, daß die spätbürgerliche Kunst tot ist? Ja.« Nur zwei Funktionen will Schneider für eine »revolutionäre Kunst« noch gelten lassen: »Die agitatorische und die propagandistische Funktion der Kunst.«

»Kulturrevolution«

Dieses Programm ist nicht nur Programm geblieben, es ist, für kurze Zeit, auch Praxis geworden. Die Erschütterungen, die die Frankfurter Buchmesse 1968 erfuhr, die Sprengung des Germanistentags 1968, die massenhaften Demonstrationen gegen den Springer-Konzern – immer wieder erwies sich der Zusammenhang von politischer Zielsetzung und kulturrevolutionärer Aktionsform als unaufhebbar. Die Erweiterung des Kulturbegriffs, die sich in dieser Praxis äußert, die Freisetzung von Phantasie in gesellschaftlichen Auseinandersetzungen, der politische Kampf als Aktionsfeld der Sinnlichkeit schienen die gesellschaftlichen Erstarrungen in der Bundesrepublik für einen historischen Augenblick aufsprengen zu können. Herbert Marcuses Wort von der »repressiven Toleranz« der bürgerlichen Gesellschaft und seine Funktionsbestimmung sozialer Minderheiten, Außenseiter und Randgruppen gaben den Intellektuellen, den Schülern, Studenten und jungen Arbeitern die Identität einer konkreten Utopie: »Wenn sie Gewalt anwenden, beginnen sie keine neue Kette von Gewalttaten, sondern zerbrechen die etablierte. Da man sie schlagen wird, kennen sie das Risiko, und wenn sie gewillt sind, es

*Die Philosophie soll
praktisch werden –
Herbert Marcuse bei
einem Hearing im Au-
dimax der TU Berlin
(1968) – oben links
Bernward Vesper*

*politisch-kultureller
Umbruch*

auf sich zu nehmen, hat kein Dritter, und am allerwenigsten der Erzieher
und Intellektuelle, das Recht, ihnen Enthaltung zu predigen«.

Vor diesem Hintergrund läßt sich das Jahr 1968 mit einigem Recht als ein
Jahr des politisch-kulturellen Umbruchs in der Bundesrepublik bezeichnen:
In ihm konvergieren Entwicklungen, treffen Widersprüche aufeinander,
deren Spannungsverhältnis in den Jahren zuvor sich noch hatte ausgleichen
lassen. Jetzt aber werden politisch-gesellschaftliche Spielregeln und Konventionen außer Kraft gesetzt, erweisen sich überkommene Traditionen auch
kultureller Art als brüchig, zerfallen, werden durch neue, subkulturelle Verkehrsformen ersetzt. Freilich haben diese Prozesse ihre Vorgeschichte, die
sich über Jahre zurückverfolgen läßt, ebenso wie sie Konsequenzen gezeitigt
haben, die bis weit in die 70er Jahre hineinreichen. Unter diesem Aspekt ist
also das Datum 1968 auch eine Hilfskonstruktion, denn es gibt lediglich eine
Orientierungsmöglichkeit in der Geschichte der Bundesrepublik Deutschland, aber es stellt so wenig einen Bruch innerhalb dieser Geschichte dar, wie
es einen grundlegenden Neuanfang bedeutet. Für die Literatur gilt in vergleichbarer Weise, daß in den Jahren der Revolte zwar ihr Spielraum enger
geworden war, daß aber ihr häufig vorhergesagter »Tod« keineswegs eintrat.
Die Literatur war deshalb weder am Ende noch war sie eines politisch-
gesellschaftlichen Todes gestorben – sie hatte lediglich, so Günter Grass 1968
als Kritiker dieser Entwicklung, »keine Konjunktur« mehr.

»Tendenzwende« – Literatur zwischen Innerlichkeit und alternativen Lebensformen (1969–77)

Die gesellschaftliche Umbruchstimmung, die sich mit der Revolutionseuphorie des Jahres 1968 andeutete, die eine ganze Generation erfaßt hatte und die sich in einem politischen Veränderungswillen, in kulturellen Neuansätzen auszudrücken versucht hatte – sie war schon nach kurzer Zeit verflogen. Mitte der 70er Jahre heißt es im Literaturjahrbuch *Tintenfisch*: »Ein Gespenst geht um in Deutschland: die Langeweile. Die ehemals radikalen Schüler sitzen schwitzend über Bonus- und Malus-Werten und denken über die Höhe ihrer Pension nach; die ehemals radikalen Studenten sitzen frischrasiert und gerade an ihren sauberen Schreibtischen und entdecken die alte oder die neue Ordnung, auf jeden Fall eine Ordnung; die ehemals radikalen Schriftsteller liegen in den warmen Armen der Gewerkschaft, seitdem sind sie ruhig; der Rest der Bevölkerung scheint, aus Angst vor Entlassung, regelmäßig und unauffällig zu leben.« Angesichts dieser Entwicklung ist von einer »Tendenzwende« gesprochen worden – worin liegen deren Bedingungen?

Gespenst der Langeweile

Zum einen hat sich die APO-Strategie vom »Langen Marsch durch die Institutionen« (Rudi Dutschke) als Illusion erwiesen: Die Institutionen wurden weder durch personelle noch durch politisch-administrative Eingriffe in ihrer Substanz, ihrem Eigenleben angetastet. Die Initiierung von Reformen im Schul- und Hochschulbereich beispielsweise, die auf die Kritik der Schüler und Studenten an den verkrusteten gesellschaftlichen Einrichtungen zurückging, führte nur in geringem Umfang zu Veränderungen struktureller und inhaltlicher Art. Zum überwiegenden Teil sind solche Reformimpulse lediglich nach dem technokratischen Gesichtspunkt der Effektivität aufgenommen und in Reglementierungen umgesetzt worden (Punktesystem in der reformierten Oberstufe, Rahmenpläne, Regelstudienzeit). Zum anderen – und dies erscheint gravierender – führte die Politisierung der 60er Jahre zu einer Vielzahl linker Organisationen, zu Parteigründungen und politischen Splittergruppen, in deren konkurrenzhaftem Sektierertum sich das Auseinanderfallen der Außerparlamentarischen Opposition manifestierte. Dieser Prozeß läßt sich verfolgen bis hin zum Entstehen von Landkommunen und subkulturellen Gruppen, deren Gemeinsamkeit in dem Wunsch besteht, in alternativen Lebensformen eine neue soziale und individuelle Identität zu erproben und zu entwickeln.

Der Staat hat auf den Politisierungsprozeß nach autoritärem Muster reagiert. Er leitete mit dem »Radikalenerlaß« der Ministerpräsidenten der Bundesländer (1972) eine politische Kontrolle für den öffentlichen Dienst ein, in dessen Folge – trotz Protesten von PEN-Club, Schriftstellerverband und Germanistenverband – Hunderttausende von Bewerbern überprüft worden sind. Insbesondere in der jüngeren Generation hat sich dadurch ein Klima der Angst und der Resignation verbreitet, das sich einschüchternd auf ihr politisches Engagement auswirkte. Hinzu kam – im Zusammenhang der strafrechtlichen Verfolgung politisch motivierter Gewalttaten – 1976 eine Verschärfung von Zensurbestimmungen, die, erst 1980 zurückgenommen, auch für die Literatur nicht folgenlos geblieben sind. Denn der Strafrechtsanspruch des Staates gegenüber »Bestrebungen«, die sich »gegen den Bestand oder die Sicherheit der Bundesrepublik Deutschland oder gegen Ver-

Radikalenerlaß

Peter Schneider
...schon bist du ein
Verfassungsfeind
Das unerwartete Anschwellen
der Personalakte
des Lehrers Kleff
Rotbuch Verlag Berlin

fassungsgrundsätze« richten, mußte zum Faktor der Beurteilung jeglicher Veröffentlichung werden, auch der von Literatur. Damit aber war auch eine präventive Selbstzensur von Autoren und Verlagen nicht mehr auszuschließen. Die Schriftsteller selbst haben auf diese Entwicklung in literarischen Arbeiten reagiert. So nahm Heinrich Böll die Themen Gesinnungsüberprüfung, Staatsschutz und Terroristenverfolgung zum Anlaß für seine Erzählung *Die verlorene Ehre der Katharina Blum* (1974), für die Satire *Berichte zur Gesinnungslage der Nation* (1975) und für seinen Roman *Fürsorgliche Belagerung* (1979). Peter Schneider hat eigene Erlebnisse in der Erzählung *... schon bist du ein Verfassungsfeind. Das unerwartete Anschwellen der Personalakte des Lehrers Kleff* (1977) beschrieben, ebenso Peter O. Chotjewitz in seinem Roman *Die Herren des Morgengrauens* (1978), beides Beispiele für eine neue Funktionsbestimmung der Literatur, die nach ihrem »Tod« als Medium zur Verarbeitung und Objektivierung eigener Erfahrungen wiederentdeckt wird.

Am Ende des Politisierungsprozesses, so läßt sich resümieren, steht eine Entpolitisierung, die gleichwohl nicht unpolitisch ist. Denn sie deutet vor allem auf eine Abkehr von gesellschaftlichen Institutionen, auf Mißtrauen gegenüber Parteien und sozialen Hierarchien. Zugleich aber enthält diese Entpolitisierung eine stärkere Betonung individueller Interessen und Motivationen, eine programmatische Rückeroberung der eigenen Sinnlichkeit, die für die literarische Entwicklung in den 70er Jahren Konsequenzen mit sich gebracht hat: In Autobiographien, in der Frauenliteratur, in der neuen Dialektdichtung, in einer Lyrik, für die sich Privates und Politisches als untrennbar erweisen, zeigt sich ein veränderter Zugang zum Verhältnis von Lesen und Schreiben. Dieses nämlich wird nicht mehr ausschließlich unter dem Aspekt einer (professionellen) Autorentätigkeit und einer (konsumierenden) Leserhaltung gesehen. Vielmehr gewinnt Literatur vor dem Hintergrund des *Begriff »Erfahrung«* Begriffs »Erfahrung« eine neue Qualität als reziproker Prozeß des Lesens und Schreibens, der die individuelle Aufarbeitung und Reflexion von Subjektivität ebenso umfaßt wie deren Erwiderung und Erweiterung im Medium der Literatur. Das Schreiben in der Frauenbewegung und die Betonung der ästhetischen Produktivität in literaturdidaktischen Konzeptionen können hierfür ebenso als Beispiele gelten wie die Schreiberfahrungen sozialer Randgruppen (z.B. Strafgefangene), die Entwicklung des Kinder- und Straßentheaters und die Entstehung des Autorenfilms, der auf die Herausbildung neuer Wahrnehmungsweisen angelegt ist, von denen er zugleich selber zeugt. Unverkennbar aber – und dies hat mit Recht zu kritischen Einwänden geführt – geht das Wiederentdecken der eigenen Subjektivität einher mit einer bewußten Abkehr von politisch-gesellschaftlicher Wirklichkeit, so daß der »objektive Faktor: Subjektivität« (Rudolf zur Lippe) sich häufig reduziert auf den subjektiven Faktor Subjektivität, auf individuelle Selbstbespiegelung also, auf Introspektion und Innerlichkeit. Hier sind die Übergänge fließend, die Grenzen schwer zu ziehen, doch darf als Kriterium zur Beurteilung dieser neuen Subjektivität die Frage gelten, inwieweit deren Gesellschaftlichkeit in den Formen ihrer literarischen Verarbeitung noch gegenwärtig ist.

Die Entdeckung des Ich:
Zwischen Autobiographie und »Verständigungstext«

»Auf allen literarischen Beeten«, so notiert 1973 der Schriftsteller und Kritiker Reinhard Baumgart, ließen sich »neuerdings wie gedüngt wieder hochschießende Tagebücher und Intimgeschichten« beobachten. Diese Beobachtung bezieht sich auf ein literarhistorisch bemerkenswertes Phänomen: Anfang der 70er Jahre veröffentlicht Max Frisch sein *Tagebuch 1966–1971* (1972) und drei Jahre später seine autobiographische Liebesgeschichte *Montauk*; Peter Rühmkorf legt »Anfälle und Erinnerungen« vor unter dem Titel *Die Jahre die Ihr kennt* (1972); Gerhard Zwerenz publiziert mit *Kopf und Bauch* (1971) die »Geschichte eines Arbeiters, der unter die Intellektuellen gefallen ist«: seine eigene nämlich; Jakov Lind geht in *Selbstporträt* (1970) und *Nahaufnahme* (1973) seinem Lebensweg nach; ebenso Günter Grass (*Aus dem Tagebuch einer Schnecke*, 1972), Walter Kempowski, *Tadellöser & Wolf*, 1971; *Uns geht's ja noch gold*, 1972), Peter Handke (*Der kurze Brief zum langen Abschied*, 1972; *Wunschloses Unglück*, 1972).

Als Gründe für diese autobiographische Konjunktur hat man zum einen eine Art Reflex auf die populäre Memoirenliteratur (Hildegard Knef, Peter Bamm) vermutet, zum anderen ein Versiegen der poetischen Invention, ein Versagen der Fiktion vor der Wirklichkeit. Gewichtiger aber scheint die Erklärung zu sein, daß nach den Jahren eines eingehenden politisch-gesellschaftlichen Engagements die Autobiographie und die literarische Verarbeitung lebensgeschichtlicher Elemente eine notwendige Rückbesinnung auf die eigene Individualität und Identität darstellt. Hinzu kommt ein Abwehrmechanismus gegen technokratische Entwicklungstendenzen, die sich gerade Anfang der 70er Jahre allenthalben zeigen. »Je mehr Technokraten auf allen Gebieten zu Scheinobjektivierungen zwingen«, so Peter Härtling, »je nachdrücklicher sich Ideologien polarisieren, desto subjektiver wird die Literatur sein.«

Karin Struck

Als überaus erfolgreiches Beispiel einer solchen autobiographischen Literatur läßt sich Karin Strucks Roman *Klassenliebe* (1973) bezeichnen. In ihm verarbeitet die Autorin ihre eigenen Erfahrungen als »aufsteigende« Arbeiterin, die nach einer Zeit der Politisierung während der Studentenbewegung ihre Subjektivität wiederfindet. Die Suche nach einer politisch-intellektuellen Identität, das Entdecken urtümlicher Bindungen in Sexualität und Mutterschaft (in *Die Mutter*, 1975, in problematischer Weise wieder aufgenommen und weitergeführt) bilden die inhaltlichen Schwerpunkte dieses Romans aus der Perspektive einer Ich-Erzählerin, in der sich unverkennbar die Autorin offenbart. Aufsehen erregte Karin Struck durch die bekenntnishafte Ehrlichkeit und Offenheit, mit der sie ihre Lebensgeschichte protokolliert hat. Sie dient ihr als Indiz für persönliche Identität und Wahrhaftigkeit: »Sich selber zensieren heißt sich selber kastrieren. Die Widersprüche ohne Angst offenlegen. Aber die Angst vor der Reduktion durch die anderen: das bist du also, dieser kleinliche Mensch?« Von Selbsterfahrungszwang und Offenbarungsdrang zeugt auch Verena Stefans Prosatext *Häutungen* (1975), in dem vor dem Hintergrund der Frauenbewegung in der Bundesrepublik ein Ablösungsprozeß notiert wird: Ablösung von vertrauten sozialen Bindungen und Zusammenhängen, Lösung aus den tradierten Mustern sexueller Beziehungen, Entdeckung einer neuen, weiblichen Identität. Glaubwürdig ist diese literarische Reflexion, in der sich «autobiographische Aufzeichnungen Gedichte Träume Analysen« (so der Untertitel) zu einer neuen Form poetischer Selbsterfahrung verbinden, soweit sich Verena Stefan auf jene Entwicklung konzentriert, die in den Satz mündet: »der mensch meines lebens bin ich«.

Zeugnisse also einer neuentdeckten, sogar einer »neuen Subjektivität«. Sie entsagt weder der Geschichte noch der Politik, doch sie setzt an mit Selbstvergewisserung, mit Selbstreflexion und Selbsterfahrung. Gabriele Wohmann hat dieses Bekenntnis zum eigenen Ich in einem Gedicht vorgetragen, das den Charakter einer programmatischen Selbstaussage dieser Literaturentwicklung besitzt. »Selbstverständlich, sage ich, man kann eine Stellungnahme von mir erwarten/ Klar, den Minoritäten und so weiter/ Meine Sympathie, klar/ [...] Aber zuerst muß ich mal dieses nächste Lebenszeichen von mir hinkriegen, diese nächste kleine Herzrhythmusstörung [...].«

Auch in Günter Grass' Roman *Der Butt* (1977) haben autobiographische Elemente und Gegenwartsfragen Eingang gefunden, so die Frauenbewegung, Beziehungsprobleme, die Reisen des Autors nach Danzig. In diesem Roman sind sie produktiv in ein weit ausgreifendes und märchenhaftes, episches Gemälde integriert, das die Geschichte der Menschen von den Anfängen bis zur Gegenwart entfaltet. Allegorisiert in der Fisch-Gestalt des Butt, bildet die Widersprüchlichkeit historischer Prozesse den Erzählanlaß dieses voluminösen, erzählerisch an die *Blechtrommel* heranreichenden Romans.

Probleme
der Egozentrik

Die ego-zentrierte Wahrnehmungsperspektive offenbart freilich zugleich auch eine Wahrnehmungsbeschränkung. Die Konzentration auf Befinden und Empfinden eines autobiographischen Ich vertraut selbstbewußt auf die Möglichkeit, im Nachschreiben und Nacherzählen eigenen Erlebens Wirklichkeit aufarbeiten und mitteilen zu können. Da aber die Erfahrungs- und Wahrnehmungsmöglichkeiten, die dem autobiographisch erzählenden Ich zur Verfügung stehen, naturgemäß begrenzt sind, bleiben auch seine Erzählmöglichkeiten befangen im Programm eines Realismus, der Wirklichkeit nicht – durch Sprache, Form, Struktur – transzendiert, sondern allenfalls strukturiert nachstellt. Mit anderen Worten: Nicht mehr die Literarität der Texte, sondern das in ihnen organisierte Erfahrungsmaterial wird zum Maßstab ihrer Qualität. Als konsequenter, eben deshalb problematischer Ausdruck dieses Programms kann ein literarisches Genre gelten, das seit Ende der 70er Jahre sein Publikum gefunden hat, nämlich die sogenannten »Verständigungstexte«. Konzeptionell liegt diesem Genre das Interesse an einem Austausch von Erfahrungen »Betroffener« zugrunde. Inhaltlich bezieht es sich auf eine Vielfalt verschiedener Lebensbereiche (Liebe, Frauenprobleme, Gefängnis beispielsweise). Und programmatisch verzichten die »Verständigungstexte« auf qualitative literarische Vergleichsmaßstäbe. Solche Texte vertrauen auf den Effekt des Wiedererkennens. Sie zielen auf Leser, die sich im schon Bekannten selber noch einmal begegnen wollen. Sie verzichten damit aber zugleich auf die Fähigkeit der Literatur, Wirklichkeitsräume zu entgrenzen statt zu verdoppeln, Erfahrungen zu irritieren statt zu bestätigen, neue Wahrnehmungsmöglichkeiten zu begründen, statt die alten Sicht- und Sehweisen aufs neue anzubieten. Daß aber solche Texte ihr Publikum tatsächlich auch finden, mag ein Kuriosum am Rande andeuten. Seit 1980 publiziert Kristiane Allert-Wybranietz im Fellbacher Lucy-Körner-Verlag Lyrik *(Trotz alledem, Liebe Grüße)*, die binnen kurzem die Bestsellerlisten erklimmen konnte. Es sind Gedichte um einfache Dinge, um Gefühle, um »Beziehungen«: »Immer mehr/ legen ihre Gefühle/ in die/ Tiefkühltruhe./ Ob sie glauben,/ dadurch/ ihre Haltbarkeit/ zu verlängern?« Immerhin erreichte die Autorin innerhalb dreier Jahre eine Gesamtauflage von 450000 Exemplaren – Indiz eines verbreiteten Bedürfnisses nach Bestätigung, Wärme, Wiedererkennen.

588

Frauenliteratur generell ist in der zweiten Hälfte der 70er Jahre zu einem Etikett geworden, unter dem eine Fülle von sehr unterschiedlichen Texten verkauft wird. In nur wenigen Jahren ist eine große Anzahl von Frauenzeitschriften entstanden, von denen sich *Emma* als überregionales Blatt konsolidiert zu haben scheint. Es gibt Musikgruppen von Frauen (z.B. *Schneewittchen*), die ausschließlich oder doch in erster Linie vor Frauen auftreten, es gibt Frauentheatergruppen, und es sind verschiedene Verlage gegründet worden (Frauenoffensive, Frauenbuchverlag, verlag frauenpolitik, Amazonen-Verlag usw.), in denen Frauen Bücher von Frauen über Frauen für Frauen, also im strengsten Sinne »Frauenliteratur«, verlegen, z.T. auch selbst vertreiben und in Frauenbuchläden verkaufen. Weitab vom professionellen Literaturbetrieb werden hier Öffentlichkeitsmodelle erprobt, die sich den Mechanismen des männlich dominierten Kultur- und Literaturbetriebes – oft nur mit geringem oder gar keinem Erfolg – zu entziehen versuchen und mit der Gefahr einer weiblichen Ghettoisierung zu kämpfen haben. Neben solchen Versuchen, eine weibliche Gegenöffentlichkeit zu schaffen, gibt es ungezählte regionale Zentren und Initiativen, in denen – in mehr oder minder engem Zusammenhang mit der Frauenbewegung – Frauen Zusammenarbeit und politische Arbeit probieren und in denen Schreiben und Lesen als Formen der Selbsterfahrung und Kommunikation mit anderen eingesetzt werden. Gerade an die Literatur wird die Hoffnung geknüpft, daß sie sich zu einem Medium entwickelt, in dem sich Verständigung über sich selbst und mit anderen vollziehen könne und in dem unterdrückte und verdrängte schöpferische Kräfte von Frauen Ausdruck finden können. Dabei hat sich in den letzten Jahren immer deutlicher als eine grundlegende Frage herausgestellt, ob es eine weibliche Erfahrungs- und Schreibweise überhaupt gibt, wenn ja, worin diese besteht und worin sie sich von männlicher Schreibweise unterscheidet und welche Funktion sie für Frauen speziell und für die Gesellschaft allgemein haben könne. Die von Frauen geschriebenen und herausgegebenen Literaturzeitschriften *Mamas Pfirsiche* (1976ff.) und *Wissenschaft und Zärtlichkeit* (1978ff.) versuchten, die Diskussion über die Frage nach den Bedingungen und Möglichkeiten einer weiblichen Ästhetik und Wissenschaft, die ja nur ein Teilaspekt der übergreifenden Frage nach den Möglichkeiten einer eigenständigen Frauenpolitik ist, theoretisch und praktisch ebenso voranzutreiben, wie dies einzelne Frauen tun, die über die Geschichte von Frauen arbeiten, dabei u.a. vergessene und verdrängte Schriftstellerinnen neu entdecken und so die historische Dimension von Frauenliteratur für die aktuelle Diskussion einholen. Der überraschende Erfolg von Frauenliteratur (von Verena Stefans *Häutungen* wurden in kurzer Zeit weit über 100000 Exemplare verkauft) veranlaßte auch die etablierten Verlage, sich um Frauenliteratur zu kümmern. Der Rowohlt-Verlag erweiterte sein Programm um die Reihe »neue frau«, und auch andere Verlage stürzten sich auf sogenannte Frauentexte und beschnitten damit den Frauenverlagen ihre Existenzmöglichkeiten ganz erheblich. Viele Verlage verkaufen ihre alten bzw. neu entdeckten Autorinnen verstärkt mit dem verkaufsfördernden Attribut »Frauenliteratur« (z.B. Struck, Schwaiger, Plessen). Alle von Frauen geschriebenen Texte avancierten plötzlich zu Frauenliteratur, so daß die ursprüngliche Radikalität der Frauenliteratur inzwischen verstellt ist durch eine inflatorische Begrifflichkeit und eine Vielzahl von modischen Texten.

Stichwort »Emanzipation«

»Mamas Pfirsiche« – »Wissenschaft und Zärtlichkeit«

Die literarisierte Revolte

Thematisch heben sich innerhalb der neuen Literaturentwicklung eine Reihe von Werken ab, die sich mit den Voraussetzungen dieser Zeit, insbesondere mit der außerparlamentarischen Bewegung und der Studentenrevolte, befassen. Zu ihren Autoren zählen Peter-Paul Zahl (*von einem der auszog, GELD zu verdienen*, 1970; *Die Glücklichen*, 1979), Peter Schneider (*Lenz*, 1973), Gerd Fuchs (*Beringer und die lange Wut*, 1973), Uwe Timm (*Heißer Sommer*, 1974), Roland Lang (*Ein Hai in der Suppe oder das Glück des Philipp Ronge*, 1974), Christian Geissler (*Das Brot mit der Feile*, 1976), Bernward Vesper (*Die Reise*, 1969–1971 entstanden, 1977 postum veröffentlicht), Urs Jaeggi (*Brandeis*, 1978), Jochen Schimmang (*Der schöne Vogel Phönix*, 1979), Jürgen Theobaldy (*Spanische Wände*, 1981). Ihre Veröffentlichungen stehen in einem engen lebensgeschichtlichen und politischen Bezug zu einer Reihe autobiographischer Veröffentlichungen aus der Zeit der außerparlamentarischen Revolte, darunter Bommi Baumann, *Wie alles anfing* (1975); Daniel Cohn-Bendit, *Der große Basar* (1975); *Was wir wollten, was wir wurden*, hrsg. von Peter Mosler (1977); *Wir warn die stärkste der Partein* (1977); Inga Buhmann, *Ich hab mir eine Geschichte geschrieben* (1977). Diese Autoren schreiben Romane, Erzählungen, Prosatexte, Autobiographien, die Entwicklungsprozesse vorführen: Politisierungen, Einstellungsveränderungen, den Zusammenhang und Widerspruch von Privatheit und Öffentlichkeit, von theoretischer Reflexion und politischem Handeln. Subjektivität also auch hier, doch in ihrer Verflechtung mit den politischen Ereignissen um das Jahr 1968 und seinen Konsequenzen, die literarisch aufgearbeitet, verarbeitet werden.

Aufarbeitung der gescheiterten Politisierung

»Heute«, so schreibt Peter Schneider 1975, nachdem er während der Studentenbewegung den »Tod der Literatur« verkündet hatte, »heute, da auch die politisch aktiven Schriftsteller wieder an ihre alten Arbeitsplätze zurückgekehrt sind, sind wir ein Stück klüger geworden. Erst jetzt nämlich, da die Bewegung aus den Straßen in die Wohngemeinschaften zurückgedrängt ist, kommen die Themen dieser Jahre in der Literatur, in den Filmen, der Malerei an. Auf einmal gibt es wieder neue Stoffe in der Literatur, Experimente mit neuen Darstellungsformen und das alles zu einem Zeitpunkt, da wir uns mitten in einer Phase zunehmender Depression und Entpolitisierung befinden.«

Die Unterscheidung zwischen politischer und literarischer Arbeit, die sich in dieser Beobachtung mitteilt, bedeutet die Zurücknahme des Anspruchs, Literatur und Politik schreibend und handelnd miteinander verbinden zu können. »Je länger wir schreiben«, so hatte auch Bernward Vesper notiert, »desto mehr entfernen wir uns, je mehr wir teilnehmen an den täglichen Kämpfen, um so weniger drängt es uns, zu schreiben.« Nach dem Auseinanderfallen der APO setzt sich die Erkenntnis durch, »daß man nicht zu gleicher Zeit eine politische und literarische Revolte anzetteln kann« (Schneider). Die Romane freilich, die von der politischen Revolte handeln, repräsentieren – mit Ausnahme von Vespers *Die Reise* und Zahls *Die Glücklichen* – keineswegs eine literarische Revolte. Eher konventionell etwa erzählen Gerd Fuchs, Uwe Timm und Roland Lang: Ihre Helden nehmen den geraden Weg von der Politisierungsphase bis hin zum Eintritt in die DKP, in der sie, unter Anleitung väterlicher Alt-Genossen, die »richtige« Politik machen: »Neben Otto sitzend, lernend was zu tun war, was in dem Flugblatt stehen sollte, wer es abschreiben, abziehen, verteilen würde, wie die Betriebszeitung es aufzugreifen habe, wie die Wohngebietszeitung, wie die nächsten Forderun-

gen lauten müßten, wußte er plötzlich, daß er Zeit hatte. Das alles war
Arbeit, klar definierte, sauber abgegrenzte Arbeit, war Arbeit, die zu leisten
war.« (Gerd Fuchs, *Beringer und die lange Wut*). Die Technik, mit der hier,
ähnlich wie bei Roland Lang und Uwe Timm, erzählt wird, ist die eines
psychologischen Realismus: Im Mittelpunkt steht ein Held, dessen Entwicklung sich dem Leser vermittels Einfühlung mitteilt. Uwe Timm etwa verschmilzt die Perspektive des Erzählers mit der des Helden, setzt durchgehend
das Stilmittel der erlebten Rede ein, um dem Leser nicht nur den Entwicklungsprozeß seiner Hauptfigur mitzuteilen, sondern um zugleich dessen Erkenntnisse und Handlungsweisen zur Identifikation anzubieten. Im Vordergrund also steht die politische Absicht, eingekleidet in eine Literatur, die
überzeugen soll: »Aus dem allwissenden Erzähler wird der alles besser wis-
sende Held« (Hermann Peter Piwitt).

Die Perspektive des »Helden« teilt auch bei Zahl und Schneider, Vesper *Gebrochenheit des Ich*
und Geissler Handlungen, Erkenntnisse, Reflexionen mit. Doch sind diese
nicht als Identifikationsangebote formuliert, sondern, insbesondere bei Zahl,
vielfältig gebrochen, realistisch im Sinne einer mit literarischen Mitteln –
Collagen, Montagen, inneren Monologen, Verfremdungen – erfaßten Wirklichkeit. Den größten Erfolg unter diesen Prosaarbeiten erzielte Peter Schneiders *Lenz*: Diese Erzählung wurde bis heute in über hunderttausend Exemplaren aufgelegt und von der Literaturkritik mit großer Aufmerksamkeit,
zumeist mit Beifall, bedacht. Schneider erzählt – mit seiner Titelfigur anspielend auf Georg Büchners Erzählung *Lenz* – von der Entwicklung, der Verunsicherung eines jungen Intellektuellen. Den Erfahrungshintergrund dieser
Entwicklung bildet das Zerbrechen seiner Liebesbeziehung zu einem Mädchen aus dem Proletariat, eine Beziehung, in der Lenz die Möglichkeit sah,
den »Widerspruch zwischen den Wahrnehmungs- und Lebensweisen der
Klassen privat« zu überwinden. Doch nicht die Privatheit dieser Beziehung
und ihres Scheiterns, sondern ihre Gesellschaftlichkeit gibt der Erzählung
ihre Motivation: Es geht um den mißglückten Versuch eines Brückenschlags
zwischen Studenten und Arbeitern, um intellektuelle Askese und mangelnde
Sinnlichkeit, um die Erfahrungslosigkeit abstrakter politischer Begrifflichkeit
und Theoriebildung. Ein Ausbruch aus Westberlin nach Italien läßt Lenz
erleben, daß es Möglichkeiten der Verbindung von Sinnlichkeit und Denken,
Politik und Gefühl gibt, macht ihm deutlich, daß er gebraucht wird. Zurück
in Berlin, sieht er in den kleinen Dingen des Alltags die Probe aufs Exempel
der großen Worte. Schneider erzählt einfach, unprätentiös, parataktisch. Er
berichtet von einem Lernprozeß, dessen Ausgang offen ist: »Dableiben«,
erwidert Lenz lapidar auf die Frage eines abreisenden Freundes, was er jetzt
tun wolle. Der große Erfolg dieser Erzählung läßt sich vor allem aus ihrer
Glaubwürdigkeit erklären: In der Figur des Lenz, seiner Verunsicherung,
seinen Selbstzweifeln gegenüber den einmal geglaubten Dogmen, konnten
sich viele Angehörige der APO-Generation wiedererkennen.

Als Bernward Vesper, Sohn des prominenten NS-Barden und Führer-Lyri- *Bernward Vespers*
kers Will Vesper, am 15. Mai 1971 Selbstmord verübte, hinterließ er ein *»Die Reise«*
umfangreiches Buch-Fragment, das 1977 unter dem Titel *Die Reise. Ein
Romanessay* aus dem Nachlaß veröffentlicht wurde. Vesper beschreibt darin
seine »Geisterreise ins Ich und in die Vergangenheit«, unternimmt, in Form
einer Individualarchäologie, nichts weniger als eine radikale Erkundung seiner selbst, seiner Herkunft und Umwelt sowie der bundesrepublikanischen
Wirklichkeit. Drei Ebenen des Reisens (und Schreibens), drei Spuren des Ich
werden dabei verfolgt. Einmal die »Rückerinnerung« (im Buch »Einfacher
Bericht« genannt) an die Wurzeln der privaten und politischen Geschichte:

Selbstanalyse der zerstörten Kindheit; die Entlarvung des überlebensgroß-
autoritären Vaters, dessen Bild sich mit dem des Führers zu einer negativen
Identifikationsfigur verwischt. Zum andern das Eintauchen in die künstlichen Paradiese, das wilde Überschreiten der körperlichen Grenzen im
Rauschgift-Trip (beschrieben in einer assoziativ-wuchernden Sprache der
Verrücktheit, die die Wunden der beschädigten Psyche offenlegt). Schließlich
die reale Zeit der Niederschrift 1969–71, als die Außerparlamentarische
Opposition, zu deren Wegbereitern Vesper zählte, an ihren Fraktionierungen
zerbricht und die ersten Ansätze zum politischen Terrorismus sichtbar werden. Unmißverständlich macht dieses Buch deutlich, wie der Faschismus
unterhalb der institutionellen politischen Ebene in Deutschland weiterwu-
chert und mentalitär die gesamte Gesellschaft durchtränkt; wie die Protestbewegung überhaupt erst dann begreifbar wird, wenn man die in ihr wirksame Absage an die Verbrechen der Väter, an die Verbrechen unserer Gegenwart erkennt. Mit einer Radikalität, die auch vor der Selbstzerstörung nicht
zurückschreckt, hält Vesper an der Einheit von politischer und psychischer
Befreiung fest. *Die Reise* wird für den Leser zu einer Entdeckungsfahrt in die
Dispositionen der bürgerlichen Seele.

Alltagslyrik – politische Lyrik: Kein Gegensatz

»Was sind das für Leute«, fragte Günter Herburger 1967 in provokatorischer
Absicht, »die Gedichte machen, leben sie noch, sind sie schon lange tot,
benützen sie, wenn sie arbeiten, reinen Sauerstoff zum Atmen oder ist es
ihnen gelungen, auf Schneeflocken heimisch zu werden oder in der Bernstein-
struktur ihrer Schreibtischgarnituren oder was?« Herburgers Provokation
zielte auf einen Neubeginn in der Lyrik, der vor allem anderen Abkehr sein
sollte: Abkehr von einer hermetischen, Kunst und Leben trennenden Dichtung, Abkehr von Natur- und Blumenpoesie. Was er intendierte, war die
Hinwendung zu den Dingen des Lebens, die Hineinnahme des Alltags ins
Gedicht, die Aufhebung der Kluft zwischen Kunst und Leben: eine Poetik,
die sich gegen Benn sowohl wie gegen Celan richtete.

Einer der Dichter, die eine solche Poetik in ihrer literarischen Praxis bereits
Ende der 60er Jahre verwirklicht hatten, war Erich Fried. Es sind zumeist
epigrammatische Gedichte, dialektisch gebaut und pointiert Einsichten ver-
mittelnd, in denen Beobachtungen zu Politik, Lebensformen, Denkweisen
mitgeteilt werden. Mit dem Gedichtband *und Vietnam und* (1966) läßt sich
der Beginn des politischen Gedichts in der Bundesrepublik datieren. Die
Protesthaltung gegen den Krieg in Vietnam, die den Gedichten dieses Bandes
Form und Pespektive verlieh, konnte freilich keine statische, unwandelbare
Größe bleiben bei einem Autor, der die Entwicklungen seiner Gegenwart so
genau diagnostiziert wie Erich Fried. Mit den politisch-gesellschaftlichen
Ereignissen, von denen er spricht, verändert sich seine Thematik, seine
Sprechweise. 1974 erscheint beispielsweise der Gedichtband *Gegengift*, in
dem von Zweifel, Angst, Verzweiflung die Rede ist, auch von Selbstzweifel:
»Zweifle nicht/ an dem/ der dir sagt/ er hat Angst/ aber hab Angst/ vor
dem/ der dir sagt/ er kennt keine Zweifel«. Erich Fried ist politischer Dichter
nicht weniger als Satiriker, und er ist in allem, was er schreibt, Moralist. Aus
diesem Grund gibt es in seinen Gedichten keinen Gegensatz zwischen Politik
und Leben, denn Leben, begriffen als Einstellung, als Denk- und Wahrneh-
mungsform, als Handlungsweise, steht für ihn immer in politischen Zusammenhängen, wird von diesen geprägt und wirkt auf sie ein.

Erich Fried

Die Poetik der Alltagslyrik, die zugleich politische Lyrik ist, hat eine ganze Lyrikergeneration aufgenommen, zur poetischen Praxis gemacht und fortentwickelt. Arnfried Astel beispielsweise und Jürgen Theobaldy, Johannes Schenk, Karin Kiwus und Nicolas Born lassen in ihren Gedichten Einzelheiten zur Sprache kommen, die von sehr alltäglichen Dingen zeugen: Freude, Trauer, Glück, Empfindungen, Stimmungen werden ebenso sensibel registriert wie die uns umgebende Dingwelt und in der Form einer künstlerisch genau kalkulierten Einfachheit zum Ausdruck gebracht. Das Ich, von dem diese Lyrik spricht und das häufig genug zum Wir sich erweitert, bringt sich selber, seine Identität, seine Sinnlichkeit, bewußt in das Gedicht ein. Es spricht von sich, um sich anderen mitzuteilen, so Karin Kiwus in *Glückliche Wendung*:

Karin Kiwus

Spätestens
jetzt werden wir
alles vergessen müssen
und unauffällig
weiterleben wie bisher
hoffnungslos
würden wir sonst

immer wieder
die Lusttaste bedienen
gierig verhungern müssen
und uns nie mehr
erinnern können
an das Glück

Freilich gelingt es dieser Lyrik nicht immer – und darin liegt ihr grundlegendes ästhetisches Problem –, jener Banalität zu entkommen, die ihrem Thema, der Alltagswelt, nun einmal eigen ist. Denn im genauen Registrieren alltäglicher Details gerät vielfach deren gesellschaftlicher Charakter aus dem Blick. »Für meine Gedichte wünsche ich«, sagt Jürgen Theobaldy, Autor und Theoretiker der Alltagslyrik, »daß sie etwas von der Haltbarkeit ihrer einfachen Gegenstände sichtbar machen, daß sie sich und ihnen etwas Dauer verleihen in einer Gesellschaft, die nur noch produziert, um vorzeitig wegzuwerfen.« Doch ein poetisches Verfahren, das sich in dieser Weise auf die »einfachen Gegenstände« bezieht, steht in der Gefahr, sich eben jenem Wandel unterwerfen zu müssen, dem auch die »einfachen Gegenstände« unterliegen, und gerade dadurch dem Vergessen anheimzufallen.

Dieser Gefahr versucht eine Gruppe anderer Autoren zu entgehen, indem sie Situationen, Beobachtungen, Einzelheiten nicht nur in ihrer Faktizität genau registriert, sondern zugleich in ihrer Gesellschaftlichkeit, in ihrer politischen Qualität – hierin Erich Fried vergleichbar – pointiert. Es sind Autoren wie Peter-Paul Zahl und F.C. Delius, Yaak Karsunke und Ludwig Fels, deren Gemeinsamkeit, bei aller Individualität und Unverwechselbarkeit ihres lyrischen Sprechens, in der präzisen Zusammenschau von Politik und Alltag, von individueller Erfahrung und gesellschaftlichem Zusammenhang besteht. Als Beispiel mag das Gedicht *Karl Marx im Konzert* von Yaak Karsunke gelten, entstanden anläßlich der Tournee der Rockgruppe Rolling Stones 1973:

Politik und Alltag

›diese versteinten
verhältnisse dadurch
zum tanzen zwingen
daß man ihnen ihre eigne
melodie vorspielt‹
Jagger jault auf der Bühne
You Can't Always Get What You Want
:& dieses Schwein (sagt Andreas)
wiederholt das solange
bis wir zu tanzen anfangen

Von diesen Formen einer politisch verstandenen Alltagslyrik sind jene zu unterscheiden, die in den 70er Jahren mit dem zunehmenden Bewußtsein für Umweltprobleme und für Fragen des Regionalismus in den Vordergrund getreten sind: die sogenannte »Poesie der Provinz«. Es ist eine Dichtung, die sich selbstbewußt darstellt, die die eingreifenden und auch die sich selbst reflektierenden Dimensionen von Literatur repräsentiert, die die Erfahrungen ihres jeweiligen Sprachraums in ihrer jeweiligen Regionalsprache, in ihrer Mundart, aufbewahrt hat. Doch sie nutzt diese Sprache keineswegs zu einer »tümelnden« Verklärung ihrer Heimat, sondern zu deren Veränderung angesichts zunehmender Bedrohung von außen. Es sind Autoren wie H. C. Artmann und Herbert Achternbusch, die für diese Dichtung als repräsentativ gelten können, Autoren wie Thaddäus Troll und Fitzgerald Kusz, für die das Spiel mit mundartlichem Sprachmaterial – hierin der Konkreten Poesie vergleichbar – immer auch zugleich Auseinandersetzung mit gesellschaftlicher Konvention, Kritik sozialer Erstarrung bedeutet. Autoren der Wiener Gruppe (Gerhard Rühm und Ernst Jandl, Konrad Bayer und Oswald Wiener) zeigen dies ebenso wie der Saarländer Ludwig Harig, Oswald Andrae aus Norddeutschland, der Schweizer Kurz Marti und der Elsässer André Weckmann: »Dialekt als Waffe« (André Weckmann) gegen eine Überfremdung der Provinz durch die Metropolen.

Regionalsprache

Oswald Andrae · *Riet dien Muul up!*

Riet dien Muul up!
Schree doch ut,
    wat du glöövst,
    wat du meenst,
    wat du denkst,
    wat dien Angst is!
Schree doch ut,
    wenn du Courage hest,
Up de
Gefahr hen,
dat dar annern sünd,
    de di seggt: dat stimmt nich;
dat dar annern sünd,
    anner Menen;
dat dar annern sünd,
    de geern hißt!
Schree doch ut!
Naderhand
    kann well kamen,
    kann di sehn,
    man kiekt weg
    un will di nich.
Riet dien Muul up!

Widerstand der Ästhetik –
Die Literatur der 80er Jahre

Tritt während der 70er Jahre unverkennbar eine Rückbesinnung auf Individualität und Subjektivität in die Literatur der Bundesrepublik, so zu Beginn der 80er Jahre eine Rückeroberung der Literatur selber. Diese Entwicklung ist als dialektischer Prozeß zu verstehen: Die »neue Subjektivität« hatte auf das Sinnlichkeitsdefizit der Politisierungsphase mit der Entdeckung des Ich geantwortet, jedoch in Sprech- und Wahrnehmungsformen, die dem begrenzten Horizont dieses Ich durchaus verhaftet blieben (Frauenliteratur, »Verständigungstexte«, Alltagslyrik). Die Rückeroberung der Literatur im Übergang zu den 80er Jahren antwortet ihrerseits auf das ästhetische Defizit der »neuen Subjektivität«, indem sie versucht, die Umgrenzungen und Beschränkungen dieses ego-zentrierten Wahrnehmungshorizonts mit seinen Beschädigungen und Leid-Erfahrungen literarisch zu entgrenzen. In diesem Versuch äußert sich zugleich das Bemühen, einem – wie es in einer polemischen Erklärung heißt – »organisierten Dilettantismus« aus der Sicht professioneller Autoren entgegenzuwirken. Der polemische Ton dieser Erklärung entspringt einerseits dem Eindruck der professionellen Autoren, ihre Werke könnten im Sog eines modischen Subjektivitätsstrudels untergehen, andererseits ihrer gewiß richtigen Einsicht, daß die Mitteilungsfähigkeit der Literatur sich nicht beliebig auf die Komponenten »Authentizität« und »Spontaneität« reduzieren läßt.

Zugleich läßt sich zu Beginn der 80er Jahre ein verstärktes politisches, zumindest gesellschaftliches Engagement der Schriftsteller in der Bundesrepublik beobachten. Auch dies gewiß Moment eines dialektischen Entwicklungsprozesses: Die »Tendenzwende« der 70er Jahre hatte ja nicht nur zu einer »neuen Subjektivität«, sie hatte auch zu einem Erstarken des politischen Konservatismus geführt, der sich mit der Bildung einer konservativen Regierung 1983 parlamentarisch bestätigt sehen konnte. Die Restriktionen auf politisch-kulturellem Gebiet – sie richtete sich in der Filmförderung beispielsweise gegen die Produktionen von Autorenfilmern wie Herbert Achternbusch *(Das Gespenst)*, Alexander Kluge und Hans Jürgen Syberberg –, die Sparmaßnahmen, die im Kulturbereich insbesondere die öffentlichen Bibliotheken und damit einen wesentlichen Bereich der Lesekultur trafen, die Diskussionen um die kulturelle Außenrepräsentanz der Bundesrepublik, die beispielsweise ein Auftrittsverbot für unliebsame Autoren wie Günter Grass und Heinrich Böll bei Veranstaltungen der Goethe-Institute in Betracht zogen – diese kulturpolitisch restriktiven Tendenzen schufen die Voraussetzungen für Proteste der Betroffenen und damit ein Klima für die Verschärfung der Gegensätze zwischen Politik und Kultur, das an die 50er Jahre erinnert.

konservative
Restriktionen

Hinzu trat ein Problem, für dessen Diskussion die Schriftsteller in Ost *und* West sich in besonderer Weise aufgerufen fühlten: die Bedrohung des Friedens durch atomare Auf- und Nachrüstung. Zu einer solchen gemeinsamen Diskussion, der ersten seit 1947, trafen sich im Dezember 1981 auf persönliche Einladung des DDR-Schriftstellers Stephan Hermlin namhafte Autoren aus der Bundesrepublik und der DDR in Berlin (Ost), unter ihnen auch DDR-Emigranten wie Jurek Becker und Thomas Brasch. Doch während dieses erste Treffen, unter großer Anteilnahme der Medien und der Öffentlichkeit durchgeführt, als Erfolg schon deshalb gefeiert wurde, weil es über-

Friedensthematik

*»Berliner Begegnung«
1983 – Schriftsteller-
treffen aus Ost und
West zum Thema Frie-
den und Abrüstung
(am Tisch von links
Peter Härtling, Ste-
phan Hermlin, Walter
Höllerer, Günter
Grass, Uwe Johnson)*

haupt einen Austausch der Meinungen ermöglicht hatte, traten auf einem
zweiten Treffen im Mai 1982 in Den Haag die Differenzen deutlicher in den
Vordergrund, fehlten schließlich die eingeladenen DDR-Schriftsteller bei
einem Treffen in Heilbronn im Dezember 1983 vollends. Wichtiger freilich
als der derart sichtbar werdende Dissens, in dem die offiziellen politischen
Differenzen zwischen beiden deutschen Staaten mittelbar hervortraten, blieb
der demonstrative Effekt der gemeinsamen Friedensappelle. In ihrer Erklärung von Den Haag beschrieben sich die teilnehmenden Autoren als »Teil
der internationalen Friedensbewegung« und stimmten »darin überein, daß
die beiden Militärblöcke aufgelöst werden sollen, und zwar gleichzeitig und
vorbehaltlos«. Dieser öffentlichen Demonstration eines sozialen Engagements von Schriftstellern und Intellektuellen entspricht – im Übergang zu
den 80er Jahren – eine Rückbesinnung auf die Widerstandskraft der Poesie.

Die Entgrenzung des Ich

Angesichts der Produktionsflut »neuer Subjektivität«, die im Kontext der
»Verständigungsliteratur« immer mehr die Züge eines modischen Dilettantismus angenommen hat, scheint es notwendig, nach dem Kriterium ästhetischer Differenz sorgsam zu unterscheiden. So sind auch solche Werke von
dem Hintergrund der Schreibbewegungen in den 70er Jahren abzuheben, die
aus ihnen, ihrer theoretischen und sozialen Herkunft nach, zwar hervorgegangen, doch nicht in ihnen befangen geblieben sind. Hierzu zählen neben
Elisabeth Plessens *Mitteilung an den Adel* (1976) und Birgit Pauschs *Die
Verweigerungen der Johanna Glauflügel* (1977) auch Karin Reschkes Roman
Verfolgte des Glücks (1982), Brigitta Arens' *Katzengold* (1982), Brigitte Kronauers Roman *Rita Münster* (1983) und Anne Dudens Prosatexte *Übergang*
(1983). Es sind autobiographisch motivierte Werke, insoweit in ihnen Frauen
Geschichten von Frauen erzählen: die eigene Geschichte aus Aufarbeitung
politisch-gesellschaftlicher Konditionierung; die Projektion einer Selbstfindung auf eine Kunstfigur; das Leiden an der doppelten Unterdrückung der
Frauen im historischen Gewand; das Aufbrechen eines lebensgeschichtlichen
Erfahrungszusammenhangs in Splitter unzusammenhängender Erfahrungs-
schritte. So unterschiedlich die literarischen Verfahrensweisen, so verschie-
denartig die ihnen voraufgehenden Erzählintentionen sein mögen – gemeinsam ist ihnen ein neues Vertrauen darauf, daß Literatur Erfahrungen mitzutei-

len vermag, sofern sie zu eigener Sprache findet. Vergleichbar jenem Prozeß der Selbsterfahrung, dem sich die DDR-Autorin Christa Wolf in ihrem *Kindheitsmuster* unterzieht, leisten Prosatexte wie diese eine Vermittlung eigenen Erlebens, individueller Lebensgeschichte mit Elementen der Zeitgeschichte und deren kritisch-psychologischer Reflexion. Dieser Prosa geht es nicht um Innerlichkeit, sondern um die kritische Innenansicht einer Individualität, deren Gesellschaftlichkeit um so deutlicher hervortritt, je radikaler und offener die Introspektion vorangetrieben wird.

Eben dies aber ist bei einem anderen, seinerzeit viel belobigten Roman nicht der Fall, nämlich bei Nicolas Borns *Die erdabgewandte Seite der Geschichte* (1976). »Ich hatte keine Antworten auf bestimmte Fragen der Geschichte, konnte alle Antworten, je selbstgewisser und gerechter sie klangen, nur noch verachten«, so sagt der Ich-Erzähler, Schriftsteller wie Born. Anlaß seines Erzählens ist mithin politisch-gesellschaftliche Irritation, ja Verärgerung. So erzählt er – mit subtilen literarischen Mitteln Stimmungen und Landschaften präzise erfassend – von sich, von seiner Beziehung zur Freundin, zur Tochter in der Gewißheit, daß »Geschichten wie diese die eigentliche Geschichte ausmachen«. Doch diese »eigentliche Geschichte« bedeutet nicht Erfahrung von geschichtlich-gesellschaftlicher Identität in der Selbsterfahrung der Individualität, sondern sie bedeutet bei Born Abkehr von jeder Gesellschaftlichkeit des Individuums, tendiert zu einer anderen Art Selbstgewißheit und -gerechtigkeit: der eines »einfachen Lebens« (Ernst Wiechert), in dem das »aus dem Zusammenhang gerissene Individuum« sich auf nichts als sich selber bezieht. Borns Roman markiert jene Grenze, an welcher die neue Subjektivität in eine neue Innerlichkeit umschlägt: Sie liegt eben dort, wo die »erdabgewandte Seite der Geschichte« mit dem Ausschließlichkeitsanspruch auftritt, selber »die Geschichte« zu sein. Die Bewegung des Suchens, des ortlosen Tastens, Vor-Tastens, Voran-Tastens zur eigenen Geschichte, zu den abgründigen Tiefen der Herkunft, Kindheit, Jugend, das aufspüren der individuellen Besonderheiten, des pädagogisch-patriarchalisch Abgedrängten, des lebensgeschichtlich Verdrängten, diese suchenden Bewegungsformen, die einmünden in die Bereitschaft, sich selbst, in aller Widersprüchlichkeit, anzunehmen und von diesem lebensgeschichtlich erreichten Akzeptanzpunkt an experimentell zu leben, sich auf sich selber einzulassen – sie scheinen literarische Orientierungen gerade dadurch zu geben, daß sie nicht festgelegt, nicht dogmatisch verhärtet sind, sondern offenbleiben für die Erfahrungsräume der Leser.

Daß dies nicht nur unter autobiographischen Aspekten, sondern auch am Beispiel einer Lebensgeschichte zu leisten ist, die längst selber zur abgedrängten und verdrängten Geschichte der Frauen zählt, hat Karin Reschke 1982 in ihrem Buch *Verfolgte des Glücks* gezeigt. Dieses »Findebuch«, wie es im Untertitel heißt, offenbart die Lebensgeschichte der Henriette Vogel, einer Frau, die in Biographien kaum – und wenn, dann abfällig – erwähnt wird, von der nur einige Briefe erhalten sind und von der auch an der Stätte ihres Freitods am 21. November 1811, am Kleinen Wannsee bei Berlin, keine Rede ist. Ein Grabstein findet sich dort zwar, doch erwähnt die Aufschrift nur den, der mit ihr gemeinsam in den Tod gegangen ist: Heinrich von Kleist. Karin Reschke erzählt also nicht nur die Lebensgeschichte einer vergessenen Frau, sondern auch die der spezifisch männlichen Form des Vergessens. Die Form des Erzählens ist die des Tagebuchs – ein »Findebuch« ist es aus mehreren Gründen gleichwohl: weil in ihm Henriette Vogel zu sich selber findet; weil die Autorin ihre Heldin finden, er-finden muß; weil der Leser in diesem Buch eine vergessene Frau finden kann und so – auf unterschiedliche Weise – einen

*Suchen und Tasten
statt Bescheidwissen*

»Findebuch«

Teil von sich selber. »Wir sind vom Glück verfolgt« – in dieser höchst widerspruchsvoll, in sich kunstvoll-dialektisch verschränkten Sentenz läßt sich das Dilemma einer weiblichen Biographie erkennen, die in ihrer Lebenszeit zu sich selber nicht kommen kann. Wenn Karin Reschke in Sprachgestus und Redestil den Kleistschen Ton der Zeit auch aufnimmt und so geschichtliche Authentizität zu verbürgen scheint, so hat sie doch durch eine artistische Konstruktion dieses Geschichte gewordene Leben in die Gegenwart hinein entgrenzt. Denn das Buch beginnt mit seinem Ende, mit der Erzählung der letzten Tage, der letzten Stunden: damit, daß Henriette ihr Findebuch Kleist zur letzten Lektüre anvertraut. Mit diesem, mit Kleist also, liest es der Leser, wissend: Wenn er es ausgelesen hat, folgt das eigentliche Ende, das den Anfang des Romans bildet – und so fort. Eine unendliche Geschichte nach Art einer Spirale, die sich durch die Geschichte der Frauen, der Weiblichkeit, des Unterdrückens, Vergessens, Verdrängens in die Gegenwart, in unsere Gegenwart hineinschreibt bis in unsere Biographien hinein: »Verfolgte des Glücks«.

Peter Weiss

Peter Weiss' dreibändige *Ästhetik des Widerstands*, die in den Jahren 1975, 1978 und 1981 mit einem Gesamtumfang von fast tausend Seiten erschien, dürfte – neben Uwe Johnsons Tetralogie *Jahrestage* – das gewichtigste deutschsprachige Werk der 70er und 80er Jahre sein. Es ist der groß angelegte, weit ausholende Versuch, die Geschichte der europäischen Arbeiterbewegung in ihren Aufbrüchen und Zielsetzungen, in ihren Widersprüchen und Hoffnungen, im Scheitern, Versagen, Zweifeln, aber auch in den weltgeschichtlichen Kontinuitäten und Traditionen des Kampfes gegen Unterdrückung und Ausbeutung zu zeichnen. Peter Weiss erzählt die Geschichte aus der Sicht eines fiktiven Ich-Erzählers, der – Inhalt des ersten Bandes – im Herbst 1937 zunächst im kommunistischen Untergrund in Berlin lebt, dann nach Prag ins Exil geht, schließlich am Spanischen Bürgerkrieg teilnimmt. Der zweite Band setzt, nach der Niederlage der Republikaner, in Paris ein, führt den Ich-Erzähler nach Schweden, wo er in einer Fabrik arbeitet, Kontakt zu Kommunisten aufnimmt und zum Kreis um Bertolt Brecht zählt, und endet im April 1940. Der dritte Band, eine »Hades-Wanderung«, beginnt mit der Ankunft der Eltern in Schweden, läßt die Problematik eines dogmatischen Kommunismus hervortreten – pointiert vor allem durch die Gegenfigur des Max Hodann –, führt in die Stockholmer Parteizelle und ihre Aktivitäten, nach Nazi-Deutschland (Zerschlagung der Widerstandsorganisation »Rote Kapelle« und Hinrichtungen in Plötzensee) und zeigt die zermürbenden, neues Unheil ankündigenden Intrigen, Streitigkeiten, Terrorisierungen innerhalb der kommunistischen und sozialistischen Arbeiterbewegung vor dem Ende des Zweiten Weltkrieges. Die fiktive, gleichwohl zum Teil minuziös und dokumentarisch getreu rekonstruierende Geschichtsschreibung der Jahre 1937 bis 1945 bildet jedoch nur eine Ebene dieses »roman d'essai« (Alfred Andersch). Seine zweite, gleich gewichtige, ist die der kunsttheoretisch-ästhetischen Diskussion: vom Pergamon-Altar über Géricaults »Floß der Medusa« bis zu Picassos »Guernica«, von Kafka über Neukrantz zu Brecht zeigt Weiss Kunst als das kollektive Gedächtnis der Menschheit, als das produktiv fortwirkende Ferment aller Klassenkämpfe, in welchem das Leben der Menschen sich unauslöschlich materialisiert hat und das seinerseits als Erinnerung und Äußerung der geschichtlich uneingelösten Hoffnungen arbeitet. Beide Ebenen, die zeitgeschichtliche des antifaschistischen Widerstandskampfes und die kunsthistorisch-kunsttheoretische ästhetischer Produktivität, verbindet Weiss in einer dritten Schicht, welche die des Werks selber ist. Die Gattungsbezeichnung »Roman« wird diesem nicht gerecht, handelt es sich doch kaum um Handlung, Figurenpsychologie, Charakterentwicklung, sondern eher um Abhandlung, Essay, Traktat, um kunsttheoretische, politische und wissenschaftliche Überlegungen mehr als um erzählerische Entwicklung eines Gesellschaftspanoramas oder eines individuellen Konflikts. Doch im Prozeß des Erzählens wird deutlich, daß der Erzählduktus selber mit sich trägt und einlöst, was sein Autor sich vorgesetzt hat. Die verschiedenen Erzählschichten – Beschreibung, historisch-politischer Exkurs, ästhetische Analyse – verbinden sich im Fortgang des Werks zunehmend und im dritten Band vollends zu einer Synthese, die Essay und Bericht, Analyse und Reflexion miteinander verschmilzt. »Die Ästhetik wird nicht mehr definiert anhand von Kunstwerken«, so hat Weiss zum dritten Band bemerkt, »sondern schlägt sich direkt nieder.« Es geht um die Vermittlung des Politischen und des Künstlerischen, um eine Ästhetik, die in sich politisch ist, um eine Politik, welche die Formen, in denen sie sich vergegenständlicht, als Ausdruck ihrer Zielsetzungen – oder aber ihres Versagens! – begreift. Aus diesem Grunde legt Weiss den Finger gerade auf die Wunden der kommunistischen Arbeiterbewegung – Moskauer Schauprozesse, Stalinismus, Terror innerhalb der Bewegung –, aus diesem Grunde läßt er seinen fiktiven Erzähler – vergleichbar dem Muster des Bildungsromans – die Kulturgeschichte der Menschheit auf ihre ästhetischen Widerstandspotentiale hin sich erarbeiten: »Du mußt lesen, Du mußt dich bilden, Du mußt dich auseinandersetzen mit den Dingen, die auf dich zukommen, Du mußt Stellung ergreifen, Du darfst nicht sitzen und alles nur auf dich zukommen lassen, Du darfst dich vor allen Dingen nicht dem Gedanken hingeben, daß Mächtige über dir sind, die doch alles bestimmen. Das sind die Grundgedanken, und deshalb immer wieder das Thema: Wo, zu welchen Zeiten haben sich Menschen gegen anscheinend unübersteigbare Widerstände hinweggesetzt?«

Weiss hat sich mit dem Ich-Erzähler des Werks, nach eigenem Bekunden, eine »Wunschautobiografie« geschrieben, freilich nicht im Sinne einer politischen Beschönigung der eigenen bürgerlichen Lebensgeschichte, sondern als Entwurf einer fiktionalen Synthese von Ästhetik und Widerstand, Kunst und Politik, deren Fiktionalität gerade nicht unterschlagen, sondern betont wird. »Wie könnte dies alles erzählt werden?«, lautet deshalb die stereotyp wiederkehrende Formel, die das Organisationsprinzip des Erzählens als Prinzip erzählerischer Selbstreflexion und poetischen Entwerfens zu erkennen gibt. Es geht darum, der bürgerlichen »Unfähigkeit zu Trauern« (Alexander Mitscherlich) eine »Ästhetik des Widerstands« entgegenzuhalten, die zu trauern gelernt hat, gerade über die eigenen Schwächen und Versäumnisse. Die professionelle Kritik hat diesen Entwurf, dessen Entstehungsprozeß Peter Weiss in Aufzeichnungen protokolliert hat (*Notizbücher 1971–1980*, 1981), überaus kontrovers aufgenommen, Schriftsteller wie Alfred Andersch und Wolfgang Koeppen hingegen waren sich einig in ihrer Bewunderung für das Werk. »Der Roman ›Ästhetik des Widerstands‹«, so Wolfgang Koeppen, »ist für mich eines der erregendsten, mutigsten und traurigsten Bücher meiner Zeit.« Und Hans Christoph Buch wies in seinem Nachruf auf den 1982 verstorbenen Peter Weiss auf die Herausforderung hin, die von diesem Werk ausgehen werde: »Die Erforschung und Vermessung des dreibändigen Romanmassivs mit seinen Höhen und Tiefen, Gipfeln und Niederungen steht noch aus.«

Es ist kein Zufall, daß viele Prosawerke, die uns in diesem Kapitel als Beispiele für eine Entgrenzung des Ich dienten, von weiblichen Autoren stammen. Autorinnen wie Birgit Pausch, Karin Reschke und Anne Duden –

»Wunsch-autobiographie«

»Rita Münster«

sie knüpfen an die Erfahrungen der Frauenbewegung an, sie realisieren die Idee weiblicher Emanzipation in ihrem Werk, aber sie verharren nicht bei der Produktion und Reproduktion von frauenspezifischen Erfahrungen und Ideologemen. Vielmehr stellen ihre Texte – in ihren gelungensten Passagen – Gegenentwürfe dar: Entwürfe einer neuen, durch Sprache konstituierten Welt. Dies läßt sich auch von Brigitte Kronauers Roman *Rita Münster* aus dem Jahre 1983 sagen: Auch hier bilden Individualität und Alltag einer Frau den Ausgangspunkt aller Wahrnehmung, doch der Rhythmus und die innere Spannung dieser Prosa-Textur treiben die individuelle Existenz der Romanfigur in eine Dynamik hinein, die sich von allen äußeren Wirklichkeitsbezügen abstößt, indem sie ihre eigene Wirklichkeit produziert. Im Zerfallen mit sich selber, in der Auflösung stellt sich – jenseits von »Authentizität« und »Spontaneität« – die Identität der Ich-Existenz her – Beispiel einer neuen, vielleicht einer weiblichen Schreibweise: »Immer wieder aber das Rieseln der Bäume, der Kuppeln, Gewölbe, der über breite und schmale Schultern geworfenen, gewaltigen Mäntel, Trauermäntel, Prunkmäntel, ein kreisendes Geräusch, ein Sausen, das in meinem Kopf wie am Horizont entlangfährt, durch alle Aderngleise und Nervenzweige, ich spüre es in den Zähnen. Eine Betäubung, ein Sterben voller Einverständnis, eine Auflösung, als würde ich durch ein großes Sieb gestrichen, lauter kleine Blätter zucken an mir, ich bin eine Ansammlung lockerer, beweglicher Bestandteile, zerrieben zu etwas Gleichartigem und immer noch bei mir, erst jetzt ganz bei mir.« Dies ist ein experimenteller Umgang mit dem entgrenzten Ich, Ausdruck eines Risikos, das in verlorener Sicherheit, in preisgegebenen Gewißheiten besteht.

Lyrik der beschädigten Welt

Der Verlust an Sicherheiten und Gewißheiten, der sich in der Prosa weiblicher Autoren, in der Entgrenzung des Ich, in der Neukonstituierung von Erfahrungswirklichkeiten am Beginn der 80er Jahre auch mitteilt, findet seine Entsprechung in einer Lyrik, die ihrerseits Beschädigungen aufweist und aufspürt. Fernab vom Programm einer Alltagslyrik, die in der Betonung des Lebenszusammenhangs, aus dem sie hervorgeht, ihre Eigenart mitteilt, entwickelt sich seit Mitte der 70er Jahre eine Lyrik, die in ihrer Formensprache ihren Kunstcharakter nicht verleugnet, sondern kunstvoll exponiert. Ihre Autoren sind Sarah Kirsch und Günter Kunert, Michael Krüger und Hans Magnus Enzensberger, ihre Themen, Stoffe, Motive und Bilderwelten findet diese Lyrik diesseits der Trennungslinien, die staatliche und soziale Grenzen setzen.

Ausbürgerung –
Einbürgerung?

Sarah Kirsch und Günter Kunert gehören zu jenen Autoren, die Ende der 70er Jahre aus der DDR in die Bundesrepublik gekommen sind. Im Zuge der Ausbürgerung Wolf Biermanns zählen zu ihnen auch Thomas Brasch und Bernd Jentzsch, Reiner Kunze, Hans Joachim Schädlich, Jurek Becker und Erich Loest – namhafte Autoren also schon zum Zeitpunkt ihrer Übersiedlung, nicht erst durch die Tatsache eines aufsehenerregenden Exils. Befremdlich war für die aus der DDR kommenden Schriftsteller vor allem das im wesentlichen politisch begründete Interesse an ihrer Person. Es überwog, so sagte Hans Joachim Schädlich (*Versuchte Nähe*, 1977) »zunächst auf Grund der Konstellationen in den beiden deutschen Staaten das Interesse an den persönlichen Umständen der Autoren.« Nicht ihre literarischen Arbeiten wurden diskutiert, sondern »die Lebens- und Arbeitsumstände in der DDR oder die Umstände der Ausreise in die Bundesrepublik oder während der ersten Wochen des Aufenthalts in der Bundesrepublik.« Denn die bundesrepublikanische Öffentlichkeit, so vermerkte auch Thomas Brasch (*Vor den Vätern sterben die Söhne*, 1977; *Kargo oder der 32. Versuch, auf einem untergehenden Schiff aus der eigenen Haut zu kommen*, 1977; *Rotter Und weiter*, 1978; *Lieber Georg*, 1979), behandelte »die Leute, die von dort kommen – zumindest die Schriftsteller – wie ganz besondere Tiere.« Die Autoren haben, je nach Temperament und politischer Überzeugung, unterschiedliche Konsequenzen aus dieser für sie neuen Erfahrung öffentlichen Interesses gezogen: Sie haben geschwiegen oder doch zumindest die öffentliche Diskussion in den Medien verweigert (Sarah Kirsch, Hans Joachim Schädlich), sie haben in der literarischen Szene der Bundesrepublik Fuß zu fassen gesucht (Thomas Brasch, Bernd Jentzsch, Günter Kunert), oder sie haben ihrerseits absichtsvoll die Lebenswirklichkeit der Bundesrepublik zu ihrem eigenen Thema gemacht (Wolf Biermann).

Sarah Kirsch hat als Lyrikerin in der DDR mit Natur- und Liebesgedichten begonnen. In ihrer Stoff- und Motivwahl ist sie sich auch nach ihrer Übersiedlung 1977 in die Bundesrepublik treu geblieben. Ihre in der Bundesrepublik seither erschienenen Gedichtbände (*Wintergedichte*, 1978; *Katzenkopfpflaster*, 1978; *Drachensteigen*, 1979; *La Pagerie*, 1980; *Erdreich*, 1982) kreisen um die Themen Natur, Landschaft, Tierwelt. Sie deshalb als »Naturlyrikerin«, etwa in der Tradition eines Oskar Loerke oder eines Wilhelm Lehmann, bezeichnen zu wollen, wäre freilich irreführend. Die Naturzustände, die Landschaften, die Tierwelten, aber auch die Beziehungen der Menschen, von denen diese Lyrik spricht, sind immer schon gestörte Beziehungen, irritiert durch geschichtliche Prozesse, technologische Entwicklungen, soziale Erosionen – auch darin ist sich Sarah Kirsch treu geblieben. Sie nimmt die Irritationen, die von den geschichtlich-sozialen Entwicklungen ausgehen, in Bilderwelt und Formensprache so auf, daß sie als Irritationen des poetischen Prozesses im Gedicht selber wirksam werden, zum Teil in durchaus parodistischer Absicht.

Sarah Kirsch

> Auf schwarzen Weiden das Melkvieh
> Suchet den Pferch auf und immer
> Zur nämlichen Zeit. Der zufriedene Landmann
> Sitzt auf dem Schemel am Rande des Wegs
> Raucht eine Marlboro während die Milch
> Wild in den gläsernen Leitungen strömt.

(aus: *Erdreich*, 1982)

Das Lachen, das solche Parodie auslösen mag, dürfte jedoch kaum einer ungetrübten Lust an dem lyrisch verdichteten Naturbild Ausdruck geben. Was diese Lyrik provozieren will, ist ein Lachen des Schreckens, der nicht für sich bleiben, sondern über sich selber hinausgeführt werden soll. Aus eben diesem Grunde erscheint auch das lyrische Ich in den Gedichten Sarah Kirschs nicht befangen in den Irritationen, die es wahrnimmt und mitteilt. Es steht ihnen, den Gefährdungen und Beschädigungen des Lebens, vielmehr mit einer Fremdheit gegenüber, die zugleich Befremden vermittelt – und so auch, auf sehr subtile Weise, den Wunsch nach Veränderung des erreichten Natur- und Gesellschaftszustandes.

> [...] mir erscheint
> Siebenundzwanzig Rosenstöcke zu retten
> Ein versprengter Engel den gelben Kanister
> Über die stockfleckigen Flügel geschnallt
> Der himmlische Daumen im Gummihandschuh
> Senkt das Ventil und es riecht
> Für Stunden nach bitteren Mandeln.

(aus: *Erdreich*, 1982)

Michael Krüger

Auch Michael Krüger hat in seiner Lyrik mit äußerst sensiblem Wahrnehmungsvermögen die Beschädigungen, die unsere soziale und natürliche Umwelt zunehmend prägen, registriert und in Bilder gefaßt. Krüger, der als Verlagsleiter in München lebt und literarisch auch als Herausgeber der Zeitschrift *Akzente* wirkt, hatte als Lyriker 1976 mit dem Gedichtband *Reginapoly* debütiert, dem 1978 *Diderots Katze* folgte. Seine Lyrik, schon in diesen ersten beiden Bänden, ist ebenso artifiziell wie reflexiv, auch ihren eigenen Verfahrensweisen gegenüber. Am Anfang von Krügers Gedichtband *Aus der Ebene*, der 1982 erschienen ist, steht »Der erschrockene Mensch« – und die Frage, wie über den Schrecken, seine Wirkungsweise, seine Folgen, heute noch zu sprechen sei. Das heißt: das ungebrochene Vertrauen in die traditionellen lyrischen Formen ist, angesichts des alltäglichen Schreckens, der Frage nach den Mitteilungsmöglichkeiten gewichen – diese Frage wird zur Mitteilung selber: »Warme Rinde. Warmes Herz./ Und ein Wahnrest, gut verborgen,/ der sich durch den Schädel frißt./ Wie soll man diese Operationen/ der Seele beschreiben?« Vergleichbar den Irritationen bei Sarah Kirsch, durchzieht auch Krügers Gedichte Befremden, Distanz, Abwehr gegenüber den Lebensformen in Stadt und Natur (»Zu viele wollen mitreden,/ seit es so billig geworden ist«). Veränderungswünsche auch hier, doch schon ironisch gebrochen durch die Erkenntnis, daß Veränderungsziel und Bedingung der Veränderung aufeinander verweisen (»Natürlich/ wäre ein Leben möglich: // Natürlich/ natürlich«). Doch Michael Krüger vertraut der Kraft der Sprache noch und ihren Bildern. Er setzt darauf, daß der Schreibprozeß Mitteilungen noch ermöglicht, die anders nicht zur Sprache kommen, zu Sprache werden könnten – in beiden Teilen Deutschlands.

Literatur

Sieh da,
die Schrift!
Sie schreibt dich
mühelos

über den Rand hinaus
ins Freie
Deutschland.
Ganz nutzlos
war es nicht
ganz nutzlos.

Enzensberger

An der Entwicklung Hans Magnus Enzensbergers lassen sich die Desillusionierungsprozesse der intellektuellen Linken beispielhaft verfolgen. Enzensberger, der 1968, auf dem Höhepunkt der Revolte, die von ihm herausgegebene Zeitschrift *Kursbuch* zum herausragenden Diskussionsforum revolutionärer Theoriebildung entwickelt hatte, erklärte 1978 an derselben Stelle, »daß es keinen Weltgeist gibt; daß wir die Gesetze der Geschichte nicht kennen; daß die gesellschaftliche wie die natürliche Evolution kein Subjekt kennt und daß sie unvorhersehbar ist; daß wir mithin, wenn wir politisch handeln, nie das erreichen, was wir uns vorgesetzt haben«. Dies war eine Absage an marxistisch begründete Zukunftsgewißheiten der 68er Bewegung, die auf persönlichen Anschauungen und Erfahrungen ihres Verfassers beruhte: Enzensberger, der dem »real existierenden Sozialismus« östlicher Prägung immer kritisch gegenübergestanden hatte, sah sein Engagement für die Freiheitsbewegungen in der Dritten Welt nach einem längeren Aufenthalt auf Kuba nachhaltig irritiert. Der Alltag der kubanischen Revolution mit seinen Mangelerscheinungen, mit Unfreiheit, Zwängen und Kontrollen, zerstörte die Hoffnungen westlicher Intellektueller auf die »konkrete Utopie« (Herbert Marcuse) einer befreiten Welt und zugleich die theoretischen Voraussetzungen dieser Hoffnungen, die sich aus dem Marxismus herleiteten. Enzensberger hat diesen Desillusionierungsprozeß in brillanten politischen Essays

(*Politische Brosamen*, 1982) ebenso reflektiert wie in seiner zur gleichen Zeit entstehenden Lyrik.

Der *Untergang der Titanic* heißt der Titel der 1978 erschienenen Verserzählung, in der Enzensberger seine kubanischen Erfahrungen verarbeitet hat. Dieser Titel spielt auf die Schiffskatastrophe des Jahres 1912 an: Die »Titanic«, Symbol des technischen Fortschritts, sank, obwohl für unsinkbar gehalten, nach der Kollision mit einem Eisberg. Enzensberger allegorisiert mithin den Untergang des Fortschrittsglaubens nach der Kollision mit dem »Eisberg« des nachrevolutionären Kuba. In 33 Gesängen, anspielend auf Dantes *Göttliche Komödie*, werden Kuba 1968 und Berlin 1977 zueinander in Beziehung gesetzt, historische Erfahrungen aus Kunst und Literatur (»Apokalypse. Umbrisch, etwa 1490«) zur Sprache gebracht und desillusionierte Entwürfe des Weiter- und Überlebens mitgeteilt (»undeutlich, schwer zu sagen, warum, heule und schwimme ich weiter«). Dem Ineinander von politischer Kritik und lakonischem Arrangement entspricht das Miteinander von gebundener Rede, strengem Versmaß, präzisem Strophenbau einerseits und umgangssprachlich-kalauerndem Tonfall (»Wer glaubt schon daran,/ daß er dran glauben muß?«) andererseits. Enzensberger hat seine Verserzählung eine »Komödie« genannt, in Anspielung auf Dürrenmatts Wort, daß »uns nur noch die Komödie beikommt«. Ihren lakonischen Tonfall nimmt sein 1980 erschienener Gedichtband *Die Furie des Verschwindens* auf (»Die Eiszeit/ mit Zündhölzern zu bekämpfen (sagst du), das ist/ eine müde Sache«). Enzensberger knüpft, nach einer Phase radikaler Kritik und revolutionären Engagements, an die sozialkritischen und ironischen Elemente seiner frühen Lyrik wieder an – verändert, gewiß, durch politisch-soziale Erfahrungen, und doch sich gleich geblieben im Abstoßen von allen Ansprüchen auf Verpflichtung und Verbindlichkeit.

H. M. Enzensberger

> Eskapismus, ruft ihr mir zu,
> vorwurfsvoll,
> Was denn sonst, antworte ich,
> bei diesem Sauwetter! –,
> spanne den Regenschirm auf
> und erhebe mich in die Lüfte.
> Von euch aus gesehen,
> werde ich immer kleiner und kleiner,
> bis ich verschwunden bin.
> Ich hinterlasse nichts weiter
> als eine Legende,
> mit der ihr Neidhammel,
> wenn es draußen stürmt,
> euern Kindern in den Ohren liegt,
> damit sie euch nicht davonfliegen.

(Hans Magnus Enzensberger, »Die Furie des Verschwindens«, 1980)

»Eisberg«, »Vereisung«, »Eiszeit« – dies sind Metaphern, die in der bundesdeutschen Lyrik im Übergang zu den 80er Jahren eine verbreitete Wahrnehmung bezeichnen: einen gesellschaftlichen, ja geschichtlichen Entwicklungsstand, der das Ende des aufklärerischen Denkens, das Scheitern allen Fortschrittsglaubens signalisiert. Technik erscheint als Fluch, Geschichte als Stillstand, gar als Rückschritt, politisches Handeln als Ohnmachtsgebärde. Seinen vielleicht konsequentesten Ausdruck hat dieses geschichtspessimistische Denken in der Lyrik Günter Kunerts gefunden. In seinen Gedichtbänden *Abtötungsverfahren* (1980) und *Stilleben* (1983) notiert Kunert in abgründigen Bildern Visionen von Endzeit und Untergang.

Günter Kunert

Erde und Steine
Sand und Geröll
Ziegel und Quader
Zement und Beton
und immer wieder
wir

Dieses Gedicht aus dem Band *Abtötungsverfahren* trägt den beziehungsreichen Titel »Evolution«. Es benennt einen Entwicklungsprozeß, der in Wahrheit nicht Entwicklung, sondern Wiederkehr des Immergleichen in lediglich äußerlich verändertem Gewande bedeutet. Dunkel und Finsternis, Höhlen und Blindheit, Monade und Blutspur – in den Bedeutungshöfen dieser Bilder entfaltet sich die Vision einer Apokalypse, die vom Bewußtsein der Unabwendbarkeit einer ökologischen Katastrophe ihren Ausgang nimmt. Kunert will keinen Kollaps herbeireden – er ist von ihm überzeugt, weil alle Menschheitsgeschichte von den Menschheitsidealen, die sie begleiteten – die sozialistischen eingeschlossen –, nur weiter fortgeführt habe. Kunerts Gedichte fassen derart ins Bild, in Symbole, Motive und Metaphern, was ihr Autor auch in Aufsätzen und Essays (*Verspätete Monologe*, 1981; *Diesseits des Erinnerns*, 1982) und in öffentlichen Diskussionen vertreten hat: »Die Übrigbleibenden werden ihre Lebenskraft, ihre Lebenssubstanz sich eigentlich nur erhalten können, wenn sie grundlegend anders denken und damit auch anders fühlen können. Und weil ich nicht daran glaube, bin ich kein Optimist und habe auch keine Hoffnung.« Daß Kunert dennoch seine Auffassungen publiziert, seine katastrophischen Visionen in Gedichten konzentriert, scheint seiner Hoffnungslosigkeit zu widersprechen – freilich nur auf den ersten Blick. Ihm geht es, gerade am Rande des Abgrunds, den er sieht, um die Wiederbelebung einer Poetik der »reinen« Form, in der Tradition Gottfried Benns: »Ohne Bewegung / ohne Bedeutung / ohne Bestand.« Dies gibt ihm, seiner eigenen Einschätzung nach, Kraft sowohl wie Legitimation, den endzeitlichen Beschädigungen der Welt die Widerstandspotentiale der Lyrik entgegenzusetzen – und sei es als Menetekel:

Aus blinden Augen
fällt Finsternis
bevor die Hand
ins Leere greift.

»Gegengeschichten«

Die Beobachtung, daß sich im Übergang zu den 80er Jahren eine Rück- und Neubesinnung auf die »Eigenart des Ästhetischen« (Lukács) vollzieht, daß verstärkt sogar auf die Widerstandskraft der Poesie gesetzt wird, läßt sich im Blick auf Kontinuitäten im Werk schon bekannter Autoren erhärten. Schriftsteller wie Peter Weiss, Alexander Kluge, Herbert Achternbusch, deren Anfänge bis in die 60er Jahre zurückreichen, haben konsequent auf der Fähigkeit der Literatur bestanden, Wirklichkeit fassen, verarbeiten und formen zu können. Im einzelnen – in Stoffwahl, Sprache, Erzählperspektive und -struktur – kaum miteinander vergleichbar, steht ihr Werk dennoch für ein gemeinsames Programm: schreibend auf die Leser und deren Wirklichkeitswahrnehmung, mithin auf vermittelte Weise auch verändernd auf die Wirklichkeit einzuwirken.

Herbert Achternbusch und Alexander Kluge repräsentieren ein solches Programm auf höchst unterschiedliche Weise. Achternbusch spürt mit

schmerzhafter, doch immer wieder ironisch gebrochener Intensität den Leiden einer Subjektivität nach, deren autobiographische Züge nicht verwischt,
sondern nachdrücklich in ihren gesellschaftlichen und familialen Prägungen
nachgezeichnet werden. Demgegenüber erscheinen die Geschichten Alexander Kluges eher als eine Art negativer Enzyklopädie: Er zeigt soziale
Vielfalt und Heteronomie in jener Komplexität, vor der die Individuen zu
verschwinden drohen. Achternbuschs Beharren auf der eigenen Subjektivität
unterscheidet sich freilich deutlich von der »neuen Subjektivität« der 70er
Jahre. Und zwar nicht nur dadurch, daß er längst vor der modisch werdenden Entdeckung des Ich sein Thema: sich selbst, gefunden hatte, sondern vor
allem auch dadurch, daß jedes einzelne Werk eine neue Variante ein und
desselben Gegenstandes: Herbert Achternbusch, darstellt. Von *Das Kamel*
(1970) über *Die Alexanderschlacht* (1971) und *Der Tag wird kommen* (1973)
bis *Der Neger Erwin* (1981), *Die Olympiasiegerin* (1982) und *Revolten*
(1982) verzweigt sich das Ich-Thema in vielfältige und phantasievolle Metaphern und Allegorien hinein, entgrenzt sich in Gegenfiguren, Zwischen- und
Nebentöne, Vergangenheits- und Zukunftswelten, um doch immer nur bei
sich zu sein und zu sich selber zurückzukehren. Achternbusch leistet mit
dieser Selbstentdeckung, die er auch im Medium des Films fortsetzt, eine
Aufarbeitung all der Unterdrückungsvorgänge, die dem Individuum Achternbusch – und nicht nur ihm – Phantasie, Gefühl, ästhetische Produktivität
geraubt haben: »So viele Gedichte mußten wir unglücklich lesen, und ich
wußte doch, mir fällt selber eines vom Glück. Aber dann stand ich vor
der Möglichkeit, ein Gedicht zu schreiben. Aber ein Glück war nicht mehr
da. Nur mein zerstörter Kopf. Mein Kopf mit ›seiner‹ Zerstörung. Ich hatte
ihn aus der Begradigungs- und Sanierungsmaschinerie gerade noch herausgezogen. Daß ich das feststellen durfte, war das einzige Glück noch. Mein Ja
zu diesem Unglück war mein einziges Glück. Die Beschäftigung mit diesem
Unglück war mein einziges Glück. Schreibend, filmend bekam die Erinnerung einen utopischen Glanz.« Seine einzelgängerische Existenz, fernab vom
Kulturbetrieb, findet ihr Pendant in einer Schreibweise, die sich um literarische Traditionen und Gepflogenheiten nicht kümmert, sondern die Subjektivierungsprozesse, von denen sie handelt, in der Subjektivität ihrer Wahrnehmungsformen fortsetzt. Achternbusch hat es deshalb weder als Autor noch
als Filmemacher (*Der Depp*, 1982; *Das Gespenst*, 1982; *Die Olympiasiegerin*,
1983) leicht bei seinem Publikum gehabt, und er hat sich sogar diskriminierende Äußerungen durch Literaturkritik und Filmförderung (Bundesinnenministerium) gefallen lassen müssen. Aber die Konsequenz, mit der er als
Buchautor wie als Regisseur, Produzent, Darsteller und Verleiher seiner
Filme für nichts als sich selber einsteht, gibt seinen ego-zentrierten literarischen und filmischen Phantasien die Glaubwürdigkeit und Überzeugungskraft, die auch der DDR-Dramatiker Heiner Müller ihm zuspricht: »Herbert
Achternbusch ist der Klassiker des antikolonialistischen Befreiungskampfes
auf dem Territorium der BRD.«

Der überaus vielseitige und umfassend gebildete Alexander Kluge – promovierter Jurist, Kirchenmusiker, Filmregisseur, Theoretiker – hat das Programm seiner eigenen filmischen und literarischen Arbeit folgendermaßen
beschrieben: »Entweder erzählt die gesellschaftliche Geschichte ihren Real-
Roman, ohne Rücksicht auf die Menschen, oder aber Menschen erzählen
ihre Gegengeschichte. Das können sie aber nicht, es sei denn in den Komplexitätsgraden der Realität. Das fordert im wörtlichen Sinne den ›Kunstgegenstand‹, ein Aggregat von Kunstgegenständen. Sinnlichkeit als Methode ist
kein gesellschaftliches Naturprodukt.« In dieser komplexen theoretischen

Alexander Kluge

Herbert Achternbusch

*literarische
Beschwörung
komplexer Weltverhältnisse*

Äußerung liegen eine Reihe von Voraussetzungen beschlossen, die Kluges Prosa seit ihren Anfängen (*Lebensläufe*, 1962) bestimmt haben. Kluges Erzählungen gehen aus von einer Wirklichkeit, deren Abläufe, Entwicklungen, Tendenzen in aller Komplexität wahrgenommen werden bis hinein in kleinste Details des Alltagslebens (»Die Kinder sind artig, die Frau mahnt sie zur Ruhe«), bis zu feinsten Gefühlsnuancen (»Wenn er seine Frau ansieht, wird er müde«). Die Organisation dieses Wirklichkeitsmaterials erschöpft sich aber nicht in der bloßen Wirklichkeitsreproduktion – im Sinne eines »Abbildes« oder einer »Widerspiegelung« –, sondern verdichtet und konzentriert die beobachteten Lebensausschnitte derart, daß Irritationen, Oppositionen, Widerstände aufgebaut werden. Die »Komplexität«, die Kluge in seiner theoretischen Bestimmung fordert, findet sich in der Formenvielfalt und Offenheit seiner Texte wieder: Der Leser kann mit diesen Erzählungen arbeiten, er kann in ihnen sich und seine Wirklichkeit nicht nur wiedererkennen, sondern sie zugleich mit eigenen Erfahrungen auffüllen. Daraus aber resultiert die literarische Einzigartigkeit dieser »Gegengeschichten« Alexander Kluges, wie sie in *Lernprozesse mit tödlichem Ausgang* (1973) und in *Neue Geschichten. Heft 1–18. ›Unheimlichkeit der Zeit‹* (1977) erzählt werden: Sie verarbeiten nicht nur Wirklichkeit in angemessener literarischer Komplexität, sondern sie verändern zugleich den Blick des Lesers auf die Wirklichkeit, aus der sie selber hervorgegangen sind. Kluges negative Enzyklopädie produziert den Widerstand der Ästhetik, indem sie pointiert, zuspitzt, zur ›Science Fiction‹ hochrechnet, was als »tödlicher Ausgang« in unseren alltäglichen Verhältnissen vorgezeichnet liegt. Der Montagecharakter seines Erzählverfahrens bleibt diesem so wenig äußerlich wie der schwarze Humor, der es grundiert: Der Erzähler Kluge mißtraut ebenso wie der Regisseur und der Theoretiker angesichts sozialer Komplexität und Heterogenität den Sinn und Zusammenhang stiftenden Kontinuitäten eines ›roten Fadens‹. Aus diesem Grunde montiert Kluge auch in seinen Filmen (*Die Patriotin*, 1979; *Die Macht der Gefühle*, 1983) heterogene, widerspruchsvolle Materialien aus Geschichte und Gegenwart zu komplexen Essays, aus diesem Grunde verweigern seine Theorieentwürfe (*Öffentlichkeit und Erfahrung*, 1972; *Geschichte und Eigensinn*, 1981, beide mit Oskar Negt) jeden Ansatz einer systematisierenden Denkweise. Kluge ist kein »herzloser Erzähler« (Hans Magnus Enzensberger), sondern ein Aufklärer mit Wirklichkeitssinn.

Hildesheimer

Eine »Gegengeschichte« ganz anderer Art, eine Fiktionalisierung der Fiktion, hat Wolfgang Hildesheimer mit seiner Biographie *Marbot* (1981) verfaßt. Wie der Titel sich nahezu als Anagramm zu Hildesheimers *Mozart*-Biographie (1977) lesen läßt, so die Titelfigur als eine Art Vexierbild ästhetischer Existenz. Denn Hildesheimers *Marbot* ist die Biographie einer fiktiven Gestalt der Kunstgeschichte, eine Figur, der durch die Brechung des Inzesttabus mit der Mutter etwas erotisch Sensationelles anhaftet, das sie zugleich für ihre besondere Begabung disponiert. Diese Figur arbeitet den psychologischen Deutungsmöglichkeiten in Bildender Kunst und Malerei vor, indem sie sich auf eine rekonstruierende Einfühlung in Technik und Emotion, Farbgebung und Formensprache der Kunst des 19. Jahrhunderts konzentriert. Hildesheimer hat seiner Figur auf sehr behutsame und kunstvolle Weise Leben, Authentizität verschafft, indem er ihre Existenz in Dokumenten und Fotografien (scheinhaft) beglaubigt und sogar später in Vorträgen und bei Diskussionen aus dem Werk dieser fiktiven Figur selber zitiert hat. Stellt sich in der Motivverknüpfung von Inzest und ästhetischer Reproduktivität implizit auch die Frage nach den Bedingungen künstlerischer Produktion, so gibt die von Hildesheimer gewählte Fiktionalisierung der Fiktion zugleich das Problem auf, das Verhältnis von Literatur und Wirklichkeit neu zu bestimmen. Wolfgang Hildesheimer selber, der erfolgreiche Autor von *Lieblose Legenden* (1952/1962) und *Tynset* (1965), hat für sich, eigenem Bekunden nach, den Entschluß gefaßt, das Schreiben aufzugeben und sich statt dessen der Malerei zu widmen. Eine Verbindung beider Ausdrucksformen hat Hildesheimer in seinen autobiographischen *Mitteilungen an Max über den Stand der Dinge und anderes* (1983) versucht.

In den »Gegengeschichten«, wie sie Alexander Kluge, Herbert Achternbusch und Peter Weiss erzählen – aber auch bei jüngeren Autoren wie Ludwig Fels (*Mein Land*, 1978; *Betonmärchen*, 1892), Bodo Kirchhoff (*Die Einsamkeit der Haut*, 1981) und Rainald Goetz (*Irre*, 1983) –, geht es immer auch um Wirklichkeitskritik, um einen dialektischen Wirklichkeitsbezug im Sinne eines Gegenentwurfs, der über den gesellschaftlichen Status quo hinausweist – gerade in den innovatorischen Elementen seiner Formensprache. Anders verhält es sich bei einem ebenfalls jüngeren und überaus erfolgreichen Autor, nämlich bei Botho Strauß. Der Erfolg seines Werks dürfte nicht zuletzt aus dem Umstand zu erklären sein, daß Strauß, begabt mit einer überaus sensiblen Wahrnehmungsfähigkeit, der Wirklichkeit Töne ablauscht, die er zu einer durchaus goutierbaren Sprachequilibristik verdichtet: Kultur- und Sozialkritik als genußreiche Reproduktion des Kritisierten. Botho Strauß, der als Dramaturg bei dem Theaterregisseur Peter Stein begonnen hat, debütierte Anfang der 70er Jahre mit eigenen Theaterstücken (*Die Hypochonder*, 1971; *Bekannte Gesichter, gemischte Gefühle*, 1974; *Trilogie des Wiedersehens*, 1976; *Groß und klein*, 1977). Neben seinen Arbeiten für das Theater, unter denen die *Kalldewey Farce* (1981) einen überaus großen Erfolg hatte, schrieb Strauß seit Mitte der 70er Jahre Erzählungen und Romane (*Die Widmung*, 1977; *Rumor*, 1980; *Paare, Passanten*, 1981). Auch Strauß hat in seinem Werk das Generalthema der 70er Jahre aufgenommen – Entfremdung in unserer Gesellschaft und das Leiden an ihr –, auch Strauß geht es um Gesellschafts-, um Kulturkritik. Doch bleibt er dieser Gesellschaft, dieser Kultur auf eine problematische Weise verhaftet, weil er ihr, bei aller Sensibilität und Sprachartistik, phänomenologisch auf die Spur kommen will. »Ohne Dialektik denken wir auf Anhieb dümmer«, schreibt Strauß im Blick auf die Frankfurter Schule um Theodor W. Adorno, »aber es muß sein: ohne sie!« Dies ist, als Programm verstanden, ein Alternativentwurf zu Alexander Kluges Postulat der »Gegengeschichte«: eine brillierende Sprache, aber doch nur »vorübergehend sehr schön«, wie Thomas Bernhard sie charakterisiert hat – »wie ein Fliederbusch vor meinem Haus«.

Botho Strauß

Widerstand der Ästhetik – wenn sich die literarische Entwicklung der Bundesrepublik in den 80er Jahren auf diese Formel bringen läßt, dann gewiß deshalb, weil in die Werke unserer Gegenwartsliteratur das Bewußtsein einer Krise Eingang gefunden hat. Die Zukunftshoffnungen der 60er Jahre sind ebenso in den Hintergrund gerückt wie die Ich-zentrierte Wahrnehmungsperspektive der »neuen Subjektivität«. An ihre Stelle ist das Wissen um drohende ökologische, atomare und soziale Katastrophen getreten, das die Autoren nicht unberührt gelassen hat. Nicht nur in den demonstrativen politischen Schritten an die Öffentlichkeit während der Schriftstellertreffen, sondern gerade in der literarischen Ästhetik der Werke selber sprechen sich Phantasiepotentiale und produktive Energien aus, die auf Veränderung des abgründigen sozialen Status quo setzen. Die Entgrenzung des Ich, die Lyrik einer beschädigten Welt, die Rückeroberung der Sinnlichkeit und die Rückgewinnung geschichtlichen Denkens und Handelns – dies sind Reprä-

*»Du mußt lesen,
Du mußt dich bilden,
Du mußt dich aus-
einandersetzen mit den
Dingen, die auf dich
zukommen, Du mußt
Stellung ergreifen, Du
darfst nicht sitzen
und alles nur auf dich
zukommen lassen,
Du darfst dich vor al-
len Dingen nicht dem
Gedanken hingeben,
daß Mächtige über dir
sind, die doch alles
bestimmen«
– Peter Weiss mit Blick
auf den Pergamon-Fries
an seine Leser*

sentationsformen der gegenwärtigen literarischen Opposition. Sie konnte
freilich, angesichts der globalen Dimension der empfundenen Bedrohung,
nicht auf die Bundesrepublik begrenzt bleiben, sondern sieht, beispielsweise,
auch Autoren aus der DDR wie Irmtraud Morgner und Christa Wolf an
ihrer Seite. Ihre Gemeinsamkeit beruht – um eine Formulierung Heiner
Müllers auf dem Schriftstellertreffen 1981 in Berlin (Ost) aufzunehmen – auf
dem Wissen um »die Subversion der Kunst, die notwendig ist, um die Wirklichkeit unmöglich zu machen«.

ANHANG

Weiterführende Bibliographie

Allgemeine Literaturhinweise

Best, O.F. / Schmitt, H.J. (Hg.): Die deutsche Literatur. Ein Abriß in Text und Darstellung. 16 Bände. Stuttgart 1974ff.

de Boor, H. / Newald, R. (Hg.): Geschichte der deutschen Literatur. Von den Anfängen bis zur Gegenwart. 7 Bände. München 1949ff.

Behrmann, A.: Einführung in den neueren deutschen Vers. Von Luther bis zur Gegenwart. Stuttgart 1989

Geschichte der deutschen Literatur. Herausgegeben von einem Autorenkollektiv. 12 Bände. Berlin (Ost) 1961ff.

Gnüg, H. / Möhrmann, R. (Hg.): Frauen Literatur Geschichte. Schreibende Frauen vom Mittelalter bis zur Gegenwart. Stuttgart 1985

Grimm, R. (Hg.): Deutsche Dramentheorien. Beiträge zu einer historischen Poetik des Dramas in Deutschland. 2 Bände. Frankfurt/M. 1971

Harth, D. / Gebhardt, P. (Hg.): Erkenntnis der Literatur. Theorien, Konzepte, Methoden der Literaturwissenschaft. Stuttgart 1982

Hauser, A.: Sozialgeschichte der Kunst und Literatur. München 1969

Jens, W. (Hg.): Kindlers Neues Literatur Lexikon. 20 Bände. München 1988ff.

Killy, W. (Hg.): Die deutsche Literatur. Texte und Zeugnisse. 7 Bände. München 1963ff.

Killy, W. (Hg.): Bertelsmann Literaturlexikon. Autoren und Werke deutscher Sprache. 15 Bände. Gütersloh/München 1988ff.

Kißling, W. (Hg.): Deutsche Dichtung in Epochen. Ein literaturgeschichtliches Lesebuch. Stuttgart 1989

Lämmert, E. u.a. (Hg.): Romantheorie. Dokumentation ihrer Geschichte in Deutschland. Band 1: 1620–1880, Köln/Berlin 1971; Band 2; Seit 1880, Köln/Berlin 1975

Lutz, B. (Hg.): Metzler Autoren Lexikon. Deutschsprachige Dichter und Schriftsteller vom Mittelalter bis zur Gegenwart. Stuttgart 1986

Schweikle, G. / Schweikle, I. (Hg.): Metzler Literatur Lexikon. Begriffe und Definitionen. 2., verbesserte Auflage. Stuttgart 1990

Mittelalterliche Literatur

Bertau, K: Deutsche Literatur im europäischen Mittelalter. 2 Bände. München 1972/73

Bloch, Marc: Die Feudalgesellschaft. Frankfurt/M., Berlin, Wien 1982

Bowra, C.M.: Heldendichtung. Eine vergleichende Phänomenologie der heroischen Poesie aller Völker und Zeiten. Stuttgart 1964

Brogsitter, K.O.: Artusepik. Stuttgart 1971

Bumke, J.: Ministerialität und Ritterdichtung. Umrisse der Forschung. München 1976

Bumke, J.: Höfische Kultur. Literatur und Gesellschaft im hohen Mittelalter. 2 Bände. München 1986

Cormeau, C. (Hg.): Deutsche Literatur im Mittelalter. Kontakte und Perspektiven. Stuttgart 1979

Curschmann, M. / Glier, I. (Hg.): Deutsche Dichtung des Mittelalters. 2 Bände. München 1980

Dronke, P.: Die Lyrik des Mittelalters. Eine Einführung. München 1973

Eis, G.: Mittelalterliche Fachliteratur. Stuttgart 1967

Ennen, E.: Frauen im Mittelalter. München 1984

Grenzmann, L. / Stackmann, K. (Hg.): Literatur und Laienbildung im Spätmittelalter und in der Reformationszeit. Stuttgart 1984

Hohendahl, P.U. / Lützeler, P.M. (Hg.): Legitimationskrisen des deutschen Adels 1200–1900. Literaturwissenschaft und Sozialwissenschaften Band 11. Stuttgart 1979

Kuhn, H.: Dichtung und Welt im Mittelalter. Stuttgart 1969

Kuhn, H.: Text und Theorie. Stuttgart 1969

Kuhn, H.: Liebe und Gesellschaft. Stuttgart 1980

Langosch. K. (Hg.): König Artus und seine Tafelrunde. Europäische Dichtung des Mittelalters. Stuttgart 1980

Richter, D. (Hg.): Literatur im Feudalismus. Literaturwissenschaft und Sozialwissenschaften Band 5. Stuttgart 1975

Ruh, K. (Hg.): Abendländische Mystik im Mittelalter. Symposion Kloster Engelberg 1984. Stuttgart 1986

Runciman, S.: Geschichte der Kreuzzüge. München 1975

Schweikle, G.: Germanisch-deutsche Sprachgeschichte im Überblick. 2. verb. und erg. Aufl. Stuttgart 1987

Schweikle, G.: Minnesang. Stuttgart 1988

Schweikle, G.: Neidhart. Stuttgart 1990

Sowinski, B.: Lehrhafte Dichtung des Mittelalters. Stuttgart 1971

Wapnewski, P. (Hg.): Mittelalterrezeption. Ein Symposion. Stuttgart 1986

Wehrli, M.: Literatur im deutschen Mittelalter. Eine poetologische Einführung. Stuttgart 1984

Humanismus und Reformation

Anderson, P.: Die Entstehung des absolutistischen Staates. Frankfurt/M. 1979

Batkin, L.M.: Die italienische Renaissance. Versuch der Charakterisierung eines Kulturtypus. Basel 1981

Berger, A.E. (Hg.): Die Sturmtruppen der Reformation. Ausgewählte Flugschriften der Jahre 1520–25. Leipzig 1931

609

Berger, A.E.: Die Schaubühne im Dienste der Reformation. 2 Teile. Leipzig 1935f.

Bernstein, E.: Die Literatur des deutschen Frühhumanismus. Stuttgart 1978

Beutin, W.: Der radikale Doktor Martin Luther. Köln 1982

Brackert, H.: Bauernkrieg und Literatur. Frankfurt/M. 1975

Fischer, L. (Hg.): Die lutherischen Pamphlete gegen Thomas Müntzer. Tübingen 1976

Guchmann, M.M.: Die Sprache der deutschen politischen Literatur in der Zeit der Reformation und des Bauernkrieges. Berlin (Ost) 1974

Jäckel, B. (Hg.): Kaiser, Gott und Bauer. Die Zeit des deutschen Bauernkriegs im Spiegel der Literatur. Berlin (Ost) 1975

Kaczerowsky, K. (Hg.): Flugschriften des Bauernkriegs. Reinbek 1970

Könneker, B.: Die deutsche Literatur der Reformationszeit. München 1975

Laube, A. / Seiffert, H.W. (Hg.): Flugschriften der Bauernkriegszeit. Berlin (Ost) 1975

Loewenich, W.v.: Martin Luther. Der Mann und das Werk. München 1982

Nagel, B.: Meistersang. Stuttgart 1978

Straßner, E.: Schwank. Stuttgart 1978

Weimann, R.: Renaissanceliteratur und frühbürgerliche Revolution. Berlin (Ost) 1976

Weimann, R.: Realismus in der Renaissance. Berlin (Ost) 1977

Wohlfeil, R. (Hg.): Reformation oder frühbürgerliche Revolution? München 1972

Wolf, H.: Martin Luther. Stuttgart 1980

Literatur des Barock

Alexander. R. J.: Das deutsche Barockdrama. Stuttgart 1984

Barner, W.: Barockrhetorik. Untersuchungen zu ihren geschichtlichen Grundlagen. Tübingen 1970

Barner, W. (Hg.): Der literarische Barockbegriff. Darmstadt 1975

Conrady, K.O.: Lateinische Dichtungstradition und deutsche Lyrik des 17. Jahrhunderts. Bonn 1962

Dyck, J.: Ticht-Kunst. Deutsche Barockpoetik und rhetorische Tradition. München 1969

Langer, H.: Kulturgeschichte des Dreißigjährigen Krieges. Leipzig 1978

Mannack, E.: Andreas Gryphius. Stuttgart ²1986

Mauser, W.: Dichtung, Religion und Gesellschaft im 17. Jahrhundert. München 1976

Meid, V.: Barocklyrik. Stuttgart 1986

Meid, V.: Grimmelshausen. Epoche, Werk, Wirkung. München 1984

Moser-Rath, E.: »Lustige Gesellschaft«. Schwank und Witz des 17. und 18. Jahrhunderts in kultur- und sozialgeschichtlichem Kontext. Stuttgart 1984

Oestreich, G.: Geist und Gestalt des frühmodernen Staates. Berlin 1969

Otto, K.F.: Die Sprachgesellschaften des 17. Jahrhunderts. Stuttgart 1972

Rötzer, H.G.: Der Roman des Barock 1600–1700. München 1972

Schöne, A.: Emblematik und Drama im Zeitalter des Barock. München 1968

Segebrecht, W.: Das Gelegenheitsgedicht. Ein Beitrag zur Geschichte und Poetik der deutschen Lyrik. Stuttgart 1977

Steinhagen, H. / Wiese, B.v.: Deutsche Dichter des 17. Jahrhunderts. Ihr Leben und Werk. Berlin 1984

Stoll, C.: Sprachgesellschaften im Deutschland des 17. Jahrhunderts, München 1973

Szyrocki, M.: Die deutsche Literatur des Barock. Eine Einführung. Stuttgart 1979

Weisz, J.: Das deutsche Epigramm des 17. Jahrhunderts. Stuttgart 1979

Aufklärung

Aufklärung. Erläuterungen zur deutschen Literatur. Herausgegeben vom Kollektiv für Literaturgeschichte. Berlin (Ost) 1971

Balet, L. / Gerhard, E.: Die Verbürgerlichung der deutschen Kunst, Literatur und Musik im 18. Jahrhundert. Herausgegeben und eingeleitet von G. Mattenklott. Frankfurt/M., Berlin, Wien 1973

Barner, W.u.a.: Lessing. Epoche, Werk, Wirkung. München ⁵1987

Blackall, E.A.: Die Entwicklung des Deutschen zur Literatursprache. Stuttgart 1966

Engelsing, R.: Der Bürger als Leser. Lesergeschichte in Deutschland 1500 bis 1800. Stuttgart 1974

Engelsing, R.: Analphabetentum und Lektüre. Zur Sozialgeschichte des Lesens in Deutschland zwischen feudaler und industrieller Gesellschaft. Stuttgart 1973

Ewers, H.-H. (Hg.): Kinder- und Jugendliteratur der Aufklärung. Stuttgart 1980

Fertig, L.: Die Hofmeister. Ein Beitrag zur Geschichte des Lehrerstandes und der bürgerlichen Intelligenz. Stuttgart 1979

Grimminger, R. (Hg.): Deutsche Aufklärung bis zur Französischen Revolution. Hansers Sozialgeschichte der deutschen Literatur vom 16. Jahrhundert bis zur Gegenwart Band 3. München 1980

Guthke, K.S.: Das deutsche bürgerliche Trauerspiel. Stuttgart 1976

Jamme, Chr./Kurz, G. (Hg.): Idealismus und Aufklärung. Kontinuität und Kritik der Aufklärung in Philosophie und Poesie um 1800. Stuttgart 1988

Kiesel, H. / Münch, P.: Gesellschaft und Literatur im 18. Jahrhundert. Voraussetzungen und Entstehung des literarischen Marktes in Deutschland. München 1977

Kimpel. D.: Der Roman der Aufklärung. Stuttgart 1977

Leibfried, E.: Fabel. Stuttgart 1982

Martens, W.: Die Botschaft der Tugend. Die Aufklärung im Spiegel der deutschen Moralischen Wochenschriften. Stuttgart 1968

Niggl, G.: Geschichte der deutschen Autobiographie im 18. Jahrhundert. Stuttgart 1977

Sauder, G.: Empfindsamkeit. 3 Bände. Stuttgart 1974ff.

Schings, H.-J.: Melancholie und Aufklärung. Melancholiker und ihre Kritiker in Erfahrungsseelenkunde und Literatur des 18. Jahrhunderts. Stuttgart 1977

Scheuer, H.: Biographie. Studien zur Funktion und zum Wandel einer literarischen Gattung vom 18. Jahrhundert bis zur Gegenwart. Stuttgart 1979

Sørensen, B.A.: Herrschaft und Zärtlichkeit. Der Patriarchalismus und das Drama im 18. Jahrhundert. München 1984

Kunstepoche

Bohrer, K.H.: Der romantische Brief. Die Entstehung ästhetischer Subjektivität. München, Wien 1987

Brinkmann, R. (Hg.): Romantik in Deutschland. Ein interdisziplinäres Kolloquium. Stuttgart 1978

Bruford, Walter H.: Kultur und Gesellschaft im klassischen Weimar 1775–1806. Göttingen 1966

Conrady, K.O.: Goethe. Leben und Werk. 2 Bände. Königstein/Ts. 1982/1985

Conrady, K.O. (Hg.): Deutsche Literatur zur Zeit der Klassik. Stuttgart 1977

Klassik. Erläuterungen zur deutschen Literatur. Herausgegeben vom Autorenkollektiv für Literaturgeschichte. Berlin (Ost) 1971

Lecke, B. (Hg.): Literatur der Klassik I: Dramenanalysen. Projekt Deutschunterricht Band 7. Stuttgart 1974

Lecke, B. (Hg.): Literatur der Klassik II: Lyrik Epik, Ästhetik. Projekt Deutschunterricht Band 9. Stuttgart 1975

Lutz, B. (Hg.): Deutsches Bürgertum und literarische Intelligenz 1750–1800. Literaturwissenschaft und Sozialwissenschaften Band 3. Stuttgart 1974

Mandelkow, K.R.: Goethe in Deutschland. Rezeptionsgeschichte eines Klassikers. 2 Bände. München 1980/in Vorb.

Mandelkow, K.R.: Goethe im Urteil seiner Kritiker. Dokumente zur Wirkungsgeschichte Goethes in Deutschland. 4 Bände. München 1975/1977/1979/1984

Müller-Seidel, W.: Die Geschichtlichkeit der deutschen Klassik. Literatur und Denkformen um 1800. Stuttgart 1983

Ott, U. (Hg.): »O Freyheit! Silberton dem Ohre...«. Französische Revolution und deutsche Literatur 1789–1799. Marbacher Kataloge 44. Marbach/N. 1989

Richter, K. / Schönert, J. (Hg.): Klassik und Moderne. Die Weimarer Klassik als historisches Ereignis und Herausforderung im kulturgeschichtlichen Prozeß. Stuttgart 1983

Schlaffer, Hannelore: Wilhelm Meister. Das Ende der Kunst und die Wiederkehr des Mythos. Stuttgart 1980

Schlaffer, Heinz: Faust zweiter Teil. Die Allegorie des 19. Jahrhunderts. Stuttgart 1981

Schön, E.: Der Verlust der Sinnlichkeit und die Verwandlung des Lesers. Mentalitätswandel um 1800. Stuttgart 1987

Stephan. I.: Literarischer Jakobinismus in Deutschland. Stuttgart 1976

Ueding, G.: Klassik und Romantik. Deutsche Literatur der Französischen Revolution 1789–1815. Hansers Sozialgeschichte der deutschen Literatur Band 4. München, Wien 1987

Vormärz

Adler, H. (Hg.): Literarische Geheimberichte. Protokolle der Metternich-Agenten. 2 Bände. Köln 1977/78

Adler, H.: Soziale Romane im Vormärz. Literatursemiotische Studien. München 1980

Bock, H. u.a.: Streitpunkt Vormärz. Beiträge zur Kritik bürgerlicher und revisionistischer Erbeauffassungen. Berlin (Ost) 1977

Denkler, H.: Restauration und Revolution. Politische Tendenzen im deutschen Drama zwischen Wiener Kongreß und Märzrevolution. München 1973

Deuchert, N.: Vom Hambacher Fest zur badischen Revolution. Politische Presse und Anfänge deutscher Demokratie 1832–1848/49. Stuttgart 1983

Estermann, A.: Die deutschen Literaturzeitschriften 1815–1850. Bibliographien, Programme, Autoren. 10 Bände. Nendeln 1978–1981

Feudel, W.: Lyrik im deutschen Vormärz. Halle 1985

Hinderer, W. (Hg.): Geschichte der politischen Lyrik in Deutschland. Stuttgart 1978

Hohendahl, P.U.: Literarische Kultur im Zeitalter des Liberalismus 1839–1870. München 1985

Höhn, G.: Heine-Handbuch. Zeit, Person, Werk. Stuttgart 1987

Köster, U.: Literatur und Gesellschaft in Deutschland 1830–1848. Die Dichtung am Ende der Kunstperiode. Stuttgart 1984

McInnes, E.: Das deutsche Drama des 19. Jahrhunderts. Berlin 1983

Minder, R.: Deutsche und französische Literatur – inneres Reich und Einbürgerung des Dichters. In: Kultur und Literatur in Deutschland und Frankreich. Frankfurt/M. 1962

Möhrmann, R.: Die andere Frau. Emanzipationsansätze deutscher Schriftstellerinnen im Vorfeld der Achtundvierziger Revolution. Stuttgart 1977

Obenaus, S.: Literarische und politische Zeitschriften 1830–1848. Stuttgart 1986

Pech, K.-U. (Hg.): Kinder- und Jugendliteratur vom Biedermeier bis zum Realismus. Stuttgart 1985

Reisner, H.P.: Literatur unter der Zensur. Die politische Lyrik des Vormärz. Stuttgart 1975

Rosenberg, R.: Literaturverhältnisse im deutschen Vormärz, München 1975

Ruckhäberle, H.-J. (Hg.): Frühproletarische Literatur. Die Flugschriften der deutschen Handwerksgesellenvereine in Paris 1832–1839. Kronberg 1977

Seidler, H.: Österreichischer Vormärz und Goethezeit. Geschichte einer literarischen Auseinandersetzung. Wien 1982

Sengle, F.: Biedermeierzeit. Deutsche Literatur im Spannungsfeld zwischen Restauration und Revolution 1815–1848. 3 Bände. Stuttgart 1971/72/80

Stein, P.: Epochenproblem Vormärz. Stuttgart 1974

Steinecke, H.: Romantheorie und Romankritik in Deutschland. 2 Bände. Die Entwicklung des Gattungsverständnisses von der Scott-Rezeption bis zum programmatischen Realismus. Stuttgart 1975/76

Weigel, S.: Flugschriftenliteratur 1848 in Berlin. Geschichte und Öffentlichkeit einer volkstümlichen Gattung. Stuttgart 1979

Werner, H.G.: Geschichte des politischen Gedichts in Deutschland von 1815 bis 1840. Berlin (Ost) 1969

Wülfing, W.: Schlagworte des Jungen Deutschland. Berlin 1982

Realismus und Gründerzeit/ Im Zeichen des Imperialismus

Anz, Th.: Literatur der Existenz. Literarische Psychopathographie und ihre soziale Bedeutung im Expressionismus. Stuttgart 1977

Anz, Th./Stark, M. (Hg.): Expressionismus. Manifeste und Dokumente zur deutschen Literatur 1910–1920. Stuttgart 1982

Aust, H.: Literatur des Realismus. Stuttgart 1977

Brauneck, M.: Literatur und Öffentlichkeit im ausgehenden 19. Jahrhundert. Studien zur Rezeption des naturalistischen Theaters in Deutschland. Stuttgart 1974

Brauneck, M./Müller, Chr. (Hg.): Naturalismus. Manifeste und Dokumente zur deutschen Literatur 1880–1900. Stuttgart 1987

Brinkmann, R.: Expressionismus. Internationale Forschung zu einem internationalen Phänomen. Stuttgart 1980

Bucher, M. u.a. (Hg): Realismus und Gründerzeit. Manifeste und Dokumente zur deutschen Literatur 1848–1880. 2 Bände. Stuttgart 1975/76

Emmerich, W.: Proletarische Lebensläufe. Autobiographische Dokumente zur Entstehung der »Zweiten Kultur« in Deutschland. 2 Bände. Reinbek 1975

Fohrmann, J.: Das Projekt der deutschen Literaturgeschichte. Stuttgart 1989

Haas, W.: Die Belle Epoque. München 1967

Hagen, W.: Die Schillerverehrung in der Sozialdemokratie. Zur ideologischen Formation proletarischer Kulturpolitik vor 1914. Literaturwissenschaft und Sozialwissenschaften Band 9. Stuttgart 1977

Hamann, G./Hermand, J.: Epochen deutscher Kultur von 1870 bis zur Gegenwart. 5 Bände. Berlin 1965 ff.

Ketelsen, U.K.: Völkisch-nationale und nationalsozialistische Literatur in Deutschland 1890 bis 1945. Stuttgart 1976

Knilli, F. / Münchow, U. (Hg.): Frühes deutsches Arbeitertheater 1847–1918. Eine Dokumentation. München 1970

Kreuzer, H.: Die Boheme. Analyse und Dokumentation der intellektuellen Subkultur vom 19. Jahrhundert bis zur Gegenwart. Stuttgart 1971

Martini, F.: Deutsche Literatur im bürgerlichen Realismus 1848–1898. Stuttgart 1974

Melchinger, S.: Geschichte des politischen Theaters. 2 Bände. Frankfurt/M. 1974

Mayer, H.: Deutsche Literaturkritik. 4 Bände. Frankfurt/M. 1978

Ott, U. (Hg.): Literatur im Industriezeitalter. Marbacher Kataloge 42. 2 Bände. Marbach/N. 1987

Peschken, B./Krohn, C.D. (Hg.): Der liberale Roman und der preußische Verfassungskonflikt. Analysematerialien und Skizzen. Literaturwissenschaft und Sozialwissenschaften Band 7. Stuttgart 1976

Ruprecht, E./Bänsch, D. (Hg.): Jahrhundertwende. Manifeste und Dokumente zur deutschen Literatur 1890–1910. Stuttgart 1970

Sagarra, E.: Tradition und Revolution. Deutsche Literatur und Gesellschaft 1830–1890. München 1972

Scherer, H.: Bürgerlich-oppositionelle Literaten und sozialdemokratische Arbeiterbewegung nach 1890. Stuttgart 1974

Schlawe, F.: Literarische Zeitschriften 1885–1933. 2 Bände. Stuttgart 1965/74

Selbmann, R.: Dichterdenkmäler in Deutschland. Stuttgart 1988

Stark, M.: Für und wider den Expressionismus. Die Entstehung der Intellektuellendebatte in der deutschen Literaturgeschichte. Stuttgart 1982

Trommler, F.: Sozialistische Literatur in Deutschland. Ein historischer Überblick. Stuttgart 1976

Ueding, G.: Die anderen Klassiker. Literarische Porträts aus zwei Jahrhunderten. München 1986

Widhammer, H.: Die Literaturtheorie des deutschen Realismus. Stuttgart 1977

Zerges, K.: Sozialdemokratische Presse und Literatur. Empirische Untersuchungen zur Literaturvermittlung in der sozialdemokratischen Presse 1876 bis 1933. Stuttgart 1982

Literatur in der Weimarer Republik

Berg, J. u.a.: Sozialgeschichte der deutschen Literatur von 1918 bis zur Gegenwart. Frankfurt/M. 1980

Fähnders, W.: Proletarisch-revolutionäre Literatur der Weimarer Republik. Stuttgart 1977

Fähnders, W./Rector, M.: Linksradikalismus und Literatur. Untersuchungen zur Geschichte der sozialistischen Literatur in der Weimarer Republik. 2 Bände. Reinbek 1974

Film und revolutionäre Arbeiterbewegung in Deutschland 1918–1932. 2 Bände. Berlin 1975

Gallas, H.: Marxistische Literaturtheorie. Kontroversen im Bund proletarisch-revolutionärer Schriftsteller. Neuwied und Berlin 1971

Hörburger, C.: Das Hörspiel der Weimarer Republik. Versuch einer kritischen Analyse. Stuttgart 1975

Hoffmann, L./Hoffmann-Ostwald, D.: Deutsches Arbeitertheater 1918–1932. 2 Bände. 3. Auflage. Berlin (Ost) 1977

Kaes, A. (Hg.): Weimarer Republik. Manifeste und Dokumente zur deutschen Literatur 1918–1933. Stuttgart 1983

Klein, A. (Hg.): Aktionen, Bekenntnisse, Perspektiven. Berichte und Dokumente vom Kampf um die Freiheit des literarischen Schaffens in der Weimarer Republik. Berlin (Ost) 1966

Klein, A.: Im Auftrag ihrer Klasse. Weg und Leistung der deutschen Arbeiterschriftsteller 1918 bis 1933. Berlin (Ost) und Weimar 1972

Knopf, J.: Brecht-Handbuch. Band 1 (Theater); Band 2 (Lyrik, Prosa, Schriften). Eine Ästhetik der Widersprüche. Stuttgart 1980/84

Lethen, H.: Neue Sachlichkeit 1924–1932. Studien zur Literatur des »Weißen Sozialismus«. Stuttgart [2]1975

Mennemeier, F. N.: Modernes deutsches Drama. Kritiken und Charakteristiken. Band 1: 1918 bis 1933. München 1973

Möbius, H.: Progressive Massenliteratur? Revolutionäre Arbeiterromane 1927–1932. Stuttgart 1977

Rothe, W. (Hg.): Die deutsche Literatur in der Weimarer Republik. Stuttgart 1974

Vogt, J. u.a.: Einführung in die deutsche Literatur des 20. Jahrhunderts: Bd. 2: Weimarer Republik, Faschismus und Exil. Opladen 1977

Weimarer Republik. Ausstellungskatalog. Herausgegeben vom Kunstamt Kreuzberg, Berlin, und dem Institut für Theaterwissenschaft der Universität Köln. Berlin und Hamburg 1977

Schmitt, H. J./Schramm, G. (Hg.): Sozialistische Realismuskonzeptionen. Dokumente zum 1. Allunionskongreß der Sowjetschriftsteller. Frankfurt/M. 1974

Loewy, E. (Hg.): Exil. Literarische und politische Texte aus dem deutschen Exil 1933–1945. Stuttgart 1979

Walter, H. A.: Deutsche Exilliteratur 1933–1950. 7 Bände. Band 2: Europäisches Appeasement und überseeische Asylpraxis. Stuttgart 1984 – Band 3: Internierung, Flucht und Lebensbedingungen im Zweiten Weltkrieg. Stuttgart 1988 – Band 4: Exilpresse. Stuttgart 1978 – Weitere Bände in Vorbereitung

Winckler, L. (Hg.): Antifaschistische Literatur. 2 Bände. Kronberg/Ts. 1977

Winkler, M. (Hg.): Deutsche Literatur im Exil 1933 bis 1945. Texte und Dokumente. Stuttgart 1977

Literatur im Dritten Reich

Brenner, H.: Die Kunstpolitik des Nationalsozialismus. Reinbek 1963

Denkler, H./Prümm, K. (Hg.): Die deutsche Literatur im Dritten Reich. Themen, Traditionen, Wirkungen. Stuttgart 1976

Gittig, H.: Illegale antifaschistische Tarnschriften 1933–1945. Leipzig 1972

Loewy, E.: Literatur unterm Hakenkreuz. Das Dritte Reich und seine Dichtung. Eine Dokumentation. Frankfurt/M. 1966

Schnell, R.: Literarische Innere Emigration 1933 bis 1945. Stuttgart 1976

Schnell, R. (Hg.): Kunst und Kultur im deutschen Faschismus. Literaturwissenschaft und Sozialwissenschaften Band 10. Stuttgart 1978

Stollmann, R.: Ästhetisierung der Politik. Literaturstudien zum Subjektiven Faschismus. Stuttgart 1978

Wulf, J.: Literatur und Dichtung im Dritten Reich. Gütersloh 1964

Wulf, J.: Presse und Funk im Dritten Reich. Gütersloh 1964

Zeller, B. (Hg.): Klassiker in finsteren Zeiten 1933–1945. Marbacher Kataloge 2 Bände. Marbach/N. 1983

Die deutsche Literatur des Exils

Arnold, H. L. (Hg.): Deutsche Literatur im Exil 1933–1945. 2 Bände. Frankfurt/M. 1974/75

Dahlke, H.: Geschichtsroman und Literaturkritik im Exil. Berlin (Ost) und Weimar 1976

Durzak, M. (Hg.): Die deutsche Exilliteratur 1933 bis 1945. Stuttgart 1973

Grimm, R./Hermand, J. (H.): Exil und Innere Emigration I. Frankfurt/M. 1972

Heeg, G.: Die Wendung zur Geschichte: Konstitutionsprobleme antifaschistischer Literatur im Exil. Stuttgart 1977

Hohendahl, P.U./Schwarz, E. (Hg.): Exil und Innere Emigration II. Frankfurt/M. 1973

Schmitt, H. J. (Hg.): Die Expressionismusdebatte. Materialien zu einer marxistischen Realismuskonzeption. Frankfurt/M. 1973

Die Literatur der DDR

Albrecht, R.: Das Bedürfnis nach echten Geschichten. Zur zeitgenössischen Unterhaltungsliteratur in der DDR. Frankfurt/M., Bern, New York, Paris 1987

Behn, M.: DDR-Literatur in der Bundesrepublik Deutschland. Die Rezeption der epischen DDR-Literatur in der BRD 1961–1975. Meisenheim 1977

Blumensath, Chr./Blumensath, H.: Einführung in die DDR-Literatur. 2. überarb. u. erw. Auflage Stuttgart 1983

DDR-Handbuch. Wissenschaftliche Leitung: H. Zimmermann. Herausgegeben vom Bundesministerium für Innerdeutsche Beziehungen. 2 Bände. 3. überarb. u. erw. Auflage. Köln 1985

Dokumente zur Kunst-, Literatur- und Kulturpolitik der SED. Band 1: 1949–1970, hg. von E. Schubbe, Stuttgart 1972; Band 2: 1971–1974, hg. von G. Rüß, Stuttgart 1976; Band 3: 1975–1980, hg. von P. Lübbe, Stuttgart 1984

Emmerich, W.: Gleichzeitigkeit, Vormoderne, Moderne und Postmoderne in der Literatur der DDR. In: Bestandsaufnahme Gegenwartsliteratur (Sonderband Text + Kritik), München 1988, S. 193–211

Emmerich, W.: Kleine Literaturgeschichte der DDR. 1945–1988. Erweiterte Ausgabe. Frankfurt/M. 1989

Franke, K.: Die Literatur der DDR (Kindlers Literaturgeschichte der Gegenwart, Band 2). Dritte, erweiterte Ausgabe. Frankfurt/M. 1980

Gransow, V.: Kulturpolitik in der DDR. Berlin 1975

Greiner, B.: Literatur der DDR in neuer Sicht. Studien und Interpretationen. Frankfurt/M., Bern, New York 1986

Hanke, I.: Alltag und Politik. Zur politischen Kultur einer unpolitischen Gesellschaft. Eine Untersuchung zur erzählenden Gegenwartsliteratur in der DDR in den siebziger Jahren. Wiesbaden 1986

Herminghouse, P./Hohendahl, P.U. (Hg.): Literatur und Literaturtheorie in der DDR. Frankfurt/M. 1976

Herminghouse, P./Hohendahl, P.U. (Hg.): Literatur der DDR in den 70er Jahren. Frankfurt/M. 1983

Jäger, M.: Kultur und Politik in der DDR. Ein historischer Abriß. Köln 1982

Jarmatz, K. (Hg.): Kritik in der Zeit. Literaturkritik der DDR 1945–1975. 2. erw. Auflage. 2 Bände. Halle, Leipzig 1978

Köhler-Hausmann, R.: Literaturbetrieb in der DDR. Schriftsteller und Literaturinstanzen. Stuttgart 1984

Langenbucher, W.R./Rytlewski, R./Weyergraf, B. (Hg.): Handbuch zur deutsch-deutschen Wirklichkeit. Bundesrepublik Deutschland/Deutsche Demokratische Republik im Kulturvergleich (= Kulturpolitisches Wörterbuch). Stuttgart 1883/1988

Laschen, G.: Lyrik in der DDR. Literatur und Reflexion. Frankfurt/M. 1971

Mittenzwei, W. (Hg.): Theater in der Zeitenwende. Zur Geschichte des Dramas und des Schauspieltheaters in der DDR 1945–1968. 2 Bände. Berlin (Ost) 1972

Naumann, M. u.a.: Gesellschaft – Literatur – Lesen. Literaturrezeption in theoretischer Sicht. Berlin/Weimar 1973

Profitlich, U.: Dramatik der DDR. Frankfurt/M. 1987

Raddatz, F.J.: Traditionen und Tendenzen. Materialien zur Literatur der DDR. Erw. Ausgabe. Frankfurt/M. 1976

Scherpe, Kl./Winckler, L. (Hg.): Frühe DDR-Literatur (Argument Sonderband 149). Berlin 1987

Schivelbusch, W.: Sozialistisches Drama nach Brecht. Drei Modelle: Peter Hacks – Heiner Müller – Hartmut Lange. Darmstadt, Neuwied 1974

Schlenker, W.: Das »Kulturelle Erbe« in der DDR. Gesellschaftliche Entwicklung und Kulturpolitik 1945–1965. Stuttgart 1977

Schlenstedt, D.: Die neuere DDR-Literatur und ihre Leser. Wirkungsästhetische Analysen. Berlin (Ost) 1979; München 1980

Schmitt, H.-J. (Hg.): Einführung in Geschichte, Theorie und Funktion der DDR-Literatur. Literaturwissenschaft und Sozialwissenschaften Band 6. Stuttgart 1975

Schmitt, H.-J. (Hg.): Die Literatur der DDR. Hansers Sozialgeschichte der deutschen Literatur Band 11. München, Wien 1983

Sommer, D. u.a.: Funktion und Wirkung. Soziologische Untersuchungen zur Literatur und Kunst. Berlin, Weimar 1978

Staritz, D.: Geschichte der DDR 1949–1984. Frankfurt/M. 1984

Zimmermann, P.: Industrieliteratur der DDR. Vom Helden der Arbeit zum Planer und Leiter. Stuttgart 1984

Die Literatur der Bundesrepublik

Arnold, H.L. (Hg.): Literaturbetrieb in Deutschland. München, 2., veränd. Aufl., 1981

Arnold, H.L. (Hg.): Kritisches Lexikon zur deutschsprachigen Gegenwartsliteratur. München 1978 ff. (mit Nachlieferungen)

Batt, K.: Revolte intern. Betrachtungen zur Literatur in der Bundesrepublik Deutschland. München 1975

Baumgärtner, A.C. (Hg.): Lesen. Ein Handbuch. Wiesbaden 1974

Born, N. / Manthey, J. (Hg.): Literaturmagazin 7. Nachkriegsliteratur. Reinbek 1976

Brauneck, M. (Hg.): Autorenlexikon deutschsprachiger Literatur des 20. Jahrhunderts. Reinbek 1984

Buch, H.C. (Hg.): Literaturmagazin 4. Literatur nach dem Tod der Literatur. Reinbek 1975

Durzak, M. (Hg.): Deutsche Gegenwartsliteratur. Ausgangspositionen und aktuelle Entwicklungen. Stuttgart 1981

Endres, E.: Autorenlexikon der deutschen Gegenwartsliteratur 1945–1975. Frankfurt/M. 1975

Engelmann, B. (Hg.): VS vertraulich. 3 Bände. München 1977–1979

Geschichte der deutschen Literatur. Von den Anfängen bis zur Gegenwart. Hg. von einem Autorenkollektiv unter Leitung von A. Thalheim. Bd. 12: Geschichte der Literatur der Bundesrepublik Deutschland. Berlin (Ost) 1983

Fohrbeck, K. / Wiesand, A.J.: Der Autorenreport. Reinbek 1972

Fischer, L. (Hg.): Literatur in der Bundesrepublik Deutschland bis 1967. Hansers Sozialgeschichte der deutschen Literatur Band 10. München, Wien 1986

Glaser, H. (Hg.): Bundesrepublikanisches Lesebuch. Drei Jahrzehnte geistiger Auseinandersetzung. München, Wien 1978

Hamm, P. (Hg.): Kritik / von wem, für wen, wie. Eine Selbstdarstellung der Kritik. München 1970

Imayr, W.: Politisches Theater in Westdeutschland. Meisenheim 1977

King, Janet. K.: Literarische Zeitschriften 1945 bis 1970. Stuttgart 1974

Kröll, F.: Die Gruppe 47. Soziale Lage und gesellschaftliches Bewußtsein literarischer Intelligenz in der Bundesrepublik. Stuttgart 1977

Kröll, F.: Die Gruppe 47. Stuttgart 1979

Lattmann, D. (Hg.): Die Literatur der Bundesrepublik. Autoren, Werke, Themen, Tendenzen, seit 1945. Frankfurt/M. 1986

Lüdke, W. M. (Hg.): Nach dem Protest. Literatur im Umbruch. Frankfurt/M. 1979

Lützeler, P.M. / Schwarz, E. (Hg.): Deutsche Literatur seit 1965. Untersuchungen und Berichte. Königstein/Ts. 1980

Rutschky, M.: Erfahrungshunger. Ein Essay über die siebziger Jahre. Köln 1980

Schnell, R.: Die Literatur der Bundesrepublik. Autoren, Geschichte, Literaturbetrieb. Stuttgart 1986

Schuhmann, K.: Weltbild und Poetik. Zur Wirklichkeitsdarstellung in der Lyrik der BRD bis zur Mitte der siebziger Jahre. Berlin (Ost) und Weimar 1979

Schwenger, H.: Literaturproduktion. Stuttgart 1979

Vaterland, Muttersprache. Deutsche Schriftsteller und ihr Staat von 1945 bis heute. Berlin 1979

Wehdeking, V.C.: Der Nullpunkt. Über die Konstituierung der deutschen Nachkriegsliteratur (1945–1948) in den amerikanischen Kriegsgefangenenlagern. Stuttgart 1971

Würffel, S.B.: Das deutsche Hörspiel. Stuttgart 1978

Zürcher, G.: Trümmerlyrik. Politische Lyrik 1945 bis 1950. Kronberg/Ts. 1977

Personen-
und Werkregister

Es wurden nur Dichter und Schriftsteller
sowie die wenigen anonymen Werke der
deutschen Literatur aufgenommen. Einzelne Werke werden nur dann genannt,
wenn sie ausführlicher behandelt worden
sind.

Bildquellen